Mexique
Le Sud

John Noble
Tom Brosnahan
Scott Doggett
Susan Forsyth
Mark Honan
Nancy Keller
James Lyon

Mexique – Le Sud
3e édition française – Août 1998
Extraite et traduite de l'ouvrage *Mexico* (6th edition)

Publié par
Lonely Planet Publications
71 *bis*, rue du Cardinal-Lemoine, 75005 Paris, France
Siège social : P.O. Box 617, Hawthorn, Victoria 3122, Australie
Filiales : Oakland (Californie), États-Unis – Londres, Grande-Bretagne

Imprimé par
SNP Printing Pte Ltd, Singapour

Photographies de
Wayne Bernhardson, Scott Doggett, Mark Downey, Lee Foster, Robert Frerck/Odessey, Mario Gallatta, Rick Gerharter, Mark Honan, Dave G Houser, Jennifer Johnsen, Bonnie Kamin, Susan Kaye, Nancy Keller, James Lyon, Richard Nebesky, John Noble, Michael Pettypool, Allan A Philiba, Peter Ptschelinzew, Erin Reid, James Simmons, F. Stoppelman, Tony Wheeler

Photo de couverture : décoration murale, T. Nectoux/ASK

Traduction (partielle) de
Jean-Bernard Carillet, Pascale Haas et Dominique Lablanche

Dépôt légal
Août 1998
Précédente édition : 1996

ISBN : 2-84070-074-3
ISSN : 1242-9244

John Noble

John est originaire de la vallée de la Ribble, en Angleterre. En marge de son métier de journaliste, il a effectué de longs voyages en Europe, en Amérique du Nord, en Amérique centrale et en Asie du Sud-Est, avant de rejoindre Lonely Planet. Au Sri Lanka, à l'occasion de la remise à jour du guide éponyme, il a rencontré sa future femme, Susan Forsyth, également auteur pour Lonely Planet. John a cosigné quatre éditions du *Mexique* et a été sollicité pour les guides *Spain*, *Australie*, *Indonésie*, *USSR*, *États baltes*, *Central Asia* et *Russia, Ukraine & Belarus*. John, Susan et leurs enfants Isabella et Jack résident désormais dans le Sud de l'Espagne.

Tom Brosnahan

Originaire de Pennsylvanie, Tom a fait ses études supérieures à Boston, puis a pris la tangente. Après un voyage en Europe, il rejoint les Peace Corps, qui l'envoient en mission au Mexique. Il enseigne un temps l'anglais à Mexico puis sillonne le Mexique, le Guatemala et le Belize, écrivant des récits de voyage et des guides pour divers éditeurs. Au cours des deux dernières décennies, les vingt ouvrages qu'il a consacrés à diverses destinations se sont vendus à plus de deux millions d'exemplaires, en douze langues. Tom est l'auteur des guides LP *Turquie*, *Guatemala et Belize*, *Central America*, *Mediterranean Europe* et *New England*.

Scott Doggett

En 1983, frais émoulu de l'Université de Berkeley en Californie, Scott, bardé de ses appareils photo, s'installe au Salvador. Il entreprend ensuite des études de troisième cycle à l'université de Stanford, et effectue des reportages à Los Angeles, au Pakistan et en Afghanistan pour le compte de l'agence United Press International. Il a ensuite rejoint la rédaction du *Los Angeles Times* pendant sept ans. Pendant son temps libre, Scott collabore à plusieurs journaux et magazines. Il est l'auteur de *Travelers' Tales : Brazil*. Au moment où cet ouvrage était mis sous presse, Scott travaillait sur le guide LP *Panama*.

Susan Forsyth

Cette citoyenne de Melbourne a enseigné pendant 10 ans dans l'État du Victoria avant de partir comme coopérante au Sri Lanka, où elle rencontre son futur époux, John Noble, coauteur du présent ouvrage. Depuis, Susan a actualisé les guides *Australie*, *Indonésie*, *Mexique*, *Sri Lanka* et *Travel With Children*, a voyagé dans l'ex-URSS, a pris le temps de donner naissance à deux *güeros* (blondinets) et a travaillé sur la première édition du guide *Spain*. Depuis trois ans, elle vit avec les siens dans le Sud de l'Espagne où elle parfait ses connaissances linguistiques.

Mark Honan

Après un diplôme de philosophie, Mark a occupé un poste d'employé de bureau. Las de remplir des paperasses, Mark a fait ses valises et a entrepris un voyage de deux ans autour du monde, sac au dos, avec la vague idée de vendre le récit de son périple et des photos à son retour en Angleterre. A sa grande surprise, son souhait s'est concrétisé. Mark a rédigé les guides *Switzerland*, *Austria* et *Vienna*, et a travaillé sur les titres LP *Western Europe*, *Central America on a shoestring* et *Solomon Islands*.

Nancy Keller

Originaire du Nord de la Californie, Nancy a travaillé dans la presse pendant de nombreuses années. Elle en a connu toutes les facettes, du reportage à la rédaction en passant par la distribution. Elle est ensuite retournée à l'université pour décrocher un diplôme en journalisme en 1986, agrémentant ses études de multiples séjours sur la côte ouest du Mexique. Depuis, elle se rend régulièrement au Mexique, en Israël, en Égypte, en Europe, dans diverses îles du Pacifique Sud, en Nouvelle-Zélande et en Amérique centrale. Elle a contribué à plusieurs guides LP, dont *Central America*, *Rarotonga & the Cook Islands*, *Nouvelle-Zélande* et *Californie et Nevada*.

James Lyon

De nationalité australienne, James est sociologue de formation. Le métier de fonctionnaire ne lui convenant pas, James a été embauché comme secrétaire d'édition au bureau australien de Lonely Planet, où ses nombreux voyages ont cette fois joué en sa faveur. Après quelques années, James a eu l'occasion de mettre à jour le guide *Bali et Lombok*. Il a également contribué à la rédaction de *Californie et Nevada* et travaille actuellement à l'élaboration du guide *USA*.

Un mot des auteurs

John Noble et Susan Forsyth. Nos remerciements conjoints à : Bob Merideth et Diana Liverman de l'Université d'Arizona, et leurs amis, pour leur aide précieuse à Puerto Ángel ; l'ensemble du personnel du Buena Vista ; Marie Copozzi, de New York ; Sr González et sa famille, de la Casa González à Mexico ; Jorge, Guillermina et le personnel de Las Golondrinas ; Tom Downs et Jacqueline Volin pour leurs corrections judicieuses et leur bonne humeur ; Alex Guilbert et les cartographes pour tout le temps qu'ils ont consacré à la réalisation de superbes cartes.

Susan remercie également Ana Márquez, à Puerto Escondido ; Mari Seder, à Worcester (États-Unis) ; Jason "J Roc" Cuthbert, à Guelph (Ontario) ; Gina DeLuca, à Windsor (Ontario) ; Tangie Rowland, à Capitola (Californie) ; Sara Pope, à Aptos

(Californie) ; Jackie Jett, à Ferndale (Californie) ; Elizabeth Riley, à Capitola (Californie) ; Cathy Le Jehan, de Bretagne (France) ; Marcelino, de San Ciro de Acojta (San Luis Potosí) ; Yolanda et Ricardo, de San Miguel de Allende ; Raúl Torres Sandoval, d'Aguascalientes ; et le personnel de l'office de tourisme du Guanajuato.

Pour sa part, John exprime toute sa gratitude au personnel de la Casa de los Amigos, à Mexico ; à Paco Ramos, Carolina et Ramya, à Mexico ; au personnel des offices du tourisme du pays, dont j'ai apprécié la disponibilité et la compétence ; à Mark, Scott, Susan, Tom et Wayne, coauteurs de ce livre, avec qui ce fut un grand plaisir de collaborer ; à Sacha Pearson, qui a mené les recherches sur les thèmes spécifiques à l'Amérique du Nord ; à Margarita Guillen, pour ses éclairages sur l'argot mexicain ; à Carolyn Hubbard, qui n'a pas ménagé ses encouragements et dont la correspondance e-mail m'a été des plus agréables ; à Leonie Mugavin, pour ses renseignements sur les vols au départ d'Australie ; et à tous les voyageurs qui nous ont fait part de leurs remarques.

Scott Doggett. Les auteurs de ce livre sont loin d'être les seules personnes à avoir œuvré en faveur de la réussite de cette édition. A cet égard, je voudrais remercier tout particulièrement Caroline Liou, la responsable éditoriale, avec qui j'ai pris grand plaisir à travailler ; Carolyn Hubbard, coordinatrice éditoriale, dont l'humour et le bon sens font merveille ; Scott Summers, responsable de la production ; Alex Guilbert et son équipe de cartographes ; et les maquettistes Henia Miedzinski et Diana Nankin. Sans oublier Annette, ma fiancée, qui a dit oui...

Mark Honan. Un grand coup de chapeau à tous les voyageurs, coopérants et Mexicains, que j'ai rencontrés en chemin et qui m'ont aidé. Un merci tout particulier aux inventeurs de la Bohemia et de la Negra Modelo, deux marques de bière mexicaine que j'ai appréciées ! En revanche, je n'ai toujours pas trouvé le chili con carne (un plat qui n'est pas mexicain, au demeurant) de mes rêves...

A propos de l'ouvrage

Cet ouvrage en est à sa sixième édition. Doug Richmond, Dan Spitzer, Scott Wayne et Mark Balla sont intervenus lors des précédentes éditions.

John Noble a coordonné le travail des auteurs pour cette édition, ainsi que lors de la précédente. Il a rédigé les chapitres introductifs et la partie consacrée à Mexico. Avec Susan Forsyth, il a rédigé Oaxaca.

Scott Doggett a écrit le chapitre Les environs de Mexico et Le centre de la côte du Golfe. Tom Brosnahan s'est occupé des chapitres Tabasco et Chiapas et Yucatán. Acapulco a échu à Mark Honan. Nancy Keller et James Lyon ont aussi été mis à contribution lors de la cinquième édition, et la qualité de leur travail se retrouve dans cet ouvrage.

Un mot de l'éditeur

Jean-Noël Doan a effectué la maquette et la mise en pages de cet ouvrage avec l'aide de Philippe Maitre et de Sophie Rivoire. La coordination éditoriale a été assurée par Isabelle Muller. Que soient chaudement remerciés Michel McLeod, Sophie Le Mao et Caroline Guilleminot pour leurs contributions, diverses mais précieuses et soutenues. Merci également à Chantal Duquenoy pour sa collaboration au texte et à Christophe Corbel pour ses recherches sur Internet.

Les cartes originales ont été travaillées par Diana Nankin, Henia Miedzinski, Rini Keagy et Margaret Livingston. Leur adaptation est français a été assurée par Philippe Maitre. Sophie Rivoire s'est courageusement chargée de l'index et des recherches iconographiques, tandis que la couverture a été conçue par Caroline Sahanouk.

Les illustrations ont été dessinées par Hugh D'Andrade, Ann Jeffree, Trudi Canavan, Jacqui Saunders et Lisa Summers. Merci à Laurence Billiet pour ses recherches en amont et son aide sur le *blurb*, et à Diana Saad pour son fameux *mark-up* !

Enfin, toute notre gratitude va à Scott Summers du bureau américain, ainsi que Graham Imeson et Andy Nielson du bureau australien pour leur constante collaboration.

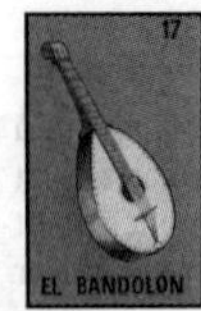

Table des matières

INTRODUCTION **13**

PRÉSENTATION DU PAYS **15**

Histoire 15
Géographie 42
Climat 43
Écologie et environnement 44
Faune et flore 45
Institutions politiques 48
Économie 49
Population et ethnies 50
Arts 51
Règles de conduite 58
Religion 59
Langue 61

RENSEIGNEMENTS PRATIQUES **62**

Préparation au voyage 62
Offices du tourisme 63
Visas et ambassades 63
Formalités complémentaires 65
Douane 66
Questions d'argent 67
Organismes à connaître 69
Poste et communications 69
Livres 72
Librairies spécialisées 76
Journaux et magazines 76
Radio et télévision 76
Photos et vidéo 77
Heure locale 77
Électricité 77
Poids et mesures 77
Santé 77
Voyager seule 85
Communauté homosexuelle 85
Voyageurs handicapés 85
Voyager avec des enfants 85
Désagréments et dangers 86
Heures d'ouvertures 87
Fêtes et jours fériés 87
Activités sportives 88
Cours et leçons 90
Travailler au Mexique 91
Hébergements 91
Alimentation 93
Boissons 98
Où sortir 100
Manifestions sportives 100
Achats 102

COMMENT S'Y RENDRE **103**

Voie aérienne 103
Voie terrestre 105
Voie fluviale 106
Taxes d'aéroport 106
Voyages organisés 106
Avertissement 107

COMMENT CIRCULER **108**

Avion 108
Bus 109
Train 110
Voiture et moto 112
En stop 114
Bateau 115
Transports locaux 115
Circuits organisés 115

MEXICO **116**

Histoire 116
Orientation 119
Renseignements 121
Centro Histórico 126
Environs du Zócalo 183
Autour de l'Alameda Central 132
Les environs de la Plaza de la República 151
Paseo de la Reforma et Zona Rosa 152
Condesa 153
Bosque de Chapultepec 153
Polanco 156
Lomas de Chapultepec 157
Tlatelolco et Guadalupe 157
San Ángel 159
Ciudad Universitaria 161
Coyoacán 163
Xochimilco et ses environs 166
Cours de langue 167
Circuits organisés 167
Manifestations annuelles 167
Où se loger 168
Où se restaurer 174
Où sortir 183
Manifestations sportives 187
Achats 188
Comment s'y rendre 190
Comment circuler 197

LES ENVIRONS DE MEXICO **202**

Au nord de Mexico **203**
Tepotzotlán 203
Tula 206
Guanajuato 209
San Miguel de Allende 220
Les environs de San Miguel 233
Querétaro 234
Acolman 242
Teotihuacán 242
Pachuca 247
Les environs de Pachuca 249
A l'est de Mexico **251**
Popocatépetl et Iztaccíhuatl 251
Tlaxcala 253

Cacaxtla et Xochitécatl 256
La Malinche 258
Huamantla 258
Puebla 258
Cholula 270
Les environs de Cholula 273
Sierra Norte de Puebla 274
Le sud de Puebla 275
Au sud de Mexico 276
Tepoztlán 276
Oaxtepec 279
Cuautla 280
Cuernavaca 282
Les environs de Cuernavaca .. 293
Taxco 293
Les environs de Taxco 301
Iguala 302
A l'ouest de Mexico 303
Toluca 303
Les environs de Toluca 306
Nevado de Toluca 306
Valle de Bravo 307
Tenango del Valle
et Teotenango 307
Tenancingo 307
Malinalco 308
Chalma 308
Ixtapan de la Sal 308

ÉTAT D'OAXACA 310

Oaxaca 313
Vallées du Centre 337
Monte Albán 339
El Tule 342
Dainzú 342
Teotitlán del Valle 343
Benito Juárez 343
Lambityeco 344
Tlacolula 344
Santa Ana del Valle 344
Yagul 344
Mitla 346
Hierve del Agua 348
San Bartolo Coyotepec 348
San Martin Tilcajete
et Santo Tomás Jalieza 348
Ocotlán 349
Ejutla 349
Arrazola 349
Cuilapan 349
Zaachila 349
Atzompa et ses environs 350
La Mixteca Alta
et la Mixteca Baja 350
Nord de l'État 352
Côte de l'État 352
Puerto Escondido 353
A l'ouest de
Puerto Escondido 362
Pochutla 364
Puerto Ángel 365
Zipolite 369
Mazunte et alentours 371
Bahías de Huatulco 374
Isthme de Tehuantepec 382
Tehuantepec 383
Salina Cruz 384
Juchitán 385

ACAPULCO ET SES ENVIRONS 387

Acapulco 387
Pie de la Cuesta 399

CENTRE DE LA CÔTE DU GOLFE 402

Tampico et la région
de la Huasteca 405
Tampico-Ciudad Madero 405
Ciudad Valles 409
Tamuín 410
Tancanhuitz 411
Aquismón 411
Xilitla 411
Tamazunchale 411
Huejutla 412
Au sud d'Huejutla 412
Nord de l'État de Veracruz ... 412
Tuxpan 412
Les environs de Tuxpan 415
Poza Rica 415
De Poza Rica à Pachuca 416
Papantla 417
El Tajín 418
Au sud de Papantla 422
Centre de l'État
de Veracruz 423
Zempoala 423
Environs de Zempoala 424
Xalapa 424
Environs de Xalapa 429
La Antigua 430
Veracruz 430
Córdoba 440
Fortín de las Flores 444
Orizaba 445
Environs d'Orizaba 448
Sud de l'État de Veracruz 448
Alvarado 448
Tlacotalpan 449
Santiago Tuxtla 449
Tres Zapotes 450
San Andrés Tuxtla 451
Catemaco 453
La côte près de Catemaco 456
Acayucan 457
San Lorenzo 457
Minatitlán
et Coatzacoalcos 458

TABASCO ET CHIAPAS 459

Tabasco 459
Villahermosa 461
Ruines de Comalcaco 471
Río Usumacinta 471
Chiapas 471
Tuxtla Gutiérrez 475
De Tuxtla Gutiérrez
à Villahermosa 482
Chiapa de Corzo 483
Cañón del Sumidero 484
San Cristóbal de
Las Casas 485
Les environs de San Cristóbal
de Las Casas 497
De San Cristóbal à Palenque .. 500
Ocosingo 501
Palenque 505
Bonampak et Yachilán 516

Comitán ... 519
Lagunas de Montebello ... 522
Motozintla ... 524
Ciudad Cuauhtémoc ... 525
Le Soconusco ... 525
Arriaga ... 525
Tapachula ... 526
Izapa ... 529
Talismán et Ciudad Hidalgo ... 530

PÉNINSULE DU YUCATAN ... 531

État de Campeche ... 534
Escárcega ... 535
Xpujil et ses environs ... 535
Campeche ... 538
De Campeche à Mérida - itinéraire court ... 545
De Campeche à Mérida - itinéraire long ... 545
État du Yucatán ... 546
Mérida ... 546
Dzibilchaltún ... 561
Progreso ... 562
Celestún ... 564
Uxmal ... 565
La route Puuc ... 570
Ticul ... 573
De Ticul à Mérida ... 575
Ruinas de Mayapán ... 576
Ruinas de Mayapán à Mérida ... 576
Hacienda Teya ... 576
Izamal ... 577
Chichén Itzá ... 577
Valladolid ... 585
Tizimín ... 588
Río Lagartos ... 589
San Felipe ... 590
Quintana Roo ... 590
Cancún ... 590
Isla Mujeres ... 601
Réserve ornithologique d'Isla Contoy ... 607
Isla Holbox ... 607
Puerto Morelos ... 608
Playa del Carmen ... 608
Cozumel ... 612
Le tour de Cozumel ... 619
Plages – De Cancún à Tulum ... 620
Tulum ... 622
De Tulum à Boca Paila et Punta Allen ... 626
Cobá ... 628
Felipe Carrillo Puerto ... 630
Xcalak et la Costa Maya ... 631
la laguna Bacalar ... 632
Chetumal ... 633
Les environs de Chetumal ... 638
Vers le Belize et le Guatemala ... 639

GLOSSAIRE ... 640

ESPAGNOL POUR LES VOYAGEURS ... 646

ANNUAIRE INTERNET ... 652

INDEX ... 654
Cartes ... 654
Texte ... 654
Encadrés ... 659

ÉTATS-UNIS
Baja California
Sonora
Chihuahua
Coahuila
Baja California Sur
Sinaloa
Nuevo León
Durango
Golfe du Mexique
Zacatecas
Tamaulipas
San Luis Potosí
Querétaro
OCÉAN PACIFIQUE
Nayarit
Guanajuato
Hidalgo
Yucatán
Aguascalientes
Jalisco
Tlaxcala
México
Quitana Roo
Michoacán
Colima
Veracruz
Puebla
Tabasco
Campeche
Distrito Federal (Mexico)
Guerrero
BELIZE
Les États du Mexique
Morelos
Oaxaca
Chiapas
0
200
400 km
GUATEMALA
HONDURAS

Légende des cartes

LIMITES ET FRONTIÈRES

Frontières internationales

Limites d'État, de département, de district

TOPOGRAPHIE

Parc

Parc national

Zone protégée nationale

HYDROGRAPHIE

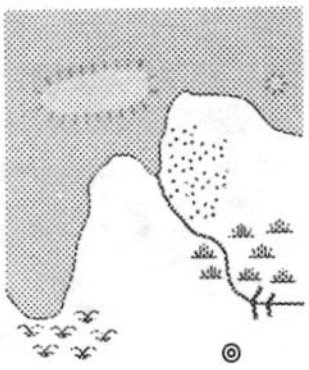

Eau
Récif
Bande côtière
Plage
Marécage
Cours d'eau, cascade
Mangrove, source

ROUTES

Autoroute

Autoroute à péage

Route principale

Route secondaire

Autre route secondaire

Route non bitumée ou piste

Sentier

Route de ferry

Ligne et station de métro

Voie de chemin de fer, gare

PANNEAUX INDICATEURS

Autoroute

Autoroute à péage

Route nationale

SYMBOLES

CAPITALE NATIONALE
Capitale d'État
Grande ville
Ville
Village

Hôtel, B&B
Camping
Caravaning
Refuge
Restaurant
Bar
Café

Aérodrome
Aéroport
Site archéologique, ruine
Banque, distributeur
Terrain de base-ball
Plage
Poste-frontière
Cathédrale
Grotte
Église
Site de plongée
Ambassade, consulat
Lieux de pêche
Passerelle
Jardin

Station-service
Terrain de golf
Hôpital, clinique
Office du tourisme
Phare
Point de vue
Mine
Mission
Monument
Montagne
Musée
Observatoire
Sens unique
Parc
Parking

Col
Aire de pique-nique
Commissariat
Piscine
Poste
Toilettes publiques
Épave
Centre commercial
Demeure
Téléphone
Tombe, mausolée
Début de sentier
Gare ou simple arrêt
Vignoble
Zoo

Note : tous les symboles ne sont pas utilisés dans cet ouvrage

Introduction

Le Mexique est un pays aux multiples facettes. Des cultures et des empires grandioses, comme les civilisations aztèques et mayas, s'y épanouirent il y a plus de mille ans. Leurs descendants – plus de cinquante ethnies distinctes, parlant chacune une langue différente – ont connu des itinéraires et des évolutions contrastés. Certains ont gardé des croyances et des modes de vie ancestraux, parallèlement à un monde qui s'est métissé et modernisé depuis la colonisation espagnole. Les ressources traditionnelles, comme l'exploitation minière, la pêche et l'agriculture, coexistent avec les industries manufacturières et les services, fruits de la modernisation. Le tourisme joue un rôle essentiel. Et partout, la grande richesse côtoie la pauvreté profonde.

La diversité du pays découle en partie de sa topographie : les nombreuses montagnes du pays ont joué un rôle de barrières naturelles et n'ont pas favorisé les contacts et les échanges entre les différentes populations indigènes. Le développement au XXe siècle des réseaux routiers et aériens, de la radio et de la télévision, qui ont relié les régions entre elles, ont favorisé l'émergence d'une conscience nationale. Pourtant, être mexicain revêt encore aujourd'hui des significations qui varient d'une région à l'autre.

La culture, la cuisine, l'artisanat, l'art et l'histoire du Mexique exercent une fascination inextinguible sur le voyageur. Explorer le Mexique, c'est traverser de vastes déserts, découvrir des volcans aux sommets enneigés, parcourir des plages envahies par une végétation tropicale, visiter des ruines antiques, des villes modernes pleines de vie, des villages coloniaux hors du temps et des stations balnéaires élégantes. L'aventure est infinie. A vous d'en exploiter les innombrables possibilités, mais si vous cherchez le "vrai" Mexique, ne vous attendez pas à avoir une seule définition.

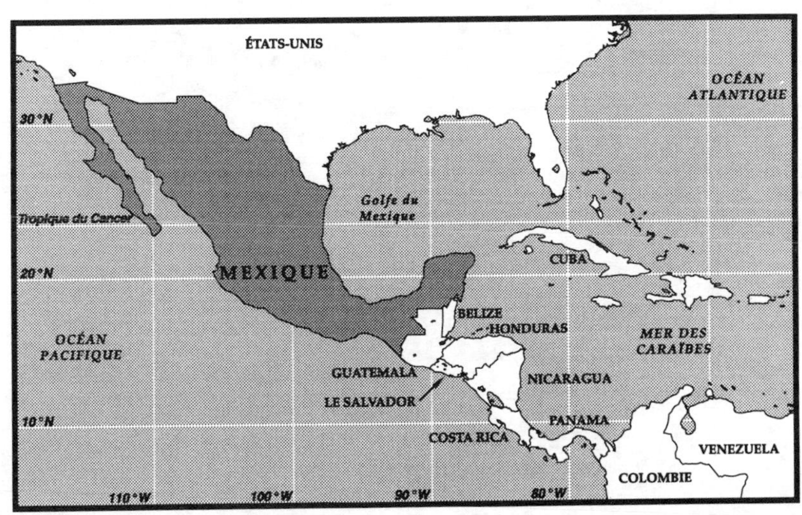

Présentation du pays

HISTOIRE

Les débuts de l'histoire du Mexique sont encore mal connus. Ses premiers habitants seraient arrivés plus de 20 000 ans avant Christophe Colomb. On sait également qu'entre 1200 av. J.-C. et 1500 se succédèrent de nombreuses civilisations complexes et florissantes. Les plus célèbres sont, bien sûr, les cultures maya et aztèque, mais le Mexique vous permettra également de découvrir les sites des mystérieux Olmèques de la côte du Golfe, ceux des Zapotèques d'Oaxaca, des guerriers Toltèques de Tula, des Totonaques au nord de Veracruz, des Tarasques de Michoacán, ainsi que la ville impériale de Teotihuacán près de Mexico.

Il est d'usage de diviser l'histoire précolombienne du Mexique en quatre grandes périodes : archaïque (avant 1500 av. J.-C.), préclassique (ou formative, de 1500 av. J.-C. à 250 ap. J.-C.), classique (de 250 à 900) et postclassique (de 900 à la chute de l'empire aztèque en 1521).

Les origines

Si l'on fait abstraction des séduisantes théories relatives à des contacts transpacifiques avec l'Asie du Sud-Est et que l'on met de côté quelques incursions vikings, au nord, les premiers habitants du continent américain vinrent probablement de Sibérie par vagues successives, pendant la dernière ère glaciaire. Cette migration, qui aurait commencé environ 60 000 av. J.-C., aurait duré jusque vers 8000 av. J.-C. Ils traversèrent un pont naturel situé aujourd'hui sous le détroit de Béring, mais qui, à l'époque, était émergé. Les premiers vestiges humains trouvés au Mexique remontent à 20 000 av. J.-C. Les hommes profitaient de la présence, dans les prairies humides des hautes vallées, de grandes hordes de mammifères.

A la fin de l'ère glaciaire, le climat se modifia, les températures s'élevèrent, les vallées s'asséchèrent et le gros gibier disparut.

Les archéologues situent les lents débuts de l'agriculture dans la vallée de Tehuacán (État de Puebla) : peu après 6500 av. J.-C, on y cultivait des piments et une sorte de courge. Puis, entre 5000 et 3500 av. J.-C., on commença à planter des hybrides d'un petit maïs sauvage et à le piler pour le consommer. A partir de 3500 av. J.-C., divers haricots et une variété de maïs de qualité supérieure permirent de vivre en quasi sédentarité dans des villages et d'abandonner progressivement les camps de chasse saisonniers. La poterie apparut vers 2300 av. J.-C.

Les Olmèques

La première civilisation mexicaine fit son apparition à proximité de la côte du Golfe, dans les basses terres humides du sud de Veracruz et de Tabasco. Les hommes qui en étaient à l'origine furent désignés, à partir des années 20, sous le nom d'Olmèques, "les gens du caoutchouc". La civilisation olmèque est célèbre pour ses "têtes", colossales sculptures de pierre mi-humaines, mi-félines, aux traits menaçants, au nez rond et retroussé et au casque étrange, mesurant jusqu'à 3 m de haut, auxquelles il est généralement fait référence sous le nom de "bébé-jaguar".

Le premier grand centre olmèque connu, San Lorenzo, situé près d'Acayucan (État de Veracruz), s'épanouit entre environ 1200 et 900 av. J.-C. Huit têtes olmèques et de nombreux autres monuments en basalte sculptés proviendraient de ce site. Le basalte était probablement traîné, roulé ou transporté par flottaison sur 60 à 80 km. La découverte d'objets provenant de régions très lointaines – obsidienne du Guatemala et des hautes terres mexicaines, par exemple – laisse supposer que San Lorenzo contrôlait les échanges commerciaux sur un vaste territoire.

Deuxième grand centre olmèque, La Venta (État de Tabasco), connut un apogée de quelques siècles jusque vers 600 av. J.-C. On y a découvert plusieurs tombes. Sur l'une d'elles, le jade fait son apparition. La Venta produisit également de nombreuses et belles sculptures dont au moins cinq têtes olmèques.

Tout laisse supposer que les sites olmèques découverts loin de la côte du Golfe étaient des comptoirs doublés de villes de garnison qui assuraient l'approvisionnement des Olmèques en jade, en obsidienne et autres matériaux précieux. Le plus impressionnant se trouve à Chalcatzingo (État de Morelos).

San Lorenzo et La Venta connurent une fin tragique et brutale. La civilisation olmèque n'en reste pas moins la civilisation-mère du Mexique. Son art, ses croyances religieuses et son organisation sociale eurent une profonde influence sur les civilisations ultérieures. D'ailleurs, les divinités olmèques – enfant-jaguar, dieux du feu et du maïs, serpent à plumes – trouveront une place dans la plupart des religions de l'ère précolombienne.

Monte Albán

Vers 300 av. J.-C., la vie sédentaire, fondée sur l'agriculture et la chasse, se développa dans la moitié sud du Mexique. Monte Albán, centre de la région d'Oaxaca dominée par les Zapotèques, comptait alors environ 10 000 habitants. Certains bas-reliefs en pierre datant de cette époque, présentent des personnages à lèvre retroussée d'inspiration olmèque.

Ils sont souvent ornés de glyphes ou de dates notées par des points et des traits. Ce système laisse penser que les élites de Monte Albán furent, très probablement, les inventeurs de l'écriture et du calendrier méso-américains.

Izapa et les premiers Mayas

Le site d'Izapa, situé près de la côte Pacifique du Chiapas, aux confins du Guatemala, revêt une importance particulière et permet de comprendre les liens existant entre les civilisations méso-américaines. En effet, celle qui s'y épanouit entre 200 av. J.-C. et 200 ap. J.-C. se caractérisait, entre autres, par des stèles dressées derrière des autels ronds et ornées de scènes mythologiques représentant des divinités de type olmèque. Ainsi, la culture izapa, qui s'étendait sur l'ancien territoire olmèque jusqu'aux hautes terres guatémaltèques, fut le trait d'union entre les civilisations olmèque et maya. Izapa et les premiers Mayas partagèrent notamment l'association stèle-autel, le calendrier au "Compte Long" (voir plus loin *L'écriture maya et le calendrier*), ainsi qu'une sculpture narrative.

En 250 de notre ère, à la fin de la période préclassique, les Mayas des basses terres – regroupant la péninsule du Yucatán et la forêt du Petén au nord du Guatemala – avaient déjà érigé des pyramides à gradins et inventé un type de toiture en fausse voûte qui caractériserait par la suite l'ère maya classique.

Teotihuacán

La première grande civilisation du Centre du Mexique apparut dans une vallée, à 50 km au nord-est du centre de Mexico. Teotihuacán fut la plus grande ville précolombienne du Mexique – 200 000 habitants à son apogée au VIe siècle – et la capitale du plus grand empire.

La construction d'une ville planifiée fut entreprise au début de notre ère. Le plus grand édifice, la Pirámide del Sol (pyramide du Soleil), deuxième pyramide du Mexique par la taille et troisième au monde, fut érigé entre la première année de notre ère et 150. Le reste de la ville, notamment la Pirámide de la Luna, presque aussi importante, fut essentiellement construit entre 250 et 600.

L'empire. Teotihuacán devint probablement la capitale d'un véritable empire après 400. A l'apogée de sa puissance, il aurait contrôlé les deux tiers des régions méridionales du Mexique, le Guatemala, Belize et une partie du Honduras et du Sal-

BONNIE KAMIN

RICHARD NEBESKY

BONNIE KAMIN

F STOPPELMAN

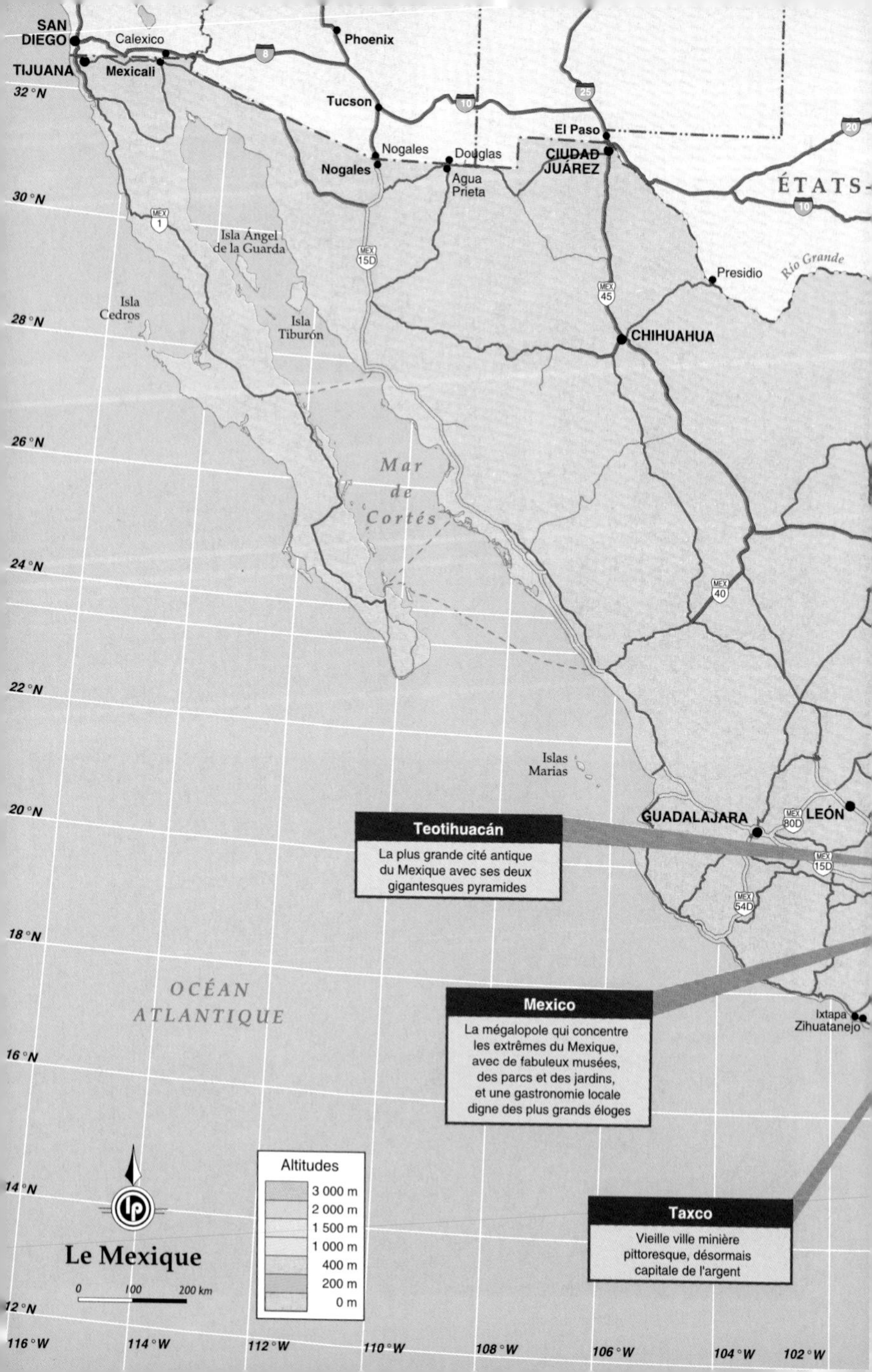

SAN DIEGO
TIJUANA
Calexico
Mexicali
Phoenix
Tucson
Nogales
Nogales
Douglas
Agua Prieta
El Paso
CIUDAD JUÁREZ
ÉTATS-
Presidio
Río Grande
Isla Ángel de la Guarda
Isla Cedros
Isla Tiburón
CHIHUAHUA
Mar de Cortés
Islas Marias
GUADALAJARA
LEÓN
Ixtapa
Zihuatanejo
OCÉAN ATLANTIQUE
Teotihuacán
La plus grande cité antique du Mexique avec ses deux gigantesques pyramides
Mexico
La mégalopole qui concentre les extrêmes du Mexique, avec de fabuleux musées, des parcs et des jardins, et une gastronomie locale digne des plus grands éloges
Taxco
Vieille ville minière pittoresque, désormais capitale de l'argent
Altitudes
3 000 m
2 000 m
1 500 m
1 000 m
400 m
200 m
0 m
Le Mexique
0
100
200 km
32 °N
30 °N
28 °N
26 °N
24 °N
22 °N
20 °N
18 °N
16 °N
14 °N
12 °N
116 °W
114 °W
112 °W
110 °W
108 °W
106 °W
104 °W
102 °W

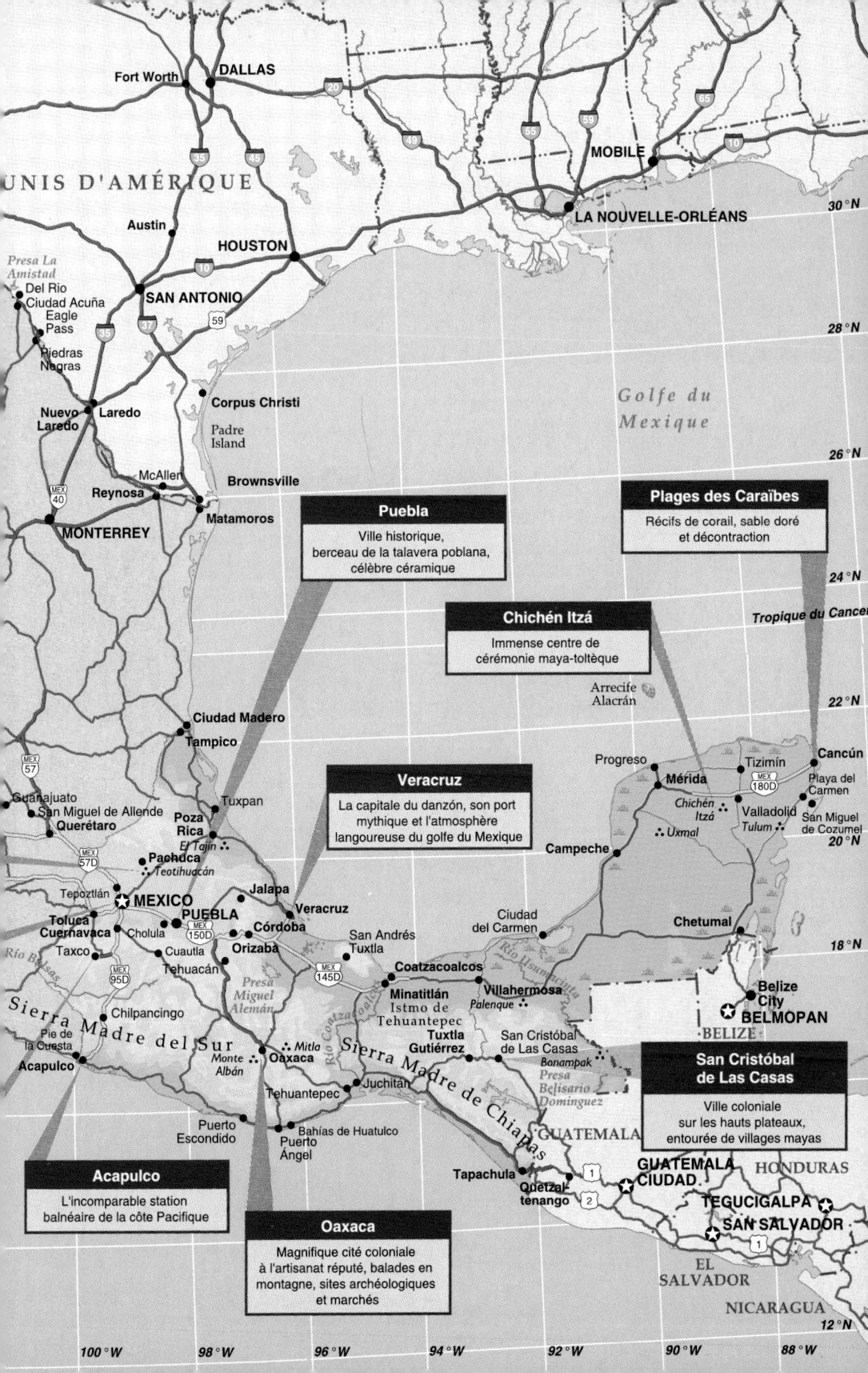

Fort Worth
DALLAS
20
65
59
55
49
10
MOBILE
35
45
UNIS D'AMÉRIQUE
30°N
LA NOUVELLE-ORLÉANS
Austin
HOUSTON
Presa La Amistad
Del Rio
Ciudad Acuña
Eagle Pass
SAN ANTONIO
37
59
28°N
Piedras Negras
Golfe du Mexique
Corpus Christi
Nuevo Laredo
Laredo
Padre Island
26°N
McAllen
Brownsville
MEX 40
Reynosa
Matamoros
MONTERREY
Puebla
Ville historique, berceau de la talavera poblana, célèbre céramique
Plages des Caraïbes
Récifs de corail, sable doré et décontraction
24°N
Chichén Itzá
Immense centre de cérémonie maya-toltèque
Tropique du Cancer
Arrecife Alacrán
22°N
Ciudad Madero
Tampico
MEX 57
Progreso
Tizimín
Cancún
Veracruz
La capitale du danzón, son port mythique et l'atmosphère langoureuse du golfe du Mexique
Mérida
MEX 180D
Playa del Carmen
Guanajuato
Tuxpan
San Miguel de Allende
Chichén Itzá
Valladolid
Querétaro
Poza Rica
El Tajín
Uxmal
Tulum
San Miguel de Cozumel
MEX 57D
Pachuca
Teotihuacán
Campeche
20°N
Tepoztlán
MEXICO
Jalapa
PUEBLA
Veracruz
Toluca
Cuernavaca
Cholula
MEX 150D
Córdoba
Ciudad del Carmen
Chetumal
Taxco
Cuautla
Orizaba
San Andrés Tuxtla
18°N
Río Balsas
Tehuacán
MEX 95D
MEX 145D
Coatzacoalcos
Río Usumacinta
Presa Miguel Alemán
Minatitlán
Villahermosa
Belize City
Sierra Madre del Sur
Chilpancingo
Istmo de Tehuantepec
Palenque
BELMOPAN
Pie de la Cuesta
Río Coatzacoalcos
Tuxtla Gutiérrez
San Cristóbal de Las Casas
BELIZE
Acapulco
Monte Albán
Mitla
Oaxaca
Sierra Madre de Chiapas
Bonampak
San Cristóbal de Las Casas
Juchitán
Presa Belisario Domínguez
Ville coloniale sur les hauts plateaux, entourée de villages mayas
Tehuantepec
Puerto Escondido
Bahías de Huatulco
Puerto Ángel
GUATEMALA
Acapulco
L'incomparable station balnéaire de la côte Pacifique
Tapachula
Quetzaltenango
1
2
GUATEMALA CIUDAD
HONDURAS
TEGUCIGALPA
SAN SALVADOR
Oaxaca
Magnifique cité coloniale à l'artisanat réputé, balades en montagne, sites archéologiques et marchés
EL SALVADOR
NICARAGUA
12°N
100°W
98°W
96°W
94°W
92°W
90°W
88°W

SCOTT DOGGETT

PETER PTSCHELINZEW

SCOTT DOGGETT

ROBERT FRERCK/ODESSEY

vador. Mais il s'agissait probablement plus de lever des tributs pour subvenir aux besoins d'une forte population, que d'une occupation extensive du territoire.

Cholula, près de Puebla, ornée d'une pyramide plus imposante encore que la pyramide du Soleil, subissait l'influence de la sphère culturelle de Teotihuacán. Les Zapotèques d'Oaxaca connurent probablement aussi l'hégémonie de Teotihuacán au moment même où leur capitale, Monte Albán – qui atteignit 25 000 habitants entre 300 et 600 – était parvenue au zénith de sa puissance.

Vers 400, des envahisseurs venus de Teotihuacán construisirent une réplique miniature de leur ville d'origine à Kaminaljuyú, au Guatemala. De là, ils rayonnèrent sur une partie du territoire maya du Petén.

La chute de Teotihuacán. Au VIIe siècle, Teotihuacán fut incendiée ; la ville, pillée et abandonnée. L'affaiblissement de l'État qui avait préludé à cette disparition était dû, semble-t-il, soit à l'émergence de pouvoirs rivaux dans le Centre du Mexique, soit à un assèchement du climat provoqué par le déboisement des reliefs voisins.

Quoi qu'il en soit, l'influence de Teotihuacán sur les cultures postérieures du Mexique précolombien fut décisive. Ainsi, de nombreuses divinités, comme le serpent à plumes Quetzalcóatl, symbole essentiel de fertilité et de vie, et Tláloc, dieu de la pluie et de l'eau, seront encore vénérées par les Aztèques un millénaire plus tard.

Les Mayas classiques

Le territoire des Mayas se divise en trois régions : au nord, la péninsule du Yucatán ; au centre, la forêt du Petén – au nord du Guatemala –, les basses terres mexicaines (à l'ouest) et le Belize (à l'est) ; au sud, les hautes terres du Guatemala et du Honduras, ainsi que la côte Pacifique du Guatemala. C'est dans les régions centrale et septentrionale que s'épanouit, entre 250 et 900 la civilisation précolombienne la plus brillante, celle des Mayas classiques.

De nombreux sites mayas classiques importants se trouvent en dehors du Mexique, notamment le plus prodigieux d'entre eux, Tikal dans la forêt du Petén.

Les villes mayas. Une cité maya typique fonctionnait comme le centre religieux, commercial et politique d'un réseau de hameaux voués à la production agricole. Elle se caractérisait par son organisation architecturale : des places entourées de hauts temples pyramidaux (généralement les tombes de souverains déifiés) et des bâtiments moins élevés, les "palais", composés d'un dédale de petites pièces. Les caractéristiques fondamentales de l'architecture maya furent les fausses voûtes, les stèles et les autels sur lesquels étaient gravées des dates, des récits ou encore de complexes représentations de personnages humains et de divinités. Des chaussées de pierre, appelées *sacbeob*, et probablement utilisées pour les cérémonies, partaient de ces places.

Les sites de la période maya classique se répartissent dans quatre zones : le Chiapas, d'une part, Río Bec, Chenes et Puuc, dans la péninsule du Yucatán, d'autre part.

Chiapas. Les principaux sites du Chiapas sont Yaxchilán, Bonampac (où furent découvertes en 1948 des peintures murales d'une grande vivacité picturale) et Palenque, que beaucoup considèrent comme le plus beau site maya. Palenque acquit une position prédominante sous le règne de Pakal, au VIIe siècle. La tombe de ce dernier, remplie de trésors inestimables, fut découverte au fond du très beau templo de las Inscripciones, en 1952.

Río Bec et Chenes. Dans l'État de Campeche, Río Bec et Chenes constituent deux sites sauvages et peu explorés. On y admirera en particulier des façades de bâtiments abondamment sculptées.

Puuc. Cette région fut le centre de la culture maya classique septentrionale. La ville la plus importante était Uxmal, au sud de l'actuelle Mérida. L'art décoratif puuc, qui atteint son apogée avec le palais du gouverneur d'Uxmal, est composé de mosaïques de pierre complexes mi-géométriques, mi-figuratives sur la partie supérieure des façades, et de représentations du serpent au nez crochu Chac, dieu du ciel et de la pluie. La façade de l'étonnant Codz Poop (palais des Masques) de Kabah, à 18,5 km au sud d'Uxmal, est ainsi décorée de plus de 300 représentations de Chac.

Autre site puuc, l'incomparable Chichén Itzá, à environ 116 km à l'est de Mérida, doit aussi beaucoup à une période plus tardive (voir le paragraphe sur les *Toltèques*, un peu plus loin).

L'art maya. L'art maya, essentiellement narratif, était élégant mais surchargé. Des stèles, finement sculptées, représentant des événements historiques et mythologiques, surgirent partout. Les potiers mayas ont réalisé de merveilleux décors sur des vaisseaux destinés à accompagner les morts dans l'autre monde.

Le jade, matériau précieux, était transformé en perles ou en fines plaques sculptées en relief.

L'écriture maya et le calendrier. Les réalisations très évoluées des Mayas de l'ère classique figurent parmi les plus importantes de l'humanité. Ils disposaient ainsi d'un système d'écriture très complexe de 300 à 500 symboles dont le déchiffrement, dans les années 80, a représenté un progrès décisif pour la connaissance de la civilisation maya.

Les Mayas affinèrent également le calendrier qu'ils partageaient avec d'autres populations précolombiennes, et qu'ils utilisaient pour enregistrer avec précision les événements terrestres et célestes. Ils pouvaient ainsi prévoir les éclipses de soleil et les mouvements de la Lune et de Vénus. Le temps se décomptait selon trois systèmes :

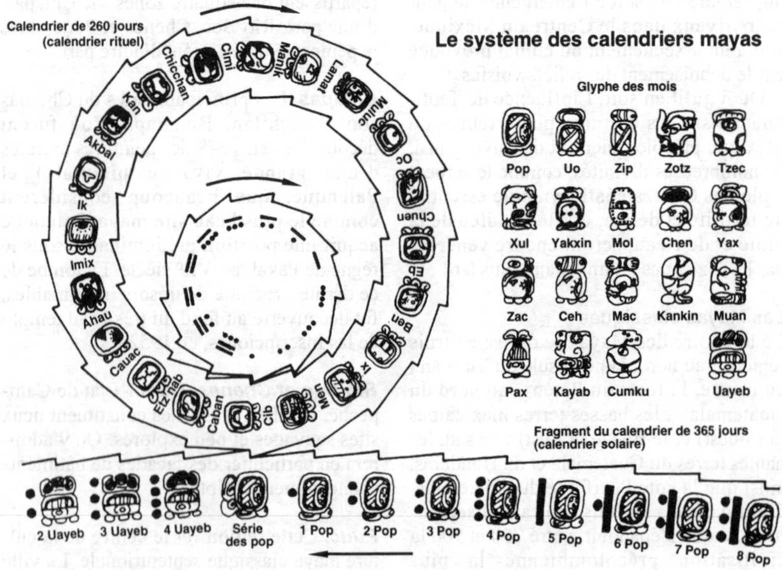

- en années sacrées (*tzolkins*) avec un calendrier de 260 jours combinant 13 périodes de 20 jours ;
- en années solaires "vagues" (*haabs*) avec un calendrier de 365 jours composé de 18 mois de 20 jours suivis d'une période "néfaste" de cinq jours, appelée Uayeb. Le dernier jour de chaque mois était considéré comme le "siège" du mois suivant, en harmonie avec la croyance des Mayas selon laquelle l'avenir influence le présent ;
- en unités d'1, 20, 360, 7 200 et 144 000 jours, selon le Compte Long.

Toutes les civilisations précolombiennes du Mexique eurent recours aux deux premiers calendriers, qui permettaient de situer avec précision une date dans une période de 52 ans appelée Tour du Calendrier. Toutefois, les Mayas furent les premiers à réellement utiliser le troisième compte, ou Compte Long, qui pouvait être prolongé à l'infini. Leurs inscriptions énuméraient les unités du Compte Long écoulées depuis le point de départ (la Création) situé le 13 août 3114 av. J.-C. Les chiffres étaient écrits en points (unité) et traits (cinq).

La religion maya. La religion imprégnait chaque facette de la vie maya. On ignore toutefois si les prêtres étaient aussi des chefs temporels. Les Mayas croyaient à la prédestination et utilisaient une astrologie complexe. Ils pratiquaient aussi des rituels – offrandes d'encens, absorption d'une boisson alcoolique, le *balche*, saignée des oreilles, de la langue ou du pénis, danses, fêtes et sacrifices – destinés à gagner la faveur des dieux.

Les Mayas de l'époque classique pratiquaient semble-t-il peu de sacrifices humains, contrairement à ceux de la période postclassique. La décapitation était probablement la méthode la plus communément utilisée. A Chichén Itzá, les victimes étaient jetées dans un profond *cenote* (puits) pour faire tomber la pluie.

Les Mayas habitaient un univers comportant un centre et quatre directions – chacune étant associée à un arbre, un oiseau et une couleur (est, rouge ; nord, blanc ; ouest, noir ; sud, jaune ; centre, vert) –, auxquels s'ajoutaient 13 niveaux de ciel et 9 mondes souterrains où descendaient les morts. Ils concevaient la terre comme le dos d'un reptile géant flottant sur une mare.

Le monde où ils vivaient n'était qu'un monde éphémère. Créations et destructions par cataclysme se succédaient alors, ce cycle continu permettant de prédire l'avenir d'après le passé.

Les principaux dieux mayas étaient Itzamná, créateur et dieu du Feu, Chac le dieu de la Pluie, Yum Kaax le dieu du Maïs et de la Végétation et Ah Puch le dieu de la Mort. Le Serpent à plumes, appelé par les Mayas Kukulcán, fut importé du centre du Mexique à l'époque postclassique. Le culte des ancêtres, des chefs temporels surtout, qui, pensait-on, descendaient des dieux, constituait un autre aspect important de la religion.

La chute des Mayas. Durant la seconde moitié du VIIIe siècle, le commerce entre les États mayas s'affaiblit et les conflits se multiplièrent. Le centre fut pratiquement abandonné au début du Xe siècle.

La population émigra en grande partie vers le nord ou les hautes terres du Chiapas. Selon les historiens, la pression démographique et les problèmes écologiques qui s'ensuivirent expliqueraient en grande partie cet effondrement.

La civilisation classique de Veracruz

Le long de la côte du Golfe, dans le centre et le nord de l'État de Veracruz, la période classique vit l'émergence d'un certain nombre de villes, politiquement indépendantes, mais partageant la même culture et appartenant toutes à la civilisation classique de Veracruz. Celle-ci se caractérise par un style sculptural abstrait, représentant des lignes incurvées et imbriquées deux par deux.

Cette civilisation semble avoir été particulièrement obsédée par le jeu de balle. A son apogée, entre 600 et 900, son principal centre, El Tajín, près de Papantla, comptait au moins onze jeux de balle.

Les Toltèques

Après le déclin de Teotihuacán, l'une des principales villes du centre du Mexique fut Xochicalco, située au sommet d'une colline à Morelos. Elle fut particulièrement marquée par l'influence maya et le culte du serpent à plumes. Il semble que le second centre temporel ait été Cholula, suivi de Tula, dans l'État d'Hidalgo, à 65 km au nord de Mexico. Tula est un toponyme répandu au Mexique, mais c'est bien cette ville que les "histoires" aztèques ultérieures décriront comme la capitale d'un grand empire régi par les Toltèques (stratèges).

Tula. Il est souvent difficile de faire la part du mythe et de la réalité dans l'histoire toltèque. On suppose que les Toltèques étaient l'une des tribus semi-civilisées du Nord du Mexique aride qui émigrèrent vers le Centre après la chute de Teotihuacán. Tula devint leur capitale au Xe siècle et atteignit 30 000 à 40 000 habitants. Ce centre religieux était principalement consacré au serpent à plumes, le dieu Quetzalcóatl. Les annales rapportent toutefois que Quetzalcóatl fut supplanté par Tezcatlipoca (Miroir fumant), nouveau dieu de la guerre et de la sorcellerie, qui exigeait régulièrement des cœurs de guerriers sacrifiés. Un roi Quetzalcóatl s'enfuit vers la côte du Golfe et partit vers l'est sur un radeau de serpents en promettant de revenir un jour.

Tula semble être devenue la capitale d'un royaume militaire qui domina le centre du Mexique. Les guerriers étaient organisés en ordres consacrés à des dieux animaux – chevaliers de l'ordre du coyote, du jaguar et de l'aigle. C'est peut-être là le début des sacrifices humains en nombre.

L'influence de Tula fut considérable. On peut le constater à Paquimé dans le Chihuahua, sur la côte du Golfe, comme à Castillo de Teayo, et dans l'ouest du Mexique. On a découvert à Tula des poteries originaires de régions aussi éloignées au sud que le Costa Rica.

Tula fut abandonnée vers le début du XIIIe siècle, apparemment détruite par les Chichimèques, hordes de pillards barbares venus du nord. Ultérieurement, l'ère toltèque sera souvent considérée comme un âge d'or.

Chichén Itzá. Les récits mayas relatent que, vers la fin du Xe siècle, la plus grande partie du nord du Yucatán avait été conquise par un Kukulcán (Serpent à plumes). Le site de Chichén Itzá, au nord du Yucatán, qui appartient partiellement à la civilisation puuc maya, présente également de fortes ressemblances avec Tula, des toits plats en poutres et maçonnerie (au lieu des toits mayas en fausse voûte) aux effrayants *chacmool*. Ces silhouettes humaines allongées, la tête tournée d'un côté, tiennent sur leur ventre des plateaux destinés à recevoir probablement des cœurs humains en offrande.

La ressemblance entre la pyramide B de Tula et le temple des Guerriers de Chichén Itzá, ainsi que les nombreuses autres similitudes entre les deux sites ne sont peut-être pas une coïncidence. Pour de nombreux historiens, les exilés toltèques envahirent le Yucatán et créèrent à Chichén Itzá une nouvelle Tula, plus importante. Pour compliquer le tout, certains spécialistes considèrent que les éléments de Chichén

Le jeu de balle

Le jeu de balle fut vraisemblablement pratiqué par toutes les cultures mexicaines précolombiennes. On a retrouvé des terrains de jeu en forme de I caractéristique dans tout le Mexique. Deux équipes adverses devaient empêcher la balle de caoutchouc de toucher le sol en la renvoyant avec les hanches, les cuisses, voire les genoux ou les coudes. Les murs latéraux généralement inclinés ne correspondaient pas à des tribunes, mais faisaient partie du terrain. Le jeu avait certainement une signification religieuse. Il semble que le score ait été interprété comme un oracle. A la fin de la rencontre, on sacrifiait un joueur, ou plusieurs, mais on ignore qui des gagnants ou des perdants avait la tête tranchée ! ■

Itzá évoquant Tula lui sont en fait *antérieurs* ; Chichén Itzá serait alors l'épicentre de cette culture, et non Tula.

Les Aztèques

L'émergence des Aztèques. D'après la légende, les Aztèques étaient le peuple élu du dieu du Soleil Huitzilopochtli. Ces nomades du nord furent guidés par leurs prêtres vers la vallée de Mexico. Ils s'installèrent sur les îles des nombreux lacs communiquant entre eux qui emplissaient alors une bonne partie de la vallée.

La capitale aztèque Tenochtitlán aurait été fondée durant la première moitié du XIVe siècle. Pendant 50 ans ou plus, les Aztèques servirent les chefs d'Azcapotzalco qui, du bord du lac, étendait son influence sur une partie des petits États rivaux de la vallée. Vers 1427, les Aztèques secouèrent le joug d'Azcapotzalco et devinrent le groupe le plus puissant de la vallée.

MICHAEL PETTYPOOL

Chacmool de Chichén Itzá

L'Empire aztèque. Au milieu du XVe siècle, les Aztèques formèrent une triple alliance avec deux autres États de la vallée, Texcoco et Tlacopan, pour faire la guerre à Tlaxcala et Huejotzingo, hors de la vallée, vers l'est. Les prisonniers alimentèrent les sacrifices qu'exigeait le dieu du Soleil Huitzilopochtli. L'empereur aztèque Ahuízotl fit ainsi sacrifier 20 000 captifs pour la consécration du Templo Mayor (Grand Temple) de Tenochtitlán, en 1487.

La triple alliance contrôlait la plus grande partie du centre du Mexique, sur une vaste région allant du golfe du Mexique au Pacifique (Tlaxcala excepté). Les 38 provinces qui constituaient l'empire devaient compter 5 millions d'habitants. L'ambition de cet empire était de se procurer les produits qui n'existaient pas à l'intérieur des frontières – jade, turquoise, coton, papier, tabac, caoutchouc, fruits et légumes des basses terres, cacao et plumes précieuses – nécessaires à la glorification de ses élites et à la subsistance des nombreux serviteurs improductifs de son État guerrier.

Le successeur d'Ahuízotl, Moctezuma II Xocoyotzin, crut – ce qui causa sa perte – que l'espagnol Hernán Cortés, qui aborda sur la côte du Golfe en 1519, était Quetzalcóatl, revenu de l'est pour réclamer son trône.

Économie et société. En 1519, Tenochtitlán-Tlatelolco comptait plus de 200 000 habitants et la vallée de Mexico plus d'un million. Cette population était soutenue par une agriculture intensive utilisant uniquement des outils de pierre et de bois, mais pratiquant l'irrigation, la culture en terrasses et l'assèchement de lacs et marais.

A la base de la société aztèque se trouvaient les *calpulli*. Rassemblant quelques dizaines à quelques centaines de familles, ils possédaient en commun la terre. Le roi disposait d'un pouvoir absolu, mais déléguait des charges importantes – prêtre ou collecteur d'impôts par exemple – à des membres des *pilli* (nobles). Les chefs militaires formaient généralement une élite de

Bottin mondain historique

Ahuízotl (-1502)
Empereur aztèque de 1486 à 1502, qui étendit l'empire.

Axayácatl
Empereur aztèque de 1469 à 1481, père de Moctezuma II Xocoyotzin.

Calles, Plutarco Elías (1877-1945)
Chef de la Révolution mexicaine, puis président du Mexique de 1924 à 1928.

Cárdenas, Cuauhtémoc (né en 1933)
Fils de Lázaro Cárdenas. Il se présenta à l'élection présidentielle de 1988, comme candidat de l'opposition. On estime que, n'étaient les frauduleuses manœuvres électorales du PRI, il l'aurait emporté. Il a été élu maire de Mexico en 1997.

Cárdenas, Lázaro (1895-1970)
Général et homme d'État, il était considéré comme un président véritablement issu du peuple ; il assuma les fonctions de président de la République de 1934 à 1940. Cárdenas mit en œuvre de grandes réformes agraires et expropria les compagnies de prospection pétrolière étrangères.

Carlota Marie Charlotte Amélie (1840-1927)
Fille du roi Leopold I de Belgique, elle épousa l'archiduc Maximilien de Habsbourg (1857), l'accompagna au Mexique en 1864 et devint impératrice. Après l'exécution de son époux en 1867, elle perdit la raison.

Carranza, Venustiano (1859-1920)
Chef du parti constitutionnaliste, il s'opposa à Pancho Villa et à Emiliano Zapata, lors de la Révolution. Président de 1917 à 1920, Carranza fit exécuter Zapata en 1919. L'année suivante, il fut renversé et assassiné.

Cortés, Hernán (1485-1547)
Voir l'encadré *Hernán Cortès, héros controversé*

Cuauhtémoc (1495-1525)
Dernier empereur aztèque, il fut vaincu puis exécuté par Cortés.

Cuitláhuac (-1520)
Empereur aztèque. Succédant à Moctezuma II Xocoyotzin en 1520, il mourut la même année.

Díaz, Porfirio (1830-1915)
Président de 1877 à 1880 puis de 1884 à 1911, Díaz est considéré comme le fondateur du Mexique moderne. Sous un régime dictatorial, le pays connut un véritable bouleversement économique : assainissement des finances, encouragement de l'agriculture et de l'industrie, mise en place d'un réseau ferroviaire. L'appel massif aux capitaux étrangers installa l'influence économique prépondérante et durable des États-Unis. Sa politique oppressive et l'absence de justice sociale provoquèrent la Révolution de 1910.

Díaz del Castillo, Bernal (1492-1581)
Capitaine de l'armée de Cortés. On lui doit l'*Histoire véridique de la conquête de la Nouvelle-Espagne par un de ses conquérants*. A la différence d'autres ouvrages similaires, l'œuvre de Díaz del Castillo, ne se borne pas à une hagiographie de Cortés. Chronique patiente et objective, sans effet de style, l'*Histoire* s'efforce de déterminer le rôle exact de chacun dans la conquête.

Echeverría, Luis (1922-)
Président du Mexique de 1970 à 1976, il accrut l'aide gouvernementale dans le domaine agricole et les services sociaux ruraux. Son administration, toutefois, fut entachée par de graves conflits sociaux et les débuts d'une corruption désastreuse.

.../...

Guerrero, Vicente (1782-1831)
L'un des chefs des derniers moments de la lutte pour l'indépendance. Président libéral, il fut destitué par le conservateur Anastasio Bustamente en 1829 et exécuté en 1831.

Hidalgo y Costilla, Miguel (1753-1811)
Prêtre criollo peu orthodoxe de Dolores, Miguel Hidalgo ne se contenta pas de remplir les devoirs religieux de son ministère. Il s'attacha également au développement économique et social de sa paroisse avec un esprit d'entreprise hors du commun. Peu apprécié des autorités espagnoles, il devint l'instigateur de la lutte pour l'indépendance en 1810, avec son célèbre *Grito*, ou appel. Il fut capturé et exécuté en 1811.

Huerta, Victoriano (1854-1916)
Chef des troupes de Madero contre les forces anti-révolutionnaires en 1913, il s'empara du pouvoir et devint l'un des dirigeants les plus impopulaires et inefficaces qu'ait connus le Mexique. Il fut contraint de démissionner en 1914.

Iturbide, Agustín de (1783-1824)
Cet officier de l'armée royaliste espagnole, dépêché pour combattre les partisans de l'indépendance menés par Guerrero, négocia avec les rebelles et proclama l'indépendance du Mexique en 1821. Il se fit proclamer empereur Agustín I du Mexique. Son règne dura moins d'un an (1822-1823).

Juárez, Benito (1806-1872)
Indien zapotèque d'Oaxaca, politicien et juriste, il mena le groupe de libéraux qui déposa Santa Anna. Il édicta ensuite des lois contre l'Église qui provoquèrent la guerre de la Réforme, qui dura trois ans. Élu président en 1861, il dirigea le pays jusqu'à l'arrivée des troupes françaises de Napoléon III et l'intronisation de l'empereur Maximilien. Après que Napoléon eut rappelé ses soldats, Juárez revint à la présidence où il resta jusqu'à sa mort.

Las Casas, Bartolomé de (1474-1566)
Prêtre et dominicain espagnol, évêque du Chiapas de 1544 à 1547. Il dénonça le système de l'*encomienda* et l'esclavage qu'il impliquait pour les indiens. Après avoir échoué à concilier les intérêts des colons, et la liberté des indiens, il rentra en Espagne pour convaincre Charles Quint. Polémiste de talent et fin politique, il sut obtenir, avec le concours d'autres théologiens, les *Leyes nuevas* (Lois nouvelles), en 1542, qui visaient à instaurer une colonisation plus humaine et à supprimer progressivement les *encomiendas*. L'opposition irréductible des colons limita cependant leur application effective, et depuis l'Espagne, où il revint définitivement en 1547, Las Casas continua la lutte en faveur des Indiens jusqu'à la fin de ses jours. Sa *Brevisima Relacíon de la destruicíon de las Indias* connut une très large diffusion en Europe.

Madero, Francisco (1873-1913)
Homme politique libéral, Madero mena le premier grand mouvement d'opposition à Díaz et parvint à le faire démissionner. Il se révéla incapable de réprimer les luttes des factions. Son mandat présidentiel (1911-1913) s'acheva devant un peloton d'exécution.

Malinche, La (Doña Marina) (1501-1550)
Maîtresse et interprète indienne de Cortés. On pense qu'elle a eu une influence considérable sur la stratégie adoptée par Cortés pour soumettre les Aztèques.

Maximilien (1832-1867)
Archiduc de Habsbourg désigné par Napoléon III pour devenir empereur du Mexique. Son règne fut de courte durée (1864-1867) et il fut contraint de se rendre aux forces de Benito Juárez. Il fut exécuté en 1867. Voir également l'encadré *L'aventure française au Mexique*.

Moctezuma I Ilhuicamina
Empereur aztèque de 1440 à 1469.

.../...

Moctezuma II Xocoyotzin (1466-1520)
Empereur aztèque de 1502 à 1520. Indécis, il ne réussit pas à repousser l'invasion espagnole menée par Cortés.

Morelos y Pavón, José María (1765-1815)
Prêtre libéral comme Hidalgo, il fut un meneur d'hommes et un stratège militaire. Il prit la tête de la révolution après l'exécution d'Hidalgo, puis fut capturé et exécuté en 1815.

Obregón, Alvaro (1880-1928)
Agriculteur éclairé, général et chef révolutionnaire, il leva une armée de Sonora pour soutenir Madero, et plus tard Carranza, mais se rebella lorsque celui-ci tenta de conserver le pouvoir illégalement. La présidence d'Obregón (1920-1924) fut marquée par la mise en œuvre de réformes révolutionnaires, surtout dans le domaine de l'éducation. Il fut assassiné en 1928.

Salinas de Gortari, Carlos (né en 1948)
Président de 1988 à 1994, Salinas fut l'instigateur d'importantes réformes économiques, mais sa dernière année au pouvoir fut assombrie par une révolte paysanne au Chiapas et l'assassinat de son successeur désigné, Luis Donaldo Colosio. Mis en cause lors de la crise du peso et soupçonné de liens avec les barons de la drogue, il perdit tout sa crédibilité après avoir quitté le pouvoir. Il s'installa alors en Irlande.

Santa Anna, Antonio López de (1794-1876)
Santa Anna destitua Iturbide en 1823 et mena onze des cinquante gouvernements qui se succédèrent durant les trente-cinq premières années de l'indépendance du Mexique. Il joua un rôle important dans les conflits avec les États-Unis au cours desquels le Mexique perdit d'énormes pans de territoires.

Victoria, Guadalupe (1786-1843)
Il combattit aux côtés d'Hidalgo et de Morelos, et contesta (en même temps que Santa Anna) la nomination d'Iturbide comme empereur du Mexique. Après le départ d'Iturbide en 1823, il devint le premier président de la république mexicaine (1824-1828).

Villa, Francisco "Pancho" (1877-1923)
Reportez-vous à l'encadré *Pancho Villa : itinéraire d'un bandit devenu révolutionnaire*.

Zapata, Emiliano (1879-1919)
Paysan indien quasiment illettré de l'État de Morelos, il devint le leader le plus politiquement radical de la Révolution, luttant essentiellement pour obtenir des réformes agraires au Mexique. Il était en désaccord non seulement avec les défenseurs conservateurs de l'ancien régime mais aussi avec leurs opposants libéraux. Après avoir gagné de nombreuses batailles dans tout le pays pendant la Révolution (dont certaines avec Pancho Villa), il tomba dans une embuscade et fut assassiné en 1919 sur l'ordre du président Carranza. Vulgaire bandit selon ses adversaires politique, Zapata fut de son vivant – et reste dans une large mesure – le héros des Indiens et des déshérités.

Zedillo Ponce de León, Ernesto (né en 1951)
Aux commandes de l'État depuis 1994, Zedillo est parvenu à faire sortir son pays de la crise monétaire et s'est attelé à la lutte contre la corruption et à la démocratisation du pays. ■

soldats professionnels appelés *tecuhtli*. Les *pochteca* étaient des marchands militarisés qui contribuaient à l'expansion de l'empire, acheminaient des produits vers la capitale et organisaient de vastes marchés quotidiens dans les grandes villes. Au bas de l'échelle sociale se trouvaient les manœuvres, les serfs et les esclaves.

Culture et religion. Tenochtitlán-Tlatelolco comptait des centaines de temples, dont le plus grand se dressait à la sortie de l'actuel Zócalo de Mexico. La principale pyramide était dédiée à Huitzilopochtli et à Tláloc, dieu de la Pluie et des Éclairs.

La culture aztèque s'inspira en grande partie des civilisations mexicaines antérieures. Les Aztèques connaissaient l'écriture, le calendrier et les livres en papier à base d'écorce. Ils observaient très attentivement les mouvements des corps célestes. De grandes cérémonies, souvent publiques, étaient célébrées par des prêtres professionnels, célibataires. Elles se composaient généralement d'offrandes, de sacrifices, de danses masquées ou de processions mettant en scène divers mythes.

Les Aztèques croyaient qu'ils vivaient dans un monde dont les prédécesseurs avaient été anéantis – dans leur cas, il s'agissait du cinquième monde. Les quatre autres s'étaient achevés par la mort du soleil, anéantissant l'humanité. Les sacrifices humains étaient censés garder le soleil en vie. Le monde des Aztèques, comme celui des Mayas, s'organisait selon quatre directions, 13 cieux et 9 enfers. Ceux qui mouraient par noyade, de la lèpre, de la goutte, d'hydropisie, d'une maladie pulmonaire ou foudroyés, partaient pour les jardins paradisiaques de Tláloc, qui les avait tués. Les guerriers sacrifiés ou morts pendant une bataille, les marchands tués au cours d'un lointain voyage et les femmes mortes pendant leurs premières couches allaient au ciel tenir compagnie au soleil. Tous les autres erraient quatre ans sous les déserts du nord, domaine du dieu de la mort Mictlantecuhtli, avant d'atteindre le neuvième enfer où ils disparaissaient.

Autres civilisations postclassiques

A la veille de la conquête espagnole, les modes de vie de la plupart des populations du Mexique présentaient de profondes ressemblances : pouvoir politique central, gouvernement, impôts, commerce et marchés y étaient très organisés. Les sociétés étaient divisées en classes qui avaient à accomplir des tâches bien spécifiques. L'agriculture était très productive, malgré l'absence d'animaux de trait, d'outils de métal et de la roue. Les tortillas de maïs et le *pozol* (gruau de maïs) constituaient l'alimentation de base. Les haricots étaient une importante source de protéines, et on cultivait des plantes très diverses : courges, tomates, piments, avocats, arachides, papayes et ananas. Parmi les aliments de luxe consommés par les élites figuraient la pintade, un chien domestique sans poil, le gibier et des boissons chocolatées. La guerre, très répandue, était souvent motivée par le besoin de faire des prisonniers pour les sacrifier ensuite.

Yucatán. L'époque "toltèque" de Chichén Itzá dura jusque vers 1200. Ensuite, la ville de Mayapán domina la plupart des cités-États du Yucatán jusqu'au XVe siècle. Le Yucatán devint alors le théâtre de querelles entre de nombreuses cités-États dont la culture prolongeait la glorieuse époque maya classique, sans égaler ses réussites.

Oaxaca. A partir de 1200, les sites restants, notamment Mitla et Yagul, passèrent sous l'influence des Mixtèques, forgerons et potiers réputés des hautes terres situées à la frontière entre Oaxaca et Puebla. Les cultures mixtèque et zapotèque se mêlèrent avant qu'une grande partie de leur territoire ne tombe aux mains des Aztèques aux XVe et XVIe siècles.

La côte du Golfe. Les Totonaques, qui auraient occupé El Tajín dans ses dernières années, s'établirent dans une grande partie de l'actuel État de Veracruz. Au nord, la civilisation huastèque, autre réseau de mini-États indépendants, s'épanouit entre 800 et 1200. Au XVe siècle, les Aztèques soumirent la plupart des régions totonaques et huastèques.

L'Ouest. Les Tarasques, qui gouvernèrent l'actuel Michoacán depuis leur capitale Tzintzuntzan, à 200 km à l'ouest de

Mexico, échappèrent à la conquête aztèque. Ils étaient d'habiles artisans et joailliers. Le feu et la lune figuraient parmi leurs principales divinités.

La conquête espagnole

La civilisation mexicaine, vieille de près de 3 000 ans, fut anéantie en deux années, de 1519 à 1521. Un minuscule groupe d'enva-

Tableau chronologique des civilisations

En italique, le site qui donne son nom à une civilsation

	Périodes historiques	Côte du Golfe du Mexique	Plateau central	Région d'Oaxaca	Mayas
	Archaïque				
-1500					
-1400	Formative				
-1300	ancienne				
-1200		OLMÈQUES			
-1100		(site de			
-1000		San Lorenzo)			
-900					
-800	Formative	OLMÈQUES			
-700	moyenne	(site de			
-600		La Venta)			
-500					
-400				*Monte Albán I*	
-300					
-200	Formative				
-100	récente				PREMIERS MAYAS
J.-C.				*Monte*	
100				*Albán II*	(site d'Izapa)
200			*Teotihuacán*		
300	Classique				
400	ancienne			ZAPOTÈQUES	
500				(*Monte Albán III*)	MAYAS CLASSIQUES
600					
700	Classique	*Veracruz*			
800	récente	(site d'El Tajín)			
900			TOLTÈQUES		
1000	Post-classique		(site de Tula)		
1100	ancienne		MIXTÈQUES		
1200			CHICHIMÈQUES		
1300	Post-classique			*Monte*	
1400	récente		AZTÈQUES	*Albán V*	
1500			(Tenochtitlán)		

hisseurs détruisit l'empire aztèque, introduisit une nouvelle religion et réduisit à l'esclavage la population, y compris ses souverains tout-puissants. Espagnols et Indiens étaient si étrangers les uns aux autres qu'ils doutaient de l'appartenance de chacun à la race humaine (le pape accorda aux Indiens le bénéfice du doute en 1537).

De cette rencontre naquit le Mexique moderne. La plupart des Mexicains sont *mestizo* (de sang indien et européen) et descendent de deux cultures. Alors que Cuauhtémoc, le dernier empereur aztèque, est aujourd'hui un héros national, Cortés, le chef des conquérants espagnols, est particulièrement détesté, et les Indiens qui l'aidèrent sont considérés comme des traîtres.

Premières expéditions. Les Espagnols étaient déjà présents dans les Caraïbes, depuis l'arrivée de Christophe Colomb en 1492. Ils avaient établi leurs principales bases sur les îles d'Hispaniola et de Cuba. Alors qu'ils cherchaient à atteindre les Indes orientales, ils se mirent en quête d'un passage vers l'ouest par la terre, mais furent distraits de leur route par de nombreux récits qui faisaient état d'or, d'argent et d'un riche empire. Des expéditions commerciales – durant lesquelles on espérait bien capturer des esclaves et découvrir de nouvelles terres – furent lancées depuis Cuba sous la direction de Francisco Hernández de Córdoba en 1517 et Juan de Grijalva en 1518. Elles ne parvinrent pas à pénétrer les terres du golfe du Mexique et elles furent repoussées par les autochtones hostiles.

En 1518, le gouverneur de Cuba, Diego Velásquez, demanda à l'espagnol Hernán Cortés de prendre la tête d'une nouvelle expédition vers l'ouest. Tandis que celui-ci rassemblait bateaux et hommes, Velásquez commença alors à douter de la loyauté de Cortés et annula l'expédition. Cortés n'en tint pas compte et appareilla le 15 février 1519 avec 11 navires, 550 hommes et 16 chevaux.

Si le machiavélisme de Cortés est légendaire, le rôle militaire et politique des Aztèques est moins connu. Leur confrontation demeure l'un des épisodes les plus singuliers de l'histoire.

Cortés et les Aztèques. Accostant d'abord à Cozumel, au large du Yucatán, les Espagnols longèrent ensuite la côte vers l'ouest jusqu'à Tabasco où ils vainquirent des Indiens hostiles. Ces derniers offrirent à Cortés vingt jeunes femmes, dont Doña Marina (La Malinche), qui devint son interprète, sa conseillère et sa maîtresse.

L'expédition fit ensuite escale dans l'actuelle Veracruz. Entre-temps, dans la capitale aztèque de Tenochtitlán, Moctezuma II, le dieu-roi aztèque, avait eu vent des rumeurs de "tours flottant sur l'eau" (les bateaux espagnols) portant des êtres à la peau claire. La foudre frappa un temple, une comète traversa le ciel, un oiseau "avec un miroir dans la tête" fut apporté à Moctezuma, qui y vit le signe des guerriers. Or, d'après le calendrier aztèque, 1519 était l'année où le dieu-roi légendaire Quetzalcóatl devait revenir de l'est. Moctezuma tenta néanmoins de dissuader Cortés de rallier Tenochtitlán en lui faisant parvenir des messages sur les difficultés dues au terrain et la présence de tribus hostiles.

Les Espagnols furent bien reçus dans les villes totonaques de Zempoala et de Quiahuiztlán, sous domination aztèque. Cortés y gagna ses premiers alliés indiens. Il s'établit ensuite à Villa Rica de Veracruz et saborda les bateaux restants pour couper court à toute tentative de retraite. Pire, abandonnant 150 hommes à Villa Rica, Cortés partit pour Tenochtitlán, à l'intérieur des terres. En chemin, il réussit à s'attirer les bonnes grâces des Indiens tlaxcalas qui devinrent ses plus précieux alliés.

Moctezuma invita finalement Cortés à le rencontrer. Il niait toute responsabilité dans l'embuscade tendue à Cholula et qui conduisit au massacre par les Espagnols d'une grande partie de ses habitants. Les Espagnols et 6 000 Indiens alliés s'approchèrent ainsi de la capitale aztèque bâtie sur une île lacustre, ville plus imposante encore que n'importe quelle cité espagnole.

Hernán Cortés, héros controversé

Le plus célèbre des conquistadores est aussi l'un des personnages les plus controversés de l'histoire mexicaine. Né en Estrémadure (Espagne) vers 1485, Hernán Cortés est envoyé, par son père à quatorze ans, au collège de Salamanque. L'enfant montre peu de goût pour les livres mais révèle, au contraire, un penchant particulier pour les armes et la vie aventureuse de soldat. En 1504, il s'embarque pour les "Indes occidentales". Il s'installe à Hispaniola (l'actuelle Haïti) et mène une vie de colon fortuné, obtenant une concession de terres *via* le système de l'*encomienda.*

Hernán Cortés

A Cuba, il rencontre le gouverneur Diego Velázquez et devient maire de la ville de Santiago del Puerto. En 1518, Velázquez lui confie la direction d'une expédition vers les côtes mexicaines mais, alerté par l'ambition de Cortés, lui en retire le commandement. C'est donc par un acte d'insubordination que Cortés débarque sur les terres mexicaines en 1519.

Son habilité politique – que d'aucuns qualifieront de machiavélisme – son sens aigu des rapports de force et ses qualités militaires hors pair s'illustrent alors dans la suite des événements. Depuis la chute de Tenochtitlán jusqu'à l'organisation d'un empire grignotant peu à peu les provinces centrales, le sud et l'ouest du Mexique, Cortés prend part méthodiquement à la conquête. Subtilité entre toutes, il réussit d'abord à gagner la confiance des Indiens, en faisant jouer à son profit les rancunes contre l'autorité dominante. Cette démarche lui permet de consolider ses alliances puis d'évincer Moctezuma et d'agir en maître autoritaire dans le pays. Aux peuples qui opposent une vive résistance, il répond par des massacres et des tueries.

Ainsi, comme l'indique Bartolomé de Las Casas dans sa *Très brève relation de la destruction des Indes*, "les Espagnols faisaient dire aux Indiens de venir se soumettre et obéir au roi d'Espagne, faute de quoi ils seraient tués ou réduits à l'esclavage".

De même, Cortés soigne l'influence dont il jouit auprès de la cour d'Espagne en dépêchant des représentants, chargés de riches présents. Sa politique lui fait gagner la faveur royale et Charles Quint lui concède le poste de gouverneur général de la Nouvelle-Espagne en 1522. Accusé de rébellion en 1527, Cortés est rappelé en Espagne devant le conseil des Indes, la cour souhaitant en effet conserver la haute main sur le Nouveau Monde. Il doit même répondre d'une accusation de meurtre sur sa femme et de l'empoisonnement d'envoyés royaux. Perdant sa fonction de gouverneur de la Nouvelle-Espagne, il obtient cependant titres et droits seigneuriaux importants au Mexique.

De retour au Mexique en 1530, Cortés se consacre à l'exploitation de ses terres et lance quelques tentatives d'exploration du Pacifique. Il rentre en Espagne en 1540 et participe au siège d'Alger par Charles Quint l'année suivante. Il mène grande vie mais perd tout crédit, devant répondre de multiples procès.

Le conquistador mourra isolé à Castilleja de la Cuesta près de Séville en 1547. Ses restes seront envoyés à Mexico où ils reposent toujours. ■

Le 8 novembre 1519, Moctezuma , porté par des nobles dans une litière au dais de plumes et d'or, vint à la rencontre de Cortés sur l'une des chaussées qui reliait Tenochtitlán au rivage du lac. Les Espagnols furent logés – comme il convient pour des dieux – dans l'ancien palais d'Axayácatl, le père de Moctezuma.

Bien qu'entretenus avec faste, les Espagnols se sentaient prisonniers. Certains chefs aztèques conseillèrent à Moctezuma de les attaquer, mais l'empereur restait indécis. Les Espagnols le prirent alors en otage pour garantir leur sécurité. Moctezuma, pour qui Cortés était un dieu, empêcha son peuple de réagir violemment, en prétendant qu'il se trouvait là de son propre gré. Mais des voix hostiles s'élevèrent dans la ville et la destruction des idoles aztèques par les Espagnols ne fit qu'envenimer la situation.

La chute de Tenochtitlán. Après que les Espagnols eurent séjourné six mois à Tenochtitlán, Moctezuma annonça à Cortés qu'une autre flotte avait accosté sur la côte de Veracruz. Elle était menée par Pánfilo de Narváez, envoyé par Diego Velásquez pour arrêter Cortés. Ce dernier laissa 140 Espagnols sous le commandement d'Alvarado, à Tenochtitlán, et se hâta vers la côte avec le reste de ses hommes. Ils mirent en déroute les troupes de Narváez, bien plus importantes. La plupart des soldats vaincus rejoignirent alors les troupes de Cortés.

Pendant leur absence, la confrontation redoutée depuis longtemps éclata à Tenochtitlán. Craignant apparemment une attaque, les Espagnols, dirigés par Pedro de Alvarado, tuèrent environ 200 nobles aztèques, au cours d'une fête. Cortés et ses troupes pénétrèrent dans la capitale aztèque. Ils furent autorisés à rejoindre leurs camarades et affrontèrent la plus violente attaque qu'ils aient jamais subie.

Coincé dans le palais d'Axayácatl, Cortés persuada Moctezuma d'apaiser ses sujets. L'empereur sortit sur le toit pour parler à la foule, mais fut blessé par des projectiles et mourut peu après. Une autre version des faits prétend que des Espagnols l'auraient tué.

Les Espagnols s'enfuirent dans la nuit du 30 juin 1520, mais plusieurs centaines d'entre eux, ainsi que des milliers de leurs alliés indiens, furent massacrés au cours de la *Noche Triste* (triste nuit). Les survivants furent accueillis à Tlaxcala, où ils préparèrent une nouvelle campagne en construisant des bateaux en pièces détachées, afin de les acheminer à travers la montagne pour attaquer Tenochtitlán par la mer. Quand les 900 Espagnols entrèrent à nouveau dans la vallée de Mexico, ils étaient accompagnés de 100 000 autochtones. Pour la première fois, les chances étaient de leur côté.

Moctezuma fut remplacé par son neveu, Cuitláhuac, qui mourut de la variole, introduite au Mexique par l'un des soldats de Narváez. Il eut pour successeur un autre neveu âgé de 18 ans, Cuauhtémoc. L'assaut commença en mai 1521. Cortés rasa Tenochtitlán, bâtiment après bâtiment, pour ouvrir un terrain à ses chevaux et ses canons. Le 13 août 1521, les dernières résistances furent vaincues. Cuauhtémoc, capturé, demanda à Cortés de le tuer sur-le-champ, ce qui lui fut refusé.

L'ère coloniale

Le système de l'encomienda. Les Espagnols établirent leur quartier général à Coyoacán, sur la rive méridionale du lac, et reconstruisirent Tenochtitlán, qui devint la capitale de la Nouvelle-Espagne.

En 1524, la presque totalité de l'empire aztèque, ainsi que quelques régions avoisinantes, dont Colima, les régions huastèque et tehuantépèque, se retrouvèrent sous contrôle espagnol.

Pour récompenser ses soldats, Cortés leur accorda des *encomiendas* ou droit de lever des tributs et de faire travailler les Indiens. En retour, ils étaient censés "civiliser" et évangéliser "leurs" Indiens. En réalité, le système se limitait, le plus souvent, à les réduire à l'état d'esclaves. Pendant toute la fin du XVIe siècle, la royauté espagnole s'attacha, généralement avec succès, à contrôler les conquistadores, auxquels l'Espagne craignait d'abandonner un tel pouvoir. Au XVIIe siècle, le nombre des encomiendas s'était considérablement réduit (en partie en raison d'une diminution importante de la population indienne) et le système fut aboli au XVIIIe siècle.

Nueva España. En 1527, le roi d'Espagne institua la première *audiencia* de la Nouvelle-Espagne, haute cour dotée des pouvoirs administratif et judiciaire. Son chef, Nuño de Guzmán, fut l'un des dirigeants les plus corrompus et cruels qu'ait connu l'histoire du Mexique. Guzmán se lança ainsi dans une conquête sanglante de l'ouest du Mexique, de Michoacán à Sonora. Il fut finalement rappelé en Espagne.

La deuxième audiencia (1530-1535) ramena un peu d'ordre. Le roi désigna Antonio de Mendoza comme premier vice-roi de la Nueva España. Mendoza, qui assuma cette charge pendant 15 ans, donna à la colonie la stabilité dont elle avait tant besoin, limita l'exploitation des Indiens, encouragea l'évangélisation et assura des revenus réguliers à la Couronne espagnole.

Le Yucatán, pour sa part, fut soumis dans les années 1540 par deux hommes portant tous deux le nom de Francisco de Montejo. Toute la moitié sud du Mexique, de même que l'Amérique centrale conquise dans les années 1520 par les forces espagnoles depuis le Mexique et le Panama, passaient ainsi aux mains des Espagnols. La vaste "frontière chichimèque", située au nord d'une ligne tracée entre Tampico et Guadalajara et habitée par de farouches semi-nomades, restait le seul territoire non assujetti. La découverte d'importants gisements d'argent à Zacatecas, au milieu des années 1540, suivie peu après par l'ouverture d'autres mines à Guanajuato, San Luis Potosí et Pachuca, incitèrent les Espagnols à accélérer la pacification du Nord. Ils n'y parvinrent que dans les années 1590, lorsqu'ils offrirent aux Chichimèques nourriture et vêtements en échange d'un retour à la paix.

La Nueva España, gouvernée par le vice-roi depuis Mexico, couvrait ces régions septentrionales jusqu'à la frontière du Panama, au sud. Si, en 1700, elle incluait officiellement les îles des Caraïbes et les Philippines, en pratique, ces régions du monde ainsi que l'Amérique centrale disposaient d'un gouvernement séparé.

Les frontières nord furent peu à peu étendues par les missionnaires et les colons. Au début du XIXe siècle, la Nueva España comprenait également la plupart des États américains actuels (Texas, Nouveau-Mexique, Arizona, Californie, Utah et Colorado) même si leur contrôle demeurait encore fragile.

Indiens et missionnaires. Malgré les efforts de l'évêque Zumárraga et du vice-roi Mendoza, la situation des peuples inféodés se détériora rapidement, en raison des mauvais traitements infligés par les colons, mais aussi de l'introduction par les Espagnols de nouvelles maladies. La population indienne de la Nueva España passa de 25 millions au moment de la conquête à 1 million en 1605.

Les seuls véritables alliés des Indiens étaient les quelques missionnaires chrétiens débarqués en Nueva España dès 1523. Les franciscains et les dominicains firent preuve d'un grand courage en protégeant les Indiens des exactions des colons. Un frère dominicain, Bartolomé de Las Casas, persuada le roi d'édicter de nouvelles lois dans les années 1540 pour les protéger. Mais elles suscitèrent une quasi-rébellion des chefs des encomiendas et ne furent jamais appliquées. L'activité missionnaire favorisa également l'expansion du contrôle espagnol sur le Mexique. En 1560, les missionnaires avaient construit plus de 100 monastères, et suscité des millions de conversions. L'esclavage des Indiens fut aboli sous le deuxième vice-roi, Luis de Velasco, dans les années 1550. Il fut partiellement remplacé par l'esclavage des Noirs. Le travail forcé dans les encomiendas s'acheva également, mais le *cautequil*, nouveau système de 45 jours de travail annuel obligatoire fut instauré pour tous les Indiens. Les Espagnols en abusèrent largement jusqu'à son abolition un demi-siècle plus tard.

Les criollos. Du XVIe au XIXe siècle, la place de chacun dans la société était déterminée par la couleur de sa peau et son lieu de naissance. Bien que part infime de la population du Mexique, les Espagnols péninsulaires, ou *gachupines*, se retrouvèrent au sommet de l'échelle socio-économique, et automatiquement considérés comme des nobles, aussi humble qu'ait été leur statut en Espagne.

Venaient ensuite les *criollos*, ou créoles, nés au Mexique de parents espagnols. Au XVIIIe siècle, certains criollos parvinrent à bâtir une fortune dans les mines, le commerce, l'élevage et l'agriculture (les *haciendas*, gigantesques propriétés terriennes, firent leur apparition dès le début du XVIe siècle). Par ailleurs, ils souhaitaient acquérir un pouvoir politique à la mesure de leur richesse.

Sous les criollos se trouvaient les *mestizos* et, tout en bas de l'échelle, venaient les Indiens et les Africains. A peine payés pour leur travail, la plupart des pauvres étaient des *peones*, des paysans liés par une dette à leurs employeurs. Quant aux Indiens, ils étaient toujours contraints de payer un tribut à la Couronne d'Espagne.

Le roi Charles III (1759-1788), conscient de la menace que représentait pour la Nueva España l'expansion britannique et française en Amérique du Nord, chercha à renforcer son contrôle sur la colonie afin d'augmenter les fonds qu'elle pouvait apporter à la Couronne. Il réforma l'administration coloniale et expulsa les jésuites – soupçonnés de déloyauté – de tout l'empire espagnol.

Ces derniers, dont les deux tiers étaient créoles, avaient pourtant joué un rôle majeur sur le plan administratif et éducatif, ainsi que sur celui de l'évangélisation.

Poursuivant sa lutte contre la puissante Église catholique dans la Nueva España, la Couronne exigea en 1804 le transfert de nombreux fonds de l'Église dans les coffres royaux. Celle-ci fut alors contrainte d'exiger le remboursement des multiples prêts qu'elle avait octroyés, une décision qui frappa durement les criollos et favorisa la naissance d'un large mécontentement contre la Couronne. Il en résulta un chaos économique et une situation propice à la rébellion. Le cataclysme se produisit en 1808, lorsque Napoléon 1er envahit l'Espagne et obligea le roi Charles IV à abdiquer. Il mit son propre frère Joseph sur le trône. Le contrôle de l'Espagne sur la Nueva España cessa brusquement. Les rivalités entre insulaires et criollos de la colonie s'intensifièrent.

L'indépendance

La guerre d'indépendance. En 1810, un groupe de créoles installé à Querétaro commença à préparer activement une rébellion. Toutefois, le gouvernement eut vent des projets des rebelles qui durent alors agir sans tarder. Le 16 septembre 1810, Miguel Hidalgo y Costilla, prêtre de la paroisse de Dolores, convoqua ses partisans dans son église et lança un appel à la rébellion contre les Espagnols, le célèbre *Grito de Dolores*, dont le texte exact n'a jamais été retrouvé, mais dont l'esprit devait être le suivant :

> Mes enfants, une nouvelle opportunité s'offre à nous aujourd'hui. Êtes-vous prêts à la recevoir ? Voulez-vous être libres ? Voulez-vous faire l'effort de reprendre aux Espagnols honnis les terres volées à vos aïeux il y a 300 ans ? Nous devons agir immédiatement… Longue vie à la Vierge de Guadalupe ! A bas le mauvais gouvernement !

Une foule se forma, marcha rapidement sur San Miguel, Celaya et Guanajuato, massacrant les Espagnols de cette dernière. Au cours des 45 jours qui suivirent, les rebelles s'emparèrent de Zacatecas, San Luis Potosí et Valladolid (Morelia). Le 30 octobre, l'armée rebelle, qui comptait environ 80 000 hommes, défit les forces loyalistes à Las Cruces, aux alentours de Mexico, mais Miguel Hidalgo hésita à attaquer la capitale. Peu après avoir investi Guadalajara, les insoumis furent repoussés vers le nord par les troupes espagnoles qui arrêtèrent et exécutèrent les chefs rebelles, dont Hidalgo en 1811.

José María Morelos y Pavón, ayant fait ses études dans un collège dirigé par Hidalgo et prêtre lui aussi, prit alors le commandement des forces rebelles. Il les

L'aventure française au Mexique

1858-1861
Guerre entre libéraux et conservateurs mexicains.
1861
Victoire des libéraux, menés par Benito Juárez, et soutenus par les États-Unis. Juárez suspend le paiement de la dette mexicaine. Les principaux créanciers (la France, l'Espagne et l'Angleterre) s'accordent pour une expédition militaire commune.
1862
Ayant obtenu satisfaction, l'Espagne et l'Angleterre se retirent. Napoléon III, poussé par des exilés mexicains conservateurs et surtout par le duc de Morny, décide de poursuivre seul les hostilités. L'idée de fonder sur le continent américain un empire latin et catholique séduit l'empereur et son épouse espagnole Eugénie de Montijo.
5 mai 1862
Défaite française à Puebla.
30 avril 1863
64 hommes de la Légion étrangère résistent à 2 000 Mexicains pendant 9 heures à Camaron (francisé en Camerone). Cet épisode est encore célébré aujourd'hui par la Légion.
Mai 1863
Les Français occupent Mexico. Napoléon III, soucieux de se rapprocher de l'Autriche, obtient d'une assemblée de notables conservateurs mexicains qu'elle offre à Maximilien, frère de l'empereur François-Joseph, la couronne impériale du Mexique.
12 juin 1864
Après un long délai de réflexion, Maximilien fait son entrée à Mexico avec son épouse, la princesse Charlotte, fille de Léopold Ier, roi des Belges.
1864-1867
Bien que libéral et désireux de se concilier ses nouveaux sujets, Maximilien ne peut empêcher la grande majorité des Mexicains de se regrouper autour de Juárez, nettement favorisé par un réflexe nationaliste. La stabilité du début de son règne est uniquement due à la supériorité militaire des Français. Le renversement de la conjoncture internationale en 1867 lui sera fatal : la fin de la guerre de Sécession et les menaces que la Prusse fait peser sur la France, poussent Napoléon III à retirer le corps expéditionnaire.

Seul, Maximilien – qui refuse de fuir – est rapidement vaincu. Capturé par Juárez en mai 1867, il sera exécuté le 19 juin. ■

ramena à Mexico, qu'elles assiégèrent durant plusieurs mois. Pendant ce temps, il réunit un congrès de représentants à Chilpancingo, qui adopta divers principes généraux, dont l'abolition de l'esclavage, l'élimination des monopoles royaux, le suffrage universel pour les hommes et la souveraineté populaire. Morelos fut capturé en 1815 et ses forces dispersées en plusieurs bandes de guerrillas, dont la plus efficace était dirigée par Vicente Guerrero, dans l'État d'Oaxaca.

L'empereur Agustín I. Des affrontements sporadiques se poursuivirent jusqu'en 1821, date à laquelle le vice-roi Agustín de Iturbide abandonna l'Espagne et conspira avec les rebelles pour déclarer l'indépendance. Avec Guerrero, il mit au point en septembre 1821 un compromis appelé plan d'Iguala. Ce dernier prévoyait "trois garanties" : la primauté de l'Église catholique, une monarchie constitutionnelle et l'égalité des droits entre créoles et Espagnols péninsulaires. Le plan fut accepté par toutes les factions et déboucha, en 1821, sur la signature par le vice-roi espagnol du traité de Córdoba accordant l'indépendance du Mexique. Iturbide, qui avait pris le commandement de l'armée, se fit proclamer empereur en 1822.

La République mexicaine

Iturbide fut déposé en 1823 par une armée rebelle menée par un autre militaire stratège, le général Antonio López de Santa Anna. Une nouvelle constitution fut rédigée en 1824, établissant une république fédérale de 19 États et de 4 territoires. Guadalupe Victoria, qui s'était battu pour l'indépendance du Mexique, en devint le premier président.

Les frontières méridionales du pays étaient les mêmes qu'aujourd'hui, l'Amérique centrale ayant mis en place une fédération séparée en 1823. Au nord, le Mexique s'étendait sur un territoire équivalent à celui de la Nueva España, englobant la presque totalité de ce qui est maintenant le Sud-Ouest des États-Unis.

Vicente Guerrero se présenta, comme candidat libéral, aux élections présidentielles de 1828, mais fut battu. Il finit toutefois par obtenir le pouvoir après une nouvelle révolte menée par le général Antonio López de Santa Anna. Guerrero fit abolir l'esclavage mais il fut déposé, puis exécuté, par le vice-président conservateur Anastasio Bustamante. La lutte entre les libéraux, favorables aux réformes sociales, et les conservateurs, marqua la vie politique mexicaine du XIXe siècle.

Santa Anna. Héros national, après avoir défait une petite armée d'invasion espagnole à Tampico, en 1829, Santa Anna renversa Bustamante et devint président en 1833. Son arrivée au pouvoir marqua le début de vingt-deux années d'instabilité politique, au cours desquelles la présidence changea de mains trente-six fois, dont onze en sa faveur. Récession économique et corruption devinrent endémiques et Santa Anna pencha très vite pour le conservatisme. Sa mégalomanie est restée légendaire. En 1842, notamment, il fit exhumer sa jambe amputée et momifiée (perdue dans une bataille contre les Français en 1838), et la fit parader dans les rues de Mexico.

Santa Anna est également célèbre pour avoir concédé une part importante du Mexique aux États-Unis. Les colons nord-américains installés au Texas, d'abord bien accueillis par les autorités mexicaines, mais qui supportaient de moins en moins leur férule, déclarèrent l'indépendance du Texas en 1836. Santa Anna, à la tête d'une armée, assiégea une vieille mission, appelée Alamo, à San Antonio, et écrasa ses défenseurs. Néanmoins, il fut lui-même mis en déroute à la rivière de San Jacinto, quelques semaines plus tard. L'indépendance du Texas fut alors reconnue par les États-Unis, mais non par le Mexique.

En 1845, le congrès américain vota l'annexion du Texas et le président James Polk exigea une portion supplémentaire du territoire mexicain. Cette décision déclencha la guerre mexicano-américaine (1846) qui aboutit à la prise de Mexico par les troupes américaines. A la fin de la guerre, les Mexicains signèrent le traité de Guadalupe Hidalgo (1848) qui cédait aux Américains le Texas, la Californie, l'Utah, le Colorado, la majeure partie du Nouveau-Mexique et l'Arizona. Ruiné par la guerre, le gouvernement de Santa Anna décida de vendre d'autres terres. En 1853, le gouvernement américain négocia l'achat Gadsden et paya au Mexique 10 millions de dollars pour les dernières terres du Nouveau-Mexique et l'Arizona. Cette vente déclencha la révolution d'Ayutla, menée par les libéraux et qui renversa Santa Anna en 1855.

Le Mexique perdit également la majorité de la péninsule du Yucatán, lors de la soi-disant guerre des Castes, au cours de laquelle les Indiens mayas se révoltèrent contre leurs chefs créoles et réussirent pratiquement à les chasser de la péninsule.

Juárez et l'intervention française. Pour plus de détails, reportez-vous à l'encadré *L'aventure française au Mexique*. Aussitôt la menace française écartée, Juárez mit au point un programme de réformes de l'économie et de l'enseignement. Le système éducatif fut complètement remanié et, pour la première fois, l'école devint obligatoire. On édifia une ligne de chemin de fer entre Mexico et Veracruz. Une police rurale, les *rurales*, fut créée pour protéger le transport de marchandises dans le pays.

Le Porfiriato. Juárez mourut en 1872. Lorsque son successeur, Sebastián Lerdo de Tejada, se présenta une nouvelle fois aux élections, en 1876, Porfirio Díaz, un libéral ambitieux originaire d'Oaxaca, organisa une rébellion en prétextant que les présidents ne pouvaient pas assumer plus d'un mandat. L'année suivante, Díaz, candidat unique, remporta les élections présidentielles et gouverna le Mexique pendant les 33 années qui suivirent. Renonçant momentanément à la présidence en 1881, en accord avec le plan qu'il avait lui-même mis en place, il revint au pouvoir en 1884 pour assumer le premier des six mandats connus sous le nom de Porfiriato. Au nom

L'épopée des Barcelonnettes
Située dans les Alpes de Haute-Provence, la ville française de Barcelonnette a connu au XIXe siècle un important mouvement d'émigration vers le Mexique.

En 1821, trois jeunes gens, les frères Arnaud, quittent la vallée de Barcelonnette pour tenter leur chance au Mexique. A Mexico, ils ouvrent un commerce de confection à l'enseigne de "El Cajón de ropa de las siete puertas". En 1845, deux employés de l'entreprise rentrent alors au pays, avec en poche 50 000 piastres, soit l'équivalent de 250 000 francs or. Cette fortune hantant alors toutes les imaginations déclenchera sur plus d'un siècle un vaste courant d'émigration, dans toute la vallée de l'Ubaye : on estime à 4 000 personnes le nombre de migrants entre 1870 et 1914. Très localisé, ce mouvement ne débordera pas les cantons de Barcelonnette et de Saint-Paul sur Ubaye. Pratiquant une étroite solidarité, la colonie fonde alors un véritable empire commercial, non seulement dans l'industrie du coton et de la laine, mais aussi dans celles du papier, des conserves, des brasseries et des banques. Un groupe de Barcelonnettes achètera ainsi la banque "Londres, Mexico et Amérique du Sud" qui aura le privilège de l'émission des billets pour l'ensemble du Mexique. La Révolution mexicaine, la Première Guerre mondiale et le changement des mentalités auront pourtant raison de cette émigration qui se ralentira petit à petit.

Tous ces Barcelonnettes eurent en commun, outre leur origine paysanne, un profond attachement à leur terre natale et une volonté d'y finir leur jours "fortune faite". Rentrés au pays, de nombreux "Américains" comme on les appelle encore dans la vallée, se firent construire ces somptueuses villas qui donnent aujourd'hui un cachet si particulier à Barcelonnette. ■

du slogan "ordre et progrès", Díaz fit entrer le Mexique dans l'ère industrielle. Des bâtiments et des ouvrages publics furent construits dans tout le pays, principalement à Mexico. Le téléphone et le télégraphe furent installés, et des câbles sous-marins posés. La stabilité et la prospérité du Mexique attira des capitaux extérieurs.

Díaz débarrassa le pays des guerres civiles qui l'avaient ravagé pendant plus de soixante ans, mais la Paz Porfiriana (paix) avait un prix : opposition politique, élections libres et liberté de la presse furent interdites. Quantité de ressources mexicaines passèrent aux mains de propriétaires étrangers. Les paysans se virent spoliés de leurs terres par de nouvelles lois ; les ouvriers devaient supporter des conditions de travail iniques et le pays était maintenu sous la férule d'une armée répressive et d'une force de police rurale. Terre et richesse devinrent la propriété d'une petite minorité. Certaines haciendas s'étendaient sur des territoires à perte de vue – Don Luis Terrazas, dans l'État septentrional de Chihuahua, possédait quelque 14 000 km^2 – et les propriétaires jouissaient d'un pouvoir politique important.

A l'aube du XXe siècle, une opposition libérale se forma, mais dut s'expatrier aux États-Unis. En 1906, le plus important groupe d'exilés rédigea à Saint-Louis (Missouri) un manifeste libéral. Ces agissements provoquèrent des grèves dans tout le Mexique, dont certaines furent violemment réprimées, et débouchèrent, fin 1910, sur la Révolution mexicaine.

La Révolution mexicaine

La Révolution ne se limita pas à une lutte entre oppression et liberté, mais se caractérisa essentiellement par dix années de tentatives diverses pour stabiliser des gouvernements ébranlés périodiquement par de violentes rebellions.

Madero et Zapata. En 1910, Francisco Madero, libéral issu d'une famille aisée de l'État de Coahuila, fit campagne pour la présidence et l'aurait probablement emporté, si Díaz ne l'avait fait jeter en prison. A sa libération, il rédigea le plan de San Luis Potosí le 20 novembre 1910. Son appel fut entendu et la Révolution s'étendit rapidement à tout le pays. En mai, les révolutionnaires menés par Francisco "Pancho"

Villa prirent Ciudad Juárez, une ville sur la frontière américaine, en mai 1911, et obligèrent Díaz à démissionner. Madero fut élu président en novembre 1911.

Il fut cependant incapable de mettre en place un gouvernement stable et de contenir les différentes factions qui luttaient pour s'arroger le pouvoir. L'idéologie révo-

Pancho Villa : itinéraire d'un bandit devenu révolutionnaire

Pour la postérité, Francisco "Pancho" Villa est une figure emblématique de la Révolution mexicaine. Ce qu'on ignore généralement, c'est que le personnage était aussi un malfrat sans pitié, plus porté sur le vol et la bagatelle que sur les nobles causes. Né le 5 juin 1878 dans le village de Río Grande, dans le Durango, la future icône révolutionnaire – qui s'appelait alors Doroteo Arango – vécut la jeunesse ordinaire d'un paysan. Son existence connut un bouleversement spectaculaire le 22 septembre 1894, alors qu'il avait 16 ans.

Les versions diffèrent. Selon la plus répandue, Doroteo surprit un propriétaire terrien qui tentait d'abuser de sa jeune sœur de 12 ans. Il s'empara d'un pistolet et abattit l'agresseur. Par crainte des représailles, il s'enfuit dans les montagnes et prit le nom de Francisco Villa. "Pancho", comme ses comparses l'appelèrent, mena ensuite une existence de bandit et de voleur de bétail pendant seize ans.

En 1909, âgé de 31 ans, Villa vivait paisiblement du négoce – plus ou moins licite – de chevaux et de viande, dans le Chihuahua. Sollicité par le gouverneur révolutionnaire de l'État, Abraham González, pour s'opposer à la férule du dictateur Porfirio Díaz, Villa accepta et n'eut aucun mal à réunir des hommes pour combattre les troupes fédérales. La tactique de guérilla, alliée à son excellente connaissance du terrain, lui permirent de prendre le dessus sur les troupes fédérales. Lorsque Villa pénétra victorieusement dans Ciudad Juárez en mai 1911, Díaz démissionna. Élu président en novembre 1911, Francisco Madero ne put faire face aux divisions qui minaient le pays et fut renversé en 1913 par l'un de ses généraux, Victoriano Huerta.

Sous Huerta, la situation du pays ne fit qu'empirer. Après un bref exil à El Paso, aux États-Unis, Pancho Villa revint au Mexique pour lutter contre le régime de Huerta, en compagnie de trois autres chefs de file de la révolution – Zapata, Venustiano Carranza et Alvaro Obregón. Villa leva une armée de milliers de rebelles, la División del Norte et, fin 1913, il reprit une nouvelle fois Ciudad Juárez et Chihuahua. Sa victoire à Zacatecas, l'année suivante, passe pour son plus illustre fait d'armes. Les partisans de Huerta firent régner la terreur dans les campagnes en se livrant à maintes exactions, mais le dictateur dut finalement démissionner en juillet 1914. Les quatre factions révolutionnaires se divisèrent alors en deux camps avec, d'un côté, Carranza et Obregón et, de l'autre, Villa et Zapata. L'alliance entre ce dernier duo ayant du plomb dans l'aile, l'anarchie gagna le pays. Villa ne se remit jamais vraiment de sa défaite face à Obregón lors de la bataille de Celaya (1915). Carranza l'emporta finalement, et devint président en 1917.

L'histoire retiendra que Villa et ses hommes réussirent à envahir les États-Unis. Révoltés par le soutien que les Américains apportèrent aux troupes d'Obregón dans la bataille de Celaya, et par leur refus de vendre des marchandises en contrebande, les partisans de Villa ravagèrent la ville de Columbus, au Nouveau-Mexique, et massacrèrent 18 Américains. En guise de représailles, les États-Unis dépêchèrent 12 000 soldats au Mexique pour poursuivre les assaillants qui, pourtant, ne tombèrent jamais entre leurs mains.

En juillet 1920, après dix ans de lutte en faveur de la révolution et vingt-six années en lisière de la loi, Villa signa un traité de paix avec Adolfo de la Huerta, président par intérim depuis 2 mois. Villa s'engageait à déposer les armes et à se retirer dans une hacienda appelée Canutillo, à 80 km au sud de Hidalgo del Parral. Il négocia également une indemnité du gouvernement.

Il mena ensuite une existence tranquille pendant trois ans. Il fit l'acquisition d'un hôtel à Parral, partageant son temps entre les combats de coqs et ses maîtresses. Un jour, alors qu'il quittait Parral dans sa Dodge, il fut abattu par un groupe de huit hommes. L'identité des commanditaires de cet assassinat reste un mystère. A 45 ans, Pancho Villa venait d'entrer dans la légende. ■

lutionnaire était divisée entre les réformateurs libéraux, tel Madero, et les chefs nettement plus radicaux comme Emiliano Zapata. Ce paysan, originaire de Morelos, se battait avant tout pour que les terres des haciendas soient restituées aux paysans, au cri de "Tierra y libertad !" (Terre et liberté !). Madero envoya les troupes fédérales à Morelos pour démanteler les forces rebelles de Zapata. Le mouvement zapatista venait de naître. En novembre 1911, Zapata promulgua le plan d'Ayala, appelant à la restitution de toutes les terres aux paysans. Les zapatistes battirent les troupes fédérales dans le centre du Mexique. D'autres forces rebelles luttèrent pour défendre différentes causes locales, un peu partout dans le pays. Bientôt, le Mexique tout entier fut plongé dans le chaos militaire.

Huerta. En février 1913 à Mexico, deux chefs conservateurs – Félix Díaz, neveu de Porfirio, et Bernardo Reyes – furent libérés de prison. Ils entamèrent une contre-révolution qui allait aboutir à dix jours de lutte sanglante connue sous le nom de *decena trágica*, ou décade tragique. Des milliers de civils et de soldats furent tués et de nombreux bâtiments détruits. Les combats ne cessèrent qu'après l'intervention de l'ambassadeur des États-Unis au Mexique, Henry Lane Wilson, qui obtint de Victoriano Huerta, général de Madero, qu'il aide les rebelles à déposer le gouvernement de Madero. Celui-ci, ainsi que son vice-président José María Pino Suárez, furent exécutés et Huerta devint le nouveau président du Mexique.

L'action de Huerta fut totalement inefficace. Il ne réussit qu'à susciter une opposition et des dissensions encore plus importantes. En mars 1913, trois factions révolutionnaires s'unirent contre Huerta dans le cadre du plan de Guadalupe : Pancho Villa à Chihuahua, Venustiano Carranza à Coahuila et Alvaro Obregón à Sonora. Zapata et ses hommes luttaient également contre le gouvernement. La terreur régnait dans les campagnes ; les troupes de Huerta se battaient sans succès sur trois fronts, pillant et rasant de nombreux villages. Huerta dut démissionner le 8 juillet 1914.

Constitutionnalistes contre radicaux. Carranza réunit tous les chefs révolutionnaires, lors d'une conférence à Aguascalientes, dans l'espoir de former un nouveau gouvernement. Au lieu de cela, une nouvelle guerre civile éclata. Cette fois, les partisans d'Obregón et Carranza – les "Constitutionnalistes" dont la capitale était Veracruz – durent s'opposer aux troupes de Villa et de Zapata. Ces deux derniers, malgré leur rencontre restée célèbre à Mexico, ne parvinrent jamais à former une alliance et la guerre prit un caractère de plus en plus anarchique. Villa ne se remit jamais de sa défaite devant Obregón, lors de la grande bataille de Celaya (1915). Carranza finit par l'emporter et forma un gouvernement qui fut reconnu par les États-Unis. Une nouvelle constitution fut promulguée en 1917.

La révolution se poursuivit, en particulier dans le Morelos où les zapatistes exigeaient davantage de réformes sociales. Carranza fit assassiner Zapata le 10 avril 1919 à Chinameca. L'année suivante, Obregón se retourna contre Carranza et, avec le soutien des leaders de l'opposition, Sonorans Adolfo de la Huerta et Plutarco Elías Calles, il leva une armée et fit assassiner Carranza. Les dix années de violente guerre civile ont entraîné la mort de 1,5 à 2 millions de vies humaines – soit près d'un Mexicain sur huit – et ruiné le pays.

De la Révolution à la Seconde Guerre mondiale

Obregón et Calles. Le président Alvaro Obregón (1920-1924) s'attaqua à la reconstitution nationale. Plus de cent écoles rurales furent construites et une partie des terres appartenant aux gros propriétaires furent redistribuée aux paysans. Le ministre de l'Éducation, José Vasconcelos, commanda la décoration d'importants édifices publics aux meilleurs peintres muralistes du Mexique, tels que Diego Rivera, David Alfaro Siqueiros et José Clemente

Affaires de famille – addenda à la saga Salinas

Début 1995, Raúl Salinas de Gortari, frère de l'ex-président Carlos, fut accusé d'avoir commandité l'assassinat de José Francisco Ruiz Massieu. Ce dernier avait été marié à la sœur de Raúl et de Carlos. Certains prétendirent que les frères Salinas n'avaient pas accepté le divorce. D'autres avancèrent des mobiles plus graves. On évoqua les liens de Raúl avec un cartel mexicain de la drogue.

Suite à l'arrestation de Raúl, Carlos Salinas de Gortari, tenu pour responsable de la crise économique qui secoua le Mexique peu après son départ de la présidence, fit une courte grève de la faim à Monterrey, exigeant qu'Ernesto Zedillo, nouvellement élu, le réhabilite. Essuyant une fin de non-recevoir, Carlos se réfugia aux États-Unis, puis au Canada et dans les Caraïbes.

En novembre 1995, des enquêteurs helvétiques trouvèrent plus de 80 millions de dollars US sur des comptes suisses appartenant à Raúl. Ces sommes proviendraient d'un trafic d'influence avec les barons de la drogue. En 1997, les autorités mexicaines enquêtaient sur cette affaire. Raúl Salinas fut également soupçonné d'avoir participé à l'assassinat de Luis Donaldo Cardoso en 1994.

Pendant ce temps, Carlos avait refait surface en Irlande, un pays sans accord d'extradition avec le Mexique. Carlos fut également soupçonné de s'être livré à un trafic d'influence avec les barons de la drogue, bien qu'il s'en défende, comme son frère.

L'affaire alla plus loin. En avril 1997, des magistrats recueillirent un témoignage laissant entendre que Carlos Salinas aurait couvert son frère dans l'assassinat de Ruiz Massieu. Si l'on en croit une version des faits bien commode, les frères Salinas, leur sœur, leur père, Ruiz Massieu et son frère Mario auraient tous été de mèche avec les barons mexicains de la drogue.

Et Colosio, alors ? Certains affirment qu'il avait rompu avec Salinas mais n'avait pas renoncé à se présenter. Autre théorie : il aurait été victime d'un règlement de compte de la part du milieu. Sans exclure une troisième hypothèse, selon laquelle les caciques du PRI, que la perspective d'un "Monsieur Propre" à la tête de l'État mexicain inquiétait, l'auraient éliminé. ■

Orozco, sur des thèmes d'inspiration sociale et historique.

Plutarco Elías Calles, qui succéda à Obregón en 1924, ouvrit 2 000 écoles rurales et distribua des terres aux petits paysans. Il prit aussi des mesures contre le pouvoir de l'Église, comme la fermeture de tous les monastères et couvents, l'expulsion des prêtres et religieuses étrangers et l'interdiction des processions. Ces mesures drastiques provoquèrent la sanglante Rebellión Cristero, qui dura jusqu'en 1929.

A la fin du mandat de Calles en 1928 Obregón fut à nouveau élu, mais assassiné peu après par un Cristero. Calles rassembla alors ses partisans en fondant le Parti national révolutionnaire (Partido Nacional Revolucionario, ou PNR), le premier parti politique véritablement organisé du Mexique, dont le sigle devait subir de nombreux avatars.

Cárdenas. En 1934, Lázaro Cárdenas, ancien gouverneur du Michoacán, remporta les élections présidentielles avec l'appui du PNR et poursuivit activement le programme de réformes. Durant son mandat de six ans, Cárdenas institua un système de réforme agraire de grande envergure, redistribuant près de 20 millions d'hectares, principalement par le biais des *ejidos* (propriété collective de la terre). Près d'un tiers de la population put ainsi profiter de cette répartition de la majeure partie des terres arables du Mexique. Par ailleurs, il canalisa le mouvement prolétaire au travers de la Confédération des travailleurs mexicains (Confederación de Trabajadores Mexicanos, CTM). Cárdenas s'employa également à exproprier les compagnies de prospection pétrolière étrangères (1938) et à créer la Compagnie pétrolière mexicaine (Petróleos Mexicanos, ou Pemex). Cette politique amena les investisseurs étrangers à se détourner du Mexique. L'économie en pâtit.

Il réorganisa le PNR en Parti de la Révolution mexicaine (Partido de la Revolución Mexicana, ou PRM), parti de coalition représentant quatre secteurs de la société mexicaine : agriculteurs, militaires, ouvriers et autres travailleurs.

La passation des pouvoirs de Cárdenas à Manuel Avila Camacho apparaît aujourd'hui comme l'étape décisive qui favorisa l'émergence d'un gouvernement plus conservateur après les gouvernements réformateurs qui suivirent la Révolution pendant deux décennies.

La Seconde Guerre mondiale fut l'événement marquant du mandat de Camacho (1940-1946). Pour soutenir l'effort de guerre des Alliés, il envoya des troupes mexicaines dans le Pacifique, fournit des matières premières et de la main-d'œuvre aux États-Unis. De nombreux produits manufacturés ne pouvant plus être importés furent fabriqués sur place, ce qui stimula l'industrie locale et favorisa les exportations.

Après la Seconde Guerre mondiale

Avec le développement de l'économie mexicaine, de nouveaux groupes économiques et politiques réclamèrent une part d'influence dans le parti au pouvoir (le PRM). En reconnaissance de leur participation, celui-ci fut rebaptisé Parti révolutionnaire institutionnel (El Partido Revolucionario Institucional, ou PRI.) Le boom de l'après-guerre porta Miguel Alemán Valdés à la présidence (1946-1952). Il poursuivit l'industrialisation et le développement du pays en faisant construire l'Université nationale autonome du Mexique (Universidad Nacional Autónoma de México, ou UNAM), des usines hydroélectriques et des installations d'irrigation, et en multipliant par quatre le réseau routier. Cependant, la croissance rapide des activités de la Pemex et l'émergence de nouvelles industries favorisèrent la corruption.

Le successeur d'Alemán, Adolfo Ruiz Cortínes (1952-1958), dut faire face à un nouveau problème : une croissance démographique explosive. Pendant les deux décennies précédentes, la population du Mexique avait doublé et l'exode rural commençait à se faire sentir.

Le successeur de Cortínes, Adolfo López Mateos (1958-1964) fut l'un des présidents les plus populaires de l'après-guerre. Ses réformes sociales comprenaient la redistribution de 12 millions d'hectares de terre aux petits exploitants, la nationalisation des concessions étrangères, la mise en place de programmes sociaux de santé et d'éducation. Pratiquement chaque village se vit attribuer une aide à la construction des écoles. Ces réformes étaient soutenues par une forte croissance économique, surtout dans les domaines du tourisme et des exportations.

Troubles, boom et échec

Le président Gustavo Díaz Ordaz (1964-1970), un conservateur, arriva au pouvoir grâce à un programme qui privilégiait l'économie. Sous son mandat, le pays enregistra un taux de croissance de 6% et l'éducation et le tourisme connurent un certain essor. Ordaz mit cependant sous le boisseau les libertés publiques. Il commença par destituer Carlos Madrazo, le nouveau président du PRI qui avait irrité la hiérarchie du parti en souhaitant sa démocratisation. Les étudiants de l'Université de Mexico furent les premiers à dénoncer les choix de Díaz Ordaz.

La contestation se déclara à l'Université nationale au printemps 1966 pour atteindre son point culminant en 1968 alors que se préparaient les jeux Olympiques d'été, les premiers à se tenir dans un pays en voie de développement. L'unipartisme, l'absence de liberté d'expression et le coût des jeux Olympiques figuraient parmi les principales revendications. Plus d'un demi-million de personnes se réunirent au Zócalo de Mexico le 27 août. A la mi-septembre, les troupes investirent le campus de l'université pour mettre fin à l'occupation étudiante. Le 2 octobre, juste avant les jeux, un rassemblement fut organisé à la Plaza de las Tres Culturas, à Tlatelolco. Le gouvernement envoya la police anti-émeute et des troupes armées. Plusieurs centaines de personnes trouvèrent la mort durant ses affrontements.

Le nouveau président Luis Echeverría Alvárez (1970-1976) chercha à libérer le Mexique de sa confusion politique, en redistribuant plus équitablement les richesses. Sa première cible fut le secteur agricole. Il institua de nouveaux crédits gouvernementaux, développa les cliniques de campagne, le système de sécurité sociale et le planning familial. Malgré ces actions progressistes, l'agitation civile augmentait et une insurrection éclata dans l'État de Guerrero ; la corruption qui sévissait parmi les fonctionnaires du gouvernement en était partiellement responsable.

José López Portillo (1976-1982), sut profiter de l'augmentation du prix du pétrole, après le boycott de l'OPEP. Les revenus pétroliers rapidement engrangés furent investis dans l'industrie et l'agriculture. Les banques et les institutions de prêt internationales prêtèrent au pays des milliards de dollars jusqu'à ce que, aussi soudainement, une mise excessive de pétrole sur le marché fasse plonger les cours mondiaux. Une récession sans précédent s'abattit alors sur le Mexique.

Miguel de la Madrid (1982-1988) ne réussit guère à résoudre les divers problèmes légués par ses prédécesseurs. Si la population augmentait toujours, l'économie ne progressait que faiblement, écrasée par le lourd fardeau de la dette contractée pendant le boom pétrolier et l'agitation sociale couvait.

Le tremblement de 1985, qui fit plus de 10 000 morts, détruisit des centaines de bâtiments et causa plus de 4 milliards de dollars de dommages, n'arrangea rien.

Un tel contexte économique révéla de graves divergences d'opinion, à droite comme à gauche, et même au sein du PRI. Ainsi, quelques violentes manifestations contre la fraude électorale et les manœuvres brutales dont était constamment accusé le PRI affectèrent ce dernier.

Salinas

Le mécontentement fut tel qu'il eut des répercussions sur les élections présidentielles de 1988. Cuauhtémoc Cárdenas, fils du charismatique président Lázaro Cárdenas des années 30, quitta le PRI pour mener aux élections le nouveau Front démocratique national (FDN), de centre-gauche. On estima à l'époque que la majorité des votants avaient choisi Cárdenas et non le candidat du PRI, Carlos Salinas de Gortari. Selon les premières estimations, en effet, Cárdenas semblait l'avoir emporté lorsqu'une mystérieuse panne d'ordinateur stoppa le calcul des résultats. Finalement,

Le mystère Marcos

Le 1er janvier 1994, une insurrection menée par l'armée zapatiste de libération nationale (EZLN) éclatait au Chiapas. Figure emblématique du mouvement, le *subcomandante* Marcos s'est rapidement attiré de nombreuses sympathies et, avec le temps, de multiples détracteurs. Prônant jadis un marxisme-léninisme orthodoxe, cet admirateur de Fidel Castro se pose désormais en porte-parole de la lutte contre le libéralisme occidental.

De son vrai nom Rafael Guillen, Marcos a travaillé son image de guérillero romantique (pipe, passe-montagne, Q.G. dans la forêt lacandone) et moderne (maîtrise du réseau d'Internet), a multiplié les mises en scène de ses déclarations à la presse et a organisé la Rencontre intergalactique (en 1996 à La Realidad). Aujourd'hui, c'est un personnage controversé : certains le traitent de "génial imposteur" et lui dénient le droit de parler à la place des Indiens chiapanèques démunis, d'autres continuent de l'apprécier pour son combat contre la misère et l'injustice. Toujours est-il qu'à la suite de ses interventions, l'opinion internationale s'est émue du sort des Indiens, qui se sont vus accorder la possibilité d'un dialogue avec les autorités gouvernementales. ■

Cárdenas n'obtint que 31% des votes alors qu'avec 50,7% des voix, Salinas réalisait le plus faible score du PRI.

Réformes. Salinas, qui avait fait ses études à Harvard, entreprit de remplacer l'économie étatisée et protectionniste du Mexique par l'entreprise privée et le libre-échange. Le point culminant de son programme fut l'Alena (Accord sur le libre-échange nord-américain), connu au Mexique sous le nom de TLC (Tratado de Libre Comercio). Résultat de plusieurs années de négociations, l'Alena fut conclu le 1er janvier 1994.

Salinas mit également un terme au conflit centenaire entre l'État mexicain et l'Église catholique qui, depuis 1917, n'avait plus le droit de posséder des biens fonciers, de diriger des écoles ou de publier des journaux. Le Mexique et le Vatican établirent des relations diplomatiques en 1992.

Rébellion. Néanmoins, l'opinion des Mexicains restait divisée vis-à-vis de la politique économique de Salinas. Ainsi, les craintes de ses effets sur les plus pauvres furent l'une des causes des troubles qui marquèrent la dernière année de la présidence de Salinas, avec le soulèvement de l'État du Chiapas sous l'impulsion de l'EZLN (Ejército Zapatista de Liberación Nacional). Le jour où l'Alena prit effet, un groupe de quelque 2 000 paysans indiens rebelles secouèrent le Mexique en s'emparant de San Cristóbal de Las Casas et de plusieurs autres villes. Leur volonté était de mettre fin à des décennies de spoliations agraires, de discriminations et d'un paupérisme toujours accru. Avant la Révolution déjà, une poignée de propriétaires maintenait un système quasi féodal, leur assurant richesse et pouvoir politique. Environ 150 personnes trouvèrent la mort lors du soulèvement.

Bien que l'EZLN fût chassé des villes en quelques jours, il avait touché une corde sensible chez tous les Mexicains, conscients que le système de leur pays s'opposait à tout véritable changement social ou politique et que la réforme économique défendue par Salinas ne ferait que creuser encore l'écart entre les riches et les pauvres. Les rebelles purent se réfugier dans la jungle du Chiapas. Leur exemple déclencha une agitation sociale dans toute la région : les paysans s'emparèrent de centaines de propriétés, fermes et ranchs. Le chef des rebelles, connu sous le nom de *subcomandante* Marcos, devint une sorte de héros national.

Assassinats et élections. La situation empira lorsque Luis Donaldo Colosio, l'homme choisi par Salinas pour lui succéder comme candidat présidentiel du PRI, fut assassiné à Tijuana en mars 1994. On accusa la vieille garde conservatrice du PRI, opposée à toutes les réformes économiques et politiques défendues par Salinas et Colosio. Jusqu'à présent, cependant, personne, excepté le tireur – capturé sur-le-champ et condamné par la suite à 43 ans de prison – n'a été arrêté ou inquiété.

Après le soulèvement de l'EZLN, Salinas édicta certaines réformes électorales afin d'empêcher tout possibilité de fraude (notamment les doubles votes) lors des élections présidentielles de 1994. Même si celles-ci furent les plus "régulières" qu'aient jamais connues le Mexique, un million d'électeurs découvrirent avec stupeur que leurs noms avaient disparu des listes. Le PRI remporta de nombreuses voix à la faveur de diverses corruptions, menaces, et grâce aussi à sa mainmise sur les syndicats et les organisations paysannes.

Ernesto Zedillo, le candidat du PRI âgé de quarante-trois ans et choisi pour remplacer Colosio, remporta les élections avec seulement 50% des voix.

Zedillo

La chute du peso. A la fin 1994, une série de troubles politiques et économiques, qui secouèrent le pays, laissèrent à Zedillo peu de chances de prouver que le PRI était en mesure de répondre au désir national d'une démocratie accrue. Le peso s'écroula brusquement, laissant le Mexique au bord de la banqueroute, et l'obligea à emprunter quelque 50 milliards de $US aux États-Unis et à divers groupes financiers. Si la crise fut indéniablement aggravée par l'inexpérience de Zedillo, il faut en revanche en chercher les causes dans la politique de son prédécesseur.

La chute du peso entraîna une récession qui toucha de plein fouet l'ensemble des Mexicains, fragilisant gravement la situation des plus pauvres. Les conséquences les plus marquantes furent une hausse spectaculaire de la criminalité, une défiance croissante à l'égard du PRI, et une émigration massive – le plus souvent illégale – vers les États-Unis. La politique de Zedillo a permis de mettre, assez rapidement, un terme à la récession ; cependant, le retour de la croissance tarde à se faire sentir pour de nombreuses couches de la population.

La poursuite de la rébellion. Au Chiapas, Zedillo entama des négociations avec l'EZLN. Cependant, en février 1995, il demanda l'arrestation du subcomandante Marcos et d'autres meneurs, qui se réfugièrent plus loin encore dans la jungle, en compagnie de milliers de paysans. Au terme de négociations intermittentes, les opposants conclurent un accord sur les droits indigènes en février 1996, mais Zedillo changea son fusil d'épaule au moment de voter cette loi. En réaction, les zapatistes refusèrent la poursuite des négociations.

Courant 1996, un nouveau mouvement révolutionnaire de gauche, l'Ejército Popular Revolucionario (EPR, Armée révolutionnaire du peuple), vit le jour dans le Guerrero et l'Oaxaca, deux États pauvres du Sud. Après une vague d'attaques contre les forces de l'ordre dans plusieurs États, qui firent 20 victimes, l'EPR reconsidéra quelque peu sa stratégie en s'appuyant cette fois sur la propagande et la médiatisation. Corollaire à ses activités, le gouvernement renforça les déploiements militaires dans le pays, déjà bien présents en raison de l'insurrection zapatiste et des problèmes liés au trafic de drogue.

Les réformes politiques. Personnage sans envergure, Zedillo passe pour plus honnête que ses prédécesseurs. N'appartenant pas au cercle des élites politiques traditionnelles du pays, il bénéficie d'une marge de manœuvre plus importante. L'arrestation de Raúl Salinas, le renouvellement complet de la cour suprême – dont la partialité était notoire – et l'éviction de plus de mille policiers corrompus constituent autant de messages forts. L'objectif de Zedillo est de mettre en œuvre de véritables réformes démocratiques et d'établir un nouveau système électoral, indépendant. L'élection à la Chambre fédérale des députés ainsi que les municipales de Mexico en 1997 sont la traduction concrète de cette volonté démocratique. Ces deux scrutins ont été les premiers à être libres et justes depuis 1911. Ces élections, comme d'autres sous le mandat de Zedillo, se sont d'ailleurs soldées par des revers pour le PRI.

En revanche, le tableau est plus sombre en matière de droits de l'homme. Le massacre de 17 paysans, opposants politiques, par la police dans le Guerrero, en porte le témoignage le plus sanglant. Les associations en faveur des droits de l'homme, au Mexique et à l'étranger, font régulièrement état d'exactions commises par les forces de l'ordre à la recherche des rebelles de l'EPR dans l'État d'Oaxaca.

La drogue. L'essentiel de la drogue entrant aux États-Unis transite par le Mexique. Les cartels mexicains absorbent à eux seuls près de la moitié du marché de la cocaïne et développent leur propre production d'héroïne et d'amphétamines. Les gangs ont enregistré un bénéfice annuel de près de 15 milliards de dollars US.

Zedillo s'appuya sur l'armée pour lutter contres les cartels, mais son bras droit chargé de la lutte antidrogue, le général Jesús Gutiérrez Rebollo, fut à son tour accusé d'être à la solde du cartel de Juárez. En 1996, Juan García Ábrego, du cartel du Golfe, fut arrêté, extradé aux États-Unis et incarcéré à Houston où il purge une peine de prison à perpétuité. En 1997, la mort d'Amado Carrillo Fuentes, chef du cartel de Juárez, dans des circonstances restées mystérieuses, provoqua une guerre de succession qui se solda par des dizaines de victimes. D'autres barons de la drogue courent toujours car ils bénéficient d'appuis au plus haut niveau. De nombreux enquêteurs, des magistrats et des témoins ont été assassinés, notamment à Tijuana.

GÉOGRAPHIE

S'étendant sur près de 2 millions de km², le Mexique est vaste. On compte près de 3 500 km à vol d'oiseau entre Tijuana au nord-ouest et Cancún au sud-est, ou 4 600 km par la route. Quelque 1 900 km de route (environ 26 heures en bus) séparent la frontière des États-Unis – à Ciudad Juárez – de Mexico. De Mexico à Ciudad Cuauhtémoc, situé à la frontière guatémaltèque, vous aurez à parcourir près de 1 200 km.

Le Mexique s'incurve du nord-ouest au sud-est, en se rétrécissant à la hauteur de l'isthme de Tehuantepec au sud, et en se poursuivant au nord-est vers la péninsule du Yucatán. A l'ouest et au sud, il est bordé par l'océan Pacifique, avec la mer de Cortés (ou golfe de Californie), entre les côtes de Basse-Californie et le continent. La côte est du Mexique est bordée par le golfe du Mexique, depuis la frontière des États-Unis jusqu'à la pointe nord-est de la péninsule du Yucatán. La côte orientale de la péninsule du Yucatán fait face à la mer des Caraïbes.

Le pays possède 3 326 km de frontières communes avec les États-Unis au nord. La moitié est constituée par le Río Bravo del Norte (ou Río Grande). Au sud et au sud-est, sa frontière s'étend sur 962 km avec le Guatemala et sur 250 km avec le Belize.

Topographie

Altiplano central et Sierra Madre. Au nord et au centre du Mexique – jusqu'à Mexico – s'étendent des plaines côtières à l'est et à l'ouest, ainsi que deux chaînes de montagnes selon un axe nord-sud, bordant de larges plateaux centraux, également appelés Altiplano central.

Sur la côte ouest, une plaine aride s'étend vers le sud, de Mexicali jusqu'à Tepic dans l'État de Nayarit. Plusieurs rivière la traversent pour se jeter dans la mer de Cortés et l'océan Pacifique. Toutes prennent leur source dans la Sierra Madre occidentale.

L'Altiplano central est divisé en zones septentrionale et centrale ; leur altitude varie de 1 000 m environ à plus de 2 000 m dans le centre du pays. Vers le nord, le plateau septentrional se prolonge au Texas et au Nouveau-Mexique. Le plateau central est une succession de collines et de larges vallées. Il possède l'une des plus riches terres d'agriculture et d'élevage. L'Altiplano est bordé à l'est par la Sierra Madre orientale, qui s'étend au sud jusqu'au nord de l'État de Puebla et culmine à 3 700 m.

La plaine côtière du golfe, qui prolonge la plaine côtière du Texas, est située sur le versant est de la Sierra Madre orientale. A l'extrémité nord-est du Mexique, elle devient à demi-marécageuse et s'étend en largeur près de la côte, pour se rétrécir à proximité du port de Veracruz.

Cordillera neovolcánica. L'Altiplano central, la Sierra Madre orientale et la plaine côtière du golfe buttent sur la chaîne de la Cordillera neovolcánica au sud de Mexico. Celle-ci suit un axe est-ouest et possède les plus hauts sommets du Mexique – Pico de Orizaba (5 611 m), Popocatépetl (5 452 m) et Iztaccíhuatl (5 286 m) – ainsi que le plus actif des volcans du Mexique, le Volcán de Fuego de Colima (3 960 m) et le plus récent, Paricutín (2 800 m), qui fit son apparition en 1943. Mexico ne se trouve qu'à 60 km au nord-ouest du Popocatépetl.

Le Sud. Les basses terres de la côte du Pacifique au sud de Cabo Corrientes (État de Jalisco, à l'ouest de Guadalajara) se transforment en étroite bande de terre. La chaîne de montagne principale au sud du pays est la Sierra Madre del Sur qui se prolonge au-delà des États de Guerrero et d'Oaxaca jusqu'à l'isthme de Tehuantepec, la région la plus étroite du Mexique (220 km). Le côté septentrional de l'isthme forme une plaine large, souvent marécageuse, s'étirant de Veracruz à la péninsule du Yucatán. Dans l'État méridional du Chiapas, les basses terres de la côte Pacifique sont délimitées au nord-est par la Sierra Madre de Chiapas (ou Sierra de Soconusco), au-delà de laquelle se trouve le bassin du Río Grijalva, puis les hautes terres du Chiapas. A l'est de ces hautes terres, on rejoint une région de forêt tropicale luxuriante, pénétrant au nord du Guatemala. La jungle se transforme en une savane tropicale sur la péninsule du Yucatán et en zone très aride, voire désertique à l'extrémité de la péninsule.

CLIMAT

Le tropique du Cancer traverse le Mexique au nord de Mazatlán et de Tampico. Les plaines côtières situées au sud du tropique du Cancer sont chaudes et humides ; en revanche, les hauteurs à l'intérieur des terres, comme Guadalajara ou Mexico, sont plus sèches et tempérées, et les sommets souvent enneigés.

La saison chaude et humide dure de mai à octobre, avec des températures maximales entre juin et septembre. Les régions côtières de faible altitude sont plus arrosées et plus chaudes que les zones plus élevées de

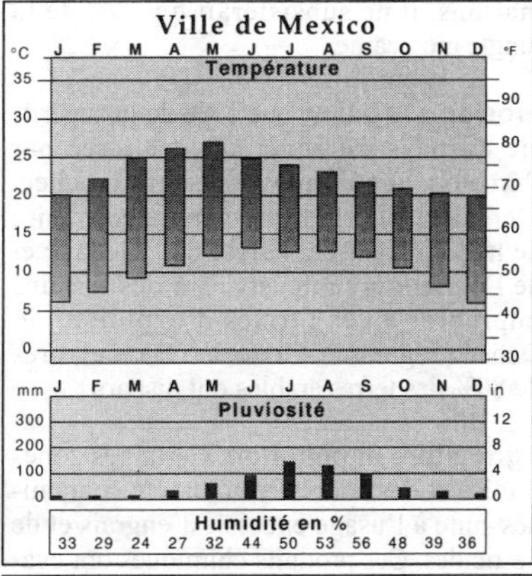

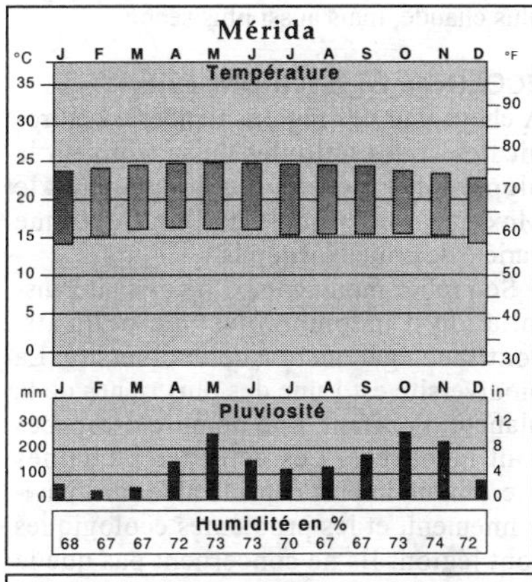

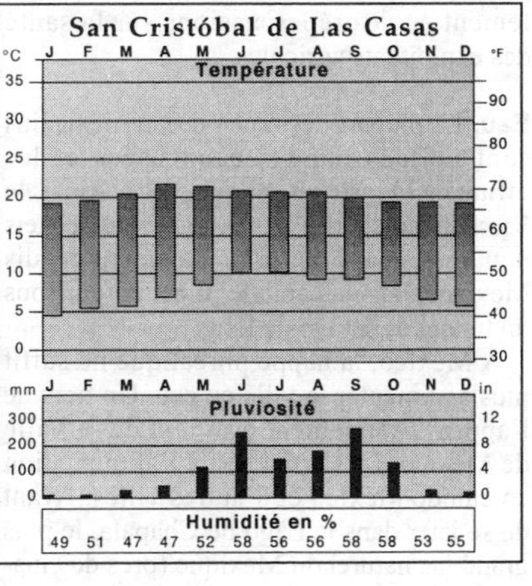

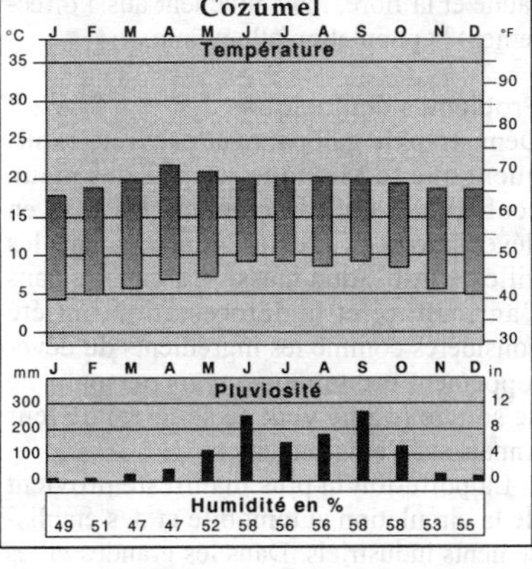

l'arrière-pays – bien que l'on note de fortes variations climatiques locales. Ainsi, parmi les villes côtières, Acapulco connaît une pluviosité annuelle deux fois plus importante que Mazatlán (plus de 1 700 mm, de mai à octobre) ; Acapulco et Cancún affichent des températures similaires, tandis que celles de Mazatlán et de Cozumel sont inférieures de quelques degrés.

Les précipitations et températures de Mexico sont peu élevées pour une ville située à l'intérieur des terres : Taxco et Pátzcuaro connaissent un coefficient pluviométrique deux fois plus important que la capitale et une température supérieure de plusieurs degrés. Oaxaca est également plus chaude, mais aussi plus sèche.

ÉCOLOGIE ET ENVIRONNEMENT

A cheval sur des régions tempérées et tropicales, à des latitudes où se trouvent la plupart des déserts de la planète, le Mexique s'enorgueillit d'une extrême variété de milieux naturels.

Son relief montagneux, favorisant l'installation d'innombrables microclimats, contribue également à cette diversité. La biodiversité est l'une des plus riches de la planète. Pourtant, bon nombre d'espèces sont menacées. Les activités humaines exercent un impact considérable sur l'environnement, et les problèmes écologiques sont légion. Ils ne concernent pas que la faune et la flore, mais touchent aussi directement la population elle-même.

Problèmes écologiques

Démographie galopante et pauvreté expliquent que le Mexique souffre des maux écologiques qui caractérisent les pays en développement. L'essor industriel dans les villes, l'utilisation massive d'engrais dans l'agriculture et la déforestation ont été considérés comme les ingrédients du développement économique, mais personne ne se soucie (ou ne veut se soucier) de leur impact sur l'environnement.

La pollution la plus manifeste provient de la circulation automobile et des établissements industriels. Dans les grandes villes mexicaines, les citadins étouffent et les pathologies liées à la pollution sont multiples (reportez-vous au diagramme sur la qualité de l'air dans le chapitre *Mexico*).

Forêts. Avant la conquête espagnole, les deux tiers du territoire mexicain étaient recouverts de forêts, qu'il s'agisse de conifères, sur les hauts plateaux, ou de jungle tropicale. Aujourd'hui, 15% seulement de la superficie du pays est boisée, soit 300 000 km^2. La couverture sylvicole diminue au rythme de 5 000 km^2 par an. Le Chiapas et le Tabasco auraient ainsi perdu plus de la moitié de leur étendue de forêt tropicale depuis 1980. Selon certaines estimations, il ne subsisterait que 2% de la jungle mexicaine.

Érosion. On estime que 13% de la superficie du pays est sévèrement altérée par l'érosion, et 66% moyennement touchée. L'érosion est principalement le corollaire de la déforestation, suivie de l'élevage et de l'agriculture intensive sur des terrains impropres à ces formes d'exploitation. Dans la région de Mixteca (Oaxaca), près de 80% des terres arables ont disparu.

Agriculture et pollution. Certaines zones rurales et des cours d'eau ont été contaminés suite à l'usage excessif d'engrais et de pesticides. Ces produits chimiques ont également eu des répercussions sur la santé des exploitants agricoles.

Eau. La plupart des cours d'eau mexicains sont pollués par les eaux usées et les effluents industriels ou agricoles. Ainsi, le Río Panuco charrie 2 000 tonnes de déchets non traités par jour, principalement depuis Mexico. Dans la capitale, il est enfoui sous un tunnel de 50 km de long.

A Mexico, la nappe phréatique ne suffit plus à alimenter la ville en eau. Un tiers de l'approvisionnement provient de la Valle de México. Le Lerma sert à l'alimentation en eau de Mexico et d'autres villes. Avant de se jeter dans le Lago de Chapala, le plus grand lac naturel du Mexique (près de Guadalajara), ce cours d'eau reçoit les effluents industriels et les eaux usées de 95 villes. Le niveau du Chapala lui-même baisse car la ville de Guadalajara pompe plus d'eau du lac que celui-ci n'en reçoit.

Décharges. Dans le nord du Mexique, les maquiladoras (voir la rubrique *Économie*) ne prennent généralement pas la peine d'exporter leurs déchets toxiques, qui restent ainsi stockés dans des conditions douteuses. Par ailleurs, certaines sociétés américaines stockent illégalement leurs déchets au Mexique.

Mouvements écologistes

La prise de conscience écologique s'est opérée dans les années 70, principalement dans les classes moyennes et à Mexico. Le mouvement est toujours plus marqué dans la capitale, où il est difficile de ne pas constater les méfaits de la pollution. Plusieurs dizaines d'organisations indépendantes œuvrent dans le pays. Il s'agit principalement de petits groupes qui interviennent à l'échelle locale. La classe moyenne y est largement majoritaire, bien qu'il existe des initiatives émanant de communautés rurales. Mentionnons le Movimiento Ecológico Mexicano (MEM), qui compte près de 60 000 adhérents, et le Grupo de Cien, qui rassemble cent intellectuels, dont l'objectif est d'accélérer la prise de conscience écologique, à l'échelle du pays. Une campagne antinucléaire a également eu lieu. Bien qu'elle n'ait pas fait reculer le gouvernement sur son projet de construction de la centrale de Laguna Verde, près de Veracruz, elle l'a contraint à renoncer à d'autres projets de ce type.

FAUNE ET FLORE

Abritant des régions tempérées et tropicales, et situé à des latitudes regroupant la plupart des déserts du globe, le Mexique offre une extraordinaire diversité de zones de végétation.

Sa topographie montagneuse ajoute encore à la diversité, avec la création d'innombrables microclimats. Le rôle joué par l'homme fut également considérable.

Zones de végétation

Deux déserts dominent le nord-ouest et le centre nord du Mexique : le desierto Sonorense (le désert de Sonora), à l'ouest de la Sierra Madre occidentale, et le Desierto Chihuahuaense (le désert de Chihuahuan), qui s'étend sur la majeure partie de l'Altiplano central, plateaux de hautes terres enchâssés entre la Sierra Madre occidentale et la Sierra Madre orientale.

Les Sierra Madre occidentale et orientale, ainsi que la Cordillera neovolcánica, qui traversent le cœur du pays d'est en ouest, et la Sierre Madre del Sur, montrent encore de belles étendues de pins et de chênes, malgré une déforestation accélérée autour des vallées.

Une bonne partie du sud-est du pays, entre le sud du Veracruz et l'est du Chiapas jusqu'à Quintana Roo, abrite la forêt tropicale humide. Dominées par des arbres à larges feuilles persistantes, ces forêts denses sont très diversifiées et regroupent des fougères, des épiphytes et des palmiers, ainsi que des arbres feuillus tropicaux, tels l'acajou et le *chicozapote* (sapotille), qui donne le *chicle* (chewing-gum naturel). Toutefois, là aussi, les activités humaines ont considérablement bouleversé l'environnement naturel : la zone de forêt tropicale encore intacte est la Selva Lacandona à l'est du Chiapas. Sa disparition progressive constitue peut-être la plus grande catastrophe écologique du Mexique. Quant à la péninsule du Yucatán, elle passe d'une zone de forêt tropicale au sud, à une forêt d'épineux au nord.

La façade Pacifique, notamment les versants occidentaux de la Sierra Madre occidentale, les parties sud et ouest de la Cordillera neovolcánica ainsi que l'Oaxaca et le Chiapas, est plus sèche. Elle présente une forêt tropicale d'arbres à feuilles caduques ou semi-caduques, d'une variété moindre comparée à celle des forêts tropicales de l'est. Les ranches et les cultures industrielles imposent leur marque au paysage.

Dans le sud du pays, les forêts de conifères, en altitude, sont humides. Le couvert végétal est exubérant et les épiphytes abondent. La Reserva Ecológica Huitepec, près de San Cristóbal de Las Casas, abrite de multiples forêts présentant ces caractéristiques.

La plaine côtière, du sud du Sonora au Guerrero, ainsi que le nord de la plaine côtière du golfe et le nord de la péninsule du Yucatán, sont dominés par des forêts d'épineux, composés de buissons et d'arbustes, dont des acacias. Ce type de végétation peut être d'origine naturelle ou résulter de l'activité humaine (cultures sur brûlis, pâturages).

Faune

Terre. Dans le nord, le bétail a repoussé les gros mammifères, tels que le puma, le daim et le coyote, dans des régions isolées, souvent montagneuses. En revanche, on rencontre fréquemment ratons laveurs, armadillos, skunks, lapins et serpents. Ces espèces se retrouvent dans la majeure partie du reste du pays.

Au sud et à l'est, qu'il s'agisse de la côte Pacifique et de la péninsule du Yucatán, ou de la côte du Golfe et du Chiapas, les forêts tropicales (à certains endroits) restent le domaine des singes-araignées et des singes hurleurs, des jaguars, des ocelots, des tapirs, des fourmiliers, des pécaris, des daims, ainsi que de plusieurs reptiles tropicaux, du type boa constrictor. L'aire d'évolution des félins se limite à des zones isolées dans l'est du Chiapas, bien qu'on puisse également en observer près de Celestún, dans le Yucatán. Peut-être aurez-vous l'occasion d'entendre des singes hurleurs en début de matinée et d'apercevoir des singes araignées près des ruines de Palenque.

Dans les zones chaudes du pays, vous rencontrerez deux reptiles inoffensifs mais à l'aspect quelque peu effrayant : l'iguane, un lézard qui peut atteindre un mètre de long et prendre différentes couleurs ; et le gecko, un petit lézard vert qui jaillira parfois de derrière un rideau ou un placard s'il est dérangé. Les geckos vous feront probablement sursauter mais, bonne nouvelle, ils sont grands amateurs de moustiques ! Moins agréables sont les scorpions, assez courants dans les régions chaudes du pays.

Mer et côte. Les côtes mexicaines constituent l'une des principales zones de reproduction des tortues de mer : six espèces, sur les sept répertoriées dans le monde, se rendent sur les côtes mexicaines – de la Basse-Californie à Oaxaca, et du nord-est à la péninsule du Yucatán – pour y déposer leurs œufs. La ponte a lieu entre juillet et mars.

Vous pourrez apercevoir des dauphins au large de la côte Pacifique, tandis que certains marécages, principalement au sud du pays, abritent des crocodiles et des caïmans.

C'est au large de la péninsule du Yucatán que la vie sous-marine est la plus riche, avec ses nombreux récifs de corail. Nombreuses sont les régions côtières du Mexique où les plongeurs pourront s'adonner à leur passion.

Oiseaux. Les régions côtières abritent quantité d'oiseaux, en particulier les estuaires, les lagons, les îles, les mangroves et les marécages du nord-est, de la péninsule du Yucatán et de la côte Pacifique. On commence à apercevoir des espèces tropicales, telles le colibri, les perroquets, les perruches, au sud de Tampico, dans l'est du pays, et à partir de Mazatlán à l'ouest. Les forêts du sud-est sont le repaire de macaques colorés, de toucans, de perroquets et même de quelques quetzals. D'importantes colonies de flamants évoluent au Yucatán.

Zones protégées

Bon nombre de zones dites protégées ne le sont malheureusement pas dans la réalité. Les gouvernements n'ont jamais débloqué de fonds pour lutter contre le braconnage, l'élevage, l'exploitation du bois ou les prélèvements de plantes ou d'animaux.

Officiellement, plus de 35% de la superficie du pays, soit 700 000 km^2, sont protégés à un titre ou à un autre. On distingue deux catégories : le Parque Nacional (parc national) et la Reserva de la Biosfera (réserve de la biosphère).

Parcs nationaux. On dénombre environ 40 parcs nationaux, totalisant 7 000 km^2. Certains ne couvrent pas plus de 10 km^2. La plupart ont été créés entre 1934 et 1940, plus pour leur intérêt récréatif, historique et archéologique que pour des raisons biologiques ou écologiques. Certains ne disposent d'aucune infrastructure et sont peu fréquentés, alors que d'autres sont très prisés le week-end.

Parmi les plus connus et les plus intéressants figurent Pico de Orizaba, La Malinche, Iztaccíhuatl-Popocatépetl, Nevado de Toluca et Nevado de Colima, dans la ceinture volcanique centrale ; Lagunas de Chacahua, dans l'Oaxaca ; Palenque, Cañon del Sumidero et Lagunas de Montebello, dans le Chiapas ; et Dzibilchaltún et Tulum (péninsule du Yucatán). Les parcs marins, créés dans les années 90 afin de protéger les écosystèmes aquatiques, comprennent les récifs de Cozumel et la côte ouest d'Isla Mujeres.

Réserves de la biosphère. Aujourd'hui, le Mexique compte quelque 20 réserves de la biosphère, représentant plus de 70 000 km^2. Les écosystèmes et la biodiversité sont riches, allant des zones désertiques aux forêts tropicales et aux régions côtières en passant par les forêts sèches et tempérées. Celle de Sian Ka'an, dans la péninsule du Yucatán, est inscrite au Patrimoine mondial de l'humanité par l'Unesco.

Ces réserves connaissent des fortunes diverses. Sian Ka'an passe pour la plus réussie. Les agriculteurs ont renoncé aux cultures sur brûlis et à l'élevage et ont adopté les méthodes d'irrigation et de répartition des cultures, ce qui a permis d'éviter la déforestation et d'augmenter les rendements agricoles.

La population des homards a cessé de chuter après que les pêcheurs ont accepté le principe d'un moratoire de deux mois pendant la reproduction et la remise à l'eau des femelles gravides. Dans plusieurs réserves, cette forme de tourisme est désormais considérée comme une importante source de revenus.

Les réserves de la biosphère sont en règle générale moins faciles d'accès que les parcs nationaux. Mentionnons, parmi les plus visitées et les plus intéressantes, celles d'El Triunfo dans le Chiapas et de Calakmul dans la péninsule du Yucatán.

Autres réserves. On dénombre neuf Áreas de Protección de Flora y Fauna, destinées à protéger les habitats d'espèces bien particulières plutôt que des écosystèmes. Quant aux Reservas Campesinas, créées en milieu rural, sans participation du gouvernement, elles ont pour vocation de préserver les écosystèmes agricoles et les forêts des zones rurales. L'une des plus connues est Mazunte, dans l'Oaxaca.

Observation de la faune

Pour découvrir la faune, vous devrez vous aventurer dans les régions les plus reculées. Le zoo de Tuxla Gutíerrez, au Chiapas présente probablement la plus grande concentration d'espèces purement mexicaines. Il se consacre plus particulièrement aux espèces menacées propres à cet État. Le Parque-Museo La Venta à Villahermosa, Tabasco, mérite également une mention.

Voici une sélection des sites où vous pourrez observer les animaux à l'état sauvage (pour plus de détails, voir les rubriques sur la faune dans les différents chapitres) :

Oiseaux – lagons côtiers et marécages du nord du Veracruz ; Pie de la Cuesta, Acapulco ; Laguna Manialtepec et lagunas de Chacahua, Oaxaca ; Isla Contoy, au large de l'Isla Mujeres, Quintana Roo
Flamants roses – Celestún et Río Lagartos, Yucatán
Faune de la forêt tropicale (singes hurleurs, pumas, crocodiles, ocelots, jaguars) – réserve de la biosphère de Sian Ka'an, Quintana Roo

Reportez-vous à la rubrique *Circuits organisés* du chapitre *Comment circuler* pour prendre connaissance des organismes proposant ce type de prestations. Pour visiter la Reserva de la Biosfera El Triunfo, contactez l'Instituto de Historia Natural (☎ 961-1-39-04 ; fax 961-2-36-63), Apartado Postal 391, 29000 Tuxtla Gutiérrez, Chiapas.

INSTITUTIONS POLITIQUES

Le Mexique est une république, composée de 31 États et d'un district fédéral, eux-mêmes divisés en 2 394 municipalités (*municipios*). Le corps législatif bicaméral, doté d'un sénat (*Cámara de Senadores*) de 128 membres et d'une chambre des députés (*Cámara de Diputados*) de 500 membres, rédige les lois. Un président les promulgue et un pouvoir judiciaire règle les litiges dans l'esprit du Code Napoléon. Les femmes ont obtenu le droit de vote depuis 1954 et un amendement à la constitution reconnaît l'égalité de leurs droits depuis 1974. Les gouverneurs et le corps législatif des différents États du Mexique, qui ne sont pas nécessairement du même parti que celui du gouvernement fédéral, sont élus par les citoyens. Il en va de même pour les conseils municipaux (*ayuntamientos*) et leur président.

Voilà pour la théorie. En pratique, la vie politique est dominée depuis plus d'un demi-siècle par le Partido Revolucionario Institucional – Parti révolutionnaire institutionnel (PRI). Le pouvoir présidentiel est nettement marqué par une tradition autoritaire et centralisatrice que l'on fait remonter à Moctezuma. Ainsi, les décisions du président rencontrent rarement une forte opposition, bien que la chambre des députés et le sénat puissent débattre, s'ils le souhaitent, de ses propositions. Par ailleurs, le pouvoir fiscal et politique des États est dans les faits largement subordonné au gouvernement fédéral.

Aucun parti d'opposition ne fut à la hauteur avant les années 80. Carlos Salinas de Gortari, président de 1988 à 1994, amorça un processus de démocratisation. Et certaines mesures visant à réduire la corruption furent mises en application lors de l'élection de son successeur en 1994. Sous le mandat de Salinas, des gouverneurs appartenant au Partido de Acción Nacional (PAN) furent élus dans trois États (Basse-Californie, Chihuahua et Guanajuato). Pour la première fois, un État échappait au PRI.

L'hégémonie de ce dernier a sérieusement commencé à s'effriter en 1994, au cours de la présidence d'Ernesto Zedillo. Le mécontentement croissant de l'opinion devant la corruption du PRI et la crise économique, la volonté des Mexicains de voir leur pays opérer un véritable changement démocratique, conjuguée aux pressions émanant de l'Alena, incitèrent Zedillo à entreprendre des réformes susceptibles de faire du Mexique une vraie démocratie pluraliste.

L'une des actions significatives de Zedillo consista à affranchir l'organisme de surveillance des élections, l'Instituto Federal Electoral (IFE), de la tutelle gouvernementale. L'IFE put ainsi reconstruire à grands frais un système électoral dont la transparence éviterait la fraude.

Les premières élections soumises à ces nouvelles dispositions se déroulèrent en 1997. Pour la première fois, le PRI ne fut plus majoritaire à la chambre des Députés. Le PAN et le Partido de la Revolución Democrática (PRD), de centre-gauche, raflèrent chacun un quart des sièges. La municipalité de Mexico échut à Cuauhtémoc Cárdenas, du PRD, qui avait perdu la présidentielle de 1988 face à Salinas. Le Nuevo León, un État fortement industrialisé, tomba dans l'escarcelle du PAN. Les élections ne se déroulèrent pas dans des conditions optimales, mais furent saluées comme les plus libres et les plus régulières au Mexique depuis 1911. De nombreuses institutions politiques et administratives mexicaines n'étaient désormais plus entre les mains du PRI. L'heure du bilan sonnera en 2000, quand il s'agira d'élire le successeur de Zedillo. En effet, conformément à la loi mexicaine, un président ne peut assurer deux mandats consécutifs. Pour contourner la règle, le PRI a développé la pratique du *dedazo*, selon laquelle le président en exercice désigne un candidat dans les rangs du PRI pour lui succéder.

Depuis les années 30, ce candidat a toujours remporté les élections. Reste à voir comment les caciques du PRI réagiront devant la perte de leur influence politique et dans quelles conditions le Mexique pourra être gouverné en cas de victoire d'un président non estampillé PRI.

ÉCONOMIE

Ressources et produits

Pays presque exclusivement agricole avant la Révolution de 1910, le Mexique est aujourd'hui l'une des nations les plus industrialisées d'Amérique latine. La fabrication industrielle, concentrée à Mexico et dans les grands centres urbains, emploie près de 18% de la main-d'œuvre. Elle est, en outre, à l'origine d'environ un quart de la production nationale et constitue la majorité des exportations.

Véhicules motorisés, agro-alimentaire, acier, produits chimiques, papier et textiles sont venus s'ajouter à des sources de revenus plus traditionnelles, tels que le sucre, le café, l'argent, le plomb, le cuivre et le zinc. Ses réserves de pétrole et de gaz constituent l'un des principaux avoirs du Mexique (la cinquième réserve du monde). Elles représentent un dixième des bénéfices à l'exportation du pays.

La moitié de la production mexicaine se concentre dans un rayon de 150 km autour de Mexico. Cependant, les États du Nord, favorisés par leur proximité avec les États-Unis et la présence des *maquiladoras*, prennent de plus en plus d'importance. Les maquiladoras désignent des centres de production où les entreprises étrangères bénéficient d'exonérations fiscales à l'importation et de coûts salariaux avantageux. Les marchandises sont ensuite réexportées. Les maquiladoras emploient environ 600 000 Mexicains.

Les mines, source principale du revenu mexicain à l'époque coloniale, ont gardé toute leur importance dans la moitié nord du pays. Elles participent à environ 3% de la production nationale. Le Mexique demeure encore aujourd'hui le premier producteur d'argent au monde.

Près de 30% de la main-d'œuvre est employée dans les services. Le tourisme, qui pèse 7 milliards de dollars annuels (à comparer avec les 10 milliards que rapporte la pétrochimie), occupe une place prépondérante.

L'agriculture occupe près de 25% de la population active, mais elle ne représente que 8% de la production nationale. De 10 à 12% environ du sol mexicain est planté de maïs, de blé, de riz et de haricots. Pourtant le Mexique doit importer des céréales. Si les petites exploitations agricoles ont prévalu lors de la redistribution des haciendas après la révolution, elles sont souvent exploitées de manière traditionnelle (absence de technologie et d'investissement pour rendre la terre plus productive), dans le seul but de subvenir aux besoins de leur propriétaire. Des exploitations commerciales se sont ainsi implantées dans les plaines longeant la côte du Golfe (café, canne à sucre), dans le nord et le nord-ouest (bétail, blé et coton) ainsi que dans le Bajío, au nord de Mexico (blé et agrumes).

Politique

Salinas. Avec le boom pétrolier des années 70, le Mexique entreprit d'ambitieux projets de développement. Mais la chute des cours laissa un pays accablé de dettes qu'il ne pouvait plus payer. En réponse à cette situation, en particulier sous la présidence Salinas, de 1988 à 1994, la dette fut rééchelonnée. On adopta alors des mesures d'austérité et les sociétés d'État furent privatisées.

L'inflation passa de plus de 100% à 10%. Au début des années 90, l'économie mexicaine s'était pratiquement renflouée et le peso, qui avait accusé une chute catastrophique pendant les années 80, se trouva stabilisé.

La pierre angulaire du programme de Salinas fut l'Alena (Accord de libre-échange nord-américain), qui entra en vigueur en 1994. L'Alena vise à supprimer progressivement toutes les restrictions en matière commerciale et d'investissement entre les États-Unis, le Mexique et le Canada. Ce processus doit s'étaler sur quinze ans.

A la fin de 1993, la politique économique de Salinas fut largement considérée comme un succès, en particulier auprès des classes moyennes et aisées auxquelles elle profitait largement. Mais la rébellion paysanne de l'ELZN, au Chiapas, déclenchée le 1er janvier 1994, le jour où l'Alena devait prendre effet, attira l'attention sur le fossé qui continuait en fait à séparer riches et pauvres au Mexique.

La crise du peso. L'effondrement du peso à la fin de 1994 et en 1995 se produisit après le départ de Salinas mais la responsabilité de la crise lui fut attribuée. Les investissements étrangers, qui avaient coulé à flots au début des années 90, furent réduits à la portion congrue en 1994. Plusieurs facteurs expliquent ce phénomène : les risques d'instabilité politique au Mexique, l'augmentation des taux d'intérêt aux États-Unis et la crainte de la surévaluation du peso. Pour soutenir la monnaie mexicaine, le gouvernement dut puiser dans ses réserves de devises. Salinas espérait que les capitaux étrangers afflueraient à nouveau au Mexique avant l'épuisement des réserves. Il n'en fut rien.

Zedillo, qui succéda à Salinas, dut procéder à une dévaluation fin 1994. Celle-ci, fixée à 15%, soit quatre pesos pour un dollar, ne suffit pourtant pas à enrayer la chute du peso. Les autorités mexicaines laissèrent donc la monnaie flotter, au gré de l'offre et de la demande. La devise mexicaine sombra à presque huit pesos pour un dollar. Les instances financières internationales, ainsi que les États-Unis et le Canada, durent voler au secours de l'État mexicain.

Le gouvernement augmenta les impôts et les taux d'intérêt, réduisit les dépenses et annonça de nouvelles privatisations. Les prix grimpèrent en flèche, la production et le niveau de vie chutèrent, le taux de chômage et la criminalité firent un bond, les faillites furent légion et beaucoup de Mexicains virent dans l'émigration illégale vers les États-Unis leur seule planche de salut.

Un début de reprise. Les mesures d'austérité et les emprunts, alliés aux aides à l'exportation de l'Alena et au faible cours du peso, contribuèrent à faire sortir le pays de l'ornière économique. En 1996, le niveau de production retrouva des couleurs et le chômage amorça une décrue. Les investissements étrangers reprirent, et le Mexique put rembourser certaines de ses dettes. En 1997, l'inflation était descendue à 20%.

Reste que ces mesures d'austérité ont fait baisser le pouvoir d'achat de la population mexicaine. Selon une enquête réalisée en 1997, un cinquième de la population du Distrito Federal (qui couvre près de la moitié de la ville de Mexico) vit en dessous du seuil de pauvreté, et deux tiers sont dans une situation précaire. Une autre étude du magazine *The Economist* montre que c'est en milieu rural que la situation est la plus critique. Les États les plus pauvres sont le Guerrero, l'Oaxaca, le Chiapas, le Veracruz, le Puebla et l'Hidalgo.

POPULATION ET ETHNIES

Selon le recensement de 1995, le Mexique comptait 91,2 millions d'habitants (81 millions en 1990).

Deux tiers de la population vivent dans des villes de plus de 5 000 habitants, et environ d'un tiers sont âgés de moins de quinze ans. Les villes les plus importantes sont Mexico (avec peut-être 20 millions d'habitants), Guadalajara (avec une population estimée à 5 millions) et Monterrey (3 millions). Les chiffres pour Tijuana, Acapulco, Puebla et Ciudad Juárez varient de 1 à 1,5 million. L'État le plus peuplé est celui de Mexico, qui inclut les zones périurbaines, en pleine expansion avec 12 millions d'habitants.

Groupes ethniques

La principale division ethnique se situe entre *mestizos* et *indígenas* (Indiens). Les mestizos sont d'origine espagnole et indienne, avec quelques apports d'Afrique et d'autres pays d'Europe, tandis que les Indiens sont les héritiers directs des premiers habitants du Mexique précolombien. Ils ont conservé leur culture distincte, leur langue et leur identité. Les mestizos sont en écrasante majorité et détiennent les clés du pouvoir avec les quelques Mexicains de souche uniquement espagnole.

Des chercheurs ont répertorié 139 langues indiennes aujourd'hui disparues. L'isolement rural est en grande partie à l'origine de la survie d'une cinquantaine de cultures indiennes, dont certaines ne comptent aujourd'hui plus que quelques centaines d'individus. En général, les Indiens sont considérés comme des citoyens de deuxième catégorie. Ils occupent les plus mauvaises terres et sont exploités par les mestizos. Leurs traditions et leur religion, leur vie communautaire et leurs rituels liés à la nature représentent aujourd'hui leur seule richesse.

Lors des recensements, sont officiellement considérés comme Indiens uniquement ceux qui parlent une ou plusieurs langues indiennes. Leur nombre avoisine probablement les 10 millions, mais les Mexicains d'ascendance majoritairement indienne seraient quelque 25 millions.

Vous trouverez plus d'informations sur les croyances, l'art et l'artisanat indiens dans les chapitres sur les régions, ou plus loin aux rubriques *Arts* et *Religion*.

L'ethnie la plus importante est celle des Nahuas (1,7 million), descendants des Aztèques, disséminés dans le Centre du Mexique, avec les plus fortes concentrations de populations dans les États de Puebla, Veracruz, Hidalgo, Guerrero et San Luis Potosí. Le million de Mayas de la péninsule du Yucatán, les 500 000 Zapotèques d'Oaxaca, les 500 000 Mixtèques d'Oaxaca, Guerrero et Puebla, les 260 000 Totonaques de Veracruz et Puebla, et les 130 000 Tarasques ou Purépecha du Michoacán descendent, tous, d'ethnies précolombiennes connues.

Les ethnies moins connues regroupent également quelque 360 000 Otomís (surtout dans l'État d'Hidalgo et Mexico), environ 150 000 Mazahuas dans l'État de Mexico, et 150 000 Huastèques dans l'État de San Luis Potosí et au nord de Veracruz. Les Tzotziles et Tzeltales des plateaux du Chiapas descendent probablement des Mayas des basses terres qui émigrèrent à la fin de l'époque classique. Moins nombreux, les Indiens nayarit et huicholes de Jalisco sont réputés pour l'importance qu'ils accordent au *peyotl* dans leur vie religieuse, et les Mazatèques du nord d'Oaxaca, pour celle attribuée aux champignons hallucinogènes.

ARTS

Peinture et sculpture

Les Mexicains ont toujours fait preuve de talent artistique (et d'une passion certaine pour les couleurs vives) depuis l'époque précolombienne. Aujourd'hui, le Mexique se pare de fresques murales et ouvre de nombreuses galeries d'art classique et contemporain, un des attraits du pays pour de nombreux touristes. Par ailleurs, la créativité des Mexicains s'est exprimée dans nombre d'arts populaires.

Art précolombien. On doit aux Olmèques de la côte du Golfe de remarquables représentations en pierre, de dieux, d'animaux et de formes humaines, souvent d'une ressemblance impressionnante. Les sculptures les plus terrifiantes, les têtes olmèques, d'une taille gigantesque, combinent les traits de bébés humains et ceux de jaguars. En outre, on a retrouvé les premières fresques à Teotihuacán.

Le *Paradis de Tláloc* y dépeint notamment, par de multiples détails colorés, les plaisirs qui attendent ceux dont la mort fut provoquée par le dieu de la pluie, Tláloc. Le style "muraliste" de Teotihuacán s'étendit à d'autres régions du Mexique, telles Monte Albán, à Oaxaca.

Les Mayas du sud-est du pays furent, certainement, à leur apogée culturelle (de 250 à 900), le peuple le plus créatif. Ils ont laissé d'innombrables sculptures de pierre dont la complexité du dessin et de la signification est compensée par une délicatesse immédiatement perceptible du toucher – une caractéristique que l'on retrouve dans leur architecture. Les sujets représentés sont généralement des dirigeants, des dieux et des cérémonies. Les Mayas créèrent également une très belle poterie et d'extraordinaires fresques multicolores, dont les plus célèbres restent celles de Bonampak au Chiapas. L'art des Aztèques (de 1350 à 1521), qui traduit leur conception cruelle du monde, se caractérise notamment par de nombreuses sculptures de crânes et de très complexes représentations symboliques de leurs dieux.

D'autres peuples précolombiens nous ont légué un héritage artistique non négligeable, surtout les Toltèques du centre du Mexique (du Xe au XIIIe siècle), qui privilégièrent un style quasi "militaire" ; les Mixtèques d'Oaxaca et de Puebla (du XIIIe au XVIe siècle) qui furent d'excellents orfèvres et joailliers ; la civilisation de Veracruz (de 400 à 900) que distingue une très belle poterie.

L'art précolombien est présenté sur les sites archéologiques et dans les musées disséminés sur tout le territoire mexicain. Le Museo Nacional de Antropología de Mexico en fournit un excellent aperçu, avec de superbes reproductions et des œuvres originales d'une grande beauté.

Période coloniale. Sous la férule espagnole, l'art mexicain fut prolifique, très influencé par l'esthétique espagnole, et d'inspiration essentiellement religieuse – même si les portraits commandités, notamment par les riches propriétaires, acquirent une belle popularité vers la fin de cette période. On discerne aisément l'influence de l'artisanat indien sur les retables, les plafonds et les murs sculptés, ponctués d'innombrables détails, mais aussi dans les églises et les monastères, ainsi que sur les fresques, notamment celles du monastère d'Actopan, dans l'État d'Hidalgo. Miguel Cabrera (1695-1768), un Indien zatopèque originaire d'Oaxaca, fut probablement le plus grand peintre de cette période – ses scènes et personnages montrent une sûreté de toucher, absente chez la plupart des autres artistes. On peut admirer ses œuvres dans quantité de musées et d'églises.

Indépendance du Mexique. Juan Cordero (1824-1884) fut l'instigateur de la tradition "muraliste" moderne. Il s'appliqua à exprimer ses conceptions historiques et philosophiques sur plusieurs bâtiments publics, tels que la Escuela Nacional Preparatoria (aujourd'hui le Museo de San Ildefonso) à Mexico.

José María Velasco (1840-1912) est l'un des plus grands paysagistes mexicains. Il est parvenu à traduire la magie des environs de Mexico, et de régions plus éloignées comme Oaxaca. Durant les années qui précédèrent la Révolution de 1910, on assista à la naissance d'un art plus conscient des réalités sociales du Mexique et marquant sa rupture avec la tradition européenne. Taudis et maisons de passe firent leur apparition sur les toiles. Les dessins satiriques et gravures de José Guadalupe Posada (1852-1913), reconnaissables à leur motif, un crâne (*calavera*), dénoncent les injustices de la période du Porfiriato et s'adressent à un public plus large. Gerardo Murillo (1875-1964), qui prit le nom de Dr Atl (s'inspirant d'un terme nahuatl qui signifie l'eau), exposa ses peintures, jugées à l'époque scandaleuses, à une foire pour le centenaire du mouvement d'indépendance.

Les muralistes. Aussitôt après la Révolution, dans les années 20, le ministre de l'Éducation, José Vasconcelos, commanda à de jeunes artistes une série de fresques pour orner plusieurs bâtiments publics, destinées à éveiller la conscience historique et culturelle du peuple mexicain. Ce fut le point de départ du premier mouvement artistique mexicain, d'une importance internationale. Trois muralistes se distinguèrent : Diego Rivera (1885-1957), José Clemente Orozco (1883-1949) et David Alfaro Siqueiros (1896-1974).

L'œuvre de Rivera, au message politique d'influence marxiste, évoque l'oppression dont eurent à souffrir Indiens et paysans. Rivera s'est toujours passionné pour le Mexique indien, passé et contemporain, et chercha à fondre en une seule identité nationale racines indiennes et espagnoles. Très colorées, ses fresques abondent en scènes quotidiennes, historiques ou symboliques de la vie mexicaine. Vous pourrez découvrir quelques-unes des œuvres majeures de Rivera à Mexico, ainsi qu'au Palacio de Cortés de Cuernavaca.

Siqueiros, qui combattit aux côtés du Parti constitutionnaliste, pendant la Révolution (Rivera se trouvait alors en Europe), poursuivit ensuite une activité politique qui lui valut quelques séjours en prison. Il tenta même d'assassiner Léon Trotski, à Mexico, en 1940. Si les fresques de Siqueiros ne possèdent pas le réalisme des œuvres de Rivera, leur message marxiste est nettement plus évident. On peut admirer certaines de ses œuvres les plus marquantes au Palacio de Bellas Artes, au Castillo de Chapultepec et à la Ciudad Universitaria, à Mexico.

Orozco, pour sa part, chercha moins à traduire un message politique qu'une émotion ou une atmosphère. Il fut davantage préoccupé par l'universelle condition humaine que par des contextes historiques ou politiques spécifiques. Il perdit toute illusion sur la Révolution dans les années 30. Certaines de ses œuvres les plus puissantes, notamment celles du Palacio de Bellas Artes, dépeignent l'oppression, la violence, l'injustice, mais sans offrir de solution politique. Son œuvre atteignit son apogée à Guadalajara, entre 1936 et 1939, en particulier avec les 50 fresques de l'Instituto Cultural Cabañas.

Le mouvement muraliste se poursuivit bien après la Seconde Guerre mondiale. Parmi les figures marquantes, on mentionnera Rufino Tamayo (1899-1991), un Indien zapotèque d'Oaxaca, et Juan O'Gorman (1905-1981), un Mexicain d'origine irlandaise. Tamayo, dont l'œuvre est également bien représentée dans le Palacio de Bellas Artes, s'intéressa moins à la politique et à l'histoire qu'à la mythologie, aux effets de couleurs et à l'abstraction. L'approche d'O'Gorman est, en revanche, plus réaliste encore que celle de Rivera. Sa plus grande réussite est sans doute la mosaïque qui orne la Biblioteca Central de la Ciudad Universitaria de Mexico, même si elle diffère du reste de son œuvre.

Autres artistes du XXe siècle. Frida Kahlo (1907-1954), devenue infirme à la suite d'un accident de tramway et éprouvée par un mariage difficile avec Diego Rivera, réalisa des autoportraits et des peintures surréalistes et dotées d'une forte symbolique dans lesquelles s'expriment tant ses angoisses que ses idées marxistes. Depuis la fin des années 80, son œuvre connaît une renommée internationale et une popularité égale, ou presque, à celle de Diego Rivera.

Après la Seconde Guerre mondiale, de jeunes artistes mexicains réagirent contre le mouvement muraliste, auquel ils reprochaient son didactisme et son obsession de la *Mexicanidad*. Ils introduirent au Mexique certaines tendances de l'art contemporain, comme l'expressionnisme abstrait ou l'op art. Le Museo José Luis Cuevas, à Mexico, porte le nom d'un des chefs de file de ce mouvement. Parmi les autres artistes dignes d'intérêt, on peut citer les Zacatèques Francisco Goitia, Pedro Coronel et Francisco Toledo de Oaxaca.

Architecture

L'architecture précolombienne. Les civilisations indiennes antérieures à la conquête ont laissé l'une des architectures les plus spectaculaires jamais conçues. A Teotihuacán près de Mexico, à Monte Albán dans l'État d'Oaxaca et à Chichén Itzá ou à Uxman dans le Yucatán, on peut encore admirer des villes précolombiennes pratiquement intactes. Les sites les plus extraordinaires demeurent toutefois les lieux de cérémonies. Ces complexes, utilisés par les élites religieuses et politiques précolombiennes, étaient destinés à impressionner avec leurs gigantesques pyramides de pierre, leurs palais et leurs terrains pour jeux de balle. Le sommet des pyramides abritaient généralement de petits tombeaux. Les trois pyramides les plus gigantesques du Mexique sont la Pirámide del Sol, la Pirámide de la Luna à Teotihuacán, et la Grande Pyramide de Cholula, non loin de Puebla.

On notera d'importantes différences de style dans l'architecture des civilisations précolombiennes : tandis que les édifices de Teotihuacán, Monte Albán et les bâtiments aztèques étaient relativement simples, surtout destinés à impressionner et à provoquer l'effroi, les Mayas prêtèrent davantage attention à l'esthétisme avec, notamment, des façades à ornementation complexe, la présence de "crêtes" délicates au sommet des toits et de sculptures aux formes sinueuses. Les édifices de certains sites mayas comme Uxmal, Chichén Itzá et Palenque comptent parmi les chefs-d'œuvre de l'architecture mexicaine.

L'architecture coloniale. L'une des premières préoccupations des Espagnols fut de remplacer les temples "païens" par des églises chrétiennes, souvent sur le même site. Ainsi, la Grande Pyramide de Cholula est aujourd'hui surmontée d'une petite église coloniale. Les édifices religieux, les demeures et les places, qui contribuent tant aujourd'hui à la beauté du Mexique, furent construites pendant les trois siècles de domination coloniale. La plupart d'entre elles, de style espagnol, sont souvent dotées de variantes originales, d'inspiration locale.

Gothique et Renaissance. Ces styles et influences dominèrent l'architecture du XVIe et du début du XVIIe siècle. Le style gothique du Moyen-Age européen se retrouve dans les contreforts élancés, les arcades pointues, les bouquets de colonnes rondes et les voûtes à nervures. La Renaissance marque un retour aux idéaux d'harmonie et de proportion grecs et romains ; les formes et motifs classiques, comme le carré et le cercle, dominent. Le style Renaissance le plus répandu au Mexique est le plateresque – du mot espagnol désignant l'orfèvre, *platero* –, ainsi nommé en raison de ses ornements aussi élaborés qu'en orfèvrerie. Il orne généralement les façades de bâtiments, entrées d'églises surtout, agrémentées d'arcades rondes bordées de colonnes classiques et de sculptures en pierre. Plus tard, le style Renaissance connut une tendance très "épurée", ou herreresque, du nom de l'architecte espagnol Juan de Herrera. Deux des édifices les plus significatifs de la Renaissance sont la cathédrale de Mérida et la Casa de Montejo. Les cathédrales de Mexico et de Puebla mêlent styles Renaissance et baroque.

Les influences du gothique et de la Renaissance se combinent dans de nombreux monastères fortifiés, construits aux quatre coins du pays par les missionnaires espagnols. Les monastères possédaient généralement une grande église, un cloître où vivaient et travaillaient les moines, un grand atrium (cimetière), parfois avec de petites chapelles *posa* dans les coins, où s'arrêtaient les processions, et souvent une *capilla abierta* (chapelle ouverte) d'où les prêtres pouvaient prêcher aux foules d'Indiens. Les capillas abiertas sont rares hors du Mexique. Parmi les monastères les plus remarquables figurent Actopan et Acolman situés (dans le centre du Mexique) et Yanhuitlán, Coixtlahuaca et Teposcolula, dans l'État d'Oaxaca.

L'influence des musulmans, qui avaient occupé une bonne partie de l'Espagne jusqu'au XVe siècle, traversa également l'Atlantique jusqu'au Mexique. Certains plafonds de bois sculptés, mais également l'*alfiz* – rectangle encadrant une arche ronde – offrent de superbes exemples du style mudéjar, qui mêle influences chrétienne et musulmane. Les 49 dômes de la Capilla Real de Cholula confèrent ainsi une allure de mosquée à l'édifice tout entier.

Baroque. Le style baroque s'exprima au Mexique dès le début du XVIIe siècle, en réaction à la sévérité des styles Renaissance. Il faisait appel à des influences classiques, mais associées à d'autres éléments, et s'attachait plus à créer un effet théâtral qu'aux proportions classiques. Il se caractérisait par des formes et des lignes courbes, l'usage de couleurs, le contraste entre la clarté et l'obscurité, et des décorations de plus en plus élaborées. La peinture et la sculpture étaient intégrées à l'architecture pour obtenir un effet encore plus sophistiqué – particulièrement remarquable sur les autels très décorés, souvent énormes.

Parmi les édifices baroques de la première époque, plus sobres, figurent les

Le cinéma mexicain

Le cinéma mexicain connaît une phase industrielle dès le début des années 30. Avant tout politique, il reflète les grands événements sociaux issus de la Révolution de 1910. Ainsi, Fernando de Fuentes réalise *El Compadre Mendoza* (1933) et *¡Vámonos con Pancho Villa!* (1935), deux classiques sur la Révolution mexicaine. Période clé en matière artistique, cette époque voit l'essor de nouvelles formes d'expression. Le cinéma n'est pas en reste et s'attache à délivrer une esthétique qu'il voudrait universelle. Dans cet esprit, le soviétique Sergueï Eisenstein tourne, en 1931, un film-culte intitulé *¡Que viva México!* Cette grande fresque, malheureusement inachevée, possède une dimension originale mettant en exergue des valeurs mexicaines fondamentales telles que l'art, les coutumes locales et la nature.

Désireux de faire front aux nombreux films hispaniques produits à Hollywood, le cinéma mexicain trouve un nouveau souffle. La comédie *ranchera* (paysanne), le mélodrame familial, la comédie musicale et le drame urbain ouvrent la voie à de nombreux réalisateurs, tels que Juan Orol, Gabriel Soria ou Rolando Aguilar. En contrepoint, Julio Bracho, ayant appris la mise en scène dans les théâtres d'avant-garde, tourne un cinéma raffiné (*Distinto Amanecer* en 1943). Avec Emilio Fernández, on parlera même d'une école mexicaine de cinéma. Surnommé el Indio, ce réalisateur concilie l'esthétisme et le soin apporté aux images, en exprimant dans ses films le thème de l'Indien comme dans *L'Ouragan* (1943), *Les Abandonnées* (1944) ou encore *María Candelaria* (1944).

L'après-guerre marque la crise du cinéma national mexicain, contraint de se tourner vers des films à petit budget. Dans le domaine du cinéma d'auteur, on mentionnera Roberto Gavaldón et, bien entendu, l'espagnol Luis Buñuel. Installé au Mexique depuis 1946, il tourne en 1950 le fameux *Los Olvidados*. Ce film, sur les enfants pauvres de Mexico, dérangera par sa poésie et son univers insolite. Buñuel enchaînera alors toute une série de longs métrages *El* (1953), *la Vie criminelle d'Archibald de la Cruz* (1955), *Nazarín* (1958), *Viridiana* (1961), *l'Ange exterminateur* (1962) et *Simon du désert* (1964), largement ensencés par la critique internationale.

Dans les années 60 et 70, un groupe composé de critiques et de cinéastes fonde la revue cinématographique *Nuevo Cine*, et réalise un film manifeste, intimiste et poétique, *En el balcón vacío* (1961). D'autres metteurs en scène font une œuvre significative tels que Felipe Cazals et Paul Leduc. Arturo Ripstein, ancien assistant de Buñuel, porte à l'écran *Principio y fin* (1993), *La Reine de la nuit* (1994) et *Carmin profond* (1996), posant un regard sans complaisance sur la société mexicaine.

On citera également Alfonso Arau qui, avec le drame onirique *Les Épices de la passion* (1992), conte l'histoire d'une passion aux prises avec le poids des traditions.

Aujourd'hui, la crise économique, la privatisation de l'industrie du film, la concurrence de la télévision et le poids d'un vaste marché nord-américain affaiblissent considérablement la création nationale. Néanmoins, l'arrivée de jeunes réalisateurs, tels que María Novaro (*Lola*, 1989, *Danzón*, 1991, *Le jardin de l'Eden*, 1994) et Nicolás Echevarría (*Cabeza de Vaca*, 1990), donne un nouvel élan très prometteur pour les années à venir.

Pour ceux qui s'intéressent au sujet, l'excellent ouvrage *Le cinéma mexicain* (éd. du Centre Pompidou, Paris, 1992) sous la direction de Paulo Antonio Paranagua est une référence en la matière. ■

églises Santiago Tlatelolco à Mexico, San Felipe Neri à Oaxaca et San Francisco à San Luis Potosí. Les structures baroques postérieures regroupent les églises San Cristóbal à Puebla, La Soledad à Oaxaca, et la façade de la cathédrale de Zacatecas. Le baroque mexicain connut plusieurs évolutions et, entre 1730 et 1780, suivit ce que certains considèrent comme un style à part entière – le churrigueresque. Son nom provient du sculpteur et architecte barcelonais José Benito de Churriguera. Il se caractérise par une décoration exubérante, dont la "signature" est l'*estípite* – un pilastre (pilier vertical saillant seulement en partie du mur) en forme de pyramide très étroite et renversée, qui contribue à donner au churrigueresque son effet théâtral.

Les œuvres churrigueresques les plus marquantes restent la façade du Sagrario

Metropolitano à Mexico ; les églises San Martín à Tepotzotlán ; San Francisco, La Compañía et La Valenciana à Guanajuato ; Santa Prisca et San Sebastán à Taxco ; et le sanctuaire d'Ocotlán à Tlaxcala.

L'artisanat indien mexicain trouva sa voie à l'époque baroque, avec une profusion de sculptures, de bas-reliefs et de stuc polychrome. Les exemples les plus exubérants sont la Capilla del Rosario dans l'église Santo Domingo à Puebla, et l'église de Tonantzintla, près de Puebla. L'influence arabe se fit également sentir avec les carrelages de couleur (*azulejos*) ornant les bâtiments, en particulier à Puebla et aux environs.

Néo-classique. C'est un retour aux idéaux grecs et romains, qui dura de 1780 à 1830 environ. On en trouve des exemples au Colegio de Minería à Mexico, à l'Alhóndiga de Granaditas à Guanajuato et dans la deuxième galerie des tours de la cathédrale de Mexico.

XIXe et XXe siècles. Au début de son indépendance, le Mexique connut surtout des résurgences des styles antérieurs et des imitations des modes d'expression de l'Europe contemporaine. Le gothique et le style colonial furent à nouveau utilisés ; de nombreux édifices de la fin du siècle se contentaient d'imiter les styles français ou italien, comme Le Palacio de Bellas Artes, à Mexico, l'une des plus belles réussites architecturales de cette époque.

Après la Révolution de 1910 à 1921, on note une tentative de retour aux racines précolombiennes – courant généralement appelé toltécisme. Dans de nombreux bâtiments publics, on retrouve ainsi la "pesanteur" des monuments de type aztèque ou toltèque. Le meilleur exemple en est le campus universitaire de Mexico, construit au début des années 50, et dont de nombreux bâtiments sont recouverts de fresques colorées.

Les mariachis

Pour beaucoup d'étrangers, rien de mieux que les *mariachis* ne résume l'âme mexicaine. Vêtus d'un costume assortis à des sombreros à large bord, les célébrants chantent des ballades mexicaines traditionnelles devant une foule animée.

L'origine du mot "mariachi" est incertaine. Pour certains historiens, il ne fait aucun doute qu'il provient d'une altération du mot français "mariage". En effet, lors de la présence française entre 1861 et 1867, on raconte que des orchestres de mariachi avaient coutume de se produire à l'occasion de telles cérémonies.

D'autres font remarquer que ce mot était déjà usité avant la présence française et qu'il dériverait de fêtes mariales au cours desquelles jouaient des musiciens. Par ailleurs, le mariachi est typique de la région au sud de Guadalajara. Le mot résulterait ainsi de la juxtaposition de "María" et du diminutif náhuatl "-chi".

Autre hypothèse : dans les années 1870, un poète mexicain appela *mariache* le moment où danseurs et musiciens exécutent des *jarabes*. Un "jarabe" désigne un ensemble qui joue et chante pendant qu'un couple – un homme vêtu en cow-boy mexicain et une femme portant un châle et une jupe aux couleurs vives et bigarrées – danse.

Aujourd'hui, les orchestres de mariachi sont de deux sortes. Dans la version classique, les musiciens jouent uniquement sur des instruments à cordes et limitent leur répertoire aux mélodies traditionnelles du Jalisco. Les orchestres modernes, à vocation plus "commerciale", utilisent très largement la trompette et puisent dans un répertoire plus varié. ■

Musique

Au Mexique, on entend des musiciens à tout moment dans la rue, sur les places ou même dans les bus. Ils jouent pour gagner leur vie : groupes de marimba (xylophones), formations de mariachis (violonistes, trompettistes, guitaristes et un chanteur, tous en costume de "cow-boy"), musiciens des rues solitaires avec leur guitare désaccordée et leur voix rauque. Les marimbas sont particulièrement populaires dans le sud-est et sur la côte du Golfe.

La musique populaire constitue également une activité commerciale florissante – comme on peut s'en rendre compte dans les discothèques, fêtes et concerts, ou dans les magasins de disques. Si vous achetez des cassettes bon marché à un vendeur des rues, demandez à les écouter car elles sont souvent défectueuses.

La musique populaire varie des simples mélodies qui accompagnent les danses traditionnelles aux styles importés, tels que la *música tropical* latine ou le rock et le pop.

La musique de danse indienne est jouée à la flûte, au tambour, parfois à la guitare ou au violon et tend à être plus solennelle. La musique régionale fait surtout appel à des rythmes puissants, exprimés par plusieurs guitares auxquelles se mêlent la voix, l'accordéon, le violon ou les cuivres.

La *música ranchera* est une version mexicaine de la country music américaine, avec voix et combo. Lola Beltrán, la "reine de la ranchera", est décédée en 1996. Sa dépouille a été exposée au Palacio de Bellas Artes de Mexico. La ranchera plus contemporaine porte le nom de *groupera*. Parmi les formations les plus connues, mentionnons Limite, Los Bukis et Los Tigres del Norte.

La *norteña* est une musique country, façon cow-boy, du nord du Mexique. Le chanteur est accompagné d'un accordéon, d'une basse, d'une guitare rythmique et d'une batterie. La *banda* est la version big-band de la norteña. Les cuivres sont remplacés par la guitare et l'accordéon.

La pop et le rock sont également très populaires au Mexique et les concerts donnés, tant par des vedettes locales qu'internationales, attirent les foules. Parmi les groupes les plus connus, il faut citer El Tri (rock), Maná (proche du groupe Police) et, plus originaux, Fobia et Café Tacuba. Dans la tendance hard rock, on mentionnera les Ángeles del Infierno ou les Jaguares. Parmi les nouveaux venus, l'éclectique Luna Limón mérite l'attention.

La musique classique et le jazz n'en sont pas pour autant négligés ; on peut écouter des concerts et des récitals dans plusieurs salles de Mexico et d'autres villes.

Danse

Danses indiennes. Hautes en couleur, les danses traditionnelles tiennent une place importante dans les nombreuses fêtes du calendrier mexicain. La plupart conservent la marque de leurs origines précolombiennes. On a répertorié des centaines de danses traditionnelles : certaines sont célèbres dans tout le Mexique, d'autres sont propres à une ville ou un village.

Elles sont, pour la plupart, exécutées en costume, et les musiciens portent souvent des masques. Les plus beaux costumes sont ceux de la danse zapotèque des plumes, à Oaxaca, et de la danse du quetzal, exécutée par les Nahuas à Puebla, avec leurs énormes parures sur la tête et leurs boucliers de plumes. Certaines danses renvoient à d'anciens rites de fertilité, d'autres miment des histoires d'origine coloniale. La danse zapotèque des plumes symbolise la conquête espagnole du Mexique.

Moros y Cristianos relate la victoire des chrétiens sur les musulmans dans l'Espagne médiévale. Quant aux costumes de Los Viejitos (Les Vieux), que l'on peut voir à Pátzcuaro, dans le Michoacán, ils figurent les Espagnols et tirent leur origine des Indiens tarasques qui trouvaient que les conquérants vieillissaient bien vite !

Certaines danses sont aujourd'hui exécutées hors de leur contexte religieux, comme de simples spectacles. Le Ballet Folklórico de Mexico présente des danses traditionnelles, originaires de toutes les régions du Mexique. L'État de Veracruz possède son propre Ballet Folklórico.

Des festivals folkloriques, comme celui de Guelaguetza (État d'Oaxaca) ou celui d'Atlixcáyotl à Atlixco (Puebla), réunissent également des danseurs de diverses régions.

Danses latines. Les danses et la musique latine et caraïbe, que l'on appelle généralement *música afro-antillana* ou *música tropical*, ne sont pas originaires du Mexique mais y sont très en vogue. En fait, il s'agit de la version tropicale de danses de bal. Les percussions, les guitares électriques et les cuivres créent un rythme endiablé. Mexico compte une douzaine de clubs de ce type et de grandes salles de danse. L'une des danses les plus désuètes est le *danzón*, traditionnellement associé à la ville de Veracruz. Robes et hauts talons sont de rigueur pour les femmes, alors que les hommes portent un panama. Les pas sont courts et le mouvement part de la hanche vers les pieds.

La *cumbia* se caractérise également par des pas fixes, mais elle est plus animée et moins structurée que le danzón, car le haut du corps bouge également.

Le *merengue*, originaire de la Colombie et du Venezuela, se caractérise par un pas sautillant. Les épaules et les bras participent au mouvement. Quant à la *salsa*, il s'agit d'une musique cubano-new yorkaise, particulièrement sensuelle.

Littérature

Le romancier mexicain le plus connu est sans doute Carlos Fuentes. *La plus limpide région*, écrit en 1950, est son œuvre majeure. Comme dans *La Mort d'Artemio Cruz*, Carlos Fuentes vilipende les errements de la Révolution mexicaine.

Juan Rulfo est également un grand nom de la littérature mexicaine ; on lui doit notamment *Pedro Páramo*, dont l'action se déroule avant et pendant la Révolution. *Les Épices de la passion*, de Laura Esquivel, est une histoire d'amour passionnée, où l'imaginaire et même des... recettes se mêlent au récit. L'action se déroule dans le Mexique rural au temps de la Révolution.

Octavio Paz s'est vu décerner le prix Nobel de littérature en 1990. *Le Labyrinthe de la solitude* est une analyse pénétrante de l'idiosyncrasie et des mythes mexicains.

Consultez également la rubriques *Livres* dans le chapitre *Renseignements pratiques*.

Octavio Paz en paix

Né à Mexico il y a 84 ans, le poète essayiste s'est éteint le 19 avril 1998 dans la même ville. Son livre le plus célèbre, *Le Labyrinthe de la solitude* (Gallimard, 1950), est une fascinante interprétation de la civilisation mexicaine, de la Conquête jusqu'à nos jours, que tout voyageur se devrait de lire pour son premier contact avec le Mexique.

Figure emblématique des lettres mexicaines mais avant tout poète universel de ce siècle, il reçut le prix Nobel de littérature en 1990 pour son œuvre "ouverte sur des vastes horizons, empreinte de sensuelle intelligence et d'humanisme intègre".

La mort de l'écrivain viendra sans doute clore le chapitre des polémiques dont il était l'objet. Figure d'intellectuel engagé, notamment pendant la guerre d'Espagne, il sera d'autant plus honni par la gauche mexicaine (et latino-américaine) après ses prises de position de méfiance envers Castro dans les années 60, contre la révolution sandiniste au Nicaragua en 1984 ou encore contre le soulèvement zapatiste en 1944. Cependant ces accusations ne rendaient pas compte de la complexité de ses engagements, car il était aussi celui qui avait démissionné de son poste d'ambassadeur en Inde en signe de protestation suite au massacre d'étudiants en octobre 1968 à Mexico. Il entretint d'ailleurs par la suite des rapports difficiles avec le PRI, contrairement à l'allégeance au pouvoir dont il était accusé.

Son œuvre traduite en français compte plus de 20 titres. Citons, chez Gallimard, *Liberté sur parole*, *Le Feu de chaque jour* ou *l'Arbre parle* pour la poésie et *Rire et pénitence*, *Lueurs de L'Inde* ou *L'Autre voix* parmi ses nombreux essais. ■

RÈGLES DE CONDUITE

Les Mexicains ont certes une réputation de machisme et de nationalisme, mais font preuve de beaucoup de chaleur et de sympathie avec les visiteurs, surtout si ceux-ci se donnent la peine de parler quelques mots d'espagnol.

Machisme et famille

Le *machismo*, ou masculinité outrée, est destiné à impressionner les hommes plutôt que les femmes. Il s'exprime souvent par une certaine agressivité au volant, le port d'armes et les excès de boisson. Les femmes, pour leur part, ont tendance à exagérer leur féminité et à ne pas remettre en question l'autorité masculine. De tels stéréotypes sont toutefois loin d'être universels et semblent subir la pression des influences de la modernité. Les mouvements féministes ont fait quelques progrès depuis leur émergence dans les années 70, mais ils restent très minoritaires. Ainsi, l'avortement demeure dans la plupart des cas illégal.

Cette attitude s'explique, sans doute, par la violence qui marqua l'histoire du Mexique et par une conception étrange des relations familiales : il est fréquent qu'un mari mexicain ait plusieurs maîtresses. Les épouses reportent alors toute leur affection sur leurs fils, qui idolâtrent leurs mères et, ne pouvant trouver pareille perfection chez une femme, prennent une maîtresse. Le puissant lien mère-fils oblige l'épouse mexicaine à s'entendre avec sa belle-mère. Alors que la vertu des filles et des sœurs doit être à tout prix protégée, les autres femmes sont tenues en piètre estime, en particulier les étrangères.

Malgré les tensions, la loyauté familiale est très forte. Les Mexicains éprouvent beaucoup de difficultés à révéler leur véritable personnalité, à l'extérieur de leur famille : “Alors que vous pensez très bien connaître un ami, vous vous apercevez qu'il joue un rôle – ce qui ne l'empêche pas d'être amical, loyal ou charmant”.

Être invité dans une demeure mexicaine est un honneur pour un étranger. Vous ferez l'objet d'une hospitalité incomparable et vous pourrez découvrir un Mexique inconnu des touristes.

Nationalisme

Le nationalisme mexicain fut largement stimulé par les onze années de guerre d'indépendance contre l'Espagne, au début du XIXe siècle, par les luttes qui en découlèrent contre les Américains et les Français, ainsi que par la domination étrangère sur l'économie mexicaine – britannique et américaine au début de ce siècle, puis à nouveau américaine, plus récemment.

Dans l'attitude des Mexicains à l'égard des États-Unis se mêlent généralement l'envie et le ressentiment qu'un voisin pauvre éprouve à l'égard de son riche voisin. Le terme de “gringo” n'est, toutefois, ni un compliment, ni forcément une insulte.

Prise de contact

Les relations américano-mexicaines sont complexes. Aussi, il est préférable d'établir le contact dans une autre langue que l'anglais afin de n'être pas pris pour un *yanqui*. Par la suite, il sera possible de communiquer en anglais si besoin.

Les difficultés liées à la langue sont parfois une barrière à l'établissement d'une relation amicale. Certaines personnes sont timides ou vous ignorent parce qu'elles n'ont jamais rencontré d'étrangers et n'imaginent pas qu'une conversation soit possible : quelques mots d'espagnol vous apporteront souvent des sourires et une attitude chaleureuse.

Les Indiens. Certains Indiens se montrent très réservés à l'égard des visiteurs : ils ont appris à se méfier des étrangers après quatre siècles et demi d'exploitation. Ils n'aiment pas être dévisagés par des hordes de touristes et n'apprécient guère les appareils photographiques.

RELIGION

Catholicisme

Plus de 90% de la population se considère comme catholique. Un taux remarquablement élevé, si l'on considère l'histoire de l'Église catholique romaine au Mexique, surtout au cours des deux derniers siècles.

L'Église catholique est présente au Mexique depuis les tout premiers jours de la conquête espagnole. Seconde institution, après la Couronne espagnole, elle fut le seul véritable facteur d'unité de la société mexicaine, jusqu'à l'indépendance. Tous les Mexicains ou presque y adhérèrent car, en dehors de l'aspect spirituel, l'Église était le principal fournisseur en matière de services sociaux et d'enseignement.

La sainte patronne du Mexique : la Vierge de Guadalupe

Précurseurs et premiers administrateurs, les jésuites établirent des missions dans tout le Mexique. Leur expulsion de l'empire espagnol au XVIIIe siècle marqua le début de relations Église-État orageuses sur le sol mexicain.

Aux XIXe et XXe siècles (jusqu'en 1940), le Mexique prit de nombreuses mesures pour restreindre le pouvoir et l'influence de l'Église catholique. Étaient plus particulièrement visés les biens et les propriétés, que l'Église amassait plus rapidement que les chefs militaires et politiques. La constitution mexicaine de 1917 refusait au clergé le droit de se prononcer sur les options du gouvernement ; les congrégations religieuses n'étaient pas autorisées à posséder des biens ou à diriger des écoles. En pratique, la plupart de ces restrictions cessèrent d'être appliquées au cours de la deuxième moitié du XXe siècle. Dans les années 90, le président Salinas fit disparaître ces mesures de la constitution.

L'église catholique mexicaine est l'une des plus conservatrices d'Amérique latine. Seuls les dignitaires du sud du pays, notamment l'évêque Samuel Ruiz García de San Cristóbal de Las Casas, se sont engagés en faveur des droits de l'homme et contre la pauvreté.

Le symbole le plus puissant de l'Église demeure la Vierge de Guadalupe (*Nuestra Señora de Guadalupe*), une manifestation de la Vierge Marie apparue à un Indien en 1531, sur une colline non loin de Mexico. Elle devint un lien déterminant entre catholicisme et culture indienne et, compte tenu de la prédominance des mestizos dans la société mexicaine, le symbole le plus puissant du catholicisme mexicain. Le nom de cette sainte patronne du Mexique est fréquemment évoqué au cours de cérémonies religieuses, dans les discours politiques et dans la littérature.

Autres religions chrétiennes

Près de 5% des Mexicains se réclament d'autres branches du christianisme. Un premier groupe comprend les églises méthodistes, baptistes, presbytériennes et anglicanes, établies par les missionnaires américains au XIXe siècle.

D'autres missionnaires, évangéliques cette fois, s'implantèrent au Mexique au XXe siècle. Les dernières décennies ont vu les églises pentecôtistes faire de nombreux adeptes, notamment parmi les populations indiennes et rurales du sud-est du pays, ce qui a parfois provoqué des heurts avec les catholiques.

Synchrétisme

Les missionnaires des XVIe et XVIIe siècles parvinrent moins à convertir les peuples natifs qu'à greffer le catholicisme sur les religions précolombiennes. Souvent, les anciens dieux étaient simplement identifiés à des saints chrétiens et les anciennes fêtes continuaient à être célébrées, sans subir beaucoup de modifications, au nom du saint dont la fête se rapprochait le plus. L'acceptation de la nouvelle religion fut largement favorisée par l'apparition de la "Vierge de Guadalupe", en 1531.

Aujourd'hui, les Indiens sont presque tous chrétiens, mais à leur foi se mêlent des croyances plus anciennes. Ainsi, les Huicholes de Jalisco, qui n'acceptèrent jamais vraiment le christianisme, ont deux Christ, mais aucun des deux n'est une divinité majeure. Nakawé, la déesse de la Fertilité, est bien plus importante.

Le peyotl, une plante hallucinogène, est une source de sagesse primordiale dans l'univers huichol. Ailleurs, surtout chez les Tarahumaras, l'ivresse est un élément sacré en période de fêtes.

Même chez les Indiens plus orthodoxes, il n'est pas rare que les fêtes des saints qui se déroulent au printemps, ou le carnaval, s'accompagnent de vestiges de rites de la fertilité, comme la célèbre danse totonaque des voladores, à Veracruz.

La fête de Guelaguetza, qui draine des milliers de visiteurs à Oaxaca chaque été, trouve son origine dans les rites précolombiens dédiés au dieu du Maïs, que les prêtres chrétiens remplacèrent par des mascarades.

Dans le monde indien traditionnel, tout ou presque possédait autrefois une dimension spirituelle – les arbres, les rivières, les plantes, le vent, la pluie, le soleil, les animaux et les montagnes avaient leurs propres dieux ou esprits. On peut même voir des bouteilles de Coca-Cola parmi les offrandes de la petite église indienne tzotzil de San Juan Chamula, au Chiapas.

La magie est encore pratiquée. La maladie est généralement considérée comme une "perte de l'âme" provoquée par les méfaits du malade, ou par l'influence d'une personne dotée de pouvoirs magiques. Une âme peut être "retrouvée" si un sorcier (*brujo*) accomplit le rituel approprié.

LANGUE

L'espagnol est la première langue du Mexique. L'espagnol mexicain diffère du castillan à deux égards : le zézaiement castillan a plus ou moins disparu, et de nombreux mots indiens ont été assimilés. Il est toujours utile et courtois de connaître au moins quelques mots et phrases d'espagnol. Les Mexicains répondront en général de meilleure grâce si vous essayez de vous exprimer dans leur langue (voir plus haut le paragraphe *Prise de contact*).

Plus de 50 langues indiennes sont parlées par plus de 7 millions de Mexicains, dont peut-être 15% ne parlent pas l'espagnol.

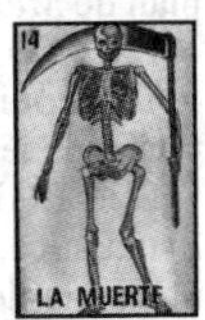

Renseignements pratiques

PRÉPARATION AU VOYAGE

Quand partir

Si le climat permet de visiter le Mexique tout au long de l'année, la moitié sud du pays connaît des températures assez élevées de mai à septembre et peut atteindre un degré d'humidité désagréable. L'intérieur des terres jouit d'un climat plus tempéré que les côtes.

Juillet et août sont les mois les plus prisés, à la fois par les Mexicains et les étrangers ; les stations balnéaires attirent alors une foule considérable de touristes et les prix des chambres augmentent sensiblement.

En dehors de l'été, les hautes saisons se situent entre la mi-décembre et le début du mois de janvier (pour les touristes étrangers comme pour les Mexicains) ainsi que pendant les jours précédant et suivant Pâques (pour les Mexicains). Étant donné que le prix des chambres augmente dans les endroits les plus réputés, et que les hôtels et les transports publics sont très sollicités, il est prudent de réserver.

Cartes

Parmi les bonnes cartes du Mexique, citons celle de l'International Travel Map (ITM), à l'échelle 1 cm : 33 km, détaillée mais assez facile à lire, et celle de la série Bartholomew World Travel Map, très précise sur les altitudes et les cours d'eau (pour les atlas routiers, reportez-vous à la rubrique *Voiture et moto* du chapitre *Comment circuler*).

ITM édite aussi des cartes régionales, à l'échelle 1 cm : 10 km, intitulées *Mexico South* et *Yucatán Peninsula*, ainsi qu'un plan de *Mexico City*.

La *Mapa de la República Mexicana 9600* répertorie 9 600 villes et villages, tous indexés.

L'INEGI, l'Instituto Nacional de Estadística, Geografía e Informática, édite une série de cartes l'échelle 1 cm : 500 m, couvrant l'ensemble du pays. Cet institut dispose d'un bureau dans les capitales de chaque État du Mexique, et celui de Mexico est idéalement situé, juste à la sortie de la station de métro Insurgentes (voir *Cartes* dans le chapitre *Mexico*).

Que prendre avec soi

Votre garde-robe dépendra bien entendu de la saison et des conditions dans lesquelles vous désirez voyager, ainsi que de votre destination, mais peut-être souhaiterez-vous vous conformer aux usages locaux.

En matière vestimentaire, les Mexicains sont assez conservateurs. Même dans les régions chaudes, les hommes portent des pantalons. La *guayabera* – chemise fantaisie décorée de plis et portée hors de la ceinture – remplace la veste et la cravate lors des occasions plus formelles. La plupart des femmes sont vêtues de robes élégantes, ou de chemisiers et de jupes.

Les Mexicains ne s'attendent nullement à ce que vous vous habilliez comme eux. Sachez toutefois que, en dehors des stations balnéaires, les shorts et les tee-shirts restent le signe de reconnaissance du touriste. Dans les régions les plus chaudes, le mieux est de porter des pantalons ou des jupes en coton léger avec des tennis ou des sandales. Le jean, trop lourd et souvent peu confortable sous les climats chauds et humides, est en revanche parfait dans les régions des hauts plateaux pendant les mois les plus frais. Pensez à emporter un pull ou une veste – même sur la côte, vous risquez d'en avoir besoin le soir si vous faites une promenade en bateau. Un vêtement de pluie léger, un poncho ample de préférence, est recommandé d'octobre à mai, et nécessaire de mai à octobre.

En règle générale, une tenue classique est préférable pour les femmes ; mieux vaut éviter les shorts et les débardeurs en ville (excepté dans les stations balnéaires), ainsi que dans les villages reculés, peu habitués aux touristes. Une tenue plus conventionnelle est indispensable pour visiter les églises.

Dans les basses terres côtières, au Yucatán et au Tabasco, pensez à toujours mettre un chapeau et un écran solaire. Si vous avez le teint particulièrement clair ou si vous êtes sujet aux coups de soleil, prévoyez des vêtements légers à manches longues et des pantalons.

On peut acheter des articles de toilette tels que shampooing, mousse à raser, rasoir, savon et dentifrice à peu près partout au Mexique, sauf dans les plus petits villages. Emportez votre produit pour lentilles de contact, vos tampons, vos contraceptifs et votre crème anti-moustiques – produits qu'il est généralement possible de se procurer, mais pas toujours facilement. La pose de petits cadenas se révèle assez dissuasive.

OFFICES DU TOURISME

Sur place

Il existe des offices du tourisme nationaux, régionaux et municipaux. Pratiquement chaque site touristique en possède un. Ils sont souvent d'une aide précieuse et fournissent cartes et dépliants. A Mexico, vous pouvez contacter le bureau du SECTUR, le ministère du Tourisme mexicain (☎ 5-250-01-23, 800-90392), ouvert 24h/24 et 7 jours/7.

A l'étranger

Vous pouvez vous adresser à l'office du tourisme du gouvernement mexicain aux adresses suivantes :

France et Belgique
4, rue Notre-Dame des Victoires, 75002 Paris
(☎ 01 42 86 56 30)
Suisse et Allemagne
Wiesenhuettenplatz 26, D-60329 Francfort/Main
(☎ 069-252-413, 069-253-541)
Italie
Via Barberini 3, 00187 Rome (☎ 06-487-2182)

Au Canada. Des informations touristiques sur le Mexique vous seront données en appelant le ☎ 800-446-3942.

Montréal
1, place Ville Marie, Suite 2409, H3B 3M9
(☎ (514) 871-1052)
Toronto
2 Bloor St West, Suite 1801, M4W 3E2
(☎ (416) 925-0704)
Vancouver
999 W Hastings St, Suite 1610, V6C 1M3
(☎ (604) 669-2845)

VISAS ET AMBASSADES

Visas et cartes de touriste

Tout visiteur doit être muni d'un passeport ayant une durée de validité de six mois à compter de la date d'entrée dans le pays. Sur présentation du passeport, on obtient une carte de touriste (*tarjeta de turista*) pour une durée maximale de 90 jours.

Les touristes canadiens n'ont pas besoin de passeport mais d'un acte de naissance délivré au Canada. Il est néanmoins préférable d'avoir un passeport avec soi : les officiers d'immigration y sont habitués et seront plus lents à traiter votre demande s'ils ont affaire à un autre document. De toute façon, le change est souvent obtenu au Mexique sur présentation d'un passeport qui sert de document officiel.

Les mineurs de moins de 18 ans non accompagnés par leurs *deux* parents doivent se munir d'un document particulier (reportez-vous au paragraphe *Mineurs* sous la rubrique *Formalités complémentaires*).

La carte de touriste. La carte de touriste – dont le nom officiel est Forma Migratoria de Turista (FMT) – est un petit document que vous devrez remplir et faire valider (par l'apposition d'un tampon) à votre entrée dans le pays et que vous devrez garder jusqu'à la fin du séjour. Vous l'obtiendrez gratuitement auprès des services mexicains d'immigration au passage des frontières officielles ainsi que dans les aéroports et les ports maritimes internationaux, où elle vous sera également validée. A la frontière entre le Mexique et les États-Unis, la délivrance de cette carte n'est pas systématique, et vous devrez la demander auprès des services mexicains d'immigration. Vous n'êtes pas dans l'obligation de

Ambassades et consulats mexicains à l'étranger

Sauf indication contraire, les adresses suivantes sont celles des ambassades ou de leur bureau consulaire.

Argentine
Larrea 1230
1117 Buenos Aires
(☎ 01-821-7210)

Belgique
Av. Franklin Roosevelt 94
1050 Bruxelles
(☎ 02-629-0711)

Belize
20 North Park St,
Fort George Area
Belize City
(☎ 02-30-193/194)

Brésil
SES Av Das Nacoes Lote 18
70412-900 Brasilia DF
(☎ 61-244-6866/1011)

Canada
Bureau consulaire de l'ambassade :
45 O'Connor St, Suite 1500
Ottawa, Ontario K1P 1A4
(☎ 613-233-8988/6665)
Consulat :
2000 rue Mansfield,
Suite 1015
Montréal, QC H3A 2Z7
(☎ 514-288-2502/2707)

Costa Rica
Avenida 7a No 1371
San José
(☎ 257-0633, 225-4430)

El Salvador
Calle Circunvalación y
Pasaje N° 12,
Colonia San Benito,
San Salvador
(☎ 243-3458/3190)

France
9 rue de Longchamp
75116 Paris
(☎ 01 45 53 99 34,
01 45 53 76 43)
Consulat :
4, rue Notre-Dame des Victoires
75002 Paris
(☎ 01 42 61 51 80)

Guatemala
Edificio Central Ejecutivo,
7e étage
15a Calle No 3-20 Zona 10,
Guatemala Ciudad
(☎ 333-72-54)
Consulats :
13a Calle No 7-30
Zona 9, Guatemala Ciudad
(☎ 331-81-65, 332-52-49)
9a Avenida No 6-19
Zona 1, Quetzaltenango
(☎ 763-13-12 à 15)

Honduras
Avenida República de México 2907,
Colonia Palmira
Tegucigalpa
(☎ 32-64-71, 32-40-39)

Nicaragua
Carretera a Masaya Km 4.5
25 varas arriba (près de Optica Matamoros)
Áltamira, Managua
(☎ 5052-78-1860)

Suisse
Bernestrasse 57,
3005 Bern
(☎ 031-351-4060/1814)

faire valider votre carte de touriste à la frontière même, car il existe d'autres services d'immigration situés un peu plus loin en territoire mexicain où il est possible de le faire. Nous vous conseillons cependant fortement de remplir cette formalité à la frontière : des difficultés peuvent toujours surgir ailleurs.

Une des parties de la carte comporte la durée de votre séjour au Mexique. Le maximum officiel est de 180 jours, mais seulement de 90 jours pour les détenteurs de passeports français, autrichiens, grecs et argentins. Si vous omettez de remplir la case ayant trait à la durée de votre séjour au Mexique, les officiels mexicains y apposeront souvent la mention "30 jours", pensant que vous n'êtes là que pour de brèves vacances. En cas de séjour plus long, remplissez vous-même la case, ou communiquez votre souhait à l'officier avant qu'il ne l'inscrive.

Les voyageurs en provenance du Guatemala ou du Belize entrant au Mexique auront parfois affaire à des officiers de l'immigration qui ne leur accorderont que 5, 15 ou 30 jours mais il leur sera possible d'obtenir une prolongation une fois qu'ils seront plus loin à l'intérieur du pays (voir ci-dessous). Si vous dépassez la durée du séjour inscrite sur votre carte, vous êtes passible d'une amende (en général de

MARK HONAN

Peinture au fil des Huicholes

MARK HONAN

Vêtement traditionnel huichol

JOHN NOBLE

JAMES LYON

Tapis décoré d'un motif précolombien, Teotitlán del Valle, Oaxaca

Tissu brodé de la région de San Pueblita, Cholula

Poteries talavera
Dolores Hidalgo, Guanajuato

Maraca, tambourin, tambour miniature et guiro façonné à partir d'une calebasse évidée

JAMES LYON

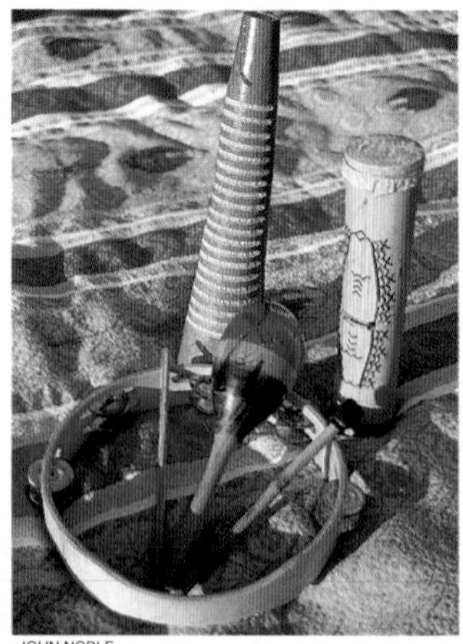
JOHN NOBLE

JAMES LYON

Paniers tressés

Poterie noire
San Bartolo Coyotepec,
Oaxaca

DAVE G HOUSER

Calebasses aux couleurs vives, Oaxaca

DAVE G HOUSER

DAVE G HOUSER

JOHN NOBLE

Masque miniature de "tigre"

NANCY KELLER

Marionnettes en vente sur un marché artisanal, Cancún, Quintana Roo

Boucles d'oreille en argent

Animalitos provenant d'Amatenango del Valle, Oaxaca

JOHN NOBLE

50 $US pour un dépassement allant jusqu'à un mois).

Attention ! la loi mexicaine vous contraint normalement à rendre la carte de touriste lorsque vous quittez le pays et à l'avoir toujours sur vous (dans les grandes villes, il est judicieux de la laisser dans le coffre de l'hôtel et de prendre avec soi une photocopie, en cas de vol).

Prolongation ou perte de la carte de touriste. Pour obtenir la prolongation de la carte, vous devrez vous adresser à une Delegación de Servicios Migratorios (services d'immigration), dont il existe des bureaux dans de nombreuses villes. Cette démarche ne pose en principe aucune difficulté ; vous devrez vous munir de votre passeport, de votre carte de touriste, de votre billet d'avion indiquant la date de votre départ du Mexique (si vous en avez un) et d'une preuve quelconque que vous disposez de "fonds suffisants" – une carte de crédit fera l'affaire – et à Mexico, l'équivalent de 100 $US en chèques de voyage suffira. La plupart des bureaux n'accepteront de vous accorder une prolongation que quelques jours avant la date d'expiration de votre carte – il est en général inutile de faire les démarches plus tôt.

Si vous perdez votre carte ou si vous souhaitez d'autres informations, contactez votre consulat. Vous pouvez également appeler l'office du tourisme du SECTUR à Mexico (☎ 5-250-01-23, 800-90392).

Mineurs

Chaque année, de nombreux Américains du Nord se réfugient au Mexique avec leurs enfants pour échapper aux actions en justice intentées par leur conjoint. Pour enrayer cette situation, les autorités mexicaines peuvent – et elles le font souvent – exiger un acte notarié, signé par le parent absent ou par les deux parents, autorisant le mineur (une personne de moins de 18 ans) à entrer au Mexique.

Si les deux parents accompagnent l'enfant, ce document n'est pas nécessaire. Ceci s'applique en priorité aux ressortissants d'Amérique du Nord, mais semble être également valable pour toutes les nationalités.

En cas de doute, renseignez-vous auprès d'un consulat du Mexique.

Photocopies

Avant d'entrer au Mexique, il est conseillé de faire deux photocopies de tous les documents importants que vous emporterez avec vous. Lorsque vous arriverez au Mexique, faites également une photocopie de votre carte de touriste, ainsi que des papiers du véhicule si vous conduisez. Ces photocopies vous faciliteront grandement la vie si vous veniez à perdre l'un de ces documents ou s'il vous était volé et que vous deviez le faire remplacer.

FORMALITÉS COMPLÉMENTAIRES

Assurance voyage

Reportez-vous à la rubrique *Santé*, plus loin dans ce chapitre.

Permis de conduire

Si vous envisagez de louer un véhicule au Mexique, munissez-vous de votre permis de conduire et d'une carte de crédit. Pour de plus amples renseignements sur les locations, reportez-vous au chapitre *Comment circuler*. Et si vous désirez savoir quels papiers sont nécessaires pour faire entrer votre propre véhicule au Mexique, reportez-vous au chapitre *Comment s'y rendre*.

Cartes d'auberge de jeunesse, d'étudiant et de jeune

Une carte HI (Hostel International) vous permettra d'obtenir des petites réductions dans quelques auberges de jeunesse mexicaines.

Bien que les rabais accordés aux étudiants dans les musées, les sites archéologiques, etc., soient en principe réservés aux porteurs d'une carte du système éducatif mexicain, votre carte ISIC (carte d'étudiant internationale) vous fera bénéficier parfois d'une réduction.

Vous pourrez également profiter de tarifs réduits sur certaines lignes de bus.

Ambassades étrangères au Mexique

Toutes les ambassades sont rassemblées à Mexico. De nombreux pays possèdent des consulats dans d'autres villes du Mexique ; les coordonnées de plusieurs d'entre eux sont indiquées aux rubriques des villes dans ce guide.

Vous trouverez ci-dessous une liste sélective d'ambassades à Mexico. Les horaires d'ouverture sont souvent restreints – en général, du lundi au vendredi, de 9h ou 10h à 13h ou 14h – et elles sont fermées les jours qui sont fériés au Mexique aussi bien que dans leur propre pays. Toutefois, la plupart mettent à votre disposition une ligne téléphonique d'urgence. Si vous appelez d'un autre endroit que Mexico, composez l'indicatif de longue distance, 01, puis l'indicatif de la ville, 5, avant de faire le numéro de votre correspondant. Les *colonias* (quartiers) de Mexico dans lesquelles sont situées ces adresses sont mentionnés, ainsi que la station de métro la plus proche.

Argentine
Boulevard Manuel Ávila Camacho 1, 7e étage
Lomas de Chapultepec
(☎ 520-94-32)

Belgique
Musset 41, Polanco
(☎ 280-07-58) ;
métro : Polanco

Belize
Bernardo de Gálvez 215
Lomas de Chapultepec
(☎ 520-12-74)

Brésil
Lope de Armendáriz 130
Lomas de Chapultepec
(☎ 202-87-37, 202-75-00)

Canada
Schiller 529, Polanco,
à 400 m au nord du Museo Nacional de Antropología
(☎ 724-79-00, 800-70629) ;
ouvert du lundi au vendredi de 9h à 13h et de 14h à 17h ; métro : Polanco

Costa Rica
Rio Po 113, Cuauhtémoc,
au nord du Monumento a la Independencia
(☎ 525-77-64) ;
métro : Insurgentes

El Salvador
Montes Altai 320
Lomas de Chapultepec
(☎ 520-08-56)

France
Campos Elíseos 339, Polanco
(☎ 282-97-00) ;
à l'angle de la rue Lafontaine 32 ; ouvert du lundi au vendredi de 9h à 13h ;
métro : Auditorio

Guatemala
Avenida Explanada 1025
Lomas de Chapultepec
(☎ 540-75-20, 282-53-78)

Honduras
Alfonso Reyes 220
Hipódromo Condesa
(☎ 211-52-50) ;
consulat : (☎ 515-66-89)
métro : Juanacatlán

Nicaragua
Payo de Rivera 120
Lomas de Chapultepec
(☎ 540-56-25)

Suisse
Paseo de las Palmas 405, 11e étage
Lomas de Chapultepec
(☎ 520-30-03, 520-85-35)

DOUANE

Pour tous les véhicules à moteur pénétrant sur le sol mexicain (à l'exception de la Basse-Californie et de la zone frontalière américaine, qui s'étend sur environ 25 km à l'intérieur du pays), un permis d'importation du véhicule et une assurance locale sont exigés – voir le chapitre *Comment s'y rendre*.

Parmi les marchandises que les visiteurs ont le droit d'importer figurent les objets et les médicaments à usage personnel, accompagnés d'une ordonnance dans le cas de substances psychotropes (médicaments pouvant altérer la perception ou le comportement), une caméra vidéo et un appareil photo, 12 pellicules, 3 litres d'alcool et 400 cigarettes ou 50 cigares.

A votre arrivée au Mexique, les formalités douanières habituelles consistent à remplir un formulaire de déclaration de douane, puis à choisir la file “marchandises à déclarer” ou celle “rien à déclarer”. Ceux qui optent pour la déclaration de marchandises voient leurs bagages fouillés et doivent s'acquitter d'une taxe. Ceux qui ne déclarent rien se présentent devant un feu de signalisation grandeur nature qui réagit un peu au hasard : s'il passe au vert, vous poursuivrez votre route sans inspection, s'il passe au rouge, vos bagages seront fouiller. Ce système hasardeux a en grande partie remplacé la maudite *mordida*, la morsure (petit graissage de patte ou pourboire) qui déterminait auparavant la vitesse et la facilité avec lesquelles les visiteurs franchissaient la douane mexicaine.

QUESTIONS D'ARGENT

Coût de la vie

La chute du peso survenue en 1994-1995 a fait du Mexique un pays moins cher qu'il ne l'était quelques années auparavant. Bien que les prix en pesos aient quasiment doublé entre 1994 et 1997, le nombre de pesos que vous obtiendrez en échange de vos francs a encore augmenté.

A l'exception de la côte est de la péninsule du Yucatán, où les chambres peuvent valoir le double de ce qu'elles coûtent dans le reste du Mexique, un voyageur au budget serré campant ou logeant dans des établissements de catégorie modeste et prenant deux repas quotidiens au restaurant doit s'attendre à dépenser entre 10 et 20 $US par jour. En y ajoutant divers frais (en-cas, eau minérale et boissons, entrées sur les sites, trajets longue distance en bus, etc.), votre budget atteindra probablement entre 15 et 30 $US par jour.

En catégorie moyenne, vous pourrez vous loger convenablement presque partout au Mexique pour un budget de 30 à 45 $US par personne et par jour, même dans les grandes villes et les stations coûteuses. Dans la plupart des endroits, deux personnes trouveront facilement une chambre propre et moderne avec salle de bains et télévision entre 15 et 30 $US, somme à laquelle il faut ajouter 30 $US pour la nourriture, les entrées sur les sites, les transports et autres frais.

Dans le haut de gamme, quelques hôtels et stations onéreuses vous demanderont jusqu'à 200 $US pour une chambre, et certains restaurants vous reviendront à 50 $US par personne, mais vous pourrez aussi descendre dans un hôtel plus petit et très confortable, où une chambre double vous coûtera entre 40 et 75 $US, et manger extrêmement bien pour 20/40 $US par personne et par jour.

Cartes de crédit et distributeurs

Il est préférable de posséder l'une des principales cartes de crédit : Visa, Mastercard ou American Express sont acceptées par toutes les compagnies aériennes, sociétés de location de voitures et agences de voyages, ainsi que dans de nombreux hôtels, restaurants et magasins.

Les distributeurs sont en général la meilleure façon de se procurer du liquide. Ils sont désignés sous différents termes : *caja permanente* ou *cajero automático*.

Chèques de voyage et espèces

Même si vous possédez une carte de crédit, vous pouvez vous munir de chèques de voyage (établis en dollars US de préférence) ou de dollars US en espèces – moins conseillés toutefois pour des raisons de sécurité. American Express possède un numéro d'appel d'urgence fonctionnant 24h/24 (☎ 5-326-36-25). En cas de perte de chèques de voyage, vous pouvez les appeler en PCV de n'importe quel endroit du Mexique. Thomas Cook dispose aussi d'un numéro d'appel gratuit 24h/24 en cas de nécessité (☎ 95-800-223-73-73)

Lorsque vous payez quelque chose en liquide, attendez qu'on vous ait rendu toute la monnaie avant de la prendre. Une des ruses favorites des vendeurs de tickets consiste notamment à vous rendre la monnaie lentement, pièce par pièce, dans l'espoir que vous la ramasserez et partirez avant d'avoir reçu le tout.

Transferts internationaux

Si vous avez besoin de vous faire envoyer de l'argent au Mexique, adressez-vous au service "Dinero en Minutos" (de l'argent en quelques minutes) de la Western Union.

On trouve des bureaux dans les magasins d'électroménager Elektra (environ 300 répartis dans tout le pays et la plupart sont ouverts tous les jours de 9h à 21h), ainsi qu'aux guichets des telégrafos (télégraphe) dans de nombreuses villes. L'expéditeur remet l'argent au bureau de la Western Union le plus proche, en payant une commission, et fournit les renseignements sur le destinataire. Pour aller le retirer, prenez une pièce d'identité avec votre photo.

Monnaie nationale

La monnaie nationale mexicaine est le peso, appelé officiellement le *nuevo peso* (nouveau peso).

Le peso est divisé en 100 centavos. Il existe des pièces de 5, 10, 20 et 50 centavos, et de 1, 2, 5, 10, 20 et 50 pesos. Les billets sont en coupures de 10, 20, 50, 100, 200 et 500 pesos.

Le taux de change du peso étant imprévisible, les prix indiqués dans ce guide sont donnés en dollars US équivalents.

Au Mexique, le signe $ symbolise le peso. Les sigles "N$", "NP" (nuevos pesos) et "MN" (moneda nacional) désignent tous le nouveau peso. Afin d'éviter toute confusion, les prix en dollars sont normalement inscrits comme suit : "US$5", "$ 5 Dlls" ou encore "5 USD".

Devises

Les dollars US sont la meilleure devise pour les chèques de voyage. Bien qu'il soit possible de changer des chèques ou des espèces dans d'autres monnaies (notamment les dollars canadiens) dans les grandes villes, l'opération risque d'être longue et compliquée, sans compter que vous risquez d'obtenir un taux de change peu avantageux dans les plus petites villes, voire de ne rien pouvoir changer du tout.

Taux de change

Vous pouvez changer de l'argent dans les banques ou dans les *casas de cambio* (maisons de change, le plus souvent des kiosques à guichet unique). La transaction est rapide, ces établissements sont généralement ouvert dans l'après-midi, la soirée et le week-end, mais ils n'acceptent pas toujours les chèques de voyage.

Les taux de change varient quelque peu d'une banque ou d'une casa de cambio à l'autre. Les taux diffèrent également selon qu'il s'agit de liquide (*efectivo*) ou de chèques de voyage (*documento*). De manière générale, mais non systématique, les banques offrent un meilleur taux de change pour les chèques de voyage que pour l'argent liquide, l'inverse étant vrai dans les casas de cambio.

Si vous rencontrez des difficultés pour changer de l'argent, en particulier le week-end, essayez les grands hôtels, bien que le taux y soit souvent moins avantageux.

Le peso est désormais relativement stable. A l'heure où nous mettons sous presse, les taux de change du peso sont les suivants :

1 FF	=	1,40	peso
1 FS	=	5,75	pesos
10 FB	=	2,30	pesos
1 $CAN	=	6,05	pesos
1 $US	=	8,55	pesos
10 pesos	=	7,15	FF
10 pesos	=	1,75	FS
10 pesos	=	44	FB
10 pesos	=	1,65	$CAN
10 pesos	=	1,15	$US

Pourboires et marchandage

En règle générale, le personnel des établissements bon marché ne compte guère sur votre générosité, à l'inverse de celui des stations touristiques coûteuses. Dans celles qui sont fréquentées par les étrangers (Acapulco, Cancún, Cozumel), comptez 15 à 20% de pourboire ; ailleurs, 10% suffisent. Les chauffeurs de taxi n'attendent pas de pourboire, contrairement aux pompistes des stations essence.

Vous pouvez toujours tenter de négocier le tarif d'une chambre d'hôtel, mais les prix sont généralement fixes, surtout pendant la haute saison d'hiver. Sur les marchés, le marchandage est de règle, le prix indiqué dépassant largement le coût réel. Il est également conseillé de marchander le tarif d'une course avec les taxis ne possédant pas de compteur.

Taxes

L'*Impuesto de Valor Agregado* (taxe à la valeur ajoutée), ou IVA (prononcez "I-ba"), est de 10%. La taxe est incluse dans tous les prix et ne devrait pas être ajoutée a posteriori. Dans les magasins et sur les cartes de restaurant, figure généralement la mention "*IVA incluido*" ; dans certains établissements toutefois l'IVA doit être ajouté.

L'*Impuesto Sobre Hospedaje* (ISH, taxe d'hébergement) est ajouté au prix des chambres d'hôtel. Chaque État mexicain fixe son propre taux d'ISH, généralement de 2%.

La plupart des établissements de catégories modeste et moyenne incluent l'IVA et l'ISH dans les prix qu'ils affichent (mais il vaut mieux quelquefois s'en assurer). En revanche, dans les hôtels haut de gamme, le prix est souvent libellé ainsi : "US$100 *más impuestos*" (plus taxes), et vous devrez ajoutez environ 17% à l'addition. Dans le doute, demandez : "*¿Estan incluídos los impuestos ?*" (Les taxes sont-elles comprises ?).

Les prix indiqués dans ce guide s'entendent généralement IVA et ISH compris. Pour plus de détails sur les taxes de transports aériens, reportez-vous aux chapitres *Comment s'y rendre* et *Comment circuler*.

ORGANISMES A CONNAÎTRE

Au Mexique

La France est représentée à Mexico avec l'*Institut français d'Amérique latine* (Río Nazas 43 Colonel Cuauhtémoc, 06500 Mexico DF, ☎ 566 07 77) qui programme des activités culturelles.

A l'étranger

Voici une liste d'adresses en Europe susceptibles de vous aider dans la préparation de votre voyage au Mexique :

Maison de l'Amérique latine

217, bd Saint-Germain, 75007 Paris, ☎ 01 49 54 75 00. Elle organise parfois des débats, des conférences, des expositions, des spectacles et des concerts. Le programme est disponible sur place. Ouvert de 10h à 19h du lundi au vendredi.

Centre culturel du Mexique

119, rue Vieille-du-Temple, 75003 Paris, ☎ 01 44 61 84 44. Créé en 1979, il présente des expositions d'artistes mexicains essentiellement contemporains. Il ouvre de 10h30 à 12h45 et de 14h30 à 17h30 du mardi au vendredi, et de 14h30 à 17h30 le samedi.

Maison du Mexique

9, bd Jourdain, 75014 Paris (☎ 01 44 16 18 04). Intégrée dans la cité universitaire, la Maison du Mexique abrite principalement une bibliothèque de travail destinée aux hispanophones. Elle ouvre du lundi au vendredi de 10h à 13h et de 14h à 20h.

Par ailleurs, chaque année à l'automne (dernière semaine de septembre), se déroule en France à Biarritz un festival international sur les cinémas et les cultures de l'Amérique latine, ouvert au public. Renseignements sur les films projetés, les expositions, les rencontres littéraires ou les forums auprès de l'office du tourisme de Biarritz au ☎ 05 59 22 37 00.

POSTE ET COMMUNICATIONS

Poste

Presque chaque ville mexicaine dispose d'une *oficina de correos* (poste) où vous pourrez acheter des timbres et envoyer ou recevoir du courrier. Elles sont généralement ouvertes le samedi matin et toute la journée du lundi au vendredi.

Envoyer du courrier. Une lettre par avion pesant jusqu'à 20 g coûte 0,60 $US pour l'Europe et 0,50 $US pour l'Amérique du Nord. Le tarif pour les cartes postales est légèrement moins cher.

Les délais d'acheminement sont des plus extensibles, et les colis, en particulier, se perdent parfois en route. Si vous envoyez une lettre ou un colis par avion, assurez-vous d'y porter visiblement la mention "Correo Aéreo". Le service *certificado* (recommandé) permet d'assurer la livraison et coûte moins d'1 $US. Le courrier à destination de l'Europe met de une à trois semaines, quatre à quinze jours pour le Canada. Le service exprès Mexpost, disponible dans certains bureaux de poste, est supposé acheminer le courrier en trois jours n'importe où dans le monde ; jusqu'à 500 g, il vous en coûtera 16,25 $US pour l'Europe et 10,75 $US pour l'Amérique du Nord.

Pour envoyer un colis à l'étranger, soyez prêt à l'ouvrir pour l'inspection douanière – emportez de quoi faire le paquet au bureau de poste.

Si vous avez besoin d'un service rapide et sûr, adressez-vous à l'un des transporteurs spécialisés, tels que United Parcel Service, Federal Express ou DHL. Le tarif minimum (jusqu'à 500 g) tourne autour de 23 $US pour l'Europe, 17 $US pour l'Amérique du Nord.

Recevoir du courrier. Vous pouvez envoyer ou recevoir lettres et paquets dans un bureau de poste, en libellant l'adresse comme suit :

Sophie DUPONT (patronyme en capitales)
Lista de Correos
Acapulco
Guerrero 00000 (code postal)
MEXICO

Dès que la lettre parvient à la poste, le nom du destinataire est porté sur une liste alphabétique quotidiennement mise à jour. La lettre peut être enregistrée sous votre prénom au lieu de votre nom de famille. Présentez votre passeport ou autre justificatif d'identité ; le service est gratuit. Attention ! les bureaux de poste ne conservent souvent le courrier de la "Lista" que dix jours puis le retourne à l'expéditeur. Si vous pensez ne pas pouvoir récupérer votre courrier dans ces délais, faites-le envoyer avec le libellé suivant :

Sophie DUPONT
Poste Restante
Correo Central
Acapulco
Guerero 00000 (code postal)
MEXICO

La Poste Restante conserve généralement le courrier pendant un mois, mais n'affiche aucune liste. Ce service est également gratuit.

Si vous êtes détenteur d'une carte ou de chèques de voyage American Express, les agences (plus d'une cinquantaine dans tout le pays) pourront vous servir de boîte à lettres (l'agence de Mexico conserve le courrier deux mois avant de le renvoyer à l'expéditeur). Pour récupérer votre courrier, vous devrez montrer votre carte ou vos chèques de voyage.

Téléphone

Si les communications locales sont bon marché, les appels internationaux sont généralement très chers, mais ils peuvent l'être moins si vous téléphonez au bon endroit à la bonne heure.

Le système téléphonique mexicain s'est ouvert à la concurrence en 1997. Des compagnies privées ont rejoint l'ancien détenteur du monopole, Telmex, sur le marché des appels téléphoniques longue distance.

Il existe trois types d'endroits d'où il est possible d'appeler.

Le moins cher est la cabine publique. Un peu plus onéreuse, la *caseta de teléfono* ou *caseta telefónica* – point-phone situé dans un magasin ou un restaurant, où un opérateur vous passe la communication que vous prenez dans une cabine. La troisième option est d'appeler depuis votre hôtel, mais sachez que les établissements hôteliers sont libres d'appliquer leurs propres tarifs – et qu'ils ne s'en privent pas. Il est pratiquement toujours moins cher de téléphoner d'ailleurs.

Cabines publiques. Celles gérées par Telmex sont en général signalées par "Ladatel", "Lada 91", "Lada 01" ou "Telmex". "Lada" est l'abréviation de *larga distancia* (longue distance), mais ces téléphones permettent de passer à la fois des communications locales et internationales.

Presque toutes les cabines Telmex fonctionnent exclusivement avec des *tarjetas telefónicas* ou *tarjetas Ladatel* (cartes de téléphone). Ces cartes sont en vente dans de nombreux kiosques et magasins au prix de 20, 50 ou 100 pesos – cherchez le panneau bleu et jaune annonçant "*De Venta*

Indicatifs
Les indicatifs sont donnés au début de chaque rubrique concernant les villes et ne sont donc pas répétés devant chaque numéro dans cette rubrique. Dans les chapitres d'introduction, au contraire, l'indicatif sera mentionné. ■

Aquí Ladatel". Rares sont les cabines téléphoniques acceptant encore des pièces.

Casetas. Les casetas de teléfono coûtent plus chères que les cabines publiques, mais il n'est pas nécessaire d'avoir une carte pour y avoir accès et c'est un bon moyen d'échapper au bruit de la rue. Les casetas arborent généralement un panonceau à l'extérieur indiquant "*teléfono*", "Lada" ou "Larga Distancia".

Préfixes, indicatifs et tarifs. Pour passer un appel, vous devez connaître le *prefijo* (préfixe) et les *claves* (indicatifs du pays ou de la région) à composer avant le numéro. Tous les préfixes ont changé en 1997 et seront probablement les mêmes pour toutes les compagnies sur le nouveau marché de la concurrence.

Si vous téléphonez au Mexique, les préfixes, les indicatifs et les tarifs moyens d'un appel local et longue distance varient selon l'endroit où vous appelez. Voici quelques informations d'ordre général :

Appels locaux : inutile de composer un préfixe ou un indicatif ; 0,04 $US par minute
Appels nationaux : composez le 01 + l'indicatif local ; 0,40 $US par minute
Appels vers l'Europe : composez le 00 + l'indicatif du pays + l'indicatif local ; 2,75 $US par minute
Appels vers le Canada : composez le 00 + l'indicatif du pays + l'indicatif local ; 1,30 $US par minute

Voici les indicatifs de quelques pays : France, 33 ; Canada, 1 ; Belgique, 32 ; Suisse, 41 ; Italie, 39 ; Guatemala, 502 ; Belize, 501.

L'indicatif du Mexique est le 52. Les communications internationales par Telmex coûtent 33% moins cher aux heures suivantes :

Vers l'Europe : du lundi au vendredi de 18h à 6h, le samedi et le dimanche toute la journée
Vers le Canada : du lundi au vendredi, de 19h à 7h, le samedi toute la journée, le dimanche jusqu'à 5h

Si vous avez besoin d'un opérateur local, appelez le ☎ 020 ; pour un opérateur international, le ☎ 090. Pour obtenir des renseignements sur un numéro au Mexique, composez le ☎ 040.

Numéros gratuits. Les numéros mexicains gratuits – ils commencent tous par ☎ 800, suivi de cinq chiffres – doivent toujours être précédés du préfixe 01.

Appels en PCV. Un PCV (*llamada por cobrar*) peut coûter à votre correspondant deux fois plus que s'il vous appelait, aussi est-il moins cher de chercher un téléphone où vous pouvez recevoir un appel, puis de payer une brève communication pour demander à votre correspondant de vous rappeler.

Si vous avez besoin d'appeler en PCV, vous pouvez téléphoner à partir d'une cabine publique même sans avoir de carte. Contactez l'opérateur en composant le ☎ 020 pour les communications à l'intérieur du pays, ou le ☎ 090 pour les communications internationales, ou bien utilisez le service Pays Direct (voir plus bas). Les opérateurs internationaux parlent généralement anglais.

Vous pouvez effectuer un appel en PCV à partir de certaines casetas et de certains hôtels, moyennant souvent une commission.

Pays Direct. Ce service permet d'obtenir un appel international en PCV en vous mettant en rapport avec un opérateur dans le pays appelé. Vous pourrez appeler à partir d'une cabine téléphonique sans l'aide d'une carte. Pour obtenir le service France Direct, composez le ☎ 98 800 332 001. Les opérateurs internationaux vous fourniront les numéros d'accès vers d'autres pays. Le terme mexicain pour Pays Direct est *País Directo*.

Téléphoner avec une carte de crédit. Dans certaines parties du Mexique – notamment les grandes stations balnéaires du Sud – vous trouverez des téléphones vous invitant à effectuer des appels en utilisant votre carte Visa, MasterCard ou American Express. Sachez cependant que les tarifs facturés sont très élevés – jusqu'à 23 $US la première minute, 8 $US les suivantes – et qu'il suffit de composer le 0 pour être mis en rapport avec un opérateur international.

Appels vers le Mexique. Pour appeler un numéro au Mexique à partir d'un autre pays, composez l'indicatif d'accès à l'international, puis l'indicatif du Mexique, 52, suivi de l'indicatif local et du numéro désiré.

Fax, e-mail et Internet

Dans de nombreuses villes mexicaines, des télécopieurs sont mis à la disposition du public dans les bureaux de *telégrafos* (télégraphes), appelés aussi Telecomm. Cherchez également les panonceaux "*Fax Público*" apposés sur les boutiques, les bureaux, les casetas téléphoniques, ainsi que dans les gares routières et les aéroports.

Dans plusieurs villes, parmi lesquels Mexico, Puerto Vallarta, Oaxaca et San Miguel de Allende, il existe des cafés Internet où vous pourrez envoyer et recevoir du courrier électronique ou surfer sur le Net. Il vous en coûtera en général environ 3 $US les 30 minutes.

Pour ceux qui voyagent avec leur propre ordinateur, CompuServe dispose de connexions à 28,800 bps (numéros d'accès) à Mexico et Puebla, ainsi qu'un numéro gratuit valable dans tout le pays (modem 800-72000).

Certaines chambres d'hôtel sont équipées de lignes directes et de prises téléphoniques qui vous permettent de débrancher le téléphone pour brancher un cordon téléphonique relié directement à votre ordinateur. Dans d'autres, vous trouverez des systèmes de lignes téléphoniques passant par un standard et/ou des appareils directement raccordés au mur, ce qui vous empêchera dans les deux cas de vous brancher dans votre chambre. Vous pourrez alors demander d'emprunter la ligne de fax de la réception pour quelques minutes.

Pour connaître les adresses de quelques sites mexicains utiles, ou en rapport avec le Mexique, reportez-vous à l'annuaire Internet à la fin de ce guide.

LIVRES

Si l'on peut dénicher des livres en anglais dans la plupart des grandes villes, les livres français restent rares.

Les titres édités au Mexique sont faciles à trouver sur place, notamment les guides sur les sites précolombiens. Pour les autres, mieux vaut vous les procurer avant votre départ (voir plus loin la rubrique *Librairies spécialisées*).

Histoire et société

Mexique précolombien. A la fois chercheur et homme de terrain, Michael D. Coe décrit dans *Les premiers Mexicains : Olmèques, Toltèques, Aztèques* (Armand Colin, 1985) les différentes civilisations qui se sont développées durant les périodes précolombiennes. Du même auteur, *Les Mayas, mille ans de splendeur d'un peuple* (Armand Colin, 1987) vous donnera des informations précieuses sur la civilisation indienne maya.

Les Mayas de Paul Gendrop et *Les civilisations précolombiennes* de Henri Lehmann sont tous deux parus aux PUF (coll. Que sais-je ?) en 1992 et 1994. *La Vie quotidienne des Aztèques à la veille de la conquête espagnole* de Jacques Soustelle (Le Livre de Poche, 1983) est un classique du genre.

A la suite des plus récentes fouilles effectuées dans le Templo Mayor de Mexico, un nouvel éclairage sur l'histoire des Aztèques est apporté par l'archéologue

Daniel Lévine dans *Le grand Temple de Mexico : du mythe à la réalité, l'histoire des Aztèques entre 1325 et 1521* (Artcom' 1997). Ce livre est préfacé par Eduardo Moctezuma.

Conquête espagnole et période coloniale. Le chef-d'œuvre littéraire de Prescott William, *Histoire de la conquête du Mexique* (Pygmalion, 1991), relate en deux parties *La Fabuleuse découverte de l'empire aztèque*, puis *La Chute de l'empire aztèque.*

L'*Histoire véridique de la Conquête de la Nouvelle Espagne* de Bernal Díaz del Castillo (La Découverte, 1987) nous offre un compte rendu de l'arrivée des Espagnols par un témoin oculaire, alors soldat de Cortés.

La Colonisation de l'imaginaire : sociétés indigènes et occidentalisation dans le Mexique espagnol : XVIe-XVIIe siècles de Serge Gruzinski (Gallimard, 1988) étudie le processus d'occidentalisation des sociétés indiennes au Mexique à travers la transformation de la mémoire, la diffusion du surnaturel européen et l'introduction de l'écriture alphabétique. L'auteur, ancien membre de l'École française de Rome, a également signé avec Carmen Bernand, dans la série *Histoire du nouveau monde*, un ouvrage de référence en deux volumes *De la découverte à la conquête, une expérience européenne 1492-1550* et *Les Métissages* (Fayard, 1991 et 1993).

Réédité en 1992 à l'occasion de la commémoration de l'arrivée de Christophe Colomb aux Amériques, *La Très brève relation de la destruction des Indes* du frère dominicain Bartolomé de Las Casas (La Découverte) dénonce les exactions commises contre les populations indiennes.

XIXe et XXe siècles. Dans *Le Mexique*, Alain Musset (Masson, 1989) aborde trois sujets de recherche : le Mexique des Mexicains, le Mexique à la croisée des chemins et la nouvelle organisation régionale. La revue Autrement sur *Les Mayas* (1991) est une bonne introduction aux problèmes contemporains de cette civilisation. Vous trouverez peut-être *Feu maya, le soulèvement au Chiapas* sous la direction d'Aurore Monod (Ethnies Documents, 1994), ouvrage épuisé, qui fournit un éclairage politique et sociologique très précis du cadre de la Révolution.

En format poche, *Villa, Zapata et le Mexique en face* de Bernard Oudin (Gallimard, Découvertes, 1989) s'attache à la période de 1910 à 1929, à l'heure de la Révolution et de la guerre civile. Pour comprendre Zapata et ce qu'il représente pour les paysans et les guérilleros du Chiapas, lisez *Emiliano Zapata et la révolution mexicaine* de John Womack (La Découverte, 1997). Dans *Le rêve zapatiste : entretiens avec Yvon Le Bot* (Seuil, 1997), le dialogue entre Marcos et Y. Le Bot au village de La Realidad durant l'été 1996 se concentre sur la recherche de la démocratie à travers l'utilisation des médias, de la violence, etc. *Le sous-commandant Marcos, la géniale imposture*, de B. de la Grange et M. Rico (Plon/Ifrane, 1998) – journalistes respectivement au Monde et à El País –, souligne l'ambiguïté du mouvement zapatiste et de son dirigeant.

Dans un domaine différent, *Les enfants de Sánchez : autobiographie d'une famille mexicaine* d'Oscar Lewis (Gallimard, 1978) s'intéresse au rôle déterminant joué par la famille dans la société mexicaine.

Littérature mexicaine

Figure emblématique de la littérature latino-américaine, Juan Rulfo a fourni une œuvre qui se réduit quasiment à un seul roman, *Pedro Páramo*, et à un recueil de nouvelles, *Le Llano en flammes* (Lettres Nouvelles-M. Nadeau, 1987). Écrit en 1955, *Pedro Páramo* (Gallimard, L'Imaginaire, 1979) est la chronique d'un despote local, reconstituée, bribe par bribe, à travers les dires de ceux qui furent les victimes de sa domination. Juan Rulfo a nourri tout un courant parmi les jeunes écrivains mexicains.

Ardent défenseur de la culture latino-américaine et jouissant d'une notoriété internationale, Carlos Fuentes a rédigé son œuvre-phare, *La plus limpide région* (Gallimard, 1982), dans les années 50. Tout comme dans *La Mort d'Artemio Cruz* (Gallimard, Folio, 1976), l'auteur critique les échecs de la Révolution mexicaine. *Christophe et son œuf* (Gallimard, Folio, 1993) constitue une satire féroce de la société mexicaine, rédigée dans une langue étourdissante.

Le Labyrinthe de la solitude d'Octavio Paz (Gallimard, 1990), prix Nobel de littérature décédé en avril 98 (voir l'encadré qui lui est consacré dans le chapitre *Présentation du pays* à la rubrique *Littérature*), reste l'une des analyses les plus pertinentes de l'âme et des mythes mexicains. On peut également conseiller ici son autobiographie intellectuelle et politique : *Itinéraire* (Gallimard, 1996).

Née en 1933 et considérée comme l'un des meilleurs écrivains de sa génération, Elena Poniatowska a signé *Cher Diego, Quiela t'embrasse* (Actes Sud, Babel, 1993). Ce court récit de soixante pages retrace, sous forme de relation épistolaire imaginaire, les lettres envoyées par Angelina Beloff à son amant, le peintre Diego Rivera, reparti au Mexique.

Enfin, les œuvres de Paco Ignacio Taïbo II rassemblent un public d'aficionados autour de ses romans policiers qui rendent bien compte du climat de la société mexicaine d'aujourd'hui. Citons *La vie même, Cosa fácil* ou *Pas de fin heureuse* parmi les polars (tous publiés chez Rivages) ou des œuvres plus originales comme *A Quatre mains* (Rivages, 1995) ou *De passage* (Métailié, 1997).

Littérature étrangère

Des récits déjà anciens d'écrivains ou de chroniqueurs ont fait l'objet de traductions ou de publications récentes. C'est le cas du *Mexique insurgé* (Seuil, 1996) de John Reed. Ce livre publié en 1914 est un recueil d'articles sur la révolution mexicaine écrits sur le vif pour le *Metropolitan Magazine*. S'identifiant à la cause de Pancho Villa, ce témoin des premières lignes relate le combat d'un peuple pour la terre et la justice.

Aventures de voyage en pays maya : Palenque de John Lloyd Stephens (Pygmalion, 1993) est une description fascinante des aventures et des découvertes d'un archéologue amateur enthousiaste du XIXe siècle.

Éditées pour la première fois en 1939, *Les Routes sans lois* de Graham Greene (Payot, 1992) racontent sur un mode divertissant, le périple de l'auteur au Mexique en 1937, époque particulièrement troublée qui fut notamment marquée par de violents affrontements entre l'Église et l'État.

Aldous Huxley se rendit également au Mexique. *Des Caraïbes au Mexique – journal d'un voyageur* (Table ronde, 1992), publié en 1934, livre d'intéressantes observations sur les Mayas. Si vous devez séjourner dans l'État d'Oaxaca, lisez-le.

Beaucoup d'écrivains ont été inspirés par le Mexique. C'est le cas notamment de Graham Greene qui, avec *La Puissance et la gloire* (Laffont, 1994), relate le violent conflit qui opposa l'Église et l'État, à l'issue de la Révolution mexicaine.

Porté à l'écran sous le même titre, *Au-dessous du volcan* de Malcolm Lowry (Gallimard, 1973) décrit la vie d'un diplomate britannique alcoolique au Mexique où il trouvera la mort. Cette œuvre nous offre une analyse de l'âme mexicaine, à une époque où le Mexique connaissait de terribles conflits (1938).

J.M.G. Le Clézio, passionné par les cultures indiennes explique dans son grand classique *Le rêve mexicain ou la pensée interrompue* (Gallimard, coll. Folio, 1992) comment la destruction des cultures amérindiennes a contribué au malheur de l'homme moderne. Il nous a également rendu accessibles en français *Les prophéties du Chilam Balam* (Gallimard, 1976) en donnant sa "version et présentation" des livres sacrés des Mayas.

Romancier italien amoureux du Mexique, Pino Cacucci est l'auteur de *Poussières mexicaines* (Payot, 1996), un recueil de courts essais portant un regard pertinent et personnel sur le pays, son histoire et ses habitants.

Johanie Hocquenghem était parti en voyage au Mexique et, tombé amoureux de Mexico il est depuis resté dans la capitale. Le Stade aztèque (Payot, Voyageurs, 1994) est une chronique de la vie quotidienne de son quartier.

Culture, art et architecture

Jacques Soustelle, ethnologue spécialiste du Mexique, a notamment publié *Mexique, terre indienne* (Hachette, Vie quotidienne, 1995) et surtout *Les Quatre Soleils* (Terre Humaine Poche, 1967), récit de ses rencontres avec les Indiens Lacandons au cœur de la forêt chiapanèque.

Ethnologue devenu apprenti à l'école d'un sorcier yaqui, Carlos Castaneda s'est rendu célèbre dans les années 70 par ses livres évoquant son parcours initiatique. Ouvrage de thèse pour son doctorat en sciences humaines, *L'herbe du diable et la petite fumée* (Bourgois, 1993) relate ainsi son expérience. Son ouvrage le plus récent, *Le Don de l'aigle* (Gallimard, Folio Essais, 1997) est un essai sur le chamanisme des Indiens Yaquis. Pour plus d'informations sur ce personnage, lisez l'encadré *Castaneda : mythe ou canular ?*

Voyage au cœur du chamanisme mexicain, de Victor Sanchez (éditions du Rocher, 1997), se veut un guide de la spiritualité toltèque. A mi-chemin entre ethnologie et ornithologie, *La Civilisation aztèque et l'aigle royal* de Michel Gilonne (L'Harmattan, Recherches et documents d'Amérique Latine, 1997) étudie la fonction prépondérante de l'aigle au cœur des mythologies amérindiennes.

Les Tzotziles par eux-mêmes : récits et écrits de paysans indiens du Mexique d'André Aubry (L'Harmattan, 1988) montre, par le biais de leurs témoignages, comment les paysans indiens tzotziles de l'extrême sud du Mexique seraient les descendants directs des Mayas.

L'art pictural mexicain est superbement présenté par Martine Fettweis, dans *Coba et Xelha : peintures murales mayas, une lecture de l'image dans le Quintana Roo postclassique* (Institut d'Ethnologie, 1988). Une autre approche est proposée par Paule Obadia-Baudesson, grâce à la reproduction en fac-similé du manuscrit de l'*Histoire des Mexicains par leurs peintures : manuscrit espagnol anonyme du XVIe siècle* (Oxomoco y Cipactonal, 1988).

Simples ou ingénieux, savamment sculptés ou articulés, les masques mexicains s'offrent au regard dans un splendide ouvrage : *Masques traditionnels du Mexique* de Ruth D. Lechuga et Chloé Sayer (Thames & Hudson, 1994).

Dans le domaine de la peinture contemporaine, vous lirez *La vie fabuleuse de Diego Rivera* de Bertram D. Wolfe (Nouvelles éditions Séguier, 1994) qui évoque la carrière de ce grand peintre muraliste. Cette lecture sera complétée par l'ouvrage de J.-M. G. Le Clézio, *Diego et Frida* (Gallimard, Folio, 1995), qui retrace l'amour fou entre les deux personnages,

Castaneda existe-t-il ?

Castaneda est-il né au Brésil en 1935, comme il le dit dans l'un de ses livres, ou en 1925, au Pérou, comme le stipule son dossier d'immigration ? Est-ce le même homme qu'ont rencontré Alejandro Jodorowsky et Maurice Cocagnac, à quelque 20 ans d'écart ?

Les zones d'ombres entourant sa biographie et les circonstances toujours mystérieuses de ses rares "apparitions" (dans les ruines de Tula à la nuit tombée, par exemple), ont poussé certains à émettre l'hypothèse suivante : Castaneda serait un être fictif inventé par des anthropologues nord-américains pour lutter contre la tendance de l'époque qui se bornait souvent à une étude désincarnée des us et coutumes des "sauvages". Ils auraient ainsi créé le personnage d'un étudiant qui s'immerge dans la vie et le mode de pensée des Indiens Yaquis au point de devenir lui-même un *brujo* (sorcier). ■

sous le signe de l'art et de la Révolution. Sur Frida Kahlo, lisez la biographie intitulée simplement *Frida* de Hayden Herrera (Anne Carrière, 1996) ainsi que *Le Journal de Frida Kahlo* (Le Chêne, 1995), ouvrage préfacé par Carlos Fuentes et doté de 70 aquarelles inédites.

Pour plonger au cœur de la gastronomie mexicaine, *Douceur et passion de la cuisine mexicaine* de Socorro et Fernando del Paso (éd. de l'Aube, 1991) enchantera tous les gourmets.

LIBRAIRIES SPÉCIALISÉES

Pour préparer votre voyage, vous trouverez en France quelques librairies spécialisées telles que la *Librairie espagnole* (72, rue de Seine, 75006 Paris, ☎ 01 43 54 56 26), et *Ediciones hispano-americanas* (26, rue Monsieur-le-Prince, 75006 Paris, ☎ 01 43 26 03 79).

La galerie *Urubamba* (4, rue de la Bûcherie, 75005 Paris, ☎ 01 43 54 08 24) est spécialisée dans les ouvrages traitant de l'Amérique indienne.

Vous trouverez également un vaste de choix de cartes et de documentation aux librairies de voyage suivantes :

Ulysse, 26, rue Saint-Louis-en-l'Île, 75004 Paris, ☎ 01 43 25 17 35 (fonds de cartes exceptionnel)
L'Astrolabe, 46, rue de Provence, 75009 Paris, ☎ 01 42 85 42 95 et 14, rue Serpente, 75006 Paris, ☎ 01 46 33 80 06
Au vieux Campeur, 2, rue de Latran, 75005 Paris, ☎ 01 43 29 12 32
Itinéraires, 60, rue Saint-Honoré, 75001 Paris, ☎ 01 42 36 12 63, Minitel 3615 Itinéraires, http://www.itineraires.com
Planète Havas Librairie, 26, avenue de l'Opéra, 75001 Paris, ☎ 01 53 29 40 00
Voyageurs du monde, 55, rue Sainte-Anne, 75002 Paris, ☎ 01 42 86 17 38
Hémisphères, 15, rue des Croisiers, 14000 Caen, ☎ 02 31 86 67 26
L'Atlantide, 56, rue St-Dizier, 54000 Nancy, ☎ 03 83 37 52 36
Les cinq continents, 20, rue Jacques-Cœur, 34000 Montpellier, ☎ 04 67 66 46 70
Magellan, 3, rue d'Italie, 06000 Nice, ☎ 04 93 82 31 81
Ombres blanches, 50, rue Gambetta, 31000 Toulouse, ☎ 05 61 21 44 94.
Librairie Ulysse, 4, bd René-Lévesque, Québec et 4176, rue Saint-Denis, Montréal

JOURNAUX ET MAGAZINES

Sur place. La presse locale est florissante, et les journaux à diffusion nationale, comme *Excelsior* et *El Universal* ou *Uno más Uno*, sont de bonne qualité. En théorie, la presse est libre. Dans la pratique, elle est soumise à des pressions de la part de politiciens, ou même de barons de la drogue, mais les choses semblent s'être améliorées ces dernières années. *La Jornada* est un quotidien national réputé, sans appartenance politique.

México Desconocido (le Mexique inconnu) est un mensuel en couleurs, proposant des articles passionnants sur les sites les plus divers (en kiosque pour 2 $US). On peut également se procurer les anciens numéros par commande.

Deux quotidiens sont publiés en anglais, *The News* et *Mexico City Times* et distribués dans tout le pays.

En France. Ceux qui s'intéressent à la défense des peuples natifs pourront consulter le magazine bimestriel *Nitassinan, notre terre*, consacré aux Indiens d'Amérique (Nitassinan-CSIA, BP 341, 88009 Épinal ou BP 317, 75229 Paris Cedex 05, fax 01 42 41 36 32 ; hdoreau@aw.sgi.com).

Présent dans plus de 75 pays, Survival International est un mouvement mondial de soutien aux peuples indigènes qui veille notamment à préserver les droits des Indiens au Mexique. Il publie deux revues trimestrielles, les *Nouvelles de Survival* et *Ethnies*. Pour tous renseignements, adressez-vous à Survival International France (45, rue du Faubourg-du-Temple, 75010 Paris, ☎ 01 42 41 47 62).

RADIO ET TÉLÉVISION

La télévision mexicaine est dominée par Televisa, la plus grosse société de télévision au sein de l'univers hispanophone ; elle regroupe quatre des six chaînes nationales principales (la 2, la 4, la 5 et la 9), et a toujours soutenu le pouvoir sans trop se poser de questions jusqu'à une date très récente. TV Azteca, qui a commencé à émettre en 1993, dispose de deux chaînes (TV7 et TV13) et a adopté une position plus indépendante. Au Mexique, le temps d'antenne est consacré principalement à la publicité, aux *telenovelas* (feuilletons à l'eau de rose à petit budget), au football, aux émissions de jeux, de talk-shows et de variétés (doublées lorsqu'elles viennent de l'étranger) et aux comédies. A défaut d'autre chose, vous pourrez améliorer vos connaissances en espagnol.

Les télévisions par câble et par satellite sont largement répandues, et vous aurez au moins accès à quelques chaînes dans les chambres des hôtels de catégories moyenne et supérieure. Les principaux fournisseurs sont Multivisión et Cablevision, qui proposent chacun environ 25 chaînes mexicaines et étrangères (américaines pour la plupart). Multivisión possède la chaîne sportive très populaire ESPN. La chaîne Ritmo Son de Cablevision est spécialisée dans la musique latino-américaine.

Le Mexique possède environ un millier de stations AM et FM, dont la plupart sont privées (un grand nombre appartient à Televisa).

Radio France International émet en ondes courtes au Mexique. Les programmes et les horaires sont disponibles au ☎ 01 44 30 89 72.

Radio Canada International émet au Mexique tous les jours de 21h30 à 00h30 temps universel, sur les fréquences 9535, 9755, 11940, 15305 et 13740.

Dans tous les cas, vérifiez les fréquences et les horaires de diffusion, susceptibles de modification.

PHOTO ET VIDÉO

Films et matériel. Selon la législation douanière mexicaine, vous pouvez importer, outre un appareil photo, soit un second appareil photo, soit une caméra 8 mm, soit un caméscope, avec 12 pellicules et 12 films. Mais ces restrictions sont rarement appliquées à la lettre. Vous pourrez acheter des pellicules dans les magasins spécialisés, les pharmacies et les hôtels. Attention ! la date de péremption est parfois cachée par l'étiquette indiquant le prix. Évitez d'acheter vos pellicules dans un magasin situé en plein soleil.

Prévoyez un objectif grand angle et un zoom, ainsi qu'un filtre permettant d'éliminer la réverbération du soleil sur l'océan.

En cas de panne, vous n'aurez aucun problème pour trouver un réparateur dans les villes un tant soit peu importantes, et ceci à des prix avantageux.

Photographie

Le Mexique est le paradis des photographes. Vous obtiendrez de meilleurs résultats en prenant des photos le matin ou l'après-midi plutôt qu'en plein midi, quand le soleil éblouissant atténue les couleurs et les contrastes. Prenez la précaution de demander d'abord leur assentiment aux personnes que vous désirez photographier. Les Indiens, notamment, se montrent quelquefois très réticents.

HEURE LOCALE

La plus grande partie du pays est soumise à l'heure GMT moins 6. Ainsi, quand il est 12h à Paris en hiver, il est 5h à Mexico.

ÉLECTRICITÉ

Le courant électrique et les prises sont les mêmes qu'au Canada : 110 volts, 60 hertz.

Les prises électriques sont de trois sortes : les plus anciennes acceptent deux fiches plates de taille identique, les plus récentes deux fiches plates de taille différente. On trouve parfois des prises de terre à fiche ronde. Si votre appareil électrique n'est pas conforme, procurez-vous un adaptateur que vous trouverez facilement dans les magasins spécialisés.

POIDS ET MESURES

Le Mexique utilise le système métrique.

SANTÉ

Avant le départ

Assurances. Il est conseillé de souscrire une police d'assurance qui vous couvrira en cas d'annulation de votre voyage, de vol, de perte de vos affaires, de maladie ou encore d'accident. Les assurances internationales pour étudiants sont en général d'un bon rapport qualité/prix. Lisez avec la plus grande attention les clauses en petits caractères : c'est là que se cachent les restrictions.

Vérifiez notamment que les "sports dangereux", comme la plongée, la moto ou même la randonnée ne sont pas exclus de votre contrat ou encore que le rapatriement médical d'urgence, en ambulance ou en avion, est couvert. De même, le fait d'acquérir un véhicule dans un autre pays ne signifie pas nécessairement que vous serez couvert par votre propre assurance.

Vous pouvez contracter une assurance qui réglera directement les hôpitaux et les médecins, vous évitant ainsi d'avancer des sommes qui ne vous seront remboursées qu'à votre retour. Dans ce cas, gardez bien tous les documents nécessaires.

Attention ! avant de souscrire une police d'assurance, vérifiez bien que vous ne bénéficiez pas déjà d'une assistance par votre carte de crédit, votre mutuelle ou votre assurance automobile. C'est bien souvent le cas.

Trousse à pharmacie

Veillez à emporter avec vous une petite trousse à pharmacie contenant quelques produits indispensables. Prenez des médicaments de base : de l'aspirine ou du paracétamol (douleurs, fièvre) ; un antihistaminique (en cas de rhumes, allergies, démangeaisons dues aux piqûres d'insectes, mal des transports – évitez l'alcool) ; un antidiarrhéique ; un réhydratant, en cas de forte diarrhée, surtout si vous voyagez avec des enfants ; un antiseptique, une poudre ou un spray désinfectant pour les coupures et les égratignures superficielles, des pansements pour les petites blessures et un produit contre les moustiques. Songez à prendre une petite trousse de matériel stérile comprenant une seringue, des aiguilles, du fil à suture, une lame de scalpel. N'oubliez pas le thermomètre (ceux à mercure sont interdits par certaines compagnies aériennes), les comprimés pour stériliser l'eau et des antibiotiques (si vous voyagez loin des sentiers battus) à demander à votre médecin.

Si vous avez un traitement particulier, munissez-vous des médicaments nécessaires avant de partir car il se peut que vous ne les trouviez pas au Mexique.

Vaccins

Faites inscrire vos vaccinations dans un carnet international de vaccination que vous pourrez vous procurer auprès de votre médecin ou d'un centre.

Planifiez vos vaccinations à l'avance (au moins six semaines avant le départ) car certaines demandent des rappels ou sont incompatibles entre elles. Même si vous avez été vacciné contre plusieurs maladies dans votre enfance, votre médecin vous recommandera peut-être des rappels contre le tétanos ou la polio, maladies qui existent toujours dans de nombreux pays en développement. Les vaccins ont des durées d'efficacité très variables ; certains sont contre-indiqués pour les femmes enceintes. Un certificat de vaccination contre la fièvre jaune est exigé à l'entrée au Mexique si vous arrivez d'un pays infecté.

Voici les coordonnées de quelques centres de vaccination à Paris :

Hôtel-Dieu, centre gratuit de l'Assistance Publique (☎ 01 42 34 84 84), 1, Parvis Notre-Dame, 75004 Paris.

Assistance Publique Voyages, service payant de l'Hôpital de la Pitié-Salpêtrière (☎ 01 45 85 90 21, le matin), 47, bd de l'Hôpital, 75013 Paris.

Institut Pasteur (☎ 01 45 68 81 98, Minitel 3615 Pasteur) 209, rue de Vaugirard, 75015 Paris.

Air France, centre de vaccination (☎ 01 41 56 78 00, Minitel 3615 VACAF), aérogare des Invalides, 75007 Paris.

Il existe de nombreux centres en province, en général liés à un hôpital ou un service de santé municipal.

Fièvre jaune. La protection (une injection) dure dix ans ; le vaccin est recommandé dans les régions où la maladie est endémique, principalement l'Afrique et l'Amérique du Sud. Il est obligatoire dans certains pays lorsque l'on est en provenance d'une zone infectée. Contre-indiqué en cas de grossesse.

Tétanos et polio. Rappels nécessaires tous les dix ans. Vaccin très recommandé.

Hépatite virale (B). Il existe désormais un vaccin efficace nécessitant trois doses dont les deux premières sont généralement injectées à un mois d'intervalle et la troisième de un à douze mois plus tard. La protection dure environ dix ans.

Hépatite infectieuse (A) et hépatite virale (B). Il existe un vaccin combiné hépatite A et B qui s'administre en trois injections et qui est supposé durer pendant 5 ans (hépatite A) et 10 ans (hépatite B). En effet, la durée effective de ce vaccin ne sera pas connue avant quelques années.

Typhoïde. La protection, qui dure trois ans, est utile si vous voyagez dans des conditions d'hygiène médiocres.

Diphtérie. La protection dure dix ans.

Choléra. Cette vaccination n'est plus recommandée pour le voyageur.

Précautions élémentaires

Alimentation et boissons. Faire attention à ce que l'on mange et ce que l'on boit est la première des précautions à prendre. Les troubles gastriques et intestinaux sont fréquents même si la plupart du temps ils restent sans gravité. Ne soyez cependant pas paranoïaque et ne vous privez pas de goûter la cuisine locale, cela fait partie du voyage.

Fruits et légumes doivent être lavés à l'eau traitée ou épluchés. D'une façon générale, le plus sûr est de vous en tenir aux aliments bien cuits. Attention aux plats refroidis ou réchauffés. Méfiez-vous pardessus tout des poissons et des crustacés, des viandes peu cuites, des crudités et des produits laitiers non pasteurisés (lait, certains fromages). En général, les yaourts sont sans risque. Si un restaurant semble bien tenu et qu'il est fréquenté par des touristes comme par des gens du pays, la nourriture ne posera probablement pas de problèmes.

Ne prenez pas le risque de boire l'eau du robinet (même sous forme de glaçons). Préférez les eaux minérales et les boissons gazeuses, tout en vous assurant que les bouteilles sont bien décapsulées devant vous. Évitez les jus de fruits, souvent allongés à l'eau. L'eau en bouteille – *agua purificada* – est disponible partout et peu coûteuse.

Un simple filtrage peut être efficace mais n'éliminera pas tous les micro-organismes dangereux. Aussi, si vous ne pouvez faire bouillir l'eau au moins 5 minutes, traitez-la chimiquement. Le Micropur tuera la plupart des germes pathogènes. Sur place, demandez des *pastillas* (comprimés) *para purificar agua* dans les supermarchés et les pharmacies.

Chaleur. Vous éviterez la plupart des désagréments dus à la chaleur ou au soleil en buvant régulièrement, même si la soif ne se fait pas ressentir. Il faut éviter l'alcool et les activités fatigantes lorsque vous arrivez dans un pays à climat chaud.

On attrape des coups de soleil étonnamment vite, même par temps nuageux. Utilisez un écran solaire et pensez à couvrir les endroits qui sont normalement protégés, les pieds par exemple. Les vêtements en coton amples sont plus agréables à porter. Si les chapeaux fournissent une bonne protection, n'hésitez pas à appliquer également un écran total sur le nez et les lèvres et à porter tee-shirt et chapeau même pendant les baignades. Les lunettes de soleil s'avèrent souvent indispensables.

Montez les marches des pyramides à votre rythme et ne vous épuisez pas en randonnée. Il est conseillé de toujours avoir sur soi une bouteille d'eau ou, mieux, une gourde d'eau fraîche.

Problèmes de santé et traitement

Avant de présenter le catalogue alarmiste des affections que l'on peut attraper en voyage, il faut avoir en tête que, dans la majeure partie des cas, on passe d'excellentes vacances au Mexique à monter en haut des volcans ou des pyramides au milieu de la jungle, à camper tranquillement dans un endroit reculé, à dormir dans des hôtels économiques, à manger sur les marchés et le pire que l'on endure, consiste en une diarrhée passagère. Mais certains d'entre nous ont vécu l'expérience de l'hépatite, de la dysenterie, voire de la dengue ou de la typhoïde et, comme dit le dicton, mieux vaut prévenir que guérir.

Hôpitaux et cliniques. Il existe un hôpital, un centre de soins privé ou au moins une antenne de la Croix Rouge (Cruz Roja) dans chaque village du Mexique, suffisants en cas de problème mineur (diarrhée, poux...). Si le besoin s'en fait sentir, demandez à votre hôtel de vous indiquer un médecin, ou contactez votre ambassade ou votre consulat.

Attention, les médecins des hôpitaux et cliniques peuvent demander un paiement immédiat de leurs services, et n'acceptent pas tous une carte de crédit. Si vous avez besoin d'être rapatrié d'urgence sur Mexico, la compagnie d'aviation Aeromed (☎ 5-294-4286) nous a été recommandée par des voyageurs, bien qu'elle soit hors de prix. Il peut être valable de se faire rapatrier dans son pays d'origine (voir votre police d'assurance).

Affections liées au climat

Coup de chaleur. Cet état grave, parfois mortel, survient quand le mécanisme de régulation thermique du corps ne fonctionne plus : la température s'élève alors de façon dangereuse. De longues périodes d'exposition à des températures élevées peuvent vous rendre vulnérable au coup de chaleur.

Symptômes : malaise général, transpiration faible ou inexistante et forte fièvre (39°C à 41°C). Là où la transpiration a cessé, la peau devient rouge. La personne qui souffre d'un coup de chaleur est atteinte d'une céphalée lancinante et éprouve des difficultés à coordonner ses mouvements ; elle peut aussi donner des signes de confusion mentale ou d'agressivité. Enfin, elle délire et a des convulsions. Il faut absolument hospitaliser le malade. En attendant les secours, installez-le à l'ombre, ôtez-lui ses vêtements, couvrez-le d'un drap ou d'une serviette mouillés et éventez-le continuellement.

Mal des montagnes. Le mal des montagnes a lieu à haute altitude et peut être mortel. Il survient à des altitudes variables ; il a fait des victimes à 3 000 m, mais en général il frappe plutôt vers 3 500 à 4 500 m. Il est recommandé de dormir à une altitude inférieure à l'altitude maximale atteinte dans la journée. Vous pouvez prendre certaines mesures à titre préventif : ne faites pas trop d'efforts au début, reposez-vous souvent. A chaque palier de 1 000 m, arrêtez-vous pendant au moins un jour ou deux afin de vous acclimater progressivement. Buvez plus que d'habitude, mangez légèrement, évitez l'alcool et tout sédatif.

Manque de souffle, toux sèche irritante (qui peut aller jusqu'à produire une écume teintée de sang), fort mal de tête, perte d'appétit, nausée et parfois vomissements, sont autant de signaux d'alerte. Les symptômes disparaissent généralement au bout d'un jour ou deux, mais s'ils persistent ou empirent, le seul traitement consiste à redescendre, ne serait-ce que de 500 m. Une fatigue grandissante, un comportement incohérent, des troubles de la coordination et de l'équilibre indiquent un réel danger. Chacun de ces symptômes pris séparément, même une simple migraine persistante, sont des signaux à ne pas négliger.

Vertige. Les voyageurs qui ont l'intention de monter sur les pyramides précolombiennes doivent savoir qu'ils peuvent subir un fort vertige lors de la descente. Plusieurs d'entre eux se rappellent avec horreur cette épreuve.

Affections liées aux conditions sanitaires

Diarrhée. Le changement de nourriture, d'eau ou de climat suffit à la provoquer ; si elle est causée par des aliments ou de l'eau contaminés, le problème est plus grave. En dépit de toutes vos précautions, vous aurez peut-être la "turista", mais quelques visites aux toilettes sans aucun autre symptôme n'ont rien d'alarmant. En revanche, une diarrhée modérée qui vous oblige à vous précipiter aux toilettes une demi-douzaine de fois par jour est plus ennuyeuse. La déshydratation est le danger principal que fait courir toute diarrhée, particulièrement chez les enfants. Ainsi le premier traitement consiste à boire beaucoup : idéalement, il faut mélanger huit cuillerées à café de sucre et une de sel dans un litre d'eau. Sinon du thé noir léger, avec peu de sucre, des boissons gazeuses qu'on laisse se dégazéifier et qu'on dilue à 50% avec de l'eau purifiée, sont à recommander. En cas de forte diarrhée, il faut prendre une solution réhydratante pour remplacer les sels minéraux. Quand vous irez mieux, continuez à manger légèrement. Les antibiotiques peuvent être utiles dans le traitement de diarrhées très fortes, en particulier si elles sont accompagnées de nausées, de vomissements, de crampes d'estomac ou d'une fièvre légère. Trois jours de traitement sont généralement suffisants et on constate normalement une amélioration dans les 24 heures. Toutefois, lorsque la diarrhée persiste au-delà de 48 heures ou s'il y a présence de sang dans les selles, il est préférable de consulter un médecin.

Giardiase. Ce parasite intestinal est présent dans l'eau souillée ou dans les aliments souillés par l'eau. Symptômes : crampes d'estomac, nausées, estomac ballonné, selles très liquides et nauséabondes et gaz fréquents. La giardiase peut n'apparaître que plusieurs semaines après la contamination. Les symptômes peuvent disparaître pendant quelques jours puis réapparaître, et ceci pendant plusieurs semaines.

Dysenterie. Affection grave, due à des aliments ou de l'eau contaminés, la dysenterie se manifeste par une violente diarrhée, souvent accompagnée de sang ou de mucus dans les selles. On distingue deux types de dysenterie : la dysenterie bacillaire qui se caractérise par une forte fièvre et une évolution rapide ; maux de tête et d'estomac et vomissements en sont les symptômes. Elle dure rarement plus d'une semaine mais elle est très contagieuse. La dysenterie amibienne, quant à elle, évolue plus graduellement, sans fièvre ni vomissements, mais elle est plus grave. Elle dure tant qu'elle n'est pas traitée, peut réapparaître et causer des problèmes de santé à long terme. Une analyse des selles est indispensable pour diagnostiquer le type de dysenterie. Il faut donc consulter rapidement.

Choléra. La protection conférée par le vaccin n'est pas fiable. Celui-ci n'est donc pas recommandé. Prenez donc toutes les précautions alimentaires nécessaires. Certaines régions du Mexique souffrent occasionnellement d'épidémies de choléra mais elles sont généralement signalés. La maladie se propage rapidement dans les endroits où les conditions sanitaires sont faibles. Attention à certains plats peu ou pas cuits, comme le *ceviche* (marinade de poisson) ou les crudités. Symptômes : diarrhée soudaine, selles très liquides et claires, vomissements, crampes musculaires et extrême faiblesse. Il faut consulter un médecin ou aller à l'hôpital au plus vite, mais on peut commencer à lutter immédiatement contre la déshydratation qui peut être très forte. Le Coca-cola salé, dégazéifié et dilué au 1/5e ou encore du bouillon bien salé seront utiles en cas d'urgence.

Hépatites. L'hépatite est un terme général qui désigne une inflammation du foie. A côté des hépatites A et B, il existe d'autres types d'hépatite (appelées précédemment "non A, non B"). Les symptômes de chaque hépatite peuvent être identiques (fatigue, problèmes digestifs, jaunisse, fièvre, léthargie, etc.) mais il arrive également que la personne infectée n'ait aucun avertissement de ce genre. Néanmoins, pas de paranoïa excessive, les hépatites C, D et E sont assez rares, et on peut s'en prémunir en suivant les mêmes précautions que pour éviter les hépatites A et B.

Hépatite A. C'est la plus commune, surtout dans les pays où le niveau d'hygiène est médiocre. La plupart des habitants de pays en voie de développement ont été contaminés dans l'enfance et leur système immunitaire s'y est habitué, produisant une défense naturelle.

Premiers symptômes : fièvre, frissons, migraine, fatigue, faiblesse et douleurs, suivis d'une perte d'appétit, de nausées, de vomissements, de douleurs abdominales. Les urines sont foncées, les selles claires ; la peau et le blanc des yeux prennent une teinte jaune. La fièvre intervient rarement. Parfois la maladie se manifeste plus discrètement : malaise général, fatigue, perte d'appétit et douleurs. Il faut demander l'avis d'un médecin mais, en général, il n'y a pas grand-chose à faire à part se reposer, boire beaucoup et manger légèrement en évitant les graisses. L'alcool doit être banni pendant au moins 6 mois.

L'hépatite A se transmet par l'eau, les coquillages et, d'une manière générale, tous les produits manipulés à mains nus. En faisant attention à la nourriture et à la boisson, vous préviendrez le virus très utilement. Malgré tout, s'il existe un fort risque d'exposition, il vaut mieux se protéger avec le vaccin ou la gammaglobuline.

Hépatite B. Elle est malheureusement très répandue, puisqu'il existe environ 30 millions de porteurs chroniques dans le monde. Elle se transmet par voie sexuelle ou sanguine (piqûre, transfusion). Évitez de vous faire percer les oreilles, de vous faire tatouer, raser ou de vous faire soigner par piqûres si vous avez des doutes. Les symptômes de l'hépatite B sont pratiquement les mêmes que ceux de l'hépatite A mais la B est beaucoup plus grave. Elle peut provoquer des lésions au foie et parfois même le cancer du foie. A titre préventif, l'hépatite B a désormais son vaccin, très efficace.

Hépatite C. Ce virus a été récemment isolé. Sa transmission se fait par voie sanguine (transfusion ou utilisation de seringues usagées) et il semble que cette souche accélère les lésions au foie. La seule prévention est d'éviter tout contact sanguin car il n'existe pour le moment aucun vaccin contre cette hépatite.

Typhoïde. La fièvre typhoïde est également une infection intestinale, qui atteint le tube digestif. La vaccination n'est pas entièrement efficace et l'infection est particulièrement dangereuse : il faut absolument appeler un médecin.

Premiers symptômes : les mêmes que ceux d'un mauvais rhume ou d'une grippe, mal de tête, de gorge, fièvre qui augmente un peu chaque jour jusqu'à atteindre 40°C ou plus. Le pouls est souvent lent par rapport à la température élevée et ralentit encore au fur et à mesure que la fièvre augmente, à l'inverse de ce qui se passe normalement. Ces symptômes peuvent être accompagnés de vomissements, de diarrhée ou de constipation.

La deuxième semaine, la fièvre reste forte et le pouls lent ; quelques petites tâches roses peuvent apparaître sur le corps. Autres symptômes : tremblements, délire, faiblesse, perte de poids et déshydratation. S'il n'y a pas d'autres complications, la fièvre et les autres symptômes disparaissent peu à peu la troisième semaine. Cependant, un suivi médical est indispensable car les complications sont fréquentes, en particulier la pneumonie et la péritonite. De plus, la typhoïde est très contagieuse. Il faut allonger le malade dans une pièce fraîche et veiller à ce qu'il ne se déshydrate pas.

Tétanos. Cette maladie parfois mortelle se rencontre partout, et surtout dans les pays tropicaux en voie de développement. Difficile à soigner, elle se prévient par vaccination. Le tétanos se développe dans les plaies infectées par un germe qui vit dans les selles des animaux ou des hommes. Il est indispensable de bien nettoyer coupures et morsures. Le tétanos déclenche le trismus, spasme musculaire de la mâchoire. Les premiers symptômes peuvent être une difficulté à avaler ou une raideur de la mâchoire ou du cou ; puis suivent des convulsions douloureuses de la mâchoire et du corps tout entier.

Rage. Très répandue, cette maladie est transmise par une morsure ou une griffure faites par un animal contaminé. Les chiens en sont les principaux vecteurs de même que les singes et les chats. Morsures, griffures ou même simples coups de langue d'un mammifère doivent être nettoyés immédiatement et à fond. Frottez avec du savon et de l'eau courante, puis nettoyez avec de l'alcool. S'il y a le moindre risque que l'animal soit contaminé, allez immédiatement voir un médecin. Même si l'animal n'est pas enragé, toutes les morsures doivent être surveillées de près pour éviter les risques d'infection et de tétanos. Un vaccin antirabique est désormais disponible. Il faut y songer si vous pensez prendre certains risques, comme explorer des grottes (les morsures de chauves-souris peuvent être dangereuses) ou travailler avec des animaux.

Cependant, la vaccination préventive ne dispense pas de la nécessité de se faire administrer le plus vite possible un traitement antirabique après un contact avec un animal enragé ou dont le comportement peut paraître suspect.

Maladies sexuellement transmissibles. La blennorragie, l'herpès et la syphilis sont les maladies les plus répandues. Plaies, cloques ou éruptions autour des parties génitales, suppurations ou douleurs en urinant en sont les symptômes habituels ; ils peuvent être moins forts ou inexistants chez les femmes. Les symptômes de la syphilis finissent par disparaître complètement, mais la maladie continue à se développer et elle provoque de graves problèmes par la suite. On traite la blennorragie et la syphilis par les antibiotiques.

Les maladies sexuellement transmissibles (MST) sont nombreuses mais on dispose d'un traitement efficace pour la plupart d'entre elles. Il n'existe pas de remède contre l'herpès pour le moment.

VIH/sida. L'infection à VIH (virus de l'immunodéficience humaine), agent causal du sida (syndrome d'immuno-déficience acquise) est présente dans pratiquement tous les pays et épidémique dans nombre d'entre eux. La transmission de cette infection se fait : par rapport sexuel (hétérosexuel ou homosexuel – anal, vaginal ou oral) d'où l'impérieuse nécessité d'utiliser des préservatifs en latex à titre préventif ; par le sang, les produits sanguins et les aiguilles contaminées. Il est impossible de détecter la présence du VIH chez un individu apparemment en parfaite santé sans procéder à un examen sanguin.

Il faut éviter tout échange d'aiguilles. S'ils ne sont pas stérilisés, tous les instruments de chirurgie, les aiguilles d'acupuncture et de tatouages, les instruments utilisés pour percer les oreilles ou le nez peuvent transmettre l'infection. Il est fortement conseillé d'emporter seringues et aiguilles, car celles que l'on vend en pharmacie ne sont pas toujours fiables.

En 1997, plus de 28 000 cas de sida ont été recensés au Mexique, les taux les plus élevés se concentrant dans le centre du pays, y compris à Mexico. On estime à 200 000 personnes le nombre de séropositifs. Les étrangers qui font la demande d'un permis de séjour permanent au Mexique doivent produire un certificat de séronégativité (certificat d'absence de sida), bien que cette demande soit contraire au Règlement sanitaire international (article 81).

Affections transmises par les insectes

Paludisme. Le paludisme, ou malaria, est transmis par un moustique, l'anophèle. Ce moustique ne pique que la nuit, entre le coucher et le lever du soleil.

Si vous voyagez dans des régions où la maladie est endémique, il faut absolument suivre un traitement préventif. Symptômes : migraines, fièvre, frissons et sueurs qui disparaissent puis reviennent. Non traité, le paludisme peut avoir des suites graves, parfois mortelles. Il existe différents types de paludisme dont le paludisme à falciparum pour lequel le traitement devient de plus en plus difficile à mesure que la résistance du parasite aux médicaments gagne en intensité.

Les médicaments antipaludéens n'empêchent pas la contamination mais ils suppriment les symptômes de la maladie. Pour la chimioprophylaxie, renseignez-vous auprès des centres de vaccination ou de maladies tropicales. Vous pouvez surtout prendre d'autres précautions : le soir, quand les moustiques sont en pleine activité, couvrez vos bras et surtout vos chevilles, mettez de la crème anti-moustiques.

On peut aussi brûler des tortillons contre les moustiques, dormir sous une moustiquaire imprégnée d'insecticides, installer des moustiquaires aux fenêtres ou brancher un diffuseur électrique. Les moustiques sont parfois attirés par le parfum ou l'après-rasage. Le risque de contamination est plus élevé en zone rurale et pendant la saison des pluies.

Tout voyageur atteint de fièvre ou montrant les symptômes de la grippe doit se faire examiner. Il suffit d'une analyse de sang pour établir le diagnostic. Contrairement à certaines croyances, une crise de paludisme ne signifie pas que l'on est touché à vie. Grâce aux médicaments, le parasite peut être éradiqué. Le paludisme est curable dans la mesure où l'on fait ce qu'il faut dès les premiers symptômes.

La plupart des visiteurs ne prennent aucune prophylaxie antipaludéenne et n'attrapent pas le paludisme mais il existe un risque dans certaines régions rurales du Sud du Mexique. La chloroquine est le traitement recommandé pour la plupart de ces endroits, sauf au Chiapas où les moustiques semblent être résistants à cette molécule.

Dengue. Il n'y a pas de traitement prophylactique contre cette maladie propagée par les moustiques ; la seule mesure préventive consiste à éviter de se faire piquer. Poussée de fièvre, maux de tête, crise dépressive momentanée, douleurs articulaires et musculaires précèdent une éruption cutanée sur le tronc qui s'étend ensuite aux membres puis au visage. Au bout de quelques jours, la fièvre régresse et la convalescence commence. Les complications graves sont rares.

Coupures, piqûres et morsures

Les blessures s'infectent très facilement dans les climats chauds et cicatrisent difficilement. Coupures et égratignures doivent être traitées avec un antiseptique et du mercurochrome. Évitez si possible bandages et pansements qui empêchent la plaie de sécher.

Les coupures de corail sont particulièrement longues à cicatriser, car le corail injecte un venin léger dans la plaie. Portez des chaussures pour marcher sur des récifs, et nettoyez chaque blessure à fond.

Les piqûres de scorpion sont très douloureuses et parfois mortelles au Mexique. Les scorpions se glissent souvent dans les vêtements ou les chaussures.

Portez toujours bottes, chaussettes et pantalons longs pour marcher dans la végétation. Les morsures de serpents ne provoquent pas instantanément la mort et il existe généralement des anti-venins.

Santé au féminin

Problèmes gynécologiques. Une nourriture pauvre, une résistance amoindrie par l'utilisation d'antibiotiques contre des problèmes intestinaux peuvent favoriser les infections vaginales lorsqu'on voyage dans des pays à climat chaud. Le port de jupes ou de pantalons amples et de sous-vêtements en coton aide à les prévenir.

Les champignons, caractérisés par une éruption cutanée, des démangeaisons et des pertes, peuvent se soigner facilement. En revanche, les trichomonas sont plus graves ; pertes blanches et sensation de brûlure lors de la miction en sont les symptômes. Le partenaire masculin doit également être soigné.

Il n'est pas rare que le cycle menstruel soit perturbé lors d'un voyage.

Grossesse. La plupart des fausses couches ont lieu pendant les trois premiers mois de la grossesse. C'est donc la période la plus risquée pour voyager. Pendant les trois derniers mois, il vaut mieux rester à distance raisonnable de bonnes infrastructures médicales, en cas de problèmes. Les femmes enceintes doivent éviter de prendre inutilement des médicaments. Cependant, certains vaccins et traitements préventifs contre le paludisme restent nécessaires. Mieux vaut consulter un médecin avant de prendre quoi que ce soit.

VOYAGER SEULE

Dans ce pays "machiste", les femmes doivent se plier à certains usages locaux. En règle générale, les Mexicains croient profondément à la *différence* (plutôt qu'à l'égalité) entre les sexes. Les femmes voyageant seules doivent s'attendre à quelques avances et sifflements de la part des hommes. Ils n'ont généralement pour but que d'entamer la conversation mais peuvent importuner à la longue. La meilleure attitude est de les ignorer et d'éviter de croiser leur regard. Un "non" calme, ferme mais poli, est le meilleur moyen de les décourager. L'attention dont vous pouvez être l'objet, sans l'avoir provoquée, peut se transformer en un simple échange verbal si vous montrez clairement que vous êtes effectivement disposée à converser, mais sans plus.

Le voyage en solitaire vous donnera l'occasion de nombreuses rencontres, mais ne prenez aucun risque. Adoptez le comportement des Mexicaines : ne vous rendez pas dans une cantina, évitez de faire du stop sans être accompagnée par un homme ou de vous rendre en des lieux isolés.

Les piscines et les stations touristiques mises à part, il est déconseillé de se promener en short. Vous serez même peut-être amenée à vous baigner vêtue (short et tee-shirt), comme le font beaucoup de Mexicaines. Il est conseillé de porter un soutien-gorge même s'il fait très chaud.

COMMUNAUTÉ HOMOSEXUELLE

Les Mexicains sont plus larges d'esprit qu'on ne pourrait s'y attendre. Si les homosexuel(le) s ont tendance à se montrer discrets, il est cependant rare qu'ils soient en butte à une discrimination ouverte ou à la violence. Il existe des quartiers très animés dans des villes comme Puerto Vallarta, Acapulco, Mexico et Ciudad Juárez (voir la rubrique *Où sortir* dans les chapitres sur ces villes).

VOYAGEURS HANDICAPÉS

Le Mexique ne fait encore que peu de concessions aux handicapés, bien que quelques bâtiments publics récents commencent à réserver un accès en fauteuil roulant. Il est plus facile de se déplacer dans les stations balnéaires importantes et les plus grands hôtels. Inutile d'espérer grand-chose du côté des transports publics ; le plus simple est de circuler en avion et en taxi ou en voiture.

En France, le CNRH (Comité national pour la réadaptation des handicapés, 236 bis, rue de Tolbiac, 75013 Paris, ☎ 01 53 80 66 66) peut vous fournir d'utiles informations sur les voyages accessibles, En Belgique, vous pourrez obtenir des renseignements auprès de Mobility International, rue de Manchester 25, B-1070 Bruxelles (☎ 02-410 6274, fax 02-410 6297).

VOYAGER AVEC DES ENFANTS

En règle générale, les Mexicains adorent les enfants. Tout bambin aux cheveux autres que noir de jais se verra qualifié de *güera* (blonde) si c'est une fille, de *güero* si c'est un garçon. Les enfants sont les bienvenus dans toutes les catégories d'hôtels, ainsi que dans pratiquement tous les cafés et restaurants.

La plupart des enfants sont enchantés et stimulés par les couleurs, les paysages et les sons du Mexique, mais les plus jeunes n'apprécient pas toujours de voyager tout le temps – ils préfèrent pouvoir rester quelque part et rencontrer d'autres enfants pour se faire des amis.

En outre, ils risquent d'être plus affectés que les adultes par la chaleur ou par un rythme de sommeil perturbé. Ils ont besoin de temps pour s'acclimater et nécessitent de plus grandes précautions pour éviter les coups de soleil.

Prenez soin de les hydrater très régulièrement s'ils souffrent de diarrhées (voir la rubrique *Santé*).

Emportez quelques-uns de leurs jouets et livres, et donnez-leur du temps pour se livrer à des activités qu'ils ont l'habitude de faire chez eux. Sinon, en dehors de l'attraction évidente qu'exercent les plages, les côtes et les piscines, vous trouverez dans certains endroits d'excellentes distractions (parcs à thèmes, zoos, aquariums, promenades en bateau...). A Mexico, ne manquez pas d'aller visiter le merveilleux musée interactif pour enfants, Papalote Museo del Niño. Les sites archéologiques peuvent se révéler des endroits amusants si les enfants aiment escalader les pyramides et explorer les galeries.

On trouve des couches un peu partout, mais vous ne vous procurerez pas aussi facilement les crèmes, les lotions, les petits pots pour enfants ou les médicaments familiers en dehors des grandes agglomérations et des villes touristiques. Apportez au moins une partie de ce dont vous aurez besoin.

Il n'est pas très difficile de trouver une baby-sitter à prix raisonnable si les adultes veulent sortir seuls le soir ; renseignez-vous auprès de votre hôtel.

Sur les vols à destination du Mexique et sur les lignes intérieures, les enfants de moins de deux ans payent en général 10% du tarif adulte, tandis que ceux entre deux et douze ans payent normalement 67%. Les enfants paient plein tarif dans les bus mexicains longue distance, à moins qu'ils soient suffisamment petits pour s'asseoir sur vos genoux.

Le guide *Travel with Children* de Maureen Wheeler, édité en anglais par Lonely Planet, vous fournira de multiples conseils pratiques dans ce domaine.

DÉSAGRÉMENTS ET DANGERS

En raison de la crise économique du milieu des années 90, la criminalité, tout comme la violence, a considérablement augmenté. En prenant quelques précautions élémentaires, vous minimiserez sensiblement les dangers mettant votre propre sécurité en jeu. Restent les risques concernant vos biens personnels, en particulier ceux que vous transporterez sur vous – mais, encore une fois, quelques mesures sensées devraient parvenir à les réduire.

Vols

Les vols à la tire sont fréquents dans les grandes villes mexicaines, et endémiques à Mexico. Les étrangers sont tout particulièrement visés car on les croit riches et porteurs d'objets de valeur. Attention donc aux bus, au métro, aux marchés, aux passages piétonniers souterrains, aux rues et places encombrées et aux plages isolées.

Dans les villes, observez les précautions habituelles.

Les pickpockets sévissent surtout dans les bus bondés, les arrêts de bus et les stations de métro.

Banditisme sur la route et dans le train. Il peut arriver que des bus soient attaqués et leurs voyageurs dévalisés. Les vols sont relativement fréquents dans les trains. La seule façon d'éviter véritablement le banditisme est de voyager exclusivement pendant la journée. Les États à risques incluent certaines zones d'Oaxaca, du Chiapas, du Michoacán, du Guerrero et du Campeche. S'agissant du Chiapas, il est prudent de ne s'aventurer hors des grands axes qu'après avoir pris des renseignements sur place.

Porter plainte. En cas de vol, inutile de porter plainte auprès de la police, à moins que vos valeurs ne soient assurées, auquel cas le rapport de police vous servira à vous faire rembourser par votre compagnie d'assurances.

Si votre connaissance de l'espagnol est insuffisante, faites-vous aider. Présentez-vous avec votre passeport et votre carte de touriste, si on ne vous les a pas volés. Expliquez que vous voulez "*poner un acta de un robo*" (signaler un vol). On comprendra que vous souhaitez seulement obtenir une déclaration de vol pour votre compagnie d'assurances, et que vous n'exigerez pas de la police qu'elle recherche les voleurs ou encore récupère vos biens.

En cas de problèmes graves, vous pouvez essayer d'obtenir aide et conseil à votre consulat. Contactez également le SECTUR, le ministère national du Tourisme, à Mexico, qui met deux lignes d'urgence à la disposition des touristes 24h/24 (☎ 5-250-01-23 et 800-90392).

HEURES D'OUVERTURE

Les bureaux ouvrent généralement du lundi au samedi de 9h à 14h, ferment pour la sieste, puis ouvrent à nouveau de 16h à 19h. En dehors de Mexico, dans les régions chaudes, certains bureaux et boutiques ferment plus longtemps à l'heure de la sieste mais restent ouverts plus tard le soir. Quelques magasins ferment le samedi après-midi. Les bureaux ont des horaires similaires du lundi au vendredi et ceux qui sont en relation avec les touristes ouvrent quelques heures le samedi.

La plupart des églises sont fréquentées régulièrement ; veillez à ne pas perturber l'office par votre visite. Beaucoup sont fermées en dehors des heures de culte, surtout celles qui possèdent des œuvres d'art.

Les sites archéologiques sont généralement ouverts de 8h, 9h ou 10h à 17h, tous les jours. C'est dommage, car dans les régions chaudes, c'est avant 8h et après 17h, surtout en été, que les heures sont les plus fraîches et les plus agréables et la lumière la plus belle.

Le jour de fermeture hebdomadaire des musées est habituellement le lundi.

Le dimanche, la majorité des sites archéologiques et des musées sont gratuits ; ce jour-là, les plus importants sont souvent bondés.

FÊTES ET JOURS FÉRIÉS

Les nombreuses fêtes mexicaines donnent lieu à des réjouissances hautes en couleur qui durent souvent plusieurs jours et ont la vertu d'ajouter un certain piment à la vie quotidienne. Chaque mois ou presque a son lot de fêtes nationales ou religieuses, sans compter les célébrations locales en l'honneur du saint du village, les foires, les festivals d'art, etc.

Noël, le Nouvel an et la Semaine Sainte précédant la fête de Pâques sont les principaux jours fériés au Mexique. Si vous voyagez pendant ces périodes, prenez soin de réserver billets de transport et chambres d'hôtel longtemps à l'avance.

Jours fériés

Les banques, les postes, les services publics et la majorité des magasins sont généralement fermés les jours suivants.

1er janvier
: *Año Nuevo* – Nouvel an

5 février
: *Día de la Constitución* – Fête de la Constitution

21 mars
: *Día de Nacimiento de Benito Juárez* – Anniversaire du président Benito Juárez

1er mai
: *Día del Trabajo* – Fête du Travail

5 mai
: *Cinco de Mayo* – Anniversaire de la victoire du Mexique sur l'armée française à Puebla en 1862. Très fêté à Puebla

16 septembre
: *Día de la Independencia* – Jour de l'Indépendance (commémoration du début de la guerre d'indépendance menée par le Mexique contre l'Espagne). Les plus grandes réjouissances ont lieu à Mexico

12 octobre
: *Día de la Raza* – commémoration de la découverte du Nouveau Monde par Christophe Colomb, et fête du peuple mexicain (mestizo)

20 novembre
: *Día de la Revolución* – Anniversaire de la Révolution mexicaine de 1910

25 décembre
: *Día de Navidad* – la fête de Noël se déroule dans les toutes premières heures du 25 décembre, après la messe de minuit

Autres fêtes nationales

Les fêtes mentionnées ci-dessous, bien qu'elles ne correspondent pas à des jours fériés, figurent parmi les plus importantes des festivités du calendrier mexicain. De nombreux bureaux et commerces ferment à cette occasion.

6 janvier
: *Día de los Reyes Magos* – la fête des Rois (Épiphanie) ; c'est à cette occasion, plutôt qu'à Noël, que les enfants mexicains reçoivent des cadeaux (bien que de nos jours, certains profitent des deux !)

2 février
Día de la Candelaría – la Chandeleur, commémorant la présentation de Jésus au temple 40 jours après sa naissance, donne lieu à des processions, des combats de taureaux et des bals dans de nombreuses localités

Fin février-début mars
Carnaval – il se déroule la semaine précédant le mercredi des Cendres – soit 46 jours avant le lundi de Pâques – et donne lieu à une véritable liesse avant les 40 jours de carême. Il est célébré dans tout le pays, mais avec plus de retentissement à Veracruz : grands défilés, musique, nourriture et boisson en abondance et feux d'artifice

Mars ou avril
Semana Santa – la Semaine Sainte débute avec le dimanche des Rameaux (*Domingo de Ramos*). Les jours fériés interviennent généralement entre le Vendredi Saint (*Viernes Santo*) et le lundi de Pâques (*Domingo de Resurrección*). San Miguel de Allende et Taxco sont, entre autres villes, le théâtre de célébrations particulièrement colorées. Le pays tout entier semble se déplacer pendant cette période

1er septembre
Informe Presidencial – discours présidentiel sur l'état de l'Union

1er novembre
Día de Todos los Santos – Toussaint

2 novembre
Día de los Muertos – le jour des Morts. C'est sans doute la fête qui caractérise le mieux le Mexique. Pour ses habitants, c'est le jour choisi par les esprits des morts pour revenir sur terre. A l'intérieur des maisons, les familles édifient des autels en leur honneur. Ils vont dans les cimetières pour communier avec eux le jour même de la fête et le soir précédent, offrent au défunt couronnes de fleurs et présents, habituellement ses plats préférés. Le tout se déroule dans une ambiance très gaie. Les esprits des enfants décédés, que l'on considère être aussitôt transfigurés en anges et de ce fait appelés *Angelitos*, sont célébrés la veille, pendant la Toussaint. Ces fêtes s'inspirent probablement d'un culte précolombien. Les plus connues ont lieu autour de Pátzcuaro, mais ce jour-là, les cimetières s'animent dans tout le pays

12 décembre
Día de Nuestra Señora de Guadalupe – fête de Notre-Dame de Guadalupe, sainte patronne du Mexique, commémorant l'apparition de la Vierge Marie à Juan Diego, un Indien mexicain, en 1531. Une semaine environ de festivités précède la fête elle-même, au cours de laquelle les enfants sont amenés à l'église habillés en petits Juan Diego ou en Indiennes. Les célébrations ont lieu dans tout le pays, mais les plus importantes se déroulent à Mexico, dans la Basilica de Guadalupe

16-24 décembre
Posadas – processions à la chandelle rassemblant enfants et adultes dans une reconstitution du voyage de Marie et de Joseph vers Bethléem : elles se déroulent neuf soirs de suite (cette tradition est davantage respectée dans les villages que dans les villes). Chaque soir, les participants achèvent la procession en brisant des *piñatas* ; la veille de Noël, la neuvième et dernière procession se rend à l'église. On peut également assister, autour de Noël, à des *Pastorelas* – pièces de théâtre représentant le voyage entrepris par les bergers pour voir l'enfant Jésus

Fêtes locales

Chaque ville, chaque village, chaque *barrio* (quartier) possède ses propres fiestas, souvent célébrées en l'honneur de son ou de ses saint(s) patron(s).

Nombre d'entre elles sont foncièrement religieuses, tout en servant de prétexte à de plus larges réjouissances. Processions d'images pieuses à travers les rues, défilés costumés, feux d'artifice, bals, musique et alcool en abondance, voire lâchers de taureaux dans certaines rues… tout fait partie du spectacle. On peut également assister à des festivals d'art, de danse, de musique et d'artisanat, ainsi qu'à des célébrations en l'honneur des récoltes – que ce soit celle de l'avocat, du raisin ou même du radis. D'autres fêtes sont organisées à la faveur d'une foire commerciale ou d'un salon professionnel.

ACTIVITÉS SPORTIVES

Vous trouverez des informations sur les organismes et les sociétés s'occupant de tourisme actif au Mexique sur le site Internet Eco Travels in Mexico (voir l'*Annuaire Internet*). Reportez-vous également à la rubrique *Circuits organisés* dans le chapitre *Comment circuler*.

Randonnées, cyclotourisme et randonnées équestres

Les Mexicains ne se sont pris d'intérêt que très récemment pour la nature. La tradition veut que la petite bourgeoisie considère plutôt la campagne comme l'endroit où travaillent les *campesinos* et où rôdent les *bandidos*. Certains coins pittoresques n'en sont pas moins prisés pour faire une sortie en voiture, un pique-nique en famille et admirer le paysage. Il existe aussi une petite communauté d'amateurs d'escalade (voir plus loin), mais la pêche et la chasse sont davantage à l'honneur.

Cela n'empêche pas nombre d'intrépides de randonner dans des régions peu fréquentées. Il est également possible d'effectuer ailleurs des randonnées plus ou moins longues d'une journée, même si la chaleur et l'humidité sont souvent dissuasives. Si le cyclotourisme rencontre peu d'adeptes parmi les Mexicains, les amateurs étrangers s'y adonnent néanmoins avec plaisir. Dans certains endroits, vous trouverez des chevaux ou des vélos – plus rarement des VTT – à louer, notamment pour atteindre des sites spécifiques. Il existe aussi des ranchs qui louent des chevaux pour faire des balades sur les sentiers ou sur les plages.

Pour en savoir plus sur les sites naturels offrant un intérêt particulier, reportez-vous à la rubrique *Faune et flore* dans le chapitre *Présentation du pays*.

Treks et guides de montagne. Plusieurs organismes établis à Mexico proposent des randonnées à l'assaut de certains volcans. Au moment où nous mettons sous presse, l'accès au Popocatépetl était toujours interdit en raison d'une période d'activité volcanique qui a débuté en 1994. Pour faire un trek en compagnie d'un guide – dont la présence est plus que recommandée sur l'Iztaccíhuatl ou le Pico de Orizaba –, la réservation s'effectue au moins une semaine à l'avance et l'effectif minimum est de deux personnes.

Coordinadores de Guías de Montaña (☎/fax 5-584-46-95), situé Tlaxcala 47, Colonia Roma à Mexico, est un organisme de professionnels disposant de guides qualifiés pour la plupart des pics mexicains. Une excursion pour deux personnes de

JENNIFER JOHNSEN

Paysage de montagne à l'intérieur des terres près de Puerto Escondido

Mexico au sommet de l'Iztaccíhuatl (deux jours et une nuit) coûte 350 $US par personne, transport et deux repas inclus.

Sports nautiques

On trouve pratiquement tous les sports nautiques imaginables sur les côtes du Mexique. Les chapitres sur les régions vous fourniront de plus amples renseignements à ce sujet. Dans la plupart des stations balnéaires, des boutiques louent masques, palmes et tubas, et il est possible de faire des excursions en bateau ou de pêcher. Le ski nautique, le vol à voile et les balades en "banana" (où vous êtes assis sur un engin gonflable en forme de banane et tiré à grande vitesse par un bateau) sont largement répandus. Pensez toutefois à vous assurer du bon état du matériel avant de vous lancer. L'intérieur du pays compte de nombreux *balnearios*, lieux de baignade comportant des piscines, situés souvent sur des sources chaudes au milieu de paysages pittoresques.

Plongée. Il existe des sites magnifiques aussi bien sur les côtes du Pacifique que sur celles de la mer des Caraïbes, ces dernières offrant a priori une meilleure visibilité. Côté Caraïbes, Isla Mujeres, Playa del Carmen, Cozumel, Akumal et Xcalak sont d'excellents sites de plongée. Il est également possible d'y pratiquer la plongée de surface, ainsi qu'à Puerto Morelos, Laguna Yal-Xu, Chemuyil et Xcacel. Côté Pacifique, Puerto Vallarta, Zihuatanejo, Acapulco et Huatulco figurent parmi les meilleurs endroits à la fois pour la plongée de surface et de profondeur.

Surf et planche à voile. La côte Pacifique a l'avantage d'offrir de superbes vagues. Parmi les meilleures figurent les rouleaux déferlant à Ensenada, Mazatlán, Barra de Navidad, Manzanillo, Troncones Point (près de Zihuatanejo) et Playa Revolcadero (près d'Acapulco).

De nombreuses plages de surf sont plus faciles à atteindre avec son propre véhicule. Les pêcheurs seront souvent les plus aptes à vous dire où trouver *las olas* (les vagues).

COURS ET LEÇONS

Suivre des cours au Mexique peut s'avérer un excellent moyen de rencontrer des gens et de se faire une idée plus juste de la vie locale tout en étudiant la langue ou l'histoire du pays.

Il existe des écoles de langue espagnole dans de nombreuses villes – certaines sont privées, d'autres rattachées aux universités. La durée des cours va d'une semaine à un an. Vous pourrez généralement vous inscrire sur place et commencer tous les lundi.

On vous proposera parfois un logement chez l'habitant, en complément de cette formation. Mexico, Guadalajara, Guanajuato, Cuernavaca, San Miguel de Allende, Morelia, Taxco, Oaxaca et Puerto Vallarta, entre autres, possèdent des écoles de langue privées. Certains établissements dispensent des cours d'art, d'artisanat et l'étude approfondie de l'histoire du Mexique.

Si vous comptez faire un long séjour au Mexique pour étudier, il vous faudra obtenir un visa d'étudiant – pour tout renseignement, contactez un consulat mexicain.

L'Institute of International Education (☎ 5-211-0042, fax 5-535-5597, iie@profmexis.sar.net), Londres 16, 2e étage, Colonia Juárez, 06600 México DF, à Mexico, édite *Spanish Study in Mexico*, qui donne la liste de 43 écoles de langues pour apprendre l'espagnol, et *An International Student's Guide to Mexican Universities*. Pour recevoir un exemplaire de l'une ou l'autre de ces brochures, envoyez un chèque ou un mandat postal à l'ordre de l'Institute of International Education – la première coûte 5,95 $US, la seconde, 19,95 $US.

La Casa de los Amigos de Mexico (voir la rubrique *Où se loger* dans le chapitre *Mexico*) organise chaque année plusieurs séminaires ouverts à tous – d'une durée moyenne d'une à deux semaines – sur des questions sociales telles que la condition féminine, les enfants et la santé au

Mexique, l'environnement à Mexico, les mouvements populaires urbains, etc. Ces séminaires comprennent des visites à des organismes locaux et une participation à des projets communautaires. Le prix d'environ 35 $US par jour inclut l'hébergement et la plupart des repas. La Casa de los Amigos dispose aussi de fichiers fort utiles sur les écoles de langues au Mexique et en Amérique centrale.

TRAVAILLER AU MEXIQUE

Les Mexicains eux-mêmes cherchent du travail, et la loi interdit aux touristes de prendre un emploi.

Mexico est le meilleur endroit pour donner des cours de langues ou des cours particuliers. Les rémunérations sont peu élevées, mais suffisantes pour vivre. Les postes dans les lycées ou les universités sont généralement pourvus à la rentrée scolaire. *The News* et les pages jaunes de l'annuaire des grandes villes faciliteront vos recherches. Contactez les différentes institutions et écoles qui proposent des programmes bilingues ou des cours de français. Pour les universités, prenez rendez-vous avec le directeur du département de langues.

Les écoles de langues ont tendance à organiser des sessions courtes. Les opportunités sont donc plus fréquentes, et l'engagement moins long, mais les salaires sont moins élevés que dans les lycées et les universités.

Un étranger doit obtenir un permis de travail, mais les écoles paient souvent les enseignants étrangers sous forme de bourse d'études ou *beca* et contournent ainsi la loi. Dans le cas contraire, l'administration de l'école fournit les papiers nécessaires. Il est utile de connaître au moins quelques mots d'espagnol, bien que certains instituts insistent pour qu'on ne parle que français ou anglais dans les classes.

Bénévolat

La Casa de los Amigos (voir *Où se loger* dans le chapitre *Mexico*) propose des fichiers répertoriant les possibilités de bénévolat au Mexique ainsi que dans d'autres pays d'Amérique latine ; à Mexico, elle peut faire participer des volontaires parlant l'espagnol à des projets concernant l'éducation, les enfants des rues, le sida, les réfugiés, etc. La plupart des opportunités impliquent un travail à temps complet sur six mois ou plus.

En France, quelques organismes offrent des opportunités de travail bénévole sur des projets de développement ou d'environnement. Ces formules ne proposent en général aucune rétribution et sont soumises à la réalisation d'un stage préalable de préparation et au règlement de droits d'inscription. Ces formalités accomplies, le participant est habituellement nourri et logé durant la mission.

Concordia/Solidarités Jeunesse (1, rue de Metz, 75010 Paris, ☎ 01 45 23 00 23) organise des chantiers au Mexique. Pour les étudiants de 18 à 26 ans, Jeunesse et Reconstruction (10, rue de Trévise, 75009 Paris, ☎ 01 47 70 15 88) met en place des projets éducatifs et sociaux dans des zones rurales.

Vous pouvez également vous renseigner auprès de Cotravaux, organisme d'information et de promotion du travail bénévole (11, rue de Clichy, 75009 Paris, ☎ 01 48 74 79 20).

HÉBERGEMENT

Les possibilités d'hébergement sont nombreuses, des pensions de famille (*casas de huéspedes*) et des auberges de jeunesse aux hôtels de luxe et aux stations balnéaires coûteuses, en passant par les campings et les hôtels pour petits budgets.

Réservations

Si vous avez l'intention de voyager dans des régions touristiques pendant la période de Noël et du Nouvel an, la Semaine Sainte et en juillet-août, il est préférable de réserver. Effectuez votre réservation par téléphone ou par fax, en demandant si des arrhes sont nécessaires et comment les faire parvenir ; une confirmation est souhaitable.

Camping

Toutes les plages du Mexique sont publiques mais elles ne sont pas toujours sûres. Il est probable que vous pourrez y camper gratuitement.

Si la plupart des campings sont aménagés à l'intention des voyageurs en caravane, minibus et camping-car, ils acceptent aussi les campeurs avec tente, pour un prix modique. Certains offrent un confort sommaire, d'autres sont assez luxueux. Vous payerez de 3 à 5 $US par personne pour pouvoir planter votre tente, et de 8 à 15 $US pour deux personnes si vous souhaitez utiliser les équipements d'un bon camping. Près des petites plages, certains restaurants ou pensions de famille vous laisseront planter votre tente sur un bout de terrain pour un dollar ou deux par personne.

Hamacs et cabañas

Ces deux formules d'hébergement sont proposées principalement sur les petites plages dans le Sud.

Le hamac est une façon très économique de dormir. Vous pouvez en louer un, ainsi que l'emplacement pour le suspendre – en général sous un toit de palme devant une petite casa de huéspedes ou un restaurant sur la plage – pour 2 $US, mais il vous en coûtera probablement entre 5 et 10 $US sur la côte caraïbe, où toutes les formules d'hébergement sont plus chères. Si vous avez votre propre hamac, vous ferez encore des économies. Il est assez facile d'acheter des hamacs au Mexique ; ils sont essentiellement fabriqués à Mérida, mais vous en trouverez en solde sur les plages dans le Yucatán et l'Oaxaca.

Les cabañas sont des huttes au toit de palme. Certaines disposent pour tout aménagement d'un sol en terre battue et d'un lit ; d'autres, plus luxueuses, sont équipées de l'électricité, de moustiquaires, de ventilateurs, d'un réfrigérateur, d'un bar, et sont décorées avec goût. En général, les prix pour les cabañas les plus simples s'échelonnent entre 6 et 20 $US, les plus chères étant celles situées sur la côte caraïbe – où vous trouverez aussi des cabañas de luxe à 100 $US !

Auberges de jeunesse

Il existe des *villas juveniles* ou des *albergues de juventud* dans une vingtaine de villes universitaires et stations touristiques dont un bon nombre dépend de centres sportifs. Elles acceptent parfois toutes les catégories de voyageurs ; ailleurs, les hôtels bon marché sont préférables. Les auberges de jeunesse offrent un hébergement sommaire mais propre en dortoirs séparés. L'adhésion n'est pas nécessaire. Le tarif est d'environ 4 $US par lit ; une petite réduction est accordée aux membres de la FIAJ (Fédération internationale des auberges de jeunesse). Dans quelques villes, telles Oaxaca, Palenque et San Miguel de Allende, vous trouverez des auberges de jeunesse privées qui accueillent les voyageurs de tous pays.

Casas de huéspedes et posadas

Le mode de logement le moins cher et le plus convivial est la casa de huéspedes, une maison convertie en pension de famille à l'ambiance généralement chaleureuse. Avec ou sans salle de bains privée, une double coûte en général de 8 à 12 $US, même si quelques pensions sont plus confortables et donc plus chères.

Certaines posadas (auberges) ressemblent à des casas de huéspedes, d'autres à des petits hôtels.

Hôtels bon marché

Presque toutes les villes mexicaines en possèdent. A Mexico, vous pouvez louer une chambre double, avec douche et eau chaude, de 10 à 15 $US ; comptez le double sur la côte caraïbe. Beaucoup d'établissements proposent des chambres à trois, quatre ou cinq personnes pour un prix légèrement supérieur à celui d'une double.

Signalons que *cuarto sencillo* désigne habituellement une chambre à un lit, souvent une *cama matrimonial* (lit double). Une personne seule la paiera souvent moins cher qu'un couple. Un *cuarto doble* est théoriquement une chambre à deux lits doubles.

Hôtels de catégories moyenne et supérieure

Les bons hôtels de catégorie moyenne offrant une chambre double avec douche, télévision et parfois même la climatisation, un ascenseur, voire un restaurant et un bar, ne manquent pas au Mexique. Leurs prix varient entre 20 et 40 $US. Ces établissements, généralement confortables sans être excessivement luxueux, sont bien fréquentés et sûrs. Parmi les plus agréables figurent les anciennes demeures et auberges, voire des couvents, transformées en hôtels. Certaines datent de l'époque coloniale, d'autres du XIXe siècle. La magie des lieux doit beaucoup aux fontaines situées au milieu de patios ombragés. Les unes sont "authentiques" et leur confort est un peu spartiate (mais les prix sont plus bas), les autres ont été entièrement modernisées et reviennent plus cher.

Les grands hôtels modernes abondent en particulier dans les grandes villes et les stations touristiques. Ils proposent un service incomparable, mais à des prix exorbitants. Si vous aimez le luxe mais souhaitez économiser un peu d'argent, choisissez un hôtel affilié à une chaîne mexicaine, de préférence à une chaîne internationale.

Appartements

Dans certains endroits, on trouve des appartements avec cuisine équipée destinés aux touristes. Certains étant très confortables, c'est une formule d'un bon rapport qualité/prix pour trois ou quatre personnes.

ALIMENTATION

Le Mexique offre une nourriture extrêmement variée, pleine d'exquises surprises et à laquelle chaque région apporte sa particularité. Vous mangerez bien à Mexico, comme dans toutes les villes de moyenne importance qui proposent une large gamme de restaurants. Outre la nourriture mexicaine décrite ici, vous aurez à votre disposition toutes sortes de cuisines internationales et d'excellents restaurants végétariens. Pour les fruits frais, les légumes, les tortillas, le fromage et le pain, allez faire un tour au marché du coin.

Plats nationaux

Les Mexicains prennent trois repas par jour : le petit déjeuner (*desayuno*), le déjeuner (*comida*) et le souper (*cena*). Ils sont tous les trois composés d'un ou de plusieurs des trois plats nationaux décrits ci-dessous.

Les *tortillas* sont des crêpes rondes et fines à base de maïs (*maíz*) ou de farine de froment (*harina*), cuites à la poêle. On peut les farcir ou les napper avec n'importe quelle garniture.

Les *frijoles* sont des haricots qui se consomment bouillis, sautés ou frits, en soupe, sur les tortillas ou avec des œufs.

Les *chiles*, piments forts, se déclinent en dizaines de variétés et une centaine de préparations. Certains, comme le *habanero* et le *serrano* sont toujours très forts tandis que pour d'autres, comme le *poblano*, leur relative douceur varie en fonction du moment de la cueillette. Pour plus de précautions, demandez si le piment est *dulce* (doux), *picante* (fort) ou *muy picante* (très fort).

Manger dans la rue et au marché

Au Mexique, la façon la moins coûteuse de se nourrir est de profiter des milliers de petits étals qui vendent toutes sortes de plats chauds ou froids et de boissons. Vous pourrez souvent manger un taco ou boire un verre de jus d'orange pour moins de 0,20 $US. Certains sont très appréciés et bien fréquentés, mais l'hygiène n'est pas toujours parfaite. Ce sera à vous de juger ; ceux qui attirent de nombreux clients sont susceptibles d'être les meilleurs et les plus sûrs.

Un cran au-dessus, les *comedores*, que l'on trouve dans de nombreux marchés : on prend place sur des bancs devant de longues tables et les plats sont préparés devant vous. On y sert généralement de la cuisine locale. Allez-y de préférence à l'heure du déjeuner, quand les ingrédients sont tout frais, et choisissez un comedor où il y a du monde.

Petit déjeuner

Le petit déjeuner le plus simple se compose de café ou de thé avec du *pan dulce* (petit pain sucré). De nombreux restaurants proposent des petits déjeuners combinés pour environ 1,50 ou 2,50 $US comprenant, en général, un jus de fruit (*jugo de fruta*), un café (*café*), un petit pain (*bolillo*) ou une tartine de pain grillé (*pan tostado*) avec du beurre (*mantequilla*) et de la confiture (*mermelada*) et des œufs (*huevos*), servis de plusieurs manières :

huevos pasados por agua – œufs mollets (pas assez cuits au goût de nombreux visiteurs)
huevos cocidos – œufs durs (préciser le temps de cuisson si nécessaire)
huevos estrellados – œufs frits
huevos fritos (*con jamón/tocino*) – œufs au plat (avec jambon/lard)
huevos mexicanos – œufs brouillés avec des tomates, des oignons, du piment et de l'ail (symbolisant les couleurs du drapeau mexicain : rouge, vert et blanc)
huevos motuleños – tortilla sur laquelle on dispose des tranches de jambon, puis des œufs au plat, du fromage, des petits pois et de la sauce tomate
huevos rancheros – œufs frits sur des tortillas et recouverts de *salsa*
huevos poches – œufs pochés

Les Mexicains ont l'habitude de manger de la viande au petit déjeuner, mais dans beaucoup d'endroits fréquentés par des voyageurs, vous pourrez commander du müesli, de l'*ensalada de frutas* (salade de fruits), de l'*avena* (porridge) et même des corn flakes.

Déjeuner

La *comida*, le plus gros repas de la journée, est généralement servie entre 13h et 15h ou 16 h. Les restaurants proposent souvent des menus appelés *comida corrida*, *cubierto*, *menú del día*, *platillo del día*. Ce sont les repas les plus avantageux car plusieurs plats (au choix) vous sont offerts pour un prix bien inférieur à l'équivalent à la carte. Les prix varient de 1,50 $US pour un repas très simple composé d'une soupe, d'un plat de viande, de riz et d'un café, à 8 $US ou plus pour un festin – plus généralement, vous aurez droit à quatre ou cinq plats pour environ 2,50 $US. La boisson est habituellement en sus.

Dîner/souper

La *cena*, le repas du soir, rappelle la comida, en plus léger. Les menus à prix fixes sont rarement proposés le soir ; prévoyez donc de faire votre principal repas au déjeuner.

Sur le pouce

Les *antojitos* sont les traditionnels en-cas ou plats légers mexicains. On peut les manger à n'importe quelle heure, seuls ou accompagnés d'un plat plus conséquent. Il en existe de très nombreuses variétés, dont certaines spécifiques à une région, mais les plus répandus sont les suivants :

burrito – toute préparation à base de haricots, de fromage, de viande, de poulet ou de fruits de mer, assaisonnée avec une sauce ou du piment et enveloppée dans une tortilla de farine de froment
chilaquiles – morceaux de tortilla frits, accompagnés d'œufs brouillés ou de sauce et parfois recouverts de fromage fondu
chiles rellenos – piments farcis de fromage, de viande ou d'autres garnitures, plongés dans la friture et cuits en sauce
empanada – petit chausson fourré
enchilada – les ingrédients sont similaires à ceux des tacos et des burritos, trempés dans une sauce, puis cuits au four ou frits. Les *enchiladas Suizas* (suisses) sont servies nappées d'une crème épaisse
enfrijolada – tortilla à la sauce frijole, recouverte de fromage et d'oignons
entomatada – tortilla à la sauce tomate, recouverte de fromage et d'oignons
gordita – beignet de maïs frit, fourré de haricots et recouvert de crème fraîche, de fromage et de laitue

guacamole – purée d'avocats préparée avec des oignons, des piments, du citron et des tomates
quesadilla – tortilla à la farine de froment, nappée ou fourrée de fromage et parfois d'autres ingrédients, et servie chaude
queso fundido – fromage fondu servi avec des tortillas
sincronizada – "sandwich" de tortilla, généralement au jambon et au fromage, légèrement grillé ou frit
sope – épais feuilleté de pâte de maïs, légèrement grillé et servi avec de la salsa verde ou de la salsa roja (voir *Autres aliments*), des haricots, des oignons et du fromage
taco – tortilla de maïs enroulée ou pliée autour de la même farce que pour un burrito
tamale – pâte de maïs farcie de viande, de haricots, de piments, ou sans farce, enveloppée dans des feuilles de maïs et cuite à la vapeur
torta – sandwich à la mode mexicaine
tostada – tortilla fine et croustillante

Soupe

Vous pourrez déguster une grande variété de soupes (*sopas*) à base de viande, de légumes et de fruits de mer.

caldo – bouillon
gazpacho – soupe de légumes émincés et relevée de piment fort
menudo – soupe de tripes populaire, faite avec les entrailles épicées de divers animaux à quatre pattes
pozole – estouffade riche et épicée à base de maïs concassé, de viande et de légumes

Sachez que la *sopa de arroz* n'est pas du tout une soupe mais un riz pilaf.

Fruits de mer

Ils sont excellents le long de la côte et dans les grandes villes où la clientèle est abondante. Méfiez-vous, en revanche, des fruits de mer crus ou offerts dans les bourgades de montagne à l'écart des grandes routes. Le poisson est souvent consommé en *filete* (filet), *frito* (poisson entier frit) ou *al mojo de ajo* (poêlé au beurre et à l'ail). Le *ceviche*, spécialité mexicaine populaire, se compose de fruits de mer crus (poisson, crevettes, etc.) marinés dans du citron vert et mélangés à des oignons, piments, ail et tomates. Il existe d'autres préparations (*cocteles*) à base de fruits de mer.

Poisson

atún – thon
corvina – perche
filete de pescado – filet de poisson
huachinango – rouget
mojarra – perche
pescado – poisson pêché
pez espada – poisson-épée, espadon
pez – poisson non encore pêché
robalo – bar, loup
salmón (ahumado) – saumon (fumé)
tiburón – requin
trucha – truite

Coquillages

abulón – ormeau
almejas – palourdes
calamares – calmar, encornet
camarones – crevettes
camarones gigantes – gambas
cangrejo – crabe
caracol – escargot
jaiba – petit crabe
langosta – langouste
mariscos – crustacés
ostiones – huîtres

Viande et volaille

Viande et volaille sont souvent différenciées sur les menus mexicains sous les rubriques *Carnes* et *Aves*.

Viande

bistec, bistec de res – bifteck
cabra – chèvre
cabrito – chevreau
carne – viande, en général du bœuf
carnero – mouton
carnitas – porc frit
cerdo – porc
chicharrón – couenne de porc frite, couenne rissolée

chorizo – saucisse de porc épicée
cochinita – cochon de lait
conejo – lapin
cordero – agneau
costillas – côtelettes
hamburguesa – hamburger
hígado – foie
jamón – jambon
puerco – porc
res – bœuf
salchicha – saucisse de porc épicée
ternera – veau
tocino – lard
venado – daim (venaison)

Volaille
faisán – faisan, dinde
guajalote – dindon
pato – canard
pavo – dinde
pechuga – blanc de volaille
pollo – poulet

Préparations
Au Mexique, viande, volaille et poisson sont accommodés de nombreuses façons. En voici un échantillon :

adobado – mariné, assaisonné et séché
ahumado – fumé
a la parrilla – grillé, parfois au charbon de bois
a la plancha – présenté à la diable (à plat), fendu et rôti
a la tampiqueña – fines tranches de viande sautée, mais aussi marinées avec de l'oignon, de l'ail et de l'origan
a la veracruzana – avec une sauce à la tomate, à l'olive et à l'oignon
al carbón – grillé au charbon de bois
al horno – cuit au four
al mojo de ajo – dans une sauce à l'ail
alambre – en brochette
asada – grillé
barbacoa – littéralement "au barbecue", mais la viande est couverte et placée sous des braises chaudes
bien cocido – bien cuit
birria – ragoût de mouton ou de chèvre à l'oignon
cabeza – tête
chuleta – côtelette
cocido – bouilli
coctel – apéritif (fruits de mer, fruit, etc.) en sauce
empanizado – en croûte
filete – filet de poisson ou de viande
frito – frit
lomo – filet, longe, aloyau
milanesa – en croûte (à l'italienne)
mixiotes – ragoût d'agneau
mole – sauce à base de piments et d'autres ingrédients, souvent servie avec du poulet ou du dindon
mole poblano – délicieux mole à la mode de Puebla, concocté avec de nombreux ingrédients dont des piments forts et du cacao amer
patas – pieds
pechuga – blanc de poulet
pibil – viande (généralement cochon de lait ou poulet) parfumée d'ingrédients tels que ail, piment, chili, origan et jus d'orange, puis rôtie (si possible de façon traditionnelle, à savoir dans une fosse creusée dans le sol qu'on appelle *pib*)
pierna – cuisse, cuissot, gigot
poco cocido – saignant

Légumes
Les *legumbres* et les *verduras* (légumes) sont servis en salade, en soupe ou en garniture de plats. Les végétariens n'ont aucun souci à se faire : de nombreuses villes mexicaines possèdent de bons restaurants végétariens.

aguacate – avocat
betabel – betterave
calabaza – courge, citrouille, potiron
cebolla – oignon
champiñones – champignons
chícharos – petits pois
col – chou
coliflor – chou-fleur
ejotes – haricots verts
elote – épi de maïs, généralement servi à la vapeur sur des étals de rue
ensalada verde – salade verte
espárragos – asperges
espinaca – épinard

frijoles – haricots, généralement noirs
hongos – champignons
lechuga – laitue
lentejas – lentilles
nopales – feuilles de cactus (nopal) dont certaines variétés sont comestibles
papas – pommes de terre
papas fritas – frites, chips
pepino – concombre
rábano – radis
tomate – tomate
zanahoria – carotte

Fruits
chabacano – abricot
coco – noix de coco
durazno – pêche
ensalada de frutas – salade de fruits
fresa – fraise, ou nom générique des baies
fruta – fruit
granada – grenade
guanabana – fruit vert semblable à la poire
guayaba – goyave (les jaunes sont meilleures que les roses)
higo – figue
limón – citron lime ou citron
mamey – fruit tropical orange et doux
mango – mangue
manzana – pomme
melón – melon
naranja – orange
papaya – papaye
pera – poire
piña – ananas
plátano – banane
toronja – pamplemousse
tuna – figue de Barbarie
uva – raisin
zapote – sapotille, excellent mélangée au jus d'orange ou au kahlua

Desserts
arroz con leche – pudding de riz
crepa – crêpe fine
flan – crème au caramel
galletas – biscuits
gelatina – gelée
helado – crème glacée
nieve – sorbet
pastel – pâtisserie ou gâteau
pay – tarte aux fruits
postre – dessert

Autres aliments
Quelques noms utiles :

aceite – huile
aceitunas – olives
arroz – riz
azúcar – sucre
catsup – ketchup ; sauce tomate épicée à l'américaine
chipotle – piments séchés, puis fermentés dans le vinaigre ; nombre de Mexicains estiment qu'un repas n'est pas complet sans ces piments.
cilantro – feuille de coriandre fraîche
crema – crème
entremeses – hors-d'œuvres
huitlacoche – sorte de moisissure qui pousse sur le maïs, considérée comme une délicieuse friandise depuis l'époque des Aztèques.
leche – lait
mantequilla – beurre
margarina – margarine
paleta – cristaux de glace parfumés, présentés sur un bâtonnet
pan (integral) – pain (complet)
pimienta – poivre
queso – fromage
salsa roja/verde – sauce aux piments rouges/verts, oignons, tomates, jus de citron ou de citron lime, et épices
sel – sel

A table
El menú peut désigner soit la carte, soit le plat du jour. Si vous voulez la carte, demandez *la lista* ou *la carta* pour éviter de commander par inadvertance le plat du jour.

copa – verre
cuchara – cuiller
cuchillo – couteau
cuenta – note
plato – assiette
propina – pourboire
servilleta – serviette
taza – tasse

tenedor – fourchette
vaso – verre

BOISSONS

Comme dans les pays au climat chaud, on trouve au Mexique une grande variété de boissons (bebidas), alcoolisées ou non. Ne buvez jamais d'eau à moins d'être sûre qu'elle a été purifiée ou bouillie (voir la rubrique *Santé*).

Thé et café

Le *café* mexicain ordinaire, qui pousse principalement près de Córdoba, d'Orizaba et au Chiapas, a un goût savoureux, mais est souvent peu corsé. Ceux qui préfèrent un breuvage plus fort en caféine demanderont un "Nescafé" – à moins d'avoir la chance de trouver une des rares vraies maisons du café apparues au cours de ces dernières années. Certaines servent même un café biologique, originaire d'Oaxaca ou du Chiapas.

Le thé, toujours en sachets, est en revanche déconseillé aux amateurs.

café americano – café noir
café con leche – moitié café, moitié lait chaud
café con crema – café avec de la crème, servie séparément
café instantáneo – café instantané
café negro – café noir
espresso – expresso
Nescafé – tous les cafés instantanés (*agua para Nescafé* désigne une tasse d'eau bouillante présentée avec un pot de café instantané)
té de manzanilla – camomille
té negro – thé noir, auquel on peut ajouter du *leche* (lait) si l'on veut.

Boissons aux fruits et légumes

Les jus de fruits frais et les jus de légumes (*jugos*) sont très populaires au Mexique.

Les *licuados* sont des mélanges de fruits ou de jus auxquels on ajoute de l'eau et du sucre, et parfois de l'œuf cru, de la glace et divers parfums comme la vanille ou la noix de muscade. Vérifiez qu'il s'agit bien d'une agua purificada. Il existe une infinité de combinaisons plus succulentes les unes que les autres.

Les *aguas frescas* ou *aguas de fruta* sont obtenues en mélangeant un jus de fruit, ou un sirop composés de graines broyées, avec du sucre et de l'eau. Elles sont présentées dans de grands saladiers de verre, posés sur les comptoirs des vendeurs de jus de fruits. Essayez l'*agua fresca de arroz* (littéralement "eau de riz") qui a un agréable goût de noisette.

Refrescos

Le Mexique possède une grande variété de boissons sucrées (*refrescos*) dont certaines variantes sont savoureuses. Sidral et Manzanita sont deux marques de boissons au goût de pomme. Vous trouverez également des sortes de sangrías sans alcool (voir *Vins et eau-de-vie* ci-après).

Les sources mexicaines offrent de nombreuses eaux minérales (*agua mineral*) de qualité : Tehuacán et Garci Crespo comptent parmi les meilleures.

Alcool

Le Mexique produit une variété impressionnante de boissons alcoolisées à base de raisin, de graines ou de cactées. On peut également acheter des alcools étrangers.

Où boire. Tout le monde a entendu parler des cantinas mexicaines, où l'on boit beaucoup. Un de nos auteurs, Tom Brosnahan, s'est retrouvé, un jour, dans une cantina de Mexico où, de temps en temps, un client sortait un revolver et tirait plusieurs coups dans le plafond. Les cantinas sont généralement très bruyantes. Vous les reconnaîtrez à leurs enseignes interdisant l'entrée aux mineurs, et à leurs portes battantes genre "saloon".

Les cantinas sont généralement réservées aux hommes. A l'intérieur, préparez-vous à boire copieusement. Un habitant se fera un plaisir de vous inviter à vider une bouteille de tequila, de mezcal ou d'eau-de-vie. Mieux vaut avoir un foie solide. Sinon, esquivez-vous après vous être excusé. Certaines cantinas, parmi les plus belles, acceptent la présence d'une femme, si elle est accompagnée par un client régulier. Outre les cantinas, il existe de nombreux bars, cafés, "pubs" ouverts à tout le monde, beaucoup plus calmes.

Mezcal, tequila et pulque. Le mezcal est fabriqué à partir de la sève de plusieurs variétés de maguey, ou agave qui ressemble à un porc-épic avec ses longues épines légèrement incurvées. La tequila est uniquement préparée avec une variété de maguey bien particulière, l'agave tequilana weber, qui pousse à Jalisco et dans la région.

La méthode de production de ces deux boissons est similaire, sauf que la *piña* (cœur de la plante) coupée en morceaux est rôtie dans le cas du mezcal et cuite à la vapeur dans celui de la tequila. Le produit obtenu est un liquide clair (parfois doré artificiellement).

Plus le vieillissement est long, plus douce est la boisson et plus son prix est élevé. A la mise en bouteille, on ajoute un ver (*gusano*) dans chaque flacon de mezcal.

Voici comment déguster le mezcal ou la tequila selon la tradition :

1) Léchez le dos de votre main et saupoudrez-le de sel
2) Léchez le sel
3) Sucez un citron vert
4) Videz d'une seule gorgée votre verre
5) Léchez encore du sel

Quand la bouteille est vide, il ne vous reste plus qu'à croquer le ver.

Tequila : à la bonne vôtre

Jadis, les Indiens employaient l'*agave tequilana weber* (agave bleue) comme aliment, tissu et papier. Quant aux épines, plantées dans la peau, elles faisaient office d'instrument de pénitence. Aujourd'hui, l'agave bleue a changé d'usage : elle constitue l'ingrédient essentiel de la tequila, la boisson nationale mexicaine.

Les méthodes de fabrication de la tequila ont peu changé depuis que les Indiens près de Guadalajara mirent au point les premières techniques voici plusieurs siècles. Les agaves bleues sont plantées et récoltées à la main. Les cœurs, d'où est extrait l'alcool, sont transportés à dos de mulet dans les champs.

Le cœur, lorsqu'on le plante, n'est guère plus gros qu'un oignon. Les feuilles, lancéolées, de couleur bleu gris, donnent à la plante une apparence de cactus, mais les botanistes pensent qu'il est plus apparenté avec le lys. Au moment de la récolte, huit à douze ans plus tard, le cœur a atteint la dimension d'un gros ballon et pèse jusqu'à 50 kg.

Une fois récolté, le cœur (*piña*) est découpé en morceaux que l'on met à cuire dans des fours pendant plusieurs jours. Ils sont ensuite râpés et pressés. Le jus, appelé *aguamiel* (eau de miel) eu égard à son apparence dorée et sirupeuse, est alors stocké dans des cuves, où il est mélangé avec du sucre de canne et de la levure préalablement à la fermentation. La loi stipule que ce breuvage ne peut contenir moins de 51% d'agave. Une bouteille de tequila composée de 100% d'agave portera une mention spéciale.

Il existe quatre sortes de tequila. La tequila blanche (ou argentée) n'est pas laissée à vieillir, et ne contient ni colorant ni adjuvant. Dans la tequila dorée, on ajoute généralement du caramel. La *tequila reposado* ("tequila reposée") est laissée à vieillir au moins deux mois dans des fûts en chêne – ce qui la distingue de l'*añejo* ("âgée"), mise à vieillir un an au moins – et contient des adjuvants et des colorants.

Aux termes de la réglementation, l'agave bleue ne peut être cultivée que dans l'État du Jalisco et dans certaines régions du Nayarit, du Michoacán, du Guanajuato et du Tamaulipas, qui réunissent les conditions requises pour produire une tequila de qualité. ■

Pour les étrangers qui ne sont pas habitués à boire de la tequila pure, les serveurs mexicains ont inventé la *margarita*, mélange de tequila, de jus de citron vert et de liqueur d'orange, servi dans un verre givré au sel. Le *pulque* est une boisson légèrement alcoolisée, obtenue directement à partir de la sève du maguey. Cette boisson mousseuse et laiteuse, qui tourne rapidement, ne peut donc facilement être mise en bouteille et transportée. Le pulque est surtout produit dans la région de Mexico et servi dans des *pulquerías*, établissements réservés aux hommes.

Bière. Les premières brasseries furent créées au Mexique par des immigrants allemands à la fin du XIXe siècle. Les grandes brasseries mexicaines produisent aujourd'hui plus de 25 marques de bière (*cerveza*). Chaque grande société fabrique une bière de luxe, du type Bohemia ou Corona de Barril, généralement présentée en bouteille. Il existe aussi plusieurs variétés de milieu de gamme (Carta Blanca, Superior, Dos Equis) et des marques "populaires" comme Corona, Tecate et Modelo. Ce sont toutes des bières blondes servies glacées. Certains débits les servent aussi tièdes ; aussi, demandez *una cerveza fría* (une bière fraîche).

Chaque grande brasserie fabrique également une variété de bière *oscura* (brune), du type Modelo Negro et Tres Equis, mais celles-ci sont parfois difficiles à trouver dans les petites villes. Il existe aussi quelques bières régionales, de qualité équivalente.

Vins et eau-de-vie. Le vin n'est pas aussi populaire au Mexique que la bière et la tequila, même si les trois grands producteurs du pays offrent des vins de bonne qualité.

Pedro Domecq est surtout connu pour ses vins de table Los Reyes et ses diverses eaux-de-vie.

Formex-Ybarra tire de la Valle de Guadalupe un bon vin de table, le Terrasola.

Quant aux Bodegas de Santo Tomás, elles espèrent produire un vin qui puisse concurrencer les cépages californiens. Cette entreprise a récemment commencé à produire du pinot noir, du chardonnay et du cabernet qui méritent une dégustation.

On goûtera à la savoureuse *sangría,* obtenue en mélangeant des fruits au vin.

OÙ SORTIR

Rien ne vaut une fiesta mexicaine pour se divertir, mais il existe d'autres distractions.

S'installer dans un café sur une place pour regarder les passants arrive bien sûr en tête de liste. Dans les villes et les stations balnéaires les plus importantes, le choix des activités est varié dans la mesure où les clubs de musique (jazz, salsa, mariachi, rock, etc.), les discothèques, les bars et les cafés abondent. Dans les grandes villes, vous pourrez également écouter de l'opéra ou des concerts de musique classique et voir des pièces de théâtre (en espagnol). Les cinémas présentent des films mexicains et étrangers, ces derniers étant doublés ou sous-titrés en espagnol. Dans les petites villes, les gens ont tendance à se coucher tôt : attendez-vous au mieux à trouver un cinéma vétuste et un bar, avec parfois des animations, dans le meilleur hôtel de la ville.

Assister à un spectacle de danse folklorique, toujours aussi haut en couleur qu'intéressant, peut valoir la peine de faire un effort (voir le chapitre *Présentation du pays*). Si vous n'arrivez pas à voir de danseurs folkloriques dans un contexte naturel – lors d'une fiesta – quelques bons spectacles sont proposés régulièrement dans des théâtres ou des hôtels. Le plus éblouissant et le plus élaboré est celui du Ballet Folklórico de Mexico.

MANIFESTATIONS SPORTIVES

Les matchs de football, les corridas et les charreadas peuvent être tout à fait fascinants : si le sport en lui-même ne vous captive pas, la foule des spectateurs y parviendra certainement.

Football

Le *fútbol* est au moins aussi populaire que les combats de taureaux. On compte

18 équipes nationales jouant en *primera división*, et il existe plusieurs stades de taille impressionnante.

Mexico a accueilli les finales de la Coupe du Monde en 1970 et 1986. Les deux équipes les plus célèbres du pays sont

La corrida

Aux yeux de nombreux gringos, la *corrida de toros* n'est pas véritablement un sport, et encore moins une distraction. Les Mexicains la considèrent néanmoins comme étant les deux, voire bien davantage. Danse rituelle tout autant que combat, elle se prête volontiers à toutes sortes d'interprétations symboliques, liées au machisme pour la plupart. On dit que les Mexicains ne sont à l'heure que dans deux occasions : les enterrements et les corridas.

La *fiesta brava,* commence à 16h, 16h30 ou 17h précises le dimanche. Au son de la musique, généralement un *paso doble*, le torero, dans son *traje de luces* (habits de lumière) et les toreros (ses assistants) adressent le traditionnel *paseillo* (salut) aux autorités et à la foule. Puis le premier des six taureaux est libéré de son enclos pour le premier des trois *suertes* (actes) du rituel ou *tercios*.

Les toreros agitent leur cape pour fatiguer le taureau en l'attirant tout autour de l'arène. Au bout de quelques minutes, deux picadores, sur des chevaux protégés par d'épais rembourrages, font leur entrée et enfoncent de longues lances appelées *picas* dans les flancs du taureau pour l'affaiblir. D'une certaine manière, c'est souvent la partie la plus horrible de toute la cérémonie.

Après que les picadores ont quitté l'arène, la *suerte de banderillas* commence, et les toreros tentent d'enfoncer trois paires de longues flèches dans les flancs de l'animal sans se faire empaler sur ses cornes. Après cela, la *suerte de muleta* constitue l'apothéose, le torero disposant de 16 minutes exactement pour tuer le taureau. Commençant par faire des passes spectaculaires pour étourdir l'animal, il échange sa grande cape pour une plus petite, la *muleta*, puis, l'épée à la main, incite le taureau à charger avant de lui porter l'*estocada* fatale. Le torero doit porter l'estocade dans la nuque de l'animal en se plaçant directement face à lui.

S'il réussit, et c'est en général le cas, le taureau s'effondre et un assistant se précipite dans l'arène pour couper la jugulaire de l'animal. Si les applaudissements de la foule le justifient, il coupera également une oreille, ou les deux, ou quelquefois la queue, pour le torero. Le taureau mort est ensuite tiré hors de l'arène et vendu pour être débité comme viande de boucherie.

Une "bonne" corrida dépend non seulement du talent et du courage du torero mais aussi de l'humeur des taureaux. Les animaux manquant de combativité sont une honte pour le ranch qui les a élevés. Très rarement, un taureau qui a combattu de façon extraordinaire est *indultado* (épargné) – ce qui donne lieu à une grande fête – et termine ses jours au ranch comme reproducteur.

Le vétéran Eloy Cavasos, de Monterrey, et Miguel "Armillita" Espinosa sont réputés comme étant les deux meilleurs toreros mexicains, tout comme Rafael Ortega, la jeune vedette montante. Chaque semaine, généralement le dimanche, *The News* donne des informations – en anglais – sur les corridas dans une rubrique intitulée Blood on the Sand ("Sang sur le sable"). ■

América de Mexico (surnommée Las Águilas) et Guadalajara (Las Chivas). Elles attirent une foule considérable de supporters où qu'elles aillent jouer. Les deux grandes villes possèdent également plusieurs autres équipes qui se retrouvent habituellement en première division, parmi lesquelles UNAM (Universidad Autónoma de Mexico, surnommée Las Pumas), Cruz Azul, Atlante et Necaxa, toutes de Mexico, et Universidad de Guadalajara, Universidad Autónoma de Guadalajara (Los Tecos) et Atlas, toutes de Guadalajara. Parmi les clubs leaders de province, citons Santos de Torreón et Universidad de Nuevo León, toutes deux de Monterrey.

Les plus grandes rencontres de l'année sont celles qui ont lieu entre América et Guadalajara, et qu'on appelle "Los Superclásicos". Ces équipes drainent des foules de plus de 100 000 personnes lorsqu'elles s'affrontent à l'Estadio Guillermo Cañedo (stade Azteca) à Mexico. Le nombre de spectateurs aux autres matchs oscillent entre quelques milliers et 70 000. Les rencontres se déroulent pendant le week-end, du vendredi au dimanche ; tous les détails sont donnés dans la presse. Depuis peu, le calendrier annuel de football a été divisé entre un *torneo de invierno* (la saison d'hiver, d'août à décembre) et un *torneo de verano* (la saison d'été, de janvier à mai), chacun se terminant une finale aller-retour pour décider du vainqueur.

Assister à un match est très distrayant : la rivalité entre supporters adverses relève en général d'un esprit bon enfant. On peut acheter des billets à l'entrée des stades, et ils coûtent entre moins d'1 $US et 10 $US, selon la place.

Autres sports

Le *beisbol* professionnel est très suivi, surtout dans le nord-ouest du pays. Le vainqueur de la Liga Mexicana del Pacífico, qui se déroule d'octobre à janvier, représente le Mexique en février dans les Serie del Caribe (les séries du monde caraïbe), le plus grand événement d'Amérique latine dans le domaine du base-ball.

La *charreada* n'est autre que le rodéo, qui se pratique surtout dans la moitié nord du Mexique, à la fois pendant les fiestas et au cours de rencontres régulières souvent appelées *lienzos charros*.

La *pelota*, jeu basque introduit par les Espagnols, se joue au Mexique sous le nom de *jai alai*. On y joue à l'aide d'une balle dure et de corbeilles incurvées attachées au bras, le rythme peut être très rapide et les parties sont fascinantes. A Mexico, vous pourrez voir jouer des semi-professionnels.

Aussi spectaculaire que sportive, la *lucha libre* est un genre de lutte libre. Les participants portent d'affreux masques et sont affublés de noms séduisants tels que Bestia Salvaje, Shocker, Los Karate Boy ou Heavy Metal.

ACHATS

Rappelez-vous que si vous achetez des objets d'artisanat dans les villages où ils sont fabriqués, à des vendeurs de rues ou sur les petits marchés plutôt que dans les boutiques ou les grands marchés, une plus grosse partie du bénéfice ira dans la poche des gens souvent pauvres qui les fabriquent plutôt que dans celle des intermédiaires.

Les textiles (*huipiles* traditionnels chamarrés, couvertures, tapis), en coton ou en laine, peuvent être de véritables œuvres d'art, teints avec des couleurs naturelles et brodés de motifs géométriques, figuratifs ou religieux. Si le costume est encore, dans les villages, un signe d'appartenance communautaire, le sombrero n'est plus qu'un objet du passé encombrant les boutiques de souvenirs.

Parmi les objets en céramique, les assiettes ou les carreaux Talavera de Puebla sont réputés. Les plus beaux masques en bois ou en papier mâché proviennent du Guerrero, tout comme les peintures multicolores sur écorce (*amate*).

Les Indiens étaient d'habiles orfèvres, comme en témoignent les collections des musées. Les bijoux en or filigrané les plus délicats sont fabriqués à Oaxaca et à Guanajuato, tandis que l'opale vient principalement de l'État du Querétaro.

Comment s'y rendre

La plupart des visiteurs se rendent au Mexique en avion, mais il est aussi possible d'arriver en bus en empruntant l'itinéraire peu connu en pleine jungle, par bus et par bateau, entre Flores au Guatemala et Palenque au Chiapas.

Préparation au voyage. Depuis la France, vous trouverez des adresses, des témoignages de voyageurs, des informations pratiques et de dernière minute dans *Le Journal de Lonely Planet,* notre trimestriel gratuit (écrivez-nous pour être abonné), ainsi que dans le magazine *Globe-Trotters,* publié par l'association Aventure du Bout du Monde (ABM, 7, rue Gassendi, 75014 Paris, ☎ 01 43 35 08 95) qui organise des rencontres entre voyageurs (centre de documentation, projections...).

Depuis la Belgique, la lettre d'information *Farang* (La Rue 8a, 4261 Braives) traite de destinations étrangères. L'association Wegwyzer (Beenhouwersstraat 24, B-8000 Bruges, ☎ (50) 332 178) dispose d'un impressionnant centre de documentation réservé aux adhérents et publie un magazine en flamand, *Reiskrand,* que l'on peut se procurer à l'adresse ci-dessus.

En Suisse, Artou (Agence en recherches touristiques et librairie), 8, rue de Rive, 1204 Genève, ☎ (022) 818 02 40 (librairie du voyageur) et 18, rue de la Madeleine, 1003 Lausanne, ☎ (021) 323 65 54, fournit des informations sur tous les aspects du voyage. A Zurich, vous pourrez vous abonner au *Globetrotter Magazin* (Rennweg 35, PO Box, CH-8023 Zurich, ☎ (01) 211 77 80) qui, au travers d'expériences vécues, renseigne sur les transports et les informations pratiques.

VOIE AÉRIENNE

Depuis l'Europe

Parmi les quelques compagnies desservant le Mexique sans escale, citons Aeroméxico, Air France, British Airways, Iberia, Lufthansa et KLM. Sur certains de ces vols, vous pouvez, si vous le souhaitez, atterrir directement à Cancún au lieu de Mexico.

D'autres lignes desservent l'une des plaques tournantes américaines (Atlanta, New York, Miami), où vous pourrez prendre une correspondance sur une compagnie américaine ou mexicaine. Les tarifs des vols avec escale ne coûtent pas forcément plus cher. Si vous souhaitez faire une escale aux États-Unis, adressez-vous notamment à Aeroméxico, American, Continental, Delta et United qui desservent l'Europe, les États-Unis et le Mexique.

A titre indicatif, un billet Paris-Mexico aller-retour sur Air France (☎ 0 802 802 802 – 0,79 F/minute) ou sur Aeroméxico (12, rue Auber 75009 Paris, ☎ 01 44 51 16 70) commence à 3 950 FF en basse saison ou 4 550 FF en haute saison (tarifs Tempo 4). Ces prix sont valables pour un séjour de moins de 2 mois, et ne permettent ni l'annulation des billets ni leur modification après le départ. Cependant les places à ces tarifs sont rares.

Pour des vols à tarifs négociés, vous paierez à partir de 3 800 FF en haute saison et de 3 300 FF en basse saison. Au départ de Genève ou de Zurich, les jeunes de moins de 26 ans devront compter à partir de 878 FS (plus les taxes d'aéroport) en passant par Madrid (Iberia) ou 989 FS (plus les taxes) par Amsterdam (KLM). Les personnes plus âgées paieront pour le même trajet à partir de 1 098 FS ou 1 120 FS.

Si vous habitez la Belgique, les vols les plus économiques sont assurés depuis la France.

A titre indicatif, vous trouverez ci-après une liste de quelques voyagistes, généralement spécialisés et offrant des prestations intéressantes sur le Mexique. Pratiquement toutes ces agences proposent également des vols à tarif réduit pour les États-Unis. Il est donc intéressant de se renseigner pour les correspondances sur le Mexique par les vols intérieurs. Par ailleurs, d'autres agences de voyages figurent dans la rubrique *Voyages organisés*.

Back Roads
14, place Denfert Rochereau, 75014 Paris (☎ 01 43 22 65 65). Programme des circuits à la carte (hôtels, location de voitures) pour les individuels. Propose aussi des vols secs.

Comptoir des Amériques
23, rue du Pont-Neuf, 75001 Paris (☎ 01 40 26 20 71 ; fax 01 42 21 46 88).

Council Travel
22, rue des Pyramides, 75001 Paris (☎ 01 44 41 89 80 ; Minitel 3615 Council (2,23 FF/minute).

Images du Monde
14, rue Lahire, 75013 Paris (☎ 01 44 24 87 88). Voyages à la carte et vols secs.

Maison des Amériques
4, rue Chapon, 75003 Paris (☎ 01 42 77 50 50). 59, rue Franklin, 69002 Lyon (☎ 04 78 42 53 58) ; Minitel 3615 MDA.

Le Monde des Amériques
3, rue Cassette, 75006 Paris (☎ 01 53 63 13 40). Circuits, voyages à la carte, vols secs.

Vacances fabuleuses
22 bis, rue Georges-Bizet, 75016 Paris (☎ 01 53 67 60 00). Circuits et voyages à la carte.

Fuaj (Fédération unie des auberges de jeunesse)
27, rue Pajol, 75018 Paris (☎ 01 44 89 87 27) ; 9, rue Brantôme, 75003 Paris (☎ 01 48 04 70 40) ; Minitel 3615 Fuaj. Pour les adhérents seulement.

O.T.U.
L'Organisation du tourisme universitaire propose des réductions pour les étudiants et les (jeunes) enseignants sur de nombreux vols. Se renseigner au 39, av. Georges-Bernanos, 75005 Paris (☎ 01 44 41 38 50) et dans les CROUS de province.

USIT Voyages
12, rue Vivienne, 75002 Paris (☎ 01 42 44 14 00). Tarifs intéressants pour les étudiants.

Voyageurs au Mexique
55, rue Sainte-Anne, 75002 Paris (☎ 01 42 86 17 45 ; fax 01 42 96 10 15). Vols secs et nombreux circuits.

SSR
20, bd de Grancy, 1600 Lausanne (☎ 21 617 58 11)
3, rue Vignier, 1205 Genève (☎ 22 329 97 33)
Leonhardstr. 10, 8001 Zurich (☎ 01-297 11 11)
Baückerstr. 40, 8004 Zurich (☎ 01-241 12 08). Coopérative de voyages suisse. Propose des vols à prix négociés pour les étudiants jusqu'à 26 ans et des vols charters pour tous.

Connections
Rue du Midi 19-21, 1000 Bruxelles (☎ 2 512 50 60)
Av. Adolphe-Buyl, 78, 1050 Bruxelles (☎ 2 647 06 05)
Nederkouter 120, 9000 Gand (☎ 9 223 90 20)
Rue des Sœurs-de-Hasque 7, 4000 Liège (☎ 41 23 03 75). Le spécialiste belge du voyage pour les jeunes et les étudiants.

Éole
Chaussée Haecht 33, 1030 Bruxelles (☎ 2 219 48 70)

Depuis l'Amérique centrale, l'Amérique du Sud et les Caraïbes

Aviateca (la compagnie aérienne nationale guatémaltèque) et Mexicana assurent des liaisons entre Guatemala Ciudad et Mexico. Il existe aussi des vols entre Guatemala Ciudad ou Flores (Tikal) et des villes comme Mérida, Cancún, Chetumal, Palenque et Tuxtla Gutiérrez. Ils se font généralement sur Aviateca, Aerocaribe ou Aviacsa.

Mexicana relie Mexico depuis Bogotá, Santiago et San José (Costa Rica), et Cancún depuis Buenos Aires et Lima. Aerocaribe, filiale de Mexicana, propose des vols quotidiens entre La Havane, Cancún, Mérida, Villahermosa, Tuxtla Gutiérrez et Oaxaca. Aeroméxico et Aeroperú assurent des liaisons de Lima et São Paulo vers Mexico. Servivensa, la ligne vénézuélienne, relie Caracas, Panama et Mexico. Les compagnies de nombreux autres pays d'Amérique latine proposent des vols depuis/vers Mexico.

Numéros verts des compagnies aériennes

La plupart des compagnies mettent à disposition des lignes téléphoniques dont l'appel est gratuit de partout au Mexique. En voici quelques-unes :

Aerolitoral	☎ 800
Aeroméxico	☎ 800-90999
American Airlines	☎ 800-90460

Aviacsa/Aeroexo	
Mexico	☎ 800-00672
Villahermosa	☎ 800-23080
Continental Airlines	☎ 800-90050
Delta Airlines	☎ 800-90221
Mexicana	
Cancún	☎ 800-21654
Mexico	☎ 800-50220
Northwest Airlines	☎ 800-90008
TAESA	☎ 800-90463
United Airlines	☎ 800-00307

Depuis les États-Unis et le Canada

Les compagnies américaines et canadiennes Alaska Airlines, American, Canadian Airlines International, Continental, Delta et United desservent le Mexique.

VOIE TERRESTRE

Vous pouvez entrer au Mexique par la route depuis les États-Unis, le Guatemala et le Belize. Il existe au moins 18 postes frontières officiels entre le Mexique et les États-Unis.

Voiture et moto. Conduire au Mexique n'est pas à la portée de tous. Des connaissances de base en espagnol et en mécanique et beaucoup de patience sont indispensables, sans compter une réserve d'argent liquide en cas de besoin. Au Mexique, louer ou acheter une voiture revient cher.

Assurance automobile. Conduire au Mexique sans assurance mexicaine est très fortement déconseillé : si vous êtes impliqué dans un accident, vous risquez de vous retrouver en prison ou de vous voir interdit de quitter le territoire jusqu'à ce que toutes les demandes d'indemnisation soient réglées, soit de quelques semaines à plusieurs mois. Une assurance valide représente une garantie de paiement en cas de dommage et favorisera la libre circulation du conducteur. Seule une assurance automobile mexicaine (*seguro*) est reconnue par la loi mexicaine.

Permis de conduire. Pour conduire un véhicule à moteur (automobile, camping-car, motocyclette) au Mexique, vous devez être muni d'un permis de conduire en cours de validité. La police mexicaine reconnaît les permis nord-américains ; les permis internationaux et ceux des autres pays sont minutieusement examinés, mais ils sont généralement acceptés.

Depuis le Guatemala et le Belize

Pour des informations détaillées sur le voyage en Amérique centrale, reportez-vous au guide *Guatemala et Belize,* édité par Lonely Planet en français (1998).

Il existe trois postes frontières officiels entre le Mexique et le Guatemala :

- La Mesilla/Ciudad Cuauhtémoc sur l'autoroute pan-américaine qui traverse le plateau central (en direction de San Cristóbal de Las Casas) ;
- El Carmen/Talismán, situé près de Tapachula (côte Pacifique) ;
- Ciudad Tecún Umán/Ciudad Hidalgo, également au Chiapas et qui a les préférences de touristes car les contrôles y sont moins pointilleux.

Il existe un poste-frontière officiel entre le Mexique et le Belize, à Santa Elena/Subteniente López (respectivement près de Corozal et Chetumal).

Bus. Les Transportes Velásquez, 20a Calle et 2a Avenida, Zona 1, Guatemala Ciudad, partent toutes les heures pour La Mesilla (380 km, 7 heures de route, 4,50 $US) de 8h à 16h.

Les Transportes Fortaleza (☎ 230-3390, 220-6372), 19 Calle 8-70, Zona 1, Guatemala Ciudad, assurent un départ toutes les heures vers Ciudad Tecún Umán (253 km, 5 heures de route, 5 $US) de 13h30 à 18h, avec arrêts à Escuinta, Mazatenango, Retalhuleu et Coatepeque.

Les Transportes Galgos (☎ 253-4868, 232-3661), 7a Avenida 19-44, Zona 1, Guatemala Ciudad, proposent des bus directs pour Tapachula, en passant par le poste frontière El Carmen/Talismán (295 km, 5 heures de route, 19 $US) de 7h30 à 13h30. De Tapachula vers Guatemala Ciudad, les départs ont lieu de 9h30 à 13h30.

Un bus de 1re classe de Servicio San Juan relie chaque jour Flores et Tikal, dans la province guatémaltèque d'El Petén, à Chetumal, au Mexique (350 km, 9 heures de route, 35 $US).

Si vous souhaitez voyager en 2e classe, vous devrez aller de la frontière entre le Guatemala et le Belize de Benque Viejo à Belize Ciudad, puis changer de bus – le voyage est plus lent, moins confortable, mais beaucoup moins cher.

Entre Belize Ciudad et Chetumal (160 km, 3 à 4 heures de route, de 5 à 6 $US), les liaisons sont fréquentes. Ces bus relient Chetumal à Orange Walk et à Corozal, au Belize.

Vous trouverez de plus amples informations sur les postes frontières et les bus dans les chapitres *Tabasco et Chiapas* et *Péninsule du Yucatán*.

VOIE FLUVIALE

Il existe actuellement trois possibilités de traverser la jungle, de Flores (Petén, Guatemala) à Palenque (Chiapas, Mexique).

La première comporte un trajet en bus jusqu'à El Naranjo, puis en bateau sur le Río San Pedro jusqu'à La Palma, et enfin en taxi ou en bus pour rejoindre Palenque en passant par Tenosique.

La deuxième possibilité consiste à prendre le bus pour Bethel, pour ensuite descendre le Río Usumacinta jusqu'à Frontera Corozal (d'où l'on rejoint les ruines mayas de Bonampak et Yaxchilán), puis continuer en bus sur Palenque.

La dernière, enfin, comprend un trajet en bus jusqu'à Sayaxché, puis en bateau sur le Río de la Pasión, en passant par Pipiles, jusqu'à Benemerito, où vous pourrez prendre le bus pour Palenque. Pour plus de détails sur ces itinéraires, reportez-vous au chapitre *Tabasco et Chiapas*.

TAXES D'AÉROPORT

Une taxe d'aéroport de 13 $US environ est perçue sur les vols internationaux. Si vous achetez votre billet au Mexique, elle sera comprise dans le prix ; si vous l'achetez à l'étranger, elle peut ne pas l'être (renseignez-vous auprès de la compagnie). La mention "XD" sur votre billet prouve que cette taxe a été acquittée. Dans le cas contraire, vous devrez la payer en espèces au moment de l'embarquement.

VOYAGES ORGANISÉS

Les offices du tourisme mexicains vous fourniront des dizaines de brochures.

Un certain nombre de compagnies proposent des "séjours aventure" ou des "écoséjours" centrés sur des activités telles que le kayak, la plongée, l'équitation et l'observation de la vie sauvage. Les excursions avec guides axées sur la culture mexicaine, loin des plages, sont plus rares.

Certains voyagistes listés dans la rubrique *Voie aérienne* proposent des formules diverses ; consultez-les.

Allibert

14, rue de l'Asile-Popincourt, 75011 Paris (☎ 01 40 21 16 21). Ascension des volcans de l'Iztaccíhuatl, du Popocatépetl et du Citlatepetl (Pico de Orizaba). Réservé aux randonneurs confirmés munis de crampons.

Aventure et volcan

73, cours de la Liberté, 69003 Lyon (☎ 04 78 60 51 11). Circuit de 18 jours au Mexique et au Guatemala, avec ascension du Popocatépelt, d'El Chichón, du Santa María, du Santiaguito et du Pacaya ; nuits en hôtels, bivouac et refuge.

Esprit découvertes/El Condor/Americatours

40, avenue Bosquet, 75007 Paris (☎ 01 44 11 11 50). Divers circuits au Mexique pour des groupes de 10 à 30 personnes.

Nouveau monde

57, cours Pasteur, 33000 Bordeaux (☎ 05 56 9298 98) ; 8, rue Bailli-de-Suffren, 13001 Marseille (☎ 04 91 54 31 30) ; 6, place Édouard-Normand, 44000 Nantes (☎ 02 40 89 63 64). Itinéraires privilégiant la découverte des sites archéologiques dans le Yucatán et la région d'Oaxaca.

Ultramarina

4, place Dumoustier, 44000 Nantes (☎ 02 40 89 34 44) et 70, rue Pernety, 75014 Paris (☎ 0800 04 06 63). Plongées à Cozumel avec possibilité d'organiser des sorties pour plonger dans les cénotes du Yucatan.

Voyageurs au Mexique

55, rue Sainte-Anne, 75002 Paris (☎ 01 42 86 17 45 ; fax 01 42 96 10 15). Circuits axés sur

Plongez cenote !

L'île de Cozumel et ses magnifiques récifs coralliens, hautement poissonneux, constituent les joyaux de la plongée au Yucatán. Toutefois, pour ceux qui souhaitent varier les plaisirs, il est également possible de plonger dans des sites radicalement différents, appelés *cenotes*. Il s'agit de puits naturels de profondeurs variées qui criblent l'ensemble de la péninsule du Yucatán, au beau milieu de la jungle. Cette singularité géologique est présente dans de nombreuses zones des Caraïbes, de la Floride à Cuba en passant par les Bahamas. Le phénomène est bien connu : l'eau de pluie s'infiltre dans le substrat calcaire et creuse d'immenses cavités, cavernes, siphons, etc., qui forment un véritable gruyère. L'eau de mer réussit parfois à atteindre ce dédale karstique ; plus dense, elle se trouve sous la couche d'eau douce. Pour les Mayas, ils revêtaient une dimension utilitaire (réservoir d'eau) et sacrée.

La plongée dans les cenotes est proposée par les centres de plongée locaux. Réalisée en toute sécurité, à une profondeur n'excédant pas 15 mètres, elle ne comporte aucun risque. Elle s'adresse aux plongeurs possédant au minimum le brevet PADI Open Water ou le Niveau 1, à l'aise avec le maniement de la "stab". Pas question, évidemment – à moins d'avoir la qualification de plongeur spéléo – de s'aventurer à l'intérieur des grottes des siphons. La plongée consiste à explorer l'entrée de la cavité, à faible profondeur, dans une eau cristalline, sans jamais perdre de vue la lumière du jour. Peu ou pas de faune, à l'exception d'animalcules, mais de superbes concrétions calcaires, stalagmites et stalactites aux formes baroques, qui garnissent les entrées et confèrent à ces plongées une ambiance totalement surnaturelle, que rehaussent les jeux de la lumière du jour.

A Cozumel, un centre de plongée tenue par Corinne Lambert, une Française, propose, outre des plongées classiques sur les récifs au large de l'île, des plongées dans deux cenotes. Il s'agit du Blue Note Scuba Diving Center, Calle 2 Nte entre Avenida 40 y 45 (☎/fax (987) 20312). ■

les Mayas ou sur les Aztèques entre 11 et 18 jours ; organise également des voyages en individuel.

AVERTISSEMENT

Les informations données dans ce chapitre sont particulièrement sujettes à modification : les tarifs des voyages internationaux sont évolutifs, les routes peuvent être ouvertes ou coupées, les horaires changent, les promotions vont et viennent. En résumé, essayez de rassembler avis et conseils d'autant d'agences et compagnies que possible. Les précisions mentionnées dans ce chapitre sont données à titre indicatif et ne remplacent nullement les recherches minutieuses et de dernière minute que vous pourrez entreprendre de votre côté.

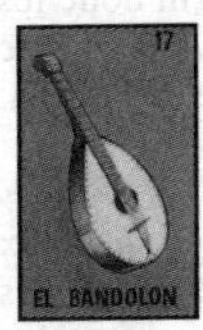

Comment circuler

Le Mexique connaît une fréquentation touristique intense pendant la Semana Santa (la semaine précédant Pâques), à Noël et au Nouvel An. Pendant ces périodes "de pointe", mieux vaut effectuer vos réservations de transport à l'avance.

Vous trouverez quelques mots et phrases utiles au chapitre *Espagnol pour les voyageurs* à la fin de ce guide.

AVION

Au Mexique, toutes les villes d'une certaine importance possèdent un aéroport. Aeroméxico et Mexicana sont les deux principales compagnies aériennes mexicaines. Une multitude de petites compagnies assurent des liaisons fort pratiques, au demeurant, entre les villes de province, souvent négligées par les grandes compagnies. Ces compagnies sont notamment Aero California (qui dessert Mexico ainsi que le nord et le sud du Mexique, y compris la Basse-Californie), Aerocaribe et Aerocozumel (le sud-est et la côte du Golfe), Aeroexo (Mexico, Monterrey, Guadalajara et Tijuana), Aerolíneas Internacionales (Mexico, Cuernavaca ainsi que le nord et le sud du Mexique), Aerolitoral (le plateau central et la côte du Golfe), Aviacsa (le sud-est) et TAESA (une vingtaine de villes à travers le pays).

Vous pouvez effectuer des réservations sur la plupart des vols de ces compagnies dans les agences de voyages mexicaines et à l'étranger, mais il sera sans doute difficile d'obtenir des renseignements sur les plus petites d'entre elles ailleurs que dans les villes qu'elles desservent.

Aerolitoral et Aeromar alimentent Aeroméxico en passagers et partagent donc les mêmes points de vente. Il en va de même pour Aerocaribe, Aerocozumel et Mexicana.

Tarifs

Des renseignements sur ces vols spéciaux sont donnés dans ce guide dans les rubriques par villes. Les tarifs varient considérablement, selon la compagnie et le moment de la journée ou de la semaine pendant lequel vous voyagez, de même que si vous réservez et payez votre billet suffisamment longtemps à l'avance. Pour obtenir les meilleurs prix, il faut souvent acheter son billet sept jours avant la date du départ et prendre un avion tard le soir. Aeroméxico et Mexicana, qui travaillent en tandem, pratiquent des conditions tarifaires identiques, mais d'autres compagnies proposent parfois des tarifs plus intéressants – offrant souvent les mêmes critères de confort, de service et de sécurité que les deux plus grandes. Bien qu'il existe quelques tarifs excursion aller-retour, le prix d'un aller-retour coûte généralement le double d'un aller simple.

Même plus cher, l'avion peut être avantageux et d'un bon rapport qualité/prix quand l'unique alternative est d'effectuer un trajet interminable dans un bus. Voici quelques prix pratiqués pour un aller simple au départ de Mexico (taxe d'aéroport comprise) :

Destination	*Aeroméxico/Mexicana*	*TAESA*
Acapulco	83 $US	77 $US
Cancún	126 $US	121 $US
Guadalajara	103 $US	95 $US
Mérida	120 $US	113 $US
Oaxaca	77 $US	n.c.

Reportez-vous au chapitre *Comment s'y rendre* pour connaître les numéros verts des compagnies aériennes sur place.

Taxes. Deux sortes de taxes sont perçues sur les vols intérieurs : l'IVA, 15%, et la TUA, une taxe d'aéroport d'environ 8,50 $US. Au Mexique, elles sont généralement comprises dans les tarifs indiqués et payées au moment du règlement du billet. Si vous achetez votre billet ailleurs qu'au Mexique, la TUA ne sera pas incluse et vous devrez la payer avant l'embarquement.

BUS

Le Mexique dispose d'un bon réseau de routes et de liaisons en bus qui ne cesse de s'améliorer. Les bus interurbains sont fréquents et desservent pratiquement tout le pays. Il faut compter environ 3 à 4 $US par heure de voyage (60 à 80 km) dans les bus de luxe ou 1re classe. Pour les trajets de trois ou quatre heures sur des itinéraires très fréquentés, vous pouvez vous rendre directement à la gare routière, acheter un billet et embarquer immédiatement. Pour des voyages plus longs, ou des itinéraires moins habituels, réservez une place et achetez votre billet au moins un jour à l'avance, et de préférence deux à trois jours auparavant.

On vous remboursera souvent de 80 à 100% du prix de votre billet si vous annulez plus de trois heures avant le départ. Pour vous renseigner sur une annulation, demandez "*¿ hay cancelaciones ?*".

Tous les bus deluxe et la plupart des bus 1re classe ont l'air conditionné ; pensez à prendre une veste ou un pull. Les réservations se font souvent grâce à un système informatisé qui permet de visionner les places restantes. Évitez les sièges au fond du bus à cause des toilettes et de leurs odeurs fétides. Pour les longs parcours, protégez-vous du soleil. Si le bus n'est pas climatisé, préférez un siège près d'une vitre.

En ce qui concerne les bagages, les avis sont partagés. Certains vous conseilleront de les garder avec vous, afin de conserver l'œil dessus. D'autres vous diront que la soute, fermée à clef, est plus sûre. En général, les compagnies refusent de prendre les gros sacs à dos ou valises ailleurs que dans la soute. Dans les bus deluxe ou 1re classe, nous vous suggérons de garder les objets de valeur dans une ceinture portefeuille, et de mettre le reste de vos bagages dans la soute. Refusez qu'on les hisse sur la galerie d'un bus de 2e ou de 3e classe, à moins que vous puissiez les surveiller (ce qui, en pratique, est impossible).

Boissons et nourriture sont très chères dans les gares routières : faites vos provisions avant de vous rendre à la gare. En-cas et boissons vous seront servis dans certains bus deluxe. Les bus les plus confortables ont des toilettes, mais mieux vaut emporter du papier hygiénique.

Le banditisme sur la route est en augmentation dans certaines régions du Mexique. Les risques sont plus grands la nuit et sur les tronçons d'autoroutes ou de nationales peu fréquentés, à l'écart des villes.

Gares routières et horaires

La plupart des villes disposent maintenant d'une seule gare routière, où convergent tous les bus longue distance, appelée Central Camionera, Central de Autobuses, Terminal de Autobuses, Central de Camiones ou simplement El Central. Elle se trouve généralement en périphérie mais des bus urbains font fréquemment la navette. Notez la différence entre *Central* (gare routière) et *Centro* (centre-ville). Attention : il existe des Centrales différentes pour les bus de luxe/1re classe et les bus 2e classe.

Lorsqu'il n'existe pas de gare routière unique, chaque transporteur a la sienne, toutes disséminées en divers endroits de la ville.

Les horaires de la plupart des lignes de bus sont affichés à la billetterie. Malheureusement, ils sont toujours incomplets. Renseignez-vous avant d'acheter votre billet. Votre destination n'est peut-être qu'une escale et par conséquent ne sera pas forcément mentionnée. Au départ des grandes villes, une concurrence s'exerce entre les différentes compagnies de bus sur un même itinéraire ; comparez les tarifs et les services.

Classes

La qualité des liaisons longue distance est extrêmement variable : en bus de luxe, vous bénéficierez de confort, de la climatisation et de peu d'escales, alors que d'anciens bus urbains sans suspensions finissent leur vie en tintinnabulant sur les pistes menant à des localités isolées de l'arrière-pays. Les différences entre les classes sont moins nettes que par le passé, et les termes *de lujo* et *primera clase* désignent un niveau de confort assez varié. Les deux offrent une série d'avantages tels qu'un espace plus grand pour les jambes, des fauteuils inclinables, des collations et des vidéos.

En gros, les bus se rangent dans les trois catégories suivantes :

Deluxe – Les bus *de lujo* circulent surtout sur les itinéraires les plus fréquentés, arborant des noms tels que Plus, GL ou Ejecutivo. Ils sont rapides, récents, confortables et climatisés. Un billet ne coûte que 10 à 20% plus cher qu'en bus 1re classe, excepté sur des lignes comme ETN et UNO, où le tarif double ; il est vrai que ces compagnies offrent beaucoup d'espace pour les jambes, des sièges inclinables, un trajet avec peu ou pas d'arrêts, des collations, des boissons chaudes ou rafraîchissantes, des vidéos, et qu'ils comportent des toilettes à bord.

1re classe – Les bus *primera (1a) clase* assurent un siège confortable et numéroté (*numerado*) à chaque passage et diffusent souvent des vidéos. Certains sont équipés de l'air conditionné et presque tous de toilettes. Ils desservent toutes les villes un tant soit peu importante en ne faisant que peu d'arrêts. Comme pour les bus deluxe, vous achetez votre billet à la gare avant de monter à bord.

2e classe – Les bus de *segunda (2a) clase* assurent la liaison entre les petites villes et les villages, et certains trajets interurbains, à un prix et une vitesse moindres. Quelques-uns sont presque aussi rapides et confortables qu'un bus 1re classe et peuvent même être équipés de vidéos. D'autres sont vieux, délabrés, inconfortables et tombent facilement en panne ; ils s'arrêtent n'importe où pour déposer ou prendre un passager. Les routes principales exceptées, la contenance d'un bus 2e classe est illimitée ou presque. Cela signifie que si vous montez à mi-chemin d'un parcours, vous risquez de ne pas avoir de place assise (*sentado*) mais de rester debout (*parado*, à ne pas confondre avec *parada* : arrêt de bus). Si vous prenez le bus en route, c'est au chauffeur que vous réglerez la place. Les tarifs en 2e classe sont de 10 à 20% moins chers qu'en 1re classe.

Types de service

Il est également important de connaître le type de service offert.

JOHN NOBLE

Sin escalas – sans arrêt.

Directo – très peu d'arrêts.

Semi-directo – quelques arrêts.

Ordinario – s'arrête à chaque fois qu'un passager veut monter ou descendre. Les bus de 1re classe et de lujo ne sont jamais ordinarios.

Express – non-stop sur les trajets courts ou moyens, peu d'arrêts sur les trajets plus longs.

Local – il commence son périple dans la ville d'où vous partez et les horaires de départ sont habituellement respectés.

De paso – ce que devient un bus *local* après son départ de la gare routière : il s'arrête, quel que soit l'endroit, pour déposer ou embarquer des passagers. Souvent en retard, un bus *de paso* peut disposer – ou non – de sièges inoccupés, et vous devrez souvent attendre son arrivée pour acheter votre billet.

Viaje redondo – aller et retour. Ces billets ne sont disponibles que pour certains trajets, au départ de Mexico pour la plupart.

TRAIN

La réputation des Ferrocariles Nacionales de México (FNM, chemins de fer mexicains) n'est pas des meilleures, et ce depuis longtemps. Les trains sont lents, même quand ils partent à l'heure, les services de couchettes et de restauration sont de moins en moins répandus, les guichets émettant les billets n'ouvrent souvent que très peu de temps, et il est difficile de savoir exactement à quelle heure part un train, quels services il propose et à quel tarif. En revanche, voyager en train est bon marché – à moins que vous ne preniez les relativement confortables *coches dormitores* (couchettes). Elles ne sont disponibles que sur quelques lignes et coûtent aussi cher qu'un voyage en bus deluxe.

La plupart des trains au nord et à l'ouest de l'isthme de Tehuantepec (l'étroite "ceinture" du Mexique) peuvent être tentants si vous n'êtes pas pressé. L'expérience ne manque pas d'intérêt, ni de romantisme, et le trajet vous fera découvrir des paysages pittoresques qu'il est impossible de voir depuis la route. A l'est de l'isthme de Tehuantepec, le service est plus que chaotique, et les trains sont connus pour être la cible de voleurs et autres pickpockets. Prenez plutôt un bus, ou l'avion, ou préparez-vous à passer un moment déplaisant.

Classes

La plupart des voyageurs préfèrent les places de 1re classe ; la 2e classe est strictement réservée aux aventuriers – même si elle a quelques inconditionnels.

Primera preferente – C'est le seul type de 1re classe sur la majorité des trains, qui correspond à l'ancienne *primera especial* (encore appelée ainsi par nombre de passagers) ; les sièges sont numérotés, inclinables, et les voitures sont climatisées. Les tarifs sont inférieurs à ceux des bus de 2e classe. La réservation est recommandée.

Segunda (2a) clase – Les Mexicains les plus pauvres vont à pied ; ceux qui ont quelques pesos voyagent en segunda. Les voitures sont souvent étouffantes, inconfortables, les toilettes, sales, et il n'y a pas d'éclairage pendant la nuit ; elles sont soit surpeuplées, soit pratiquement vides. Néanmoins, le sol est balayé et lessivé régulièrement. Les tarifs sont inférieurs d'un peu plus de 50% à ceux de la primera preferente. Si vous aimez l'aventure, et que vous disposez de plus de temps que d'argent, cette solution vous conviendra. Sachez que la plupart des meilleurs trains n'ont pas de voitures de 2e classe ; certains trains de 2e classe sont *mixto* (ils transportent à la fois des voyageurs et des marchandises).

Coche dormitorio – voiture-couchette uniquement disponible sur quelques rares trains. Le prix comprend un repas correct, servi au wagon-restaurant. Il existe actuellement deux classes de couchettes, toutes deux correctes, mais dont la propreté laisse parfois à désirer :

Camarín – "chambrette" privée avec lavabo et toilettes (sous le siège/lit, qui doit être déplacé pour être utilisé). La nuit, une couchette simple se déplie pour occuper le compartiment entier. Une ou deux personnes peuvent occuper une camarín, chacune payant le double environ d'un siège en primera preferente.

Alcoba – "chambre" privée, avec couchettes haute et basse séparées, converties en sièges dans la journée. Elles sont assez confortables ; l'occupation minimum est de deux adultes mais on y accepte jusqu'à quatre adultes et un enfant. Le lavabo et les toilettes sont toujours accessibles. Le prix est légèrement plus élevé qu'en camarín.

Horaires et réservations

Vous trouverez les renseignements concernant les trains depuis/vers telle ou telle ville dans les chapitres consacrés aux villes. Sachant que presque tous les meilleurs trains se rendent en fin de course à Mexico ou à Guadalajara, les horaires et les tarifs les plus complets se trouvent sous les rubriques *Comment s'y rendre* de ces chapitres. Les horaires peuvent être sujets à de légères modifications, mais sont respectés dans leur ensemble.

Les meilleurs trains du Mexique sont cités dans le *Thomas Cook Overseas Timetable*, la source d'informations la plus pratique hors du Mexique. Cet horaire, publié 6 fois par an, est distribué en Grande-Bretagne par les librairies ou par Thomas Cook Publishing (☎ 01733-268943), PO Box 227, Peterborough PE3 8BQ, Angleterre. En Amérique du Nord, vous pouvez le commander par correspondance à Forsyth Travel Library (☎ (913) 384-3440), PO Box 480800, Kansas City, MO 64148-0800, USA. Au Mexique, vous pouvez obtenir des renseignements sur les horaires et les billets de train en anglais en appelant ☎ 800-90392, un numéro vert du ministère du Tourisme SECTUR.

A la gare Buenavista de Mexico, l'horaire mensuel gratuit *Rutas Ferroviarias* est à votre disposition au Departamento Tráfico de Pasajeros.

Les billets de coche dormitorio et de primera clase peuvent être achetés un mois à l'avance ; on peut, pour certains trains, le faire le jour même, mais il est préférable de s'y prendre plus tôt. Des billets pour des trains au départ de Mexico peuvent être achetés aux gares d'autres grandes villes mexicaines. Les billets de segunda clase ne sont mis en vente que le jour du départ.

VOITURE ET MOTO

La voiture au Mexique est un moyen de transport plus facile et plus pratique que le bus et c'est parfois la seule manière d'atteindre certains sites, villes et villages isolés.

Quelques mots et phrases utiles concernant la conduite figurent au chapitre *Espagnol pour les voyageurs* à la fin de ce livre.

Le code de la route, les limitations de vitesse, etc., sont rarement appliqués sur les autoroutes ou les nationales. Dans les villes, en revanche, observez strictement les règles de conduite si vous ne voulez pas risquer une amende, exigible immédiatement.

Essence

Au Mexique, le carburant des véhicules à moteur (*gasolina*) est vendu par la société d'État Pemex (Petróleos Mexicanos), contre des espèces (les stations-service n'acceptant pas les cartes de crédit). La plupart des villes, même les plus petites, disposent d'une station Pemex. Il est recommandé de faire le plein dès que possible dans les endroits plus reculés.

Toutes les stations Pemex ou presque proposent aujourd'hui de l'essence sans plomb, sous le nom de Magna Sin (pompes vertes), correspondant à l'octane 92. Pour une voiture fonctionnant à l'essence traditionnelle, prenez de la Nova à la pompe bleue. L'essence diesel (pompes rouges ou violettes) est également très répandue.

Selon le taux de change de 1997, la Magna Sin coûte 0,40 $US le litre.

Des pompistes – à qui l'on donne un pourboire – sont présents dans toutes les stations-service, mais ils ne sont pas tous dignes de confiance. Il est préférable de demander de l'essence pour une somme précise que de dire *lleno* (le plein) : cela se termine généralement par un réservoir transformé en geyser. Vérifiez que la pompe est remise à zéro avant qu'elle ne soit actionnée et surveillez, d'un œil alerte, le montant final afin de contrôler s'il correspond à votre demande : les pompistes remettent en effet immédiatement la pompe à zéro afin de servir le client suivant. Ne les laissez pas tout vérifier en même temps (essence, huile, eau), sous peine de ne pas obtenir ce pour quoi vous aurez payé.

État des routes

Prenez garde à la forte pente formée par les bas-côtés ; si vous sortez de la route, la voiture se mettra à pencher dangereusement. Vous rencontrerez des rigoles assez profondes qu'il vous faudra éviter sous peine de faire des tonneaux. Il est particulièrement dangereux de conduire la nuit : véhicules sans signalisation, pierres et bétail sur la route sont fréquents, et le racket et les vols ne sont pas des mythes.

Dans les villes, faites particulièrement attention aux panneaux stop (*alto*), aux ralentisseurs (*topes*) et aux nids-de-poule. Ils ne se trouvent pas toujours là où vous les attendiez ; en rater un peut vous coûter une amende ou endommager votre voiture.

Routes à péage. Le Mexique possède plus de 6 000 km de routes à péage. Certaines sont gérées par le gouvernement fédéral, d'autres par des concessionnaires privés. Les *cuotas* (péages) appliquent des tarifs variables : sur les autoroutes privatisées, certains ont même été exorbitants – le plus célèbre étant le tronçon de 400 km entre Mexico et Acapulco qui coûtait à une époque 75 $US ! En 1997, le gouvernement a repris le contrôle de 23 des 52 routes privatisées – y compris celle de Mexico à Acapulco – en promettant de diminuer les prix.

Sur une route à péage fédérale, attendez-vous à payer environ 1 $US tous les 20 km. Il est généralement possible d'effectuer le même trajet sans rien débourser, mais la route gratuite sera souvent très encombrée – il arrive qu'une *autopista* à quatre voies soit déserte, alors que celle qui la longe soit bondée de camions, de bus et de voitures.

Risques en moto. Certaines caractéristiques des routes mexicaines rendent la conduite plus dangereuse pour les motards que pour les automobilistes. En voici quelques-unes :

- la signalisation médiocre ou le brusque rétrécissement de la voie (il peut n'y avoir qu'une simple pierre placée à 20 m avant le début des travaux)
- de nombreux chiens errent sur les routes
- le manque d'hôtels/motels sur de longues portions d'autoroutes
- la présence de détritus et de profonds nids-de-poule
- les véhicules sans feux de signalisation ; le faible éclairage des autoroutes

Cartes

En ville comme à la campagne, les routes sont souvent mal indiquées, a fortiori pour un étranger. Essayez de vous procurer les meilleures cartes possibles. Michelin en édite d'excellentes ; achetez-les avant de partir car on les trouve difficilement au Mexique.

L'atlas routier *Guía Roji Por Las Carreteras de México* (6,50 $US) est un investissement utile et se trouve dans les bonnes librairies ainsi que dans certains kiosques à journaux. Il est remis à jour chaque année, indique les nouvelles autoroutes, mais n'est pas aussi précis sur les routes secondaires. Il existe un atlas similaire, intitulé *Guía Verdi México Atlas de Carreteras*.

Garages

La nuit, il est déconseillé de laisser sa voiture dans la rue. La majorité des hôtels bon marché ne possèdent pas de parking, mais vous pouvez éventuellement la garer devant l'établissement et la faire plus ou moins surveiller par le gardien de nuit. En règle générale, vous devrez vous garer dans un *estacionamiento* payant (environ 2,50 $US la nuit et 0,50 $US l'heure pendant la journée).

Si vous ne restez qu'une nuit sur place et repartez le lendemain matin, vous trouverez souvent des motels corrects sur les autoroutes, juste à la sortie des villes. Il est facile de s'y garer.

Assistance en cas de panne

Les *Ángeles Verdes* (anges verts), qui font partie du ministère du Tourisme SECTUR, parlent espagnol et anglais et circulent en camion vert vif. Ils patrouillent la journée sur chaque grande route ou autoroute du Mexique à la recherche d'un automobiliste en difficulté. Ils effectuent de légères réparations, remplacent de petites pièces, fournissent carburant et huile et organisent le remorquage par radio, le cas échéant. Le service est gratuit ; les pièces détachées, l'essence et l'huile sont fournies à prix coûtant. Vous pouvez les joindre 24h/24 sur leur ligne d'urgence à Mexico (tél. 5-250-82-21) ou sur le standard d'assistance touristique (☎ (5) 250-01-23, 800-90392).

Les problèmes mécaniques plus sérieux peuvent être réglés efficacement et à moindre coût par des mécaniciens en ville, dans la mesure où les pièces détachées sont disponibles. C'est le cas pour les marques Volkswagen, Ford, Nissan/Datsun, Chrysler et General Motors. Vous trouverez des informations sur les fournisseurs de pièces détachées dans les pages jaunes de l'annuaire sous la rubrique *Refacciones y Acesorios para Automóviles y Camiones*. Pour connaître les distributeurs agréés, cherchez à *Automóviles – Agencias*.

Accidents

Le système législatif mexicain veut que les personnes impliquées dans un accident soient coupables jusqu'à ce que leur innocence soit reconnue. Elles peuvent être détenues jusqu'au dénouement de l'affaire, c'est-à-dire des semaines ou des mois après. Les conducteurs impliqués dans des accidents mineurs ne devraient pas être inquiétés s'ils ont une assurance leur permettant de couvrir un dédommagement éventuel. Dans le cas d'un accident plus sérieux ayant entraîné blessure ou mort, les conducteurs peuvent être détenus jusqu'à ce que les autorités déterminent leur part de responsabilité. Leur libération sera conditionnée par leur engagement à dédommager les victimes et à payer les amendes. La seule aide que peut apporter l'ambassade est de recommander un avocat et de contacter les proches. Une assurance appropriée est la seule véritable protection.

Location

La location d'une voiture coûte cher mais un véhicule sera utile pour visiter plusieurs endroits différents en peu de temps ou pour quitter les grands axes, car les transports publics sont lents ou rares sur les petites routes de campagne.

On peut louer des voitures dans la plupart des villes, dans les aéroports et parfois dans les gares routières ou ferroviaires et par l'intermédiaire des grands hôtels. Il peut être nécessaire de réserver une semaine à l'avance.

Pour louer une voiture il faut avoir au moins 25 ans, disposer d'un permis de conduire et d'un passeport en cours de validité. Certaines compagnies acceptent de louer une voiture aux personnes à partir de 21 ans mais les tarifs sont plus chers. Une carte de crédit est généralement exigée ; sinon, prévoyez une caution élevée. Au moment de signer le contrat de location, lisez attentivement les clauses en petits caractères.

Outre le prix de base de la location à la journée ou à la semaine, vous devez payer l'assurance, les taxes et l'essence. Demandez ce que l'assurance couvre exactement – celle que nous avons prise pour une voiture louée chez Budget pendant la rédaction de ce guide ne couvrait que 90% de la valeur du véhicule en cas de vol et n'offrait aucune couverture pour le "vol partiel" (ce qui signifiait en fait le vol de pièces telles que les essuie-glaces ou les pneus). Fort heureusement, rien n'a été volé.

La plupart des agences proposent de choisir deux types de contrat : soit au kilomètre, soit à kilométrage illimité. La seconde formule est en général plus intéressante si vous comptez conduire beaucoup. Les petites sociétés locales sont souvent moins chères que les grandes sociétés internationales. Vous devriez trouver une Coccinelle Volkswagen – la voiture la plus économique – entre 40 et 50 $US la journée, avec kilométrage illimité, taxes et assurance comprises. Le tarif à la semaine ne correspond la plupart du temps qu'à six jours. Rendre le véhicule dans une autre ville est généralement facturé en plus (0,30 $US le kilomètre).

Vous pouvez louer une voiture par l'intermédiaire d'une des grandes agences internationales dans un autre pays. Cela permet quelquefois d'obtenir des tarifs plus intéressants. A toutes fins utiles, voici leurs numéros verts sur place au Mexique :

Avis	☎ 800-70777
Budget	☎ 800-70017
Dollar	☎ 800-90010
Hertz	☎ 800-70016
National	☎ 800-00395
Thrifty	☎ 800-01859

EN STOP

Ceux qui décident de voyager en stop doivent être conscients du risque qu'ils encourent, même s'il est mineur. Le stop est tout à fait déconseillé aux femmes seules et peu recommandé si elles voyagent à deux. De nombreux visiteurs choisissent quand même cette solution, c'est un moyen comme un autre de se rendre ou de quitter des sites archéologiques isolés ou des endroits mal desservis. Vous pouvez également faire du stop sur les autoroutes et les routes principales si vous êtes muni d'un panneau indiquant votre destination et que vous n'êtes pas trop débraillé.

Soyez prudent en toute occasion ; en cas de doute, n'hésitez pas à prendre l'avis des habitants.

Si le conducteur est un autre touriste ou un automobiliste privé, le voyage sera peut-être gratuit. S'il s'agit d'un véhicule professionnel, attendez-vous à payer (et n'hésitez pas à le proposer).

BATEAU

Des ferries (passagers et véhicules) relient la Basse-Californie au continent mexicain à Santa Rosalía/Guaymas, La Paz/Mazatlán et La Paz/Topolobampo. Des ferries desservent également les îles d'Isla Mujeres et de Cozumel au large de la péninsule du Yucatán. Pour plus de détails, reportez-vous aux rubriques des villes et des îles concernées.

TRANSPORTS LOCAUX

Bus

Généralement appelés *camiones*, les bus locaux restent le moyen de transport le plus économique pour découvrir les environs des villes et les villages voisins. Ils vont partout, sont extrêmement bon marché (rarement plus de 0,20 $US) et, le plus souvent, bruyants, sales et bondés. Certaines villes possèdent toutefois une flottille de petits microbus modernes. Dans les centres urbains, ils ne s'arrêtent qu'à certains arrêts (*paradas*), indiqués ou non.

Colectivo, combi et pesero

Les *colectivos* sont des minibus ou des grandes berlines à mi-chemin entre le taxi et le bus (le *combi* est un minibus VW et le *pesero* est le terme utilisé à Mexico pour désigner un colectivo). Ils sont moins chers que les taxis, plus rapides et moins bondés que les bus. Ils ont des itinéraires fixes – parfois indiqués sur le pare-brise – et embarquent ou déposent les passagers n'importe où.

Si vous ne prenez pas un colectivo en tête de ligne, postez-vous à un carrefour et levez la main dès que vous en apercevez un. Le chauffeur vous indiquera le nombre de places encore disponibles dans son véhicule en levant le nombre de doigts correspondant. Indiquez-lui votre destination, et payez à l'arrivée. Le tarif dépend de la distance.

Taxi

Les taxis sont nombreux en ville et souvent très économiques. Ils s'avèrent utiles si vous avez beaucoup de bagages, si vous devez vous déplacer rapidement ou si vous avez peur de vous faire voler dans les transports publics. A Mexico, ce sont généralement des Coccinelles jaunes. Si le taxi est équipé d'un compteur, demandez au chauffeur s'il fonctionne ("*¿ Funciona el taxímetro ?*") ; si ce n'est pas le cas – ou si le taxi ne possède pas de compteur –, convenez du prix de la course avant de monter.

Quelques aéroports et plusieurs gares routières importantes ont instauré un service de taxis, les *taquillas* (kiosques), à tarifs fixes. Vous achetez un ticket pour une destination déterminée, que vous remettez ensuite au chauffeur du taxi. Vous évitez ainsi marchandage et risque d'escroquerie, mais vous paierez généralement plus cher que pour une course normale.

Se repérer en ville

Les noms et numéros de rues mexicaines sont parfois assez compliqués. Pour demander votre chemin, indiquez l'endroit où vous souhaitez vous rendre plutôt que le nom de la rue dans laquelle le bâtiment est situé. Pour être bien sûr de la route à suivre, renseignez-vous au moins auprès de trois personnes.

CIRCUITS ORGANISÉS

Se joindre à un circuit organisé peut être un moyen facile de se faire une première idée sur les villages autour de San Cristobal de Las Casas, les ruines de Bonampak et de Yaxchilán au Chiapas ou certains sites archéologiques de la péninsule du Yucatán. D'agréables circuits à pied sont également organisés dans des villes historiques telles que San Miguel de Allende. Vous trouverez des précisions sur tous ces points dans les chapitres consacrés aux régions.

Mexico

• *Hab. : environ 20 millions* • *Alt.: 2 240 m* • ☎ *5*

Mexico, mégalopole tout à la fois fabuleuse, bruyante et épouvantable, s'étire sur plus de 2 000 km² dans une haute vallée où se côtoient le meilleur et le pire. Cette ville cosmopolite peut n'être que musique, couleur et vie, mais aussi morosité, pauvreté, encombrement et pestilence. Ici, les palais coloniaux et les trésors culturels de renommée mondiale jouxtent les bidonvilles tentaculaires.

Le trafic ininterrompu et assourdissant contraste avec les plazas calmes et paisibles, tout comme l'immense richesse voisine avec une extrême pauvreté. De même, les parcs verdoyants s'apprécient à travers un brouillard de pollution.

Les Mexicains prononcent le nom de la ville comme celui du pays : "MÉ-ji-ko". Pour les différencier, ils appellent la capitale *ciudad de México* ou *el DF* (prononcé "dé-éfé"), abréviation de Distrito Federal (district fédéral), qui regroupe la moitié de la ville, dont le centre (les faubourgs de Mexico sont inclus dans l'État de Mexico, qui entoure la capitale sur trois côtés).

A NE PAS MANQUER

- Le Museo Nacional de Antropología, mondialement réputé, un trésor de merveilles archéologiques mexicaines.
- Le Bosque de Chapultepec, grand parc au centre de la ville, avec un zoo et d'intéressants musées.
- Les vieux faubourgs coloniaux de Coyoacán et de San Angel, où flotte le souvenir de Diego Rivera et de Frida Kahlo, animés par leurs marchés du week-end.
- Le Zócalo, l'une des plus grandes places au monde, bordé par le palais présidentiel, la cathédrale métropolitaine et les vestiges du principal temple aztèque de Tenochtitlán.
- Les merveilleuses fresques des grands muralistes mexicains du XXᵉ siècle, au Palacio Nacional, au Palacio de Bellas Artes et au Museo Mural Diego Rivera.
- Une promenade en gondole sur les anciens canaux de Xochimilco et la visite du superbe Museo Dolores Olmedo Patiño, tout proche, avec sa collection d'œuvres de Rivera.

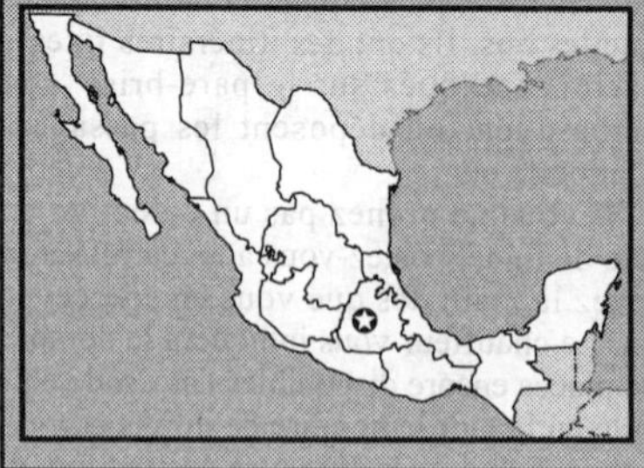

HISTOIRE

Dès 10 000 av. J.-C., hommes et animaux furent attirés par les rivages du lac Texcoco, situé dans le Valle de México. Peu après 7500 av. J.-C., le lac commença à se retirer et, la chasse devenant plus difficile, les premiers habitants se tournèrent vers l'agriculture. Vers 200 av. J.-C., une fédération de villages agricoles se constitua autour du Lago de Texcoco. Le plus important, Cuicuilco, fut détruit par une éruption volcanique aux alentours de l'an 100.

Teotihuacán, à 25 km au nord-est du lac, devint par la suite la cité la plus influente de la région. Après des siècles de grandeur, au cours desquels Teotihuacán fut la capitale d'un empire s'étendant jusqu'au Guatemala et au-delà, la ville s'effondra au VIIᵉ siècle. Durant les siècles suivants, l'empire toltèque s'installa à Tula, à 65 km au nord de l'actuelle Mexico, qui devint alors la plus importante des cités-États de la région.

Les Aztèques

Au XIIIe siècle, l'Empire de Tula disparut à son tour. Autour du lac, les villages s'étaient transformés en petites cités-États rivales qui cherchaient chacune à contrôler le Valle de México. Mais ce furent les Mexica (Mé-chi-ca), ou Aztèques, une tribu nomade chichimèque venue du nord ou de l'ouest qui, finalement, l'emporta.

Les Aztèques s'installèrent sur la rive sud du Lago de Texcoco, mais d'autres habitants de la vallée s'opposèrent fortement à certaines de leurs pratiques particulièrement cruelles : vol de femmes, sacrifices humains à grande échelle et interventions dans les relations explosives entre cités-États. Au début du XIVe siècle, Coxcox, le chef de Culhuacán, qui avait repoussé les Aztèques vers une contrée très pauvre, offrit de leur allouer de meilleures terres s'ils l'aidaient à combattre Xochimilco. Les Aztèques remportèrent une écrasante victoire et ils le prouvèrent en envoyant à Coxcox 8 000 oreilles humaines. Ce dernier octroya les terres promises aux Aztèques et accepta inconsidérément que sa fille devienne une déesse aztèque, comme le racontent Michael Meyer et William Sherman dans *The Course of Mexican History* (Le déroulement de l'histoire mexicaine) :

> La princesse fut sacrifiée et écorchée. Lorsque son père arriva au banquet donné en son honneur, il fut horrifié de découvrir que le divertissement était donné par une danseuse revêtue de la peau de sa fille… Coxcox leva une armée qui défit les barbares.

Entre 1325 et 1345, les Aztèques, errant sur les bords marécageux du lac, fondèrent finalement leur propre cité, Tenochtitlán, sur une île proche des rives du lac (sur ce site s'élève aujourd'hui le centre-ville, autour de la place principale, le Zócalo). Selon la légende, les Aztèques choisirent ce site après y avoir vu un aigle manger un serpent sur un cactus – signe, selon eux, que leur errance prenait fin et qu'ils devaient fonder une cité à cet endroit.

Vers 1370, les Aztèques devinrent des mercenaires au service du royaume d'Azcapotzalco, implanté sur la rive ouest du lac. Après leur rebellion contre Azcapotzalco, vers 1427, ils furent alors la puissance prédominante de la vallée.

Tenochtitlán se transforma rapidement en une ville-État dont l'empire allait s'étendre, au début du XVIe siècle, à travers pratiquement tout le centre du Mexique, du Pacifique au Golfe, et dans le sud. Simultanément, le sentiment d'appartenance au peuple élu par Huizilopochtli, le dieu tutélaire, grandissait chez les Aztèques. Au milieu du XVe siècle, ils conclurent une triple alliance avec les États voisins de Texcoco et de Tlacopan afin de combattre Tlaxcala et Huejotzingo, situés à l'est de la vallée. Le but était de constituer une réserve stable de prisonniers destinée à satisfaire l'énorme appétit en sacrifices humains de Huizilopochtli, nécessaires pour que le soleil se lève chaque jour et que cessent inondations et famines. Au cours de l'année 1487, pas moins de 20 000 prisonniers furent sacrifiés en l'espace de quatre jours, pour inaugurer la reconstruction du temple principal de Tenochtitlán.

La prospérité dont jouissaient les Aztèques leur permit d'édifier une immense cité constituée de canaux, de rues, de jardins et de temples-pyramides. Au centre, à l'emplacement actuel du Zócalo, s'élevait la double pyramide du temple principal, dédié à Huizilopochtli et à Tláloc, le dieu de l'eau. Trois chaussées reliaient la cité aux rives du lac. C'est la ville que découvriront, stupéfaits, les Espagnols, à leur arrivée en 1519. Sa population était alors d'environ 200 000 personnes.

La capitale de la Nueva España

Détruite durant la conquête espagnole (reportez-vous à la rubrique *Histoire* du chapitre *Présentation du pays*), la ville de Tenochtitlán fut entièrement reconstruite selon le modèle espagnol. La population native du Valle de México fut réduite de façon radicale – à moins de 100 000 âmes en un siècle de conquête, selon certaines estimations. En 1550, la cité était devenue la prospère et élégante, quoique plutôt insalubre, capitale du pouvoir centralisé de la Nueva España. Les rues suivaient un tracé méticuleux. Des édifices furent érigés dans un style baroque espagnol, avec des matériaux locaux, dont le *tezontle*, une roche volcanique légère, rouge et poreuse, que les Aztèques avaient utilisée pour leurs temples. On construisit des hôpitaux, des écoles, des églises, des palais, des parcs, une université et même un asile d'aliénés.

Cependant, jusqu'à la fin du XIXe siècle, Mexico subit d'importantes inondations, dues à la destruction partielle des canaux de drainage des Aztèques dans les années 1520. Le Lago de Texcoco débordait régulièrement, endommageant rues et édifices et jetant à la rue des milliers de personnes.

L'indépendance

Le 30 octobre 1810, 80 000 rebelles indépendantistes avec, à leur tête, le prêtre Miguel Hidalgo, tenaient Mexico à leur merci après la défaite de l'armée espagnole à Las Cruces, hors de la capitale. Hidalgo renonça cependant à marcher sur la ville, une erreur qui prolongea de onze années la lutte pour l'indépendance. En 1821, avec une population de 160 000 habitants, Mexico était alors la ville la plus importante des Amériques.

Mexico aborda l'ère moderne sous la férule de Porfirio Díaz, dont la dictature se poursuivit presque sans interruption de 1877 à 1911, attirant néanmoins quantité d'investisseurs étrangers.

Díaz favorisa un boom immobilier sans précédent et fit construire des lignes ferroviaires reliant la capitale aux différentes provinces et aux États-Unis. Les transports urbains étaient assurés par un réseau de 150 km de tramways électriques. L'industrie s'épanouit et, en 1910, la ville comptait 471 000 habitants. Un canal de drainage équipé de deux tunnels parvint à assécher une grande partie du Lago de Texcoco, ce qui favorisa encore l'extension de la ville tout en entraînant un certain nombre de problèmes dus, notamment, à l'affaissement des sols, responsable de l'endommagement de nombreux monuments.

Le XXe siècle

Après la chute de Díaz en 1911, le chaos de la Révolution mexicaine amena la guerre et la famine dans les rues de la ville.

Les années 20 inaugurèrent une période de paix et de prospérité. Le ministre de l'Éducation, José Vasconcelos, chargea les meilleurs artistes mexicains – Diego Rivera, David Alfaro Siqueiros et José Clemente Orozco – d'orner de fresques immenses les murs de plusieurs édifices publics. Les scènes volontairement théâtrales représentaient l'histoire passée et future du Mexique.

La croissance fut temporairement arrêtée par la Crise de 1929 mais, par la suite, l'industrialisation attira des capitaux et une main-d'œuvre toujours plus importants. La ville comptait 1 726 858 habitants en 1940. Dans les années 40 et 50, les usines et les gratte-ciel se multiplièrent presque aussi vite que la population, dont le taux de croissance était d'environ 7 % par an. Cependant, les logements, l'emploi et les services sociaux ne parvinrent pas à se développer au même rythme. Des bidonvilles firent leur apparition aux abords de la capitale, créant les graves problèmes que Mexico doit affronter aujourd'hui.

Malgré la poursuite de ce boom économique depuis les années 60, les réformes politiques et sociales restèrent à la traîne. Des manifestations estudiantines se produisirent à Mexico au moment des jeux Olympiques de 1968.

Le 2 octobre, dix jours avant le début des Jeux, de 5 000 à 10 000 manifestants se rassemblèrent à Tlatelolco, au nord du centre-ville. Ils furent encerclés par l'armée et la police et, encore aujourd'hui, nul ne sait exactement combien de personnes trouvèrent la mort dans le massacre qui s'ensuivit, probablement plusieurs centaines.

La mégalopole

Dans les années 70, Mexico continua à s'étendre au-delà du district fédéral sur l'État de México, ce qui entraîna un développement monstrueux du trafic et de la pollution, partiellement enrayé par l'ouverture du métro en 1969 et par les récentes tentatives de limitation de la circulation.

La population continua à converger vers la capitale, malgré le séisme du 19 septembre 1985, d'une magnitude de 8 sur l'échelle de Richter, qui causa plus de 4 milliards de dollars de dégâts matériels, tua au moins 10 000 personnes (voire le double) et en contraignit des milliers d'autres à déménager.

Aujourd'hui, environ 2 000 nouveaux migrants arrivent chaque jour dans la capitale, dont la population est estimée à 20 millions d'habitants. Les efforts pour déplacer les industries et les organismes officiels en dehors de la cité n'ont eu que peu de succès. Depuis 1940, la surface couverte par la ville a été décuplée mais Mexico n'en reste pas moins l'une des villes les plus peuplées et les plus polluées du monde. Centre industriel, commercial, financier et culturel du pays, Mexico génère un tiers des richesses nationales mais consomme 66 % de son énergie. Le coût de la vie y est le plus élevé du Mexique.

L'extraction de l'eau du sous-sol provoque l'effondrement régulier de la ville – environ 6 cm par an dans le centre et de 15 à 40 cm dans la périphérie. De surcroît, environ un tiers de l'eau de la ville est pompée à grands frais hors du Valle de Mexico.

La pauvreté et la surpopulation côtoyant la richesse ont toujours existé mais le contraste a été exacerbé par la récession du milieu des années 90. En 1996, on estimait que plus de un cinquième de la population du Distrito Federal vivait en dessous du seuil de pauvreté et que deux autres tiers parvenaient à peine à assurer leur subsistance. Ces estimations n'incluent pas les nouveaux bidonvilles, situés en dehors des limites de la ville. Un des effets de la crise est la forte hausse du taux de criminalité.

Dirigée par le gouvernement fédéral depuis 1928, la ville a reçu l'autorisation d'élire son propre maire pour la première fois en 1997. La victoire de Cuauhtémoc Cárdenas, du parti de centre-gauche PRD, a fait naître l'espoir chez des millions d'habitants. Peut-être parviendra-t-il à empêcher les difficultés inhérentes à Mexico n'empirent ?

ORIENTATION

Les 350 *colonias* (quartiers et banlieues) de la ville s'étendent sur l'ancien lit du Lago de Texcoco et au-delà. Bien que ce vaste paysage urbain soit au premier abord impressionnant, les principaux quartiers touristiques sont assez bien délimités et faciles à parcourir.

Centro Histórico

La place connue universellement sous le nom d'El Zócalo, encerclée par le Palacio Nacional, la Catedral Metropolitana et les fouilles du Templo Mayor – le temple le plus important de la Tenochtitlán aztèque –, constitue le cœur historique de la ville. Le Zócalo et les quartiers avoisinants, qu'on appelle le Centro Histórico, regorgent de bâtiments anciens remarquables et de musées intéressants. Au nord, à l'ouest et au sud du Zócalo, de nombreux bons hôtels et restaurants pratiquent des prix abordables.

Alameda Central et Bellas Artes

L'Avenida Madero et l'Avenida Cinco de Mayo (ou 5 de Mayo) relient le Zócalo au parc verdoyant de l'Alameda Central, à huit pâtés de maisons vers l'ouest. A l'est de l'Alameda se dresse le magnifique Palacio de Bellas Artes. La Torre Latinoamericana perce le ciel, un pâté de maisons au sud de Bellas Artes, près d'une des principales artères nord-sud de la ville, la Eje Central Lázaro Cárdenas, également appelée Juan Ruiz de Alarcón à cette hauteur.

Plaza de la República

A quelque 750 m à l'ouest de l'Alameda, de l'autre côté du Paseo de la Reforma, la Plaza de la República se distingue par la présence du sombre Monumento a la Revolución de style art déco, surmonté d'un dôme. C'est un quartier assez calme, résidentiel, parsemé d'hôtels corrects de catégorie moyenne.

Paseo de la Reforma

Artère principale de Mexico, ce grand boulevard traverse le cœur de la ville sur plusieurs kilomètres, reliant l'Alameda à la Zona Rosa et au Bosque de Chapultepec. De nombreux grands hôtels, ambassades et banques s'élèvent de part et d'autre.

Zona Rosa

La scintillante Zona Rosa est le quartier le plus vivant, de jour comme de nuit, limité au nord par le Paseo de la Reforma, à l'est par l'Avenida Insurgentes et au sud par l'Avenida Chapultepec. Là, sont rassemblés les plus grands hôtels, restaurants, clubs, galeries et boutiques de la ville. Vous pourrez à la fois y faire de belles promenades et quelques bonnes affaires.

Bosque de Chapultepec

Le parc de Chapultepec, à l'ouest des quartiers mentionnés plus haut, est le "poumon" de Mexico. Cette vaste étendue de verdure et de lacs renferme nombre des principaux musées de la ville, dont le célèbre Museo Nacional de Antropología.

Au nord du centre

L'Estación Buenavista, principale gare ferroviaire de Mexico, est située à 1,2 km au nord de la Plaza de la República, dans l'Avenida Insurgentes, l'important axe nord-sud de la ville. A 5 km au nord du centre, le Terminal Norte est la plus grande des quatre gares routières. La Basílica de Guadalupe, le sanctuaire le plus révéré du pays, se trouve à 6 km au nord du centre.

Au sud du centre

L'Avenida Insurgentes relie le Paseo de la Reforma à la plupart des secteurs intéressants du sud. Entre 10 et 15 km au sud de l'Alameda se trouvent les charmants anciens villages de San Ángel et de Coyoacán et le vaste campus de l'UNAM, l'Universidad Nacional Autónoma de México. En aval, se profile le Terminal Sur, la gare routière interurbaine sud. Encore plus au sud, à une vingtaine de kilomètres de l'Alameda, se situent les canaux et les jardins de Xochimilco.

Le système Eje

Outre leurs noms ordinaires, de nombreuses rues principales de Mexico sont appelées Eje (axe). Le système Eje superpose un quadrillage d'axes prioritaires au labyrinthe des petites rues de cette ville tentaculaire. Le principal axe nord-sud, Eje Central Lázaro Cárdenas, passe à l'est du Palacio de Bellas Artes, où il prend le nom de Juan Ruiz de Alarcón (à deux pâtés de maisons au nord de Bellas Artes, on l'appelle Aquiles Serdan et, à un pâté de maisons au sud du Bellas Artes, il devient San Juan de Letrán). Les principaux axes nord-sud situés à l'ouest de l'Eje Central sont désignés sous le terme de l'Eje 1 Poniente (appelé aussi Guerrero, Rosales et Bucareli au fur et à mesure qu'il traverse le centre), Eje 2 Poniente (Avenida Florencia, Monterrey), etc. Les principaux axes nord-sud situés à l'est de l'Eje Central sont appelés Eje 1 Oriente (Alcocer, Anillo de Circunvalación), Eje 2 Oriente (Avenida Congreso de la Unión), et ainsi de suite. Le principe est le même pour les principaux axes est-ouest situés au nord et au sud de l'Alameda Central et du Zócalo : Eje 1 Norte pour Rayón et Eje 1 Sur pour Fray Servando Teresa.

Cartes

Les cartes fournies par les offices de tourisme de Mexico sont très sommaires. Vous en trouverez de meilleures, aussi bien de la ville que du reste du pays, dans de nombreuses librairies (y compris dans les magasins Sanborn's et dans les grands hôtels), auprès des colporteurs de rue (Avenida Juárez, en face du sud de l'Alameda Central, certains sont spécialisés dans les cartes) et à la boutique de l'INEGI (l'Instituto Nacional de Estadística, Geografía e Informática), Local CC23, Glorieta Insurgentes, en face du métro Insurgentes. En plus des cartes de Mexico et du pays, cette boutique offre un vaste choix de cartes d'autres villes et États mexicains, ainsi que les cartes de l'INEGI au 1/50 000 (1 cm : 500 mètres) couvrant l'ensemble du pays. Elle est ouverte du lundi au vendredi de 8h à 20h et le samedi de 8h30 à 16h.

Parmi les meilleures cartes de Mexico, l'atlas des rues *Guía Roji Ciudad de México* présente un index complet, remis à jour chaque année (8.50 $US). Les mêmes cartes sont disponibles en cinq grandes feuilles – moins souvent réactualisées – sous le nom de *Guía Roji Infocalles Ciudad de México* (environ 3 $US la carte). Celle de l'*Área Metropolitana* couvre tout le centre-ville et comprend un plan de métro. L'échelle de l'atlas et des cartes est d'environ 1/22 500 (1 cm : 225 mètres).

Trouver une adresse

Certaines grandes artères, comme l'Avenida Insurgentes, portent le même nom sur plusieurs kilomètres, mais quantité de rues de moindre importance changent de nom (et de système de numérotation), tous les quelques pâtés de maisons. Les adresses doivent normalement inclure le nom de la colonia (quartier). Une fois sorti des quartiers centraux très connus, vous risquez d'avoir besoin d'aide pour trouver une colonia. Le moyen le plus simple consiste souvent à demander quelle est la station de métro le plus proche.

RENSEIGNEMENTS

Offices du tourisme

Trois offices du tourisme sont regroupés dans le centre-ville. Un autre est installé à l'aéroport (voir la rubrique *Comment s'y rendre*). Ils ont peu de documentation à distribuer et leurs cartes sont extrêmement sommaires.

L'office du tourisme du SECTUR, le secrétariat au tourisme, (☎ 250-01-23, 800-90392), Avenida Presidente Masaryk 172, se trouve à l'angle de Hegel, dans le quartier de Polanco, à environ 700 m du Bosque de Chapultepec (métro Polanco). Bien que le bureau ne soit pas très bien situé, le personnel polyglotte répondra volontiers à toutes vos questions sur Mexico ou sur le reste du pays et pourra vous imprimer des informations sur certains thèmes précis.

Les deux lignes directes du SECTUR sont à votre disposition tous les jours, 24h/24, pour toute information touristique ou pour une aide en cas de problème ou d'urgence. Le bureau est ouvert du lundi au vendredi de 9h à 21h et le samedi de 10h à 15h.

Plus facile d'accès, l'Oficina de Turismo de la Ciudad de México (☎ 525-93-80), Amberes 54, à l'angle de Londres dans la Zona Rosa (métro Insurgentes), vous fournira des renseignements sur Mexico exclusivement (ouvert tous les jours de 9h à 20h).

La Cámara Nacional de la Ciudad de México (Chambre de Commerce), Paseo de la Reforma 42, entre l'Avenida Juárez et Guerra (métro Hidalgo ou Juárez), dispose également d'un office de tourisme (☎ 592-26-27, poste 1015 ou 1016), qui vous renseignera sur la ville. Situé au 4e étage, il ouvre du lundi au vendredi, de 9h à 14h et de 15h à 18h.

Prorogation de la carte de touriste

Conformément à la réglementation générale sur la prorogation des cartes de touriste (voir la rubrique *Visas et documents* du

Les bidonvilles

Les bidonvilles de Mexico se situent à la périphérie de la ville, là où son expansion se continue principalement. Bien que les grands axes soient bordés de communautés mieux loties, vous en apercevrez quelques-uns en arrivant ou en sortant de la ville en voiture. Bon nombre des anciens bidonvilles – comme l'immense Ciudad Nezahualcóyotl qui, à l'est de l'aéroport, abrite plus d'un million de personnes – ont réussi à obtenir l'électricité et l'eau courante. Nombre de leurs habitants ont gagné assez d'argent pour se construire des maisons relativement confortables. ■

chapitre *Renseignements pratiques*), les cartes peuvent être prorogées à l'Instituto Nacional de Migración (☎ 626-72-00), Avenida Chapultepec 284, du lundi au vendredi de 9h à 14h. Quelques jours avant son expiration, présentez-vous avec votre carte, votre passeport et une carte de crédit internationale, ou 100 $US en chèques de voyage. Pour vous y rendre, prenez le métro jusqu'à la station Insurgentes et empruntez la sortie "Ave Chapultepec Sur-Ote". Entrez dans le bâtiment situé face à vous en haut des marches, puis montez au service "Ampliación de Estancia a Turistas", au 1er étage. La procédure prend environ une demi-heure.

Argent

A Mexico, les taux peuvent varier d'un des nombreux bureaux de change à l'autre. La plupart des banques et des *casas de cambio* (bureaux de change) acceptent espèces et chèques de voyage.

La plupart des banques, des distributeurs automatiques de billets (DAB) et des casas de cambio se concentrent sur le Paseo de la Reforma, entre le Monumento a Cristóbal Colón et le Monumento a la Independencia. Toutefois, vous en trouverez sans peine un peu partout en ville ainsi qu'à l'aéroport, où certaines casas de cambio restent ouvertes 24h/24. Ces dernières sont également nombreuses dans la Zona Rosa.

Banques et DAB. Mexico fourmille de banques, généralement ouvertes du lundi au vendredi de 9h à 13h30, certaines plus tardivement. Nombre d'entre elles possèdent des distributeurs automatiques de billets, ouverts 24h/24, où vous pourrez facilement retirer de l'argent.

Casas de cambio. Dans les casas de cambio, les heures d'ouverture sont plus souples et les procédures plus rapides que dans les banques. Si le taux de change s'avère parfois moins avantageux, dans les meilleures d'entre elles il est identique à celui des banques. Située près du centre-ville, la Casa de Cambio Plus, Avenida Juárez en face de l'Alameda, est une adresse utile : elle est ouverte du lundi au vendredi de 9h à 16h, le samedi de 9h30 à 13h30, et change à bon taux les espèces comme les chèques de voyage. A l'angle de la Zona Rosa, Paseo de la Reforma et Avenida Florencia, la Casa de Cambio Bancomer ouvre du lundi au vendredi de 9h à 19h, le samedi et le dimanche de 10h à 17h ; ses taux sont excellents.

American Express. L'American Express (☎ 207-72-82) est installé à la lisière de la Zona Rosa, Paseo de la Reforma 234, à l'angle de Havre (métro Insurgentes). Le bureau ouvre du lundi au vendredi de 9h à 18h et le samedi de 9h à 13h. Vous pourrez y changer vos chèques de voyage American Express à un taux peu attrayant. Il offre aussi d'autres services financiers, une agence de voyages et un service de poste restante.

Transfert de fonds. Le service de virement de la Western Union, "Dinero en Minutos", est disponible à plusieurs endroits, notamment :

Central de Telégrafos
: Tacuba 8 (ouvert tous les jours de 9h à 21h ; métro Allende)

Telecom
: Insurgentes 112, à un pâté de maisons et demi au nord de Reforma (métro le plus proche : Revolución)

Elektra
: Pino Suárez, à l'angle d'El Salvador, à trois pâtés de maisons au sud du Zócalo (métro Pino Suárez)
: Balderas, à l'angle d'Artículo 123, à deux pâtés de maisons au sud de l'Alameda Central (métro Juárez)
: A l'est de Insurgentes Sur, à deux pâtés de maisons au sud du métro Insurgentes

(Elektra est une chaîne de magasins d'électroménager ouverts tous les jours de 9h à 21h).

Poste

Le Correo Mayor, la poste centrale de Mexico, est situé dans un charmant immeuble du début du siècle, de style

Renaissance italienne, dans Juan Ruiz de Alarcón (Eje Central Lázaro Cárdenas), à l'angle de Tacuba et en face du Palacio de Bellas Artes (métro Bellas Artes). Les timbres sont vendus aux guichets signalés "*estampillas*", ouverts du lundi au vendredi de 8h à 21h30, et le samedi de 9h à 20h. Le guichet de la poste restante et de la lista de correos, le n°3, est ouvert du lundi au vendredi de 8h à 17h, le samedi de 9h à 17h et le dimanche de 9h à 13h.

Pour toute autre information, allez au guichet n°49.

D'autres bureaux de poste ouvrent du lundi au vendredi, de 8h à 17h, et le samedi de 8h à 13h. Entre autres :

Zócalo
: Dans la Plaza de la Constitución 7 (côté ouest du Zócalo), ouvert du lundi au vendredi, de 8h30 à 14h30.

Près de la Plaza de la República
: A l'angle d'Ignacio Mariscal et d'Arriaga (métro Revolución).

Zona Rosa
: A l'angle de Varsovia et de Londres (métro Insurgentes ou Sevilla).

Si vous possédez une carte de paiement ou des chèques de voyage American Express, vous pouvez utiliser leur service de poste restante (voir la rubrique *Argent*). Faites-vous adresser votre courrier comme suit :

Antoine ROULAND (nom de famille en capitales)
Client Mail
Paseo de la Reforma 234
Oficina Central de Correos
México 06600 DF
MEXICO

Ce bureau conserve le courrier durant deux mois avant de le retourner à l'expéditeur.

Courriers express internationaux

Voici les principaux :

DHL
: Reforma 76, à l'angle de Versalles (☎ 227-02-99) ; Niza, au sud de Reforma dans la Zona Rosa

Federal Express
: Reforma 308, à l'ouest de Belgrado (☎ 228-99-04) ; Avenida Madero 70, à un demi-pâté de maisons du Zócalo (☎ 228-99-04)

United Parcel Service (UPS)
: Reforma 404, entre Praga et Sevilla (☎ 228-79-00)

Téléphone

Reportez-vous à la rubrique *Postes et télécommunications* du chapitre *Renseignements pratiques* pour plus de détails. Des milliers de cabines téléphoniques jalonnent les rues de Mexico. Les points de vente de cartes téléphoniques sont très nombreux, y compris à l'aéroport, et signalés par le panneau bleu et jaune "*De venta aquí Ladatel*".

Télécopies, e-mail et Internet

Vous pouvez envoyer des télécopies depuis le Central de Telégrafos, Tacuba 8 (métro Bellas Artes). Il ouvre tous les jours de 9h à 21h. De nombreuses officines privées offrent un service de télécopie (cherchez l'enseigne "*fax público*").

Vous trouverez également des services de fax à l'aéroport et dans les gares routières desservant les grandes lignes.

Mexico possède plusieurs cafés Internet où vous pourrez envoyer et recevoir du courrier électronique ou avoir accès à Internet.

Le plus central est le petit Cybercafe, Bolívar 66, à 600 m environ au sud-ouest du Zócalo (métro San Juan de Letrán). Il perçoit 4 $US minimum (pour 30 minutes) et 6.50 $US pour 1 heure. Il ouvre du lundi au samedi de 10h à 19h.

Agences de voyages

De nombreux hôtels de catégories moyenne ou supérieure disposent d'un comptoir d'agent de voyages ou vous recommanderont des agences à proximité. Les suivantes proposent des tarifs de billets d'avion intéressants :

Ibermex
: Paseo de la Reforma 237 (☎ 721-51-54)

Mundo Joven (billets jeunes et étudiants)
: Avenida Insurgentes Sur 1510, au sud de l'Avenida Río Mixcoac et à 1,3 km au nord-est du métro Barranca del Muerto (☎ 662-35-36)

Russvall Viajes
Arriaga 23A, à l'angle d'Édison, près de la Plaza de la República (☎ 592-83-83)
Tony Pérez
Río Volga 1, à l'angle de Río Danubio, derrière le María Isabel-Sheraton Hotel (☎ 533-11-48)

Librairies

Centre-ville. Excepté la Librería Británica, elles sont toutes regroupées près de la station de métro Bellas Artes :

Gandhi, Avenida Juárez 4 – bon choix d'ouvrages sur le pays.
Librería Británica, Avenida Madero 30, à l'ouest d'Isabel la Católica – livres en anglais (métro Zócalo ou Allende).
Palacio de Bellas Artes – excellente librairie de livres d'art.

Zona Rosa. La Librairie française, Génova 2, Zona Rosa (métro Insurgentes), propose un vaste choix d'ouvrages et de magazines en français.

Près du Jardín del Arte. La Librería Británica (☎ 705-05-85), Serapio Rendón 125 (métro San Cosme), vend de nombreux romans et livres sur le Mexique.

San Ángel et Coyoacán. Gandhi, Avenida M A de Quevedo 128 à 132, San Ángel, est une véritable institution. On y trouve un vaste choix de livres sur les sujets les plus divers, la plupart en espagnol, ainsi qu'un petit café à l'étage. Elle est ouverte du lundi au vendredi de 9h à 21h, le samedi et le dimanche de 10h à 20h.

La Librería Británica possède des succursales Avenida Coyoacán 1995 (près du métro Coyoacán) et Avenida Robles 53, San Ángel.

Bibliothèques

Mexico compte plusieurs bonnes bibliothèques étrangères :

Biblioteca Benjamín Franklin (☎ 211-00-42), Londres 16, à l'ouest de Berlin (métro Cuauhtémoc), est dirigée par l'ambassade américaine. Elle dispose d'une importante collection sur le Mexique et de magazines en anglais. Vous devez être âgé de 20 ans ou plus pour y accéder. Elle est ouverte le lundi et le vendredi de 15h à 19h30, du mardi au jeudi de 10h à 15h.
Bibliothèque de l'ambassade du Canada (☎ 724-79-00), Schiller 529, Polanco, dans l'ambassade (métro Polanco), possède un vaste choix de livres canadiens et de périodiques en anglais et en français. Elle est ouverte du lundi au vendredi, de 9h à 12h30.
Institut Français d'Amérique latine (☎ 566-07-77), Río Nazas 43 (métro San Cosme ou Insurgentes), tient une bibliothèque proposant des magazines, des journaux et de nombreux livres en français. Il ouvre du lundi au vendredi de 9h à 19h et le samedi de 10h à 13h.
Instituto Goethe (☎ 207-04-87), Tonalá 43, Colonia Roma (métro Insurgentes), dispose d'une bibliothèque de langue allemande. Il ouvre du lundi au jeudi, de 9h à 13h et de 16h à 19h.

Journaux et magazines

The News et *The Mexico City Times*, les deux quotidiens de Mexico écrits en anglais, sont en vente dans presque tous les kiosques à journaux du centre-ville et de la Zona Rosa, ainsi que dans la plupart des librairies mentionnées ci-dessus. Rédigé en espagnol, *Tiempo Libre* est le principal hebdomadaire d'informations sportives et culturelles.

Certains journaux d'Amérique du Nord et d'Europe sont vendus dans les grands hôtels et les librairies citées plus haut. La Casa de la Prensa, Avenida Florencia 59 et Hamburgo 141, Zona Rosa (métro Insurgentes), reçoit les principaux journaux et magazines britanniques et américains, et des parutions françaises et allemandes. Les deux boutiques sont fermées le dimanche.

Centres culturels

Le Consejo Británico, l'Institut Français d'Amérique latine et l'Instituto Goethe (voir la rubrique *Bibliothèques*) proposent des manifestations culturelles, telles que films, expositions et concerts de leurs pays respectifs.

Blanchissage/nettoyage

La Lavandería Automática Édison, Édison 91, près de la Plaza de la República (métro Revolución), demande 1,70 $US pour une machine de 3 kg et la même somme pour le séchage. Elle le fera pour vous moyennant 1,70 $US de plus. Elle ouvre du lundi au vendredi de 10h à 19h et le samedi de 10h à 18h.

Légèrement au nord de la Zona Rosa, la Lavandería Automática, Río Danubio 119B, pratique des prix similaires. Elle est ouverte du lundi au vendredi de 8h15 à 18h et le samedi de 8h15 à 17h.

Dryclean USA, Paseo de la Reforma 32 (métro Juárez ou Hidalgo), et Jiffy, à l'angle de Río Tiber et de Río Lerma, à deux pâtés de maisons au nord du Monumento a la Independencia (métro Insurgentes), sont deux pressings fiables.

Services médicaux

Pour obtenir l'adresse d'un médecin, d'un dentiste ou d'un hôpital, contactez votre ambassade ou appelez SECTUR (☎ 250-01-23), disponible tous les jours, 24h/24. Une consultation en médecine de ville revient de 25 à 40 $US.

L'un des meilleurs hôpitaux de Mexico est l'Hospital ABC (Hospital American British Cowdray, ☎ 232-80-00, 272-85-00, urgences 515-83-59), Calle Sur 136 n°116, au sud de l'Avenida Observatorio, Colonia Las Américas. Il possède un hôpital de jour et la majeure partie du personnel parle anglais. En revanche, les tarifs grimpent très rapidement, d'où l'utilité d'une assurance. La station de métro Observatorio se trouve à 1 km environ au sud-est de l'établissement.

Pour obtenir une ambulance, appelez la Cruz Roja (Croix Rouge, ☎ 557-57-58/59) ou le numéro général d'urgence (☎ 080).

Urgences

En cas de problèmes ou d'urgence, la ligne mise à la disposition des touristes par SECTUR (voir la rubrique *Offices du tourisme*) est disponible 24h/24.

Porter plainte. La Procuraduría General de Justicia del Distrito Federal (procureur général de justice du District federal) dispose de deux bureaux d'aide aux touristes pour tous problèmes juridiques ou autres. Les bureaux sont situés dans la Zona Rosa, Avenida Florencia 20 (☎ 625-87-61, métro Insurgentes), et dans l'aéroport (☎ 625-87-63). Le bureau de Florencia est ouvert 24h/24.

Un employé parlant anglais est présent de 8h à 22h et joignable par téléphone en dehors de ces horaires.

Désagréments et dangers

Criminalité. La récession a provoqué un accroissement de la criminalité à Mexico, les touristes figurant parmi les cibles les plus faciles et les plus profitables. Nul besoin cependant de craindre le pire dès que vous avez franchi la porte de l'hôtel. Il suffit de prendre quelques précautions pour réduire considérablement les risques. Consultez la rubrique *Désagréments et dangers* au chapitre *Renseignements pratiques*.

Les bus et le métro sont célèbres pour leurs pickpockets, en particulier aux heures d'affluence.

Si le moment le plus risqué est naturellement le soir, les endroits fréquentés par les étrangers sont aussi les plus dangereux : les stations de métro du centre – notamment Hidalgo, où les pickpockets et les voleurs à l'arraché attendent les touristes et les suivent dans les voitures bondées –, le Bosque de Chapultepec, les bus qui longent le Paseo de la Reforma, les alentours du Museo Nacional de Antropología, la Zona Rosa et tout le périmètre de l'ambassade des États-Unis. Évitez les rues désertes une fois la nuit tombée.

Prendre le métro aux heures creuses vous permettra de trouver une voiture moins bondée (en général à l'une des extrémités du train), où les voleurs potentiels auront plus de mal à s'approcher discrètement ; cependant, évitez les voitures vides ou quasi désertes.

Pendant les heures de pointe (approximativement entre 7h30 et 10h et de 17h à 19h), les transports du centre se transforment en véritables boîtes à sardines, aubaine pour les pickpockets en tous genres. Surveillez vos sacs de près.

N'acceptez les services que de guides patentés.

N'empruntez jamais un passage piétonnier souterrain désert.

Si vous participez à un rassemblement ou à une fête publique, sachez que les pickpockets seront de la partie. A l'aéroport ou aux arrêts de bus, gardez votre sac entre les pieds, en particulier au moment de l'enregistrement.

Enfin, le plus important : ne risquez pas une blessure en résistant à un voleur.

Dans les taxis. Les vols et les agressions dans les taxis – moyen de transport autrefois très sûr – ont atteint des records alarmants. Plutôt que de héler des taxis Coccinelle dans les rues de Mexico ou de prendre les taxis en maraude dans les quartiers touristiques, devant le Palacio de Bellas Artes, les discothèques ou les restaurants, utilisez les taxis des *sitios* (arrêts de taxis) ou appelez un radio-taxi (☎ 271-91-46, 271-90-58, 273-61-25). Ils sont un peu plus chers que les taxis ordinaires (*libre*), mais la sécurité justifie le supplément. Si vous devez héler un taxi dans la rue, les taxis sitio sont identifiables à la lettre "S" qui figure devant leur numéro de licence et à la bande orange qui court au bas de la plaque. Les taxis libre affichent la lettre "L" et une bande verte.

Pour de plus amples informations sur les taxis, reportez-vous à la rubrique *Comment circuler*, plus loin dans ce chapitre.

CENTRO HISTÓRICO

Un bon endroit pour commencer l'exploration de la ville est le lieu où tout a commencé. Centré sur la grande place appelée El Zócalo, le quartier connu sous le nom de Centro Histórico s'étend sur plusieurs pâtés de maisons dans chaque direction.

Le centre historique, qui regorge de sites et de bâtiments des époques aztèque et coloniale, abrite quelques-uns des plus

L'air de Mexico

L'air de Mexico est l'un des pires au monde. L'intense pollution générée par la circulation et l'activité industrielle est aggravée par la présence des montagnes qui entourent le Valle de México et empêchent l'air de se disperser, ainsi que par la rareté de l'oxygène due à l'altitude de la ville.

La pollution culmine pendant les mois les plus frais, notamment de novembre à février. Durant cette période se produit un phénomène d'inversion thermique : l'air chaud qui passe au-dessus du Valle de México empêche l'air frais et pollué de s'élever et de se disperser. Cependant, à tout moment de l'année, la pollution et l'altitude risquent d'entraîner des troubles respiratoires, de la fatigue, des maux de tête, de gorge, des rhinites ou des insomnies. Il est conseillé à toute personne souffrant de sérieux problèmes pulmonaires ou cardiaques de consulter un médecin avant le départ.

Le principal coupable est l'ozone, dont le taux trop élevé provoque des problèmes respiratoires et oculaires et possède un effet corrosif sur le caoutchouc, les peintures et les plastiques. Des recherches récentes ont montré que les émanations de GPL non brûlé, utilisé pour faire la cuisine et se chauffer, jouent un rôle important dans l'augmentation du taux d'ozone. Mais le tout premier facteur est le carburant faible en plomb, introduit en 1986 pour contrer la pollution au plomb. La réaction entre la lumière du soleil et les résidus de combustion de ce carburant produit une quantité considérable d'ozone.

Depuis 1989, les voitures de la ville sont interdites de circulation un jour par semaine en application d'un programme intitulé "Hoy no circula" (Ne circulez pas aujourd'hui). De plus, les voitures fabriquées depuis le début des années 90 sont toutes équipées de pots catalytiques. Toutefois, le taux d'ozone reste élevé. "Hoy no circula" a involontairement encouragé les conducteurs à acheter ou louer une autre voiture afin de contourner l'interdiction hebdomadaire. Aujourd'hui, la ville compte environ 4 millions de voitures – chiffre qui a doublé depuis 1980.

.../...

beaux trésors d'art et d'architecture que compte la ville, ainsi que plusieurs musées passionnants. Les rues bruissent de l'animation typique de la vie moderne. Le dimanche en particulier est un bon jour pour explorer le cœur historique de la ville. La circulation et la foule sont moins denses, l'atmosphère plus détendue et l'accès aux musées est gratuit.

Il y a quelques années encore, le Centro Histórico était plus ou moins laissé à l'abandon. Depuis, des efforts ont été entrepris pour lui redonner un lustre reflétant la fierté de la nation. Certaines rues sont devenues piétonnes, de nouveaux musées attrayants ont ouvert leurs portes et un nombre croissant de petits restaurants, de bars et de boutiques à la mode ont fait leur apparition. Les autorités municipales ont livré une longue bataille contre les vendeurs de rue. Les tentatives faites pour les chasser du quartier, afin de libérer les trottoirs et de contenter les boutiquiers, ont suscité protestations et émeutes et n'ont abouti que temporairement. En 1997, la ville a présenté un nouveau plan, qui consiste à déplacer certains vendeurs de rue dans des marchés publics ou des centres commerciaux et à faire payer aux autres une taxe de 2 $US par jour pour bénéficier d'un emplacement sur le trottoir. Cette "patente" correspond parfois à la moitié des gains d'un vendeur.

El Zócalo

Le cœur de Mexico, la Plaza de la Constitución, est plus communément appelé El Zócalo (métro Zócalo).

Le terme aztèque de *zócalo* – plinthe ou piétement de pierre – fut adopté en 1843 lors de l'érection d'un immense monument à l'Indépendance, qui ne dépassa jamais la hauteur de son socle. Celui-ci a depuis longtemps disparu, mais le nom est resté et fut adopté par maintes villes pour désigner leur place principale.

Un taux d'ozone respectant les limites fixées par l'Organisation mondiale de la Santé n'a été enregistré que sur 30 jours dans l'année, de 1993 à 1996. Les plus fortes concentrations sont relevées aux alentours de 12h par temps ensoleillé.

The News publie chaque jour un bulletin sur la pollution atmosphérique et sur la météo. Le degré de contamination de l'air est mesuré par l'Índice Metropolitana de Calidad de Aire (IMECA, Indice métropolitain de la qualité de l'air). Cinq facteurs polluants sont pris en compte : l'ozone, l'anhydride sulfureux, le dioxyde d'azote, le monoxyde de carbone et les particules en suspension. Les relevés inférieurs à 100 sont classés "satisfaisants", de 101 à 200, "non satisfaisants", de 201 à 300, "mauvais", et au-dessus de 300, "très mauvais". Quand le taux d'ozone est supérieur à 250 – ce qui arrive plusieurs fois par an – la phase 1 du plan d'urgence est déclenchée ; cela se traduit par l'interruption des activités de plein air dans les écoles, une réduction de 30% de l'activité dans plus de 200 grandes industries et par l'application du "Doble Hoy No Circula", qui interdit la circulation de 40% des voitures. Des taux supérieurs entraînent le déclenchement des phases 2 et 3 du plan. La phase 3, rarement décrétée, suspend toute activité industrielle et n'autorise que la circulation des véhicules d'urgence.

Les solutions les plus originales ont été suggérées pour lutter contre la pollution, telles que l'utilisation de flottes d'hélicoptères pour repousser le smog, la percée d'une brêche à l'explosif dans la chaîne montagneuse qui encercle la ville, ou encore l'installation de ventilateurs géants. Plus réaliste, peut-être, est l'idée d'ioniser l'air pour créer des vents qui disperseraient la pollution. Cette proposition est actuellement testée à l'aéroport de Tuxtla Gutiérrez, dans le Chiapas. Cinq antennes de 25 kilowatts transformeraient l'ozone, la vapeur d'eau et d'autres molécules de l'air de Mexico en atomes positifs d'hydrogène et en particules négatives d'oxygène. A elles cinq, c'est en tout cas ce qu'on espère, elles permettraient de créer des vents puissants qui emporteraient les polluants dans les couches supérieures de l'atmosphère, les trombes d'eau qui s'ensuivraient contribueraient à nettoyer l'air. ■

Le centre de la ville aztèque de Tenochtitlán, l'enceinte des cérémonies appelée le Teocalli, se trouve immédiatement au nord-nord-est du Zócalo. Les danseurs *concheros*, parés de coiffes de plumes et de bracelets de coquillages (*concha*) aux poignets et aux chevilles, rappellent cet héritage en se réunissant chaque jour sur la place pour exécuter un numéro au rythme de tambours assourdissants.

Le Zócalo fut pavé dans les années 1520 par Cortés, à l'aide de pierres provenant des ruines du Teocalli et d'autres monuments aztèques. Jusqu'au début du XXe siècle, la plaza ressemblait davantage à un labyrinthe d'échoppes qu'à une place ouverte. Avec ses 240 m de côté, elle reste l'une des plus grandes places du monde.

Le Zócalo abrite les sièges du pouvoir avec, à l'est, le Palacio Nacional, au nord, la Catedral Metropolitana et, au sud, le Departamento del Distrito Federal (département d'État qui gère le District). C'est sur cette place que les contestataires politiques font valoir leur point de vue et elle est souvent parsemée de campements de fortune, installés par des grévistes ou des militants pour le respect des droits des indigènes.

Chaque jour, l'impressionnant drapeau mexicain qui flotte au centre du Zócalo est solennellement abaissé à 18h par l'armée mexicaine, avant d'être emporté à l'intérieur du Palacio Nacional.

Palacio Nacional

Le Palais national, qui occupe tout le côté est du Zócalo, abrite les bureaux du président du Mexique, le Trésor fédéral et les remarquables fresques de Diego Rivera. Apportez votre passeport ou une pièce d'identité avec photo si vous désirez voir les fresques à l'intérieur du palais.

Le premier palais érigé à cet endroit fut construit en tezontle par l'empereur aztèque Moctezuma II au début du XVIe siècle. Cortés le détruisit en 1521 puis le reconstruisit, agrémenté d'une grande cour afin d'offrir à ses invités les premières corridas organisées en la Nueva España. Le palais resta dans la famille Cortés jusqu'à ce que le roi d'Espagne en fasse l'acquisition en 1562 pour y loger les vice-rois de Nueva España. Détruit pendant les émeutes de 1692, il fut reconstruit, toujours en tezontle, et conserva sa fonction de résidence des vice-rois jusqu'à l'indépendance du Mexique.

En faisant face au palais, on distingue trois portails. Celui de droite (au sud), gardé, est réservé au président du Mexique et autres personnalités. Au-dessus de la porte centrale, la **Campana de Dolores** (la cloche de Dolores) est celle que le Padre Miguel Hidalgo fit sonner dans la ville de Dolores Hidalgo, en 1810, pour donner le signal de la guerre d'Indépendance. Elle fut ensuite transportée à Mexico pour y occuper la place d'honneur.

Les **fresques de Diego Rivera** constituent la principale attraction du palais. Peintes entre 1929 et 1935, elles résument l'histoire de la civilisation mexicaine, de l'arrivée de Quetzalcóatl – le dieu-serpent à plumes que Cortés personnifiait aux yeux des Aztèques – à la Révolution de 1910. Vous pourrez acheter des guides détaillés des fresques au pied des escaliers, juste après l'entrée. Les fresques sont visibles tous les jours de 9h à 17h (accès gratuit).

Catedral Metropolitana

Sise au nord du Zócalo, la cathédrale métropolitaine fut édifiée entre 1573 et 1813. Bien que défigurée ces dernières années par des échafaudages, à la faveur de travaux visant à empêcher son enfoncement dans le sol, elle n'en demeure pas moins impressionnante. L'extraction de l'eau du sous-sol (qui représente 70 % de l'eau utilisée par la ville) est considérée comme la cause principale de son affaissement.

A l'époque aztèque, le principal *tzompantli* (sorte de casier où étaient entreposés les crânes des victimes sacrifiées) du Teocalli s'élevait sur le site de la cathédrale. Cortés y découvrit plus de 136 000 crânes.

L'extérieur. Avec sa basilique à trois nefs surmontées de voûtes posées sur des arches semi-circulaires, l'édifice cherchait à imiter

ROBERT FRERCK/ODESSEY

ROBERT FRERCK/ODESSEY

LEE FOSTER

MEXICO

En haut : paysage urbain contemporain

En bas à gauche : "El Ángel", Monumento a la Independencia, Paseo de la Reforma

En bas à droite : Catedral Metropolitana sur le Zócalo

RICK GERHARTER

RICK GERHARTER

MEXICO
En haut : danseur aztèque sur le Zócalo
En bas à gauche : mère et son enfant lors d'une procession en l'honneur de la Vierge de Guadalup
En bas à droite : Casa de Cortés, Coyoacán

Page en face
En haut à gauche : Sagrario Metropolitano
En haut à droite : marché improvisé sur des marche
En bas : quelques accords pendant la pause

RICHARD NEBESKY

RICK GERHARTER

RICK GERHARTER

F STOPPELMAN

RICK GERHARTER

RICHARD NEBESKY

En haut à gauche : exercice d'équilibriste en livrant les journaux, Mexico
En haut à droite : jeune clown de rue entre deux représentations
En bas : vue aérienne sur le Zócalo, Mexico

les cathédrales de Tolède et de Grenade. Certaines parties furent remaniées ou démolies au fil des ans et la cathédrale apparaît aujourd'hui comme un résumé de tous les styles architecturaux de la colonie mexicaine.

Les grands portails de style baroque, côté sud, furent construits au XVIIe siècle et comportent deux niveaux de colonnes et de bas-reliefs en marbre. Le panneau central montre l'Assomption de la Vierge, à laquelle la cathédrale est consacrée. Côté nord, en face de Tacuba, les hautes portes doubles de pur style Renaissance datent de 1615.

La partie supérieure des tours, aux sommets en forme de cloche, fut ajoutée à la fin du XVIIIe siècle. L'extérieur de la cathédrale ne fut achevé qu'en 1813, lorsque l'architecte et sculpteur Manuel Tolsá réalisa la tour de l'horloge, surmontée des statues de la Foi, de l'Espérance et de la Charité, et un grand dôme central pour conférer à l'ensemble unité et équilibre.

L'intérieur. La majeure partie de l'intérieur est une forêt d'échafaudages. Le fil à plomb suspendu sous le dôme, juste au-dessus de la nef centrale, démontré l'affaissement de l'édifice.

L'œuvre maîtresse est incontestablement l'Altar de los Reyes (autel des Trois Rois, XVIIIe siècle), sis derrière le maître-autel, un exercice de virtuosité et un magnifique exemple du style churrigueresque. Les deux nefs latérales sont bordées de 14 chapelles richement décorées. Au sud-ouest, la Capilla de los Santos Ángeles y Archángeles est un exemple exquis de sculpture et de peinture baroques, avec son énorme maître-autel et trois autels plus petits, décorés par le peintre du XVIIIe siècle, Juan Correa. Quatre tableaux ovales de la main d'un autre artiste mexicain majeur de la même époque, Miguel Cabrera, orne les entrées latérales de la cathédrale.

La plupart des autres œuvres furent endommagées ou détruites par un incendie en 1967. Les stalles du chœur, au bois minutieusement sculpté par l'artiste du XVIIe siècle, Juan de Rojas, et le grand autel doré du Pardon (Altar de Perdón) ont été restaurés. Les travaux se poursuivent actuellement.

Sagrario Metropolitano. Jouxtant la cathédrale, à l'est, la sacristie du XVIIIe siècle, fut construite pour recevoir les archives et les vêtements sacerdotaux de l'archevêque. L'extérieur est un magnifique exemple du style churrigueresque, très décoré. La sacristie est fermée aux visiteurs.

Templo Mayor

Le Teocalli des Aztèques de Tenochtitlán, détruit par les Espagnols dans les années 1520, se dressait sur le site de la cathédrale et des maisons situées au nord et à l'est. La décision de la mise au jour du Templo Mayor du Teocalli, qui entraînait inéluctablement la destruction de plusieurs édifices coloniaux, ne fut prise qu'en 1978, lors de la découverte, par des ouvriers municipaux, d'une pierre votive de 8 tonnes, représentant la déesse aztèque Coyolxauhqui (Celle qui a des grelots peints sur le visage). Le temple aurait été bâti à l'emplacement exact où les Aztèques virent un aigle perché sur un cactus, un serpent dans le bec – symbole du Mexique jusqu'à ce jour. Pour les Aztèques, ce site constituait le centre de l'univers.

L'entrée du temple est située à l'est de la cathédrale, dans la rue piétonne Calle Seminario. Le temple (☎ 542-06-06) est ouvert du mardi au dimanche de 9h à 17h (entrée : 2,25 $US, gratuite le dimanche).

Un chemin surélevé autour du site permet de se faire une idée des multiples étapes d'édification du temple. Toutes les explications sont fournies en espagnol. Comme maints autres édifices sacrés de Tenochtitlán, le temple, construit en 1375, fut agrandi à plusieurs reprises, chaque nouvelle construction s'accompagnant du sacrifice de prisonniers. En 1487, ces rituels furent accomplis à un rythme effréné, comme le relatent Michael Meyer et William Sherman dans leur ouvrage, *The Course of Mexican History* :

Lors d'une cérémonie qui dura quatre jours, les victimes (des soldats faits prisonniers au cours de diverses campagnes) furent rangées en quatre colonnes, qui s'étendaient chacune sur 5 km. 20 000 cœurs humains furent ainsi arrachés pour honorer la divinité... C'est l'épuisement qui contraignit, finalement, les prêtres à arrêter les sacrifices.

Il reste peu de traces de la dernière étape d'édification du temple, datant de 1502 environ et qui fut celle que découvrirent les conquistadores espagnols. Une copie de la pierre de Coyolxauhqui est exposée à l'ouest du site. Au centre, se tient une plate-forme datant de 1400 environ. A la moitié sud de cette même plate-forme, se dresse une pierre sacrificielle devant un sanctuaire dédié à Huizilopochtli, le dieu tribal aztèque. Sur la moitié nord, une statue *chac-mool* fait face au temple consacré au dieu de la pluie, Tláloc. Lors de l'arrivée des Espagnols, une double pyramide, haute de 40 m, s'élevait sur ce même emplacement ; d'étroits escaliers jumeaux menaient aux sanctuaires des dieux.

Sur ce même site, vous pourrez admirer une réplique de pierre d'un tzompantli, datant de la fin du XVe siècle, aux 240 crânes sculptés, et le Recinto de los Guerreros Águila (sanctuaire des guerriers-aigles, corps d'élite de l'armée aztèque), du milieu du XVe siècle, décorés de bas-reliefs colorés, représentant des défilés militaires.

Museo del Templo Mayor. L'excellent musée, implanté dans l'enceinte du site du Templo Mayor, présente des objets découverts sur place et donne un bon aperçu (en espagnol) de la civilisation aztèque. La pièce maîtresse en est la grande pierre votive circulaire de Coyolxauhqui. La déesse est montrée décapitée par son frère, Huitzilopochtli, qui la massacra en même temps que ses frères. Parmi les autres pièces remarquables figurent des guerriers-aigles en terre cuite grandeur nature (l'entrée au Templo Mayor inclut l'accès au musée).

Voici un plan sommaire des salles d'exposition :

Sala 1, Antecedentes – les premiers jours de Tenochtitlán
Sala 2, Guerra y Sacrificio – croyances, pratiques guerrières et sacrifices humains des Aztèques
Sala 3, Tributo y Comercio – gouvernement et commerce
Sala 4, Huitzilopochtli – dieu du Templo Mayor, affamé de sacrifices
Sala 5, Tláloc – dieu de l'eau et de la fertilité
Sala 6, Fauna – animaux des Aztèques et de leur empire
sala 7, Agricultura – le système chinampa et ses productions
Sala 8, Arqueología Histórica – découvertes postérieures à la conquête

Calle Moneda

Lorsque vous descendez Seminario pour rejoindre le Zócalo, la première rue sur la gauche est la Calle Moneda. Nombre des édifices qui bordent cette artère sont construits en tezontle.

Le **Museo Nacional de las Culturas** (musée national des Cultures, ☎ 512-74-52) Moneda 13, est installé dans un joli bâtiment avec cour datant de 1567, qui servait alors d'hôtel des monnaies. Il possède de belles collections d'œuvres artistiques, de costumes et d'objets artisanaux provenant de diverses régions du monde. Il est ouvert du mardi au dimanche de 10h à 17h (entrée gratuite).

A un pâté de maisons à l'est du Museo Nacional de las Culturas, Calle Academia 13, un ancien couvent abrite le très beau **Museo José Luis Cuevas** (☎ 542-61-98), fondé par ce grand artiste moderne mexicain. Ses œuvres, des gravures de Picasso, des dessins de Rembrandt et d'autres artistes contemporains y sont exposées.

Le musée est ouvert du mardi au dimanche de 10h à 17h45 (entrée : 0,70 $US, gratuite le dimanche).

Nacional Monte de Piedad

A l'ouest de la cathédrale, à l'angle de Cinco de Mayo, le bureau national de prêt sur gage mérite une visite. Fondé en 1775, il demeure l'un des plus importants "magasins d'occasion" du monde. Installé dans une immense bâtisse sombre, il est ouvert du lundi au vendredi de 8h30 à 18h et le samedi de 8h30 à 15h.

Plaza Santo Domingo

La Plaza Santo Domingo, située à deux pâtés de maisons au nord de la cathédrale, à l'angle de Brasil et Cuba, présente un aspect plus négligé que le Zócalo. Des scribes des temps modernes, munis de machines à écrire et d'antiques presses, vaquent à leurs occupations sous le **Portal de Evangelistas**, du côté ouest.

Au nord de la place, s'élève l'**Iglesia de Santo Domingo**, bâtie en 1736. C'est un magnifique exemple d'architecture baroque, orné sur le côté oriental de statues de saint Dominique et de saint François. Les bras des deux saints sont symboliquement entrelacés, prouvant que leur vie était orientée vers le même but. La façade sud est également superbe avec ses statues, notamment celles de saint François et de saint Augustin, et ses 12 colonnes autour de l'entrée principale. En haut de la partie centrale se distingue un bas-relief de l'Assomption de la Vierge.

Fresques

Le **Secretaría de Educación Pública** est situé dans Argentina, à trois pâtés de maisons et demi du Zócalo. Abritant des bureaux du gouvernement, il ouvre du lundi au vendredi, de 9h à 15h. L'entrée est libre, mais il arrive que les gardiens demandent une pièce d'identité à l'entrée. Dans les deux cours intérieures, vous pourrez admirer les 235 panneaux muraux réalisés par Diego Rivera dans les années 20.

En revenant sur un pâté de maisons vers le Zócalo, puis à quelques pas à l'est jusqu'à Justo Sierra 16, vous trouverez le **Museo de San Ildefonso** (☎ 702-28-34, 702-32-54), ouvert tous les jours, sauf le lundi, de 11h à 17h30 (entrée : 2,25 $US, gratuite le mardi). Autrefois collège jésuite de San Ildefonso, il se transforma en Escuela Nacional Preparatoria, une école prestigieuse, sous Benito Juárez. En 1874, Juan Cordero, le premier muraliste moderne du Mexique, orna l'escalier d'honneur d'une peinture exaltant la science et l'industrie, moteurs du progrès mexicain. Entre 1923 et 1933, Rivera, Orozco, Siqueiros et plusieurs autres artistes furent sollicités pour compléter l'ornement des murs. Orozco, s'inspirant de la toute jeune Révolution, réalisa la plupart des œuvres de la cour principale et de l'escalier d'honneur. Les fresques de Siqueiros se trouvent dans un petit patio. L'amphithéâtre, enfin, renferme une gigantesque fresque de Rivera représentant la Création.

Museo Nacional de Arte

A quelques pâtés de maisons à l'ouest du Zócalo, le musée national d'Art (☎ 512-32-24), Tacuba 8 (métro Bellas Artes), contient uniquement des œuvres mexicaines. Vous le reconnaîtrez à la statue équestre en bronze du roi espagnol Carlos IV (1788-1808), réalisée par le sculpteur mexicain Manuel Tolsá. *El Caballito* (Le petit cheval), se trouvait auparavant au Zócalo mais fut déplacé en 1852. Le musée qui, à l'origine, abritait le ministère des Communications, fut construit au début du XXe siècle suivant le modèle des palais italiens de style Renaissance. Un grand escalier de marbre devance l'entrée. Les collections du musée présentent tous les styles et écoles de l'art mexicain.

Les œuvres de José María Velasco retraçant la vie à Mexico et à la campagne à la fin du XIXe et au début du XXe siècle comptent parmi les plus intéressantes. L'un de ses paysages montre la ville de Mexico encore entourée de lacs à la fin du XIXe siècle. A l'étage, les collections comprennent des peintures religieuses du XVIIe siècle d'Antonio Rodríguez, Juan Correa et José de Ibarra, des sculptures des XVIIIe et XIXe siècles, des portraits réalisés par Antonio Poblano, des croquis et esquisses de silhouettes squelettiques balayant les rues et des peintures anonymes sur des thèmes sociaux et politiques. Le musée est ouvert du mardi au dimanche de 10h à 17h30 (entrée : 1,30 $US).

Colegio de Minería

En face du musée, le collège des Mines, Tacuba 5, est un magnifique édifice néoclassique, dessiné par l'architecte Manuel Tolsá et réalisé entre 1797 et 1813. Quatre météorites, découvertes au Mexique, sont exposées à l'entrée.

Casa de Azulejos

A un pâté de maisons au sud du Museo Nacional de Arte, entre l'Avenida Cinco de Mayo et l'Avenida Madero, se dresse l'un des joyaux de la ville. Cette maison des Azulejos date de 1596 et fut construite pour les comtes de la vallée d'Orizaba. Bien que de style maure, avec des motifs géométriques espagnols et nord-africains, les superbes carreaux de faïence (rajoutés dans les années 1700) furent, en réalité, fabriqués en Chine et envoyés jusqu'au Mexique par *naos* (bateaux à voile espagnols utilisés jusqu'au début du XIXe siècle).

L'édifice, aujourd'hui occupé par un magasin Sanborn's, est un endroit idéal pour acheter un journal ou prendre un rafraîchissement. Le restaurant principal (voir la rubrique *Où se restaurer*) est installé dans une spacieuse cour intérieure dotée d'une fontaine mauresque. En 1925, Orozco a peint une fresque sur le mur du grand escalier nord.

Torre Latinoamericana

L'incontournable Tour latino-américaine, gratte-ciel des années 50, à l'angle de l'Avenida Madero et de Juan Ruiz de Alarcón (Eje Central Lázaro Cárdenas), possède une terrasse d'observation et un café au 43e et au 44e étages. Elle ouvre tous les jours de 9h30 à 23h (3 $US). La vue est spectaculaire, suivant le degré de pollution. Les tickets sont vendus à l'entrée de la tour, côté Alarcón.

Palacio de Iturbide

A un pâté de maisons à l'est de la Casa de Azulejos, Avenida Madero 17, s'élève la magnifique façade baroque du Palais Iturbide. Édifié entre 1779 et 1785 par Francisco Guerrero y Torres pour une noble famille coloniale, il fut saisi en 1821 par le général Agustín Iturbide. Auteur du plan d'Iguala et héros de la lutte mexicaine pour l'indépendance, le général répondit favorablement à une foule qui se rassembla devant son palais en 1822 (probablement à son instigation), lui demandant de devenir empereur. L'empereur auto proclamé, Agustín 1er, régna moins d'un an. Après la proclamation, par le général Santa Anna, de la naissance de la République mexicaine, Iturbide abdiqua en 1823.

Le palais fut restauré en 1972 et abrite maintenant les bureaux du Fomento Cultural Banamex, le département de promotion culturelle de la banque, qui présente des expositions artistiques dans sa jolie cour (entrée gratuite).

Museo Serfin

A un pâté de maisons plus à l'est, Avenida Madero 33, se trouve le Museo Serfin (☎ 625-56-00), où l'on peut voir une belle collection de costumes indiens traditionnels. Il est ouvert tous les jours, sauf le lundi, de 10h à 17h (entrée libre).

AUTOUR DE L'ALAMEDA CENTRAL

A un peu moins d'1 km à l'ouest du Zócalo s'étend l'Alameda Central, le plus joli parc de Mexico, autour duquel sont distribués certains des plus beaux musées et bâtiments de la ville.

Les stations de métro Bellas Artes et Hidalgo sont respectivement situées aux carrefours nord-est et nord-ouest de l'Alameda. Depuis le Zócalo, vous pouvez gagner l'Alameda à pied ou en empruntant un *pesero* (*colectivo* ou minibus) "M (etro) Chapultepec" sur l'Avenida Cinco de Mayo, à Isabel la Católica en direction de l'ouest.

Alameda Central

Aujourd'hui parc agréable et verdoyant, l'Alameda fut autrefois un marché aztèque. Au début de l'ère coloniale, l'Inquisition y brûlait ou pendait les hérétiques. En 1592,

CARTES DE MEXICO

CARTE 1 Mexico

CARTE 2 Le plan du métro

CARTE 3 Le Centro Histórico et l'Alameda Central
Légendes de la carte 3, page 140

CARTE 4 La Plaza de la República et la Zona Rosa
Légendes de la carte 4, page 141

CARTE 5 Condesa, le Bosque de Chapultepec et Polanco

CARTE 6 San Ángel

CARTE 7 Coyoacán

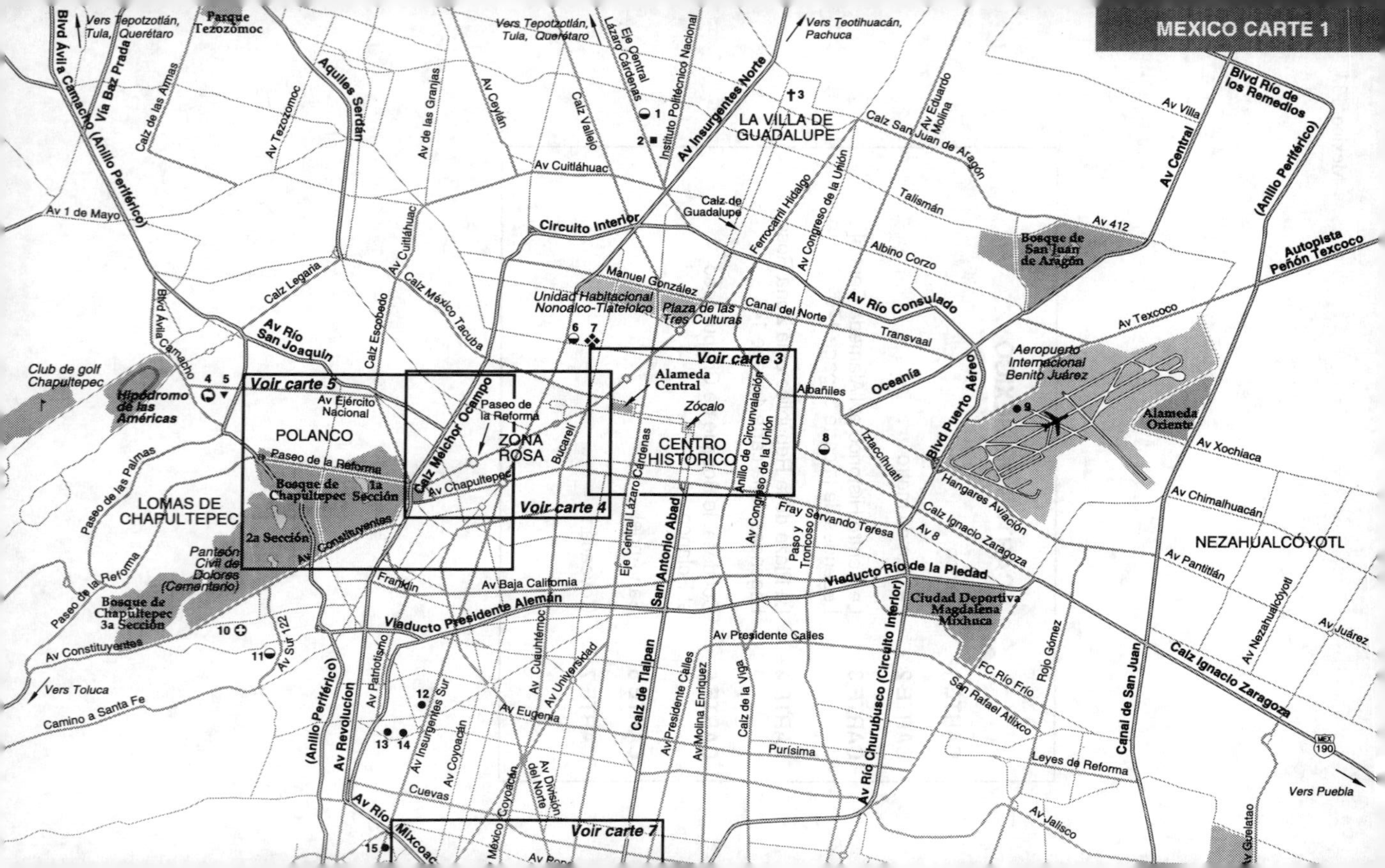

Vers Tepotzotlán, Tula, Querétaro
Parque Tezozómoc
Vers Tepotzotlán, Tula, Querétaro
Eje Central Lázaro Cárdenas
Instituto Politécnico Nacional
Vers Teotihuacán, Pachuca
Blvd Ávila Camacho (Anillo Periférico)
Vía Baz Prada
Calz de las Armas
Av Tezozomoc
Aquiles Serdán
Av de las Granjas
Av Ceylán
Calz Vallejo
Av Insurgentes Norte
LA VILLA DE GUADALUPE
Av Eduardo Molina
Calz San Juan de Aragón
Av Villa
Blvd Río de los Remedios
Av Central
(Anillo Periférico)
Av Cuitláhuac
Av 1 de Mayo
Circuito Interior
Calz de Guadalupe
Ferrocarril Hidalgo
Av Congreso de la Unión
Talismán
Av 412
Bosque de San Juan de Aragón
Albino Corzo
Autopista Peñón Texcoco
Calz Legaria
Av Cuitláhuac
Calz México Tacuba
Manuel González
Unidad Habitacional Nonoalco-Tlatelolco
Plaza de las Tres Culturas
Canal del Norte
Av Río Consulado
Av Texcoco
Blvd Ávila Camacho
Calz Escobedo
Av Río San Joaquín
Transvaal
Club de golf Chapultepec
Hipódromo de las Américas
Voir carte 5
Av Ejército Nacional
Calz Melchor Ocampo
Paseo de la Reforma
Voir carte 3
Alameda Central
Zócalo
Albañiles
Oceanía
Aeropuerto Internacional Benito Juárez
Blvd Puerto Aéreo
Alameda Oriente
POLANCO
ZONA ROSA
Bucareli
CENTRO HISTÓRICO
Anillo de Circunvalación
Av Congreso de la Unión
Iztaccíhuatl
Av Xochiaca
Paseo de las Palmas
Paseo de la Reforma
Bosque de Chapultepec 1a Sección
Av Chapultepec
LOMAS DE CHAPULTEPEC
Voir carte 4
Eje Central Lázaro Cárdenas
Fray Servando Teresa
Paso y Troncoso
Hangares Aviación
Av Chimalhuacán
2a Sección
Av Constituyentes
Av 8
Calz Ignacio Zaragoza
NEZAHUALCÓYOTL
Panteón Civil de Dolores (Cementerio)
San Antonio Abad
Av Pantitlán
Paseo de la Reforma
Franklin
Av Baja California
Viaducto Río de la Piedad
Ciudad Deportiva Magdalena Mixhuca
Av Nezahualcóyotl
Bosque de Chapultepec 3a Sección
Viaducto Presidente Alemán
Av Juárez
Av Sur 122
Av Presidente Calles
Av Constituyentes
Av Cuauhtémoc
Rojo Gómez
Canal de San Juan
Calz Ignacio Zaragoza
Vers Toluca
Av Patriotismo
Av Universidad
Av Río Churubusco (Circuito Interior)
FC Río Frío
Av Insurgentes Sur
Calz de Tlalpan
Av Presidente Calles
Av Molina Enríquez
Calz de la Viga
San Rafael Atlixco
Camino a Santa Fe
(Anillo Periférico)
Av Revolución
Av Eugenia
Av Coyoacán
Purísima
Leyes de Reforma
MEX 190
Cuevas
México Coyoacán
Av División del Norte
Vers Puebla
Av Río Mixcoac
Voir carte 7
Av Jalisco
Av Guelatao
1 2 3 4 5 6 7 8 9 10 11 12 13 14 15

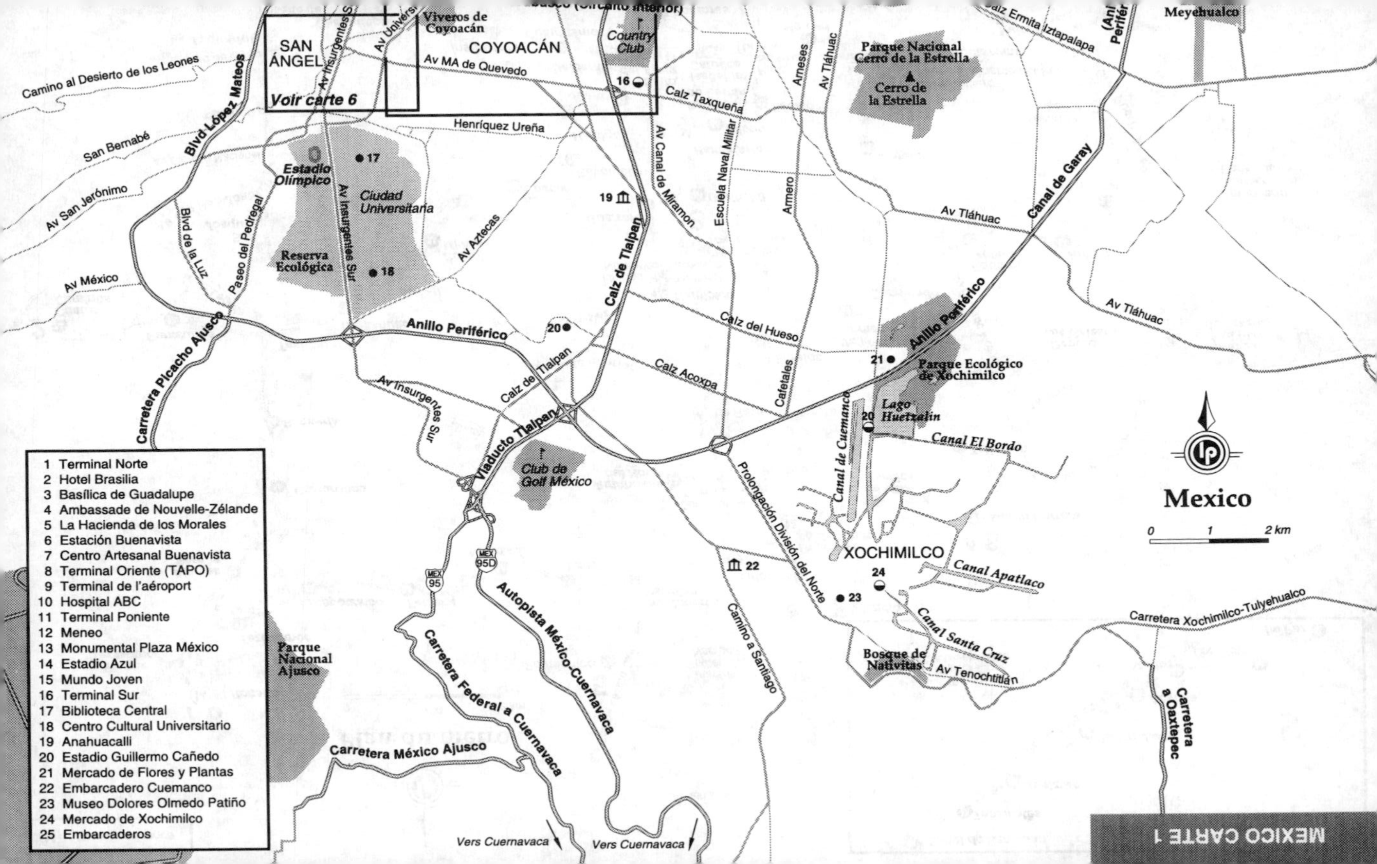

MEXICO CARTE 1
Mexico
0
1
2 km
SAN ÁNGEL
Voir carte 6
COYOACÁN
Viveros de Coyoacán
Country Club
Av MA de Quevedo
Calz Taxqueña
Henríquez Ureña
Camino al Desierto de los Leones
Blvd López Mateos
San Bernabé
Av San Jerónimo
Av México
Blvd de la Luz
Paseo del Pedregal
Estadio Olímpico
Ciudad Universitaria
Reserva Ecológica
Av Insurgentes Sur
Av Aztecas
Anillo Periférico
Carretera Picacho Ajusco
Calz de Tlalpan
Viaducto Tlalpan
Club de Golf México
Av Canal de Miramon
Escuela Naval Militar
Armero
Armeses
Av Tláhuac
Calz del Hueso
Calz Acoxpa
Cafetales
Prolongación División del Norte
Camino a Santiago
Parque Nacional Cerro de la Estrella
Cerro de la Estrella
Calz Ermita Iztapalapa
Meyehualco
Canal de Garay
Parque Ecológico de Xochimilco
Lago Huetzalin
Canal El Bordo
Canal de Cuemanco
XOCHIMILCO
Canal Apatlaco
Canal Santa Cruz
Bosque de Nativitas
Av Tenochtitlan
Carretera Xochimilco-Tulyehualco
Carretera a Oaxtepec
Autopista México-Cuernavaca
Carretera Federal a Cuernavaca
Carretera México Ajusco
Parque Nacional Ajusco
MEX 95
MEX 95D
Vers Cuernavaca
Vers Cuernavaca
1 Terminal Norte
2 Hotel Brasilia
3 Basílica de Guadalupe
4 Ambassade de Nouvelle-Zélande
5 La Hacienda de los Morales
6 Estación Buenavista
7 Centro Artesanal Buenavista
8 Terminal Oriente (TAPO)
9 Terminal de l'aéroport
10 Hospital ABC
11 Terminal Poniente
12 Meneo
13 Monumental Plaza México
14 Estadio Azul
15 Mundo Joven
16 Terminal Sur
17 Biblioteca Central
18 Centro Cultural Universitario
19 Anahuacalli
20 Estadio Guillermo Cañedo
21 Mercado de Flores y Plantas
22 Embarcadero Cuemanco
23 Museo Dolores Olmedo Patiño
24 Mercado de Xochimilco
25 Embarcaderos

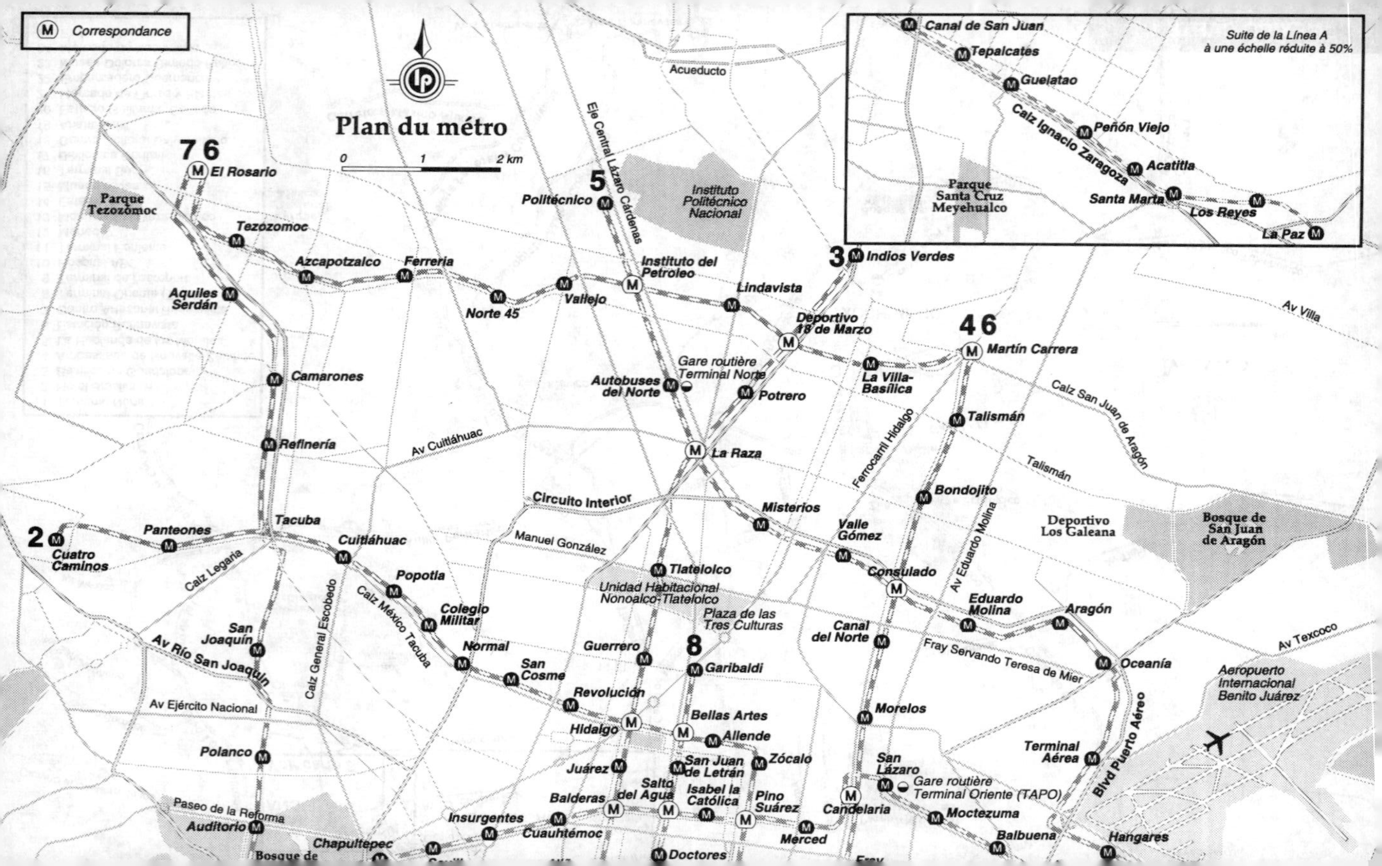

Correspondance
Plan du métro
0
1
2 km
Suite de la Línea A
à une échelle réduite à 50%
Canal de San Juan
Tepalcates
Guelatao
Calz Ignacio Zaragoza
Peñón Viejo
Acatitla
Santa Marta
Los Reyes
La Paz
Parque
Santa Cruz
Meyehualco
7 6
El Rosario
Parque
Tezozómoc
Tezozomoc
Azcapotzalco
Ferreria
Aquiles
Serdán
Norte 45
Vallejo
Acueducto
Eje Central Lázaro Cárdenas
5
Politécnico
Instituto
Politécnico
Nacional
Instituto del
Petroleo
Lindavista
3
Indios Verdes
Deportivo
18 de Marzo
Av Villa
4 6
Martín Carrera
La Villa-
Basílica
Gare routière
Terminal Norte
Autobuses
del Norte
Potrero
Camarones
Refinería
Av Cuitláhuac
La Raza
Talismán
Calz San Juan de Aragón
Ferrocarril Hidalgo
Talismán
Bondojito
Circuito Interior
Misterios
Valle
Gómez
Deportivo
Los Galeana
Bosque de
San Juan
de Aragón
2
Cuatro
Caminos
Panteones
Tacuba
Cuitláhuac
Manuel González
Calz Legaria
Popotla
Calz General Escobedo
Calz México Tacuba
Colegio
Militar
Tlatelolco
Unidad Habitacional
Nonoalco-Tlatelolco
Consulado
Av Eduardo Molina
Eduardo
Molina
Aragón
Plaza de las
Tres Culturas
Canal
del Norte
San
Joaquín
Av Río San Joaquín
Normal
Guerrero
8
Garibaldi
Fray Servando Teresa de Mier
Oceanía
Av Texcoco
Aeropuerto
Internacional
Benito Juárez
San
Cosme
Revolución
Av Ejército Nacional
Bellas Artes
Morelos
Hidalgo
Allende
Polanco
Terminal
Aérea
Blvd Puerto Aéreo
Juárez
San Juan
de Letrán
Zócalo
San
Lázaro
Gare routière
Terminal Oriente (TAPO)
Salto
del Agua
Balderas
Isabel la
Católica
Pino
Suárez
Candelaria
Paseo de la Reforma
Auditorio
Insurgentes
Moctezuma
Cuauhtémoc
Chapultepec
Merced
Balbuena
Hangares
Bosque de
Doctores

Juanacatlán
Obrera
Abad
Pantitlán
Constituyentes
Panteón Civil de Dolores (Cementerio)
Hospital General
Chabacano
Jamaica
Mixhuca
Velódromo
Ciudad Deportiva
Zaragoza
Agrícola Oriental
Bosque de Chapultepec
9
Patriotismo
La Viga
Santa Anita
Viaducto Río de la Piedad
Ciudad Deportiva Magdalena Mixhuca
Puebla
Tacubaya
Chilpancingo
Centro Médico
Lázaro Cárdenas
4
Canal de San Juan
1
Observatorio
Viaducto Presidente Alemán
Viaducto
Coyuya
Gare routière Terminal Poniente
Etiopía
Calz de Tlalpan
Av Río Churubusco (Circuito Interior)
Voir agrandissement ci-dessus pour la suite de la Línea A
San Pedro de los Pinos
Av Cuauhtémoc
Xola
Iztacalco
Eje Central Lázaro Cárdenas
Villa de Cortés
Calz de la Viga
Canal de San Juan
Eugenia
Rojo Gómez
San Antonio
Av Insurgentes Sur
Apatlaco
Anillo Periférico
Av Coyoacán
División del Norte
Nativitas
Leyes de Reforma
Mixcoac
Cuevas
Av División del Norte
Av Presidente Calles
Av Molina Enríquez
Aculco
Av Río Churubusco
Zapata
Portales
Av Río Mixcoac
Av Jalisco
Escuadrón 201
Barranca del Muerto
Coyoacán
Ermita
7
Av Insurgentes Sur
Av Río Churubusco (Circuito Interior)
Calz Ermita Iztapalapa
Iztapalapa
Cerro de la Estrella
Viveros
Av Universidad
Viveros de Coyoacán
General Anaya
Atlalilco
Country Club
Purísima
Av División del Norte
MA de Quevedo
Av MA de Quevedo
8
Parque Nacional Cerro de la Estrella
Constitución de 1917
Tasqueña
2
Gare routière Terminal Sur
Las Torres (Tren Ligero)
Tasqueña (Tren Ligero)
Copilco
Ciudad Jardín (Tren Ligero)
La Virgen (Tren Ligero)
Blvd López Mateos
Ciudad Universitaria
Xotepingo (Tren Ligero)
Av Aztecas
Paseo del Pedregal
Av Insurgentes Sur
Universidad
3
Reserva Ecológica

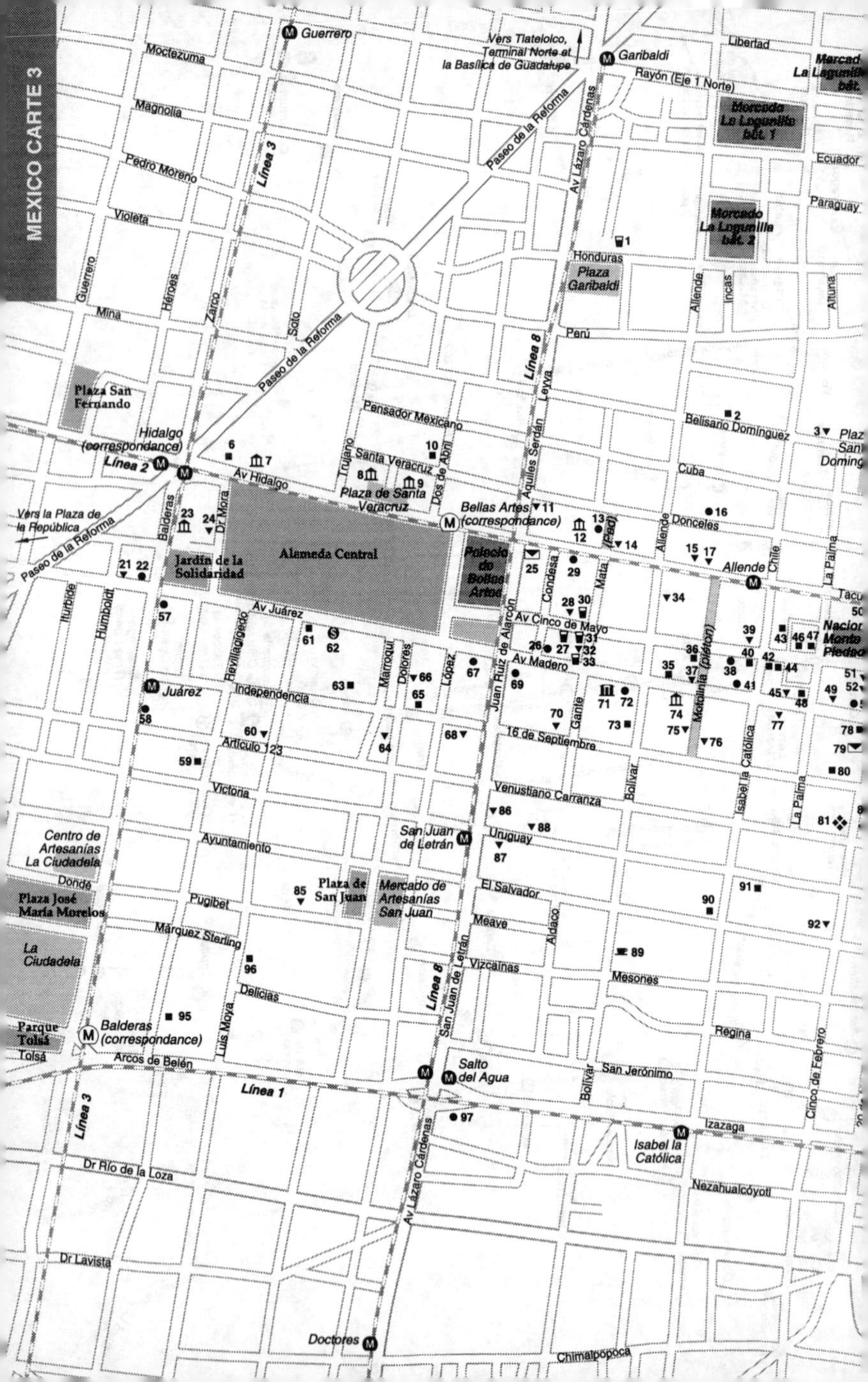
MEXICO CARTE 3
Guerrero
Vers Tlatelolco, Terminal Norte et la Basílica de Guadalupe
Garibaldi
Libertad
Moctezuma
Rayón (Eje 1 Norte)
Magnolia
Pedro Moreno
Violeta
Línea 3
Paseo de la Reforma
Av Lázaro Cárdenas
Ecuador
Paraguay
Honduras
Plaza Garibaldi
Guerrero
Héroes
Zarco
Soto
Mina
Perú
Allende
Incas
Línea 8
Leyva
Plaza San Fernando
Pensador Mexicano
Belisario Domínguez
Hidalgo (correspondance)
Línea 2
Av Hidalgo
Trujano
Santa Veracruz
Plaza de Santa Veracruz
Dos de Abril
Aquiles Serdán
Cuba
Bellas Artes (correspondance)
Donceles
Vers la Plaza de la República
Balderas
Dr Mora
Alameda Central
Jardín de la Solidaridad
Palacio de Bellas Artes
Condesa
Mata
Allende
Chile
La Palma
Iturbide
Humboldt
Revillagigedo
Av Juárez
Av Cinco de Mayo
Juan Ruiz de Alarcón
Av Madero
Marroquí
Dolores
López
Juárez
Independencia
Gante
Motolinía (piéton)
Isabel la Católica
Artículo 123
16 de Septiembre
Bolívar
Victoria
Venustiano Carranza
Centro de Artesanías La Ciudadela
Ayuntamiento
San Juan de Letrán
Uruguay
Donde
Plaza José María Morelos
Pugibet
Plaza de San Juan
Mercado de Artesanías San Juan
El Salvador
Márquez Sterling
Meave
La Ciudadela
Aldaco
Vizcaínas
Mesones
Delicias
Luis Moya
San Juan de Letrán
Parque Tolsá
Tolsá
Balderas (correspondance)
Arcos de Belén
Regina
Cinco de Febrero
Salto del Agua
Línea 1
San Jerónimo
Izazaga
Isabel la Católica
Dr Río de la Loza
Nezahualcóyotl
Dr Lavista
Doctores
Chimalpopoca

MEXICO CARTE 3
Le Centro Histórico
et l'Alameda Central
0
150
300 m
Mercado Tepito
Mercado Tepito
Héroe de Granaditas
Av del Trabajo
Costa Rica
Aztecas
Florida
Nicaragua
Bolivia
Colombia
5
Secretaría de Educación Pública
Venezuela
Argentina
San Ildefonso
20
Justo Sierra
18
19
Templo Mayor
(piéton)
Seminario (piéton)
Catedral Metropolitana
54
(piéton)
Guatemala
56
Loreto
Alcocer
Zócalo
Zócalo
(Plaza de la Constitución)
Palacio Nacional
55
Moneda
Zapata
Vers TAPO
Soledad
Correo Mayor
Academia
(piéton)
Suprema Corte de Justicia
Corregidora
84
93
Médico Militar
Las Cruces
Jesús María
Talavera
Roldán
Santo Tomás
Manzanares
Anillo de Circunvalación (Eje 1 Oriente)
Rosario
Candelaria (correspondance)
Av. Congreso de la Unión (Eje 2 Oriente)
Línea 4
Santa Escuela
Candelaria
94
General Anaya
Cabaña
Candelaria (correspondance)
Línea 2
Pino Suárez
Mercado La Merced
Deportivo Venustiano Carranza
Pino Suárez
Línea 1
San Pablo
Merced
Olvera
Carretones
San Ciprián
Gurrión
Jardín Periodistas Ilustres
Fray Servando Teresa de Mier (Eje 1 Sur)
Cuamatzin
98

CARTE 3 Centro Historico et Alameda Central

OÙ SE LOGER

2 Hotel Antillas
6 Hotel de Cortés
10 Hotel Hidalgo
19 Hotel Catedral
35 Hotel Ritz
36 Hotel Buenos Aires
40 Hotel Gillow
42 Hotel Rioja
43 Hotel Juárez
44 Hotel Canadá
46 Hotel Zamora
47 Hotel Washington
48 Hotel San Antonio
59 Hotel Fleming
61 Hotel Bamer
63 Hotel Del Valle
65 Hotel Marlowe
73 Hotel Principal
78 Hotel Majestic
80 Gran Hotel Ciudad de México
90 Hotel Isabel
91 Hotel Montecarlo
93 Hotel Roble
95 Hotel Fornos
96 Hotel San Diego

OÙ SE RESTAURER

3 Hostería de Santo Domingo
11 Restaurant El Correo, Frutería Frutivida
14 Los Girasoles
15 Café de Tacuba
17 Super Soya
21 Sanborn's
24 Café Trevi
28 Café El Popular
32 Restaurante El Vegetariano
34 Restaurante Jampel
37 Restaurante Madero
39 Café La Blanca
44 Jugos Canadá
55 Restaurante El Vegetariano
46 Café El Popular
49 Bertico Café
50 Restaurante México Viejo
52 Shakey's Pizza y Pollo
60 Los Faroles
64 Hong King
66 Centro Naturista de México
68 Taquería Tlaquepaque
70 Pastelería Ideal
75 Comedor Vegetariano
76 La Casa del Pavo
77 VIPS
85 Mercado San Juan
86 Churrería El Moro
87 Restaurant Danubio
88 Restaurant Centro Castellano
89 Cybercafe
92 Pastelería Madrid

DIVERS

1 El Tenampa
4 Iglesia de Santo Domingo
5 Museo de la Medicina Mexicana
7 Recinto de Homenaje a Benito Juárez (site temporaire)
8 Museo Franz Mayer
9 Museo de la Estampa
12 Museo Nacional de Arte
13 Central de Telégrafos
16 Teatro de la Ciudad
18 Restaurante-Bar León
20 Museo de San Ildefonso
22 Exposición Nacional de Arte Popular
23 Museo Mural Diego Rivera
25 Correo Mayor
26 Casa de Azulejos
27 Bar Museo
29 Colegio de Minería
30 La Ópera Bar
31 Bar Mata
33 Bar Roco
38 Dulcería de Celaya
41 Librería Británica
53 Federal Express
54 Museo de la Secretaría de Hacienda y Crédito Público
55 Museo Nacional de las Culturas
56 Museo José Luis Cuevas
57 Mexicana
58 Elektra
62 Casa de Cambio Plus
67 Gandhi
69 Torre Latinoamericana
71 Palacio de Iturbide
72 American Bookstore
74 Museo Serfin
79 Bureau de poste
81 El Nuevo Mundo
82 El Palacio de Hierro
83 Departamento del Distrito Federal
84 Liverpool
94 Elektra
97 Butterfly
98 Mercado Sonora

CARTE 4 Plaza de la República et Zona Rosa

OÙ SE LOGER

4 Hotel Texas
6 Hotel Pensylvania
7 Casa de los Amigos
10 Hotel Ibiza
11 Hotel Édison
14 Hotel Carlton
16 Hotel Oxford
19 Hotel Jena
20 Hotel Frimont
21 Hotel Crowne Plaza
27 Hotel Mallorca
29 Hotel Compostela
30 Hotel Sevilla
34 Hotel Corinto
35 Palace Hotel
38 Hotel Mayaland
39 Hotel Sevilla Palace
40 Fiesta Americana
46 Hotel María Cristina
52 Casa González
56 Hotel Marquis Reforma
69 Hotel Aristos
73 Hotel Internacional Havre
76 Hotel Westin Galería Plaza
80 Hotel Marco Polo
106 Hotel Plaza Florencia
110 Hotel Krystal Rosa
113 Hotel Century
114 Hotel Calinda Geneve

OÙ SE RESTAURER

2 Super Tortas Gigantes
3 Super Cocina Los Arcos et Restaurante Costillas El Sitio
13 Restaurant Cahuich
17 Seafood Cocktail Stand
18 Restaurante Samy
33 Sanborn's
36 VIPS
37 Tacos El Caminero
44 Sanborn's
48 Restaurante Vegetariano Las Fuentes
60 Restaurante Vegetariano Yug
61 Sanborn's
78 Auseba
79 Sushi Itto
82 La Taba
84 Freedom
85 El Perro d'Enfrente
86 Angus Butcher House
87 Mesón del Perro Andaluz
89 Salón de Te Duca d'Este
91 Parri
92 Sanborn's
95 Konditori
97 Pizza Pronto
98 Taco Inn
99 Carrousel Internacional
100 Chalet Suizo
101 Sanborn's
102 Luaú
104 La Beatricita
105 Restaurante Don Luca's
108 Ricocina
109 Mercado Insurgentes
115 Sanborn's

DIVERS

1 Antillanos
5 Bureau de poste
8 Lavandería Automática Édison
9 Russvall Viajes
12 Monumento a la Revolución et Museo Nacional de la Revolución
15 Museo de San Carlos
22 Cámara Nacional de Comercio de la Ciudad de México
23 Dryclean USA
24 TAESA
25 Iberia
26 Consejo Británico
28 Librería Británica
31 Bulldog Café
32 Telecomm
41 Aeroméxico
42 Monumento a Cristóbal Colón
43 DHL
45 Institut français d'Amérique latine
47 Monumento a Cuauhtémoc
49 Jiffy
50 Lavandería Automática
51 Tony Pérez
53 Ambassade du Royaume-Uni
54 Centro Bursátil
55 Ibermex
57 Aeroméxico
58 Thrifty Rent a Car
59 Air France et UPS
62 Monumento a la Independencia (El Ángel)
63 Casa de Cambio Bancomer
64 Aero California
65 American Airlines
66 Ambassade des États-Unis
67 Mexicana
68 Federal Express
70 Rockstock
71 DHL
72 American Express
74 Biblioteca Benjamín Franklin
75 Alaska Airlines et United Airlines
77 Procuraduría General de Justicia del Distrito Federal
81 La Cas de la Prensa
83 Yuppie's Sports Bar
88 El Taller
90 Casa Rasta
93 Oficina de Turismo de la Ciudad de México
94 El Chato
96 Mekano
103 Bureau de poste
107 La Casa de la Prensa
111 Grey Line
112 Cantina Las Bohemias
116 INEGI (boutique de cartes)
117 Instituto Nacional de Migración
118 Casanova Chapultepec
119 Mocamboo
120 Elektra
121 Instituto Goethe
122 Enigma

La Plaza de la República et la Zona Rosa

0 200 400 m

Herrera
Pimentel
Prieto
SAN RAFAEL
Covarrubias
Av Marina Nacional
Lorenzana
Velázquez de León
Contreras
Barrera
Altamirano
Av Parque Vía
Bahía Ascención
Río Yang Tse
Río Ussuri
Río Amur
Río Amoy
Villalongín
Av Ejército Nacional
Río Grijalva
Río Sena
Río Eufrates
Río Tigris
Río Danubio
Río Po
Río Tíber
Río Ebro
Río Balsas
Gutenberg
Lafayette
Thiers
Copérnico
Río Nazas
Río Guadalquivir
Río Niágara
Río Nilo
Río Ganges
Río Pánuco
Río Amazonas
Río Rhin
Río Neva
Río Guadiana
Río Lerma
Río Papaloapan
Darwin
Hugo
Río Misisipí
Río Volga
María Isabel-Sheraton Hotel
Río Duero
Río de la Plata
Río Hudson
Río Lerma
Río Elba
Río Atoyac
Paseo de la Reforma
Varsovia
Oxford
Praga
Dresde
Lancaster
Av Florencia
Estocolmo
Amberes
Belgrado
Estrasburgo
Génova
Copenhague
Niza
(piéton)
Dublin
Toledo
Sevilla
Hamburgo
ZONA ROSA
Londres
Liverpool
Insurgentes
Paseo de la Reforma
Lieja
Tokio
(piéton)
Bosque de Chapultepec 1a Sección
Chapultepec
Burdeos
Biarritz
Sevilla
Av Chapultepec
Línea 1
Medellín
Av Oaxaca
Monterrey (Eje 2 Poniente)
Av Insurgentes Sur
Pomona
Ocotlán
Salamanca
Valladolid
Cozumel
Puebla
Guadalajara
Av Sonora
Acapulco
Tampico
Circuito Interior
Sinaloa
Durango
Oro
Av Oaxaca
Tonalá

1 26 45 46 48 49 50 51 52 53 54 55 56 57 58 59 60 61 62 63 64 65 66 67 68 69 70 71 72 75 76 77 78 79 80 81 82 83 84 85 86 87 88 89 90 91 92 93 94 95 96 97 98 99 100 103 104 105 106 107 108 109 110 111 112 113 114 115 116 118 119 120 121

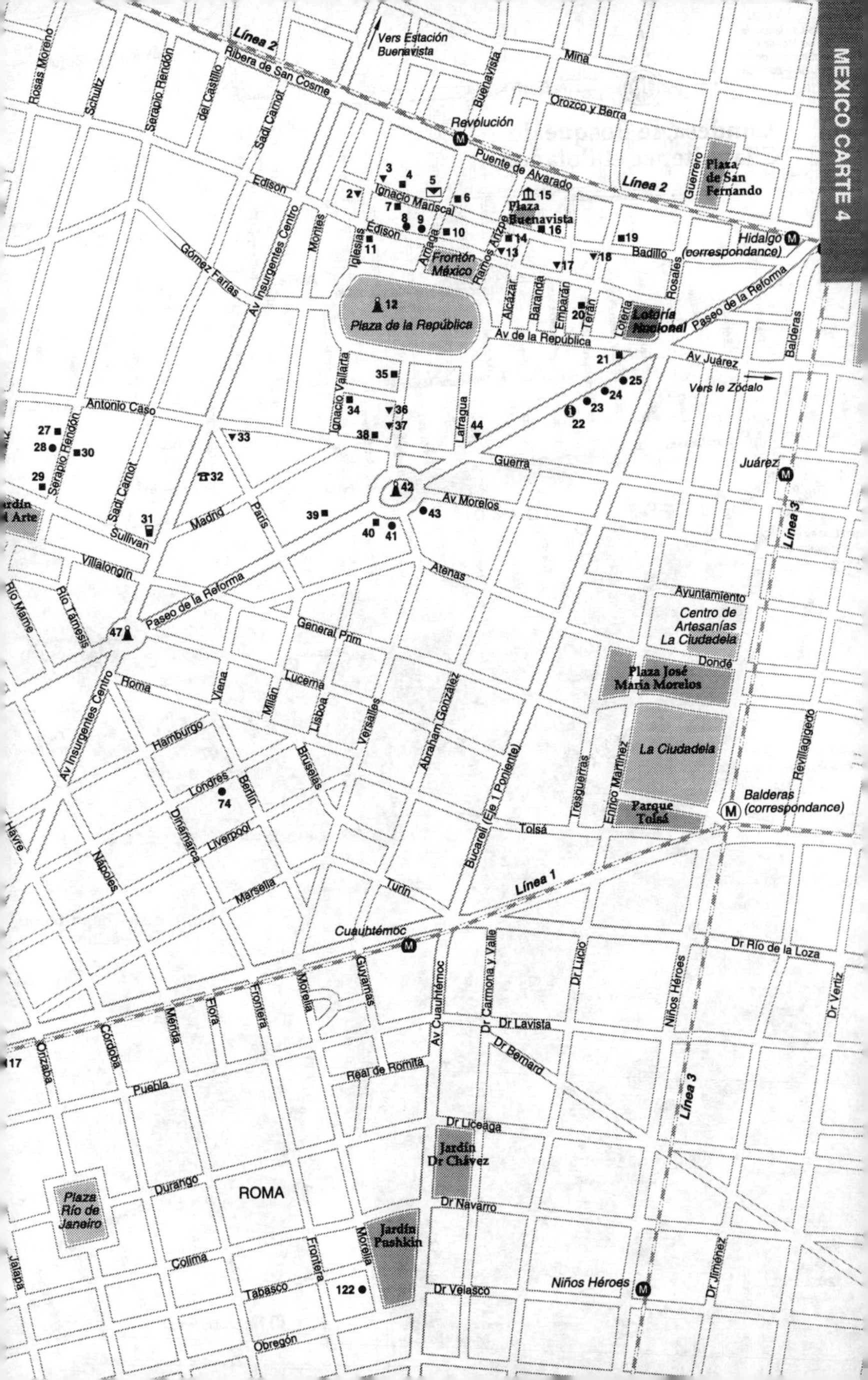

Línea 2
Vers Estación Buenavista
Ribera de San Cosme
Mina
Orozco y Berra
Revolución
Puente de Alvarado
Plaza de San Fernando
Plaza Buenavista
Ignacio Mariscal
Edison
Hidalgo (correspondance)
Badillo
Frontón México
Plaza de la República
Av de la República
Lotería Nacional
Paseo de la Reforma
Av Juárez
Vers le Zócalo
Antonio Caso
Guerra
Juárez
Av Morelos
Madrid
Sullivan
Villalongín
Atenas
Ayuntamiento
Centro de Artesanías La Ciudadela
General Prim
Plaza José María Morelos
Donde
La Ciudadela
Parque Tolsá
Balderas (correspondance)
Roma
Lucerna
Hamburgo
Londres
Liverpool
Tolsá
Línea 1
Turín
Marsella
Cuauhtémoc
Dr Río de la Loza
Dr Lavista
Dr Bernard
Real de Romita
Puebla
Dr Liceaga
Jardín Dr Chávez
Durango
ROMA
Plaza Río de Janeiro
Dr Navarro
Jardín Pushkin
Colima
Tabasco
Dr Velasco
Niños Héroes
Obregón
Línea 3

Vers La Hacienda de los Morales, Ambassade de Nouvelle-Zélande
Condesa, le Bosque de Chapultepec et Polanco
0
200
400 m
Av Río San Joaquín
Av Ejército Nacional
Línea 7
Homero
Homero
Parque América
Cicerón
Horacio
Polanco
Arquímedes
Platón
Séneca
Av Molière
Goldsmith
Edgar Allan Poe
Calderón de la Barca
Lafontaine
France
Musset
Dumas
Galileo
Hegel
Lope de Vega
Schiller
Petrarca
Av Presidente Masaryk
Av Presidente Masaryk
Castelar
Ibsen
Wilde
Virgilio
Tennyson
Eugenio Sue
Aristóteles
Newton
Lamartine
Polanco
Dickens
Parque Lincoln
Castelar
Campos Elíseos
Monte Elbruz
Blvd Ávila Camacho
Urbina
Campos Elíseos
POLANCO
Tres Picos
Vers Lomas de Chapultepec, Toluca
France
Yerna
Dumas
Paseo de la Reforma
Andrés Bello
Montes Urales
Rubén Darío
Auditorio
Museo Nacional de Antropología
Auditorio Nacional
Blvd López Mateos
Calz Chivatito
Lago Chapultepec
Parque Zoológico de Chapultepec
Alicama
Av Colegio Militar
Bosque de Chapultepec 1a Sección
Lago Mayor
Calz del Rey
Gran Avenida
(Anillo Periférico)
Línea 7
Calz Molino del Rey
Bosque de Chapultepec 2a Sección
Av Constituyentes
General León
Fagoaga
Panteón Civil de Dolores (Cementario)
Mixcoac
Rebollar
General Montiel
General Cano
Lago Menor
Vers l'Hospital ABC et Terminal Poniente
Ramírez
Constituyentes
Caballos
1
2
3
4
6
7
8
9
10
11
12
16
22
23
24
25

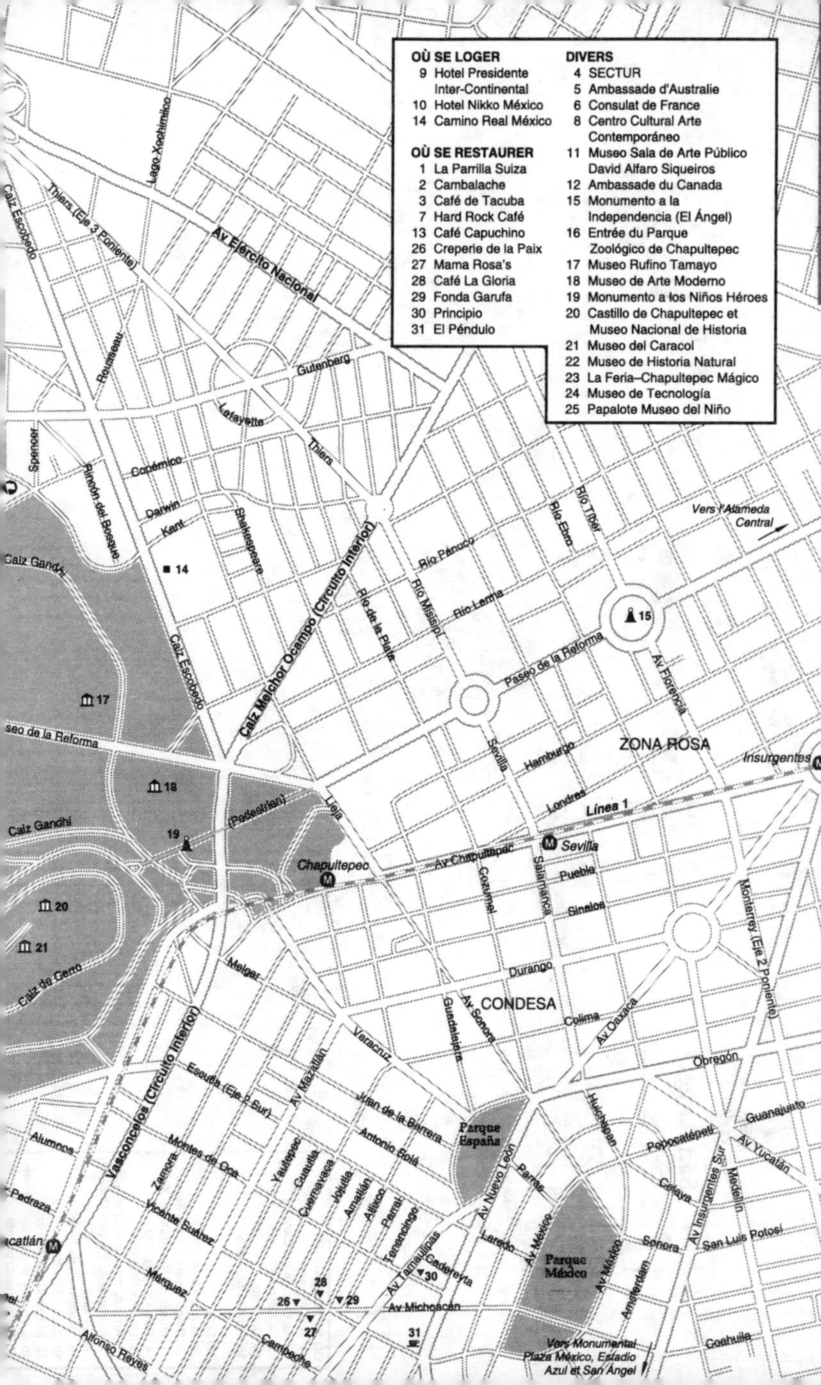

OÙ SE LOGER
9 Hotel Presidente Inter-Continental
10 Hotel Nikko México
14 Camino Real México
OÙ SE RESTAURER
1 La Parrilla Suiza
2 Cambalache
3 Café de Tacuba
7 Hard Rock Café
13 Café Capuchino
26 Creperie de la Paix
27 Mama Rosa's
28 Café La Gloria
29 Fonda Garufa
30 Principio
31 El Péndulo
DIVERS
4 SECTUR
5 Ambassade d'Australie
6 Consulat de France
8 Centro Cultural Arte Contemporáneo
11 Museo Sala de Arte Público David Alfaro Siqueiros
12 Ambassade du Canada
15 Monumento a la Independencia (El Ángel)
16 Entrée du Parque Zoológico de Chapultepec
17 Museo Rufino Tamayo
18 Museo de Arte Moderno
19 Monumento a los Niños Héroes
20 Castillo de Chapultepec et Museo Nacional de Historia
21 Museo del Caracol
22 Museo de Historia Natural
23 La Feria–Chapultepec Mágico
24 Museo de Tecnología
25 Papalote Museo del Niño
Lago Xochimilco
Calz Escobedo
Thiers (Eje 3 Poniente)
Av Ejército Nacional
Rousseau
Gutenberg
Lafayette
Spencer
Thiers
Copérnico
Rincón del Bosque
Darwin
Kant
Shakespeare
Calz Gandhi
Calz Melchor Ocampo (Circuito Interior)
Río Pánuco
Río Tiber
Río Ebro
Vers l'Alameda Central
Río Misisipi
Río de la Plata
Río Lerma
Paseo de la Reforma
Av Florencia
ZONA ROSA
Sevilla
Hamburgo
Insurgentes
Londres
Línea 1
(Pedestrian)
Lieja
Av Chapultepec
Sevilla
Chapultepec
Salamanca
Cozumel
Puebla
Sinaloa
Monterrey (Eje 2 Poniente)
Calz de Cerro
Melgar
Durango
Av Sonora
CONDESA
Guadalajara
Colima
Av Oaxaca
Vasconcelos (Circuito Interior)
Veracruz
Obregón
Escutia (Eje 2 Sur)
Av Mazatlán
Juan de la Barrera
Parque España
Huichapan
Guanajuato
Alumnos
Montes de Oca
Antonio Solá
Popocatépetl
Av Yucatán
Zamora
Yautepec
Cuautla
Cuernavaca
Jojutla
Amatlán
Atlixco
Parral
Tenancingo
Av Nuevo León
Parras
Celaya
Av Insurgentes Sur
Medellín
Pedraza
Vicente Suárez
Av Tamaulipas
Laredo
Av México
Sonora
San Luis Potosí
Cadereyta
Parque México
Márquez
Amsterdam
Av Michoacán
Alfonso Reyes
Campeche
Vers Monumental Plaza México, Estadio Azul et San Ángel
Coahuila

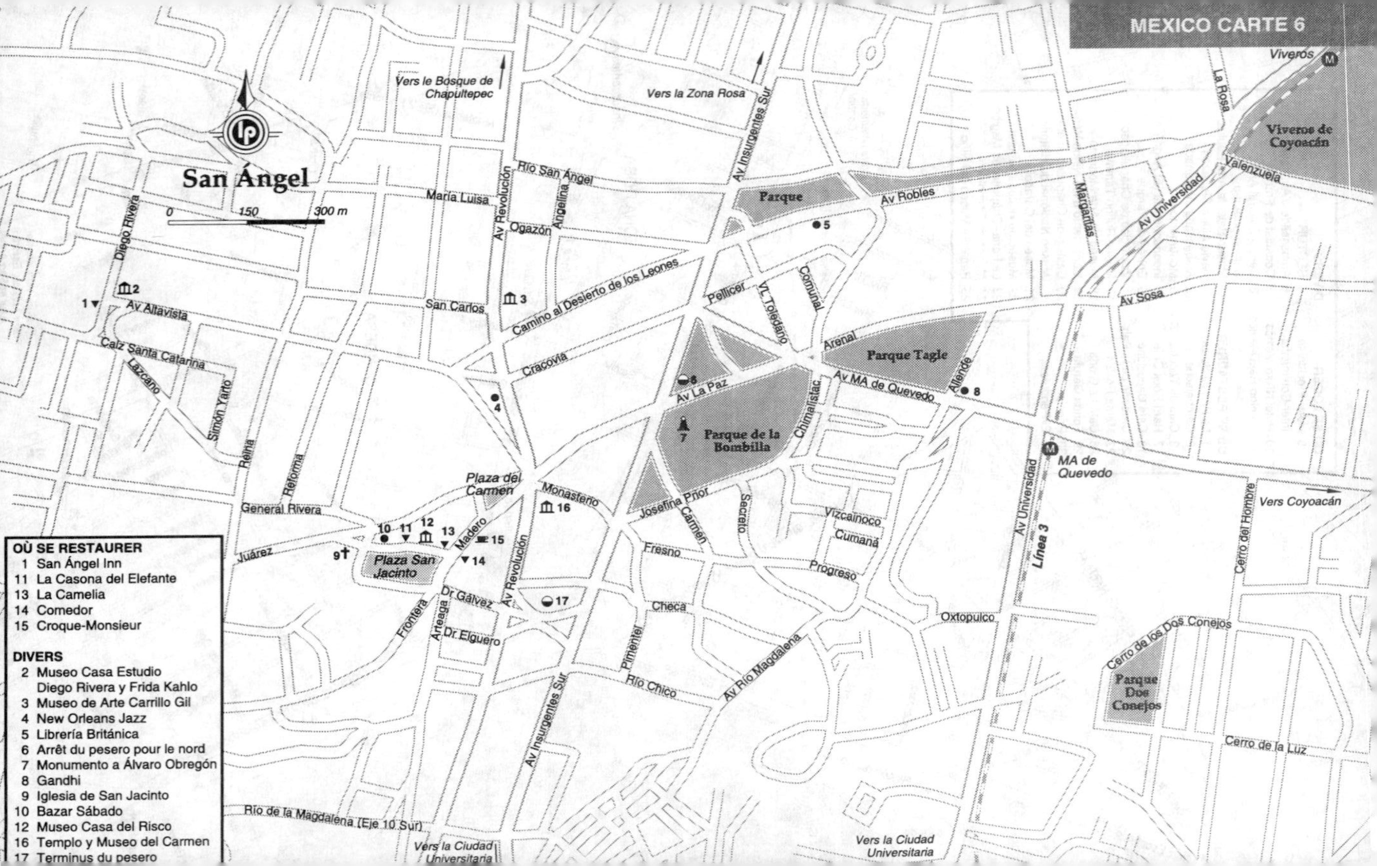

OÙ SE RESTAURER
- 1 San Ángel Inn
- 11 La Casona del Elefante
- 13 La Camelia
- 14 Comedor
- 15 Croque-Monsieur

DIVERS
- 2 Museo Casa Estudio Diego Rivera y Frida Kahlo
- 3 Museo de Arte Carrillo Gil
- 4 New Orleans Jazz
- 5 Librería Británica
- 6 Arrêt du pesero pour le nord
- 7 Monumento a Álvaro Obregón
- 8 Gandhi
- 9 Iglesia de San Jacinto
- 10 Bazar Sábado
- 12 Museo Casa del Risco
- 16 Templo y Museo del Carmen
- 17 Terminus du pesero

RICK GERHARTER

RICK GERHARTER

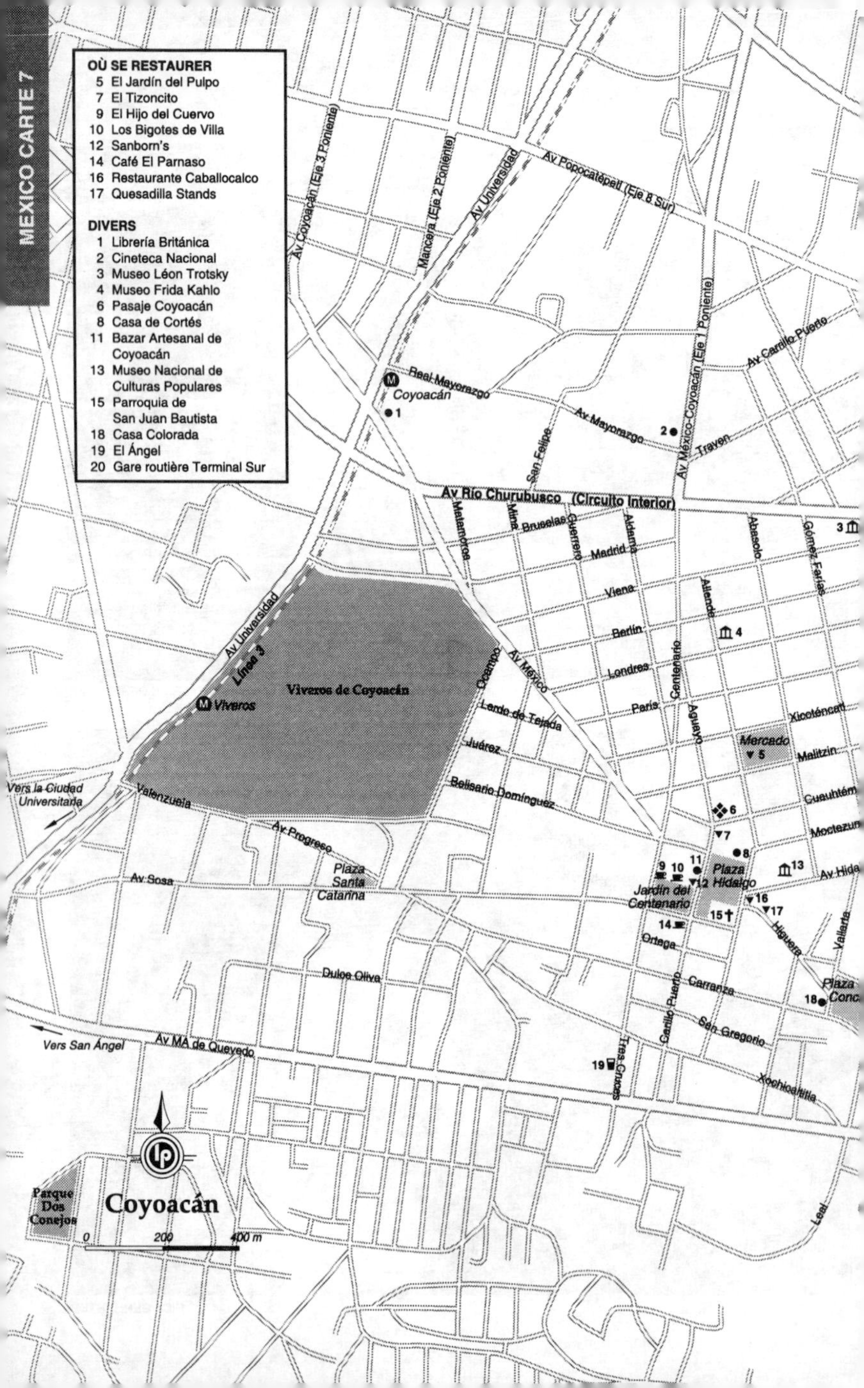

OÙ SE RESTAURER

5 El Jardín del Pulpo
7 El Tizoncito
9 El Hijo del Cuervo
10 Los Bigotes de Villa
12 Sanborn's
14 Café El Parnaso
16 Restaurante Caballocalco
17 Quesadilla Stands

DIVERS

1 Librería Británica
2 Cineteca Nacional
3 Museo Léon Trotsky
4 Museo Frida Kahlo
6 Pasaje Coyoacán
8 Casa de Cortés
11 Bazar Artesanal de Coyoacán
13 Museo Nacional de Culturas Populares
15 Parroquia de San Juan Bautista
18 Casa Colorada
19 El Ángel
20 Gare routière Terminal Sur

Coyoacán

0 200 400 m

Av Coyoacán (Eje 3 Poniente)
Mancera (Eje 2 Poniente)
Av Universidad
Av Popocatépetl (Eje 8 Sur)
Av México-Coyoacán (Eje 1 Poniente)
Av Carrillo Puerto
Real Mayorazgo
Coyoacán
Av Mayorazgo
San Felipe
Traven
Av Río Churubusco (Circuito Interior)
Matamoros
Mina
Bruselas
Guerrero
Aldama
Abasolo
Gómez Farías
Madrid
Viena
Allende
Berlín
Londres
Centenario
París
Aguayo
Xicoténcatl
Mercado
Malitzin
Cuauhtémoc
Moctezuma
Av Hidalgo
Ocampo
Av México
Línea 3
Viveros
Viveros de Coyoacán
Lerdo de Tejada
Juárez
Belisario Domínguez
Vers la Ciudad Universitaria
Valenzuela
Av Progreso
Plaza Santa Catarina
Av Sosa
Plaza Hidalgo
Jardín del Centenario
Higuera
Vallarta
Ortega
Carranza
Plaza Concepción
Dulce Olivo
Carrillo Puerto
San Gregorio
Tres Cruces
Xochicaltitla
Vers San Ángel
Av MA de Quevedo
Parque Dos Conejos
Leal

Vers l'Alameda Central et le Zócalo
Municipio Libre
Panamá (Eje Central Lázaro Cárdenas)
Av General Emiliano Zapata
Av División del Norte
Oriente 172
Calz de Tlalpan
Av Popocatépetl
Av Presidente Calles
Ermita
Calz Ermita Iztapalapa
Ajusco
Av Río Churubusco (Circuito Interior)
San Pedro
Privada Cerina
Cerina
Ex-Convento de Churubusco (Museo Nacional de las Intervenciones)
20 de Agosto
General Anaya
Av del Convento
Calz General Anaya
Mártires Irlandeses
Línea 2
Country Club
García Torres
Irlanda
Canadá
Pallares y Portillo
Cerro de Jesús
Tepalcatitla
América
Inglaterra
Av MA de Quevedo
Pacífico
Tasqueña
20
Av Tasqueña
Las Torres
Canal de Miramontes
Pinos
Vers Anahuacalli
Vers Estadio Guillermo Cañedo

le vice-roi Luis de Velasco décida que la ville, en plein essor, avait besoin d'une promenade avec des arbres et des fontaines. A la fin du XIXe siècle, le parc fut agrémenté de statues de style européen, d'un kiosque à musique et de lampadaires à gaz. Aujourd'hui, on s'y réfugie pour fuir la foule et le trafic de la ville. Il est très fréquenté le dimanche et vous pourrez y entendre des orchestres de salsa ou de rock ou voir des montreurs de serpents ou toute autre animation.

Palacio de Bellas Artes

Commanditée par le président Porfirio Díaz, cette splendide salle de concert et centre artistique en marbre blanc de Carrare domine l'extrémité orientale de l'Alameda. La construction du palais des Beaux-Arts (☎ 709-31-11) débuta en 1904 sous la direction de l'architecte italien Adam Boari, qui mit à l'honneur les styles néoclassique et art nouveau. Il devait être achevé en 1910 pour le centenaire de l'indépendance mexicaine. Toutefois, la lourde structure de marbre commença à s'enfoncer dans le sol meuble et les travaux furent arrêtés. Puis la Révolution mexicaine repoussa leur poursuite jusqu'en 1934. L'architecte Federico Mariscal acheva l'intérieur dans le style art déco des années 20 et 30.

Le palais recèle quelques-unes des plus belles fresques du Mexique. Au 1er étage, vous découvrirez notamment deux œuvres monumentales de Rufino Tamayo, datant du début des années 50 : *México de Hoy* (Mexico d'aujourd'hui) et *Nacimiento de la Nacionalidad* (Naissance de la nationalité), une représentation symbolique de l'apparition de l'identité *mestiza* mexicaine.

A l'extrémité ouest du 2e étage, figure l'une des plus célèbres œuvres de Rivera, *El Hombre, Controlalor del Universo* (L'Homme, maître de l'univers), commandée par le Rockefeller Center de New York sous le titre de *Man in Control of his Universe*. La famille Rockefeller la fit détruire en raison des scènes révolutionnaires et anti-capitalistes. En 1934, Rivera la recréa, en accentuant ses thèmes de prédilection : lutte des classes et déshumanisation du monde par l'industrialisation.

Dans la partie nord du 2e étage sont exposés le triptyque de David Alfaro Siqueiros, *La Nueva Democracía*, réalisé en 1944-1945, et l'œuvre en quatre panneaux de Rivera, *Carnaval de la Vida Mexicana* (Carnaval de la vie mexicaine), entreprise en 1936. A l'extrémité est de ce même étage, vous pourrez découvrir *La Katharsis* de José Clemente Orozco, datant de 1934-1935. Les deux composantes contradictoires de l'homme, le naturel et le social, sont symbolisées ici par le conflit entre des personnes nues et habillées.

Autre curiosité : le magnifique rideau de verre représentant les hautes terres du Mexique, suspendu dans le grand théâtre. A partir de l'œuvre du peintre mexicain Gerardo Murillo ("Dr Atl"), les ateliers Tiffany de New York assemblèrent près d'un million de morceaux de verre coloré. On illumine le rideau tous les dimanche matin et juste avant les spectacles.

Vous pouvez voir les fresques et visiter le Palacio du mardi au dimanche de 10h à 18h (entrée : 1,30 $US, gratuite le dimanche).

Museo Franz Mayer

Véritable oasis de calme et de beauté, le musée Franz Mayer (☎ 518-22-71) se niche dans le très bel Hospital de San Juan de Dios, Avenida Hidalgo 45, sur la petite Plaza de Santa Veracruz, en face de l'Alameda. Il abrite une magnifique collection d'art et d'artisanat essentiellement mexicains.

Franz Mayer, né à Mannheim en Allemagne en 1882, vint au Mexique, acquit la citoyenneté mexicaine et le surnom de "Don Pancho". Il commença à rassembler des chefs-d'œuvre d'argenterie, de tissus et de meubles mexicains. Le musée est ouvert du mardi au dimanche, de 10h à 17h (entrée : 1,10 $US et 0,60 $US le dimanche). L'accès aux salles principales se situe à droite de l'entrée. A gauche, s'épanouit un superbe jardin colonial. Les salles à l'ouest du jardin, décorées de meubles anciens, sont d'une beauté exquise, en particulier la chapelle. La Cafetería del Claustro sert de délicieux repas (voir la rubrique *Où se restaurer*).

Museo de la Estampa

Toujours sur la Plaza de Santa Veracruz, le musée de l'Estampe (☎ 521-22-44) présente une collection permanente de gravures et lithographies des plus grands artistes mexicains et des expositions temporaires. Il ouvre du mardi au dimanche de 10h à 18h (entrée : 1,10 $US).

Museo Mural Diego Rivera

Parmi les plus célèbres fresques de Diego Rivera figure *Sueño de una Tarde Dominical en la Alameda* (Songe d'un dimanche après-midi dans l'Alameda), œuvre de 15 m de long sur 4 m de haut peinte en 1947. L'artiste a représenté toutes les grandes figures historiques de Mexico depuis l'époque coloniale, parmi lesquels Cortés, Juárez, le général Santa Anna, l'empereur Maximilien, Porfirio Díaz, Francisco Madero ou le général Victoriano Huerta. Tous les personnages sont regroupés autour d'un squelette vêtu d'atours féminins prérévolutionnaires. On aperçoit également Rivera (sous la forme d'un enfant au visage écrasé) et son épouse, Frida Kahlo, à côté du squelette.

Ce musée (☎ 510-23-29) se situe à l'ouest de l'Alameda, en face du Jardín de la Solidaridad. Il est ouvert du mardi au dimanche de 10h à 18h (entrée : 1 $US).

LES ENVIRONS DE LA PLAZA DE LA REPÚBLICA

Cette place (métro Revolución), à 600 mètres à l'ouest de l'Alameda Central, est dominée par l'immense Monumento a la Revolución, reconnaissable à son dôme.

Monumento a la Revolución

Édifié au début des années 1900 par Porfirio Díaz, ce monument devait servir de salle de réunion pour les députés et les sénateurs, mais sa construction (sans parler du mandat présidentiel de Díaz) fut interrompue par la Révolution.

L'édifice fut modifié dans les années 30 et transformé en monument à la gloire de la Révolution. Les tombes des héros révolutionnaires et post-révolutionnaires, Pancho Villa, Venustiano Carranza, Francisco Madero, Plutarco Elías et Lázaro Cárdenas, sont enfermées dans ses larges piliers (accès fermé au public).

Sous le monument est aménagé le **Museo Nacional de la Revolución** (☎ 546-21-15), consacré à cet événement et aux décennies précédentes. On y pénètre par la partie nord-est du jardin entourant le monument. Le musée ouvre du mardi au samedi de 9h à 17h, et le dimanche de 9h à 15h (entrée : 0,70 $US, gratuite le mercredi).

Frontón México

Du côté nord de la Plaza de la República, se situe le Frontón de México, une grande arène art déco consacrée à la pratique du jai alai (consultez la rubrique *Manifestations sportives* pour plus de détails).

Museo de San Carlos

Le musée de San Carlos (☎ 566-85-22), Puente de Alvarado 50, à l'angle de Ramos Arizpe, possède une belle collection d'art européen. Il est installé dans l'ancienne demeure du Conde (comte) de Buenavista, dessinée par Manuel Tolsá au début des années 1800. Pendant longtemps, elle abrita la première académie des Beaux-Arts du pays et compta, parmi ses étudiants, Rivera, Siqueiros et Orozco. Les salles du rez-de-chaussée sont généralement consacrées à des expositions temporaires tandis que la collection permanente, constituée de peintures européennes du XIVe au XIXe siècle, est présentée à l'étage. Elle comprend des œuvres de Brueghel, Goya, Rembrandt et Le Titien. Des artistes contemporains, mexicains et internationaux, sont également exposés. Le musée ouvre du mercredi au lundi de 10h à 18h (entrée : 1 $US, gratuite le dimanche).

Lotería Nacional

La loterie nationale est une passion nationale. La tour art déco, à l'ouest du Paseo de la Reforma (métro Hidalgo), abrite ses bureaux ; une haute cheminée de verre noir sert d'annexe. Vous pourrez pénétrer dans le bâtiment et en gravir les escaliers le dimanche, le mardi ou le vendredi après 19h30, puis vous asseoir dans le confortable auditorium pour assister au tirage des numéros gagnants à 20h précises. Des cages cylindriques libèrent des boules de bois numérotées que ramassent des employés en uniforme. Ils indiquent ensuite, à haute voix, les chiffres et les montants gagnés. L'entrée est gratuite.

PASEO DE LA REFORMA ET ZONA ROSA

Le Paseo de la Reforma, principale artère de la ville, la traverse en direction du sud-ouest depuis l'Alameda Central en passant par le parc de Chapultepec. On raconte que l'empereur Maximilien de Habsbourg aurait créé le boulevard pour relier son château, bâti sur la colline de Chapultepec, à la vieille ville. Il pouvait ainsi apercevoir toute l'enfilade des bâtiments depuis sa chambre et emprunter cette voie pour se rendre au Palais national, sur le Zócalo.

L'intense circulation dont souffre aujourd'hui le Paseo de la Reforma n'en fait pas un endroit très agréable pour une longue promenade, mais il reste un lieu de passage quasi obligé pour les touristes, ne serait-ce que pour les banques, les boutiques, les hôtels, les restaurants et les ambassades qui y sont regroupés.

La Zona Rosa, haut lieu d'animation diurne et nocturne de Mexico, se situe au sud de la Reforma et à l'ouest de l'Avenida Insurgentes, à environ 2 km de l'Alameda Central.

Dans le paseo, des gratte-ciel côtoient aujourd'hui des bâtiments anciens. On peut également admirer de véritables œuvres d'art. A quelques pâtés de maisons au sud de la Plaza de la República, se dresse notamment la **Glorieta Cristóbal Colón**, un rond-point orné d'une statue dédiée à Christophe Colomb, œuvre du sculpteur français Charles Cordier en 1877.

Le carrefour, particulièrement animé, de la Reforma et de l'Avenida Insurgentes se reconnaît à son **Monumento a Cuauhtémoc**, le dernier empereur aztèque. A deux rues au nord-ouest de ce carrefour se profile le **Jardín del Arte**, petit parc ombragé qui accueille, le dimanche, un intéressant marché artistique de plein air.

La loterie

Les billets de loterie sont proposés par des vendeurs de rue et dans les kiosques, généralement au prix de 0,70 ou 1,30 $US. Tout le monde peut en acheter. Chaque billet correspond à un seul tirage (*sorteo*) effectué à une certaine date. Les lots varient de 100 à plus de 250 000 $US. Les numéros gagnants sont affichés aux points de vente. Pourquoi ne pas acheter un billet, ne serait-ce que pour vous demander, pendant un jour ou deux, ce que vous pourriez bien faire de 250 000 $US ? Le système de numérotation des billets étant un peu compliqué, demandez au vendeur, ou à quelque habitué, de vous aider à comparer votre numéro avec les numéros gagnants. Chaque tirage concerne habituellement plusieurs séries de billets, correspondant chacune à différents lots.

Les Mexicains ont recours à toutes sortes de calculs, de signes et de superstitions pour choisir les "bons" numéros. Pour donner encore plus de piment à l'affaire, des tirages à thème zodiacal, où chaque billet comporte un signe du zodiaque en plus du numéro, ont lieu régulièrement. Quatre fois par an, à Noël et à d'autres fêtes, des *sorteos especiales* sont proposés, avec des billets valant de 3,25 à 6,50 $US et un gros lot de plus d'un million de dollars. Les autres tirages sont alors interrompus pendant quelques semaines afin d'encourager les ventes pour le tirage spécial. Les bénéfices de la loterie sont reversés à des œuvres caritatives. ■

Le bâtiment moderne le plus impressionnant du Paseo de la Reforma est sans conteste le **Centro Bursátil**, la bourse de la ville de Mexico, véritable flèche de verre réfléchissant. Il est situé Reforma 255, à environ quatre pâtés de maisons au sud-ouest d'Insurgentes.

La vitrine dorée de **Zona Rosa** constitue une pièce essentielle du puzzle qui compose Mexico et mérite une visite. Confortablement installé à l'une de ses terrasses de café, vous pourrez contempler le spectacle fascinant offert par la diversité des passants.

Du côté nord-ouest de la Zona Rosa, au croisement de la Reforma et de l'Avenida Florencia, se dresse le symbole de la ville, le **Monumento a la Independencia**, une statue de la Victoire ailée entièrement dorée sur un haut piédestal. Cette œuvre, que les habitants appellent simplement El Ángel, fut exécutée par le sculpteur Antonio Rivas Mercado et érigée en 1910, à la fin de la Révolution mexicaine. Au sud-ouest d'El Ángel, la Reforma se continue jusqu'au Bosque de Chapultepec et le traverse avant de devenir l'artère principale en direction de Toluca.

Comment s'y rendre

La station de métro Hidalgo se trouve dans la Reforma, à l'angle de l'Alameda Central. La station Insurgentes est à l'extrémité sud de la Zona Rosa, à environ 500 m au sud de la Reforma. La station Chapultepec se situe juste au sud de la Reforma, à l'extrémité du Bosque de Chapultepec. La station Sevilla se dresse dans l'Avenida Chapultepec, au sud-ouest de la Zona Rosa.

Les peseros de la ceinture ouest "M (etro) Chapultepec", que vous pouvez emprunter dans l'Avenida Cinco de Mayo à l'angle d'Isabel la Católica, longent la Reforma jusqu'à la station de métro Chapultepec. Tous les bus ou peseros "M (etro) Auditorio", "Reforma Km 13" ou "Km 15.5 por Reforma" allant vers l'ouest dans la Reforma continue sur cette voie en traversant le Bosque de Chapultepec.

Dans la direction opposée, les bus ou peseros "M (etro) Hidalgo", "M (etro) Garibaldi", "M (etro) Villa", "M (etro) La Villa" et "M (etro) Indios Verdes" vont tous vers le nord-est de la Reforma jusqu'à l'Alameda Central ou au-delà.

CONDESA

Au sud de la Zona Rosa, la Condesa est un quartier bourgeois, détendu, un peu branché, sans monument particulier mais agrémenté de deux parcs agréables, le parque México et le parque España, de quelques jolies maisons du début du siècle, ainsi que de plusieurs petits restaurants, cafés et bars sympathiques. Il est plaisant de s'y promener si vous cherchez un endroit hors des circuits touristiques.

BOSQUE DE CHAPULTEPEC

D'après la légende, l'un des derniers rois toltèques se réfugia à Chapultepec après s'être enfui de Tula. Plus tard, la colline d'où le parc tire son nom (Chapultepec signifie Colline des Sauterelles en nahuatl) accueillit les Aztèques nomades avant de devenir la résidence d'été de la noblesse aztèque. Au XVe siècle, Nezahualcóyotl, qui régnait alors sur Texcoco, approuva un plan qui visait à transformer cette zone en réserve forestière. A cette époque, Chapultepec et Tenochtitlán étaient encore séparées par les eaux du Lago de Texcoco.

Depuis 500 ans, le Bosque de Chapultepec est le plus grand parc de Mexico. Occupant une surface de plus de 4 km^2, il comporte des lacs, un zoo et plusieurs excellents musées. Chaque jour, il attire des milliers de visiteurs, en particulier le dimanche lorsque ses principaux axes se peuplent de stands et que des familles entières viennent se détendre, pique-niquer ou visiter les musées. La parc est divisé par deux grandes artères, la Calzada Molino del Rey et le Boulevard López Mateos, qui le traversent du nord au sud.

La plupart des attractions sont regroupées dans la partie est, ou première section (primera, 1ª sección), ouverte tous les jours de 5h à 17h.

Monumento a los Niños Héroes

Les six colonnes élancées du monument aux Enfants Héros, à deux pas du métro Chapultepec, marquent la principale entrée du parc. Elles honorent la mémoire de six braves cadets de l'académie militaire nationale qui occupait alors le Castillo de Chapultepec. Le 13 septembre 1847, les troupes américaines envahirent le Mexique et marchèrent sur Mexico. Après avoir défendu leur école aussi longtemps qu'ils le purent, les six cadets s'enroulèrent dans des drapeaux mexicains et se donnèrent la mort en se jetant dans le vide plutôt que de se rendre.

Castillo de Chapultepec

Une partie du château actuel fut édifiée en 1785 pour servir de résidence aux vice-rois de la Nueva España. Il fut remanié en 1843 pour être transformé en académie militaire. Lorsque l'empereur Maximilien et l'impératrice Charlotte arrivèrent en 1864, ils rénovèrent le château et en firent leur résidence principale. Après leur éviction, il devint la résidence des présidents du Mexique jusqu'en 1940. Le président Lázaro Cárdenas le convertit alors en **Museo Nacional de Historia** (musée national d'Histoire, ☎ 553-62-02).

Aujourd'hui, le musée comporte deux étages d'expositions retraçant l'apogée puis la chute de la Nueva España, la naissance d'un Mexique indépendant, la dictature de Porfirio Díaz et la Révolution mexicaine. Au rez-de-chaussée, plusieurs salles sont décorées de fresques impressionnantes exécutées par de grands artistes mexicains. Vous pourrez notamment y admirer le *Retablo de la Independencia* de Juan O'Gorman, salle 5, *La Reforma y la Caída del Imperio* d'Orozco, salle 7, ainsi que *Del Porfirismo a la Revolución* de Siqueiros, salle 13.

Ne manquez pas les salles accessibles par un chemin dans le jardin à l'extrémité est du château. Meublées dans le style de l'époque, elles abritent encore la baignoire en marbre de l'impératrice Charlotte. Le musée est ouvert du mardi au dimanche de 9h à 17h (les billets sont vendus jusqu'à 16h ; entrée : 1,90 $US, gratuite le dimanche). Pour parvenir au château à pied, empruntez le chemin qui contourne la colline, à droite, derrière le Monumento a los Niños Héroes.

Museo del Caracol

Depuis le château de Chapultepec, le Museo del Caracol (☎ 553-62-85) se détache à une courte distance de la route. En forme de coquille d'escargot (*caracol*), il se nomme officiellement Museo Galería de la Lucha del Pueblo Mexicano por su Libertad (musée-galerie de la Lutte du peuple mexicain pour la liberté). Les expositions retracent la vie sociale et politique au Mexique depuis la colonie espagnole, les divisions de la Nueva España au XVIIIe siècle, le rôle de Miguel Hidalgo dans la lutte pour l'indépendance et celui de Francisco Madero pendant la Révolution. Le musée est ouvert du mardi au samedi de 9h à 16h30, le dimanche et les jours fériés de 10h à 15h30 (entrée : 1 $US, gratuite le dimanche et les jours fériés).

Museo de Arte Moderno

Au pied de la colline au nord du Monumento a los Niños Héroes, s'élève le musée d'Art moderne (☎ 211-83-31), implanté au milieu d'un jardin de sculptures. Deux structures circulaires modernes abritent la collection permanente du musée, dont des œuvres des plus célèbres artistes mexicains – Dr Atl, Rivera, Siqueiros, Orozco, Kahlo, Tamayo et O'Gorman. Contrastant avec les fresques monumentales qui ont fait la notoriété des artistes, vous pourrez découvrir ici certaines de leurs œuvres plus intimistes, notamment des portraits. Le musée est ouvert du mardi au dimanche de 10h à 17h30 (entrée : 1,30 $US, gratuite le dimanche).

Parque Zoológico de Chapultepec

Ce zoo, le plus ancien d'Amérique, aurait été créé par le roi Nezahualcóyotl bien avant l'arrivée des Espagnols. En 1975, la Chine lui offrit des pandas. Totalement restauré il y a quelques années pour un budget de 30 millions de dollars, le zoo de Chapultepec (☎ 553-62-29) est un lieu de plein air agréable. Il ouvre du mardi au dimanche de 9h à 16h (entrée gratuite).

Museo Nacional de Antropología

Dans sa catégorie, le musée national d'Anthropologie (☎ 553-63-81) est un des plus beaux musées au monde. Il se dresse dans une extension du Bosque de Chapultepec, côté nord du Paseo de la Reforma. Il est ouvert du mardi au samedi, de 9h à 19h, le dimanche et les jours fériés de 10h à 18h (entrée : 2,25 $US, gratuite le dimanche ; un droit est demandé pour l'utilisation d'un appareil photo). Le musée, immense et passionnant, ne peut pas se visiter entièrement en une journée. Vous pourrez, par exemple, vous concentrer sur les salles concernant les régions où vous souhaitez vous rendre et ne jeter qu'un coup d'œil aux œuvres majeures exposées dans les autres salles.

Dans une clairière, à environ 100 m de l'entrée du musée, des Indiens totonaques exécutent leur spectaculaire rite des *voladores* et "s'envolent" d'un mât haut de 20 mètres plusieurs fois par jour. Pour plus de détails, reportez-vous à la rubrique *Voladores* dans le chapitre consacré au *Centre de la côte du Golfe*.

Vaste édifice construit dans les années 60, le musée est l'œuvre de l'architecte mexicain Pedro Ramírez Vázquez. Sa longue cour rectangulaire est flanquée sur trois côtés, et sur deux niveaux, par les salles d'exposition. Une immense fontaine de pierre en forme de parapluie s'élève au centre de la cour.

Les salles du rez-de-chaussée sont consacrées aux civilisations mexicaines précolombiennes. A l'étage, les expositions relatent le mode de vie actuel des Indiens du Mexique. En règle générale, les expositions ethnologiques du niveau supérieur couvrent les mêmes thèmes que les reconstitutions anthropologiques du rez-de-chaussée. Vous pouvez ainsi découvrir la grande cité maya de Palenque telle qu'elle se présentait au VIIIe siècle, puis, au 1er étage, la vie moderne des habitants de la région de Palenque. Nous vous présentons succinctement les salles du rez-de-chaussée :

Introducción a la Antropología – Les expositions sont centrées sur l'étude de l'anthropologie, de l'ethnologie et de la culture précolombienne en général.

Sala Orígenes – Exposition des traces du premier peuple d'Amérique, son arrivée d'Asie et certaines des premières découvertes faites dans le Valle de México.

Sala Preclásica – Les civilisations préclassiques se situent entre 1500 av. J.-C. et 250 de notre ère ; exposition d'objets mettant en évidence la transition entre la vie nomade des chasseurs et celle plus sédentaire des agriculteurs vers 1000 av. J.-C.

Sala Teotihuacana – Maquettes de l'impressionnant centre religieux de Teotihuacán, situé à la périphérie de Mexico, et qui fut le premier État puissant d'Amérique. La pièce maîtresse est une maquette grandeur nature du temple de Quetzalcóatl.

Sala Tolteca – Cette salle couvre les cultures du centre du Mexique entre 650 et 1250 et doit son nom à l'une des civilisations les plus importantes, les Toltèques. On y voit notamment une gigantesques statue de pierre de Quetzalcóatl en provenance de Tula.

Sala Mexica – A l'extrémité ouest de la cour se tient la salle consacrée aux Mexicas ou Aztèques. Vous pourrez notamment admirer la célèbre pierre du soleil (ou "calendrier aztèque"), sur laquelle le visage du dieu du Soleil, Tonatiuh, est figuré au milieu de nombreux symboles représentant les cinq mondes, les quatre directions, les vingt jours, etc ; la statue de Coatlicue ("Celle qui porte une jupe de serpents"), la mère des dieux aztèques, découverte, comme le calendrier de pierre, sous le Zócalo en 1790 ; une réplique d'une pierre sculptée tzompantli ; une vue aérienne de Tenochtitlán et autres souvenirs graphiques de cette impressionnante culture.

Sala Oaxaca – Dans l'État d'Oaxaca, les Zapotèques (de 300 av. J.-C. environ à l'an 700 de notre ère) et les Mixtèques (de 1200 à 1500) s'illustrèrent par de remarquables réalisations artistiques. On a reproduit deux tombes du site de Monte Albán.

Sala Golfo de México – Consacrée aux civilisations de la côte du Golfe du Mexique, notamment les Huastèques, les Totonaques, les Olmèques et les habitants de Veracruz. Exposition de belles sculptures de pierre, dont deux énormes têtes olmèques.

Sala Maya – Découvrez des objets merveilleux, provenant non seulement du sud-est du

Mexique, mais aussi du Guatemala, du Belize et du Honduras. La maquette grandeur nature de la tombe du roi Pakal, découverte au plus profond du temple des Inscriptions à Palenque, est époustouflante. Dans le patio, à l'extérieur, la copie des célèbres peintures murales de Bonampak a bien meilleure allure que l'original endommagé et une réplique de l'Edificio II d'Hochob (à Campeche) figure un masque géant de Chac, le dieu de la Pluie.

Cafétéria – Juste après la salle maya, une volée de marches descend vers la cafétéria du musée. Certains jours, des musiciens utilisant des répliques d'instruments préhispaniques donnent des récitals sur les marches.

Sala Norte – La salle du nord présente le site de Casas Grandes (Paquimé) à Chihuahua ainsi que d'autres cultures des déserts mexicains du Nord. Nombreux traits communs avec les cultures indiennes du sud-ouest américain.

Sala Occidente – La salle consacrée à l'ouest du pays évoque les cultures des États de Nayarit, de Jalisco, de Michoacán, de Colima et de Guerrero, et surtout celle des Tarascans du Michoacán, qui furent un des peuples capables de se rebeller contre l'envahisseur aztèque.

Museo Rufino Tamayo

A 250 m à l'est du Museo Nacional de Antropología, le musée Tamayo (☎ 286-65-99), édifice moderne de béton et de verre aux nombreux étages, fut construit pour abriter la belle collection d'art moderne offerte par Rufino Tamayo et son épouse Olga au peuple mexicain. Plus de 150 artistes contemporains sont représentés dans la collection permanente, notamment Andy Warhol, Picasso et Tamayo. En outre, le musée accueille d'importantes expositions temporaires. Il ouvre du mardi au dimanche de 10h à 18h (entrée : 1,30 $US, gratuite le dimanche).

Segunda (2ª) Sección

Le second secteur du Bosque de Chapultepec est aménagé à l'ouest du Boulevard López Mateos. La station de métro la plus proche est Constituyentes, au sud.

L'un de ses pôles d'intérêt est la **Feria Chapultepec Mágico**, une foire d'attractions dotée de quelques manèges vertigineux. Elle ouvre du mardi au vendredi, de 11h à 19h, le samedi et le dimanche, de 10h à 21h (entrée : 0,80 $US, 30 tours de manèges inclus). Le second, le **Museo del Niño**, appelé aussi **Papalote**, (☎ 237-17-00), est un musée interactif qui, sans nul doute, captivera vos bambins.

Vous attendent également dans cette section deux lacs, de grandes fontaines, le **Museo de Tecnología** (☎ 516-09-64) et le **Museo de Historia Natural** (☎ 515-22-22).

Comment s'y rendre

La station de métro Chapultepec est située à l'extrémité est du Bosque de Chapultepec, à proximité du Monumento a los Niños Heroes et du Castillo de Chapultepec. La station de métro Auditorio est implantée au nord du parc, à 500 m à l'ouest du Museo Nacional de Antropología.

Vous pouvez aussi vous rendre au parc depuis le Zócalo, en prenant un pesero en direction de l'ouest "M (etro) Chapultepec", à l'angle de l'Avenido Cinco de Mayo et d'Isabel la Católica. De n'importe quel point du Paseo de la Reforma à l'ouest de l'Alameda Central, prenez un pesero ou un bus "M (etro) Chapultepec", "M (etro) Auditorio", "Km 15.5 por Reforma" ou "Reforma Km 13". Ces trois derniers traversent le parc le long de Reforma et vous pouvez descendre devant le Museo Nacional de Antropología.

Pour retourner dans le centre-ville, empruntez n'importe quel bus ou pesero "M (etro) Hidalgo", "M (etro) Garibaldi", "M (etro) Villa", "M (etro) La Villa" ou "M (etro) Indios Verdes" depuis la station de métro Chapultepec ou en direction de l'est dans la Reforma. Tous longent la Reforma au moins jusqu'à la station de métro Hidalgo.

POLANCO

Cet élégant quartier résidentiel, au nord du Bosque de Chapultepec, regroupe quelques musées intéressants, de nombreuses galeries d'art, une multitude de restaurants, plusieurs ambassades, quelques hôtels et boutiques de luxe, ainsi que l'office de tourisme SECTUR. Vous pourrez visiter

Polanco avant ou après une visite au Museo Nacional de Antropología, situé à proximité.

Centro Cultural de Arte Contemporáneo

Le centre culturel d'art contemporain (☎ 282-03-55), dans Campos Elíseos, à l'angle d'Eliot (métro Auditorio), est consacré à l'art d'avant-garde, représenté par les deux générations qui ont succédé aux artistes du musée d'Art moderne. Le rez-de-chaussée et le 1er étage proposent différentes expositions temporaires, alors que le 2e étage est consacré aux collections permanentes de photographies et d'art mexicain et international. Plusieurs salles du 3e étage sont dédiées à l'art électronique avec différents montages de lumière et d'écrans.

Le musée est ouvert du mardi au dimanche de 10h à 18h, le mercredi de 10h à 20h (entrée : 0,70 $US les mardi, jeudi et samedi, gratuite les autres jours).

Museo Sala de Arte Público David Alfaro Siqueiros

Peu avant sa mort, en 1974, Siqueiros fit don de sa maison et de son atelier, Tres Picos 29 (métro Auditorio ou Polanco), pour en faire un musée. Les papiers et photographies de l'artiste, ainsi que nombre de ses œuvres, sont exposés. Le musée ouvre du mardi au dimanche de 10h à 18h (entrée : 1 $US, gratuite le dimanche).

LOMAS DE CHAPULTEPEC

A l'ouest de Polanco et du Bosque de Chapultepec, s'étend l'un des quartiers résidentiels les plus chics de Mexico, avec ses vastes maisons protégées par de hauts murs. Vous pourrez en faire rapidement le tour en empruntant un bus "Km 15.5 por Palmas" à la station de métro Chapultepec ou, en direction de l'ouest, au Paseo de la Reforma, dans le Bosque de Chapultepec. Le bus longe le Paseo de las Palmas, l'artère principale de Lomas de Chapultepec, avant de rejoindre le Paseo de la Reforma, à 4 ou 5 km à l'ouest du Bosque de Chapultepec. De là, les bus ou les peseros "M (etro) Auditorio" ou "M (etro) Chapultepec" vous ramèneront au centre-ville à moins que vous ne continuiez vers les hauteurs de la ville, où vous devrez présenter une pièce d'identité pour pénétrer dans les zones d'habitations protégées.

TLATELOLCO ET GUADALUPE

Tlatelolco – Plaza de las Tres Culturas

La Plaza de las Tres Culturas se profile à 2 km environ au nord de l'Alameda Central, en haut du Eje Central Lázaro Cárdenas. Son nom symbolise la fusion des racines précolombiennes et espagnoles au sein de l'identité mexicaine moderne mestiza. Les trois cultures sont représentées par les pyramides aztèques de Tlatelolco, le Templo de Santiago, église espagnole du XVIIe siècle, et le bâtiment moderne de la Secretaría de Relaciones Exteriores, situé au sud de la place.

Fondée par les Aztèques au XIVe siècle sur ce qui était alors une île séparée, Tlatelolco fut annexée par Tenochtitlán en 1473. C'est là que se tenait le plus grand marché du Valle du México de l'époque précolombienne. Conduits par Cortés, les Espagnols écrasèrent les défenseurs aztèques de Tlatelolco et leur chef Cuauhtémoc en 1521.

On peut lire cette inscription sur la Plaza : "Ce qui se déroula en ces lieux ne fut ni une victoire ni une défaite mais la douloureuse naissance du peuple mestizo, incarnation du Mexique d'aujourd'hui."

Tlatelolco symbolise aussi une tragédie plus récente. Le 2 octobre 1968, veille de l'ouverture des jeux Olympiques de Mexico, plusieurs centaines de personnes furent massacrées par les troupes gouvernementales lors d'une manifestation politique.

La Plaza est une oasis de calme, loin de l'agitation de la capitale, mais elle semble hantée par ces souvenirs dramatiques. Une passerelle érigée autour des ruines du principal temple-pyramide et des autres bâtiments aztèques de Tlatelolco permet de les contempler. Les Espagnols, conscients de la signification religieuse de cette place, y construisirent un monastère puis, en 1609, l'actuelle église de Santiago. En entrant par le portail ouest, vous apercevrez les fonts baptismaux de Juan Diego (voir le paragraphe *Basílica de Guadalupe*). Du côté nord de l'église, à l'extérieur, s'élève le monument aux morts de 1968, dressé en 1993. Toute la vérité ne fut pas faite sur ce massacre : on en fit rapidement disparaître les traces et il fallut attendre 1993 pour que cet événement soit évoqué dans les manuels scolaires.

Dans Aquiles Serdán, au coin de Donceles et à un pâté de maisons au nord du Palacio de Bellas Artes, prenez un bus ou un pesero "Eje Central, Central Camionera, Tenayuca" qui fait route vers le nord en traversant la Plaza de las Tres Culturas. Ou encore, prenez le métro jusqu'à la station Tlatelolco, sortez vers Manuel González, une artère particulièrement animée, puis tournez à droite. Arrivé au premier grand carrefour (Avenida Lázaro Cárdenas), bifurquez une nouvelle fois à droite et vous apercevrez la Plaza au bout de la rue.

Basílica de Guadalupe

Le 9 décembre 1531, un pauvre paysan indien du nom de Juan Diego vit apparaître sur le Cerro (colline) del Tepeyac, site d'un ancien sanctuaire aztèque, une très belle femme vêtue d'un manteau bleu ourlé d'or. Il raconta au prêtre du village qu'il avait vu la Vierge Marie mais l'ecclésiastique ne le crut pas. Juan retourna sur la colline, eut la même vision et l'image de la Vierge (à la peau brune) s'imprima miraculeusement sur son manteau. Cette fois le prêtre fut convaincu et fit construire une église à l'endroit précis où la Vierge était apparu à Diego.

Au cours des siècles, Nuestra Señora de Guadalupe (Notre-Dame de Guadalupe) fut créditée de toutes sortes de miracles et contribua largement à l'acceptation du catholicisme par les Indiens mexicains. En 1737, elle fut officiellement proclamée Patrona Principal (sainte patronne) de la Nueva España pour avoir mis fin à une épidémie de typhoïde. Son image est aujourd'hui répandue dans tout le pays, et ses sanctuaires, qui entourent le Cerro del Tepeyac, sont les plus vénérés au Mexique. Ils attirent tous les jours des milliers de pèlerins, voire des centaines de milliers les jours qui précèdent sa fête, le 12 décembre. Pour plus de détails concernant ces festivités, reportez-vous à la rubrique *Manifestations annuelles* de ce chapitre.

Le but ultime des pèlerins est la moderne **Basílica de Nuestra Señora de Guadalupe**, édifiée au pied du Cerro del Tepeyac. Certains franchissent les dernières centaines de mètres à genoux. Dans les années 70, l'ancienne basilique au dôme jaune (construite vers 1700) était saturée par la foule des pèlerins et commençait à s'incliner, puis à s'enfoncer dangereusement dans la terre meuble sur laquelle elle avait été construite. Une nouvelle basilique fut alors érigée à proximité. Dessinée par Pedro Ramírez Vásquez, l'architecte du Museo Nacional de Antropología, cette dernière est une vaste structure ouverte, capable de contenir des milliers de fidèles. L'image de la Vierge est suspendue au-dessus de l'autel principal tandis qu'un tapis roulant permet aux visiteurs de s'en approcher.

L'arrière de l'**Antigua Basílica** est devenu le **Museo de la Basílica de Guadalupe** (☎ 577-60-22, poste 137), qui renferme une belle collection de *retablos* ainsi que de nombreuses pièces d'art religieux colonial. Il est ouvert du mardi au dimanche de 10h à 18h (entrée : 0,30 $US).

Les escaliers situés derrière l'ancienne basilique vous mèneront 100 mètres plus haut, à la **Capilla del Cerrito** (la chapelle de la Colline), à l'endroit précis où Juan Diego eut sa vision. De là, des marches descendent le flanc est de la colline jusqu'au **Jardín del Tepeyac** d'où un sentier rejoint la plaza principale au niveau de la **Capilla de Indios** (la chapelle des Indiens) datant du XVIIe siècle, à côté du lieu où, selon la tradition, Juan Diego vécut de 1531 jusqu'à sa mort, en 1548.

Prenez le métro jusqu'à la station La Villa-Basílica (encore appelée La Villa sur certains plans de métro), puis suivez la foule vers le nord le long de la Calzada de

Guadalupe. Depuis le centre-ville, vous pouvez aussi prendre un bus ou un pesero "M (etro) La Villa" qui suit le Paseo de la Reforma au nord-est. Un pesero "M (etro) Hidalgo" ou "M (etro) Chapultepec", qui redescend, vers le sud, la Calzada de los Misterios, à l'ouest de la Calzada de Guadalupe, vous ramènera au centre-ville.

SAN ÁNGEL

A 8,5 km au sud du Bosque de Chapultepec, cet ancien village était encore séparé de la ville par des champs il y a 60 ans. Il a conservé beaucoup de charme avec ses calmes rues pavées, bordées d'anciennes maisons coloniales et d'habitations modernes cossues. Il est surtout connu pour son marché d'art et d'artisanat, le Bazar del Sábado (bazar du samedi), mais vous pourrez y découvrir maintes autres attractions. (les musées sont fermés le lundi). L'Avenida Insurgentes Sur traverse l'est de San Ángel.

Plaza San Jacinto et Bazar del Sábado

Chaque samedi, la jolie petite plaza profite de l'ambiance animée et colorée du Bazar del Sábado qui attire la foule.

Au XVIe siècle, l'**Iglesia San Jacinto**, à l'ouest de la place, faisait partie d'un monastère dominicain. Elle abrite un paisible jardin où vous reprendrez souffle après la bousculade du marché. On y entre par la Calle Juárez. Le **Museo Casa del Risco**, Plaza San Jacinto 15, se trouve dans une demeure du XVIIIe siècle, dotée de deux cours aux magnifiques fontaines carrelées. Le rez-de-chaussée est consacré aux expositions temporaires ; l'étage abrite une collection d'œuvres européennes du XIVe au XIXe siècle et des œuvres mexicaines du XVIIe au XIXe siècle. Il ouvre tous les jours, sauf le lundi, de 10h à 17h (entrée gratuite).

Museo Casa Estudio Diego Rivera y Frida Kahlo et Auberge San Ángel

A 1 km au nord-ouest de la Plaza San Jacinto, Calle Diego Rivera 2, à l'angle d'Altavista, se dresse le musée-atelier Diego Rivera et Frida Kahlo (☎ 280-87-71). Le célèbre couple y vécut de 1934 à 1940, date de leur divorce. Rivera demeura dans cette maison jusqu'à sa mort, en 1957 (voir l'encadré *Diego et Frida*). Le musée abrite des œuvres et des souvenirs de Rivera et accueille des expositions temporaires. Il ouvre tous les jours, sauf le lundi, de 10h à 18h (entrée : 1 $US).

En face du musée, l'ancienne hacienda de Goicoechea, datant du XVIIIe siècle, comporte une cour magnifique et verdoyante, une fontaine, une chapelle et des jardins coloniaux. Propriété jadis des marquis de Selva Nevada et des comtes de Pinillos, c'est aujourd'hui l'auberge San Ángel, un luxueux restaurant.

Museo de Arte Carrillo Gil

Le musée d'Art Carillo Gil (☎ 550-39-83), Avenida Revolución 1608, présente des œuvres d'artistes mexicains de premier plan, parmi lesquels Rivera, Siqueiros et Orozco (dont quelques-uns de ses premiers dessins et aquarelles satiriques).

Les expositions temporaires sont également de grande qualité. Il est ouvert du mardi au dimanche de 10h à 18h (entrée : 1 $US, gratuite le dimanche). Le sous-sol abrite une agréable librairie et un café.

Templo y Museo del Carmen

Surmonté d'un dôme de tuiles, le Templo del Carmen (☎ 616-28-16), Avenida Revolución 4, calme et paisible, date du XVIIe siècle. Le musée, essentiellement consacré à l'art religieux et aux meubles coloniaux, occupe l'ancien monastère voisin. Les visiteurs sont surtout attirés par les corps momifiés de la crypte, probablement ceux de moines, nonnes et nobles du XVIIIe siècle. Vous pourrez vous promener dans le beau jardin, bien plus grand jadis, d'où partaient des plants et des graines vers tout le Mexique colonial. Le musée est ouvert du mardi au dimanche, de 10h à 16h45 (entrée : 1,90 $US, gratuite le dimanche).

Parque de la Bombilla

Dans l'enceinte de ce parc, à l'est de l'Avenida Insurgentes, s'élève le **Monumento a**

Álvaro Obregón, révolutionnaire et président mexicain assassiné en 1928 lors d'un banquet. L'assassin était un jeune fanatique chrétien, José de León Toral, dont le mouvement Cristero s'opposait aux options anti-cléricales du gouvernement.

Comment s'y rendre

Depuis le centre-ville, le moyen le plus rapide consiste à prendre un pesero "San Ángel" ou un bus empruntant Insurgentes en direction du sud, depuis n'importe quelle station au nord, l'Estación Buenavista par exemple. La plupart achèvent leur course à Dr Gálvez, entre Insurgentes et l'Avenida Revolución.

Vous pouvez aussi prendre le métro à M. A. Quevedo ou Viveros, puis marcher pendant 20 à 30 minutes ou grimper dans un pesero "San Ángel".

Pour revenir au centre-ville depuis San Ángel en passant par Insurgentes, vous avez le choix entre un bus ou un pesero "M (etro) Indios Verdes", qui sillonne Insurgentes jusqu'au nord de la ville, ou un "M (etro) Insurgentes", qui s'arrête à la station

Diego et Frida

Au début des années 20, Diego Rivera, né à Guanajuato en 1886, rencontra pour la première fois Frida Kahlo, de 21 ans sa cadette, lorsququ'il travaillait à la fresque de la prestigieuse Escuela Nacional Preparatoria de Mexico, où elle suivait des cours. Rivera était déjà une personnalité connue du monde de l'art mexicain ; son intervention à l'Escuela Nacional Preparatoria fut la première de la série de fresques engagées qu'il devait exécuter au cours des trente années suivantes sur des bâtiments publics. Grand séducteur, il avait eu des enfants de deux femmes russes en Europe et, en 1922, il épousa Lupe Marín au Mexique. Elle lui donna deux autres enfants avant leur séparation en 1928.

Frida Kahlo, née à Coyoacán en 1907, eut la polio à l'âge de six ans. Cette terrible maladie la laissa infirme. Sa jambe droite atrophiée la fera souffrir toute sa vie. A nouveau touchée dans sa chair, elle est victime en 1925 d'un accident de bus. Non seulement elle suvécut à ses multiples fractures touchant la nuque, le dos, le col du fémur, la jambe et les côtes mais elle se remit de façon miraculeuse après de de nombreuses opérations. Ce fut pendant sa convalescence qu'elle commença à peindre. La douleur, à la fois physique et psychique, allait devenir le thème dominant de ses œuvres.

Kahlo et Rivera, évoluant tous deux dans les milieux artistiques de gauche, se croisèrent à nouveau en 1928 et se marièrent l'année suivante. Leur liaison, décrite comme l'union d'un éléphant et d'une colombe (il était grand et gros, elle, petite et menue), fut une histoire passionnée oscillant entre amour et haine. Rivera a écrit : "Si jamais j'ai aimé une femme, plus je l'ai aimée, plus j'ai eu envie de lui faire du mal. Frida n'était que la victime la plus évidente de ce trait de caractère répugnant." Tous deux eurent de nombreuses liaisons extra-conjugales.

La beauté et l'attitude peu conventionnelle de Frida Kahlo – elle buvait de la tequila, était bisexuelle, racontait des blagues grivoises et organisait des fêtes débridées – fascina beaucoup de contemporains. En 1934, après une période passée aux États-Unis, le couple emménagea dans une nouvelle demeure construite par Juan O'Gorman à San Ángel ; l'endroit se composait de deux maisons reliées par une passerelle. En 1937, le révolutionnaire russe en exil Léon Trotsky arriva au Mexique avec sa femme, Natalia, après que Rivera ait persuadé le président Lázaro Cárdenas de leur accorder l'asile. Les Trotsky s'installèrent dans la "maison bleue" de Coyoacán, où Frida était née, à quelques kilomètres de San Ángel. Kahlo et Trotsky eurent une liaison et, en 1939, Rivera se querella avec Trotsky. Le couple russe déménagea alors dans une autre maison à Coyoacán.

L'année suivante, Diego et Frida divorcèrent, et Rivera partit pour San Francisco. Peu de temps après, Trotsky fut assassiné dans sa maison de Coyoacán. Kahlo et Rivera se remarièrent à San Francisco mais, une fois de retour au Mexique, elle s'installa dans la maison bleue et lui à San Ángel, sans cesser de se voir pour autant. Frida resta la critique la plus appréciée de Rivera et Diego le plus fervent admirateur de Kahlo.

.../...

de métro Insurgentes. Le carrefour d'Insurgentes et de l'Avenida La Paz est l'endroit idéal pour attraper un de ces véhicules.

Pour rejoindre les stations de métro, vous pouvez emprunter les peseros "M(etro) Viveros" qui se dirigent vers l'est par l'Avenida Robles. Les peseros "M(etro) Quevedo" suivent l'Avenida Miguel Ángel de Quevedo vers l'est, au départ d'Insurgentes.

De Coyoacán, prenez un bus ou un pesero "M (etro) Tasquena" (vers l'est) sur l'Avenida La Paz. Descendez à l'angle de la Calle Carrillo Puerto, au bout de 2,5 km, puis marchez vers le nord sur cinq pâtés de maisons jusqu'au Jardín del Centenario de Coyoacán.

CIUDAD UNIVERSITARIA

Chef-d'œuvre architectural moderne, la cité universitaire, à l'est de l'Avenida Insurgentes et à 2 km au sud de San Ángel, constitue le principal campus de la plus importante université d'Amérique latine, l'Universidad Nacional Autónoma de México (UNAM).

Au cours de sa vie, Frida Kahlo n'exposa qu'une seule fois au Mexique, en 1953. Malade, elle fut transportée au vernissage sur son lit. Rivera dit au sujet de cette exposition : "Quiconque y a assisté n'a pu que s'émerveiller de la grandeur de son talent." Elle mourut à la maison bleue en 1954. Les derniers mots inscrits dans son journal furent : "J'espère que le départ est joyeux et j'espère ne jamais revenir." Rivera dit du jour de sa mort qu'il était "le jour le plus tragique de ma vie... J'ai compris trop tard que la plus merveilleuse partie de ma vie avait été mon amour pour Frida."

En 1955, Rivera épousa Emma Hurtado, son agent. Il mourut en 1957.

Lieux consacrés à Kahlo et à Rivera à Mexico. Les œuvres de Diego sont beaucoup plus faciles à voir que celles de Frida – d'une part, parce qu'il fut un artiste plus productif, plus public et plus versatile, d'autre part, parce que bon nombre des meilleures œuvres de Frida se trouvent dans des collections privées ou à l'étranger.

Anahuacalli – un musée aux allures de forteresse conçu par Diego Rivera pour abriter sa collection d'art préhispanique (Coyoacán)
Museo Casa Estudio Diego Rivera y Frida Kahlo – leur maison double (San Ángel)
Museo de Arte Moderno – il contient des œuvres des deux artistes (Bosque de Chapultepec)
Museo de San Ildefonso – l'ancienne Escuela Nacional Preparatoria (Fresques, Centro Histórico)
Museo Dolores Olmedo Patiño – 137 œuvres de Rivera et une salle consacrée à Kahlo dans cette excellente collection d'un associé de Rivera (Xochimilco et ses environs)
Museo Frida Kahlo – la "maison bleue" (Coyoacán)
Museo Mural Diego Rivera – la fresque de Rivera, *Sueño de una Tarde Dominical en la Alameda* (Les environs de l'Alameda)
Palacio de Bellas Artes – les fresques de Rivera des années 30 (Les environs de l'Alameda)
Palacio Nacional – la fresque de l'histoire de la civilisation mexicaine (Centro Histórico)
Secretaría de Educación Pública – 235 fresques peintes par Rivera dans les années 20 (Fresques, Centro Histórico) ■

L'université fut fondée dans les années 1550, mais elle fut supprimée de 1833 à 1910. La plupart des bâtiments de l'actuelle Ciudad Universitaria furent construits entre 1950 et 1953 par une équipe de 150 jeunes architectes et techniciens dirigés par José García Villagrán, Mario Pani et Enrique del Moral. C'est un monument grandiose, qui rend hommage à la fierté nationale et au système éducatif, avec ses bâtiments couverts de fresques idéalistes.

L'UNAM compte environ 250 000 étudiants et 28 000 professeurs. Elle est aussi le vivier des plus violentes dissensions politiques, dont les événements des jeux Olympiques de 1968. Pendant les congés scolaires, les bibliothèques, les facultés et les cafés sont fermés mais le campus reste ouvert aux visiteurs.

Au nord du campus, sont regroupés la plupart des locaux des facultés, répartis sur un espace d'environ 1 000 m^2. En entrant par Insurgentes, il est facile de localiser la **Biblioteca Central**, haute de dix étages, presque sans fenêtres et couverte de mosaïques de Juan O'Gorman. Le mur sud, surmonté de deux cercles proéminents, évoque l'époque coloniale. Le thème du mur nord s'inspire de la culture aztèque. La face est illustre la création du Mexique moderne. La mosaïque de l'ouest, plus difficile à interpréter, peut être comprise comme un hommage à la culture latino-américaine dans son ensemble.

La Rectoría, le mur sud du rectorat est orné d'une impressionnante mosaïque en trois dimensions de Siqueiros, représentant des étudiants encouragés par le peuple.

Le bâtiment qui se dresse au sud de La Rectoría contient la Librería Central (librairie centrale) et le musée d'art moderne de l'université, **Museo Universitario Contemporáneo de Arte** (☎ 622-04-04).

L'**Auditorio Alfonso Caso**, à l'extrémité est du vaste Jardín Central, montre, au nord, une fresque de José Chávez Morado suggérant la conquête de l'énergie : l'humanité progresse depuis l'ombre du dieu-jaguar primitif jusqu'à l'usage du feu, puis vers l'atome, avant d'atteindre un futur éthéré, apparemment féminin. La façade est du même bâtiment illustre les étapes de l'agriculture primitive à la science moderne. Plus à l'est, sur le mur ouest de la **Facultad de Medicina**, une mosaïque de pierre italienne, réalisée par Francisco Eppens, décline le thème de la vie et de la mort. Le masque central montre un profil espagnol à gauche, indien à droite,les deux formant un visage mestizo au milieu. Un épi de maïs et des symboles de dieux aztèques et mayas représentent les forces de la vie et de la mort.

A l'ouest d'Insurgentes et en face de la section nord du campus, l'**Estadio Olímpico** (stade olympique), ressemble à un cône volcanique et peut accueillir 80 000 spectateurs. Une mosaïque de Diego Rivera orne le haut de l'entrée principale. C'est le stade de l'équipe de football de l'UNAM, plus connue sous le nom de Las Pumas, Quand le stade est fermé, vous pouvez glisser un œil à l'intérieur par la porte 38, à l'extrémité sud.

Comment s'y rendre

Tous les peseros et bus "Iman", "Tlalpan", "Villa Olímpica" ou "Perisur" qui empruntent l'Avenida Insurgentes relient le centre-ville et San Ángel à la Ciudad Universitaria. Si aucun de ceux-ci n'est en vue, prenez un bus affichant "San Ángel", puis changez pour un véhicule indiquant "Imán", Tlalpan", "Villa Olímpica" ou "Perisur" à San Ángel (dans l'Avenida Insurgentes ou au terminal des peseros dans Dr Gálvez).

Pour rejoindre la zone nord du campus, descendez à la première passerelle jaune qui traverse Insurgentes, à un peu plus d'1 km de San Ángel, juste avant l'Estadio Olímpico. Pour vous rendre dans la zone sud, descendez à la seconde passerelle jaune *après* l'Estadio Olímpico. Pour rejoindre le nord, les bus ou peseros "San Ángel", "M (etro) Insurgentes", ou "M (etro) Indios Verdes" suivent Insurgentes jusqu'à leurs destinations respectives. La station de métro la plus proche, Copilco, à proximité de la lisière nord-est du campus, est à 1 km de la Biblioteca Central.

COYOACÁN

A 10 km environ au sud de Mexico, Coyoacán (le lieu des coyotes, en nahuatl) servit de base à Cortés après la chute de Tenochtitlán. Pendant quatre siècles, elle demeura une petite agglomération hors de Mexico jusqu'à ce que la ville tentaculaire vienne l'entourer, il y a 40 ans. Proche de l'université, elle a abrité les demeures de Léon Trotsky et de Frida Kahlo (transformées par la suite en musées). Coyoacán a su conserver son identité, avec ses places bordées de cafés et son atmosphère animée. La ville est particulièrement vivante le samedi et le dimanche, lorsque la foule bon enfant afflue de tous les quartiers vers ses plazas centrales (voir plus loin la rubrique *Achats*).

Viveros et Jardín de Santa Catarina

Les pépinières (*viveros*) de Coyacán sont une parenthèse de verdure luxuriante à l'est de la station de métro Viveros. Si vous avez besoin de vous oxygéner au milieu des plantes et des fleurs, vous pouvez vous y promener gratuitement tous les jours de 6h à 18h. Situé à 1 km à l'ouest des plazas centrales de Coyoacán, l'endroit fait la joie des "joggers". Lorsque vous sortez de la station de métro Viveros, suivez l'Avenida Universidad vers le sud, puis tournez dans Valenzuela, la première rue sur votre gauche. Une des entrées des Viveros se trouve dans Valenzuela, sur la gauche.

A un pâté de maisons au sud des Viveros, dans Ocampo, vous trouverez la charmante petite Plaza Santa Catarina. En suivant l'Avenida Sosa jusqu'aux plazas centrales de Coyoacán (environ 700 m), vous passerez devant de très belles demeures du XVIe et du XVIIe siècles.

Plaza Hidalgo et Jardín del Centenario

La vaste Plaza Central de Coyoacán est en fait constituée de deux places juxtaposées, la Plaza Hidalgo, à l'est, ornée d'une statue de Miguel Hidalgo, et le Jardín del Centenario à l'ouest, avec sa fontaine au coyote.

L'ancien hôtel de ville (Ayuntamiento) de Coyoacán, sur le côté nord de la Plaza Hidalgo, est aussi appelé **Casa de Cortés**. Ici, dit-on, Hernán Cortés tortura l'empereur aztèque Cuauhtémoc afin qu'il lui révèle où était caché le fameux trésor des Aztèques. Le bâtiment fut aussi le quartier général du Marquesado del Valle de Oaxaca, terres appartenant à la famille de Cortés, et qui incluaient Coyoacán.

La **Parroquía de San Juan Bautista** et l'ancien monastère adjacent, sur le côté sud de la Plaza Hidalgo, furent construits pour les moines dominicains, au XVIe siècle. Non loin, à l'est de la Plaza Hidalgo, se détache le **Museo Nacional de Culturas Populares** (☎ 658-12-65), Hidalgo 289. Il présente de bonnes expositions temporaires sur la culture populaire mexicaine : cirques, *lucha libre* (lutte libre) et *nacimientos* (crèches). Le musée ouvre du mardi au dimanche, de 9h à 23h (entrée gratuite).

Plaza de la Conchita

L'ex-Plaza de la Concepción est une place tranquille, à deux rues au sud-est de la Plaza Hidalgo, par la Calle Higuera. La maison rouge (fermée au public), à l'angle de Vallarta et de Higuera, est la "Casa Colorada", que Cortés aurait fait construire pour La Malinche, son interprète et amante. L'épouse espagnole de Cortés, Catalina Juárez de Marcaida, y aurait été assassinée.

Museo Frida Kahlo

La Maison Bleue, Londres 247, à six pâtés de maisons de la Plaza Hidalgo, fut pendant longtemps la demeure de l'artiste Frida Kahlo (voir l'encadré *Diego et Frida*).

La maison regorge de mémentos rédigés par Kahlo et Rivera. Outre leurs propres œuvres et celles d'autres artistes, elle contient une belle collection d'objets précolombiens et d'art populaire mexicain ayant appartenu au couple.

Les peintures, gravures et sculptures de Kahlo expriment ses angoisses et ses espoirs : l'une d'elles, intitulée *El Marxismo Dará la Salud* (Le Marxisme donnera la santé), la montre, jetant ses béquilles. Dans l'atelier du haut, un portrait inachevé de Staline voisine avec une chaise roulante disposée de façon poignante. La collection d'art folklorique comprend des costumes régionaux mexicains portés par Frida, ainsi que la collection de petits *retablos*, ou ex-votos, peints par des Mexicains en remerciements de miracles, constituée par Rivera.

La maison et son jardin (☎ 554-59-99) sont ouverts du mardi au dimanche, de 10h à 17h45 (entrée : 1,30 $US).

Museo León Trotsky

Condamné à mort par contumace, Trotsky trouva refuge au Mexique en 1937 grâce au soutien de Diego Rivera. La maison a été conservée dans l'état où elle se trouvait en 1940, lorsque Trotsky y fut assassiné. De hauts murs et des tours de guet – autrefois gardés par des hommes en armes – entourent la maison et le petit jardin. Ces défenses furent érigées après le premier attentat du 24 mai 1940. Un groupe d'attaquants tirèrent sur la maison mais le couple en réchappa. Les impacts de balle sont encore visibles. La pièce la plus intéressante est le bureau de Trotsky, dans lequel il fut tué. Son assassin, un agent stalinien connu sous le nom de Ramón Mercader, devint l'amant de la secrétaire de Trotsky et gagna progressivement la confiance de toute la maisonnée par ses fréquentes visites.

Dans le jardin se trouve la tombe où reposent les cendres de Trotsky.

Pour visiter la maison (☎ 554-06-87), allez à l'entrée nord, Avenida Rio Churubusco 410, près de l'angle de Morelos. Elle est ouverte du mardi au dimanche, de10h à 17h (entrée : 1,30 $US).

Ancien Convento de Churubusco

A moins de 1,5 km du musée Trotsky, Calle 20 de Agosto, à l'est de l'Avenida División del Norte, s'élève l'ancien monastère de Churubusco, bâti au XVIIe siècle, qui fut le théâtre d'une défaite militaire héroïque.

Le 20 août 1847, les Mexicains, qui avaient fortifié l'ancien monastère, résistèrent à une armée NORD-américaine plus nombreuse et mieux armée jusqu'à ce qu'ils soient à bout de munitions. Le général Pedro Anaya, auquel le général américain David Twiggs demanda de remettre les armes, aurait répondu : "Si je les avais, vous ne seriez pas ici."

L'ancien monastère accueille aujourd'hui le **Museo Nacional de las Intervenciones** (☎ 604-06-99), ouvert du mardi au

L'assassinat de Trotsky

Le 28 mai 1940, soit 4 jours après l'attentat perpétré contre lui par le peintre Siqueiros, Léon Trotsky, qui fait l'objet d'une protection renforcée, rencontre par le truchement d'une proche, Sylvia Ageloff, Jacson Mornard, *alias* Ramón Mercader, un agent secret de la Gépéou à la solde de Staline. Mornard, qui manipule la jeune femme depuis deux ans, parvient à séduire le couple en exil et a en devenir un familier.

Le 20 août au matin, Mornard s'isole avec le "Vieux" dans son bureau pour lui faire relire un article. Avec un piolet dissimulé sous son imperméable, il frappe Trotsky à la tête. Celui-ci décédera le lendemain, à l'âge de 61 ans.

Condamné en 1943 à vingt ans de prison par la justice mexicaine, Ramón Mercader est libéré en 1960. Il obtient alors le prix Lénine – sous le gouvernement de Khroutchev – et s'éteint à La Havane en 1978. ■

dimanche de 9h à 18h (entrée : 1,90 $US). Vous pourrez notamment y découvrir des informations sur l'occupation française dans les années 1860 et sur le complot de l'ambassadeur américain Lane Wilson visant à renverser le gouvernement Madero en 1913. Une partie des paisibles jardins de l'ancien monastère est ouverte au public.

Pour vous rendre à Churubusco, prenez un bus ou un pesero "M (etro) Gral Anaya" se dirigeant vers l'est dans Xicoténcatl au coin d'Allende, à quelques pâtés de maisons au nord de la Plaza Hidalgo de Coyoacán. Sinon, de la station de métro General Anaya, vous n'aurez que 500 m à parcourir.

Anahuacalli

A 3,5 km au sud de Coyoacán, cet impressionnant musée, Calle del Museo 150, fut dessiné par Diego Rivera pour accueillir sa collection d'objets précolombiens. Là se trouvent également l'un de ses ateliers et quelques-unes de ses œuvres.

Le bâtiment ressemble à une forteresse édifiée en pierre volcanique sombre, intégrant de nombreuses caractéristiques des cultures préclassiques. Son nom signifie Maison d'Anáhuac (nom aztèque du Valle de México). S'il fait beau, depuis le toit, vous bénéficierez d'une vue superbe sur toute la ville.

Outre ses trésors archéologiques (essentiellement des poteries et des représentations humaines en pierre), le musée abrite d'intéressantes études de Rivera sur les grandes fresques, comme *La Paz* (La Paix) et *El Hombre en el Cruce de los Caminos* (L'Homme à la croisée des chemins), dont on peut voir aujourd'hui la version définitive, *El Hombre, Controlalor del Universo*, au Palacio de Bellas Artes de Mexico. L'Anahuacalli (☎ 617-37-97) est ouvert tous les jours, sauf le lundi, de 10h à 18h (entrée : 1,30 $US).

Pour rejoindre le musée depuis Coyoacán, prenez un bus ou un pesero "Huipulco" ou "Espartaco" qui descend, vers le sud, l'Avenida División del Norte. Après 3 km, descendez Calle del Museo (vous reconnaîtrez le carrefour à ses feux rouges et à son église) et suivez la Calle del Museo sur 600 m, vers le sud-ouest. Elle tourne d'abord à gauche avant de remonter une petite colline. En revenant vers le nord, empruntez un bus ou un pesero "M (etro) División del Norte" le long de l'Avenida División del Norte.

Depuis le centre de Mexico, prenez le métro jusqu'à Tasqueña, puis le Tren Ligero (tramway, 0,20 $US) de la station de métro Tasqueña à Xotepingo. A la station Xotepingo, suivez les flèches "Salida a Museo" et parcourez la Calle Xotepingo sur quelques centaines de mètres vers l'ouest jusqu'aux feux de signalisation de l'Avenida División del Norte. Empruntez ensuite la Calle del Museo sur 600 m comme indiqué dans le paragraphe précédent.

Comment s'y rendre

Les stations de métro les plus proches de Coyoacán sont Viveros, Coyoacán et General Anaya, toutes situées à une distance de 1,5 à 2 km. Si vous n'avez pas envie de marcher (ou de prendre un taxi), vous pouvez, depuis la station Viveros, rejoindre Valenzuela au sud, puis prendre un pesero "M (etro) Gral Anaya" vers l'est jusqu'à la Calle Allende. A la station Coyoacán, empruntez la sortie "Coyoacán", parcourez l'Avenida Universidad sur quelques mètres vers le sud et montez dans un des peseros "Coyoacán" qui se dirigent au sud-est par l'Avenida México. De la station General Anaya, de nombreux bus et peseros rejoignent le centre de Coyoacán.

Pour rejoindre ces stations de métro depuis le centre de Coyoacán, vous avez le choix entre les peseros "M (etro) Viveros" qui vont vers l'ouest dans Malitzin au coin d'Allende, les "M (etro) Coyoacán" qui se dirigent vers le nord dans Aguayo et les "M (etro) Gral Anaya" en direction de l'est dans Xicoténcatl, au coin d'Allende.

Pour aller de Coyoacán à San Ángel, prenez un pesero "San Ángel" se dirigeant vers l'ouest le long de Malitzin, à Allende, ou encore un bus ou un pesero "San

Ángel", vers l'ouest, sur l'Avenida M. A. de Quevedo, à cinq pâtés de maisons au sud de la Plaza Hidalgo. Pour vous rendre à la Ciudad Universitaria, montez dans un pesero "M (etro) Copilco" qui longe Malitzin, à Allende.

XOCHIMILCO ET SES ENVIRONS

A une vingtaine de kilomètres au sud du centre de Mexico, cette banlieue se compose d'un entrelacs de canaux bordés de cultures maraîchères et de maisons dont les pelouses donnent sur l'eau. Ce sont les "jardins flottants" de Xochimilco (prononcez "So-chi-mil-co"), vestiges des *chinampas*, où les Aztèques cultivaient l'essentiel de ce qui composait leur alimentation. Se promener en bateau le long des canaux est une expérience agréable, à défaut, parfois, d'être de tout repos. A un peu plus de 2 km à l'ouest de Xochimilco se trouve l'un des meilleurs musées de la ville, le Museo Dolores Olmedo Patiño.

Museo Dolores Olmedo Patiño

Ouvert en 1994, ce musée (☎ 555-08-91), Avenida México 5843, se targue de posséder la plus grande et la plus importante collection d'œuvres de Rivera. Cet endroit fascinant est installé dans une hacienda paisible du XVIe siècle entourée d'immenses jardins.

Dolores Olmedo Patiño, femme du monde fortunée qui habite encore une partie de la demeure, fut mécène de Diego Rivera dont elle a amassé les œuvres dans une vaste collection ouverte au public. Une salle est également consacrée à des peintures de Frida Kahlo.

Le musée est ouvert tous les jours sauf lundi, de 10h à 18h (1,30 $US). Pour vous y rendre, prenez le métro à Tasqueña, puis le Tren Ligero (tramway, 0,20 $US) de la station de métro Tasqueña jusqu'à La Noria. En sortant de la station La Noria, tournez à gauche en haut des marches, puis descendez la rue et continuez jusqu'à un carrefour enjambé par une passerelle. Là, tournez complètement à gauche dans Antiguo Camino Xochimilco. Le musée se trouve à 300 m, juste après le premier croisement. En tout, depuis le centre-ville, le trajet prend environ une heure.

Xochimilco

En nahuatl, la langue parlée par les Aztèques et leurs descendants, les Indiens Nahua, Xochimilco signifie "là où poussent les fleurs". Les habitants préhispaniques ont empilé des végétaux et de la boue du lac dans les eaux peu profondes du Lago de Xochimilco, ramification du Lago de Texcoco, pour en faire des jardins fertiles appelés chinampas, lesquels devinrent le fondement économique de l'empire aztèque. Leur extension transforma la majeure partie du lac en un réseau de canaux, dont une centaine de kilomètres sont encore navigables.

Le programme de réhabilitation de l'environnement, lancé à la fin des années 80, a éliminé en grande partie la pollution résultant de l'expansion urbaine dans ce coin de la ville, si bien que les canaux de Xochimilco restent un des lieux favoris de Mexico où venir s'amuser et se détendre le week-end. Si vous souhaitez faire une promenade en bateau sur les canaux, vous aurez le choix entre plusieurs embarcadères, de même qu'entre une promenade touristique classique ou une promenade écologique.

La promenade touristique démarre à l'un des *embarcaderos* situés près du centre de Xochimilco. Des centaines de *trajineras* (barques à fond plat) très colorées, manœuvrées par un homme armé d'une perche, attendent les joyeux lurons ou les touristes. Certains bateaux transportent des orchestres de mariachis et de marimba, des photographes, des vendeurs de tacos, de boissons et d'artisanat. Le week-end, le dimanche en particulier, une atmosphère de fiesta s'empare de la ville et des canaux de Xochimilco. Si vous avez envie d'une atmosphère plus tranquille, venez en semaine, quand visiteurs et marchands ambulants sont moins nombreux.

Les tarifs officiels des bateaux sont affichés aux embarcadères, et il n'y a pas de raison de payer plus cher. Lors de notre dernier passage, un bateau pour 4 personnes (à toit jaune) coûtait 5,25 $US de l'heure, et un bateau pour 8 (rouge), 6,50 $US. S'il est possible de se faire une idée de Xochimilco en une heure, en restant plus longtemps vous irez plus loin, en verrez davantage et aurez la possibilité de vous détendre.

Pour vous rendre à Xochimilco, prenez le métro jusqu'à la station Tasqueña, puis le Tren Ligero (0,20 $US) de la station de métro jusqu'au terminus, Embarcadero. D'Embarcadero, parcourez deux pâtés de maison vers la gauche dans l'Avenida Morelos, puis tournez à droite dans Netzahualcóyotl, près du marché quotidien et très animé de Xochimilco. En suivant Netzahualcóyotl tout droit sur 650 m, vous arriverez devant un canal où attendent des bateaux.

Autrement, des bus et peseros "Xochimilco" partent devant la station de métro Tasqueña. Il faut compter 45 minutes de Tasqueña à Xochimilco.

COURS DE LANGUE

A l'UNAM, le Centro de Enseñanza para Extranjeros (Centre d'enseignement pour étrangers) propose, cinq fois par an, un module de six semaines de cours intensifs d'espagnol et de culture latino-américaine, de tous niveaux. Bien que les classes comptent souvent beaucoup d'élèves, les étudiants que nous avons rencontrés ont paru satisfaits. Pour environ 265 $US (375 $US en été), vous bénéficierez d'un minimum de 3 heures quotidiennes de cours, cinq jours par semaine. L'UNAM propose également des cours sur la culture, l'histoire et la société latino-américaines. Pour plus de renseignements, contactez le CEPE (☎ 622-24-70), fax 616-26-72, cepe@servidor.unam.mx), Avenida Universidad 3002, Ciudad Universitaria, 04510 México DF, México, ou visitez le site web de l'UNAM (voir l'*Annuaire Internet* en fin d'ouvrage).

CIRCUITS ORGANISÉS

Quantité d'agences de voyages, y compris celles des hôtels de catégories moyenne et supérieure, proposent des circuits en bus, accompagnés par des guides parlant des langues étrangères. Une visite de 5 heures comprenant le Zócalo et ses environs, le Museo Nacional de Antropología et le Centro Artesanal Buenavista (voir *Marchés* dans la rubrique *Achats*) revient à environ 25 $US. Le prix d'une excursion à Tlatelolco, la Basílica de Guadalupe et Teotihuacán est similaire. Grey Line (☎ 208-11-63), Londres 166, Zona Rosa, est une agence de bonne réputation.

MANIFESTATIONS ANNUELLES

Les grandes fêtes mentionnées au chapitre *Renseignements pratiques* sont célébrées à Mexico. Celles qui revêtent un aspect particulier dans la capitale sont décrites ci-dessous.

Semana Santa

Les manifestations les plus évocatrices de la Semaine Sainte, celle qui précède Pâques, se déroulent dans l'humble barrio d'Iztapalapa, à environ 9 km au sud-est du Zócalo (métro Iztapalapa), où plus de 150 participants interprètent des scènes réalistes représentant la Passion et la mort du Christ. Le dimanche des Rameaux commémore l'entrée triomphale à Jérusalem. Le Jeudi Saint, la trahison de Judas et la Cène sont représentées sur la place d'Iztapalapa et le sermon du Christ à Gethsemani est joué sur le Cerro de la Estrella, la colline qui s'élève au sud de la ville. Les scènes les plus émouvantes commencent à 12h, sur la place, le Vendredi Saint. Le Christ est condamné, frappé, une couronne d'épines est placée sur sa tête (faisant couler du vrai sang), puis il porte une croix de 90 kg sur 4 km, jusqu'au sommet du Cerro de la Estrella, où il est attaché sur la croix et "crucifié". Ensuite, on le redescend au bas de la colline pour le conduire à l'hôpital.

Día de la Independencia

Le 15 septembre, des milliers de personnes se rassemblent sur le Zócalo pour entendre le président du Mexique réciter à 23h, depuis le balcon central du palais national, le *Grito de Dolores* (Cri de Dolores), le célèbre appel à la rebellion contre les Espagnols prononcé par Miguel Hidalgo en 1810. Le président fait alors sonner la cloche de cérémonie, la Campana de Dolores. On se congratule, on jette des confettis. Si vous y allez, laissez vos objets de valeur dans le coffre de l'hôtel.

Día de Nuestra Señora de Guadalupe
A la Basílica de Guadalupe, au nord de la ville, le 12 décembre marque l'apogée de dix jours de festivités en l'honneur de la Vierge de Guadalupe, la sainte patronne de Mexico. A partir du 3 décembre, une foule chaque jour plus nombreuse afflue vers la basilique et son immense plaza. Les 11 et 12 décembre, des groupes de danseurs indiens vêtus de costumes de fête et des musiciens, venus de tous les coins du Mexique, se produisent sans interruption pendant deux jours. Le 12 décembre, alors que les services religieux se succèdent pendant presque 24 heures d'affilée dans la basilique, le nombre des pèlerins atteint plusieurs millions.

Noël et el Día de los Reyes Magos
Pendant les quelques semaines précédant Noël, sur l'Alameda Central se dressent des châteaux de contes de fées illuminés et des grottes polaires, où les enfants se font prendre en photo en compagnie d'un Père Noël et de ses rennes. Entre le jour de Noël et le 6 janvier – le jour des Rois mages (los Reyes Magos) – le Père Noël est remplacé par les trois rois mages, qui jouissent d'une aussi grande popularité. Les familles se pressent tandis que des stands, vendant le meilleur et le pire, surgissent de partout.

OÙ SE LOGER

Mexico possède toute une variété d'hôtels, de l'établissement bon marché et très simple en plein centre (environ 15 $US la double) aux hôtels de classe internationale (à partir de 50 $US), en passant par les hébergements de catégorie moyenne (de 15 à 45 $US la double). En règle générale, les meilleures chambres à prix bas ou modéré sont situées dans les quartiers à l'ouest du Zócalo, à proximité de l'Alameda Central et de la Plaza de la República ; les hôtels de luxe sont regroupés dans la Zona Rosa, le long du Paseo de la Reforma, et à Polanco. Si deux prix sont indiqués pour une chambre double, le plus bas correspond à un grand lit, le plus élevé à des lits jumeaux.

De nombreux hôtels offrent des chambres pour 3 ou 4 personnes à un prix ne dépassant guère celui des doubles.

Où se loger – petits budgets

Les chambres des hôtels cités ici sont équipées de salles de bains, sauf indication contraire, et beaucoup disposent de la TV et de carafes ou de bouteilles d'eau purifiée.

Centro Histórico. On trouve beaucoup d'hôtels corrects dans l'Avenida Cinco de Mayo et dans les rues au nord et au sud de cette artère. L'eau chaude se montre parfois capricieuse à certains endroits.

L'*Hotel Juárez* (☎ 512-69-29), Cerrada Cinco de Mayo 17, possède 39 chambres dans une rue tranquille, perpendiculaire à l'Avenida du même nom et à seulement un pâté de maison et demi de la cathédrale (métro Zócalo ou Allende). Simple, mais correct et très propre, il offre de l'eau chaude 24h/24, une fontaine coule dans la petite cour et les prix sont bas : 9,25 $US la simple, 9,75 ou 10,50 $US la double. Si les chambres ont toutes la TV, quelques-unes seulement ont des fenêtres. L'endroit est très apprécié mais, en arrivant avant 14h, vous devriez obtenir une chambre.

L'*Hotel Isabel* (☎ 518-12-13, fax 521-12-33), Isabel la Católica 63, à l'angle d'El Salvador (métro Isabel la Católica), est recherché pour sa situation, le confort de ses chambres un peu vieillottes et son petit restaurant à prix modérés. Toutes les chambres, certaines particulièrement spacieuses, disposent de la TV ; celles qui donnent sur la rue sont bruyantes mais claires. Comptez 12,50/14,50 $US pour une simple/double, ou 7,75/8,50 $US aux étages supérieurs, avec s.d.b. commune.

Certaines chambres jouissent d'une très belle vue.

Calme et bien placé, l'*Hotel San Antonio* (☎ 512-99-06), 2a Cerrada de Cinco de Mayo 29, se situe juste au sud de l'Hotel Juárez, de l'autre côté de l'Avenida Cinco de Mayo (métro Zócalo ou Allende). Les 40 chambres, petites et propres, ont toutes la TV et valent 9,25 $US avec grand lit et 10,50 $US avec lits jumeaux et s.d.b. Celles donnant sur la rue sont plus lumineuses.

L'*Hotel Zamora* (☎ 512-82-45), Avenida Cinco de Mayo 50, entre La Palma et Isabel la Católica (métro Allende ou Zócalo), n'a rien de très affriolant et les chambres peuvent être bruyantes et/ou sombres. En revanche, l'endroit est propre, accueillant et bon marché, doté de douches chaudes et d'un coffre-fort. Il loue des chambres à un lit pour 5,25 $US ou 6,50 $US avec s.d.b. et des chambres à deux lits pour 7,25 $US ou 9,25 $US avec s.d.b.

L'*Hotel Buenos Aires* (☎ 518-21-04), Motolinía 21 (métro Allende), pratique de bons tarifs : simple/double à 6,50/7,75 $US avec s.d.b. et TV et 9,25 $US les doubles à lits jumeaux. Les chambres sont simples, mais propres et correctes, et l'accueil est sympathique.

L'*Hotel Principal* (☎ 521-13-33), Bolívar 29, entre l'Avenida Madero et 16 de Septiembre (métro Allende ou Zócalo), est un établissement accueillant, dont la plupart des chambres donnent sur un hall central décoré de plantes. Comptez 6,50/7,75 $US pour une simple/double avec s.d.b. commune, 11,75 $US pour une simple avec s.d.b. et de 13 à 15,75 $US pour une double avec s.d.b. Les doubles à lits jumeaux sont assez spacieuses.

Bien situé, l'*Hotel Washington* (☎ 512-35-02), Avenida Cinco de Mayo 54, à l'angle de La Palma (métro Allende ou Zócalo), propose des chambres bruyantes sur le devant. Les simples reviennent à 11 $US et les doubles à 12,50 ou 14,25 $US.

L'*Hotel Montecarlo* (☎ 518-14-18), Uruguay 69 (métro Zócalo) accueillit autrefois D.H. Lawrence. Bien que rénové et propre, il est assez sinistre et dépourvu de charme. Bien situé cependant, il offre des prix avantageux avec des simples/doubles à 11/11,75 $US avec s.d.b.

L'*Hotel Rioja* (☎ 521-83-33), Avenida Cinco de Mayo 45, à l'angle d'Isabel la Católica (métro Allende), est en cours de rénovation. Les chambres sont toutes petites. Celles qui ont été modernisées sont dépouillées, mais propres, avec des s.d.b. carrelées. Les prix varient selon l'orientation, le confort et la vétusté. Prévoyez de 7,25 à 10,75 $US pour une simple et de 8 à 16 $US pour une double.

Près de l'Alameda Central. L'avantage de ce quartier, un peu terne, est sa situation.

L'*Hotel Del Valle* (☎ 521-80-67), Independencia 35, à un pâté de maisons de l'Alameda (métro San Juan de Letrán ou Juárez), est accueillant. Les chambres, de taille moyenne et légèrement fatiguées, sont équipées de TV et se louent à 9,25 $US en simple et 9,25 ou 11,25 $US en double.

A cinq pâtés de maisons et demi de l'Alameda, l'*Hotel San Diego* (☎ 521-60-10), Luis Moya 98 (métro Salto del Agua), offre un bon rapport qualité/prix avec 87 chambres modernes et spacieuses, équipées de TV satellite et de s.d.b. carrelées (simples à 10,50 $US et doubles à 11,75 ou 15,50 $US). Il est doté d'un bon restaurant, d'un bar et d'un garage.

A 700 m de l'Alameda, l'*Hotel Fornos* (☎ 510-47-32), Revillagigedo 92 (métro Balderas), propose des chambres petites mais agréables, avec s.d.b. carrelées et tapis. Une double à grand lit vaut de 11 à 12,50 $US et une double à lits jumeaux, 19,50 $US. L'hôtel possède un restaurant et parking.

Près de la Plaza de la República. A environ 1 km à l'ouest de l'Alameda, cette zone résidentielle est un peu moins pratique, mais calme et plaisante. La station de métro est Revolución.

La *Casa de los Amigos* (☎ 705-05-21 ; fax 705-07-71, amigos@laneta.apc.org),

Ignacio Mariscal 132, est tenue par des Quakers. Tous les voyageurs sont les bienvenus et aucune pression religieuse n'est exercée sur les clients. Les installations comprennent notamment une cuisine, des fiches d'informations sur les possibilités de bénévolat et les écoles de langues, ainsi qu'une bibliothèque. Un petit déjeuner à 1,30 $US est servi du lundi au vendredi. L'établissement peut loger 40 personnes en dortoirs non mixtes et en chambres individuelles. Un lit en dortoir coûte 5,25 $US, les simples/doubles 7,25/10,50 $US, et les doubles avec s.d.b., 11,75 $US. Il est conseillé de réserver, surtout en août et en septembre, ainsi que de décembre à février. Le séjour minimum est de deux nuits. Alcool et tabac sont interdits dans l'enceinte du bâtiment.

Le petit *Hotel Ibiza* (☎ 566-81-55), Arriaga 22, à l'angle d'Édison, pratique des tarifs intéressants. Les simples/doubles, petites, propres et agréables, avec dessus de lit coloré et TV, valent 7,75/10,50 $US.

Si vous souhaitez un peu plus de confort, essayez l'*Hotel Édison* (☎ 566-09-33), Édison 106. Les 45 chambres, aussi propres que plaisantes, sont disposées autour d'une petite cour remplie de plantes. Comptez 13 $US pour une simple, 14,25 ou 15,50 $US pour une double. Il possède un garage et une boulangerie lui fait face.

L'*Hotel Pensylvania* (☎ 703-13-84), Ignacio Mariscal 101, à l'angle d'Arriaga, a été modernisé il y a quelques années et propose 82 chambres décentes couleur lilas, toutes équipées de TV et de s.d.b. carrelées. Les simples/doubles standard se louent 6,50/9,25 $US, celles plus vastes de la "*zona de kingsize*", dotées de lits plus larges, 9,25/10,50 $US. Un parking est disponible.

L'*Hotel Carlton* (☎ 566-29-11), Ignacio Mariscal 32B, à l'angle de Ramos Arizpe, est toujours populaire auprès des voyageurs à petit budget, bien qu'il ait besoin d'un bon coup de neuf. Les simples/doubles à 9,25/10,50 $US possèdent TV et moquette, qui leur confèrent un petit côté douillet.

Similaire au précédent (les tapis semblent ne pas avoir été nettoyés depuis longtemps), l'*Hotel Oxford* (☎ 566-05-00), Ignacio Mariscal 67, à l'angle d'Alcázar, dispose de grandes chambres avec TV de 6,50 à 10,50 $US.

Où se loger – catégorie moyenne

Les hôtels de cette catégorie proposent des chambres confortables et agréables, parfois petites, dans des bâtiments modernes ou coloniaux bien situés. Tous offrent s.d.b. privative (douche ou baignoire) et TV.

Centro Histórico. Juste derrière le Templo Mayor et à un pâté de maisons au nord de la cathédrale, l'*Hotel Catedral* (☎ 518-52-32 ; fax 512-43-44), Donceles 95 (métro Zócalo), est aussi bien tenu que bien géré. Un bon restaurant est installé dans le hall lumineux. Les 120 chambres sont agréables et confortables (23,50 $US en simple, 28,25 ou 32,50 $US en double). Un parking se trouve à proximité.

Très bien situé, l'*Hotel Canadá* (☎ 518-21-06 ; fax 521-93-10), Avenida Cinco de Mayo 47, à l'est d'Isabel la Católica (métro Allende), est clair, moderne et impeccable. La plupart des 100 chambres, toutes équipées d'un coffre-fort, sont de taille modeste et celles donnant sur la rue sont un peu bruyantes. Comptez 20,75 $US en simple, 23,25 ou 25,25 $US en double.

Au coin d'Avenida Cinco de Mayo, l'*Hotel Gillow* (☎ 518-14-40 ; fax 512-20-78), Isabel la Católica 17, bénéficie d'une situation pratique et d'un agréable hall de verdure. Il dispose de chambres propres, pimpantes et modernes à 23,25 $US en simple et 26 ou 32,50 $US en double. Il possède également un bon restaurant à prix modérés.

L'*Hotel Roble* (☎ 522-78-30), Uruguay 109, à l'angle de Pino Suárez (métro Zócalo ou Pino Suárez), se trouve à deux pâtés de maisons au sud du Zócalo, à un carrefour bruyant. Fréquenté principalement par les Mexicains, c'est un des établissement les moins chers de cette catégorie. Il loue des chambres, de taille raisonnable et propres, à 13 $US en simple et de 15,75 à 17,75 $US en double. Un restaurant lumineux et animé est attenant à l'hôtel.

A sept rues au nord-ouest du Zócalo, l'*Hotel Antillas* (☎/fax 526-56-74), Belisario Domínguez 34, à l'est d'Allende (métro Allende), propose 100 chambres spacieuses, avec tapis et dessus de lit colorés, à 15 $US la simple, 18 ou 20,25 $US la double. Le personnel est accueillant et l'établissement dispose d'un restaurant très attrayant.

Près de l'Alameda Central. Face à l'Alameda, l'*Hotel Bamer* (☎ 521-90-60 ; fax 510-17-93), Avenida Juárez 52 (métro Bellas Artes), offre 111 chambres confortables, spacieuses et climatisées, jouissant d'une vue magnifique sur l'Alameda (simples/doubles à 31/38,75 $US). Des chambres plus petites, sans vue ni baignoire (mais avec douche), se louent 22/23,25 $US. La cafétéria du 1er étage sert de bons petits déjeuners et déjeuners à prix raisonnables.

Au sud de l'Alameda, le quartier ne s'est pas encore totalement remis du tremblement de terre de 1985. Il compte néanmoins quelques bons hôtels rénovés. L'*Hotel Fleming* (☎ 510-45-30 ; fax 512-02-84), Revillagigedo 35, à deux pâtés de maisons de l'Alameda (métro Juárez), possède 100 chambres confortables avec de grandes s.d.b. carrelées ; celles des étages supérieurs bénéficient d'une belle vue. Vous débourserez 24,25 $US pour une simple, 28,75 ou 31,75 $US pour une double. L'hôtel est doté d'un bon restaurant et d'un parking.

L'*Hotel Marlowe* (☎ 521-95-40 ; fax 518-68-62), Independencia 17, entre Dolores et López (métro San Juan de Letrán), est à quelques pas au sud de l'Alameda. C'est un établissement clair et confortable, équipé de 120 chambres agréables, assez vastes et de bon goût. Les chambres d'angle, surtout aux étages supérieurs, sont particulièrement lumineuses (simples à 25,75 $US et doubles à 28,75 ou 31,75 $US).

A une rue au nord de l'Alameda, l'*Hotel Hidalgo* (☎ 521-87-71), Santa Veracruz 37, à l'angle de Dos (2) de Abril (métro Bellas Artes), est situé dans une rue peu attirante. Ses 100 chambres n'en sont pas moins modernes et excellentes (simples/doubles à 17,50/20,75 $US). L'hôtel possède un restaurant et un garage.

Près de la Plaza de la República. A défaut d'autre indication, la station de métro la plus proche de ces hôtels est Revolución.

L'*Hotel Frimont* (☎ 705-41-69), Terán 35, offre un bon rapport qualité/prix, avec ses 100 chambres propres, de taille correcte et moquettées à 16,50 $US en simple et 18 ou 21 $US en double. Le restaurant propose un petit déjeuner de 1,60 à 2,25 $US.

Récemment rénové, l'*Hotel Texas* (☎ 705-57-82 ; fax 566-97-24), Ignacio Mariscal 129, met à votre disposition un personnel serviable, un garage, ainsi que 60 chambres propres et confortables, avec bouteilles d'eau minérale gratuites. Comptez 15 $US pour une simple, 16,25 ou 17,50 $US pour une double.

Les rues au sud de la Plaza de la República rassemblent plusieurs hôtels d'un meilleur standing à prix intéressants. L'*Hotel Corinto* (☎ 566-65-55 ; fax 546-68-88), Ignacio Vallarta 24, établissement moderne et impeccable au personnel serviable, possède un restaurant, un bar et une petite piscine sur le toit. Bien que petites, les 155 chambres climatisées sont confortables et tranquilles (simples à 24,25 $US, doubles à 26 ou 31,25 $US).

Le hall du *Palace Hotel* (☎ 566-24-00 ; fax 535-75-20), Ramírez 7, est toujours très animé par les allées et venues de ses clients. Il offre un restaurant, un bar, un garage et 200 chambres modernes et confortables à 22,75 $US en simple et 24,25 ou 27,25 $US en double.

Similaire, l'*Hotel Mayaland* (☎ 566-60-66 ; fax 535-12-73), Antonio Caso 23, propose 100 chambres, petites mais propres, avec clim. et eau potable, à 22,75 ou 24 $US en simple et 26,50 $US en double. L'hôtel dispose d'un restaurant et d'un parking.

Plus au nord-est de la place, l'*Hotel Jena* (☎ 566-02-77 ; fax 566-04-55), Terán 12 (métro Hidalgo), est un bâtiment moderne rutilant, un brin snob. Sans conteste le plus luxueux de sa catégorie, il compte plus de 120 chambres d'une propreté immaculée à 36,25 $US en simple et de 39,25 à 44 $US en double. Le piano-bar ouvre jusqu'à 2h du matin ; le restaurant est un peu cher.

Près du Jardín del Arte. Le Jardín del Arte est un petit parc situé à environ 1 km au nord de la Zona Rosa, non loin du carrefour Reforma/Insurgentes. Trois hôtels corrects de taille moyenne, tous avec parking, sont regroupés dans la Calle Serapio Rendón, à un pâté de maisons du parc. Des bus et des peseros passent à proximité dans Insurgentes et Reforma.

Apprécié par les familles et les couples mexicains, l'*Hotel Mallorca* (☎ 566-48-33), Serapio Rendón 119, offre des chambres propres, agréables et moquettées à 17,75 $US en simple et à partir de 19,50 $US en double. Les "*doble chico*" et les "*doble grande*" (21 et 22,75 $US) sont spacieuses.

L'*Hotel Sevilla* (☎/fax 566-18-66), Serapio Rendón 126, est en pleine réfection. Les chambres déjà rénovées sont plaisantes, quoiqu'un peu plus petites que celles du Mallorca. Comptez 17,50 $US pour une simple, 19,25 ou 22,75 $US pour une double. L'hôtel possède une agence de voyages et un petit bar-restaurant.

L'*Hotel Compostela* (☎ 566-07-33 ; fax 566-26-71), Sullivan 35, à l'angle de Serapio Rendón, propose des petites chambres agréables à 15,25 $US en simple et 16,75 ou 19,25 $US en double.

Près de la Zona Rosa. Les hôtels installés au cœur de la Zona Rosa sont chers, mais il existe de bons établissements de catégorie moyenne à proximité. La station de métro la plus proche pour les deux adresses suivantes est Insurgentes (à 800 m au sud).

La *Casa González* (☎ 514-33-02), Río Sena 69, est à 500 m au nord du centre de la Zona Rosa, dans un quartier plus calme. Deux belles maisons, entourées de petites pelouses, ont été converties en une ravissante pension de famille. C'est un endroit exceptionnel, tenu par une famille charmante, parfait pour ceux qui veulent séjourner plus d'une nuit ou deux. Le rapport qualité/prix est intéressant avec des simples de 23 à 31 $US et des doubles de 26,50 à 31 $US (plus une à 57,50 $US). De délicieux repas faits maison sont servis dans la jolie salle à manger et il est possible de se garer. Pensez à réserver. Aucune pancarte ne signale la pension et le portail est fermé à clé. Il faut sonner pour entrer.

A 600 m au nord du centre de la Zona Rosa, l'*Hotel María Cristina* (☎ 703-17-87 ; fax 566-91-94), Río Lerma 31, est un bijou de style colonial. Il comporte 150 chambres confortables, des pelouses impeccables, d'imposants salons, un patio avec une fontaine, un bon restaurant (comida à 5,25 $US), un bar et un parking. Les simples/doubles valent 33,25/36,25 $US, les suites à partir de 44 $US. L'hôtel est très apprécié par la clientèle d'affaires ou les familles mexicaines, ainsi que par les touristes étrangers ; il est prudent de réserver.

Près du Terminal Norte. L'*Hotel Brasilia* (☎ 587-85-77), Avenida de los Cien Metros 4823 (métro Autobuses del Norte), se situe à 8 minutes de marche au sud du Terminal Norte (tournez à gauche en sortant du terminal). Il compte 200 chambres correctes à 15,50/20,75 $US en simple/double, un restaurant et un bar.

Où se loger – catégorie supérieure

Les établissements de cette catégorie incluent des hôtels confortables de taille moyenne visant une clientèle de touristes, certains avec des chambres bien au-dessous de 100 $US, ainsi que des tours modernes et luxueuses attirant une clientèle internationale d'hommes d'affaires, où les chambres les moins chères coûtent plus de 300 $US.

Centro Histórico. Avec son hall orné d'azulejos, l'*Hotel Majestic* (☎ 521-86-

00 ; fax 512-62-62), Avenida Madero 73, à l'ouest du Zócalo, est un vieil établissement réputé. Quelques chambres, les plus chères, donnent sur la place. Évitez celles ouvrant sur Madero, trop bruyantes, ou sur la cour intérieure – à moins que le vis-à-vis ne vous dérange pas. Les prix vont de 93,75 $US la chambre à 140,50 $US la suite, en simple ou double. Le café-restaurant du 7e étage offre une belle vue sur le Zócalo. Cet hôtel appartient à la chaîne Best Western.

A côté du Zócalo, le *Gran Hotel Ciudad de México* (☎ 510-40-40, fax 512-67-72), 16 de Septiembre 82 (métro Zócalo), est un pur joyau du style art nouveau. Asseyez-vous dans l'un des sièges somptueux du vaste hall, écoutez chanter les oiseaux dans les grandes volières et regardez l'ascenseur en fer forgé monter vers la superbe verrière aux vitraux colorés. Les 124 chambres, spacieuses et confortables, se louent 87 $US en simple ou double. L'hôtel possède un restaurant de la chaîne Delmonico. Un autre restaurant est installé au 4e étage et surplombe le Zócalo.

Également propriété de la chaîne Best Western, l'*Hotel Ritz* (☎ 518-13-40 ; fax 518-34-66), Avenida Medero 30, à trois pâtés de maisons à l'ouest du Zócalo (métro Zócalo), reçoit surtout des hommes d'affaires et des groupes d'Américains en voyages organisés. Il dispose de 140 chambres confortables, avec mini-bar (57 $US en simple ou double), un restaurant, un bon petit bar et un parking.

Près de l'Alameda Central. L'*Hotel Cortes* (☎ 518-21-84 ; fax 512-18-63), Avenida Hidalgo 85, en face de l'Alameda Central (métro Hidalgo), affiche une façade en tezontle sombre, quelque peu monotone, qui dissimule une charmante petite cour coloniale. Cet hospice de l'ordre de Saint-Augustin, construit en 1780, propose aujourd'hui des chambres modernes et confortables, équipées de TV et de petites fenêtres donnant sur le restaurant de la cour. Le bruit est parfois gênant. Comptez 82,50/94,25 $US en simples/doubles, plus cher pour une suite. Au déjeuner, un menu complet revient à 7,75 $US. Cet hôtel est également géré par la chaîne Best Western.

Près de la Plaza de la República. Plusieurs hôtels, le long du Paseo de la Reforma, attirent principalement une clientèle d'affaires ; ils sont idéalement situés entre l'Alameda et la Zona Rosa. En voici quelques-uns :

Fiesta Americana (☎ 705-15-15 ; fax 705-13-13), Reforma 80 (métro Revolución) – un bâtiment de 26 étages comptant 610 chambres élégantes à 120,25/132,25 $US en simple/double.

Hotel Crowne Plaza (☎ 128-50-00 ; fax 128-50-50), Reforma 1 (métro Hidalgo) – un nouvel hôtel luxueux de 490 chambres ; chambres standard à 233 $US.

Hotel Sevilla Palace (☎ 566-88-77 ; fax 535-38-42), Reforma 105 (métro Revolución) – un service efficace et de belles chambres modernes à 99,75 $US, en simple ou double.

La Zona Rosa et ses environs. Sauf indication contraire, la station de métro la plus proche est Insurgentes.

L'*Hotel International Havre* (☎ 211-00-82 ; fax 533-12-84), Havre 21, possède 48 chambres très grandes et confortables, agréablement meublées (avec TV) ; celles des étages supérieures offrent une vue superbe (simples/doubles à 64/71,25 $US). Outre une direction très serviable, vous trouverez un parking gratuit et gardé et un restaurant.

Moderne et agréable, l'*Hotel Plaza Florencia* (☎ 211-31-89 ; fax 511-15-42), Avenida Florencia 61, comporte 142 chambres climatisées et décorées avec goût, équipées d'un mini-bar et de TV par câble. Comptez 106 $US pour une chambre standard d'une à quatre personnes et 171 $US pour les plus belles. L'hôtel est doté d'un restaurant.

L'*Hotel Calinda Geneve* (☎ 211-00-71 ; fax 208-74-22), Londres 130, près de Génova, est le plus ancien hôtel de ce quartier. Bien entretenu, il s'orne d'un hall colonial qui conduit d'un côté à un restaurant Sanborn's surmonté d'une magnifique verrière et, de l'autre, au célèbre Café Jardín (voir *Où se restaurer*). Ses 320 chambres agréables, un peu démodées, disposent de la clim., d'un mini-bar et d'une TV par câble (100,50 $US). Vous pourrez aussi profiter d'une petite piscine.

L'*Hotel Aristos* (☎ 211-01-12 ; fax 525-67-83), Reforma 276, à l'angle de Copenhague, propose 400 chambres confortables, assez agréables et bien équipées (118,75 $US du lundi au jeudi, 44,75 $US du vendredi au dimanche). L'hôtel possède deux restaurants, un bar et deux discothèques.

Au coin de Río de la Plata (métro Sevilla), l'*Hotel Marquis Reforma* (☎ 211-36-00 ; fax 211-55-61), Paseo de la Reforma 465, a ouvert en 1991. L'architecture et le décor, orientés vers le XXIe siècle, s'inspirent du riche héritage art déco de la ville. Outre un personnel efficace et polyglotte, vous trouverez du marbre coloré à profusion, ainsi qu'un club de remise en forme en plein air avec des bains à remous. Les 125 chambres luxueuses et les 85 suites somptueuses valent de 275 à 489 $US.

Près du Monumento a la Independencia (El Ángel), le *Maria Isabel-Sheraton Hotel* (☎ 207-39-33 ; fax 207-06-84), Paseo de la Reforma 325, est plus ancien (1962), mais tout aussi séduisant et des plus confortables avec ses salons spacieux, son excellente cuisine, ses concerts nocturnes de mariachis et tous les services d'un hôtel de grande classe : piscine, saunas et deux courts de tennis éclairés. Les prix des 752 chambres et suites luxueuses démarrent à 287/305 $US en simple/double.

Parmi les autres hôtels de la Zona Rosa, citons :

Hotel Century (☎ 726-99-11 ; fax 525-74-75), Liverpool 152 – 142 petites chambres de style moderne à 178 $US, en simple ou en double.

Hotel Krystal Rosa (☎ 228-99-28 ; fax 511-34-90), Liverpool 155 – un endroit clinquant avec 302 chambres cossues, dont beaucoup jouissent d'une belle vue sur la ville ; le prix des simples ou doubles commence à 175 $US.

Hotel Marco Polo (☎ 207-18-93 ; fax 533-37-27, marcopolo@data.net.mx), Amberes 27 – cet hôtel branché attire une clientèle d'artistes et de gens du showbiz. Les 60 chambres, modernes, coûtent 165 $US, en simple ou double.

Hotel Westin Galería Plaza (☎ 230-17-17 ; fax 207-58-67), Hamburgo 195 – un établissement élégant, réputé pour sa cuisine ; 439 chambres à 233 $US, en simple ou double (demi-tarif le week-end).

Polanco. Situé juste au nord du Bosque de Chapultepec, ce quartier abrite quelques-uns des meilleurs hôtels d'affaires de la ville, dont trois grandes tours qui se succèdent le long de Campos Elíseos. Desservis par la station de métro Auditorio, sauf mention contraire, vous trouverez les hôtels suivants :

Camino Real México (☎ 203-21-21 ; fax 250-68-97), Calzada General Escobedo 700 (métro Chapultepec) – une architecture moderne et audacieuse ; 713 chambres à partir de 212 $US en simple ou double (vendredi et samedi : 88,75 $US).

Hotel Nikko México (☎ 280-11-11 ; fax 280-91-91), Campos Elíseos 204 – une tour de 746 chambres mêlant un luxe moderne à un service excellent dans un bâtiment à l'architecture étonnante ; très confortables, les simples ou doubles standard reviennent à 287,50 $US (155,25 $US le week-end, petit déjeuner compris).

Hotel Presidente Inter-Continental (☎ 327-77-77/00 ; fax 327-77-83), Campos Elíseos 218 – offre un "Centro Gourmet" avec sept différents restaurants haut de gamme et 659 chambres à partir de 353,25 $US.

OÙ SE RESTAURER

Cette capitale cosmopolite abrite des restaurants pour tous les goûts et toutes les bourses ; la cuisine mexicaine côtoie les saveurs européennes, nord-américaines, argentines et asiatiques. Certains des meilleurs endroits sont très bon marché, d'autres, très chers, méritent amplement la dépense. Dans les quelques restaurants décrits comme formels, les hommes doivent porter veste et cravate et les femmes, une tenue un peu habillée. Les numéros de téléphone sont indiqués pour les établissements où il est prudent de réserver.

Les stands de rue offrent la restauration la plus économique ; reportez-vous à la rubrique *Alimentation* du chapitre *Renseignements pratiques* pour plus de détails.

Chaînes de restaurants
Mexico abonde en chaînes de restauration moderne qui proposent une nourriture sans surprise. Les prix seront sans doute légèrement supérieurs à vos prévisions. Quantité de ces établissements sont autant fréquentés par les Mexicains que par les touristes.

Les quartiers touristiques, notamment la Zona Rosa, l'Alameda ou le Paseo de la Reforma, fourmillent de restaurants *VIPS* et *Sanborn's*, qui proposent de la cuisine mexicaine et internationale (plats de 3,50 à 6 $US).

Centro Histórico
Petits budgets. Partageant l'immeuble de l'Hotel Zamora, le *Café El Popular*, Avenida Cinco de Mayo 52, à deux pâtés de maisons à l'ouest du Zócalo, se situe dans un agréable quartier. Ouvert 24h/24, il dispose de tables étroitement serrées. Un second établissement plus récent, au n°10 de la même avenue, propose le même menu dans un espace plus aéré, illuminé d'un mobilier de plastique jaune vif. Ils servent tous deux de bons petits déjeuners (fruit, œufs, haricots rouges, petit pain et café pour 1,80 $US) et toutes sortes de plats, tels que du riz végétarien ou un quart de poulet avec mole (2,50 $US). Un bon café fort con leche revient à 0,70 $US.

Vaste et toujours plein, le *Café La Blanca*, Avenida Cinco de Mayo 40, à l'ouest d'Isabel la Católica, est idéal pour observer les passants en buvant un café con leche (1 $US). Les prix ne sont pas des plus bas, mais vous pourrez déjeuner de trois plats pour 3,25 $US. Il ouvre tous les jours de 6h30 à 23h30.

A *La Casa del Pavo*, Motolinía 40, à trois pâtés de maisons à l'ouest du Zócalo, les chefs en tablier blanc découpent à longueur de journée des dindes rôties qu'ils servent à prix modique. La comida corrida de quatre plats à 2,25 $US offre un excellent rapport qualité/prix, mais l'on peut aussi déguster des tacos ou des tortas à la dinde. Pour manger à bon marché, allez dans la partie nord de Motolinía, vers la station de métro Allende, où plusieurs échoppes toutes simples vendent des tacos, des enchiladas et autres en-cas mexicains à très bas prix (environ 0,30 $US le taco).

Le *Restaurante Madero*, à l'angle de Madero et de Motolinía, est apprécié pour son déjeuner de cinq plats (4 $US), avec un choix de plats principaux tels que le mole poblano, la paella ou le cabrito al horno (chevreau rôti).

Restaurants végétariens. Le *Restaurante El Vegetariano*, Avenida Madero 56, à l'ouest de La Palma, se niche en haut d'une volée de marches. Ne vous fiez pas à l'entrée tristounette et rendez-vous à l'étage dans les trois salles animées et hautes de plafond, où un pianiste massacre joyeusement de vieilles rengaines pendant le dîner. Les plats sont excellents, les portions généreuses et le rapport qualité/prix imbattable. Le menu du jour (cinq plats) revient à 2,75 ou 3,25 $US. Les petits déjeuners et les plats à la carte valent environ 2 $US. Le restaurant ouvre tous les jours, sauf le dimanche, de 8h30 à 12h30 et de 13h30 à 18h30. Plus moderne, une succursale s'est ouverte à quelques centaines de mètres, Mata 13.

Le *Comedor Vegetariano*, Motolonía 31, propose une bonne comida (2,75 $US) tous les jours de 13h à 17h.

Bars à jus de fruits. Dans l'Hotel Canada, le *Jugos Canadá*, 2a Cerrada Cinco de Mayo, est une adresse recommandée pour un pur jus de fruit rafraîchissant, un licuado ou une salade de fruits. Un grand jus d'orange ou de carotte, pressé à la demande, vous reviendra à 0,80 $US ; un "cóctel biónico", composé de jus de cinq fruits, de lait condensé, de céréales et de cacao vaut 1,30 $US. Dans le même genre, le *Super Soya*, dans Tacuba à l'autre extrémité de Motolinía, énumère toutes les variétés de jus, de licuados, de salades de fruits, de tacos et de tortas possibles et imaginables. Vous pourrez vous régaler d'un taco végétarien à 0,60 $US, arrosé d'un "Dracula" – mélange de jus de betterave, ananas, céleri et orange (1,10 $US). Il ouvre du lundi au samedi de 9h à 21h, et le dimanche de 10h à 19h.

Boulangeries et pâtisseries. Vous pourrez acheter d'excellents sandwiches et petits pains dans les *pastelerías*. Entrez, prenez un plateau et une pince en aluminium, servez-vous et passez à la caisse qui vous emballera le tout.

La vaste *Pastelería Madrid*, Cinco de Febrero 25, à l'angle d'El Salvador et à deux pâtés de maisons et demi au sud-ouest du Zócalo, vend, à toute heure, des pains et pâtisseries tout frais sortis du four. Ouverte à partir de 7h30, elle dispose de tables ou vous pourrez déguster un café avec un croissant ou une pâtisserie pour 0,80 $US.

Assez chic, la *Pastelería Ideal* (☎ 585-80-99), 16 de Septiembre 14, à l'ouest de Gante, présente d'immenses gâteaux de mariage dans la vitrine. Malgré son élégance, les prix restent abordables.

Catégories moyenne et supérieure. A l'angle nord-ouest du Zócalo, deux petits restaurants disposent leurs tables sur le trottoir, permettant d'observer la ville en pleine action. Le *Shakey's Pizza y Pollo* sert des parts de pizza de 1,50 à 3 $US, des pizzas entières à partir de 5 $US, des hamburgers, des chicken nuggets, etc. Le *Flash Taco* propose des spécialités mexicaines et Tex-Mex (deux tacos pour 1 à 3 $US, des fajitas à 4 $US).

Pour une vue sur le Zócalo, montez au dernier étage de l'Hotel Majestic au *Restaurante Terraza*, Avenida Madero 73. Du lundi au vendredi, vous pouvez déjeuner du menu à 4 $US, ou choisir un plat plus léger ou à la carte.

An face de la Catedral Metropolitana, Tacuba 87, au coin de Monte de Piedad, le plaisant *Restaurante México Viejo* est décoré de nappes bleu vif et de photos sépia du vieux Mexico. Il sert une nourriture mexicaine et internationale correcte, des fettucine Montezuma (pâtes à la sauce huitlacoche) à 3,50 $US aux steaks à environ 7 $US ; au déjeuner, le *menú ejecutivo* comprend quatre plats pour 6 $US (ouvert du lundi au samedi de 8h30 à 21h30, le dimanche de 10h à 18h).

Le *Bertico Café*, Avenida Madero 66, à quelques pas du Zócalo, est un clinquant nouveau venu de style continental. Il propose des pâtes à partir de 4,50 $US, des sandwiches-baguettes à 2 $US et un bon café.

Fondé en 1912, le *Café de Tacuba*, Tacuba 28, à l'ouest du métro Allende, est un joyau du vieux Mexico. Carrelages colorées, lampes de cuivre et peintures à l'huile donnent le ton. On y déguste une délicieuse cuisine traditionnelle mexicaine. Au déjeuner, le menu de cinq plats coûte 7,75 $US. A la carte, les plats valent de 4 à 6,50 $US. Il ouvre tous les jours de 8h à 23h30.

L'*Hostería de Santo Domingo*, Belisario Domínguez 72, à six rues au nord-ouest du Zócalo, est petite mais chargée d'atmosphère. Des objets d'artisanat recouvrent murs et plafond et la cuisine régionale, aussi bonne qu'originale, réjouit les clients. Un repas de trois plats à la carte revient à 10/12 US, mais on peut se restaurer pour 6 $US environ. Si vous cherchez un endroit où règne une bonne ambiance, n'hésitez pas. Animé par un pianiste ou un trio à partir de 15h, l'établissement ouvre tous les jours de 9h à 22h30.

Le *Restaurante Jampel*, Bolívar 8, au nord de l'Avenida Cinco de Mayo, est une vaste cafétéria avec un service rapide et efficace, des comidas de trois plats à 3,25 $US et une carte. Tous les jours, sauf le samedi, un buffet est servi à l'heure du déjeuner dans la salle du fond, à l'étage. Il ouvre du lundi au samedi de 7h30 à 23h, le dimanche de 13h à 18h.

Plusieurs hôtels possèdent des restaurants d'un rapport qualité/prix intéressant. Deux des meilleurs, très fréquentés, sont celui de l'*Hotel Catedral*, Donceles 95, à un pâté de maisons au nord de la cathédrale (petit déjeuner de 1,60 à 3 $US et déjeuner à 4,25 $US), et le *Restaurante Bar Maple* de l'Hotel Roble, Uruguay 109, à deux rues au sud du Zócalo (déjeuner de quatre plats à 3/3,50 $US).

Près de l'Alameda Central

Petits budgets. L'une des plus jolies et des plus paisibles cafeterias de la ville, la *Cafetería del Claustro*, située à l'intérieur du musée Franz Mayer, Avenida Hidalgo 45, au nord de l'Alameda, ouvre du mardi au dimanche, de 10h à 17h. Si vous vous rendez uniquement au café, vous paierez 0,30 $US à l'entrée du cloître. Sur fond de musique baroque, le self-service propose des sandwiches, des salades et des quiches de 0,60 à 1,60 $US, du café, des jus de fruits et de succulents gâteaux pour 1,10 $US.

A l'ouest de l'Alameda, le *Café Trevi*, Dr Mora, est un restaurant italien et mexicain, très fréquenté. Ouvert tous les jours de 8h à 23h30, il sert des petits déjeuners jusqu'à 12h (1,70/2,75 $US), un menu du jour de six plats à 2,75 $US, des plats de pâtes et des pizzas de 2,75 à 4 $US.

A une rue au sud-est de l'Alameda, près du coin d'Independencia et de López, sont rassemblés plusieurs établissements simples et bon marché. Notre préférée reste la rutilante et vibrante *Taquería Tlaquepaque*, Independencia 4. Des serveurs à nœud papillon vous apporteront plusieurs douzaines de tacos différents dont les prix varient de 1 à 2,75 $US les trois. Un peu plus loin au sud d'Independencia, se niche *Los Faroles*, Luis Moya 41. Entre les arcades de brique, des señoras en tablier blanc servent à la louche un caldo (ragoût) brûlant, cuisiné dans de grandes *cazuelas* de terre, et préparent d'authentiques et savoureux tacos et enchiladas. La salle est sombre et chaude certains jours, mais les tarifs sont bas. La comida corrida de cinq plats ne coûte que 2 $US. (ouvert tous les jours de 8h à 19h).

Pour manger à peu de frais près du Palacio de Bellas Artes, rendez-vous au coin d'Eje Central Lázaro Cárdenas et de Donceles, où le *Restaurant El Correo* (son enseigne mentionne *Antojitos Mexicanos. La Casa de la Birria*) propose un vaste choix de tacos (de 0,20 $US pièce à 2 $US les trois). A côté, la *Fruteria Frutivida* propose quantité de jus de fruits, de licuados, de salades de fruits, de tortas et, encore et toujours, des tacos. A proximité, plusieurs *taquerías* (restaurants de tacos) bon marché ouvrent, pour la plupart, jusqu'à 3h du matin.

Illustration de l'influence espagnole, les churros y chocolate sont omniprésents. Les churros sont de longs beignets minces que l'on trempe dans une tasse d'épais chocolat chaud. La célèbre *Churrería El Moro*, San Juan de Letrán 42, à deux pâtés de maisons et demi au sud de la Torre Latinoamericana, vous servira un chocolat et quatre churros pour 2,50 $US. Ouverte 24h/24, elle est souvent pleine aux petites heures de l'aube, quand les joyeux noceurs viennent y reprendre des forces.

Restaurants végétariens. Le *Centro Naturista de México*, Dolores 10B, à un demi pâté de maisons de l'Avenida Juárez, est un magasin d'aliments diététiques doté d'un restaurant végétarien, où l'on peut déjeuner d'une soupe, d'un plat principal, d'une salade et d'un dessert, accompagnés de pain, d'eau et de thé pour 1,30 $US ou se servir à volonté au buffet pour 2,50 $US, tous les jours de 12h30 à 17h30.

Marchés. Il est généralement admis que les produits les meilleurs et les plus frais de Mexico se trouvent au *Mercado San Juan*, dans Pugibet, à l'ouest de la Plaza de San Juan, à 500 m au sud de l'Alameda. Ouvert tous les jours de 9h à 17h, vous pourrez acheter des raretés telles que du tofu ou des chapulines (sauterelles) d'Oaxaca, aussi bien que d'excellents fruits, légumes, fromages, viandes et poissons. S'il n'est pas le moins cher, il abrite un certain nombre de comedores à bas prix (fermés le dimanche), où il est possible de s'asseoir pour manger un plat. Le n°305-7 est très apprécié pour sa pechuga empazinada (blanc de poulet pané) et son pollo con mole rojo ; il sert aussi une comida corrida au prix modique de 1,60 $US.

Catégories moyenne et supérieure. La *Sanborn's Casa de Azulejos*, Avenida Madero 4, mérite une visite, ne serait-ce que pour admirer ce superbe immeuble du

XVIe siècle carrelé de céramiques (voir la rubrique *Centro Histórico*). Le restaurant, ouvert tous les jours de 7h30 à 22h) se situe dans une cour agrémentée d'une fontaine mauresque et d'étranges fresques de paysages mythiques. La nourriture mexicaine est bonne, sans être exceptionnelle (plats à 4/7 $US).

Los Girasoles (☎ 510-06-30), Plaza Tolsá, près de Tacuba devant le Museo Nacional de Arte, est l'un des meilleurs de la nouvelle vague de restaurants spécialisés dans l'*alta cocina mexicana* (haute cuisine mexicaine). Traditionnelles ou innovatrices, les recettes ont toutes une touche très mexicaine. Vous pouvez commencer par un "tricolor" (aubergine farcie d'épinards, de fromage et de sauce tomate) et continuer avec un "Sabados 1 a 3" (médaillons de bœuf Sonora à la sauce chipotle) ou un ragoût de crevettes au bacon façon Baja California. Les entrées et les soupes valent de 3 à 5 $US, les plats principaux, de 6,50 à 8 $US. Le restaurant est ouvert du lundi au samedi de 13h à 1h, le dimanche de 13h à 23h, et il est presque toujours plein. On peut choisir une table à l'extérieur, très agréable, ou à l'intérieur.

Très traditionnel et toujours délicieux, le *Restaurant Danubio* (☎ 512-09-12), Uruguay 3, près de San Juan de Letrán, est spécialisé dans les fruits de mer depuis un demi-siècle. Il sert un copieux et excellent menu de six plats, avec viande *et* poisson, pour 9,25 $US. Les prix de la langosta et des langostinos, spécialités de la maison, sont exorbitants (ouvert tous les jours de 13h à 22h).

Immense, le *Restaurant Centro Castellano* (☎ 518-29-37), Uruguay 16, proche du Danubio, s'étend sur trois étages au décor colonial. La carte, importante et variée, propose plusieurs plats espagnols typiques, comme la paella, le pulpo a la gallega (poulpe à la galicienne) ou la fabiada asturiana (ragoût de viande et de fèves à la mode des Asturies), de 6 à 7,75 $US. La comida corrida de six plats revient à 8,50 $US. Il ouvre tous les jours de 13h à 22h (de 13h à 19h le dimanche).

Le petit quartier chinois de Mexico se concentre autour de Calle Dolores, au sud de l'Alameda. L'un des meilleurs restaurants de la rue est le charmant petit *Hong King*, Dolores 25, avec des menus de 5,25 à 10,50 $US par personne (minimum deux personnes). Il ouvre tous les jours de 11h30 à 23h.

Près de la Plaza de la República

Ce quartier abrite plusieurs petits restaurants très sympathiques. Le *Restaurante Samy*, Ignacio Mariscal 42, au sud-ouest de l'Hotel Jena, ne paie guère de mine de l'extérieur, mais la salle est propre et agréable. Un petit déjeuner vous reviendra à 1,10/2 $US et une comida corrida de quatre plats à 2,25 $US.

Le *Restaurant Cahuich*, Ramos Arizpe 30, près d'Édison, est un bon petit restaurant de quartier où vous ne débourserez que 1,60 $US pour un petit déjeuner (jus de fruit, œufs et café) ou une comida (soupe, riz ou pâtes et un plat de viande). Il sert également des plats à la carte et ouvre tous les jours de 8h à 12h30.

Deux autres restaurants, simples et corrects, se situent côte à côte sur Iglesias, à l'angle d'Ignacio Mariscal. La *Super Cocina Los Arcos* prépare des steaks de pour 1,30 $US, trois tacos pour 2 $US, ou encore des tortas, des œufs, des jus de fruits, des licuados et autres plats courants. A côté, le *Restaurante Costillas El Sitio* propose des petits déjeuners avec œufs ou steaks, chilaquiles, frijoles, café et tortillas ou pain pour 1,10 $US. En face, le *Super Tortas Gigantes* confectionne de fameuses tortas chaudes garnies de jambon, d'œufs, de fromage, etc. à 1,30 $US ; on y savoure aussi des tacos, des sincronizadas, des jus de fruits et des licuados.

Un excellent endroit pour faire un déjeuner rapide est le *stand de fruits de mer* sur Emparán, au nord d'Édison. Ouvert tous les jours depuis dix ans au moins, il compte de nombreux employés de bureau parmi sa clientèle Le cocktail de crevettes ou de crabe *mediano* (moyen), très copieux, vaut 2,25 $US.

A environ 100 m au sud de la Plaza de la República, dans Ramírez à côté d'un VIPS, le *Tacos El Caminero*, une échoppe de tacos très prisée et légèrement haut de gamme, vous servira trois bons tacos pour 2,25 $US, ou six pour 3,50 $US, et une chope de *cerveza de barril* (bière pression) pour 1,10 $US. L'échoppe ouvre du lundi au vendredi de 10h à 1h, le samedi de 13h à 1h, et le dimanche de 13h à 23h.

Près de l'Estación Buenavista

Devant la gare et en face de Mosqueta, *El Portón* prépare de la cuisine mexicaine à prix modérés (petits déjeuners ou plats légers de 2,25 à 3,50 $US, plats principaux de 3,50 à 5,75 $US). De l'autre côté d'Insurgentes, en partant d'El Portón, se trouve une succursale de *Shakey's Pizza y Pollo*.

Zona Rosa

La Zona Rosa regorge d'établissements où boire et se restaurer. Certaines rues sont interdites à la circulation, ce qui rend les terrasses des cafés très agréables.

Petits budgets. C'est au *Mercado Insurgentes*, dans Londres, que vous prendrez les repas les plus économiques. Un coin de ce marché d'artisanat est réservé aux *comedores* typiques des marchés mexicains, qui servent des déjeuners chauds aux clients installés sur des bancs, face aux chefs qui officient à leurs fourneaux. Vous dégusterez là nombre de plats traditionnels proposés par la plupart des restaurants, mais à des prix très inférieurs ; comptez 1,70 $US pour une comida corrida. Choisissez de préférence un comedor très fréquenté.

Un peu plus loin à l'ouest dans Londres sont rassemblés les restaurants les moins chers du quartier, les meilleurs étant pris d'assaut à l'heure du déjeuner. Le *Ricocina*, n°168, offre une comida de trois plats, boisson comprise, à 2,50 $US et des petits déjeuners (œufs, pâtisserie ou pain perdu, jus de fruit et café) à 1,60 $US. Le *Restaurante Don Luca's*, au n°178, propose une bonne comida pour 2 $US. La comida de quatre plats de *La Beatricita*, Londres 190D, à 3 $US, boisson comprise, présente un grand choix de plats principaux.

Tout près du centre de la Zona Rosa, la *Taco Inn*, Hamburgo 96, en face de Copenhague, offre plus de 30 sortes de tacos, de 1,30 $US à 3,25 $US l'assiette.

Catégorie moyenne. Le *Konditori*, Génova 61, entre Londres et Hamburgo, concocte un mélange de plats italiens, scandinaves et mexicains dans ses petites salles à manger élégantes et sur une terrasse spacieuse, idéale pour regarder déambuler les passants dans cette rue. Les pâtes, ou de bonnes crêpes, reviennent à environ 5 $US, les viandes et les poissons, à 7 $US et un café à 1,20 $US. Les pâtisseries sont excellentes (ouvert tous les jours de 8h à 23h30).

Très fréquenté, le *Parri*, Hamburgo 154, entre Amberes et l'Avenida Florencia, est décoré dans l'esprit rustique. On y déguste du bœuf, du porc ou du poulet grillé et servi sous forme de taco, de steak ou de volaille entière. Trois tacos valent 1,70 $US, mais vous dépenserez probablement entre 4 et 8 $US. Il ouvre du lundi au jeudi de 9h à 1h, le vendredi et le samedi de 8h à 3h, et le dimanche de 9h à 24h.

Si vous avez un faible pour la cuisine japonaise, essayez le *Sushi Itto*, Hamburgo, au coin d'Estocolmo, filiale d'une petite chaîne de restaurants renommée à prix modérés (sushi, sashimi et autres plats mélangés de 5,25 à 11 $US).

L'agréable et moderne *Café Jardín* de l'Hotel Calinda Geneve, Londres 130, propose, au déjeuner, un buffet d'un bon rapport qualité/prix à 6,50 $US, ainsi que des plats à la carte (hamburgers et enchiladas à 3,50 $US environ, viandes ou poissons de 4,50 à 7,75 $US).

Simple et sans surprise, la *Pizza Pronto*, dans Hamburgo à l'est de Génova, sert des pizzas convenables, de 3,75 à 6 $US pour une personne et de 4,75 à 8.75 $US pour deux, et des pâtes allant de 3 à 4,75 $US.

Le *Freedom*, Copenhague 25, est un bar animé en même temps qu'un bon restaurant tex-mex : travers de porc sauce barbecue, nachos, pâtes, hamburgers, salades et poulet vous coûteront de 5 à 6,50 $US.

Le *Carrousel Internacional*, Niza 33, près d'Hamburgo, est un bar-restaurant plein d'animation, où se produisent d'énergiques orchestres de mariachis. Vous viendrez vous sustenter de spaghetti ou d'une salade (environ 3,25 $US), d'une grillade ou d'un poisson (5,25 $US), ou simplement prendre un verre en écoutant les musiciens. Il ouvre tous les jours de 11h30 à 24h.

Le *Chalet Suizo*, Niza 37, entre Hamburgo et Londres, mitonne de bons plats dans un décor rustique pseudo-suisse. Vous y dégusterez des fondues (de 5,75 à 9 $US pour deux personnes), des pâtes (4 $US) et divers plats de viande (de 4,75 à 7,50 $US), comme le jarret de porc à la choucroute ou le canard à l'orange. Un repas complet vous reviendra de 8 à 14 $US. Il ouvre tous les jours de 12h30 à 23h45.

En face, au n°38, le *Luaú* est un établissement sino-polynésien sophistiqué, installé au milieu de fontaines et de jardins miniatures. Les repas cantonais offrent le meilleur rapport qualité/prix à 5 ou 7 $US par personne. Il ouvre du lundi au jeudi de 12h à 22h, le vendredi et le samedi de 12h à 24h.

Restaurants végétariens. Au sud de Reforma, le *Restaurante Vegetariano Yug*, Varsovia 3, propose un délicieux buffet (à l'étage) de 13h à 17h (3,75 $US), tous les jours sauf le samedi, ainsi que des comidas corridas de quatre plats (au rez-de-chaussée), avec du bon pain complet (de 2,50 à 3,25 $US). La clientèle se compose essentiellement d'employés de bureau. Il ouvre du lundi au vendredi de 7h à 22h, le samedi de 8h30 à 20h, et le dimanche de 13h à 20h.

A deux pâtés de maisons de la Zona Rosa, le *Restaurante Vegetariano Las Fuentes*, Río Pánuco 127, à l'angle de Río Tiber, vaste et attrayant, prépare une nourriture aussi délicieuse que copieuse. Un repas complet avec soupe, salade et plat principal revient à 6,50 $US, boisson comprise, et un petit déjeuner substantiel à 3,75 $US. Le restaurant sert du vin et de la bière et ouvre tous les jours de 8h à 18h.

Salons de thé. La Zona Rosa compte deux salons de thé raffinés où vous dégusterez des boissons, des pâtisseries, des petits déjeuners et des repas légers de bonne qualité.

A l'*Auseba*, Hamburgo 159B, à l'est de l'Avenida Florencia, les vitrines sont remplies de gâteaux appétissants et l'on peut observer les piétons défiler sur Hamburgo depuis ses larges baies vitrées. Les pâtisseries et les viennoiseries reviennent à 2 $US chacune, le pan danés (gâteau danois) à 0,70 $US, un thé ou un café à 1,20 $US.

Le *Salon de Te Duca d'Este*, Hamburgo 164B, presque en face de l'Auseba, réunit un décor très formel, un service courtois et de délicieux gâteaux. Un thé ou un café accompagné d'une pâtisserie vous coûtera 2,75 $US et plus. Comptez la même somme pour un petit déjeuner et 5 $US pour le menu du déjeuner (quatre plats). Il est ouvert tous les jours de 7h à 23h.

Catégorie supérieure. L'une des rues les plus animées, et les plus courtes, de la Zona Rosa, Copenhague, est bordée de restaurants haut de gamme. A l'angle d'Hamburgo, au n°31, l'*Angus Butcher House* (☎ 207-68-80) sert les steaks parmi les plus savoureux de la ville, pour lesquels vous débourserez de 8 à 32 $US. La terrasse abritée et la salle intérieure sont toujours bondées. Il ouvre tous les jours de 13h à 1h.

Tout aussi bon et apprécié, dans la même rue, la *Mesón del Perro Andaluz* (☎ 533-53-06) propose viandes et produits de mer et quelques plats espagnols, comme le suggère son nom. En face, *El Perro d'Enfrente* (☎ 511-89-37) prépare de la bonne cuisine italienne. Dans ces deux établissements, les plats principaux valent de 6,50 à 9,50 $US (les pâtes et les pizzas de l'Enfrente sont un peu moins chères).

La Taba (☎ 208-74-36), Amberes 12, est un bon restaurant de steaks argentins. Comptez 9,25 $US pour un steak et 5 $US environ pour une salade ou des pâtes. Il ouvre du lundi au vendredi de 13h à 22h, le samedi et le dimanche de 13h à 18h. En face, au n°26, *Il Caffe Milano* de l'Hotel Marco Polo sert une bonne cuisine italienne dans un décor très chic et dispose de quelques tables en terrasse. Vous paierez de 5 à 8,50 $US pour un plat de pâtes, de viande ou de poisson (ouvert tous les jours de 8h à 2h).

Condesa

Ce quartier agréable, au sud de la Zona Rosa, possède plusieurs petits restaurants style bistrot et des cafés-bars très en vogue, où cuisine fine et atmosphère détendue attirent une clientèle d'habitués. La *Fonda Garufa*, Avenida Michoacán 93, à l'est de Vincente Suárez, propose un large choix de pâtes de 3,50 à 5 $US, des salades, du poulet et autres viandes (ouvert tous les jours de 13h à 23h, voire plus tard). Le *Mama Rosa's* et le *Café La Gloria*, tous deux à l'angle de Michoacán et de Vincente Suárez, sont similaires. La *Crêperie de la Paix*, au même carrefour, est appréciée pour son choix de crêpes sucrées et savoureuses, de 1,60 à 3 $US. A quelques pâtés de maisons au nord-ouest, le *Principio*, à l'angle de l'Avenida Tamaulipas et de Montes de Oca, mitonne des plats méditerranéens variés, comme la soupe aux lentilles et à la banane (1,90 $US), le taboulé (2,75 $US), le couscous (5 $US) ou des pâtes (4,25 $US).

Excellente adresse pour prendre un café ou un repas léger, la librairie-magasin de disques *El Péndulo*, Avenida Nuevo Léon 115, accueille parfois des groupes de musique. L'établissement ouvre tous les jours de 9h à 22h, à partir de 10h le samedi et le dimanche.

Chapultepec et Polanco

Petits budgets et catégorie moyenne. La cafétéria à l'intérieur du *Museo Nacional de Antropología* est tout à fait correcte, bien qu'assez chère ; ses horaires sont les mêmes que ceux du musée. Le buffet du déjeuner revient à 6,25 $US (sans boisson) et un plat, mexicain ou international, de 4 à 6,50 $US. Le restaurant le moins cher et le plus proche est le *Café Capuchino*, près de Calzada Gandhi, à 100 m au nord de l'entrée du musée ; ce petit restaurant, simple et en plein air, offre des tortas à 1,10 $US ou du poulet avec frijoles et frites à 2,50 $US.

Pour un repas plus consistant, allez à *La Parilla Suiza*, près de l'Avenida Presidente Masaryk et d'Arquímedes. Souvent bondée à l'heure du déjeuner, elle sert du poulet alambre (en brochettes) avec saucisse, fromage suisse, riz, salade et frijoles, pour 3,50 $US ; les viandes grillées, plus conséquentes, valent environ 6 $US et les menus autour de 3,50 $US. La Parilla ouvre tous les jours de 12h à 24h.

Le *Café de Tacuba*, Newton 88, au nord-est du carrefour avec Arquímedes et à deux pâtés de maisons et demi du métro Polanco, est un petit restaurant agréable, aux vitres colorées et aux poutres apparentes. Il prépare une cuisine mexicaine et internationale. Comptez entre 3,50 et 6,50 $US pour le menu du déjeuner. Le petit déjeuner est excellent.

Catégorie supérieure. Le *Hard Rock Café* (☎ 327-71-00), Campos Elíseos 290, près du Paseo de la Reforma, est très prisé par les Mexicains et par quelques étrangers, qui apprécient le fond musical de rock, l'ambiance animée et les bons hamburgers (environ 7 $US). Les grillades valent 8 $US ou plus. Bondé en permanence, il ouvre tous les jours de 13h à 2h ; vous devriez pouvoir obtenir une table en arrivant vers 18h.

Le *Cambalache* (☎ 280-20-80), Arquímedes 85, au nord de l'Avenida Presidente Masaryk, est un confortable restaurant argentin qui sert de fabuleux steaks à partir de 10,50 $US, du poulet à environ 7,75 $US et des pâtes pour 5 $US. Peut-être vous laisserez-vous tenter par le soufflé aux frites à 4 $US. La carte des vins est tout aussi variée. Il ouvre tous les jours de 13h à 1h.

La *Hacienda de los Morales* (☎ 281-45-54), Vásquez de Mella 525, se trouve à environ 1,5 km au nord-ouest du centre de Polanco et au sud de l'Avenida Ejército Nacional. Le plus simple est de s'y rendre en taxi. Autrefois en pleine campagne, cette superbe maison coloniale est désormais encerclée par la ville, ce qui confère encore plus d'attrait à ses salles spacieuses et à ses jolis jardins. Comptez 12 à 20 $US pour un repas complet. Il est conseillé de réserver et de prévoir une tenue correcte. La Hacienda ouvre tous les jours de 13h à 1h.

Les luxueux hôtels de Polanco possèdent quelques-uns des meilleurs restaurants de la ville, parmi lesquels trois établissements français, tous ouverts du lundi au samedi : le *Maxim's de Paris* (☎ 327-77-00), dans l'Hotel Presidente Inter-Continental, Campos Elíseos 218, *Les Célébrités* (☎ 280-11-11), dans l'Hotel Nikko México, Campos Elíseos 204, et le *Fouquet's de Paris* (☎ 203-21-21), dans le Camino Real México, Calzada General Escobedo 700. Il est recommandé de réserver et une tenue correcte est indispensable. Prévoyez de 30 à 50 $US pour un repas complet (peut-être plus chez Maxim's).

San Ángel

Petits budgets et catégorie moyenne. A côté du Bazar del Sábado, *La Casona del Elefante*, Plaza San Jacinto 9, est un restaurant indien qui dispose de quelques tables en terrasse. Le rapport qualité/prix est intéressant, avec un tali (assiette végétarienne) à 3,75 $US ou un poulet au curry à 3,50 $US. Vous risquez de devoir attendre une table le samedi.

Le *comedor* sans nom situé à l'est de la Plaza Jacinto, à côté du banal Café La Finca, prépare une bonne comida corrida pour 1,90 $US ou 3,25 $US et, le week-end, un succulent caldo de camarón (soupe aux crevettes) à 2,50 $US ou 3,75 $US. Le *Croque-Monsieur*, vers la fin de l'Avenida Revolución dans Madero, près de la Plaza del Carmen, confectionne de bons sandwiches-baguettes chauds, garnis de fromage ou autres ingrédients (environ 3,50 $US).

Le café le plus célèbre de San Ángel se trouve au 1er étage de la librairie *Gandhi*, Avenida M. A. de Quevedo 128 à 132, à 400 m à l'est du Parque de la Bombilla. Les clients s'attardent devant un café et des en-cas en feuilletant des livres ou des journaux dans ce lieu cher à l'intelligentsia de Mexico. Il est ouvert du lundi au vendredi de 9h à 21h, le samedi et le dimanche de 10h à 20h. La station de métro M. A. de Quevedo est à un pâté de maison.

Catégorie supérieure. Au nord de la Plaza Jacinto, *La Camelia* est l'endroit le plus vivant de la place. On y fait la queue pour déguster des fruits de mer aux prix élevés dans une ambiance branchée.

Pour des repas plus originaux, allez à la *San Ángel Inn* (☎ 616-22-22), Diego Rivera 50, près de l'Avenida Altavista, à 1 km au nord-ouest de la Plaza Jacinto. Cette ancienne et ravissante hacienda a été transformée en restaurant, où se concocte une délicieuse cuisine mexicaine et européenne traditionnelle. En commandant avec parcimonie, vous dégusterez deux plats pour 8 $US, mais l'addition grimpe facilement à 25 $US ou plus pour un repas complet. L'auberge ouvre tous les jours de 13h à 1h.

Coyoacán

De nombreux restaurants sont rassemblés sur les places centrales de Coyoacán ou à proximité. Pour manger des en-cas bon marché, quittez la Plaza Hidalgo et suivez Higuera. Sur la gauche, le bâtiment municipal regroupe des stands qui, pour 0,60 $US, vous offriront une quesadilla farcie de divers ingrédients délicieux. Vous pouvez encore aller à un demi pâté de maisons au nord, Aguayo 3, où *El Tizoncito*, plein d'une joyeuse animation, propose plusieurs variétés de tacos à 0,70 $US pièce. Le nopalqueso (feuilles de cactus et fromage) est un excellent choix.

Plusieurs terrasses de cafés agréables entourent le Jardín del Centenario. Le *Café El Parnaso*, côté sud, abrite une librairie. De fameux burritos et des croissants au fromage et au jambon vous coûteront 3,25 $US. Il ouvre tous les jours de 9h à 22h. Côté nord, *El Hijo del Cuervo*, un café-bar à la mode, attire une clientèle jeune et *Los Bigotes de Villa*, qui dispose de tables en terrasse et à l'intérieur, sert des enchiladas, des quesadillas ou du chile relleno pour 2,25 $US.

Le *Restaurante Caballocalco*, Higuera 2, en face du côté est de la Plaza Hidalgo, est un peu plus raffiné, quoique tout aussi détendu, prépare de bons plats à prix modérés. Une soupe vous reviendra à environ 2,50 $US, une viande ou des fruits de mer, entre 4 et 5 $US. Il ouvre tous les jours de 8h30 à 23h.

Au coin du marché principal de Coyoacán, dans Allende, à deux pâtés de maisons et demi de la Plaza Hidalgo, *El Jardín del Pulpo*, très connu et excellent, vous proposera des plats de poissons à 5,25 $US et des cocktails de fruits de mer à 2,50 ou 4,75 $US.

OÙ SORTIR

Le *Tiempo Libre*, qui paraît tous les jeudi, publie le programmes des distractions locales. Vous le trouverez dans les kiosques à journaux au prix de 0,70 $US. Consultez également les pages spectacles et loisirs des quotidiens mexicains, de *The News* et du *Mexico City Times*.

Ballets, musique classique et opéra

Le *Palacio de Bellas Artes* (☎ 512-25-93, 529-93-20), où se produit l'orchestre symphonique national, est la principale salle d'opéra et de concerts de musique classique. Son spectacle le plus connu est le Ballet Folklórico de México, un festival de lumières, de couleurs et de danses de toutes les régions du Mexique. Le spectacle dure 2 heures. La compagnie, de réputation mondiale, présente ce spectacle depuis des dizaines d'années. Les billets sont chers, de 12 à 29 $US. Les spectacles ont lieu habituellement le mercredi à 20h30, le dimanche à 9h30 et à 20h30. On peut généralement acheter les billets le jour même de la représentation, ou la veille, aux guichets (*taquillas*) du hall du Palacio de Bellas Artes, ouverts du lundi au samedi de 11h à 19h et le dimanche de 9h à 19h. Agences de voyages et hôtels proposent également des billets, mais prennent une commission.

Un spectacle de danses folkloriques mexicaines, meilleur marché que celui de Bellas Artes et d'une qualité équivalente, est offert deux fois par semaine par le *Ballet Folklórico Nacional de México Aztlán* au Teatro de la Ciudad (☎ 521-23-55), Donceles 36 (métro Allende).

La ville offre un grand choix de concerts et de ballets classiques, de spectacles de danse contemporaine et de nombreuses pièces de théâtre. Consultez le *Tiempo Libre*.

Cinéma

Certains films non mexicains sont doublés en espagnol, d'autres sont sous-titrés. Les billets valent généralement autour de 2 $US (généralement demi-tarif le mercredi). Des classiques ou des films d'art et d'essai passent à la *Cineteca Nacional* (☎ 688-32-72), Avenida México-Coyoacán 389, à 700 m à l'est de la station de métro Coyoacán, aux *cineclubes* du *Centro Cultural Universitario* (☎ 665-25-80), dans la Ciudad Universitaria, et dans d'autres salles. Le *Tiempo Libre* donne la liste des programmes.

Mariachis

La Plaza Garibaldi, à cinq pâtés de maisons au nord du Palacio de Bellas Artes (métro Bellas Artes ou Garibaldi), est le lieu de rassemblement des orchestres de mariachis. Vêtus de leurs costumes d'apparat, ils accordent leurs guitares et attendent, un verre à la main, que quelqu'un veuille bien payer pour une chanson (environ 5 $US) ou les engage pour animer une soirée. Promenez-vous ou prenez un verre dans l'un des bars de la place où se produisent parfois des groupes de musique salsa. Les bars ne demandent pas de droit d'entrée ; vous paierez environ 2 $US pour un verre de tequila et 20 $US pour une bouteille.

Le bar *El Tenampa*, au nord de la place, dont les murs sont couverts de fresques représentant de célèbres mariachis, possède son orchestre maison. Si vous avez faim, des taquerías occupent le nord-est de la place.

L'animation sur la place commence vers 20h et se prolonge jusqu'aux alentours de 24h.

Vie nocturne
Pour éviter toute mauvaise surprise, vérifiez bien le prix du service et des boissons avant de pénétrer dans un établissement. Répartis dans toute la ville, des douzaines de lieux accueillent des groupes. Pour plus de détails sur les concerts rock et pop, consultez les rubriques "Espectáculos Nocturnos" et "Espectáculos Populares" du *Tiempo Libre*.

Centro Histórico et quartier de l'Alameda. De nombreux bars-salles de concert, très animés et fréquentés par une clientèle jeune, sont apparus ces dernières années dans le Centro Histórico. Plusieurs d'entre eux sont regroupés à l'angle de Mata et de l'Avenida Cinco de Mayo (métro Bellas Artes ou Allende). Un des meilleurs est le *Bar Mata* (☎ 518-02-37), au 4e étage de Mata 11. L'ambiance reste conviviale malgré la clientèle branchée, la musique est bonne et, sur le toit, la terrasse offre une vue superbe sur Mexico. La plupart des boissons coûtent autour de 2,75 $US et aucun droit d'entrée n'est exigé. Le Bar Mata ouvre du mardi au jeudi de 20h à 1h et du vendredi au samedi, de 20h à 2h. Le jeudi est réservé aux lesbiennes et aux gays.

A quelques portes de là, Mata 17, le *Bar Roco* (☎ 521-33-05), très mode, effectue une sélection à l'entrée. Vous y entendrez de la musique dance dans un décor assez kitsch. Il ouvre à partir de 20h (entrée : 5,50 $US pour les hommes, gratuite pour les femmes). L'entrée du *Bar Museo* (☎ 510-40-20) se fait par une arcade donnant sur l'Avenida Cinco de Mayo, juste à l'ouest de Mata. Cet endroit trépidant dispose d'assez d'espace pour danser si l'envie vous en prend. Il ouvre du mardi au samedi de 22h à 2h (6,50 $US pour les hommes, gratuit pour les femmes).

Dans un genre très différent, moins tape-à-l'œil mais très animé, le petit *Restaurant-Bar León* (☎ 510-30-93), Brasil 5 (métro Allende ou Zócalo) accueille d'excellents orchestres de salsa, merengue et rumba qui attirent les clients sur la piste de danse. Il ouvre du mercredi au samedi de 21h à 3h. Le droit d'entrée est de 4,75 $US et le prix des boissons commence à 2,25 $US.

SUSAN KAYE

La Ópera Bar, Avenida Cinco de Mayo 14, à une rue à l'est du Palacio de Bellas Artes (métro Bellas Artes), est un bistrot du début du siècle au décor chargé. Il a ouvert ses portes aux femmes dans les années 70. Les alcôves aux cloisons de bois sombre et le bar massif sont d'origine. Le trou dans le plafond doré a été fait, dit-on, par une balle de Pancho Villa. C'est un endroit amusant pour passer quelques heures. Le prix des boissons commence à 1,50 $US et des plats copieux et peu onéreux sont servis ; des musiciens viennent jouer la sérénade à votre table (ouvert du lundi au samedi de 13h à 23h, et le dimanche jusqu'à 18h).

Zona Rosa et ses environs. Le quartier de la Zona Rosa (métro Insurgentes) attire les oiseaux de nuit comme un aimant. C'est là que viennent s'amuser les habitants aisés de la capitale. Les vendredi et les samedi soirs, les bars ne désemplissent pas avant 2h ou 3h.

Bars. Vous pouvez commencer la soirée en mangeant un plat dans les nombreux restaurants ou en buvant un verre dans un des multiples cafés et bars. La *Cantina Las Bohemias*, Londres, à l'ouest d'Amberes, est un lieu accueillant et pimpant, fréquenté aussi bien par les femmes que par les hommes dans la mesure où ce n'est pas une vraie cantina. Comptez 0,80 $US pour une bière, 1,30 $US ou plus pour un alcool. *El Chato*, Londres 117, à l'est d'Amberes, est un piano-bar calme et enfumé, ouvert tous les soirs, sauf le dimanche, à partir de 18h.

Le *Freedom*, Copenhague 25, draine une foule de jeunes gens le soir après les heures de bureau. Il possède au moins trois bars sur deux niveaux, le volume de la musique disco est assourdissant et l'ambiance amusante. Une bière revient à 1,90 $US. A l'étage, l'espace est juste suffisant pour danser. Au rez-de-chaussée, il est possible de – bien – manger. Le *Yuppie's Sports Bar*, Génova 34, près d'Hamburgo est un autre bar-restaurant, tout aussi prisé mais plus cher.

Musique live. La *Casa Rasta*, Avenida Florencia, est ouverte du mercredi au dimanche, de 22h à 3h. Vous n'y entendrez que du reggae ; un groupe se produit les jeudi, vendredi et samedi soirs à partir de 0h30. L'endroit attire une foule internationale, l'ambiance est sympathique, mais ce n'est pas donné : le droit d'entrée de 13 $US pour les hommes, gratuit pour les femmes, passe à 18,25 $US et à 4 $US les vendredi et samedi. A ce tarif, les boissons sont comprises.

Le restaurant/bar *Carrousel Internacional*, Niza 33, à l'angle d'Hamburgo (voir la rubrique *Où se restaurer*), accueille des orchestres de mariachis débordant d'énergie presque tous les soirs.

Situé en dehors de la Zona Rosa proprement dite, à deux pâtés de maisons au nord de Reforma, le *Bulldog Café* (☎ 566-81-77), Insurgentes Centro 149, près de Sullivan, est une discothèque plutôt branchée. Vous écouterez de la bonne musique, de U2 à des groupes mexicains tels que Café Tacuba. Il ouvre du jeudi au samedi de 22h à 4h ; les groupes se produisent de 1h à 2h30 environ. Le droit d'entrée est très élevé pour les hommes (18,25 $US, boissons comprises) et gratuit pour les femmes. Vous repérerez le Bulldog aux cinq colonnes de l'entrée, dans Sullivan, à côté d'une enseigne jaune "Farmacia".

Discothèques. Le *Rockstock* (☎ 533-09-07), au sud-ouest du carrefour Reforma/Niza, est la discothèque la plus cotée de la Zona Rosa. Ouverte du jeudi au samedi de 22h30 à 4h, elle passe essentiellement de la musique rock et disco et des groupes s'y produisent fréquemment. Aucune tenue particulière n'est exigée officiellement, mais évitez les baskets. L'endroit attire une clientèle internationale et l'entrée s'élève généralement à 15,75 $US pour les hommes, 2,75 $US pour les femmes, boissons comprises.

Le *Mekano* (☎ 208-95-11), Génova 44, fréquenté par une clientèle très jeune, privilégie la techno. Il ouvre du mercredi au samedi de 21h30 à 2h ou 4h. Le droit d'entrée est fixé à 5,25 $US le mercredi et le jeudi (sans boisson) et à 15,75 $US (boissons comprises) pour les hommes et gratuit pour les femmes, les vendredi et samedi.

Plusieurs autres discothèques et bars musicaux animent la Zona Rosa, notamment dans Niza et l'Avenida Florencia. Vous préférerez probablement éviter les "ladies'bars" et les clubs "table dance", où les racoleurs essaient d'attirer les hommes. Ce sont apparemment des boîtes à striptease, avec entraîneuses.

Les faubourgs sud. Pour se distraire gratuitement, rien ne vaut les musiciens, les comédiens et les mimes qui transforment les places centrales de Coyoacán en grandes fêtes de plein air pratiquement chaque soir, ainsi que le samedi et le dimanche toute la journée. Les bars et cafés qui bordent les places vous permettront d'en savourer l'ambiance. *El Hijo del Cuervo*, fréquenté par de jeunes étudiants et artistes, offre de la musique latino-américaine et du rock américain qui laissent parfois la place à des représentations théâtrales ou à des musiciens. Comptez 1,60 $US pour une bière et 2,25 $US pour une tequila. Il ouvre tous les jours de 13h à 2h. A côté, *Los Bigotes de Villa* propose la musique plus douce des chanteurs de ballades ou de musiciens classiques, du vendredi au dimanche à 22h30.

El Ángel, Tres Cruces 95, à Coyoacán, est un petit bar très chouette où passe de la bonne musique variée – rock, reggae, disco – et qui attire les étudiants. Ouvert du vendredi au dimanche jusqu'à 2h, il dispose de juste assez d'espace pour danser. Aucune enseigne ne le signale ; le bâtiment est blanc et bleu à l'extérieur. Une bière vaut environ 1,20 $US.

A San Ángel, le *New Orleans Jazz* (☎ 550-19-08), Avenida Revolución 1655, propose du jazz traditionnel du mardi au samedi à partir de 21h. Son restaurant, fréquenté par une clientèle d'affaires, sert des spaghetti, des crêpes, du poulet pour 3,50/5 $US et des plats de viande pour 7 $US environ. Un droit d'entrée de 4 $US est perçu si vous ne dînez pas.

Pour savoir comment vous rendre à ces adresses, reportez-vous aux rubriques *Coyoacán* et *San Ángel*.

Salles de bal. Les nombreux aficionados de danse latine ont le choix entre diverses salles de bal (*salones de baile*), immenses et hautes en couleurs ; certaines peuvent accueillir des milliers de personnes. Il faut être un peu élégant et savoir danser la salsa, la merengue, la cumbia ou le danzón pour vraiment s'amuser ; essayez de venir en groupe ou, au moins, avec un partenaire. Une des meilleures salles est l'*Antillanos* (☎ 592-04-39), Pimentel 78, près de Velásquez de León dans la Colonia San Rafael, à 1,5 km au nord de la Zona Rosa (métro San Cosme). Les plus grands orchestres du Mexique, de Cuba, et parfois de Porto Rico ou de Colombie, jouent sur des rythmes effrénés du jeudi au samedi, de 21h à 3h. Le droit d'entrée s'élève à 6,50 $US, et les hommes sans partenaire ne sont pas acceptés. Tequila, rhum et whisky sont vendus à la bouteille au prix moyen de 25 $US. Voici quelques autres adresses :

Meneo (☎ 523-94-48), Nueva York 315, à l'ouest d'Insurgentes Sur – orchestres de salsa et de merengue du jeudi au dimanche, de 21h à 3h ; entrée : 8 $US environ et port de la veste obligatoire pour les hommes. Prenez un pesero "San Ángel" sur 5 km vers le sud depuis la station de métro Insurgentes.

Mocamboo, Puebla 191, à l'ouest de l'Avenida Oaxaca (métro Insurgentes) – du jeudi au samedi, de 21h à 4h ; entrée : 6,50 $US, boissons à partir de 2,75 $US.

Salón México (☎ 518-82-24, 518-09-31), Pensador Mexicano 11, près du Museo Franz Mayer – Héritier du légendaire salon de danse du même nom, temple du danzón, il a rouvert ses portes en 1993 dans un décor moderne. Vendredi et samedi de 21h à 3h. Le bar est ouvert tous les jours de 13h à 3h.

Salón Colonia (☎ 518-06-19), Manuel M. Flores 33, Obrera, métro San Antonio Abad – Les orchestres de danzón les plus traditionnels se réunissent le mercredi de 18h à 24h et le dimanche de 17h à 23h. Le salón, bien que moderne, a gardé son identité populaire. Service de navette assuré depuis la station de métro ; téléphonez avant.

Homosexuels. La plus grande, et la plus courue, des discothèques gays est le *Butterfly* (☎ 761-13-51), Izazaga 5, à quelques pas à l'est de l'Avenida Lázaro Cárdenas (métro Salto del Agua). La piste est bondée, les lumières, magiques, et des travestis produisent leurs numéros le vendredi et le samedi. Le Butterfly ouvre tous les soirs de 21h à 4h (entrée : 4,75 $US, deux boissons comprises).

El Taller, Avenida Florencia 37, Zona Rosa, est un disco-bar gay ouvert depuis longtemps. La musique, plutôt techno, est moins forte qu'au Butterfly. Il ouvre tous les soirs, sauf le lundi, de 21h à 4h. Des soirées "rave" sont organisées le vendredi (entrée : 9,25 $US, boissons comprises).

Les jeudi, samedi et dimanche, le droit d'entrée s'élève à 4 $US (gratuit le mardi et le mercredi). Chaque mardi, "Los Martes del Taller" proposent des spectacles improvisés de musique, danse ou théâtre, ainsi que des discussions.

L'*Enigma* (☎ 207-73-67), Morelia 111, Colonia Roma, à 700 m au sud du métro Cuauhtémoc, est un bar-discothèque pour lesbiennes. Des numéros de travestis sont régulièrement présentés. Il ouvre du mardi au samedi de 21h à 3h30, le dimanche de 18h à 2h. Le droit d'entrée varie de gratuit à 3,25 $US, selon les soirs (le mercredi est réservé aux invités).

Le *Bar Mata* (voir la rubrique *Centro Histórico et quartier de l'Alameda* plus haut dans ce chapitre) réserve les soirées du jeudi aux homosexuels.

Le magazine *Tiempo Libre* comporte une rubrique gay donnant des informations sur d'autres adresses.

MANIFESTATIONS SPORTIVES

Football

D'août à mai, la capitale accueille deux ou trois matchs de Primera División nationale quasiment chaque week-end. *The News* et le *Mexico City Times* fournissent des précisions sur les rencontres à venir. L'équipe de Mexico, América, surnommée Las Águilas (les Aigles) est de loin la plus populaire du pays, et généralement l'une des meilleures. Las Pumas, de l'UNAM, arrivent en seconde place en terme de popularité et Cruz Azul (appelée Los Cementeros) en troisième position.

D'immenses foules assistent aux matchs qui opposent América, Las Pumas, Cruz Azul ou Guadalajara (Las Chivas), ce dernier étant le plus grand club provincial. Le match le plus important de tous est "El Superclásico", entre América et Guadalajara, qui remplit l'impressionnant Estadio Guillermo Cañedo (l'ancien Estadio Azteca) de 100 000 supporters agitant des fanions, une occasion surprenante de constater la rivalité toute amicale entre les deux groupes de supporters. C'est pratiquement la seule rencontre de l'année pour laquelle il est indispensable de réserver son billet.

La plupart des grands matchs ont lieu à l'*Estadio Guillermo Cañedo* (☎ 617-80-80), Calzada de Tlalpan 3465. Pour vous y rendre depuis le centre-ville, prenez le métro jusqu'à la station Tasqueña, puis le Tren Ligero de Tasqueña à la station Estadio Azteca. Le stade des Pumas est l'Estadio Olímpico, dans la Ciudad Universitaria, tandis que celui de Cruz Azul est l'Estadio Azul, à côté du Monumental Plaza México, la principale arène de la ville. Les billets s'achètent généralement devant les grilles du stade, juste avant le coup d'envoi, et les prix s'échelonnent de moins de 1 $US à 10 $US.

Corridas

Le *Monumental Plaza México* (☎ 563-39-61), l'une des plus grandes arènes du monde, est situé Augusto Rodin 241, à quelques rues à l'ouest de l'Avenida Insurgentes Sur et à 5,5 km au sud du Paseo de la Reforma (métro San Antonio).

D'octobre à mars ou avril, des corridas professionnelles ont lieu chaque dimanche, à partir de 16h30. La période de juin à octobre est réservée aux novilleros. Les billets, de 2 à 26 $US, s'achètent à l'avance, du jeudi au samedi de 9h30 à 13h et de 15h30 à 19h, le dimanche à partir de 9h30. La plupart des grands hôtels et de nombreuses agences de voyages vendent également des places en prélevant une commission. Pour vous rendre au Monumental, prenez le métro jusqu'à la station San Antonio, sortez vers l'Avenida San Antonio, puis tournez à droite et marchez environ 10 minutes, en traversant la grande Avenida Revolución et l'Avenida Patriotismo.

Jai Alai

Cet ancien jeu de pelote basque, introduit au Mexique par les Espagnols, est rapide et élégant lorsqu'il est joué par des experts. On peut assister aux meilleures rencontres au *Frontón México* (☎ 546-32-40), Plaza de la Republica (métro Revolución). A l'heure où nous mettons sous presse, le Frontón était fermé depuis plusieurs mois

Joueurs de Jai Alai

WAYNE BERNHARDSON

en raison d'une grève. Pour les spectateurs, l'intérêt du jai alai réside dans le jeu, mais aussi dans les paris. Normalement, des rencontres ont lieu tous les soirs, sauf le lundi, tout au long de l'année, à partir de 19h (17h le dimanche). L'entrée s'élève à 5 $US environ. Ce sport est plus ou moins associé à la classe aisée ; officiellement, une tenue correcte est exigée (port de la veste pour les hommes), mais la pratique, est moins drastique. Une notice affichée à l'entrée stipule qu' “il est interdit d'entrer avec des armes, des téléphones portables, des appareils photo et des caméras”.

ACHATS

Pour les boutiques, l'art et les antiquités, sillonnez les rues de la Zona Rosa. Si vous recherchez des magasins de produits courants, explorez les rues situées à l'est ou à l'ouest du Zócalo. Trois grands magasins, ouverts tous les jours, se dressent à un pâté de maisons au sud du Zócalo : El Nuevo Mundo et El Palacio de Hierro se font face de chaque côté de Cinco de Febrero, Liverpool se situe Venustiano Carranza 92.

Friandises mexicaines

Pour les délicates friandises mexicaines telles que les fruits glacés, les dragées, les fraises cristallisées, le miel et les confitures, allez directement à la Dulcería de Celaya, Cinco de Mayo 39, à l'ouest d'Isabel la Católica (métro Allende ou Zócalo). Comptez à partir de 0,40 $US pièce. La dulcería est ouverte tous les jours de 10h30 à 19h.

Artisanat

L'Exposición Nacional de Arte Popular, Avenida Juárez 89, à quelques pas à l'ouest de l'Alameda Central (métro Hidalgo), est une exposition-vente permanente d'artisanat indien de qualité en provenance de tout le Mexique.

Mieux vaut venir ici pour admirer la beauté du travail que pour faire des affaires, mais jeter un coup d'œil peut être intéressant avant de s'aventurer sur certains marchés. Vous verrez du verre coloré, des objets en laque et des céramiques, des couvertures tissées main, des animaux en bois, des paniers et toutes sortes d'autres articles, vendus à prix fixes.

Elle ouvre du lundi au samedi de 10h à 19h.

Marchés

De nombreux marchés parsèment la ville et offrent des objets artisanaux, des souvenirs et des marchandises usuelles.

Mercado Insurgentes. Il s'étend de Londres à Liverpool, à l'ouest de la Zona Rosa (métro Insurgentes). Les stands regorgent d'objets d'artisanat de tout le pays – argent, textiles, poterie, cuir, bois sculpté, etc. Il est ouvert du lundi au samedi de 9h à 19h30 et le dimanche de 10h à 16h. Il faut marchander pour obtenir des prix raisonnables.

La Ciudadela et San Juan. A environ 600 m au sud de l'Alameda, dans Balderas, au coin de Dondé (métro Balderas), le Centro Artesanal La Ciudadela, ouvre tous les jours. Les prix de l'artisanat, en provenance de tout le pays, sont corrects même sans marchandage. Vous trouverez des sarapes de couleurs vives, des boîtes et des plateaux de laque, des bijoux en argent, des poteries, des masques de perles Huichol, des guitares, des maracas et des paniers de toutes tailles et de toutes formes, certains assez grands pour s'y cacher.

Le Mercado de Artesanías San Juan, à quatre pâtés de maisons à l'est, fait l'angle de Dolores et d'Ayuntamiento (métro San Juan de Letrán). Il présente le même type d'articles, à des prix un peu plus bas. Il ouvre du lundi au samedi de 9h à 19h, le dimanche de 9h à 16h.

La Lagunilla et Tepito. Deux des plus grands marchés de la ville, ouverts tous les jours, se confondent le long de Rayón et de Héroe de Granaditas, à environ 1 km au nord du Zócalo. Très animés, ils proposent essentiellement des marchandises usuelles et sont peu fréquentés par les touristes. La station de métro Garibaldi se trouve à l'ouest de La Lagunilla.

La Lagunilla, le plus à l'ouest des deux marchés, s'étend dans trois grands bâtiments. Le bâtiment n°1 rassemble tissus et vêtements, le n°2 est spécialisé dans les meubles et le n°3 se consacre aux *comestibles* (alimentation). Tepito commence où La Lagunilla s'achève et s'étire sur plusieurs centaines de mètres vers l'est, le long de Rayón et de Héroe de Granaditas, ainsi que dans nombre de petites rues perpendiculaires. On dit de la plupart des articles vendus ici qu'ils proviennent de la *fayuca* (contrebande) et le marché est connu pour attirer les pickpockets et les voleurs – alors, attention ! Il se compose principalement de stands sur le trottoir, vendant aussi bien des vêtements que des articles de loisirs, tels que matériel hi-fi, équipements sportifs et jouets. L'unique grand bâtiment, à l'angle de Héroe de Granaditas et d'Aztecas, est rempli d'un incroyable choix de chaussures et de bottes.

Centro Artesanal Buenavista. A l'est de la gare ferroviaire Buenavista, Aldama 187, ce vaste "marché" artisanal est en fait un gigantesque entrepôt. Fréquenté par de nombreux groupes de touristes et largement vanté pour son assortiment de produits, il affiche des prix fixes et les affaires sont rares. Il ouvre du lundi au samedi de 9h à 18h.

La Merced et Sonora. Le Mercado La Merced, à 1 km environ au sud-est du Zócalo, occupe quatre pâtés de maisons et se consacre à l'achat et à la vente des articles usuels. A deux pâtés de maisons au sud de La Merced, le Mercado Sonora, du côté sud de l'Avenida Fray Servando Teresa de Mier, mérite également une visite. Il se spécialise dans les jouets, les cages à oiseaux, les herbes et la médecine populaire. La station de métro Merced trône au milieu du marché du même nom.

Bazar del Sábado. Le "bazar du samedi", Plaza San Jacinto 11, dans le quartier sud de San Ángel, sert de vitrine d'exposition pour quelques-uns des meilleurs produits de l'artisanat mexicain dans le domaine de la bijouterie, du travail du bois, de la céramique et du textile. Les prix sont à la hauteur de la qualité. Le bazar se tient chaque samedi de 10h à 19h. Simultanément, des artistes et des artisans présentent leur travail sur la Plaza San Jacinto, dans les rues environnantes et sur la Plaza del Carmen toute proche. Pour savoir comment rejoindre San

Ángel, reportez-vous à la rubrique *San Ángel* plus haut dans ce chapitre.

Coyoacán. Le samedi et le dimanche, un beau marché de bijoux et d'artisanat s'étend sur la majeure partie du Jardín del Centenario, à Coyoacán. Bijoux hippies, artisanat indien du Mexique, cuirs et vêtements s'y amoncellent. Le Bazar Artesanal de Coyoacán, à l'ouest de la Plaza Hidalgo voisine, et le Pasaje Coyoacán, à deux pâtés de maisons et demi plus au nord, à l'angle d'Aguayo et de Cuauhtémoc, proposent également de l'artisanat. Pour vous y rendre, consultez la rubrique *Coyoacán* plus haut dans ce chapitre.

COMMENT S'Y RENDRE

Avion

Pour tous renseignements sur les vols internationaux et sur les taxes d'aéroport, reportez-vous au chapitre *Comment s'y rendre*. Les informations générales sur le voyage aérien au Mexique et les tarifs figurent dans le chapitre *Comment circuler*.

Aéroport. Seul grand aéroport de Mexico, l'Aeropuerto Internacional Benito Juárez (☎ 571-36-00, informations sur les vols ☎ 571-32-95) accueille le trafic international et intérieur. Il est situé à 6 km à l'est du Zócalo (métro Terminal Aérea).

Le terminal est divisé en six *salas* : Sala A : arrivées intérieures, Sala B : comptoirs d'enregistrement d'Aeroméxico, Mexicana, Aero California et Aeromar, Salas C et D : comptoirs d'enregistrement des autres compagnies mexicaines, Sala E : arrivées internationales, Sala F : comptoirs d'enregistrement des compagnies internationales.

Le terminal abrite de nombreuses boutiques et services, dont quelques bonnes librairies. Plusieurs banques et casas de cambio sont représentées ; entre la Sala D et la Sala E, la casa de cambio Tamize ouvre 24h/24. Vous pourrez également obtenir des pesos dans les nombreux distributeurs. Des téléphones à cartes et des points d'appel (telephone casetas) sont disponibles partout, de même que les boutiques vendant des cartes de téléphone. Dans la Sala A, vous trouverez une consigne gardée, ouverte 24h/24 (2,75 $US pour 24h), un office du tourisme (☎ 762-67-73), ouvert tous les jours de 9h à 20h, une poste et un bureau de télégraphe. Les agences de location de voitures se trouvent dans la salle E.

Compagnies aériennes. Si vous ne possédez pas de billet de retour au départ de Mexico, vous pourrez en acheter un dans une des nombreuses agences de voyages (*agencias de viajes*). Certaines sont mentionnées dans la rubrique *Renseignements* de ce chapitre. Votre hôtel vous indiquera l'agence de voyages la plus proche. Voici les adresses des principales compagnies internationales :

Aero California
  Paseo de la Reforma 332 (☎ 207-13-92)
Aeroexo
  Avenida Insurgentes Sur 1292, Colonia Del Valle (☎ 559-19-55)
Aerolitoral
  Paseo de la Reforma 445 (☎ 208-38-37)
Aeromar
  Río Nazas 199A, Colonia Cuauhtémoc (☎ 627-02-07)
Aeroméxico
  Paseo de la Reforma 80 (☎ 207-49-00), Paseo de la Reforma 445 (☎ 228-99-10) et 8 autres bureaux dans Mexico
Air France
  Paseo de la Reforma 404, 15e étage (☎ 627-60-60)
Alitalia
  Paseo de la Reforma 322 (☎ 533-51-90, 533-12-40)
Allegro
  Avenida Baja California 128, Colonia Roma (☎ 264-84-54)
American Airlines
  Paseo de la Reforma 300 (☎ 209-14-00)
Aviacsa
  Avenida Insurgentes Sur 1292, Colonia Del Valle (☎ 559-19-55)
Aviateca (Guatemala)
  Paseo de la Reforma 56 (☎ 592-52-89, 533-33-66)
British Airways
  Paseo de la Reforma 10, 14e étage (☎ 628-05-00)

Canadian Airlines
Paseo de la Reforma 390
(☎ 208-18-83, 207-33-38)
Continental Airlines
Andrés Bello 45, Polanco (☎ 280-34-34)
Cubana
Temístocles 246, Polanco
(☎ 250-63-55, 255-37-76)
Delta Airlines
Horacio 1855, Polanco
(☎ 557-42-92, 202-16-08)
Iberia
Paseo de la Reforma 24
(☎ 705-07-16, 703-07-09)
KLM
Paseo de las Palmas 735, 7e étage, Lomas de Chapultepec (☎ 202-44-44)
LACSA (Costa Rica)
Río Nilo 88, Colonia Cuauhtémoc
(☎ 525-00-25, 553-33-66)
Lufthansa
Paseo de las Palmas 239, Lomas de Chapultepec (☎ 230-00-00)
Mexicana
Avenida Juárez à l'angle de Balderas, près de l'Alameda ; Paseo de la Reforma 312, à l'angle d'Amberes, Zona Rosa et plus d'une douzaine d'autres bureaux en ville (☎ 325-09-90)
TAESA
Paseo de la Reforma 30 (☎ 227-07-00)
United Airlines
Hamburgo 213, Zona Rosa (☎ 627-02-22)
US Airways
Paseo de la Reforma 10, 14e étage
(☎ 628-05-00)

Bus

Mexico possède quatre gares routières principales desservant les quatre points cardinaux : Terminal Norte (le nord), Terminal Oriente ou TAPO (l'est), Terminal Sur (le sud) et Terminal Poniente (l'ouest). Toutes disposent de consignes, de toilettes, de kiosques à journaux, de bureaux de poste, télégraphe et télécopies, de téléphones à cartes et de casetas, d'où vous pourrez passer des appels longue distance, et de cafétérias. Voici quelques conseils pour les trajets interurbains :

- Pour les voyages courts (de 1 à 5 heures), rendez-vous à la gare routière, prenez votre billet et embarquez.
- Pour des trajets plus longs, la plupart des bus partent le soir ou la nuit. Le service (sauf pour Monterrey et Guadalajara) pouvant être réduit, achetez votre billet à l'avance. Si vous parlez espagnol, appelez les compagnies de bus pour demander leurs horaires – elles sont répertoriées dans la *sección amarilla* (les pages jaunes) de l'annuaire, à la rubrique *Camiones y Automóviles Foráneos para Pasajeros*.
- La plupart des destinations ne sont desservies que par un seul des quatre terminaux. Pour certaines destinations importantes, vous aurez le choix du terminal.
- Les grandes compagnies disposent de billetteries dans plusieurs gares routières ; vous pourrez acheter un billet au Terminal Norte pour un bus partant plus tard du Terminal Sur, etc.
- Certaines compagnies demandent que les bagages soient enregistrés à leur comptoir au moins 30 minutes avant le départ.

Terminal Norte. Le Terminal Central Autobuses del Norte (☎ 587-59-73), Avenida de los Cien Metros 4907, à environ 5 km au nord du Zócalo (métro Autobuses del Norte), est la plus grande des quatre gares routières. Il possède plusieurs appellations, dont Autobuses del Norte, Central del Norte, Central Camionera del Norte, Camiones Norte (ou simplement "CN"). Il dessert les villes au nord de Mexico, ainsi que Guadalajara, Puerto Vallarta et Colima à l'ouest, Pachuca, Papantla et Tuxpan, au nord-est.

Plus de 30 compagnies partent de ce terminal. Les guichets des billets deluxe et de 1re classe se situent dans la moitié sud du bâtiment (à droite, quand vous entrez par la rue), ceux qui vendent les billets de 2e classe sont dans la moitié nord.

Les *guarderías* (consignes) se trouvent à l'extrémité sud du terminal et dans le passage central. La première, ouverte en permanence, demande 1,60 $US par bagage et par 24h. Veillez à n'y laisser aucun objet de valeur.

Vers le milieu du hall principal, un distributeur Banamex ATM accepte les cartes Visa, Cirrus, MasterCard et Plus System ; la casa de cambio n'offre pas un taux de change très avantageux.

Terminal Oriente (TAPO). Le Terminal de Autobuses de Pasajeros de Oriente (☎ 762-59-77), est situé Calzado Ignacio Zaragoza 200, au coin de l'Avenida Eduardo Molina (métro San Lázaro) et à

2 km environ à l'est du Zócalo. Cette gare routière dessert l'est et le sud-est de Mexico, Puebla comprise, le centre et le sud du Veracruz, le Yucatán, l'Oaxaca et le Chiapas. Un distributeur Banamex, qui accepte les cartes Visa, Cirrus, MasterCard ou Plus System, est installé dans le passage entre le métro et le hall principal circulaire de la gare. Des consignes automatiques vous attendent sous le point de vente des billets de la compagnie Sur.

Terminal Sur. Le Terminal Central de Autobuses del Sur (☎ 689-97-95), Avenida Tasqueña 1320 (métro Tasqueña), à 10 km au sud du Zócalo, dessert Tepoztlán, Cuernavaca, Taxco, Acapulco et quelques autres destinations. Cette gare ne possède aucun bureau de change.

Terminal Poniente. Le Terminal Poniente de Autobuses (☎ 271-45-19), Avenida Sur 122, à l'angle de l'Avenida Río Tacubaya et au sud du Bosque de Chapultepec (métro Observatorio), se profile à 8 km au sud-ouest du Zócalo. Il assure un service de navettes vers Toluca et la plupart des bus pour l'État de Michoacán. Il ne possède pas de bureau de change et les téléphones fonctionnent avec des pièces de monnaie.

Destinations. Vous trouverez sur les pages suivantes les principales destinations desservies par bus au départ de Mexico. Bien entendu, ces informations sont sujettes à modifications.

Train

Estación Buenavista. La gare centrale de la ville est le Terminal de Ferrocarriles Nacionales de México (FNM), plus communément appelée Estación Buenavista. Cette sombre bâtisse siège à l'angle d'Insurgentes Norte et de Mosqueta (Eje 1 Norte) à 1,2 km environ au nord de la Plaza de la República.

Les taquillas installées dans le hall central, ouvertes tous les jours de 6h à 21h, vendent des billets de primera clase et de coche dormitorio.

Dans ce même hall, un bureau d'informations ouvre tous les jours, de 8h à 21h. A l'étage inférieur, se trouvent les guichets des billets de secunda clase et une consigne (*Guarda Equipaje*) ouverte tous les jours, de 6h30 à 21h30 (0,70 $US par bagage et par jour). Les téléphones à cartes ou à pièces de l'étage et la une caseta du hall principal (avec service de fax) autorisent les appels internationaux.

Vous pourrez obtenir des renseignements en anglais sur les trains, les billets, etc., en appelant le numéro vert de SECTUR ☎ 800-90392. Pour toute information en espagnol, téléphonez au ☎ 547-10-84 ou 547-10-97. Le Departamento Tráfico de Pasajeros, près de la caseta dans le hall principal, ou la Gerencia de Pasajeros, à l'étage, vous aideront si vous avez besoin d'informations en anglais.

Pour plus de détails sur les trains mexicains et leur système de classe, reportez-vous à la rubrique *Train* du chapitre *Comment circuler*. Pour un restaurant proche de la gare, reportez-vous à la rubrique *Où se restaurer*.

Trains de première catégorie. Voici les horaires quotidiens des principaux trains depuis/vers Mexico. Les horaires peuvent changer sensiblement d'ici votre voyage; ne les utilisez qu'à titre indicatif et faites-vous confirmer les heures, prix et autres détails.

Depuis/vers Ciudad Juárez. División del Norte, trains n°7 et 8, dispose de places assises en primera preferente et en segunda clase. Les prix en primera preferente s'élèvent à 16,50 $US pour Zacatecas, 37,50 $US pour Chihuahua et 45,75 $US pour Ciudad Juárez.

départ	*Train 7*
Mexico	20h00
Querétaro	23h30
León	3h35
Aguascalientes	6h30
Zacatecas	9h30
Torreón	17h10
Chihuahua	1h20

Bus au départ de Mexico

Destination	*Distance (km)*	*Durée (heures)*	*Terminal à Mexico*	*Classe*	*Compagnie*	*Nbre de départs quotidiens*	*Prix $US*
Acapulco	400	5 à 6	Sur	deluxe	Estrella de Oro	rares	26
					Turistar Ejecutivo	rares	26
				1re	Futura	5	19
					Estrella de Oro	15	18,25
				2e	Cuauhtémoc		12,75
			Norte	1re	Futura	10	19
Aguascalientes	521	7	Norte	deluxe	ETN	8	26,75
				1re	Primera Plus	13	21
					Ómnibus de México	14	19,50
				2e	Flecha Amarillla	6	15,75
Bahías de Huatulco	840 *via* Salina Cruz	14	Sur	1re	Cristóbal Colón	1	28
	900 *via* Cuajinicuilapa	15	Oriente	deluxe	Flecha Roja	127,50	
Campeche	1 360	20	Oriente	deluxe	ADO	1	51,50
				1re	ADO	5	44,50
Cancún	1 772	22	Oriente	deluxe	ADO	1	57
				1re	ADO	3	48
Chetumal	1 450	24	Oriente	1re	ADO	5	45,25
Chihuahua	1 500	21	Norte	1re	Futura	5	52
					Transportes Chihuahuaenses	9	52
					Ómnibus de México	9	52
Ciudad Juárez	1 900	26	Norte	1re	Futura	5	64
					Transportes Chihuahuaenses	9	64
					Ómnibus de México	9	64
Cuernavaca	85	1	Sur	deluxe	Pullman de Morelos	fréquent	4
				1re	Pullman de Morelos	fréquent	3,50
					Cuernavaca	fréquent	3,50
				2e	Cuernavaca	fréquent	3
Guadalajara	535	7 à 8	Norte	deluxe	ETN	20	35
				1re	Primera Plus	31	27
					Futura	15	25
				2e	Flecha Amarilla	22	22
			Poniente	deluxe	ETN	4	35
				2e	Autobuses de Occidente	8	22
Guanajuato	380	4,30	Norte	deluxe	ETN	5	17,50
				1re	Primera Plus	7	14,25
					Futura	4	13,25
Jalapa	315	5	Oriente	deluxe	UNO	6	19,25
				1re	ADO	23	11
				2e	AU	19	10
			Norte	1re	ADO	2	10,75
Matamoros	1 010	15	Norte	deluxe	Turistar Ejecutivo	2	51
				1re	Futura	5	38
				2e	Transportes Frontera	3	34
Mazatlán	1 041	17	Norte	deluxe	Turistar Ejecutivo	1	52,75
				1re	Elite	12	44,75
					Transportes del Pacífico	11	44
				2e	Transportes del Pacífico	2	38,75
Mérida	1 550	20	Oriente	deluxe	ADO	1	53,75
				1re	ADO	5	45

Destination	*Distance (km)*	*Durée (heures)*	*Terminal à Mexico*	*Classe*	*Compagnie de bus*	*Nbre de départs quotidiens*	*Prix $US*
Mexicali	2 667	40	Norte	1re	Futura	3	84
					Elite		84
					Transportes del Pacífico		84
				2e	Transportes Norte de Sonora		73
Monterrey	934	11 à 12	Norte	deluxe	Turistar Ejecutivo	7	45
					Transporte del Norte	5	45
				1re	Futura	11	34
				2e	Transportes Frontera	7	29
Morelia	304	4	Poniente	deluxe	ETN	26	22
				1re	Pegasso Plus	16	15
				2e	Herradura de Plata	12	12
					Autobuses de Occidente	nombreux	11
			Norte	1re	Primera Plus	14	15
				2e	Flecha Amarilla	32	11,50
Nogales	2 227	33	Norte	1re	Elite	3	83,50
				2e	Transportes del Pacífico	1	71,25
Nuevo Laredo	1 158	15	Norte	deluxe	Turistar Ejecutivo	7	59
				1re	Transportes del Norte	4	44
				2e	Transportes Frontera	7	38
Oaxaca	442	6,30	Oriente	deluxe	Cristóbal Colón	6	19,50
				1re	ADO	17	17
				2e	AU	13	15,75/14*
			Norte	deluxe	ADO	1	19,50
				1re	ADO	2	17
			Sur	deluxe	Cristóbal Colón	1	19,50
				1re	Cristóbal Colón	2	17
Palenque	1 020	14 à 16	Oriente	1re	ADO	2	35
Papantla	290	5,30	Norte	1re	ADO	4	10
Pátzcuaro	370	5	Poniente	1re	Pegasso Plus	9	17
			Norte	1re	Primera Plus	2	15
Playa del Carmen	1 840	28	Oriente	1re	ADO	2	47
Puebla	130	2	Oriente	deluxe	Pullman Plus	54	5,75
				1re	Pullman Plus	54	5
					ADO	54	5
				2e	Estrella Roja	96	4,25
					AU	70	4,25
			Norte	1re	ADO	33	5
			Sur	1re	Cristóbal Colón	32	5
Puerto Escondido	790 *via* Cuajinicuilapa	13	Sur	1re	Flecha Roja	1	24
	1 010 *via* Salina Cruz	16,30	Sur	1re	Cristóbal Colón	1	30
Puerto Vallarta	880	13 à 15	Norte	deluxe	ETN	1	56
					Turistar Ejecutivo	1	49
				1re	Elite	3	42
					Futura	4	
Querétaro	215	2,30 à 3	Norte	deluxe	ETN	31	11,75
				1re	Primera Plus	50	8,75
					Futura	48	8
					Ómnibus de México	48	8
				2e	Flecha Amarilla	80	6,50

* Le tarif le moins cher vaut pour un trajet de 9 heures

Destination	*Distance (km)*	*Durée (heures)*	*Terminal à Mexico*	*Classe*	*Compagnie de bus*	*Nbre de départs quotidiens*	*Prix $US*
San Cristóbal de Las Casas	1 085	19	Oriente	deluxe	UNO	1	57,50
					Cristóbal Colón	3	44
				1re	Cristóbal Colón	5	38
San Luis Potosi	417	5 à 6	Norte	deluxe	ETN	15	20
				1re	Primera Plus	6	15,75
					Ómnibus de Oriente	24	14,75
				2e	Flecha Amarilla	9	13
San Miguel de Allende	280	3,30 à 4	Norte	deluxe	ETN	3	15,50
				1re	Primera Plus	3	11
					Pegasso Plus		11
				2e	Flecha Amarilla	25	8,50
					Herradura de Plata		8,50
Taxco	170	3	Sur	deluxe	Estrella de Oro	2	8
					Cuernavaca	3	7,50
				1re	Estrella de Oro	4	7
					Cuernavaca	12	6 à 7
Teotihuacán	50	1	Norte	2e	Autobuses Teotihuacán	40**	1,50
Tepoztlán	70	1,15	Sur	1re	Pullman de Morelos	fréquent	3
Tijuana	2 837	42	Norte	1re	Elite	24	85
					Futura	20	85
Toluca	66	1,15	Poniente	deluxe	ETN	23	3,25
				1re	TMT	204	2,50
				2e	Flecha Roja	100	2,25
Tula	65	1	Norte	1re	Ovni	15	3,50
				2e	AVM	60	3
Tuxtla Gutiérrez	1 000	17	Oriente	deluxe	UNO	2	54
					Cristóbal Colón	3	42
				1re	Cristóbal Colón	4	37
					ADO	2	37
Uruapan	430	6	Poniente	deluxe	ETN	6	26
				1re	Via 2000	11	19 à 21
				2e	Autobuses de Occidente	3	17
			Norte	1re	Primera Plus	5	21
					Via 2000		19
				2e	Flecha Amarilla		17
Veracruz	430	5	Oriente	deluxe	UNO	6	27
					ADO	15	18
				1re	ADO	17	15,50
				2e	AU	17	13,50
			Norte	1re	ADO	4	15,50
Villahermosa	820	14	Oriente	deluxe	UNO	3	43
					ADO	6	35
				1re	ADO	20	30
				2e	AU	3	26
			Norte	deluxe	ADO	1	35
				1re	ADO	1	30
Zacatecas	651	8 à 9	Norte	deluxe	Turistar Ejecutivo	1	31
					Transportes del Norte	1	31
				1re	Ómnibus de México	15	23
					Transportes Chihuahuaenses	11	23
				2e	Estrella Blanca	5	19,50
Zihuatanejo	640	9	Sur	deluxe	Estrella de Oro	1	35
				1re	Estrella de Oro	1	22/25,75

** de 7h à 17h ; assurez-vous que le bus va à "Los Pirámides"

arrivée	
Ciudad Juárez	6h45
départTrain 8	
Ciudad Juárez	22h00
Chihuahua	3h15
Torreón	12h00
Zacatecas	20h05
Aguascalientes	22h30
León2h02	
Querétaro	5h40
arrivée	
Mexico	9h30

Depuis/vers Monterrey et Nuevo Laredo. El Regiomontano relie Mexico à Monterrey ; il comporte uniquement des primera preferente et, le vendredi, le samedi et le dimanche, des coches dormitorios. Un billet (primera preferente/camarín pour une personne) coûte 10,25/22,25 $US jusqu'à San Luis Potosí et 22/47 $US pour Monterrey.

Les trains n°1 et 2 entre Mexico et Nuevo Laredo, offrent des sièges primera preferente et secunda clase. Les tarifs en primera preferente sont de 7,50 $US pour San Miguel de Allende, 11,50 $US pour San Luis Potosí, 23 $US pour Monterrey et 30 $US pour Nuevo Laredo.

départ	*Train 71*	*Train 1*
Mexico	18h00	9h00
Querétaro	–	12h56
San Miguel de Allende	–	14h35
San Luis Potosí	12h01	17h10
Saltillo	5h44	23h55
Monterrey		2h20
arrivée		
Monterrey	8h10	
Nuevo Laredo		7h20
départ	*Train 72*	*Train 2*
Nuevo Laredo		18h55
Monterrey	19h50	23h30
Saltillo	22h00	2h35
San Luis Potosí	3h45	10h05
San Miguel de Allende	–	13h09
Querétaro	–	14h42
arrivée		
Mexico	10h00	19h00

Depuis/vers Veracruz. El Jarocho, trains n°53 et 54, est constitué de wagons segunda clase, primera preferente et coche dormitorio. A partir de Mexico, le tarif s'élève, en primera preferente/camarín pour une personne, à 11/23,50 $US pour Veracruz.

départ	*Train 53*
Mexico	21h15
Orizaba	4h00
Fortín de las Flores	4h33
Córdoba	4h45
arrivée	
Veracruz	7h10
départ	*Train 54*
Veracruz	21h30
Córdoba	23h35
Fortín de las Flores	0h08
Orizaba	0h30
arrivée	
Mexico	7h40

Depuis/vers Michoacán. El Purépecha, trains n°31 et 32, dispose de primera preferente et de secunda clase. Les tarifs (primera preferente) s'élèvent à 8,75 $US pour Morelia, 10,25 $US pour Pátzcuaro, 12 $US pour Uruapan et 18,50 $US pour Lázaro Cárdenas.

départ	*Train 31*
Mexico	21h00
Toluca	23h10
Morelia	5h20
Pátzcuaro	6h45
Uruapan	9h00
arrivée	
Lázaro Cárdenas	16h00
départ	*Train 32*
Lázaro Cárdenas	12h00
Uruapan	18h15
Pátzcuaro	21h15
Morelia	22h40
Toluca	5h05
arrivée	
Mexico	7h30

Depuis/vers Oaxaca. *El Oaxaqueño*, trains n°111-112 et 112-111, comporte des primera preferente et des segunda clase. Un billet (primera preferente) coûte 13,50 $US pour Oaxaca.

départ	*Train 111-112*
Mexico	19h00
Puebla	23h50
arrivée	
Oaxaca	9h25

départ	*Train 112-111*
Oaxaca	19h00
Puebla	4h05
arrivée	
Mexico	9h20

Voiture et moto

Il est déconseillé de visiter Mexico en voiture, à moins d'être habitué à son infernale circulation et d'avoir de la patience à revendre. Vous pouvez cependant louer un véhicule pour explorer les environs de la ville. Si vous voyagez en voiture au Mexique, choisissez des hôtels disposant d'un parking privé (ce qui est souvent le cas).

Location. De nombreuses agences de location de voitures, dont les compagnies internationales, disposent de bureaux à l'aéroport, ainsi que dans la Zona Rosa ou à proximité ; renseignez-vous auprès d'un des grands hôtels de ce quartier. La plupart des hôtels pourront vous mettre en contact avec un agent de location. Les prix varient sensiblement selon les agences. Comparez soigneusement les contrats, apparemment intéressants, des petites sociétés avec ceux des compagnies internationales avant de vous décider. Une des meilleures agences locales, Casanova Chapultepec (☎ 514-04-49), Avenida Chapultepec 442, à la lisière de la Zona Rosa, offre de bons tarifs. Elle loue des Volkswagen pour 28,25 $US par jour, taxes et assurance comprises, kilométrage illimité (deux jours minimum avec réservation un jour à l'avance). Parmi les agences internationales, Thrifty (☎ 207-75-66), Sevilla 4, Zona Rosa, présente également à l'aéroport, propose des Volkswagen à 44,50 $US la journée, ou 266,25 $US la semaine.

A en juger par les lettres de certains lecteurs, il semble que les routes menant à l'aéroport soient un des coins favoris de policiers véreux qui arrêtent des étrangers et tentent de leur soutirer des "amendes" en leur reprochant des fautes de conduite imaginaires.

Pour plus de détails sur les locations de voitures, reportez-vous au chapitre *Comment circuler*.

Ángeles Verdes. A Mexico, le numéro de téléphone des "Anges Verts" (voir la rubrique *Assistance en cas de panne* dans le chapitre *Comment circuler*) est le ☎ 250-82-21.

COMMENT CIRCULER

La récente augmentation de la criminalité a rendu quelques précautions élémentaires indispensables, quel que soit le moyen de transport, taxis compris (voir dans ce chapitre la rubrique *Désagréments et dangers*).

Mexico dispose d'un excellent réseau métropolitain, facile à utiliser et bon marché. Les peseros (minibus), les bus et/ou trolleybus qui sillonnent les artères principales sont tout aussi pratiques et peu onéreux. Les taxis sont légion.

Aussi évident que cela puisse paraître, pensez à regarder des deux côtés avant de traverser une rue. Sur certains axes à sens unique, les bus roulent à contresens. Dans quelques rues à voies séparées, la circulation se fait des deux côtés dans le même sens.

Desserte de l'aéroport

A moins que vous ne louiez une voiture, prenez le métro ou un taxi pour couvrir les 6 km séparant le Zócalo de l'aéroport. Aucun bus ou minibus ne relie l'aéroport au centre-ville.

Métro. Officiellement, il est interdit de prendre le métro avec un bagage plus grand qu'un sac à main. Cette règle n'est pas toujours respectée, surtout pendant les heures calmes, avant 7h, après 21h et le dimanche. La station de métro de l'aéroport est Terminal Aérea sur la línea 5. Elle est distante du terminal de 200 m. Quittez le terminal en empruntant la sortie au bout de la Sala A – zone d'arrivée des vols intérieurs – et poursuivez dans la même direction jusqu'à ce que vous aperceviez le logo du métro, un "M" stylisé et un escalier menant à la station. Le prix d'un billet est de 0,20 $US. Pour rejoindre les quartiers hôteliers du centre-ville, prenez la "Dirección Pantitlán". A Pantitlán, prenez la "Dirección Tacubaya" (línea 9) et changez à Chabacano pour prendre la "Dirección Cuatro Caminos" (línea 2), qui mène aux stations Zócalo, Allende, Bellas Artes, Hidalgo et Revolución (consultez l'avertissement concernant Hidalgo dans la rubrique *Désagréments et dangers* de ce chapitre).

Taxi. Les confortables taxis "Transportación Terrestre" qui stationnent à l'aéroport offrent un service correct et sont contrôlés par un système de ticket à prix fixe.

A l'aéroport, deux guichets vendent ces tickets : le premier est situé à la sortie de la Sala E (zone d'arrivée des lignes internationales), l'autre dans la Sala A (arrivée des lignes intérieures). Les cartes affichées à l'extérieur des guichets indiquent les *zonas* (zones de tarification) qui divisent la ville. Le Zócalo et l'Alameda Central sont dans la zone 3 (6 $US) ; la Plaza de la República et la Zona Rosa font partie de la zone 4 (7 $US). Un ticket est valable pour quatre personnes et une quantité raisonnable de bagages. En mentionnant le nom de quartiers connus, tels le "Zócalo" ou la "Plaza de la República", vous devriez obtenir le billet correspondant. Mieux vaut toutefois vérifier sur la carte et n'hésitez pas à recompter votre monnaie : des "erreurs" sont parfois commises. Rejoignez ensuite la borne de taxis, mettez votre bagage dans le coffre et ne donnez votre ticket au chauffeur qu'une fois dans la voiture. Des porteurs voudront prendre votre ticket et votre bagage pour faire les trois pas qui mènent au taxi et demanderont un pourboire. A l'arrivée, le conducteur n'est pas censé recevoir un pourboire.

Pour aller de Mexico à l'aéroport, vous pouvez réserver un taxi Transportación Terrestre en appelant le ☎ 571-93-44 une heure ou plus avant votre départ.

Desserte des gares routières

Le métro est le moyen le plus rapide et le moins coûteux de rejoindre les gares routières mais l'interdiction d'y monter avec des bagages volumineux vous empêchera peut-être de l'emprunter. Les gares routières sont toutes accessibles en bus, minibus et/ou trolleybus. Elles ont également adopté le système des tickets pour taxis et les *taxis autorizados* des gares routières, meilleur marché que ceux de l'aéroport, pratiquent des tarifs comparables à ceux des taxis de rue.

Terminal Norte. La station de métro Autobuses del Norte (línea 5) devance l'entrée principale. Sur certains plans de métro, elle est indiquée sous le nom de Central Autobuses del Norte, ou Autobuses Norte ou par le sigle "TAN" (Terminal de Autobuses del Norte). Si vous allez du Terminal Norte vers le centre, prenez la "Dirección Pantitlán" (línea 1), puis changez à La Raza ou Consulado et Candelaria. Si vous changez à La Raza, vous devrez marcher 7 à 8 minutes et grimper un long escalier.

Au terminal, le kiosque des taxis autorizados se trouve dans le couloir central ; un taxi pour la Plaza de la República, Alameda, Zócalo ou le Terminal Oriente (TAPO), tous en zone 3, revient à 2,75 $US (3,75 $US entre 21h et 6h).

Vous pouvez également rejoindre le centre en trolleybus en pesero ou en bus. Devant la gare, les trolleybus signalés "Eje Central" descendent l'Eje Central Lázaro Cárdenas, à un pâté de maisons de l'Alameda Central et à six pâtés de maisons du Zócalo. Les bus marqués "Terminal Sur" ou "Tasqueña" empruntent le même trajet et continuent jusqu'à la gare routière du sud, à Tasqueña, 15 km plus loin. Pour prendre un bus ou un pesero en direction du centre, traversez la rue en empruntant le passage souterrain. Les transports qui se rendent dans le centre affichent, entre autres, les directions "M (etro) Insurgentes", "M (etro) Revolución", "M (etro) Hidalgo", "M (etro) Bellas Artes" ou "M (etro) Salto del Agua".

Pour rejoindre le Terminal Norte depuis les quartiers du centre, prenez un trolleybus ou un pesero se dirigeant vers le nord dans Aquiles Serdán, à l'angle de Donceles et à un pâté de maisons au nord du Palacio de Bellas Artes. Le nom du terminal est affiché sous diverses appellations : "Central Camionera Norte", "Central Norte", "Terminal Norte" ou "Central Camionera". Dans l'Avenida Insurgentes, n'importe où au nord de la station de métro Insurgentes, prenez un bus ou pesero de la ceinture nord affichant "Central Camionera" ou un bus "Reclusorio Norte x Cien Metros".

Terminal Oriente (TAPO). Le TAPO est situé à côté de la station de métro San Lázaro. Pour emprunter un pesero ou un bus, suivez les panneaux indiquant l'Avenida Eduardo Molina ; l'arrêt de bus est situé à 50 m à droite. Les peseros affichant les directions "Zócalo, M (etro) Allende, M (etro) Bellas Artes, Alameda" rejoignent le centre-ville en passant à quelques pâtés de maisons au nord du Zócalo, jusqu'au terminus de la Calle Trujano, à l'opposé du côté nord de l'Alameda Central.

Le ticket de taxi autorizado pour le Zócalo (Zone 1) coûte 1,90 $US et 2,25 $US pour l'Alameda ou la Plaza de la República (Zone 2). Rajoutez 1 $US entre 22h30 et 6h30.

Pour aller au TAPO depuis le centre-ville, prenez un pesero "M (etro) San Lázaro" dans Arriaga, à l'angle d'Ignacio Mariscal, près de la Plaza de la República, ou se dirigeant vers l'est dans Donceles, au nord du Zócalo. Vous pouvez encore emprunter un bus "Santa Martha" du côté ouest de Trijano, près de l'Alameda Central.

Terminal Sur. La station de métro Tasqueña est à deux minutes à pied du Terminal Sur, de l'autre côté d'un marché de colporteurs très animé. Les trolleybus "Eje Central" et "Central Camionera Norte" partent vers le nord depuis le Terminal Sur, longent l'Eje Central Lázaro Cárdenas jusqu'au Palacio de Bellas Artes dans le centre-ville, puis poursuivent leur route

Restrictions de circulation

Dans le cadre des efforts entrepris pour lutter contre la pollution, Mexico applique le plan "Hoy No Circula" (ne circulez pas aujourd'hui), qui interdit à tout véhicule – sauf ceux disposant d'une autorisation spéciale –, où qu'il soit immatriculé, de circuler en ville un jour par semaine. Le dernier chiffre du numéro d'immatriculation détermine le jour. Toutes les voitures ont le droit de rouler le samedi et le dimanche. Plusieurs fois par an, lorsque le taux d'ozone de la capitale atteint 250 points IMECA (voir l'encadré *L'air de Mexico*), le plan "Doble Hoy No Circula" est mis en œuvre, interdisant à tout véhicule de rouler deux jours par semaine et un jour pendant le week-end. Le système fonctionne comme suit :

Jour	*Hoy No Circula* *Derniers chiffres interdits*	*Doble Hoy No Circula* *Derniers chiffres interdits*
Lundi	5, 6	3, 4, 5, 6
Mardi	7, 8	1, 2, 7, 8
Mercredi	3, 4	3, 4, 9, 0
Jeudi	1, 2	1, 2, 5, 6
Vendredi	9, 0	7, 8, 9, 0
Samedi	–	1, 3, 5, 7, 9
Dimanche	–	2, 4, 6, 8, 0

jusqu'au Terminal Norte. Prenez à gauche depuis la sortie principale du Terminal Sur, les bus attendent de l'autre côté de la rue.

Un taxi autorizado depuis le Terminal Sur jusqu'à la Zona Rosa, l'Alameda ou le Zócalo (zona 4) revient à 3,75 $US, et 4,25 $US jusqu'à la Plaza de la República (zona 5). Comptez 1 $US de plus entre 21h et 6h.

En direction du Terminal Sur depuis le centre-ville, les trolleybus affichent diverses appellations : "Eje Central", "Tasqueña/Taxqueña", "Autobuses Sur" ou "Terminal Sur". Vous pouvez les emprunter à un pâté de maisons au nord du Palacio de Bellas Artes, dans Aquiles Serdán, à l'angle de Santa Veracruz. Depuis San Ángel ou Coyoacán, prenez un pesero ou bus "M (etro) Tasqueña" à l'est de l'Avenida Miguel Ángel de Quevedo.

Terminal Poniente. La station de métro Observatorio est à quelques minutes de marche du terminal. Un ticket de taxi pour le Zócalo revient à 3,75 $US.

Desserte de la gare ferroviaire

Quantité de bus et de peseros passent devant l'Estación Buenavista, dans l'Avenida Insurgentes. Les arrêts se situent à droite en sortant de la gare, de l'autre côté d'Insurgentes. Les bus signalés "M (etro) Insurgentes" rejoignent le carrefour de l'Avenida Chapultepec, à 1 km au sud du Paseo de la Reforma. Ceux marqués "San Ángel" continuent vers le sud jusqu'au faubourg du même nom.

Un taxi pour le Zócalo ou la Zona Rosa revient à un peu plus de 1 $US.

La station de métro la plus proche de l'Estación Buenavista est Guerrero, à 900 m à l'est de la gare, dans Mosqueta, la voie qui fait face à la station. Les peseros "M (etro) Guerrero", "M (etro) Morelos" ou "M (etro) Oceanía" longent Mosqueta et vous y mèneront. Du centre à l'Estación Buenavista, de nombreux bus et peseros parcourent l'Avenida Insurgentes en direction du nord. Tous ceux affichant les directions "Buenavista", "Central Camionera", "M (etro) La Raza" ou "M (etro) Indios Verdes" feront l'affaire. En vous dirigeant vers le nord, le long d'Insurgentes, repérez le grand magasin Suburbia sur la droite et descendez à l'arrêt suivant. La gare est surmontée des mots "Ferrocarriles Nacionales de México".

Métro

Le métro de Mexico est incontestablement le moyen de transport le moins cher, le plus rapide et le plus fréquenté. Un trajet ne coûte que 0,20 $US, correspondances comprises. Plus de 4 millions de personnes l'empruntent chaque jour et le métro de la capitale parvient au troisième rang mondial de fréquentation, après Moscou et Tokyo. 150 stations ponctuent 178 km de rails répartis sur 10 lignes (*lineas*).

Les stations sont généralement propres et bien agencées, mais toujours bondées. Les quais sont dangereusement surpeuplés, surtout aux heures de pointe (généralement de 7h30 à 10h et de 17h à 19h). Lorsque l'affluence le justifie, des voitures sont réservées aux femmes et aux enfants. On y accède par des passages spéciaux "*Solo Mujeres y Niños*". Les moments les plus calmes sont la fin de la matinée, le soir et le dimanche. Du lundi au vendredi, le métro fonctionne à partir de 5h et le dernier train circule à 24h. Le samedi, il roule de 6h à 1h et le dimanche de 7h à 24h.

Dans de telles conditions, il n'est pas étonnant que les bagages soient interdits et que les pickpockets sévissent. Attention à vos objets de valeur !

Le métro est facile à utiliser. En entrant dans la station, consultez le plan pour vous orienter. Les panneaux "Dirección Pantitlán", "Dirección Universidad", etc., indiquent le nom de la station en fin de ligne. Au guichet, achetez un ticket (*boleto*) ou un carnet de tickets, plus pratique, et introduisez-en un dans le tourniquet.

Pesero, bus et trolleybus

Environ 2 millions et demi de personnes utilisent quotidiennement les milliers de bus et peseros de Mexico qui circulent de 5h à 24h.

Les itinéraires sont généralement encombrés aux heures de pointe. Le reste du temps, l'affluence n'est pas excessive. Les pickpockets et autres voleurs sont plus virulents sur les lignes fréquentées par les touristes, notamment sur le Paseo de la Reforma. Cependant le remplacement des grands bus par des peseros a réduit ce danger.

Les peseros sont en général des minibus gris ou verts et parfois, dans les banlieues plus éloignées, des combis Volkswagen. Ils suivent des itinéraires déterminés, la tête de ligne et le terminus se trouvant la plupart du temps devant des stations de métro. Ils s'arrêtent pour laisser monter ou descendre leurs passagers à pratiquement n'importe quel coin de rue sur leur trajet. L'itinéraire est indiqué à l'avant des véhicules, le plus souvent peint à la va-vite sur le pare-brise. Le tarif se monte à 0,20 $US pour un trajet couvrant jusqu'à 5 km, 0,30 $US pour 5 à 12 km, et 0,40 $US au-delà.

Les bus et les quelques trolleybus ont un nombre d'arrêts plus limité ; leur tarif s'élève à 0,20 $US. Il existe en outre quelques bus express qui ne s'arrêtent que tous les kilomètres environ.

Des informations sur les services desservant les environs de Mexico sont données dans les rubriques correspondantes.

Taxis

Consultez le paragraphe concernant la *criminalité des taxis* dans la rubrique *Désagréments et dangers* de ce chapitre.

Il existe plusieurs classes de taxis à Mexico. Les moins chers sont les Coccinelles VW et les petites Nissan et autres modèles japonais. Leur numéro d'immatriculation commence par la lettre L (pour *libre*) et une bande verte court le long du bas de la plaque. Les voitures *sitio* (borne de taxi) sont un peu plus onéreuses et plus sûres. Leur numéro commence par un S et une rayure orange figure sur leur plaque. Ces deux types de taxis sont peints en vert s'ils fonctionnent à l'essence sans plomb (*taxis ecológicos*). Les plus coûteux sont les grands et confortables Transportación Terrestre que vous trouvez à l'aéroport.

Dans les taxis de rue et les sitios, le montant de la course est affiché sur un compteur digital. A l'heure où nous mettons sous presse, le compteur d'un taxi de rue ecológico devrait afficher 3,60 pesos (0,50 $US) au démarrage ; au bout de 90 secondes ou de 500 m, le montant augmente de 0,40 pesos (0,10 $US) toutes les 45 secondes ou tous les 250 m.

En résumé, une course de 10 minutes et de 3,5 km – par exemple, entre le Zócalo et la Zona Rosa – coûte 8,40 pesos (1,10 $US). Curieusement, le montant affiché au départ dans un taxi ordinaire est un peu inférieur. Il faut ajouter 20 % à ces tarifs entre 22h et 6h.

Certains chauffeurs préfèrent pratiquer le forfait ou invoquent un compteur "cassé". Insistez pour payer la somme indiquée sur le compteur "*Lo que marca el taxímetro*". Si le chauffeur refuse, empruntez un autre véhicule. La nuit, toutefois, beaucoup de chauffeurs préfèrent ne pas utiliser leur compteur et vous devrez négocier le prix de la course. Les pourboires ne sont pas obligatoires.

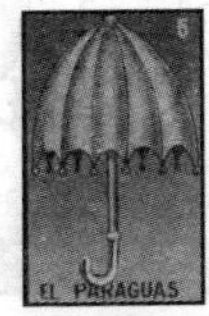

Les environs de Mexico

Des excursions d'une journée, depuis la capitale, mèneront à des sites très intéressants, telles l'ancienne cité de Teotihuacán ou la ville pittoresque de Tepoztlán. Un peu plus éloignées, les villes coloniales de Puebla et Taxco méritent au moins un séjour d'une nuit.

Ce chapitre est divisé en quatre parties – au nord, à l'est, au sud et à l'ouest de Mexico –, chacune d'entre elles passant en revue au moins un itinéraire principal depuis/vers la capitale.

Géographiquement, toute la zone se situe à une altitude assez élevée. Au sud de Mexico, la Cordillera Neovolcánica, comprenant les volcans les plus hauts du pays, s'étend du Pico de Orizaba, à l'est, au Nevado de Toluca, à l'ouest (et se prolonge ensuite jusqu'à Columa). Au nord de cette chaîne de montagnes se trouve le Plateau central, ou Altiplano Central. C'est une région au climat très agréable, plus frais et moins humide qu'en plaine, traversée par de brèves averses en été.

Le paysage est également très varié, de gorges à pic aux plaines fertiles, en passant par des forêts de pins odorantes et des sommets enneigés. Cette région reste active au plan géologique, comme en témoignent les volcans encore en activité et les sources chaudes.

Historiquement, la région accueillit une succession des civilisations indigènes de premier plan (notamment de Teotihuacán, toltèque et aztèque) et se situait au carrefour d'échanges commerciaux et culturels. A la fin du XVe siècle, tous les petits États du Mexique central, sauf un, était sous la domination aztèque. On peut admirer les vestiges de l'histoire précolombienne sur les nombreux sites archéologiques et dans les musées, riches de nombreux objets. Le Museo Amparo à Puebla fournit un excellent panorama de l'histoire et de la culture de la région. Après la conquête, la région fut aménagée par les Espagnols, qui établi-

A NE PAS MANQUER

- Teotihuacán, la plus grande cité antique du Mexique et ses célèbres pyramides
- Taxco, ancienne cité minière, fleuron de l'architecture coloniale et capitale de l'orfèvrerie d'argent
- Les ruines des collines de Cacaxtla et leurs fresques guerrières hautes en couleur
- Puebla, une ville au charme indéniable où l'empreinte espagnole semble indestructible
- La ville coloniale de Cuetzalán, célèbre pour son marché du dimanche où affluent les indiens en costumes traditionnels

AUTRES CARTES : Guanajuato p 210, San Miguel de Allende p 221, Querétaro p 235

rent des industries de céramique à Puebla, creusèrent des mines à Taxco et à Pachuca et bâtirent des haciendas produisant du blé, du sucre et de l'élevage. La plupart des villes ont conservé une plaza centrale entourée de bâtiments coloniaux. L'Église catholique fit de cette région une base de son activité missionnaire au Mexique, et laissa une série de monastères fortifiés et d'impressionnantes églises.

Riche de son héritage historique, c'est, néanmoins, une zone moderne comprenant de très importants complexes industriels ainsi que des transports et une infrastructure urbaine parfaitement adaptés à notre époque.

Beaucoup d'endroits proches de Mexico sont très fréquentés par les habitants de la capitale le week-end, ce qui a généralement deux conséquences : une grande facilité pour se loger durant la semaine, et une affluence qui n'est pas exclusivement touristique.

Au nord de Mexico

Deux routes principales conduisent au nord de Mexico. La 57D traverse la ville coloniale de Tepotzotlán, bifurque au nord-ouest après l'embranchement vers Tula et son site archéologique toltèque, pour continuer ensuite sur Querétaro.

La 130D mène vers le nord-est, de la capitale à Pachuca, une ville minière fondée à l'époque coloniale.

La 132D fait un détour par l'est, vous conduisant au vieux monastère d'Acolman et au grand site archéologique de Teotihuacán. A partir de Pachuca, de nombreuses routes se dirigent vers le nord au canyon de Huasteca ou vers l'est sur la côte du Golfe.

Le paysage de cette région est fait de plaines ou de collines et n'offre pas grand intérêt mais, au-delà de Pachuca, là où les confins de la Sierra Madre descendent vers la plaine côtière, il s'ouvre sur un beau panorama.

TEPOTZOTLÁN

•Hab. : 54 358 •Alt. : 2 300 m • ☎ *5*

A 35 km environ au nord du centre de Mexico, à la limite de son agglomération, la ville de Tepotzotlán, contient, outre une exubérante architecture religieuse churrigueresque, le Museo Nacional del Virreinato, musée national de la Vice-Royauté.

L'**Iglesia San Francisco Javier**, à côté du zócalo, fut construite entre 1670 et 1682 par les jésuites, mais ce sont les transformations intervenues au XVIIIe siècle qui en ont fait l'une des plus somptueuses églises du Mexique. La façade, avec sa tour unique, présente un fantastique cortège de sculptures, tandis que les murs intérieurs et la Camarín del Virgen, à côté de l'autel, sont couverts d'une profusion de décors dorés et multicolores. Les miroirs qui ornent les autels accentuent leur faste.

Dans les années 60, l'église et le monastère adjacent furent restaurés et transformés en **Museo Nacional del Virreinato**. On peut y admirer, entre autres œuvres d'art, des calices d'argent, de la marqueterie, des porcelaines, des meubles, et quelques-unes des plus belles peintures et statues religieuses de l'époque. Ne manquez pas la Capilla Doméstica (chapelle domestique) dont l'autel principal, de style churrigueresque, est couvert de miroirs.

Il est ouvert du lundi au vendredi de 10h à 18h, le samedi et le dimanche de 10h à 17h et l'entrée coûte 2 $US (gratuit le dimanche).

Où se loger et se restaurer

Tepotzotlán est surtout fréquentée par les excursionnistes, et les possibilités de logement sont vraiment réduites. Du côté ouest du zócalo, l'*Hotel Posada Familiar San José* (☎ 876-05-20) possède de petites simples/doubles dépourvues d'eau chaude, de cabinet de toilette et de rideau de douche, louées 8/12 $US. L'*Hotel San Francisco* (☎ 867-04-43), Rivera 10, est plus avenant ; en entrant dans la ville par l'Avenida Insurgentes, principale voie d'accès dans la localité à partir de la route Mexico-Querétaro, prenez à droite dans

ENVIRONS DE MEXICO

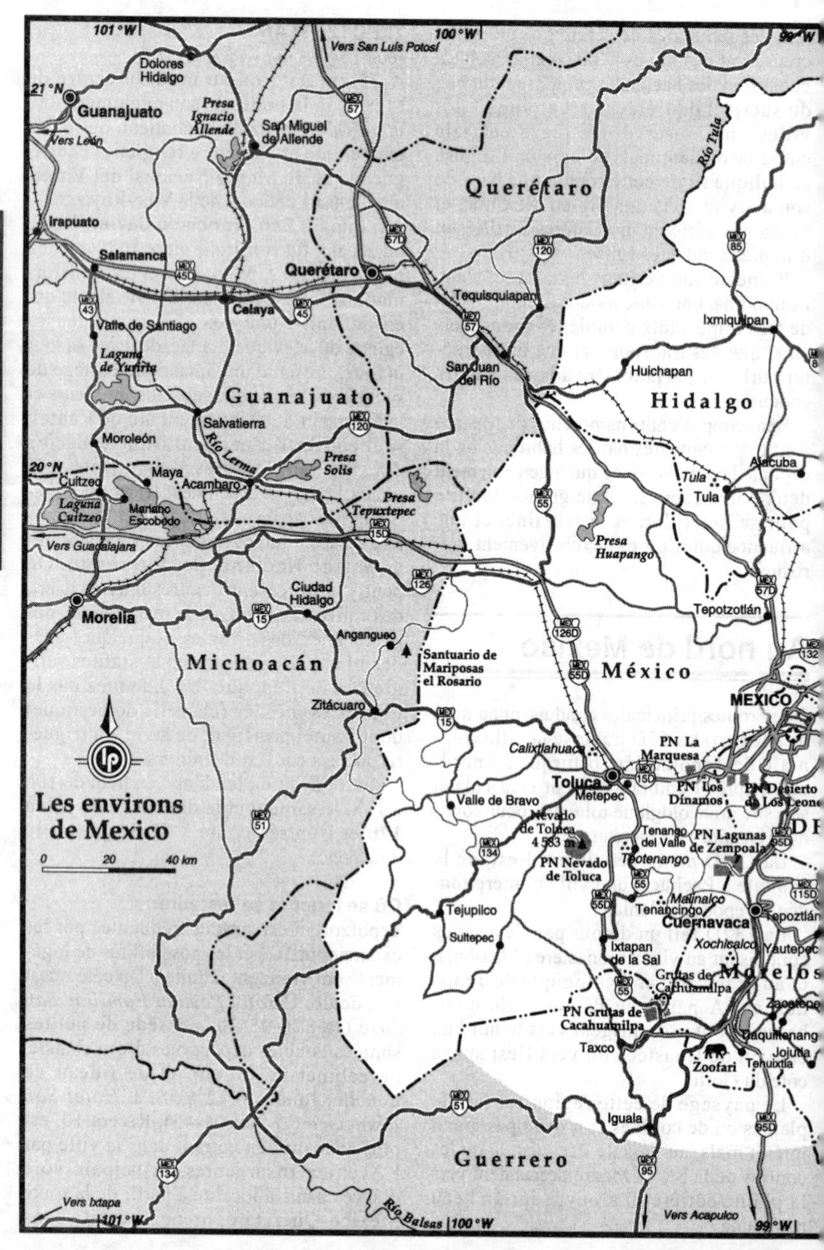

Les environs de Mexico
101°W
100°W
99°W
21°N
20°N
Vers San Luis Potosí
Dolores Hidalgo
Guanajuato
Presa Ignacio Allende
San Miguel de Allende
Vers León
Irapuato
Salamanca
Querétaro
Celaya
Valle de Santiago
Laguna de Yuriria
Guanajuato
Salvatierra
Moroleón
Río Lerma
Presa Solis
Presa Tepuxtepec
Maya
Acambaro
Cuitzeo
Laguna Cuitzeo
Mariano Escobedo
Vers Guadalajara
Ciudad Hidalgo
Morelia
Angangueo
Santuario de Mariposas el Rosario
Michoacán
Zitácuaro
Querétaro
Tequisquiapan
San Juan del Río
Río Tula
Ixmiquilpan
Huichapan
Hidalgo
Ajacuba
Tula
Presa Huapango
Tepotzotlán
México
MEXICO
PN La Marquesa
PN Los Dínamos
PN Desierto de Los Leones
Calixtlahuaca
Toluca
Metepec
Valle de Bravo
Nevado de Toluca 4 583 m
PN Nevado de Toluca
Tenango del Valle
Teotenango
PN Lagunas de Zempoala
Malinalco
Tenancingo
Cuernavaca
Tepoztlán
Tejupilco
Sultepec
Ixtapan de la Sal
Xochicalco
Yautepec
Morelos
Grutas de Cachuamilpa
PN Grutas de Cacahuamilpa
Zacatepec
Taxco
Zoofari
Tehuixtla
Jojutla
Iguala
Guerrero
Vers Ixtapa
Río Balsas
Vers Acapulco
0 20 40 km

ENVIRONS DE MEXICO

Rivera et marchez une cinquantaine de mètres. Trente-quatre chambres confortables, avec eau chaude, occupent un bâtiment en briques de deux étages faisant face à une piscine. Comptez 22/25 $US.

Tepotzotlán dispose de quatre restaurants donnant sur le zócalo. Le *Restaurant-Bar Pepe* et la *Casa Mago* sont relativement onéreux et servent une cuisine médiocre. *Los Virreyes* et le *Montecarlo*, à quelques mètres de là, pratiquent des tarifs comparables mais préparent une nourriture plus élaborée. Vous débourserez 3 $US pour une soupe ou une salade et 4 $US au moins pour un plat à base de bœuf ou de poulet. Attenant au musée du monastère, l'*Hostería de Tepotzotlán* propose des soupes (3 $US) et des plats principaux (7 $US) dans une cour attrayante. Des établissements moins chers, dont une bonne taquería, sont situés dans la rue à l'ouest du marché.

Comment s'y rendre

Tepotzotlán se trouve à 1,5 km à l'ouest de la Caseta Tepotzotlán, premier péage sur la 57D Mexico-Querétaro et premier péage entre Tula et Mexico. L'Avenida Insurgentes mène de l'autoroute, située à 200 m au sud du péage, au zócalo.

Il existe plusieurs moyens de rejoindre Tepotzotlán, depuis Mexico, par les transports en commun. Au départ de la gare routière Terminal Norte, de nombreux bus desservent le péage. Les bus Autotransportes Valle de Mezquital (AVM) allant à Tula s'arrêtent toutes les 15 minutes au péage. De là, prenez un bus local, un taxi, ou marchez le long de l'Avenida Insurgentes. Vous pouvez aussi prendre un colectivo ou un bus pour Tepotzotlán depuis les stations de métro Tacuba ou Cuatro Caminos, à Mexico. Comptez 1 heure depuis Tacuba (2 $US)

TULA

•Hab. : 82 247 •Alt. : 2 060 m • ☎ *773*

La capitale supposée de l'ancienne civilisation toltèque se trouve à 65 km au nord de l'actuelle Mexico. Bien que moins spectaculaire que Teotihuacán, Tula est un site passionnant, célèbre pour ses statues de guerriers en pierre de 4,5 m de haut. La partie moderne de Tula comporte, en périphérie, une grande raffinerie et des industries de ciment et présente un intérêt très limité.

Histoire

Tula fut une ville importante entre 900 et 1150 ; à son apogée, sa population atteignit 35 000 habitants. Les chroniques aztèques mentionnent un roi, appelé Topiltzin, à peau claire, aux cheveux longs et à barbe noire, qui fonda au Xe siècle la capitale de son peuple, les Toltèques. Il n'est pas encore définitivement établi que Tula fût la capitale des Toltèques, de puissants bâtisseurs d'empire, que les Aztèques eux-mêmes évoquaient avec respect, les considérant comme leurs ancêtres royaux. On pense que Topiltzin fut un roi-prêtre dont le culte, voué au dieu-serpent à plumes Quetzalcóatl, était pacifique et ne comportait pas de sacrifice humain. Mais à Tula vivaient également des fidèles de Tezcatlipoca (Miroir Fumant), divinité beaucoup plus sanguinaire, dieu des guerriers, de la sorcellerie, de la vie et de la mort. Tezcatlipoca serait apparu sous différentes formes pour provoquer Topiltzin : en vendeur de piment, qui apparut nu à la fille de Topiltzin, éveilla ses désirs et l'épousa ; en vieil homme qui persuada le très sage Topiltzin de s'enivrer.

Finalement, le chef humilié gagna la côte du Golfe, d'où il appareilla vers l'est sur un radeau de serpents, promettant de revenir un jour reprendre son trône (d'où la méprise de l'empereur aztèque Moctezuma lorsque Hernán Cortés arriva sur la côte du Golfe en 1519). On pense que Topiltzin fonda un nouvel État toltèque à Chichén Itzá, dans le Yucatán, tandis que les Toltèques de Tula instauraient un empire militaire inique qui domina le centre du Mexique. Certains spécialistes mettent cette théorie en doute (voir le paragraphe *Chichén Itzá* dans la rubrique *Histoire* du chapitre *Présentation du pays*).

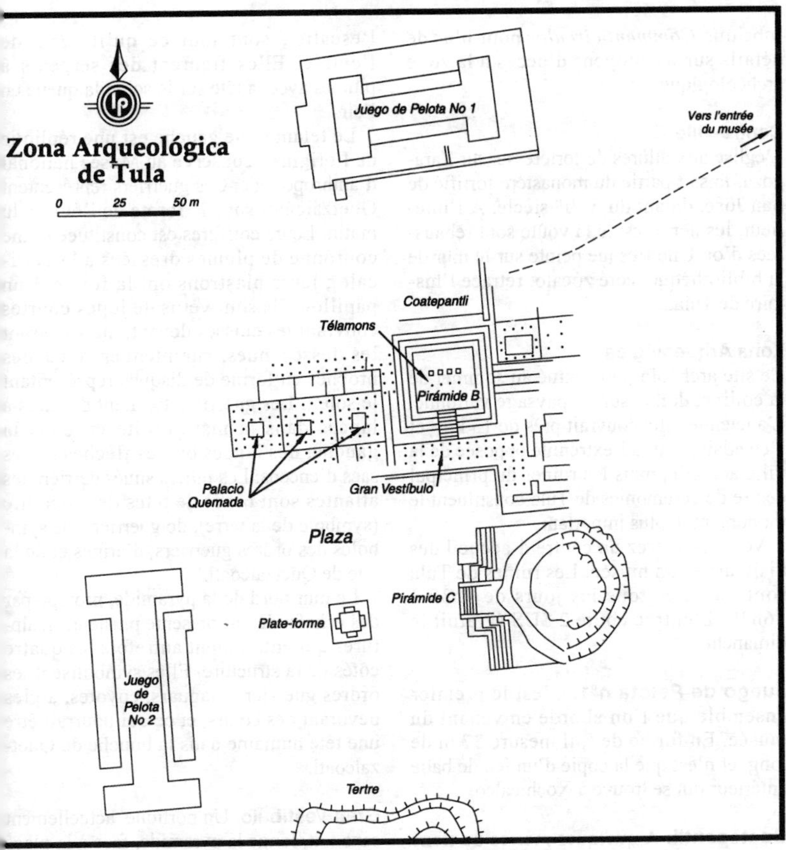

Les légendes évoquent des palais d'or, de turquoise, de jade et de plumes de quetzal, d'énormes épis de maïs et de coton de couleur poussant spontanément. Il est possible que ses trésors aient été dérobés par les Aztèques ou les Chichimèques.

Au milieu du XIIe siècle, il semble que le chef Huémac, confronté à des conflits claniques, transféra la capitale toltèque à Chapultepec, puis se suicida. Tula fut abandonnée vers le début du XIIIe siècle, après avoir été en partie détruite par les Chichimèques.

Orientation

La zone archéologique est située au nord de la ville et l'entrée est à 2 km environ du centre-ville. La ville ne présente pas d'intérêt particulier et se parcourt facilement à pied. L'artère principale est Zaragoza, qui relie la périphérie de la ville au zócalo. Juárez est une agréable rue piétonne longue d'un pâté de maisons, parallèle à Zaragoza, à 100 mètres du zócalo. Elle compte quelques banques et gargotes, et les téléphones à carte sont légion. Il n'existe pas d'office du tourisme. Reportez-vous à la rubrique *Comment circuler* pour plus de détails sur les moyens d'accès à la zone archéologique.

Centre-ville

L'église aux allures de forteresse, sur Zaragoza, faisait partie du monastère fortifié de San José, datant du XVIe siècle. A l'intérieur, les nervures de la voûte sont rehaussées d'or. Une fresque peinte sur le mur de la bibliothèque, côté zócalo, retrace l'histoire de Tula.

Zona Arqueológica

Ce site archéologique, situé au sommet de la colline, donne sur un paysage vallonné. L'ancienne ville couvrait près de 13 km² et s'étendait jusqu'à l'extrémité opposée de la ville actuelle, mais les ruines du principal centre de cérémonies de Tula constituent le monument le plus important.

Vous trouverez un centre d'accueil des visiteurs et un musée. Les ruines de Tula sont ouvertes tous les jours de 9h30 à 16h30. L'entrée coûte 2 $US (gratuit le dimanche).

Juego de Pelota n°1. C'est le premier ensemble que l'on aborde en venant du musée. En forme de I, il mesure 37 m de long, et n'est que la copie d'un jeu de balle antérieur qui se trouve à Xochicalco.

Coatepantli. A quelques mètres du flanc nord de la pyramide B s'élève le Coatepantli (mur du Serpent), de 40 m de long et 2,25 m de haut, sculpté de rangées de motifs géométriques et d'une frise de serpents avalant des squelettes humains. Il reste quelques traces des couleurs vives qui ornaient la plupart des édifices de Tula.

Pirámide B. On peut escalader la pyramide B, temple de Quetzalcóatl ou Tlahuizcalpantecuhtli (l'Étoile du matin), par un escalier du côté sud. Les quatre telamons de basalte et la rangée de piliers derrière, soutenaient le toit d'un temple. Les fragments de deux colonnes rondes, sculptées de motifs de plumes, au sommet de l'escalier, sont tout ce qu'il reste de l'entrée. Elles figurent des serpents à plumes avec la tête sur le sol et la queue en l'air.

Le telamon de gauche est une réplique de l'original, conservé au Musée national d'anthropologie. Ces guerriers représentent Quetzalcóatl sous la forme de l'étoile du matin. Leurs coiffures est constituée d'une couronne de plumes dressées à la verticale ; leurs plastrons ont la forme d'un papillon. Ils sont vêtus de jupes courtes couvrant les cuisses devant, mais laissant les fesses nues, maintenues avec des broches en forme de disques représentant le soleil. Les guerriers tiennent des arcs à lances dans la main droite et, dans la gauche, des lances ou des flèches et des sacs d'encens. Les piliers situés derrière les atlantes sont ornés de têtes de crocodile (symbole de la terre), de guerriers, de symboles des ordres guerriers, d'armes et de la tête de Quetzalcóatl.

Le mur nord de la pyramide, protégé par des échafaudages, présente plusieurs sculptures qui entouraient autrefois les quatre côtés de la structure. Elles symbolisent les ordres guerriers : jaguars, coyotes, aigles dévorant des cœurs, et ce qui pourrait être une tête humaine dans la bouche de Quetzalcóatl.

Gran Vestíbulo. Un portique, actuellement sans toit, longe la pyramide, face à la place ouverte. Le banc de pierre sculpté de guerriers, peut-être destiné aux prêtres et aux nobles de l'assistance, s'étendait, à l'origine, sur toute la longueur du vestibule.

Palacio Quemado. Le "Palais brûlé", à l'ouest de la pyramide B, est constitué d'une série de salles et de cours avec des bancs et des bas-reliefs, dont l'un représente une procession de nobles. Ce bâtiment était probablement utilisé pour des réunions ou des cérémonies et ses murs étaient recouverts de fresques.

Plaza. La plaza, devant la pyramide B, servait probablement aux cérémonies religieuses et militaires. Au centre, s'élève un petit autel ou plate-forme de cérémonie. La **Pirámide C**, à l'est de la plaza, est le plus grand monument de Tula mais les fouilles ne sont pas encore achevées. A l'ouest, se trouve le **Juego de Pelota n°2**, le plus grand du Mexique central (plus de 100 m de long), flanqué d'inquiétants chaac-mool à chaque extrémité.

Où se loger

Les petits budgets jetteront leur dévolu sur l'*Auto Hotel Cuéllar* (☎ 2-04-42), 5 de Mayo 23 (tournez à gauche à l'extrémité est de Zaragoza), pourvu de petites chambres avec s.d.b. louées 10/11 $US (ajoutez 1,50 $US pour la TV). Choisissez de préférence les chambres 31-36, plus récentes.

L'*Hotel Catedral* (☎ 2-36-33), Zaragoza 106, possède des chambres sans prétention, peu aérées et aux tapis usés, mais pratique des prix attractifs : 11/13 $US. Les chambres 101 et 201 sont les plus agréables.

L'*Hotel Lizbeth* (☎ 2-00-45), Ocampo 200, sans commune mesure avec le précédent, dispose de chambres confortables, propres et claires, avec TV, facturées 16/23 $US.

Le meilleur établissement de la ville est le *Hotel Sharon* (☎ 2-09-76), Callejón de la Cruz 1 (à la bifurcation pour le site archéologique), avec des simples/doubles à 24/26 $US et des suites allant jusqu'à 55 $US.

Où se restaurer

Le grand *Restaurant Casa Blanca*, à l'angle de Zaragoza et Hidalgo, est la meilleure table de la ville. Les tarifs ne sont pas prohibitifs : les antojitos coûtent 4 $US environ, et les plats de viande de 4,50 à 6 $US. La soupe de tortilla (2 $US) et le filete ranchero (6 $US) sont savoureux. La *Cafetería El Cisne*, à 100 m du zócalo, au bout de la rue piétonne Juárez, prépare des en-cas à l'occidentale et des repas légers. Les hamburgers valent 1,50 $US, les sandwiches 2 $US environ, et les plats à base de bœuf autour de 4 $US.

Comment s'y rendre

Les Autotransportes Valle de Mezquital (AVM) assurent une liaison en bus 2e classe entre Tula et le Terminal Norte de Mexico toutes les 15 minutes (3 $US). Il existe quelques bus "Directo", des "Directo vía Refinería", plus fréquents, et des "Ordinario vía Refinería", encore plus fréquents mais moins rapides. Quant aux "Vía Cruz Azul", ils ne sont pas directs.

A Tula, la gare routière est à Xicoténcatl. Autotransportes Valle de Mezquital et les bus 1re classe de la ligne Ovni desservent fréquemment Mexico. Pour Pachuca, les départs ont lieu toutes les 15 minutes. Flecha Amarilla assure des liaisons quotidiennes pour Querétaro, Guanajuato, León et Morelia.

Comment circuler

Si vous arrivez à Tula par le bus, le moyen le plus facile de se rendre au site est de prendre un taxi (3 $US). Si vous préférez marcher, prenez à droite en sortant de la gare, marchez jusqu'à Ocampo, puis tournez à droite, continuez pendant encore quelques centaines de mètres et traversez le pont. Vous apercevrez l'Hotel Sharon à l'angle sur la gauche et la réplique d'une statue de guerrier au milieu de la contre-allée passant devant l'hôtel. Arrivé à la statue, tournez à gauche et suivez la route pendant 2 km jusqu'à l'entrée du site. Encore 500 m et vous parviendrez au parking et au musée, le centre du site archéologique étant situé 700 m plus loin.

Si vous êtes motorisé, suivez les panneaux "Parque Nacional Tula" et "Zona Arqueológica".

GUANAJUATO

•Hab. : 110 000 • Alt. : 2 017 m • ☎ 473

Guanajuato est une ville enserrée entre les pentes escarpées d'un ravin, avec des rues surprenantes dont une souterraine. Bien que topographiquement impraticable, cet endroit fut peuplé dès 1559 car les mines d'argent et d'or de Guanajuato figuraient déjà parmi les plus riches du monde. La majorité des édifices coloniaux, construits

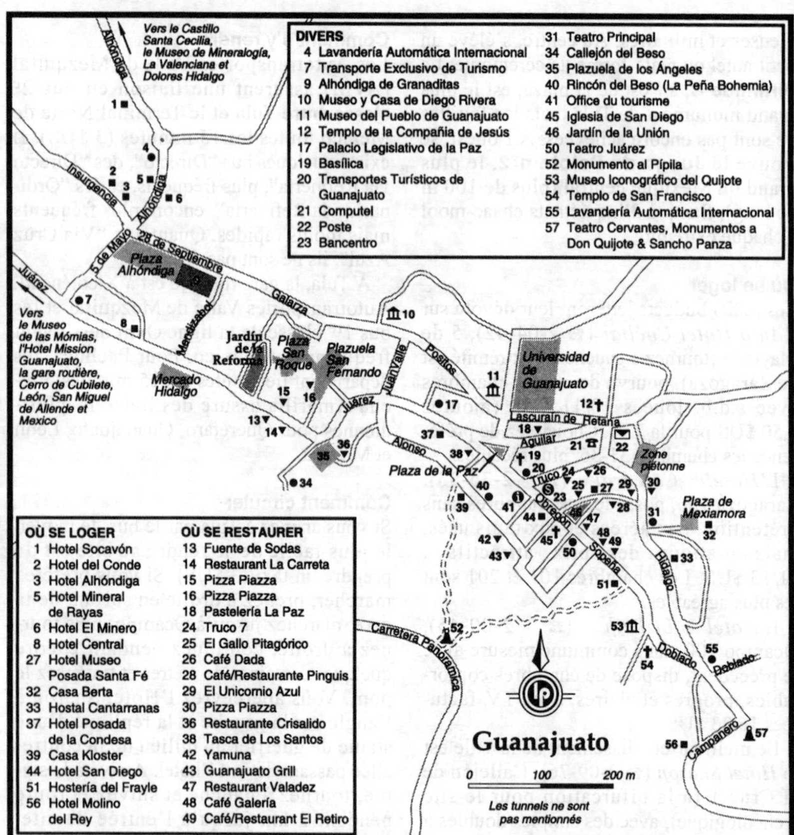

à l'époque, sont demeurés intacts, ce qui fait de Guanajuato un monument vivant au passé prospère et agité.

Guanajuato n'est pas seulement tourné vers le passé. Son université, réputée pour son enseignement artistique, attire plus de 15 000 étudiants chaque année, ce qui confère à la ville une ambiance jeune et une activité culturelle intense, aussi attrayantes que son architecture coloniale et ses rues tortueuses. La vie culturelle de Guanajuato bat son plein pendant le festival Internacional Cervantino, qui se déroule généralement en octobre.

Histoire

L'un des plus fabuleux gisements d'argent de l'hémisphère fut découvert en 1558 à la mine La Valenciana, 5 km au nord de Guanajuato. Pendant 250 ans, les excavations, effectuées sur la zone qui correspond aujourd'hui à l'actuelle périphérie nord de la ville, fournirent 20% de la production mondiale d'argent. Les magnats, qui profitaient largement de cette manne, furent irrités lorsque, en 1765, le roi d'Espagne Charles III décida de réduire leur part de richesse. Leur mécontentement s'accrut quand, par un décret adopté en 1767, le roi bannit les jésuites des colonies espagnoles. La couronne s'aliéna alors magnats et mineurs indiens, fidèles aux jésuites.

Cette colère trouva son expression durant la guerre d'Indépendance. En 1810, le prêtre et chef rebelle, Miguel Hidalgo, qui par son *Grito* (Cri pour l'Indépendance), amorça le mouvement indépendantiste mexicain, parvint à s'emparer de Guanajuato avec l'aide des habitants. C'était la première victoire à l'actif des troupes rebelles. Les Espagnols parvinrent à reconquérir la ville et, à la faveur d'une "loterie de la mort", firent torturer et pendre les citoyens de Guanajuato dont les noms étaient tirés au sort.

L'indépendance fut finalement acquise. Les magnats purent accroître encore leur fortune. Ils édifièrent demeures, églises et théâtre, et Guanajuato devint l'une des plus belles villes du Mexique.

Orientation

Le quartier central, très compact, n'est sillonné que par quelques grandes artères. L'axe principal, se dirigeant plus ou moins d'ouest en est, prend le nom de Juárez à partir du Mercado Hidalgo jusqu'à la Basílica, sur la Plaza de la Paz, puis celui d'Obregón, de la Basílica au Jardín de la Unión, la place principale de la ville, et enfin de Sopeña, en continuant vers l'est.

Légèrement à la parallèle de Juárez et Obregón, une rue relie l'Alhóndiga à l'université, en adoptant successivement les noms de 28 de Septiembre, Galarza, Positos et Lascuraín de Retana.

Hidalgo, aussi appelé Cantarranas, parallèle à Sopeña, est une autre artère importante. Une fois ces rues repérées, il est impossible de se perdre dans le centre. Mais c'est avec ravissement que vous vous égarerez sans doute dans les *callejones* de la ville : un labyrinthe de venelles étroites et tortueuses parcourant la colline à partir du centre.

Le fait que plusieurs des principaux axes routiers, réservés à la circulation automobile, soient souterrains ajoutent à la confusion. Plusieurs ont été construits le long du lit, à sec, du Río Guanajuato, dont le cours fut dévié après l'inondation de 1905.

Renseignements

Office du tourisme. Un grand panneau Información Turística est apposé au-dessus de l'office du tourisme de l'État (☎ 2-15-74, 2-82-75 ; fax 2-42-51), Plaza de la Paz 14 en face de la Basílica, dans la cour intérieure. Le personnel distribue des plans de la ville et une abondante documentation. Ouvert du lundi au vendredi de 8h30 à 19h30, le samedi et le dimanche de 10h à 14h.

Argent. Sur la Plaza de la Paz et dans Juárez, plusieurs banques dotées de distributeurs de billets sont ouvertes en semaine de 9h à 17h, mais certaines ne changeront l'argent liquide et les chèques de voyage que de 9h à 14h. Bancentro, en face de l'office du tourisme, est pratique et assez rapide. Intercambio Dólares, Juárez 33A, une casa de cambio qui pratique des taux raisonnables, est ouverte en semaine de 9h à 15h et de 16h30 à 19h. L'agent American Express se trouve chez Viajes Georama, Plaza de la Paz 34.

Poste et communications. La poste principale se trouve à l'extrémité est de Lascuraín de Retana, en face du Templo de la Compañía. Elle est ouverte en semaine de 8h à 19h et le samedi de 8h à 13h. La gare routière comprend un bureau de poste.

Des téléphones publiques sont à votre disposition dans le Pasaje de los Arcos, une ruelle du centre donnant dans Obregón côté sud. L'agence Computel, dotée d'une caseta téléphonique et d'un service de fax, fait face à la poste, dans Hidalgo. Elle est ouverte du lundi au samedi de 8h à 21h et le dimanche de 10h à 18h. La caseta téléphonique de la gare routière est ouverte 24h/24.

Agences de voyages. Les billets d'avion s'achètent dans les agences comme Viajes Frausto Guanajuato (☎ 2-35-80 ; fax 2-66-20), Obregón 10 entre le Jardín de la Unión et la basilique ; Viajes Georama (☎ 2-59-09, 2-51-01 ; fax 2-19-54), Plaza de la Paz 34, en face de la basilique ; et SITSA dans le bureau Aeroméxico, Hidalgo 6.

Blanchissage/nettoyage. La Lavandería Automática Internacional dispose de deux succursales où vous pouvez soit déposer votre linge, soit le laver vous-même (3,50 $US pour une machine, séchage compris).

L'une, ouverte de 9h à 21h, se trouve à l'est du centre, Manuel Doblado 28 à l'angle de Hidalgo, la seconde à l'ouest, Alhóndiga 35-A fonctionne de 9h à 14h et de 16h à 20h. Elles ouvrent leurs portes du lundi au samedi.

Jardín de la Unión et autres places

Le Jardín de la Unión, charmant espace ombragé bordé de restaurants, est le cœur social de la ville, animé, en fin d'après-midi et en début de soirée, par les guitaristes qui donnent la sérénade.

Les marches de la **Plazuela de los Ángeles**, dans Juárez, constituent le lieu de rendez-vous des étudiants. Le Callejón del Beso se trouve à quelques pas. Plus à l'ouest, dans Juárez, se trouvent le **Jardín de la Reforma** et, juste à côté, la **Plaza San Roque** où se joue du théâtre *entremeses* (saynètes) pendant le Festival Cervantino. Enfin, toute proche, la **Plazuela San Fernando** est une halte très agréable.

La **Plaza de la Paz**, devant la Basílica, est entourée d'anciennes demeures de riches magnats de la mine. La **Plaza Alhóndiga**, à l'angle de 28 de Septiembre et 5 de Mayo, devant l'Alhóndiga, paraît quelque peu dépouillée.

Teatro Juárez et autres théâtres

En face du Jardín Unión s'élève le magnifique Teatro Juárez, dont la construction s'étala de 1873 à 1903. Il fut inauguré par le dictateur Porfirio Díaz, dont les goûts luxueux et néanmoins raffinés imprègnent le décor. L'extérieur est orné de colonnes, de candélabres et de statues. A l'intérieur, de style mauresque, les plafonds du bar et du foyer luisent de boiseries sculptées, de vitraux et de métaux précieux. On peut le visiter du mardi au dimanche de 9h à 13h45 et de 17h à 19h45. L'entrée coûte 0,60 $US, supplément pour prendre des photos. Des spectacles y sont donnés pendant le Festival Cervantino, entre autres.

Moins grandioses sont le **Teatro Principal**, dans Hidalgo, à l'autre bout du Jardín de la Unión, et le **Teatro Cervantes**, à l'extrémité est de la Calle Hidalgo. Des statues de Don Quichotte et Sancho Pança ornent la cour du Teatro Cervantes.

Basílica et autres églises

La Basílica de Nuestra Señora de Guanajuato, sur la Plaza de la Paz, une rue à l'ouest du Jardín de la Unión, renferme une statue de la Vierge, patronne de la ville, couverte de bijoux. La statue de bois aurait été dissimulée aux Maures, dans une grotte en Espagne, pendant 800 ans. Philippe II l'offrit à Guanajuato en remerciement des richesses parvenant à la Couronne.

Autres belles églises coloniales : **Iglesia San Diego**, en face du Jardín de la Unión, le **Templo de San Francisco** dans Sopeña et le **Templo de la Compañia de Jesús**. Achevée en 1747, cette église faisait partie d'un séminaire jésuite dont les bâtiments abritent aujourd'hui l'Université.

Universidad de Guanajuato

L'Université de Guanajuato, dont les remparts verts sont visibles de la ville, se trouve dans Lascuraín de Retana, une rue au-delà de la Basílica. Elle est considérée comme l'une des meilleures écoles de musique et de théâtre.

L'université possède trois galeries d'art : les Salas de Exposiciones Hermenegildo Bustos et Polivalente, au rez-de-chaussée du bâtiment principal, et la Sala de Exposiciones El Atrio, sous le parvis de l'église La Compañia, adjacente. Au quatrième étage, le Museo de Historia Natural Alfredo Dugés, porte le nom d'un des naturalistes les plus réputés de l'université. La vaste collection d'animaux, d'oiseaux, de reptiles et d'insectes empaillés ou conservés dans du formol comprend d'étranges spécimens telle une chèvre à deux têtes.

Museo del Pueblo de Guanajuato

En face de l'université, Positos 7, s'élève le Museo del Pueblo de Guanajuato, un musée d'art dont la collection couvre les époques coloniale et contemporaine. Il a été aménagé dans l'ancienne demeure (1696) des Marqueses de San Juan de Rayas, propriétaires de la mine du même nom. L'église, privée, dans la cour intérieure renferme une fresque émouvante de José Chávez Morado. Ouvert du lundi au samedi de 10h à 19h et le dimanche de 10h à 15h (1,10 $US).

Museo y Casa de Diego Rivera

C'est dans ce bâtiment, sis Positos 46, entre l'Université et l'Alhóndiga, que naquit le peintre Diego Rivera en 1886. La famille Rivera quitta Guanajuato pour Mexico lorsque Diego était âgé de 6 ans.

Dans une Guanajuato conservatrice et profondément catholique, le marxiste Diego Rivera fut considérée *persona non grata* pendant des années. Aujourd'hui, la ville rend hommage à l'artiste en présentant plusieurs de ses œuvres dans la maison où il naquit. Au 1er étage du musée sont présentés les meubles du XIXe siècle ayant appartenu à sa famille. Aux autres étages, sont exposés 70 à 80 peintures et croquis du maître, dont des portraits d'Indiens et de paysans, un nu de Frida Kahlo et des croquis de quelques-unes de ses plus célèbres fresques.

Le musée se visite du mardi au samedi de 10h à 18h30 et le dimanche de 10h à 14h30 (1,10 $US)

Alhóndiga de Granaditas

L'Alhóndiga de Granaditas, Calle 28 de Septiembre, théâtre de la première victoire rebelle durant la guerre d'Indépendance, est aujourd'hui un musée historique et artistique.

Grand silo à grain construit de 1798 à 1808, l'Alhóndiga fut transformé, en 1810, en une forteresse où se barricadèrent les troupes espagnoles loyalistes, tandis que les 20 000 rebelles de Miguel Hidalgo tentaient de conquérir la ville. Les Espagnols crurent un temps pouvoir défendre leur place forte. Mais, le 28 septembre, un jeune mineur indien, partisan de Hidalgo, Juan José de los Reyes Martínez (plus connu sous le nom d'El Pípila), mit le feu aux portes avant de succomber sous une pluie de balles. Tandis que les Espagnols suffoquaient sous la fumée, les rebelles avancèrent et s'emparèrent de l'Alhóndiga tuant la plupart de ceux qui se trouvaient à l'intérieur.

Les Espagnols se vengèrent par la suite : les têtes de quatre chefs de la rébellion – Aldama, Allende, Jiménez et Hidalgo lui-même, exécuté à Chihuahua – furent accrochées aux quatre coins de l'Alhón-diga, de 1811 à 1821. Les longs crochets noirs qui soutenaient les cages de métal dans lesquelles pendaient les têtes sont encore visibles. A partir de 1864 et, ce pendant un siècle, l'Alhóndiga servit de prison. Il fut transformé en musée en 1967. La section historique s'étend de la période précolombienne à la grande inondation de 1905 et à l'époque contemporaine. Ne manquez pas les fresques étonnantes qui relatent l'histoire de Guanajuato, peintes dans les escaliers par Chávez Morado.

Le musée est ouvert du mardi au samedi de 10h à 13h30 et de 16h à 17h30 (1,90 $US) et le dimanche de 10h à 14h30 (gratuit).

Callejón del Beso

Le Callejón del Beso ("rue du baiser") est la plus étroite des nombreuses ruelles, ou callejones, qui partent du centre à l'assaut de la colline. Dans la légende locale, les amants qui habitaient de chaque côté de la ruelle échangeaient des baisers furtifs depuis ces balcons. De la Plazuela de los Ángeles dans Juárez, remontez le Callejón del Patrocinio sur environ 40 m. Le Callejón del Beso est sur votre gauche.

Monumento al Pípila

Cette torche, dressée bien au-dessus de la ville, fut érigée en l'honneur du héros qui

ENVIRONS DE MEXICO

mit le feu aux portes de l'Alhóndiga, le 28 septembre 1810, et permit ainsi au mouvement indépendantiste d'Hidalgo de remporter sa première victoire.

Sur le socle, on peut lire : *"Aún hay otras Alhóndigas por incendiar"* (Il y a d'autres Alhóndigas à brûler encore).

L'endroit mérite une visite, en particulier pour le magnifique panorama qu'il offre sur la ville. La promenade depuis le centre-ville emprunte de pittoresque ruelles. Vous pouvez prendre, à l'est, la Calle Sopeña depuis le Jardín de la Unión puis, à droite, le Callejón de Calvario (panneau Al Pípila), ou bien grimper la colline en partant de la petite place dans Alonso. Si cette grimpette vous décourage, prenez un bus Pípila-ISSSTE dans Juárez, vers l'ouest, il vous déposera devant la statue.

Museo Iconográfico del Quijote

Ce musée, situé Manuel Doblado 1, sur la minuscule place devant le Templo de San Francisco, présente une remarquable collection artistique se rapportant à Don Quijote de la Mancha. Vous pouvez y admirer des fresques qui tapissent toute une pièce, une minuscule peinture sur coquilles d'œufs, des dizaines de peintures, statues, statuettes, tapisseries et même une collection de timbres de plusieurs pays rendant hommage au célèbre héros de la littérature espagnole.

Le musée est ouvert du mardi au samedi de 10h à 18h30 et le dimanche de 10h à 14h30 (gratuit).

Ex-Hacienda San Gabriel de Barrera

Construite à la fin du XVIIe siècle, l'hacienda fut celle du capitaine Gabriel de Barrera, descendant du premier comte de Valenciana, auquel appartenait la célèbre mine La Valenciana. En 1979, un musée fut ouvert dans cette propriété magnifiquement restaurée. On peut y admirer des œuvres d'art et des meubles européens d'époque, ainsi qu'un autel recouvert d'or dans la chapelle. A l'origine, la vaste propriété servait à la transformation du minerai extrait de la mine de Valenciana. En 1945, elle se para de plusieurs jardins magnifiques en terrasses, qui forment aujourd'hui un îlot tranquille à l'abri du tohu-bohu de la ville.

Situé à 2 km à l'ouest du centre ville, le musée est ouvert tous les jours de 9h à 18h (0,70 $US, supplément pour les appareils photos). De fréquents bus "Marfil" remontant Juárez en direction de l'ouest vous déposeront à l'Hotel Mission Guanajuato en face du musée. Ensuite, depuis l'arrêt de bus, il suffit de dépasser l'hôtel. En montant dans le bus, avertissez le chauffeur que vous voulez descendre à Mission Guanuajuato.

Museo de las Mómias

Le célèbre musée des Momies, dans le cimetière, à la périphérie ouest de la ville illustre l'obsession de la mort chez les Mexicains. Il attire des visiteurs de tout le pays, venus assister à l'exhumation de dizaines de dépouilles du cimetière public.

Les premiers furent déterrés en 1865 car il était devenu impératif de gagner de la place. A leur stupéfaction, les autorités n'exhumèrent pas des squelettes mais des chairs momifiées, aux contorsions et rictus étranges. Cette conservation exceptionnelle était due à la composition minérale du sol et à l'atmosphère extrêmement sèche.

Aujourd'hui, le musée présente une centaine de momies, notamment la plus petite au monde, celle d'une femme enceinte. Étant donné qu'au cimetière, l'espace manque toujours cruellement, les corps des familles refusant de payer une concession à perpétuité sont exhumés, et c'est ainsi que se perpétue la découverte des momies. Cinq à six ans suffisent à un corps pour se momifier, mais 1 à 2% seulement des corps sont jugés en assez bon état pour être exposés ; les autres sont incinérés.

Le musée est ouvert tous les jours de 9h à 18h (2 $US, supplément pour les appareils). On peut s'y rendre par un bus Mómias ou Panteón qui emprunte Juárez vers l'ouest.

Museo de Mineralogía

Le musée minéralogique est situé sur le campus de la Escuela de Minas, à l'université, qui surplombe la ville à 1 ou 2 km du centre sur la route menant à La Valenciana. Il compte parmi les plus importants au monde. La collection, de plus de 20 000 minéraux du monde entier, comporte quelques spécimens très rares, dont certains n'ont été découverts que dans la région de Guanajuato. Le musée ouvre du lundi au vendredi de 9h à 15h (entrée gratuite). Pour vous y rendre, prenez un bus Presa-San Javier circulant vers l'ouest dans Juárez et descendez à l'Escuela de Minas.

Mina et Templo La Valenciana

Pendant 250 ans, la mine La Valenciana, perchée sur une colline qui domine Guanajuato, à 5 km environ au nord du centre, assura 20% de la production mondiale d'argent, outre des quantités d'or. Fermée après la Révolution, elle rouvrit en 1968 sous forme de coopérative et continue de produire de l'argent, de l'or, du nickel et du plomb. Elle se visite tous les jours de 8h à 19h (0,40 $US).

En semaine, vous pourrez assister à l'extraction de la terre et à la descente des mineurs dans un immense puits de 9 m de diamètre et 500 m de profondeur.

Près de la mine s'élève le magnifique Templo La Valenciana, ou Iglesia de San Cayetano. D'après une légende, l'Espagnol qui ouvrit la mine La Valenciana aurait promis à saint Cayetano de construire une église en son honneur s'il faisait fortune. Une autre histoire raconte que le Conde de Rul, riche propriétaire de La Valenciana, essaya d'expier l'exploitation des mineurs en faisant construire la plus belle des églises churrigueresques.

Quoi qu'il en soit, la construction débuta en 1765 et s'acheva en 1788. La façade est d'un style remarquable, et l'intérieur, éblouissant avec ses autels dorés abondamment décorés, ses vitraux, ses gravures en filigrane et ses peintures géantes. L'église est ouverte tous les jours sauf le lundi de 9h à 19h.

On s'y rend en prenant un bus Cristo Rey (15 minutes environ) depuis l'arrêt de bus dans Alhóndiga juste au nord de 28 de Septiembre. Il vous déposera à 100 m de l'entrée de la mine. On peut aussi prendre un bus local "Valenciana" partant toutes les demi-heures du même arrêt de bus. Descendre à Templo La Valenciana ; la mine est distante de 300 m par la piste qui part en face de l'église.

Presa de la Olla

Dans les collines deux petits plans d'eau, à l'est de la ville, offrent une vue superbe, Presa de la Olla et Presa de San Renovato, séparés par un parc de verdure et surplombés d'un phare.

Des familles viennent pique-niquer le dimanche ou louer des petits canots. Le reste de la semaine, l'endroit est calme. Prenez un bus Presa vers l'est à l'arrêt souterrain en bas des escaliers, à l'angle sud-ouest du Jardín de la Unión.

Circuits organisés

Quelques organismes, pratiquant les mêmes tarifs, proposent un tour des principaux sites de Guanajuato commenté en espagnol. Vous pouvez vous rendre aux mêmes endroits en prenant les bus locaux, mais si vous manquez de temps, une visite guidée est commode.

Transporte Exclusivo de Turismo (☎ 2-59-68) dispose d'un kiosque à l'angle de Juárez et de 5 de Mayo. Une agence de Transportes Turísticos de Guanajuato (☎ 2-17-91) est située en contrebas du parvis de la basilique. Les visites "Guanajuato Colonial" comprennent les momies, la mine et l'église de La Valenciana, le monument Pípila et la route panoramique. Un autre tour se rend au Cristo Rey. Ces visites guidées ont lieu trois fois par jour, elles durent 3 heures voire 3 heures 30, et coûtent 4 $US. D'autres vont plus loin et coûtent 9,25 $US. Les circuits nocturnes durent 5 heures et reviennent à 9,25 $US.

Manifestations annuelles

Fiestas de San Juan y Presa de la Olla. Les Fiestas de San Juan sont célébrées au parc Presa de la Olla du 15 au 24 juin. Le dernier jour, et le plus important, danses, musique, feux d'artifices et pique-niques font partie de la fête. Le premier lundi de juillet, le public est convié à d'autres réjouissances en l'honneur de l'ouverture des vannes du barrage de Presa de la Olla.

Fiesta de la Virgen de Guanajuato. Célébrée le 8 août, elle commémore le jour de 1557 où Philippe II offrit au peuple de Guanajuato la Vierge de bois couverte de bijoux qui orne aujourd'hui la Basílica.

Festival Internacional Cervantino. Le festival des arts de Guanajuato est dédié à l'écrivain espagnol Miguel Cervantes, auteur de *Don Quijote*. Les entremeses (saynètes) d'étudiants des années 50 étaient inspirées de l'œuvre de Cervantes. Aujourd'hui, des groupes de théâtre, de musique et de danse du monde entier se donnent rendez-vous à Guanajuato pour présenter des œuvres qui n'ont plus grand-chose à voir avec Cervantes. Le festival dure deux ou trois semaines et se tient généralement en octobre. Si vous êtes au Mexique à ce moment-là, ne le ratez pas.

Les chambres d'hôtel doivent être réservés et la vente des billets commence début septembre. A Guanajuato, les billets sont en vente sur la gauche du Teatro Juárez (et non au guichet du théâtre) et, à Mexico, au bureau FIC, Álvaro Obregón 273, Colonia Roma (☎ 5-533-41-21) ou à Ticketmaster (☎ 5-325-90-00).

Des manifestations se déroulent dans plusieurs lieux, dont le Teatro Juárez, mais les plus originaux des entremeses, mettant en scène des chevaux au galop et des costumes médiévaux, sont présentés dans le cadre ancien de la Plazuela San Roque et sur la Plaza Alhóndiga. Ces spectacles ont lieu le matin, l'après-midi et le soir et leurs prix s'échelonnent de 3 à 16 $US.

Où se loger

Hormis dans les petits hôtels de catégorie inférieure, les prix ont tendance à monter pendant les ponts (*puentes*), à Noël, la semaine de Pâques et pendant le Festival Internacional Cervantino.

Où se loger – petits budgets

Le meilleur choix dans cette catégorie est le *Casa Kloster* (☎ 2-00-88), Alonso 32, dans une ruelle partant de la basilique. Des oiseaux et des fleurs égayent une cour ensoleillée. Les chambres bien entretenues, avec s.d.b. commune, offrent un bon confort pour un prix de 6,50 $US par personne, ou 7,75 $US pour les plus grandes. On croisera beaucoup de voyageurs étrangers dans cet endroit chaleureux et décontracté qui affiche complet très tôt dans la journée.

L'agréable *Casa Berta* (☎ 2-13-16), Tamboras 9, à quelques minutes à l'est du Jardín de la Unión est une casa de huéspedes offrant 4 doubles à 9,25 $US par personne, et un appartement. L'absence de patio et de vue exceptionnelle est compensée par des s.d.b. modernes, une ambiance familiale, la propreté et la situation centrale. Remontez la rue longeant le Teatro Principal jusqu'à la Plaza de Mexiamora. Prenez la rue qui monte, tournez dans la première à droite, puis à gauche et suivez le sentier qui vous conduit devant la porte.

L'*Hotel Posada de la Condesa* (☎ 2-14-62), Plaza de la Paz 60, également près de la Basílica, est le dernier de la liste. Il comporte de nombreuses chambres propres avec s.d.b. et eau chaude 24h/24, mais s'avère défraîchi et délabré. Certaines chambres sont vastes et possèdent même un petit balcon sur la rue, d'autres sont de véritables placards sans aération. Comptez 6,50/9,25 $US pour une simple/double.

Plusieurs autres petits hôtels sont groupés autour du Mercado Hidalgo, comme l'*Hotel Central*, l'*Hotel Juárez* et la *Posada Hidalgo*, mais aucun ne vaut la Casa Kloster. L'Hotel Central (☎ 2-00-80) est assez accueillant et les chambres, à 10,50/13 $US, sont correctes.

Où se loger – catégorie moyenne

Vous trouverez plusieurs établissements de prix moyens autour de la Plaza Alhóndiga et dans la rue Alhóndiga qui part de la place vers le nord. L'*Hotel Alhóndiga* (☎ 2-05-25), Insurgencia 49, est visible de la place. Ses chambres à 18/22 $US en simple/double sont propres, confortables, avec TV couleur, et balcon pour certaines. L'eau chaude fonctionne par intermittence. On peut garer sa voiture. L'*Hotel del Conde* (☎ 2-14-65), Insurgencia 1, est meilleur, mais sa discothèque ouverte les soirs du week-end vous empêchera de dormir. Ses chambres spacieuses et claires avec s.d.b. sont louées 20 $US.

L'*Hotel Mineral de Rayas* (☎ 2-19-67, 2-37-49), Alhóndiga 7, n'est plus au sommet de sa forme. Ses chambres à 16/19 $US, humides et sombres, certaines avec un balcon minuscule, nous ont semblé bruyantes la nuit.

Un peu plus loin dans Alhóndiga au n°12A, l'*Hotel El Minero* (☎ 2-52-51) loue de petites chambres confortables, avec TV, et balcon sur la rue pour la plupart, à un prix raisonnable de 19/22 $US.

L'*Hotel Socavón* (☎ 2-48-85, 2-66-66), Alhóndiga 41A, agréablement distribué autour d'une cour, est bien tenu. Dans les chambres, vous apprécierez le lavabo en cuivre, le carrelage peint de la s.d.b. et la TV pour 17/21 $US, voire 22/26 $US en période d'affluence. Un bar-restaurant vous attend à l'étage.

Près du Jardín de la Unión, Sopeña 3, la très séduisante *Hosteria del Frayle* (☎ 2-11-79) propose des chambres à plafond haut et poutres apparentes, avec TV couleur. Les épais murs d'adobe isolent du bruit du centre-ville. Son prix est de 34/42 $US, et de 42/54 $US pour les suites.

L'*Hostal Cantarranas* (☎ 2-52-41), Hidalgo 50 à deux pas du jardin au sud-est, loue 8 appartements agréables et clairs comportant de 2 à 6 lits. Chacun possède une cuisine toute équipée et un salon. Les simples/doubles les moins chères sont à 21/26 $US.

Un peu plus au sud dans la Calle del Campanero, en face du Teatro Cervantes, l'*Hotel Molino del Rey* (☎ 2-22-23) est un bon choix dans un quartier tranquille. Il offre 35 chambres avec s.d.b. réparties autour d'un beau patio, à 19/24 $US. Le restaurant n'est pas cher du tout.

A 5 minutes en bus, tentez votre chance au *Motel de las Embajadoras* (☎ 2-00-81), à côté du Parque Embajadoras, à l'angle d'Embajadoras et de Paseo Madero. Un bar-restaurant élégant mais abordable, de la place pour se garer et une jolie cour arborée remplie d'oiseaux, que demander de plus ? Les chambres, avec TV couleur, sont confortables et bien entretenues (23/30 $US). Pour s'y rendre, prendre un bus Embajadoras ou Presa se dirigeant vers l'est, en contrebas du Jardín de la Unión (voir *Presa de la Olla* plus haut).

Où se loger – catégorie supérieure

Deux bons hôtels jouissant d'une solide réputation donnent directement sur le Jardín de la Unión. L'*Hotel San Diego* (☎ 2-13-00/21 ; fax 2-56-26), Jardín de la Unión 1, offre 52 chambres élégantes et deux suites, un restaurant au 2e étage et une grande terrasse sur le toit. Les prix sont de 42 $US ou 74 $US, en simple ou double. A l'autre bout du Jardín de la Unión, l'*Hotel Museo Posada Santa Fé* (☎ 2-00-84 ; fax 2-46-53) est un somptueux établissement occupant une belle demeure du XIXe siècle. Les chambres s'élèvent à 49/55 $US et les suites à 113 $US. Au rez-de-chaussée, le restaurant, modérément cher, possède quelques tables en terrasse.

L'*Hotel Mission Guanajuato* (☎ 2-39-80 ; fax 2-74-60) à l'ouest de la ville, à côté de l'ex-Hacienda San Gabriel de Barrera, au kilomètre 2,5 sur le Camino Antigua a Marfil, propose un restaurant, un bar, une piscine, des courts de tennis et 160 chambres luxueuses à 65 $US et 115 $US.

A Marfil, dans la banlieue de Guanajuato, *La Casa De Espíritus Alegres* (la maison des esprits heureux, ☎/fax 3-10-13) est un B&B aménagé dans une hacienda du XVIIIe siècle. Les simples/doubles les moins chères sont à 65/70 $US. Arrivé à Marfil, demandez l'ex-Hacienda La Trinidad. Des bus vous emmèneront au centre toutes les 10 minutes.

Le *Castillón Santa Cecilia* (☎ 2-04-77/85 ; fax 2-01-53), Carretera Valenciana kilomètre 1 sur la route de la mine de La Valenciana, est construit en pierre et ressemble effectivement à un château. Il est réputé aussi bien pour le luxe de ses chambres que pour la qualité de son restaurant. Les chambres sont à 50/64 $US et les suites les moins chères à 73 $US.

Où se restaurer

Les abords du Jardín de la Unión et de la basilique comptent plusieurs bons restaurants à bas prix. Nous mentionnerons deux adresses réputées : le *Restaurant Valadez* en face du Teatro Juárez à l'angle du Jardín de la Unión, et le *Café/Restaurant El Retiro* à Sopeña 12. Tous deux sont ouverts tous les jours de 8h à 23h. Ils servent un petit déjeuner bon marché à 2,50 $US et une comida corrida à 3,25 $US. Entre les deux, de l'autre côté de la rue et voisin du Teatro Juárez, le *Café Galería* pratique les mêmes prix et offre des tables en terrasse.

A cette même extrémité du Jardín de la Unión, l'*Hotel San Diego* possède un élégant restaurant à l'étage, avec plusieurs tables sur le balcon surplombant la place. Il est assez cher, mais un bon petit déjeuner vous reviendra entre 2,25 $US et 4,50 $US. Sur le côté nord du jardin, avec des tables en terrasse, *El Gallo Pitagórico* bénéficie une situation exceptionnelle et sert une cuisine italienne et mexicaine pas trop chère. Nous avons aimé les spaghetti arrabiati (3 $US).

A l'autre bout du jardin, le *Café/Restaurant Pinguis* n'a pas d'enseigne mais c'est l'un des plus célèbres de la ville, grâce à ses prix : sandwiches et tortas à 1,60 $US, et comida corrida à 2,50 $US seulement. Les plats de petit déjeuner coûtent moins de 1,20 $US. Il est ouvert tous les jours de 8h30 à 21h30.

On trouvera une *Pizza Piazza*, Hidalgo 14 près du Jardín de la Unión, une autre sur la Plazuela de San Fernando, et une autre, Juárez 69A. Elles sont ouvertes tous les jours de 14h à 23h. L'ambiance estudiantine est détendue, les pizzas sont bonnes et les prix corrects : autour de 3,75 $US la chica (suffisante pour une ou deux personnes) et 5,25 $US la mediana (pour 2 à 4 personnes).

L'un de nos préférés, près de la basilique, est *Truco 7*, Truco 7. C'est un petit café/restaurant/galerie où règne une bonne ambiance et servant une cuisine délicieuse, à des prix raisonnables. La comida corrida est à 2,25 $US. En fond musical, on entendra du jazz, du blues et de la musique classique. Il est ouvert tous les jours de 8h30 à 23h. Un peu plus à l'est, dans Truco, le *Café Dada* offre la même décontraction en moins confortable. Le café, les en-cas et les repas sont tous de bonne qualité (comida corrida à 2,50 $US).

Sur la place devant la basilique, le *Tasca de Los Santos* est un café-restaurant animé mais coûteux, avec quelques tables en terrasse. Les tapas sont à 3,50 $US, et les plats de fruits de mer et de viande tournent autour de 6 $US. Également près de la basilique, la grande boulangerie-pâtisserie *Pastelería La Paz*, Aguilar 53, ouvre tous les jours de 7h à 22h.

Vous pouvez aussi essayer le *Restaurant La Carretera*, Juárez 96, en allant vers le Mercado Hidalgo. Son délicieux poulet est accompagné de grosses portions de riz et de salade. Un quart de poulet coûte 1,70 $US, un demi 2,75 $US, à consommer sur place ou à emporter. Il est ouvert tous les jours de 8h à 22h. Un peu plus loin, Juárez 120, le *Fuente de Sodas* est une adresse à connaître si l'on veut consommer rapidement un jus de fruits, un licuado, une salade de fruits ou une torta à bas prix.

Végétariens. *El Unicornio Azul*, dans Hidalgo près de Truco, est un magasin de produits diététiques doté d'un bar proposant des burgers au tofu (1,10 $US) ou des yaourts aux fruits (0,60 $US). Il est ouvert de 9h à 21h du lundi au samedi, et de 9h à 18h le dimanche et les jours fériés.

A deux pas de la Casa Kloster, le *Yamuna*, Alonso 10, est un restaurant végétarien indien, servant dès 8h de copieux petits déjeuners, et, de 13h à 18h, une comida corrida de salade, lentilles, riz, légumes et yaourt (2,75 $US).

Près de la Plazuela de los Ángeles, Callejón de Culixto 20, au *Restaurante Crisalido*, on mangera, à partir de 14h, une bonne comida corrida dans une ambiance paisible. Le menu entier est un peu cher à 4,75 $US, mais on peut se passer du buffet de salades, et repartir satisfait en ne dépensant que 2,75 $US. Le petit déjeuner est à la carte. Le restaurant est ouvert du lundi au samedi de 8h à 18h.

Pour se ravitailler en produits frais et en sucreries locales, on ira faire son marché au *Mercado Hidalgo* à l'ouest de Juárez, impressionnant édifice datant du Porfiriato.

Où sortir

Chaque soir, le *Jardín de la Unión* s'anime. Les étudiants s'y retrouvent pour prendre un verre, et écouter les musiciens ambulants à la terrasse des restaurants. L'orchestre de l'État et d'autres formations organisent des concerts gratuits certains soirs de 19 à 20h environ, et le dimanche de 12h à 14h.

Le vendredi, le samedi et le dimanche soir vers 20h ou 20h30, des *callejoneadas*, ou *estudiantinas,* se forment devant l'église San Diego, au Jardín de la Unión. Cette tradition serait originaire d'Espagne. Des chanteurs et des musiciens, habillés en costume traditionnel, commencent à jouer devant l'église sous le regard des badauds, puis tous s'acheminent dans les ruelles sinueuses de la vieille ville, jouant et chantant à tue-tête. Lors de certaines fêtes particulières, la troupe emmène un âne chargé de vin – autrement, le vin est distribué à mi-parcours. Les chants sont entrecoupés de contes et d'histoires drôles, difficiles, toutefois, à comprendre si l'on ne maîtrise pas la langue. C'est l'une des traditions les plus divertissantes de Guanajuato. On ne débourse rien, sauf une petite pièce pour le vin que l'on boit. Les tours-opérateurs essaient de vendre des billets, mais vous n'en avez nul besoin.

Le *Rincón del Beso*, Alonso 21A, à proximité du Jardín de la Unión, qu'on surnomme affectueusement La Peña Bohemia du fait de son passé bohème, est souvent désert mais il lui arrive de faire salle comble certains soirs. Les orchestres commencent à jouer vers 22h30, et parfois, tout le monde chante en chœur. Il reste ouvert tant qu'il y a des clients pour s'amuser. L'entrée est gratuite mais les boissons sont un peu chères.

Guanajuato possède trois bons théâtres, le *Teatro Juárez*, le *Teatro Principal* et le *Teatro Cervantes*, tous à proximité du Jardín de la Unión. Leurs programmes sont annoncés par voie d'affiches. Pour voir des films internationaux on se renseignera auprès du Teatro Principal, du Teatro Cervantes et du *Museo y Casa de Diego Rivera*. Ce dernier musée et le Museo del Pueblo organisent aussi des expositions.

Le *Guanajuato Grill*, Alonso 4, est un restaurant/bar très connu et qui ouvre tard. *Bar Plaza*, dans le Jardín de la Unión, offre une bière pour le prix de deux certains soirs.

Parmi les discos les plus fréquentées, citons *Galería*, dans le quartier San Javier, *Sancho's*, dans le quartier Mineral de Cata, et *Jav's*, dans le parc Las Pastitas, à l'ouest de la ville. L'entrée coûte environ 4 $US et tous ces endroits sont à une courte distance du centre en taxi.

Comment s'y rendre

Avion. Guanajuato est desservi par l'aéroport de León, situé à environ 12 km du centre et à 40 km de Guanajuato sur la route reliant ces deux villes.

Bus. Le Central de Autobuses de Guanajuato se situe à la périphérie sud-ouest de la ville. Il comporte une poste, une caseta, un restaurant et une consigne manuelle. Les billets des bus deluxe et 1re classe s'achètent à Viajes Frausto, Obregón 10.

Parmi les départs quotidiens :

Dolores Hidalgo – 54 km, 1 heure ; bus 2e classe toutes les 20 minutes de 6h20 à 22h30 avec Flecha Amarilla (2 $US)

Guadalajara – 300 km, 5 heures ; 3 bus de luxe ETN (18 $US) ; 6 bus 1re classe Primera Plus (14 $US) et 12 bus 2e classe Flecha Amarilla (11 $US).

León – 50 km, 1 heure, 4 bus de luxe ETN (2,75 $US) ; 7 bus 1re classe Primera Plus (2,25 $US) ; bus 2e classe toutes les 10 minutes de 5h40 à 22h30 avec Flecha Amarilla ou Flecha de Oro (1,70 $US)

Mexico (Terminal Norte) – 380 km, 4 heures 30 ; 5 bus de luxe ETN (20 $US) ; 8 bus 1re classe Primera Plus (16 $US) et 7 bus 1re classe Futura et Ómnibus de México (15 $US)

San Luis Potosí – 225 km, 4 heures ; 5 bus 1re classe Ómnibus de México (8,75 $US) ; 2 bus 2e classe Flecha Amarilla (8 $US)

San Miguel de Allende – 82 km, 1 heure 30 à 2 heures ; 4 bus 1re classe Primera Pus (4,50 $US) ; 8 bus 2e classe Flecha Amarilla (3,25 $US)

Des bus 2e classe Flecha Amarilla desservent fréquemment Celaya et Morelia, et 4 fois Querétaro et Aguascalientes. Pour Morelia, il est plus rapide de changer à Irapuato (3 bus deluxe ETN par jour, 2,50 $US).

Train. La Estación del Ferrocarril (☎ 2-10-35, 2-03-06) se trouve dans la partie ouest de la ville, Calle Tepetapa. Le train Constitucionalista relie quotidiennement Mexico et Guanajuato, dans les deux sens, partant de Mexico à 7h et de Guanajuato à 14h25. Le trajet dure environ 7 heures et comporte plusieurs arrêts – c'est beaucoup plus long qu'en bus. Le coût du billet jusqu'à Mexico en primera especial, la seule classe disponible, est de 50,35 pesos.

Comment circuler

Desserte de l'aéroport. Comptez 13 $US pour un taxi de Guanajuato à l'aéroport de León. Une solution moins onéreuse consiste à prendre un bus jusqu'à Silao, une quinzaine de kilomètres avant l'aéroport, puis un taxi (entre 4 et 5,25 $US)

Bus et taxis. Les bus municipaux circulent à partir de 5h et jusqu'à 22h. Le ticket coûte 0,20 $US. L'office du tourisme vous donnera tous les renseignements nécessaires. Les bus "Central de Autobuses" relient fréquemment la gare routière au centre-ville, jusqu'à 24h. Dans le centre, vous pouvez les prendre dans Juárez en direction de l'ouest, ou sur le côté nord de la basilique. Guanajuato se visite facilement à pied, mais de bonnes chaussures sont recommandées pour monter et descendre les rues en pente.

Les taxis sont nombreux dans le centre. La course coûte en moyenne 1,30 $US, dans le centre, si le trafic est fluide (2 $US jusqu'à la gare routière).

SAN MIGUEL DE ALLENDE

•Hab. : 80 000 • Alt. : 1 840 m • ☎ *415*

Ville coloniale sise dans un cadre merveilleux, San Miguel a acquis une certaine renommée en raison des nombreux résidents nord-américains. A partir des années 40, alors que David Alfaro Siqueiros donnait des cours de peinture murale à l'Escuela de Bellas Artes, la ville attira de nombreux artistes mexicains et américains. Dans les décennies qui suivirent, peintres, sculpteurs, écrivains, poètes, artistes en tout genre vinrent s'y installer. Neal Cassady, le héros de *Sur la route* de Jack Kerouac, y mourut en février 1968, en marchant sur les rails de chemin de fer en direction de Celaya. Une fois intégrée au circuit gringo, San Miguel perdit certains aspects de son côté bohème. Aujourd'hui, plusieurs milliers d'étrangers y résident, pour la plupart des retraités, d'autres viennent y passer l'hiver. San Miguel est doté d'une importante infrastructure touristique, mais compte peu d'établissements bon marché.

La beauté de San Miguel tient à ses vieux édifices et à ses rues pavées à flanc de colline. Afin de préserver son charme, l'État mexicain a classé la ville monument national. San Miguel bénéficie d'un climat très agréable et d'une lumière très pure. En plus des beautés de la ville, les fêtes populaires et religieuses en font un lieu très animé et haut en couleur.

La saison touristique se situe de mi-décembre à fin mars, avec une nouvelle affluence de juin à août.

Histoire

Selon la légende, la ville doit son existence aux chiens de Frère Juan de San Miguel

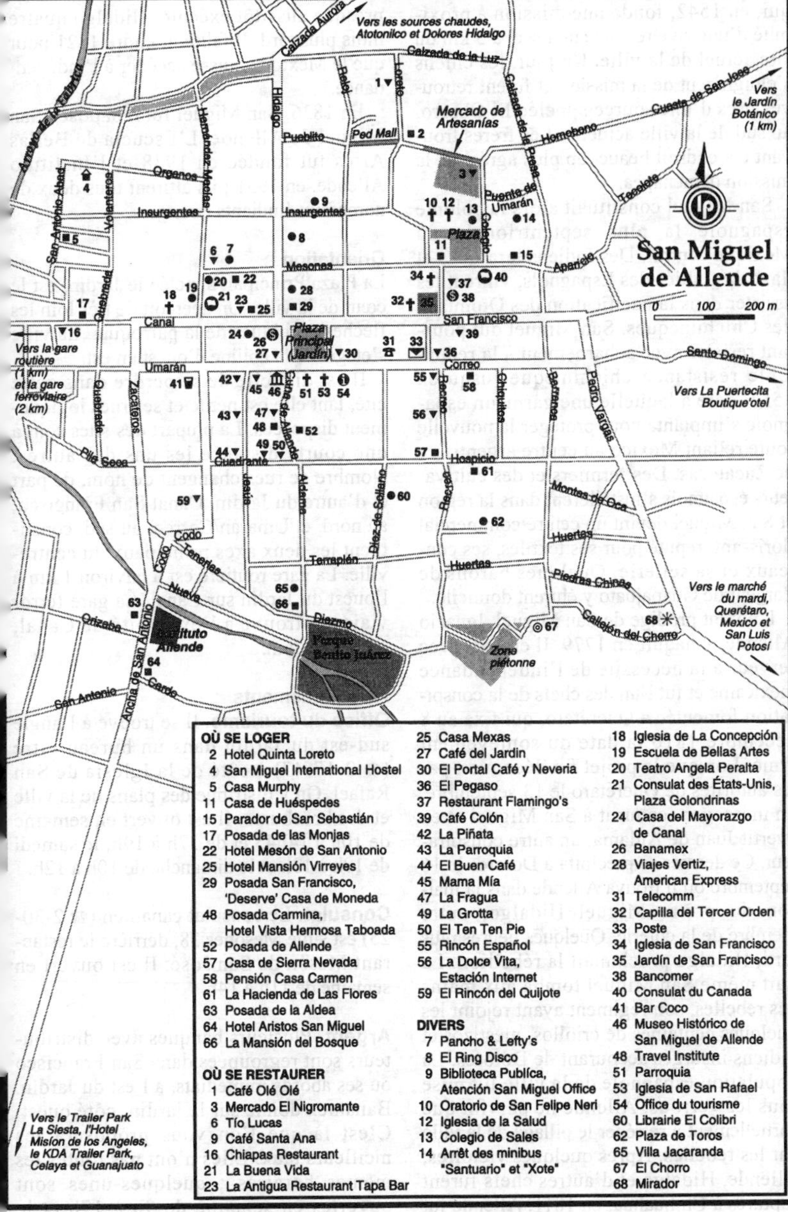
San Miguel de Allende
0 100 200 m
Vers les sources chaudes, Atotonilco et Dolores Hidalgo
Calzada Aurora
Calzada de la Luz
Arroyo de la Fábrica
Relox
Loreto
Hidalgo
Hernández Macías
Mercado de Artesanías
Pueblito
Ped Mall
Calzada de la Presa
Cuesta de San José
Vers le Jardín Botánico (1 km)
Homobono
Tecolote
Organos
Insurgentes
San Antonio Abad
Volanteros
Puente de Umarán
Colegio
Plaza
Aparicio
Mesones
Quebrada
Canal
Plaza Principal (Jardín)
San Francisco
Santo Domingo
Vers la gare routière (1 km) et la gare ferroviaire (2 km)
Umarán
Correo
Vers La Puertecita Boutique'otel
Zacateros
Cuna de Allende
Recreo
Chiquitos
Barranca
Pedro Vargas
Pila Seca
Cuadrante
Hospicio
Aldama
Diez de Sollano
Montes de Oca
Codo
Terraplén
Huertas
Tenerías
Piedras Chinas
Nueva
Vers le marché du mardi, Querétaro, Mexico et San Luis Potosí
Orizaba
Diezmo
Callejón del Chorro
Instituto Allende
Parque Benito Juárez
Zone piétonne
San Antonio
Ancha de San Antonio
Cardo
Vers le Trailer Park La Siesta, l'Hotel Misión de los Angeles, le KDA Trailer Park, Celaya et Guanajuato
OÙ SE LOGER
2 Hotel Quinta Loreto
4 San Miguel International Hostel
5 Casa Murphy
11 Casa de Huéspedes
15 Parador de San Sebastián
17 Posada de las Monjas
22 Hotel Mesón de San Antonio
25 Hotel Mansión Virreyes
29 Posada San Francisco, 'Deserve' Casa de Moneda
48 Posada Carmina, Hotel Vista Hermosa Taboada
52 Posada de Allende
57 Casa de Sierra Nevada
58 Pensión Casa Carmen
61 La Hacienda de Las Flores
63 Posada de la Aldea
64 Hotel Aristos San Miguel
66 La Mansión del Bosque
OÙ SE RESTAURER
1 Café Olé Olé
3 Mercado El Nigromante
6 Tío Lucas
9 Café Santa Ana
16 Chiapas Restaurant
21 La Buena Vida
23 La Antigua Restaurant Tapa Bar
25 Casa Mexas
27 Café del Jardín
30 El Portal Café y Nevería
36 El Pegaso
37 Restaurant Flamingo's
39 Café Colón
42 La Piñata
43 La Parroquia
44 El Buen Café
45 Mama Mía
47 La Fragua
49 La Grotta
50 El Ten Ten Pie
55 Rincón Español
56 La Dolce Vita, Estación Internet
59 El Rincón del Quijote
DIVERS
7 Pancho & Lefty's
8 El Ring Disco
9 Biblioteca Publíca, Atención San Miguel Office
10 Oratorio de San Felipe Neri
12 Iglesia de la Salud
13 Colegio de Sales
14 Arrêt des minibus "Santuario" et "Xote"
18 Iglesia de La Concepción
19 Escuela de Bellas Artes
20 Teatro Angela Peralta
21 Consulat des États-Unis, Plaza Golondrinas
24 Casa del Mayorazgo de Canal
26 Banamex
28 Viajes Vertiz, American Express
31 Telecomm
32 Capilla del Tercer Orden
33 Poste
34 Iglesia de San Francisco
35 Jardín de San Francisco
38 Bancomer
40 Consulat du Canada
41 Bar Coco
46 Museo Histórico de San Miguel de Allende
48 Travel Institute
51 Parroquia
53 Iglesia de San Rafael
54 Office du tourisme
60 Librairie El Colibri
62 Plaza de Toros
65 Villa Jacaranda
67 El Chorro
68 Mirador

qui, en 1542, fonda une mission à proximité d'une rivière souvent à sec, à 5 km du site actuel de la ville. Un jour, les chiens s'éloignèrent de la mission et furent retrouvés près d'une source appelée El Chorro, au sud de la ville actuelle. Les frères trouvant cet endroit beaucoup plus agréable, la mission déménagea.

San Miguel constituait alors la colonie espagnole la plus septentrionale du Mexique central. Des Indiens tarasques et tlaxcalas, alliés des Espagnols, vinrent les assister dans la pacification des Otomís et des Chichimèques. San Miguel dut pourtant résister avec acharnement à la redoutable résistance chichimèque jusqu'en 1555, date à laquelle une garnison espagnole s'implanta pour protéger la nouvelle route reliant Mexico au centre argentifère de Zacatecas. Des fermiers et des cultivateurs espagnols s'installèrent dans la région et San Miguel devint un centre commercial florissant, réputé pour ses textiles, ses couteaux et sa sellerie. Quelques barons de l'argent de Guanajuato y élurent domicile.

L'enfant prodige de San Miguel, Ignacio Allende, y naquit en 1779. Il croyait avec ferveur à la nécessité de l'indépendance mexicaine et fut l'un des chefs de la conspiration fomentée à Querétaro, qui fixa au 8 décembre 1810 la date du soulèvement armé. Lorsque le projet fut découvert par les autorités de Querétaro le 13 septembre, un messager accourut à San Miguel et en avertit Juan de Aldama, un autre conspirateur. Ce dernier se précipita à Dolores le 16 septembre où il trouva Allende dans la maison du prêtre Miguel Hidalgo, autre membre de la coterie. Quelques heures plus tard, Hidalgo proclamait la rébellion. La nuit même San Miguel tomba aux mains des rebelles, son régiment ayant rejoint les quelques centaines de criollos, mestizos et Indiens insurgés accourant de Dolores. La population espagnole de la ville fut mise sous les verrous. Allende ne parvint que partiellement à réfréner le pillage de la ville par les rebelles. Après quelques victoires, Allende, Hidalgo et d'autres chefs furent capturés à Chihuahua, en 1811. Allende fut presque aussitôt exécuté, Hidalgo quatre mois plus tard. Il fallut attendre 1821 pour que le Mexique puisse accéder à l'indépendance.

En 1826, San Miguel fut rebaptisée San Miguel de Allende. L'Escuela de Bellas Artes fut fondée en 1938 et l'Instituto Allende, en 1951 ; ils attirent tous deux de nombreux étudiants étrangers.

Orientation

La Plaza Principal, appelée le Jardín, est le cœur de la ville. On aperçoit de très loin les flèches gothiques de la parroquia. La ville s'étage sur la colline d'ouest en est.

Il est difficile de se perdre dans cette cité, tant elle est petite et ses rues logiquement disposées. La plupart des sites sont à une courte distance les uns des autres. Nombre de rues changent de nom, de part et d'autre du Jardín. Canal/San Francisco, au nord, et Umarán/Correo, au sud, constituent les deux axes principaux du centre-ville. La gare routière est à environ 1 km à l'ouest du Jardín sur Canal. La gare ferroviaire se trouve à l'extrémité de Canal, 1 km plus loin.

Renseignements

Office du tourisme. Il se trouve à l'angle sud-est du Jardín dans un bureau vitré (☎ 2-17-47) à côté de la Iglesia de San Rafael. On y distribue des plans de la ville et des brochures. Il est ouvert en semaine de 10h à 14h45 et de 17h à 19h, le samedi de 10h à 13h et le dimanche de 10h à 12h.

Consulat. Le consulat canadien (☎ 2-30-25) est situé Mesones 38, derrière le restaurant Mesón de San José. Il est ouvert en semaine de 11h à 14h.

Argent. Plusieurs banques avec distributeurs sont regroupées dans San Francisco ou ses abords immédiats, à l'est du Jardín. Banamex donne sur le jardin, côté ouest. C'est là que l'on vous proposera les meilleurs taux. Elles n'ont pas toutes les mêmes horaires ; quelques-unes sont ouvertes en semaine de 9h à 17h et le samedi de 10h à 14h, certaines ne changeront les chèques de voyage que de 9h à 14h ou 15h en semaine. La Bancomer, dans Juárez, change les espèces et les chèques de voyage le samedi également.

Les casas de cambio ne manquent pas. Deserve Casa de Mondeda, dans la Posada San Francisco sur le Jardín, change les espèces et les chèques de voyage à des taux très peu inférieurs à ceux des banques, et il y a moins de monde. Elle est ouverte en semaine de 9h à 19h et le samedi de 9h à 17h. Deal pratique également des taux raisonnables dans ses 3 succursales, Correo 15, Juárez 27 et San Francisco 4. Toutes sont ouvertes en semaine de 9h à 18h et le samedi de 9h à 14h.

American Express (☎ 2-18-56, 2-16-95), chez Viajes Vertiz, Hidalgo 1A, un demi-pâté de maisons au nord du Jardín, est ouvert en semaine de 9h à 14h et de 16h à 18h30.

Poste et communications. La poste est située à l'angle de Correo et de Corregidora, à l'est du jardin. Elle ouvre en semaine de 8h à 19h et le samedi de 9h à 13h. Juste à côté, dans Correo, on trouvera une agence Mexpost de courrier rapide.

Les téléphones publics sont nombreux dans le centre-ville. Les casetas téléphoniques, quant à elles, sont au nombre de trois : la Caseta de Pepe dans Diez de Sollano juste avant Correo (ouverte tous les jours de 8h à 21h30), El Toro dans Hernández Macías 58A (du lundi au samedi de 8h à 20h, le dimanche de 8h à 14h), et une caseta dans la gare routière. L'agence Telecomm, Correo 16 à deux pas de la poste, possède un service de télécopie.

La Conexión (☎ 2-16-87 et 2-15-99), Aldama 1, offre divers services tels que télécopie et messagerie téléphonique 24h/24.

Estación Internet, Recreo 11 au-dessus du café-restaurant La Dolce Vita, permet d'envoyer des e-mail et de consulter les sites du réseau. On peut aussi se brancher avec son propre ordinateur portable. L'agence ouvre en semaine de 9h30 à 14h et de 16h à 20h, et le samedi de 9h30 à 14h. Pour recevoir des e-mail, on s'adressera à Mail Boxes, à côté de La Dolce Vita.

Agences de voyages. Une adresse pour acheter des billets d'avion : Viajes Vertiz (☎ 2-18-56, 2-16-95), Hidalgo 1A.

Librairies et bibliothèques. La Biblioteca Pública, Insurgentes 25, fait en même temps office de centre culturel et d'enseignement, principalement à l'adresse des enfants. Dans sa salle Quetzal, on pourra consulter une abondante collection de livres sur le Mexique (art, architecture, artisanat, histoire, littérature, etc). Elle est accessible en semaine de 10h à 14h et de 16h à 19h et le samedi de 10h à 14h. Un excellent café-restaurant est attenant à la bibliothèque.

Pour les librairies, on a le choix entre El Colibrí, Diez de Sollano 30, au sud de la place, où l'on trouvera des livres et des périodiques récents en espagnol et en anglais, et quelques-uns en français et en allemand, et la librairie Lagundi, Umarán 17 au niveau de Hernández Macías.

Blanchissage/nettoyage. Il existe plusieurs laveries demandant toutes environ 3 $US pour laver et sécher 4 kg de linge. Certaines feront le lavage uniquement pour la moitié de ce prix. Lavanderías Automáticas ATL, au bout de Zacateros, est ouverte en semaine de 8h à 19h et le samedi de 8h à 14h. Lava Mágica, Pila Seca 5, et Lavandería El Reloj, Reloj 34A, sont ouvertes du lundi au samedi de 8h à 20h.

Parroquia

Les tours roses, en forme de bâtons de sucre candi, de la parroquia dominent le Jardín. Ces deux étranges pinacles furent dessinés par un Indien peu instruit, Zeferino Gutiérrez, à la fin du XIXe siècle. Il aurait dirigé les bâtisseurs en traçant des plans dans le sable avec un bâton. Le reste de l'église date essentiellement de la fin du XVIIe siècle. La dépouille d'un président mexicain du XIXe siècle, Anastasio Bustamante, repose dans la crypte. La chapelle, à gauche du maître-autel renferme l'image très vénérée du Cristo de la Conquista (Christ de la Conquête), réalisée probablement au XVIe siècle par des Indiens à Pátzcuaro, en épis de maïs et bulbes d'orchidées.

L'église San Rafael, à gauche de la parroquia, fut fondée en 1742 et modifié de quelques ajouts en style gothique.

Museo Histórico de San Miguel de Allende

Près de la parroquia, dans Cuna de Allende, la maison natale d'Ignacio Allende est actuellement un musée qui retrace l'histoire de San Miguel et de sa région et, plus particulièrement, Allende et le mouvement indépendantiste auquel il contribua. La façade porte l'inscription suivante : "*Hic natus ubique notus*" (Né ici, connu partout). Une autre plaque précise que le héros indépendantiste, Miguel Hidalgo, ne rejoignit le mouvement que sur l'invitation d'Allende.

Le musée ouvre du mardi au dimanche de 10h à 16h (entrée gratuite). Des expositions temporaires sont également organisées.

Casa del Mayorazgo de Canal

Cette maison de la famille Canal est l'une des demeures anciennes les plus imposantes de San Miguel. Depuis l'entrée, Canal 4, elle se déploie au-dessus de l'arcade, sur le flanc ouest du Jardín. L'édifice néo-classique porte quelques retouches datant de la fin du baroque. La maison est fermée au public.

Iglesia de San Francisco

Cette église, située au nord du petit Jardín de San Francisco, à l'angle de San Francisco et Juárez, arbore une façade churrigueresque de la fin du XVIIIe siècle, surmontée d'un saint François d'Assise.

Capilla del Tercer Orden

Cette chapelle, dressée sur le côté ouest du même jardin, fut construite au début du XVIIIe siècle et, comme l'église San Francisco, faisait partie d'un monastère franciscain. La façade principale représente saint François et les emblèmes de l'ordre.

Oratorio de San Felipe Neri

Cette église, à tours et coupoles multiples, bâtie au début du XVIIIe siècle, se dresse à l'angle d'Insurgentes et de Llamas. La façade principale, rose pâle, est baroque, teintée d'influence indienne. Un passage, à droite, mène au mur oriental dont la porte, de style indien, est ornée d'une représentation de Notre Dame de la Solitude. De cet endroit, vous pouvez jeter un coup d'œil à l'intérieur du cloître. L'église renferme 33 peintures à l'huile s'inspirant de la vie de saint Philippe de Neri, un Florentin qui, au XVIe siècle, fonda l'ordre de l'Oratoire. Le transept oriental s'orne d'une peinture de la Vierge de Guadalupe, signée Miguel Cabrera. Le transept ouest mène à une chapelle abondamment décorée, la chapelle de Santa Casa de Loreto, construite en 1735. C'est la réplique d'une chapelle de Loreto, en Italie, lieu de naissance de la Vierge Marie, selon la légende. Quand la porte est ouverte, vous pouvez admirer les faïences de Puebla, de Chine et de Valencia qui tapissent le sol et les murs, les tentures dorées et les tombes de son fondateur Conde Manuel de la Canal, et de son épouse, María de Hervas de Flores. Derrière l'autel, la camarín comporte six autres autels remarquables, de style baroque, recouverts d'or. Dans l'un d'eux repose le gisant de cire de San Columbano contenant les ossements du saint.

Iglesia de la Salud

Cette église, coiffée d'un dôme de tuiles jaunes et bleues, dont l'entrée est ornée d'une grande coquille sculptée, se dresse juste à l'est de San Felipe Neri. La façade date du début du churrigueresque. L'église contient un remarquable San Javier signé Miguel Cabrera.

Colegio de Sales

L'ancien collège de l'ordre de San Felipe de Neri, fondé au milieu du XVIIIe siècle, s'élève à côté de La Salud dont il faisait partie. C'est ici que de nombreux révolutionnaires de 1810 reçurent leur éducation. Les rebelles y enfermèrent les Espagnols lorsqu'ils prirent San Miguel. C'est devenu aujourd'hui une boutique d'artisanat comportant des ateliers à l'arrière.

Iglesia de La Concepción

Cette splendide église se trouve à l'ouest du Jardín, Calle Canal. Elle renferme un bel autel et plusieurs peintures anciennes de toute beauté. Sa construction fut amorcée au milieu du XVIIIe siècle. Son dôme, ajouté à la fin du XIXe siècle par Zeferino Gutiérrez, est probablement inspiré des Invalides, de Paris.

Escuela de Bellas Artes

Ce centre culturel et éducatif, situé Hernández Macías 75, près de Canal, loge dans l'ancien monastère néo-classique de l'église de La Concepción. Ce bel édifice fut converti en Escuela de Bellas Artes en 1938. C'est, officiellement, le Centro Cultural Ignacio Ramírez, du nom d'un penseur libéral du XIXe siècle, surnommé El Nigromante (le Sorcier), qui vécut à San Miguel. Dans le cloître, une pièce est consacrée à une fresque inachevée de Siqueiros, réalisée, en 1948, dans le cadre d'un cours de peinture murale à l'intention de vétérans américains. Le thème s'inspire de la vie et de l'œuvre d'Ignacio Allende (l'interrupteur pour la lumière se trouve à droite de la porte avant d'entrer !).

Instituto Allende

Ce grand bâtiment, agrémenté de plusieurs patios et d'une vieille chapelle, Ancha de San Antonio 4, fut construit en 1736 pour le Conde Manuel de la Canal. Plus tard, il servit de couvent carmélite et fut transformé en école de langues et d'art, en 1951. L'entrée est surmontée d'une sculpture de la Vierge de Loreto, patronne de la famille Canal.

Mirador et Parque Juárez

Le mirador, dénommé Salida a Querétaro, au sud-est de la ville, offre l'une des meilleures vues sur San Miguel et ses environs. Si vous prenez le Callejón del Chorro, le chemin qui descend directement du Mirador, et tournez à gauche en bas de la colline, vous atteindrez El Chorro, la source où fut fondée la ville. Aujourd'hui, elle s'écoule par une fontaine construite en 1960. Le Parque Benito Juárez est un peu plus bas.

Jardins botaniques et jardins d'orchidées

Le grand Jardín Botánico El Charco del Ingenio, principalement consacré aux cactus et aux autres plantes de cette région semi-aride, s'étend au sommet de la colline, à environ 1,5 km au nord-est du centre-ville. Des sentiers parcourent la colline au-dessus d'un plan d'eau et du profond canyon dans lequel celui-ci se déverse. L'entrée coûte 1 $US et le jardin est ouvert tous les jours de 7h à 18h. Il est préférable pour les femmes seules de ne pas s'aventurer dans les endroits reculés du jardin. Les sentiers longent la pente au-dessus d'un profond cañon et d'un lac de retenue. Le jardin est ouvert de 7h à 18h et l'entrée s'élève à 1 $US. Il est géré par CANTE, organisation à but non lucratif promouvant la préservation de l'environnement.

L'itinéraire le plus direct consiste à monter la colline à partir du Mercado El Nigromante, le long de Homobono et de Cuesta San José, puis de tourner à gauche en remontant Montitlan. Après avoir dépassé les immeubles d'habitation Balcones, suivez le chemin menant au sommet. Si la porte est fermée, longez la grille vers la droite jusqu'à la seconde entrée. Sinon, un chemin de 2 km, accessible en voiture, part vers le nord du centre commercial Gigante qui se trouve à 2,5 km à l'est du centre sur la route de Querétaro. Des bus "Gigante" partent de l'arrêt situé sur le côté est du Jardín de San Francisco et mènent jusqu'au centre commercial. De là, un taxi vous conduira aux jardins (1,6 $US).

La même association CANTE gère **Los Pocitos**, un jardin d'orchidées riche de 230 espèces, situé Santo Domingo 38.

ENVIRONS DE MEXICO

Galeries d'art

Galería San Miguel, sur le côté nord du jardin, et Galería Atenea, Cuna de Allende 15, sont deux galeries parmi les meilleures et les plus fiables. La Escuela de Bellas Artes et l'Instituto Allende (voir plus loin *Cours et leçons*) organisent des expositions tout au long de l'année.

Baignades

Plusieurs piscines d'hôtels sont accessibles aux non-résidents, dont celles de la Posada de la Aldea et de l'Hotel Aristos (2 $US). Les balnearios des alentours méritent d'être visités (reportez-vous à la rubrique *Les environs de San Miguel*).

Équitation

Renseignez-vous chez le glacier La Huerta, Correo 24, ou contactez le Centro Ecuestre (☎ 2-30-87), à 3 km de la ville sur la route de Dolores. L'heure de cours ou de promenade revient environ à 30 $US.

Cours et leçons

A San Miguel, l'ambiance est tout simplement idéale pour le développement de vos dons artistiques.

L'Instituto Allende (☎ 2-01-90 ; fax 2-45-38 ; ferr@celaya.ugto.mx) propose des cours d'art, de travaux manuels et d'espagnol. Écrivez à l'Instituto Allende, San Miguel de Allende, 37700 Guanajuato, Mexico.

L'Academia Hispano Americana (☎ 2-03-49 ; fax 2-23-33), Mesones 4, organise des cours de langue et de culture espagnole. Les cours de civilisation sont dispensés dans un espagnol très simple. L'école vous aidera à trouver une chambre individuelle chez l'habitant pour 500 $US environ par mois, repas compris.

D'autres cours de langue organisés par le Centro Mexicana de Lengua y Cultura (☎ 2-07-63), Orizaba 15 dans une rue adjacente à Ancha de San Antonio, et la Universidad del Valle de México (☎ 2-60-49 ; fax 2-71-91, uvmsma@unisono.ciateq.mx), Zacateros 61. L'International Hostel, Organos 34, peut vous proposer des cours privés à des prix intéressants.

Circuits organisés

Une visite commentée de certaines maisons et jardins de San Miguel, fermés au reste du public, part chaque dimanche à 12h de la Biblioteca Pública. Les billets sont en vente à partir de 11h. La visite de 2 heures coûte 15 $US.

Le Travel Institute of San Miguel (☎ 2-00-78 ; fax 2-01-21), Cuna de Allende 11, propose, entre autres, des visites historiques de 2 heures dans le centre de San Miguel pour 11 $US.

Tous les samedi à 10h30, des excursions de 3 heures en minibus (11 $US) partent du Jardín vers des destinations en dehors de la ville (monastère, ranch, hacienda ou cave vinicole), et comprennent un arrêt chez un artisan local. Les bénéfices sont reversés au Centro de Crecimiento, une école pour enfants handicapés.

Manifestations annuelles

Une ville aussi bien pourvue en églises et en saints patrons (six en tout) compte, bien sûr, une multitude de fêtes à tout moment de l'année. En voici quelques-unes :

Bénédiction des animaux. Le 17 janvier, dans plusieurs églises dont la parroquia.

Anniversaire d'Allende. Le 21 janvier. Plusieurs cérémonies officielles.

Cristo de la Conquista. Cette sculpture de la parroquia est fêtée le premier vendredi de mars, par des danseurs en costume pré-colombien et coiffés d'une parure de tête à plumes, qui se produisent devant la parroquia.

Semana Santa. Les cérémonies débutent deux semaines avant Pâques par un pèlerinage en l'honneur du Señor de la Columna, d'Atotonilco à 14 km au nord, jusqu'à l'église de San Juan de Dios à San Miguel, le samedi soir ou le dimanche matin. Pendant la Semana Santa même, a lieu la grande Procesión del Santo Entierro le Vendredi Saint puis, le jour de Pâques, on met le feu aux images de Judas.

Fiesta de la Santa Cruz. Cette fête insolite se déroule le dernier week-end de mai au Valle del Maíz, à 2 km du centre-ville. Des bœufs sont parés de colliers de tilleul et de tortillas peintes et leur joug, décoré de fleurs et de fruits. Un animal porte deux boîtes de trésors (du pain et du sucre), il est entouré de personnages affublés d'étranges costumes, à dos d'âne et de cheval. Une simulation de bataille entre Indiens et Federales s'ensuit, puis un magicien apparaît pour soigner les blessés et relever les morts. Ce festival, relativement solennel, puise ses origines au XVIe siècle.

Corpus Christi. En juin. Les enfants exécutent des danses devant la parroquia.

Festival de Musique de Chambre. La Escuela de Bellas Artes finance ce festival annuel qui a lieu les deux premières semaines d'août.

San Miguel Arcángel. Les fêtes en l'honneur du premier saint patron de la ville ont lieu le 29 septembre (ou le week-end suivant s'il tombe un jour de semaine). On assiste à des combats de coqs, à des corridas et à des courses de taureaux dans les rues. Des danseurs traditionnels, venus de plusieurs États, se rencontrent à Cruz del Cuarto, sur la route de la gare ferroviaire. Vêtus de cloches et de costumes, avec parures de plumes, capes écarlates et masques, les groupes se dirigent en procession vers la parroquia. Ils portent des offrandes de fleurs appelées *xuchiles* ; certains jouent d'un luth fait en carapace de tatou. L'origine de tels spectacles remonte probablement à l'ère précolombienne. Les danses se poursuivent quelques jours, avec la Danza Guerrero devant la parroquia, mimant la victoire des Espagnols sur les Chichimèques.

Festival de musique de San Miguel. Ce festival de musique classique, au sens large du terme, présente un programme quasi quotidien. Il accueille des interprètes mexicains et étrangers pendant la seconde moitié du mois de décembre. La plupart des concerts se déroulent au superbe Teatro Angela Peralta, construit en 1910, situé à l'angle de Mesones et de Hernández Macías.

Où se loger

Certains des établissements offrant le meilleur rapport qualité/prix affichent souvent complets. Réservez si vous le pouvez, surtout en haute saison. Nombre d'hôtels consentent des réductions pour des séjours longs. Si vous avez l'intention de rester quelque temps à San Miguel, vous pouvez louer une maison, un appartement ou une chambre : consultez les journaux, les panneaux d'affichage et les agences immobilières. Comptez aux alentours de 400 $US par mois pour une maison correcte comportant deux chambres.

Où se loger – petits budgets

Campings. Le *Lago Dorado KDA Trailer Park* (☎ 2-23-01 ; fax 2-36-86), à côté du plan d'eau situé à 5 km au sud de la ville, possède une piscine, une salle à manger, une laverie, 60 emplacements avec raccordement et 40 autres non équipés. Comptez 7,75 $US par personne, moins pour de plus longs séjours. Depuis le centre, prenez la nationale de Celaya vers le sud, puis tournez à droite, au bout de 3 km, à l'Hotel Misión de los Ángeles, et continuez sur 2 km vers le lac, en traversant la voie ferrée.

Le *Trailer Park La Siesta* (☎ 2-02-07), sur le terrain du Motel La Siesta, route de Celaya, 2 km au sud de la ville, dispose de 62 emplacements avec raccordement mais les commodités sont restreintes. Comptez 8,50 $US pour une ou deux personnes.

Auberges de jeunesse. Le *San Miguel International Hostel* (☎ 2-06-74), Organos 34, est une très agréable maison coloniale avec une fontaine murmurant dans une cour remplie de fleurs et d'arbres. Les lits coûtent 5,25 $US dans des dortoirs non mixtes. Il y a aussi quelques simples/doubles avec s.d.b. à 7,75/11,75 $US. Le tarif comprend café et thé à volonté et le petit déjeuner. L'utilisation de la cuisine coûte 1 $US de plus par jour, avec fourniture de provisions telles que riz, haricots, spaghettis et épices.

L'auberge dispose de machines à laver, d'un parking et d'une terrasse.

Hôtels. Une rue au sud de Jardín, la *Posada de Allende* (☎ 2-06-98), Cuna de Allende 10, arbore un air un peu vieillot et défraîchi. Ses 5 chambres avec s.d.b., certaines avec balcon donnant sur la rue, coûtent 13/16 $US en simple/double.

La *Casa de Huéspedes* (☎ 2-13-78), Mesones 27, est une auberge propre et agréable, en étage, qui jouit d'une belle vue depuis la terrasse sur le toit. Les 6 chambres disposent d'une s.d.b. En simple/double/triple, comptez 7,75/13/20 $US, un peu plus avec cuisine privative. Des réductions sont consenties pour les séjours plus longs.

Plus haut, au n°7, le *Parador de San Sebastián* (☎ 2-70-84), est calme et attrayant. Ses 24 chambres avec cheminée et s.d.b. (6,50/13 $US) sont disposées autour d'une cour arborée à arcades.

Où se loger – catégorie moyenne

A la sortie du Jardín, la *Posada Carmina* (☎ 2-04-58 ; fax 2-01-35), Cuna de Allende 7, est une ancienne demeure coloniale renfermant 12 belles et grandes chambres avec s.d.b. carrelée et TV couleur. Les prix en simple/double s'échelonnent de 30/37 $US à 57/65 $US. Un agréable bar-restaurant donne sur la cour ombragée. Dans le même pâté de maisons au n°11, l'*Hotel Vista Hermosa Taboada* (☎ 2-00-78, 2-04-37) ressemble au précédent en moins élégant et moins cher. Les 17 chambres avec cheminée et moquette sont louées 18/26 $US.

Non loin du Jardín, l'*Hotel Mansión Virreyes* (☎ 2-08-51 ; fax 2-38-65), Canal 19, est un autre bâtiment colonial comprenant 22 chambres entourant 2 patios dont un avec bar-restaurant. Son prix est de 25/26 $US (28/39 $US le week-end).

A proximité, l'*Hotel Mesón de San Antonio* (☎ 2-05-80, 2-28-97), Mesones 80, offre 9 chambres à 22 $US en simple ou double, et 4 suites à 26 $US autour d'une belle cour avec une pelouse et une petite piscine.

L'accueillante *Posada de las Monjas* (☎ 2-01-71), Canal 37, est aménagée dans un ancien couvent. Les 65 chambres confortables et joliment décorées sont équipées de s.d.b. au sol couvert d'ardoise et aux carreaux peints à la main. Les chambres de l'aile récente, à l'arrière, sont en meilleur état que celles de la partie ancienne. L'hôtel comporte de nombreuses terrasses, certaines donnant sur la vallée, un restaurant, un bar, une blanchisserie et un parking. Les grandes chambres avec cheminée, inondées de soleil, coûtent 20/28 $US en simple/double, les petites 19/23 $US.

L'*Hotel Quinta Loreto* (☎ 2-00-42 ; fax 2-36-16), Loreto 15, a depuis longtemps la faveur des Nord-Américains. Les 38 chambres, simples et agréables, certaines agrémentées d'un petit patio, sont disposées autour d'un grand jardin comprenant une piscine (hors service lors de notre passage), des courts de tennis et beaucoup d'espace de stationnement. Le restaurant est bon. Les chambres valent 19/24 $US ou 24/29 $US avec TV câblée. Des réductions sont possibles sur les séjours d'une semaine ou plus. Réservez longtemps à l'avance !

La *Posada San Francisco* (☎/fax 2-00-72, 2-72-13), Plaza Principal 2 (directement sur le Jardín) est une autre adresse réputée, à 36/41 $US la chambre.

En face de l'Instituto Allende, dans Ancha de San Antonio, la belle *Posada de la Aldea* (☎ 2-10-22, 2-12-96) compte 66 chambres spacieuses à 43 $US en simple ou double.

Où se loger – catégorie supérieure

Tous les hôtels de cette catégorie possèdent une piscine, hormis la Pensión Casa Carmen, La Mansión del Bosque et la Casa Murphy.

La *Pensión Casa Carmen* (☎ 2-08-44), Correo 31, est une vieille maison coloniale dont les 12 chambres à plafond haut et poutres apparentes encadrent une cour fleurie, plantée d'orangers et rafraîchie par une fontaine. Le prix de 40/70 $US comprend un délicieux petit déjeuner et un déjeuner servis dans la salle à manger. Réservez longtemps à l'avance pour la pleine saison.

La Mansión del Bosque (☎ 2-02-77), Aldama 65 en face du Parque Benito Juárez est une autre adresse réputée. Les 23 chambres sont toutes différentes, confortablement meublées et décorées d'œuvres d'art originales. La plupart sont équipées d'une douche et d'une baignoire, et certaines d'une cheminée. En basse saison, les simples s'élèvent à 39 $US ou 59 $US, les doubles à 69 $US ou 79 $US, avec petit déjeuner et dîner. Les tarifs d'hiver et de juillet-août sont plus élevés. Réservez dès que vous pouvez en écrivant à : Apdo Postal 206, San Miguel de Allende, Guanajuato 37700.

La très élégante *Casa de Sierra Nevada* (☎ 2-04-15, 2-18-95 ; fax 2-23-37), Hospicio 35, a été aménagée dans 4 anciennes maisons coloniales. Elle offre 3 chambres à 184 $US et 17 suites s'échelonnant de 225 $US à 345 $US.

La Hacienda de las Flores (☎ 2-18-08, 2-18-59), Hospicio 16, est un endroit assez luxueux. Les chambres du haut et les vérandas bénéficient de vues magnifiques. Les prix vont de 70/75$US à 100/105 $US en haute saison, de 55/60 $US à 85/90 $US en basse saison.

La Puertecita Boutique'otel (☎ 2-50-11, 2-22-50 ; fax 2-55-05), Santo Domingo 75, à 1 km en amont de la poste, est un autre endroit luxueux aux chambres à 168 $US, et aux suites entre 192 $US et 215 $US.

Derrière l'Instituto Allende se trouve l'*Hotel Aristos San Miguel* (☎ 2-03-92 ; fax 2-16-31), Ancha de San Antonio 30. Il compte 56 chambres et 4 suites, toutes jouissant de terrasses extérieures, surplombant un spacieux jardin, où voisinent courts de tennis et piscine. Les chambres valent 246 pesos pour une ou deux personnes, les suites sont plus chères.

La *Casa Murphy* (☎ 2-37-76 ; fax 2-21-88), San Antonio Abad 22, à 400 mètres du Jardín, est un bed and breakfast luxueux, dans une maison coloniale entourée d'un beau jardin. Les chambres coûtent 65 $US pour 2 personnes. Il existe aussi une casita avec cuisine, TV câblée, téléphone, bain à remous et patio privatif, à 75 $US pour 2 personnes.

Où se restaurer

Sur le plan culinaire, San Miguel est particulièrement gâté. Les restaurants se sont multipliés et la palette des cuisines étrangères s'est encore étoffée, mais attention aux additions, certaines réservent des surprises !

Petits budgets. Pour manger rapidement à bon compte, vous disposez de quelques bonnes boulangeries, comme *La Colmena Panadería*, Reloj 21 au nord du Jardín, *Genesis Tienda Naturista*, Reloj 34B, *Panaderia La Espiga*, Insurgentes 19 près de l'International Hostel, et *La Buena Vida*, avec un petit café attenant, sur la Plaza Golondrinas en face des Bellas Artes. La Buena Vida est la meilleure du lot. Vous résisterez difficilement aux pains complets et aux gâteaux.

Aux stands qui se trouvent à l'est de Jardín, vous pourrez vous ravitailler en bonne cuisine mexicaine de base : poulet frit aux légumes, tortillas, salsa et pickles, pour 2,50 $US environ.

Au nord-est de Jardín, deux bons restaurants familiaux préparent du poulet, que l'on voit rôtir en devanture. L'un deux, le *Restaurant Flamingo's*, Juárez 15, propose, entre 13h et 16h, une comida corrida qui retiendra l'attention (3,25 $US). Il est ouvert tous les jours de 9h à 22h.

A proximité, le *Café Colón*, San Francisco 21, est une adresse très réputée localement. *La Fragua*, Cuna de Allende 3, est un paisible bar-restaurant installé dans une cour, avec musique vivante tous les soirs. Le menú del día ne coûte que 3 $US. Il est ouvert tous les jours de 12h à 24h. Dans Cuna de Allende au niveau de Cuadrante, le petit *El Ten Ten Pie* sert les plats traditionnels des familles mitonnés dans d'excellentes sauces pimentées. On goûtera aux tacos au fromage et aux champignons, à 1,60 $US la petite portion. La comida corrida est à 3,75 $US.

El Buen Café, Jesús 23 au niveau de Cuadrante, prépare des petits déjeuners bon marché et des repas légers (à goûter : le riz cubain aux haricots et aux bananes à 2,75 $US). Il est ouvert du lundi au samedi de 9h à 20h. Plus au nord, à l'angle de Jesús et Umarán, le convivial *La Piñata* est réputé pour ses jus de fruits, ses salades et ses quesadillas. Entre les deux, *La Parroquía*, Jesús 11, est très agréable au petit déjeuner, servi dans la cour tachetée d'ombre et de lumière, dans un concert de gazouillis d'oiseaux. Le petit déjeuner, à la carte, n'est pas cher et le café est servi à volonté. Les autres repas varient entre 2,75 $US et 4 $US.

Plus loin à Canal 66, le *Chiapas Restaurant* est un lieu clair et accueillant où la nourriture est bonne et bon marché, dans les 4 $US pour un repas. Les entremeses Chiapaneco satisferont les végétariens. Il est ouvert tous les jours sauf le mercredi, de 10h à 22h.

Catégories moyenne et supérieure. Dans le centre, plusieurs établissements de style européen servent du bon café, des gâteaux, des en-cas et des repas légers de qualité. Ils sont ouverts de 9h environ à 22h. *El Portal Café y Nevería* et le très cher *Café Del Jardín* donnent tous les deux sur le Jardín. Dans le même genre, *La Dolce Vita*, Recreo 11, propose un petit déjeuner à 2,75 $US.

Le chaleureux *El Pegaso*, dans Corregidora en face de la poste vous accueille à tous les repas. Le matin, le petit déjeuner composé de fruit, œufs, pain et café, ne coûte que 2,25 $US. Dans la journée, on pourra commander de magnifiques sandwiches (dinde fumée à 3 $US, saumon fumé et fromage frais à 4,75 $US). Les plats les moins chers sont à 4,75 $US ; certains sont d'inspiration asiatique. Le restaurant est fermé le dimanche.

Le *Rincón Español*, Correo 29, offre une comida corrida à 4,50 $US et un menú du soir à 5,25 $US. Les autres plats sont plus chers. Il est ouvert tous les jours de 12h à 22h ou 23h.

Le *Mama Mía*, Umarán 8, près de Jardín dans une cour d'une agréable fraîcheur, est devenu une institution de San Miguel autant appréciée pour sa cuisine que pour ses orchestres de musique sud-américaine qui jouent tous les soirs de 20h à 24h. Le prix des plats est parfois élevé (viandes et fruits de mer dans les 6,50 $US, pâtes entre 3,25 $US et 6 $US) mais le petit déjeuner (entre 1,20 $US et 3 $US) est très intéressant. Il est ouvert tous les jours de 8h à 0h30.

Près de Jardín également, le restaurant de la *Posada Carmina*, Cuna de Allende 7, dans une cour, jouit d'une bonne réputation. Il se remplit le dimanche à déjeuner (menú del dia entre 4 $US et 4,75 $US). Il est ouvert de 8h à 21h30. Non loin de là, *La Grotta*, Cuadrante 5 au sous-sol, est un petit restaurant italien intime à la cuisine savoureuse, mais la note est un peu salée. Il est plus avantageux de partager une pizza moyenne (6,50 $US). Les desserts maison sont délicieux.

Le bar-restaurant *Casa Mexas*, Canal 15, affiche des prix élevés mais on s'y amuse bien et la cuisine tex-mex est servie généreusement. Quelques plats sont destinés aux végétariens. A l'arrière, se trouvent un bar avec TV grand écran et billard. Il ouvre tous les jours de 12h à 23h.

Le *Tío Lucas*, Mesones 103, avec un patio couvert, est réputé pour ses spécialités grillées (entre 5,25 $US et 10,25 $US) mais nous avons aussi aimé ses soupes (2,25 $US) et ses salades (moins de 3,25 $US). Il est ouvert tous les jours à partir de 12h. Le soir, des orchestres jouent du blues ou du jazz.

Le *Café Santa Ana*, dans un patio ombragé où coule une fontaine, est mitoyen de la Biblioteca Pública, Insurgentes 25. Il propose un menu californien, et sa cuisine, bonne et à des prix raisonnables, est présentée avec recherche. Il ouvre en semaine de 9h à 18h, le samedi de 9h à 14h.

Autant apprécié des étrangers que des Mexicains, surtout le dimanche, le restaurant de l'*Hotel Quinta Loreto*, Loreto 15, sert une abondante comida corrida à 4,75 $US comprenant une soupe, une salade, des spaghettis et un choix de plats tels que rôti de bœuf ou poulet à l'orange. Le pain est fait maison. Le restaurant est ouvert tous les jours de 8h à 10h30 (petit déjeuner à 2,25 $US) et de 13h30 à 17h.

Le chaleureux *Café Olé Olé*, Loreto 66, est un des restaurants les plus célèbres de San Miguel. Au menu, les grillades au feu de bois prédominent. Les plats les moins chers, de poulet et de bœuf, sont à 4,25 $US. Il est ouvert tous les jours de 13h à 21h.

Végétarien. *El Rincón del Quijote*, Hernández Macías 111, sert une cuisine raffinée dans un cadre reposant. Vous pourrez lire des magazines de voyage en attendant qu'une table se libère. Le choix est abondant et comprend les grands classiques végétariens et quelques spécialités mexicaines. La comida corrida revient à 3,75 $US, les plats coûtent dans les 3,25 $US.

Où sortir

San Miguel est une ville active où les occasions de sorties ne manquent pas. Lisez les panneaux d'affichage et procurez-vous *Atención San Miguel* pour connaître les programmes.

Au restaurant *Mama Mía*, Umarán 8, on peut écouter de la musique sud-américaine tous les soirs à partir de 20h environ. Le restaurant comprend un bar à vins et une salle en sous-sol où des musiciens commencent à jouer vers 22h le week-end en basse saison et des soirs supplémentaires de la semaine en haute saison (l'entrée était gratuite quand nous y sommes passés). *La Fragua*, Cuna de Allende 3, est un autre bar-restaurant dans une cour, avec ambiance musicale, douce la plupart du temps.

Le *Rincón Español*, Correo 29, propose un dîner spectacle flamenco du lundi au jeudi à 20h30, le vendredi et le samedi à 21h45 et le dimanche à 15h. On pourra voir un autre spectacle de flamenco à *La Antigua Restaurant Bar*, Canal 9, les vendredi et samedi soirs à partir de 20h45.

Chez *Tío Lucas*, Mesones 103, les dîneurs pourront écouter du blues et du jazz, la plupart des soirs. *Los Arcángeles*, Canal 21, est un restaurant luxueux doté d'une agréable cour où chacun peut s'asseoir et profiter de la musique, le vendredi et le samedi soir. Le jazz que nous y avons entendu était excellent.

Pancho & Lefty's, Mesones 99, attire la jeunesse avec des groupes de rock les lundi, mercredi et samedi soir, de 22h30 environ à 3h. L'entrée coûte à peu près 2,75 $US et les offres de deux boissons pour le prix d'une reviennent régulièrement au cours de la soirée. Le *Bar Coco*, Hernández Macías 85 au niveau d'Umarán, est un lieu décontracté présentant des guitaristes solistes ou des groupes de blues et de rock, tous les soirs à partir de 22h30 environ. De 18h à 20h, on offre deux bières pour le prix d'une, et il est possible de manger légèrement. Le *Char Rock*, à l'angle de Correo et Diez de Sollano, à l'étage, fait hurler des tubes des années 60 et 70 tous les vendredi et samedi soir.

San Miguel possède plusieurs discothèques. *El Ring*, Hidalgo 25, est central et réputé. Il est ouvert du mercredi au dimanche de 22h à 4h (6,50 $US l'entrée le samedi, 4 $US les autres soirs). Le *Laberinto's*, Ancha de San Antonio 7 près de l'Instituto Allende, jouit également d'une bonne réputation.

Sur le plan culturel, la Escuela de Bellas Artes organise des manifestations variées telles qu'expositions, concerts, lectures et théâtre, annoncées sur son panneau d'affichage.

Pour un merveilleux concert d'oiseaux, passez au Jardín au coucher du soleil. Les oiseaux s'interpellent d'un arbre à l'autre tandis que sous les frondaisons, les hommes s'assemblent en petits groupes pour faire à peu près la même chose.

Achats

San Miguel possède la plus grande concentration de boutiques d'artisanat du Mexique : le pays entier est représenté ici. Les prix sont assez élevés mais la qualité l'est aussi et l'amplitude du choix laisse rêveur. Casa Maxwell, par exemple, dans Calle Canal, à quelque mètres de la plaza, offre une grande variété d'objets. De multiples boutiques jalonnent Canal, San Francisco et Zacateros. L'artisanat local produit essentiellement des objets en métal, en fer forgé, en argent, en cuivre, en cuir et en verre, de la céramique et des textiles, selon des méthodes traditionnelles qui remontent au XVIIIe siècle. Deux ou trois boutiques, comme *Mangos*, Hernández Macías 72, vendent également les vêtements particuliers des femmes de San Miguel. Le *Mercado de Artesanías*, dans une ruelle entre Colegio et Reloj, offre également un grand choix mais plus ordinaire.

Plusieurs marchés se tiennent régulièrement à San Miguel. Tous les jours, les stands de fruits et légumes du *Mercado El Nigromante* s'installent dans Colegio, derrière le Colegio de Sales. Le plus grand *marché* se tient le mardi hors de la ville à côté du centre commercial Gigante à 2,5 km au sud-est du centre sur la route de Querétaro. Un bus "Gigante" ou "Placita" que l'on prend à l'est du Jardín de San Francisco vous y conduira en 10 minutes. *Espino's*, Codo 36, est un grand supermarché. A l'extérieur, sur les marches, on y vend tous les jours des légumes frais.

Comment s'y rendre

Bus. Le Central de Autobuses se trouve dans Canal à 1 km environ à l'ouest du centre. Les billets d'ETN, Primera Plus et Pegaso Plus s'achètent au Travel Institute, Cuna de Allende 11. Les billets de Primera Plus sont aussi en vente chez Transporte Turístico dans Diez de Sollano, tout près de Correo. Les liaisons quotidiennes sont les suivantes :

Celaya – 52 km, 1 heure 15 ; bus 2e classe toutes les 15 minutes de 5h à 20h avec Flecha Amarilla (1,60 $US)

Dolores Hidalgo – 43 km, 1 heure ; bus 2e classe toutes les 20 ou 30 minutes de 6h à 21h avec Flecha Amarilla ou Herradura de Plata (1,50 $US)

Guadalajara – 360 km, 6 heures ; 3 bus 1re classe Primera Plus (19 $US)

Guanajuato – 82 km, entre 1 heure et 1 heure 30 ; 4 bus 1re classe Primera Plus (4,50 $US) et 1 bus Ómnibus de México (4 $US) ; 13 bus 2e classe Flecha Amarilla et 8 Servicios Coordinados (3,25 $US)

Léon – 138 km, 2 heures 15 ; quelques bus 1re classe Primera Plus ; 4 bus 2e classe Flecha Amarilla (7 $US)

Mexico (Terminal Norte) – 280 km, entre 3 heures 15 et 4 heures ; 3 bus deluxe ETN (17 $US) ; 4 bus 1re classe Primera Plus, 3 Herradura de Plata et 2 Pegasso Plus (12 $US) ; bus 2e classe semi-directs au moins toutes les 40 minutes de 5h à 22h avec Servicios Coordinados, Herradura de Plata et Flecha Amarilla (9,25 $US)

Querétaro – 60 km, 1 heure ; 3 bus deluxe ETN (4 $US) ; départs fréquents en bus 2e classe de 5h à 21h, avec Herradura de Plata et Flecha Amarilla (2,25 $US)

Train. La Estación del Ferrocarril (☎ 2-00-07) se trouve tout au bout de Calle Canal, 2 km à l'ouest de la ville. Les trains n°1 et 2, reliant Mexico et Nuevo Laredo, s'arrêtent à San Miguel.

Pour les horaires, reportez-vous à la rubrique *Comment s'y rendre* du chapitre consacré à Mexico, en sachant que les trains ont souvent du retard. Achetez votre billet sur le train.

En primera, vous paierez 4,25 $US jusqu'à San Luis Potosí, 17 $US jusqu'à Monterrey et 24 $US jusqu'à Nuevo Laredo.

Voiture et moto. Gama (☎ 2-08-15) Hidalgo 3, loue des VW berlines pour 24 $US la journée plus 0,20 $US le kilomètre, ou bien 50 $US la journée avec kilométrage illimité. Rajoutez l'assurance de 6,50 $US et 15% de taxes. Réservez au moins une semaine à l'avance, de décembre à mars. Dollar (☎ 2-01-98) se trouve devant l'Hotel Real de Minas dans Ancha de San Antonio.

Comment circuler

Desserte des aéroports. American Express (☎ 2-18-56, 2-16-95), Viajes Vertiz, Hidalgo 1A, propose un transport vers les aéroports de León et de Mexico en combis de 6 personnes maximum. Le tarif par véhicule est de 70 $US jusqu'à León (1 heure 30) et 160 $US jusqu'à Mexico (4 heures). Le Travel Institute (☎ 2-00-78, poste 4), Cuna de Allende 11, assure un service de minibus pouvant contenir jusqu'à 7 personnes au prix de 90 $US pour l'aéroport de León et de 200 $US pour celui de Mexico.

Bus. Les bus locaux circulent tous les jours de 7h à 21h et coûtent 0,30 $US. Les véhicules Central Estación font fréquemment la navette entre les gares routière et ferroviaire et le centre-ville. En entrant dans la ville, ils remontent Insurgentes, effectuent quelques détours et débouchent à l'angle de Mesones et de Colegio. En sens inverse, ils empruntent Canal.

Taxi. Du centre à la gare routière, comptez 1,30 $US, pour la gare ferroviaire, 2 $US. Il vous faudra parfois marchander.

LES ENVIRONS DE SAN MIGUEL

Sources chaudes

Plusieurs balnearios ont été aménagés aux sources chaudes, à proximité de San Miguel, sur la route en direction de Dolores Hidalgo. Tous sont dotés de piscines remplies d'eau minérale (idéale pour la peau) et jouissent d'un cadre superbe. Partout, sauf à Santa Verónica, l'entrée coûte de 4 $US à 4,75 $US. Elles sont accessibles par n'importe quel bus allant à Dolores Hidalgo et partant du Central de Autobuses de San Miguel. Vous pouvez aussi prendre un minibus "Santuario" (toutes les demi-heures) à l'arrêt des minibus dans Puente de Umarán adjacente à Colegio, en face du Mercado El Nigromante. Il s'arrête juste devant ou à proximité de tous les balnearios cités précédemment. Voir *Taboada* (rubrique suivante) pour prendre un autre bus qui raccourcit la distance entre la route principale et ce balneario de 3 à 1 km.

Pour revenir en ville, faites signe à n'importe quel bus passant sur la route.

Taboada. C'est le plus populaire des balnearios, situé à 8 km au nord de San Miguel, puis 3 km à l'ouest par une route secondaire fléchée. Il dispose d'une vaste pelouse et de trois piscines, dont un bassin olympique rempli d'eau tiède, et deux autres, plus petits, avec une eau assez chaude. Le balneario est ouvert de 8h à 17h tous les jours sauf le mardi (entrée : 15 pesos). Un petit kiosque et un bar proposent en-cas et boissons.

Un taxi vous coûtera 5 $US, à l'aller comme au retour. Demandez au chauffeur de venir vous chercher à l'heure convenue. Des minibus à destination de "Xote", partant toutes les heures de l'arrêt Puente de Umarán, vous conduiront à Taboada. Descendez lorsque le bus quitte la petite route de Taboada et parcourez le dernier kilomètre à pied.

Santa Verónica. Ce balneario se trouve juste à côté de la nationale de Dolores Hidalgo, à l'embranchement de Taboada, 8 km au nord de San Miguel. Il possède une grande piscine olympique dont l'eau est un peu plus fraîche que celle de Taboada. Ouvert de 9h à 17h tous les jours sauf le vendredi. Entrée : 2,75 $US.

Parador del Cortijo. A 9 km de San Miguel sur la route de Dolores Hidalgo, le Parador del Cortijo (☎ 2-17-00, 2-07-58) est un hôtel-restaurant équipé d'une piscine thermale, d'un sauna et d'un bain à remous, et offrant divers services tels que soins du visage et massages. La piscine est fermée pour nettoyage le lundi ou le mardi (renseignez-vous par téléphone). Sur la route, un panneau signale clairement le centre thermal.

La Gruta. A une centaine de mètres derrière le Parador del Cortijo, du même côté de la route, ce balneario comprend 3 petites piscines alimentées par une source thermale. La plus chaude est située dans une grotte à laquelle on accède par un tunnel, et éclairée par un unique faisceau de lumière. L'eau qui jaillit du plafond de la grotte vous massera agréablement les épaules. A l'extérieur, les baigneurs pourront se reposer à l'ombre, ou à la table d'un coûteux restaurant.

Escondido Place. Ce balneario, qui est notre préféré, dispose de 2 piscines chaudes, découvertes, et de 3 piscines couvertes, reliées l'une à l'autre et de chaleur croissante. Toutes sont joliment décorées de vitraux colorés. La troisième est couverte par une coupole percée en brique, et un jet d'eau jaillissant du haut d'un mur vient vous masser les chairs. Le charmant jardin est suffisamment grand pour pique-niquer tranquillement et une petite buvette vend des boissons et des snacks. Le centre est ouvert tous les jours de 8h30 à 17h30. Il est bien signalé sur la route, juste avant le Parador del Cortijo. Une piste d'un kilomètre y donne accès depuis la route. En taxi, la course revient à environ 5,25 $US aller simple.

Atotonilco

Quittez la route Dolores Hidalgo au Parador del Cortijo ; 1 km plus loin, vous parviendrez au hameau d'Atotonilco, dominé par le Santuario, fondé en 1740 pour servir de lieu de retraite spirituelle. C'est là que se maria Ignacio Allende en 1802. Huit ans plus tard, il y retourna avec Miguel Hidalgo et les rebelles indépendantistes, afin d'y prendre la bannière de la Vierge de Guadalupe dont ils firent leur drapeau.

Aujourd'hui, pèlerins et pénitents de tout le Mexique affluent à Atotonilco. Ce lieu est aussi le point de départ d'une importante procession solennelle deux semaines avant Pâques, au cours de laquelle l'image du Señor de la Columna est transportée à l'église San Juan de Dios, à San Miguel. Le sanctuaire compte six chapelles et regorge de statues, fresques et autres peintures. Un important chantier de restauration est en cours. Des danses indiennes animent le troisième dimanche de juillet.

Pozos

Il y a encore quelques années, Pozos était une sorte de ville fantôme où 2 000 habitants vivaient parmi les maisons abandonnées et les anciens bâtiments miniers. Au début du siècle, les mines de cuivre et d'argent avaient fait naître une ville florissante de 50 000 habitants. Elle est maintenant l'objet d'un plan de développement et l'on vient de construire un hébergement cossu, l'*Hotel Casa Mexicana* (☎ 468-8-25-98, poste 116), Ocampo 6 face au Jardín Principal, dans une hacienda vieille d'un siècle. Les doubles en pension complète coûtent 90 $US. *Hidalgo B&B* (☎ 468-8-25-98, poste 119), Hidalgo 15, demande 12 $US par personne petit déjeuner inclus.

A Pozos, on explorera les galeries souterraines des anciennes mines, les ruines et les chapelles, ou bien l'on se promènera aux alentours à cheval ou à bicyclette. Il existe aussi une galerie d'art et deux ou trois bons restaurants.

Quelques habitants gagnent leur vie en fabriquant des répliques d'instruments de musique, tels que des tambours en peau de daim. Ces instruments, qui accompagnent des danses préhispaniques, sont visibles lors des fêtes.

Pozos se trouve à 35 minutes en voiture de San Miguel et 45 minutes de Querétaro. Depuis San Miguel, prenez la route de Querétaro et tournez à gauche au bout de 4 km en direction de Dr Mora. Suivez cette route sur 35 km ; en chemin vous croiserez la route 57. Tournez à gauche à un carrefour où l'on signale que Pozos est distant de 14 km. Pour y accéder en bus depuis San Miguel, il faut faire un trajet de 2 ou 3 heures sur 3 bus différents, d'abord jusqu'à Dolores Hidalgo, puis San Luis de la Paz, puis Pozos à 11 km au sud.

QUERÉTARO

•Hab. : 500 000 • Alt. : 1 762 m • ☎ 42

Querétaro est une ville animée, encore plus belle le soir quand ses bâtiments sont illuminés. C'est un réel plaisir de se promener au hasard de ses rues et de ses places. La ville est à découvrir absolument si vous vous intéressez à l'histoire du Mexique, où elle a joué un rôle important. En 1996, elle a officiellement repris son ancien nom de Santiago de Querétaro, mais l'usage lui préfère toujours simplement Querétaro.

Histoire

Habitée en premier lieu par les Indiens otomís, qui furent absorbés au XVe siècle par l'empire aztèque, Querétaro fut conquise par les Espagnols en 1531. Les franciscains y fondèrent une mission pour mener à bien l'évangélisation de l'actuel sud-ouest des États-Unis et des pays jouxtant le Mexique.

Au début du XIXe siècle, Querétaro fut le théâtre d'intrigues et de complots de criollos désœuvrés pour libérer le Mexique du joug espagnol. Les conspirateurs, dont faisait partie Miguel Hidalgo, se retrouvaient secrètement chez Doña Josefa Ortiz (La Corregidora), la femme d'un ancien *corregidor* (administrateur) de Querétaro.

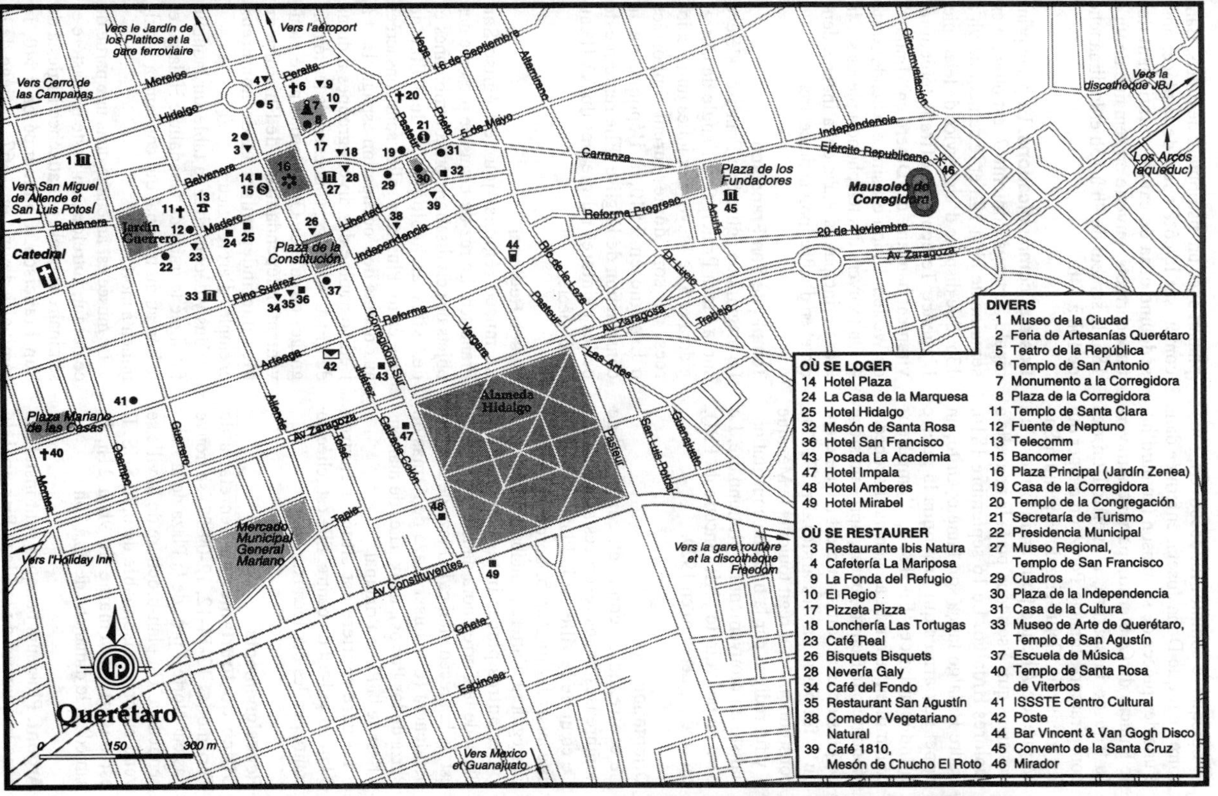
Querétaro
DIVERS
1 Museo de la Ciudad
2 Feria de Artesanías Querétaro
5 Teatro de la República
6 Templo de San Antonio
7 Monumento a la Corregidora
8 Plaza de la Corregidora
11 Templo de Santa Clara
12 Fuente de Neptuno
13 Telecomm
15 Bancomer
16 Plaza Principal (Jardín Zenea)
19 Casa de la Corregidora
20 Templo de la Congregación
21 Secretaría de Turismo
22 Presidencia Municipal
27 Museo Regional, Templo de San Francisco
29 Cuadros
30 Plaza de la Independencia
31 Casa de la Cultura
33 Museo de Arte de Querétaro, Templo de San Agustín
37 Escuela de Música
40 Templo de Santa Rosa de Viterbos
41 ISSSTE Centro Cultural
42 Poste
44 Bar Vincent & Van Gogh Disco
45 Convento de la Santa Cruz
46 Mirador
OÙ SE LOGER
14 Hotel Plaza
24 La Casa de la Marquesa
25 Hotel Hidalgo
32 Mesón de Santa Rosa
36 Hotel San Francisco
43 Posada La Academia
47 Hotel Impala
48 Hotel Amberes
49 Hotel Mirabel
OÙ SE RESTAURER
3 Restaurante Ibis Natura
4 Cafetería La Mariposa
9 La Fonda del Refugio
10 El Regio
17 Pizzeta Pizza
18 Lonchería Las Tortugas
23 Café Real
26 Bisquets Bisquets
28 Nevería Galy
34 Café del Fondo
35 Restaurant San Agustín
38 Comedor Vegetariano Natural
39 Café 1810, Mesón de Chucho El Roto
Alameda Hidalgo
Plaza de los Fundadores
Mausoleo de Corregidora
Plaza de la Constitución
Jardín Guerrero
Mercado Municipal General Mariano
Plaza Mariano de las Casas
Catedral
Vers le Jardín de los Platitos et la gare ferroviaire
Vers Cerro de las Campanas
Vers San Miguel de Allende et San Luis Potosí
Vers l'aéroport
Vers la discothèque JBJ
Los Arcos (aqueduc)
Vers la gare routière et la discothèque Freedom
Vers Mexico et Guanajuato
Vers l'Holiday Inn
0 150 300 m

Lorsque le complot fut découvert, l'histoire veut que Doña Josefa, enfermée dans l'une des pièces de sa maison (aujourd'hui le Palacio de Gobierno), parvint, à travers le trou de la serrure, à avertir l'un des conspirateurs, Ignacio Pérez, du danger qui les menaçait. Celui-ci galopa jusqu'à San Miguel de Allende pour en informer l'un des siens qui, à son tour, porta la nouvelle à Dolores Hidalgo. Le 16 septembre 1810, Padre Hidalgo lança son fameux Grito, un appel aux armes qui provoqua la guerre d'Indépendance. En 1867, l'empereur Maximilien se rendit au général Escobedo, mandaté par Benito Juárez, après un siège de plus de cent jours, et c'est à Querétaro qu'il fut passé par les armes. En 1917, la constitution – qui régit toujours le Mexique – y fut rédigée par la branche constitutionnaliste du mouvement révolutionnaire. Le parti au pouvoir, le PNR (ancêtre du PRI), fut créé à Querétaro en 1929.

Orientation

Le centre, assez compact, comprend de nombreuses zones réservées aux piétons. Le cœur de la ville est la Plaza Principal, dite aussi Jardín Zenea, bordée à l'est par Corregidora, l'artère principale du centre.

Les autres places importantes sont la Plaza de la Corregidora dans l'angle nord-est de la précédente, et la Plaza de la Independencia (dite aussi Plaza de Armas ou Plaza de los Perros), deux pâtés de maisons à l'est de la Plaza Principal.

La gare routière est située à environ 5 km au sud-est du centre. Elle est reliée au centre par des bus locaux.

Renseignements

Office du tourisme. La Secretaría de Turismo (☎ 12-14-12, 12-09-07) se trouve Pasteur Norte 4 près de la Plaza de la Independencia. Un plan-brochure de la ville se vend au prix raisonnable de 0,70 $US. Il est ouvert en semaine de 9h à 21h, le samedi et le dimanche de 9h à 20h.

Argent. Plusieurs banques sont installées dans le quartier de la Plaza Principal, la plupart avec un distributeur de billets. Bancomer, sur le côté ouest de la place, possède une casa de cambio pratiquant des taux corrects, ouverte en semaine de 9h à 18h, le samedi de 9h à 15h et le dimanche de 10h à 14h.

Poste et communications. La poste principale, Arteaga Poniente 7, est ouverte en semaine de 8h à 19h et le samedi de 9h à 13h. Elle dispose d'un service de télécopie. L'agence Telecomm, offrant télécopie, virement bancaire et "Dinero en Minutos" de Western Union est située Allende Norte 4. On trouvera des téléphone à pièces sur la Plaza Principal, la Plaza de la Independencia et en d'autres points du centre.

Templo de San Francisco

La magnifique église San Francisco s'élève sur la Plaza Principal, à l'angle de Corregidora et 5 de Mayo. Les jolies tuiles colorées de son dôme furent importées d'Espagne en 1540, à l'époque de la construction de l'église. Elle renferme de belles peintures religieuses du XVIIe au XIXe siècle.

Museo Regional

Le musée régional jouxte l'église San Francisco. Le rez-de-chaussée présente des objets des civilisations précolombiennes et des sites archéologiques de l'État de Querétaro. Plusieurs salles sont consacrées aux débuts de l'occupation espagnole et à l'ethnographie des divers groupes indiens de l'État. A l'étage, sont exposés les témoignages du rôle de Querétaro dans le mouvement indépendantiste, de l'histoire du Mexique indépendant et de nombreux exemples d'art religieux.

Vous y découvrirez la table sur laquelle fut signé le traité de Guadalupe Hidalgo et le bureau du tribunal qui condamna Maximilien à mort.

Le musée est aménagé dans une partie de ce qui fut, autrefois, un vaste monastère et séminaire auquel était attachée l'Iglesia de San Francisco. Commencé en 1540, le séminaire devint, en 1567, le siège de la province franciscaine de San Pedro y San Pablo de Michoacán.

La construction se poursuivit, bon an mal an, jusqu'en 1727. La tour constituait le point le plus élevé de la ville et, dans les années 1860, le monastère servit de fortification aussi bien aux impérialistes soutenant Maximilien qu'aux forces qui le vainquirent en 1867.

Le musée est ouvert du mardi au samedi de 10h à 17h et le dimanche de 9h à 16h (1,70 $US).

Museo de Arte de Querétaro

Le musée d'art de Querétaro, Allende Sur 14, occupe l'ancien monastère auquel l'église San Agustín voisine était rattachée. Édifié entre 1731 et 1748, il constitue un remarquable exemple d'architecture baroque, avec anges, gargouilles, statues, ornant tout l'édifice, et, plus particulièrement, la cour intérieure.

Dans ce musée, non seulement les expositions sont bien présentées, mais si vous comprenez l'espagnol, les explications fournies dans chaque salle font office de cours d'histoire de l'art.

Le rez-de-chaussée présente des peintures européennes des XVIe et XVIIe siècles qui retracent diverses influences, notamment celle de l'art flamand sur l'art espagnol et mexicain, et des peintures mexicaines des XIXe et XXe siècles.

Le dernier étage présente une exposition de photos illustrant l'histoire du monastère ; les autres salles sont consacrées au XVIe siècle maniériste et au XVIIIe siècle baroque.

Le musée ouvre du mardi au dimanche de 11h à 19h (1,30 $US, gratuit le mardi).

Teatro de la República

Une rue au nord de la Plaza Principal, à l'angle de Juárez et d'Angela Peralta, ce ravissant vieux théâtre fut le lieu du procès de l'empereur Maximilien en 1867. La constitution mexicaine y fut signée le 31 janvier 1917. La toile de fond de la scène liste les noms des signataires en mentionnant les États qu'ils représentaient.

En 1929, des hommes politiques s'y réunirent pour créer le parti au pouvoir, le PNR, devenu depuis le PRI.

Le théâtre est ouvert au public du mardi au dimanche de 10h à 15h et de 17h à 20h. L'entrée est gratuite.

Casa de la Corregidora (Palacio de Gobierno)

La Casa de la Corregidora est la maison d'où Doña Josefa Ortiz informa Ignacio Pérez des projets d'arrestation des partisans de l'indépendance. Elle se trouve au nord de la Plaza de la Independencia et abrite aujourd'hui le Palacio de Gobierno. On peut visiter le bâtiment de 8h à 21h en semaine et de 9h à 14h le samedi.

La chambre où Doña Josefa fut enfermée est la grande pièce à l'étage au-dessus de l'entrée. Elle sert aujourd'hui de salle de conférence au gouverneur.

Convento de la Santa Cruz

A 10 minutes à pied, à l'est du centre de Querétaro, se trouve l'un des sites les plus intéressants, le Convento de la Santa Cruz, sur la Plaza de los Fundadores. Ce monastère fut bâti entre 1654 et 1815, sur le champ de bataille où l'apparition miraculeuse de saint Jacques (Santiago) contraignit les Indiens otomís à se rendre aux conquistadores. Maximilien y établit ses quartiers militaires alors qu'il subissait un siège de mars à mai 1867. Après sa reddition et sa condamnation à mort, il y fut enfermé avant d'être passé par les armes. Aujourd'hui, le monastère abrite une école religieuse.

Un guide vous donnera un aperçu de l'histoire du convento, vous fera découvrir divers cadrans solaires, un ingénieux système à eau et des méthodes de cuisson et de réfrigération coloniales uniques. Il vous relatera plusieurs miracles survenus au Convento : un arbre se mit à pousser en prenant racine d'une canne qu'avait plantée en terre un moine, en 1697.

Le Convento est ouvert du lundi au vendredi de 9h à 14h et de 16h à 18h, le samedi et le dimanche de 9h à 16h.

L'entrée est gratuite mais le guide demandera un pourboire en fin de visite (commentée en anglais ou en espagnol).

Mirador y Mausoleo de la Corregidora
Remontez Independencia vers l'est jusqu'au Convento de la Santa Cruz, puis obliquez vers la droite dans Ejército Republicano. Vous arriverez à un mirador d'où l'on voit "Los Arcos," un aqueduc de 1 280 m de long, emblématique de Querétaro. Il fut construit entre 1726 et 1735 et comprend 74 arcs de grande hauteur. Il alimente toujours la ville en eau depuis une source distante de 12 km.

De l'autre côté de la rue, se trouve le tombeau de Doña Josefa Ortiz (la Corregidora) et de son époux, Miguel Domínguez de Alemán. Derrière le tombeau, dans un sanctuaire, la vie de Doña Josefa est racontée à l'aide de documents et d'images.

Alameda Hidalgo
Trois pâtés de maisons au sud de la Plaza Principal, dans Corregidora, ce grand espace vert et boisé est idéal pour piqueniquer ou se promener.

Autres sites du centre-ville
La Plaza de la Corregidora est dominée par le **Monumento a la Corregidora**, une statue de Doña Josefa Ortiz portant la flamme de la liberté, datant de 1910.

Un pâté de maisons à l'ouest de la Plaza Principal, dans Madero, la **Fuente de Neptuno** (fontaine de Neptune) est l'œuvre d'un célèbre architecte mexicain de la période néo-classique, Eduardo Tresguerras. Elle date de 1797. Voisin de la fontaine, le **Templo de Santa Clara** du XVIIe siècle, possède un intérieur décoré de style baroque. Dans Madero, à hauteur d'Ocampo, la **Catedral** du XVIIIe siècle est plus dépouillée. Hidalgo, une rue plus au nord parallèle à Madero, est bordée de belles demeures.

Au croisement d'Arteaga et de Montes, se dresse le **Templo de Santa Rosa de Viterbos**, du XVIIIe siècle. C'est l'église baroque la plus exubérante de Querétaro, avec son clocher en forme de pagode, ses peintures extérieures inhabituelles, et ses contreforts aux lignes recourbées. L'intérieur ruisselle d'or et de marbre. L'église possède aussi une horloge à quatre côtés qui serait, selon certains, la première du genre dans le Nouveau Monde.

Les autres églises importantes de l'époque coloniale sont le **Templo de San Antonio** dans Corregidora Norte à hauteur de Peralta, riche de deux orgues imposantes, de beaux lustres en cristal, de murs tapissés de papier rouge et de peintures à l'huile ; et le **Templo de la Congregación** dans Pasteur Norte à hauteur de 16 de Septiembre, dont on admirera les vitraux et le superbe grand orgue.

Cerro de las Campanas
A l'extrémité ouest de la ville, à environ 35 minutes de marche du centre, se profile le Cerro de las Campanas (colline des Cloches), où Maximilien fut exécuté. La famille de l'empereur fit construire une chapelle à cet endroit. Aujourd'hui s'étend un parc, avec une statue de Benito Juárez, un café et le Museo del Sitio de Querétaro (musée du siège de la ville), tous ouverts du mardi au dimanche (de 10h à 14h et de 15h30 à 18h pour le musée, de 6h à 18h pour le parc). Les bus "UAQ," "CU" et "Universidad" vous y conduiront. On les prend dans Avenida Zaragoza à hauteur de l'Alameda Hidalgo, en direction de l'ouest. Descendez à Ciudad Universitaria.

Circuits organisés
Des visites guidées du centre-ville (à pied, et commentées en espagnol ou en anglais) partent tous les jours à 10h30 et 18h de l'office du tourisme (1,30 $US par personne) ; elles durent environ 2 heures.

Manifestations annuelles
La Feria Internacional de Querétaro (première quinzaine de décembre) est l'une des plus grandes foires commerciales du Mexique. Le bétail y occupe une place de choix, mais l'industrie, le commerce et l'artisanat sont également représentés. Elle

s'accompagne de spectacles et divertissements variés.

Où se loger – petits budgets

L'*Hotel San Francisco* (☎ 12-08-58), Corregidora Sur 144, est une bâtisse labyrinthique à étages. Ses petites chambres correctes, avec s.d.b. et TV, reviennent à 6,50 $US la simple, et 8,50 $US ou 9,25 $US la double.

Les chambres de la *Posada La Academia*, Pino Suárez 52, sont monacales et sombres, mais propres et dotées d'une s.d.b. et d'une TV. Elles coûtent 5,25/6,50 $US en simple/double, ou 7,75 $US en double avec lits jumeaux.

L'*Hotel Hidalgo* se trouve à deux pas de la Plaza Principal, Madero 11 Poniente. Les simples sont à 8,50 $US, les doubles à 9,75 $US ou 11 $US, toutes avec s.d.b. Quelques grandes chambres peuvent accueillir 7 personnes, moyennant 2 $US par hôte supplémentaire. En haut, certaines chambres ont un petit balcon donnant sur la rue. On peut stationner dans la cour et l'on trouvera sur place un restaurant bon marché ouvert de 8h à 22h.

L'*Hotel Plaza* (☎ 12-11-38), Juárez Norte 23 sur la Plaza Principal, renferme 29 chambres confortables et nettes – quoique fort usagées –, toutes avec TV. Elles donnent soit sur la cour intérieure, avec des fenêtres, soit sur la place, avec une porte-fenêtre et un petit balcon, mais dans ce cas, avec l'air et la lumière, vous recevrez aussi le bruit. Les simples coûtent entre 9,75 $US et 13 $US, les doubles entre 13 $US et 20 $US.

Où se loger – catégorie moyenne

L'*Hotel Impala* (☎ 12-25-70 ; fax 12-45-15), Colón 1 (adresse postale), est un hôtel moderne de plusieurs étages à l'angle de Corregidora Sur et de Zaragoza, face à l'Alameda Hidalgo. Les 108 chambres se présentent toutes avec moquette et TV couleur, certaines avec vue sur le parc, mais attention au bruit. Les chambres intérieures sont suffisamment claires et plus calmes. Les simples sont louées 15 $US, les doubles 17 $US. Un parking est aménagé au sous-sol.

L'*Hotel Amberes* (☎ 12-86-04 ; fax 12-41-51), Corregidora Sur 188, donne aussi sur l'Alameda Hidalgo, et ressemble au précédent, en un peu plus élégant, avec 140 simples/doubles à 21/29 $US et un bon restaurant.

Où se loger – catégorie supérieure

Deux établissements sont venus combler récemment le manque d'hébergement de grand standing. Le splendide *La Casa de la Marquesa* (☎ 12-00-92 ; fax 12-00-98, Madero 41, occupe une ancienne demeure de style baroque et mudéjar (XVIIIe siècle). L'intérieur est rempli de sculptures, de carreaux de faïence, de fresques et de mobilier d'époque. Il offre 25 suites, toutes différentes mais équipées de la TV câblée et de la clim. Leur prix s'échelonne entre 140 et 350 $US (petit déjeuner compris). Les moins chères se trouvent dans un bâtiment séparé, la Casa Azul, à l'angle de Madero et Allende. Les enfants de moins de 12 ans ne sont pas admis.

Le *Mesón de Santa Rosa* (☎ 24-26-23 ; fax 12-55-22 ; e-mail starosa@sparc.ciateq.conacyt.mx), Pasteur Sur 17, sur la Plaza de la Independencia, est une autre bâtisse coloniale récemment réaménagée. Elle s'ordonne autour de 3 patios dont un avec une piscine chauffée, un autre avec une fontaine, et le troisième avec des tables de restaurant. Il comprend 21 suites élégantes et confortables équipées d'un coffre et d'une TV recevant les chaînes satellite. Les prix varient de 75 à 98 $US.

L'*Hotel Mirabel* (☎ 14-39-29 ; fax 14-35-85), Constituyentes Oriente 2, sur le côté sud de l'Alameda Hidalgo, dispose de 171 chambres modernes à 34/47 $US. Toutes se présentent avec TV couleur et clim., et certaines donnent sur le parc. Restaurant sur place.

L'*Holiday Inn* (☎ 16-02-02 ; fax 16-89-02), à 2,5 km à l'ouest du centre, Avenida 5 de Febrero 110, au nord de l'Avenida Zaragoza, coûte 82 $US pour une ou deux personnes. Les chambres sont climatisées et la TV reçoit les chaînes satellite. Des courts de tennis, une piscine, un bar, une cafétéria et un restaurant complètent les prestations.

Où se restaurer

Le *Café del Fondo*, Pino Suárez 9, est un endroit tranquille bercé par une douce musique de fond que distille une vieille chaîne hifi grinçante. Au petit déjeuner, des œufs accompagnés de frijoles, d'un petit pain, de jus de fruit et de café vous coûteront 1,10 $US. A déjeuner, la comida corrida de 4 plats est proposée à 1,60 $US et le choix est large. Le café est ouvert tous les jours de 7h30 à 22h, et l'on n'est pas pressé de consommer. Une salle est réservée aux joueurs d'échecs. Juste à côté, le *Restaurant San Agustín* offre des services similaires au petit déjeuner et au déjeuner.

Le *Bisquets Bisquets* donnant sur la Plaza de la Constitución, au sud de la Plaza Principal, est un petit établissement accueillant servant une bonne cuisine à de bons prix. Il est ouvert tous les jours de 7h à 23h. La comida corrida est à 2,50 $US.

Les végétariens et les amateurs de nourriture bio apprécieront le *Restaurante Ibis Natura*, Juárez Norte 47. Il est ouvert tous les jours de 8h à 21h30. La comida corrida à 2,50 $US est une excellente affaire, ainsi que les burgers au soja, aux champignons et au fromage, à 1,10 $US. Le petit *Comedor Vegetariano Natura*, Vergara 7, est un autre bon restaurant végétarien, ouvert du lundi au samedi de 8h à 21h, et proposant une comida de 4 plats à 2,50 $US.

La Plaza de la Corregidora et la rue piétonne 16 de Septiembre qui part vers l'est sont bordées de nombreux cafés et bars-restaurants. *El Regio*, *La Fonda del Refugio* et *Pizzeta Pizza* donnent sur la place.

La *Nevería Galy*, 5 de Mayo 8, près de la Plaza Principal, est une institution de Querétaro réputée pour ses glaces artisanales. Ses spécialités sont le nieve de limón (sorbet au citron) servi avec de l'eau minérale, du Coca Cola ou du vin rouge. En face, la *Lonchería las Tortugas* prépare des plats à emporter.

Pour prendre un dessert et un café, nous recommandons la *Cafetería La Mariposa*, Peralta 7, au nord de la Plaza Principal. Entrez par la boutique du glacier-confiseur. Elle sert des repas mexicains standards à des prix intéressants, et l'on peut vous faire un expresso sur une machine italienne.

Le *Café Real* à l'angle de Madero et Allende, dans la Casa Azul de la Casa de la Marquesa, sert une bonne cuisine à des prix raisonnables, au clapotis rafraîchissant d'une fontaine. La carte propose des croissants au jambon et au fromage, des antojitos, des salades, des pâtes et des burgers, entre 2 et 3,25 $US, et des puntas de filete (filet de bœuf) à 4 $US.

Quelques établissements réputés, mais plus onéreux donnent sur la verte et tranquille Plaza de la Independencia, avec des tables en terrasse. Le *Mesón de Chucho El Roto* se vante de servir une "alta cocina mexicana" (grande cuisine mexicaine) consistant en camarones al molcajete (rouleaux de crevettes au bacon, au fromage et aux nopalitos, dans une sauce à la tomate) et medallones en salsa huitlacoche (médaillons de bœuf dans une sauce faite à partir d'un champignon du maïs, denrée très recherchée depuis l'époque aztèque). Les mets plus traditionnels (steak, fruits de mer et poulet) ne sont pas oubliés. Les plats de résistance coûtent entre 4 et 6,50 $US. Le voisin du Mesón, le *Café 1810*, est également une bonne adresse.

La Casa de la Marquesa et le *Mesón de Santa Rosa* (voir *Où se loger*) abritent tous deux un restaurant de grande classe.

Où sortir

Querétaro possède une vie culturelle à la hauteur de son rôle de capitale d'État et de ville universitaire. Vous obtiendrez un calendrier des manifestations auprès de l'office du tourisme. Le dimanche soir, de 18h30 à 20h30 environ, la *Plaza Principal* se peuple de familles venues écouter les concerts de la formation musicale régionale, parfois accompagnée de danseurs.

Vous pourrez écouter de la musique en plein air au *Jardín de los Platitos*, sur Juárez. Les groupes de mariachis, de ranchera, des trios et autres formations commencent à donner de la voix tous les soirs au crépuscule et continuent jusqu'au petit matin.

Le *Cuadros*, un café-bar-galerie, 5 de Mayo Oriente 16 entre la Plaza Principal et la Plaza de la Independencia invite des musiciens très divers à jouer tous les soirs sauf le lundi, jusqu'à 2h. Du jeudi au samedi, l'entrée est payante (2 $US).

Le bar *El Regio* sur la Plaza de la Corregidora est lui aussi musical, avec des groupes attirant une clientèle plus jeune. La *Escuela de Música* de l'université, dans Independencia à hauteur de Juárez Sur, annonce ses concerts (rock et autres) par voie d'affiche.

La *Casa de la Cultura*, 5 de Mayo 40, organise des concerts, des spectacles de danse, de théâtre, et des expositions, de même que le ISSSTE Centro Cultural, Arteaga 70. Passez-y aux heures d'ouverture des bureaux pour prendre leurs programmes mensuels.

La *Galería Libertad*, Libertad 56, sur le côté sud de la Plaza de la Independencia, accueille d'excellentes expositions. Elle est ouverte tous les jours de 8h à 20h. D'autres expositions ont lieu à la Escuela de Bellas Artes de la Universidad Autónoma de Querétaro, dans Hidalgo entre l'Avenida Tecnológico et Régules.

Les discothèques actuellement *de moda* sont le *Van Gogh* attenant au bar *Vincent*, Pasteur Sur 285 ; le *JBJ*, Boulevard Bernardo Quintana 109, juste à l'est du périphérique est de la ville et au sud de l'aqueduc ; et le *Freedom*, Constituyentes Oriente 119 à Colonia Carretas.

Achats

La Feria de Artesanías Querétaro, Juárez Norte 49, est un grand magasin d'artisanat au choix très étendu. D'autres boutiques et étals d'artisanat bordent Libertad et 16 de Septiembre, à l'est de Corregidora.

Comment s'y rendre

Avion. Aeromar (☎ 24-13-33) dessert Mexico 6 jours par semaine.

Bus. Querétaro est un important carrefour routier. La vaste et moderne Central Camionera se trouve à 5 km au sud-est du centre-ville sur le côté sud de l'autoroute Mexico-León. Il comprend deux bâtiments, un pour les bus de luxe et 1re classe, et un autre pour les bus 2e classe.

Tous deux renferment une cafetería, une caseta téléphonique, des téléphones à pièces, des boutiques et une consigne à bagages. Les départs quotidiens sont les suivants :

Guanajuato – 165 km, 2 heures 30 ; 2 bus 1re classe Ómnibus de México (5,75 $US) ; 4 bus 2e classe Flecha Amarilla (5,25 $US) ; nombreux bus pour Irapuato où les correspondances sont incessantes.

Aéroport de Mexico – 225 km, 3 heures ; 11 bus 1re classe Aeroplus (9,75 $US)

Mexico (Terminal norte) – 215 km, entre 2 heures 30 et 3 heures ; 30 bus de luxe ETN (12 $US) ; 50 bus 1re classe Primera Plus (8,75 $US) ; bus 2e classe toutes les 10 minutes avec Flecha Amarilla, et toutes les 40 minutes avec Herradura de Plate (6,50 $US)

Morelia – 195 km, entre 3 et 4 heures ; 4 bus 1re classe Primera Plus (6,75 $US) ; bus 2e classe toutes les heures avec Flecha Amarilla (5,25 $US)

San Luis Potosí – 202 km, 2 heures 30 ; une vingtaine de bus 1re classe Servicios Coordinados, Transportes del Norte ou Primera Plus (de 7,25 $US à 8 $US) ; bus 2e classe toutes les heures Flecha Amarilla (6,25 $US)

San Miguel de Allende – 60 km, 1 heure ; 2 bus de luxe ETN (3,75 $US) ; bus 2e classe toutes les 40 minutes Herradura de Plata et Flecha Amarilla (2 $US)

Tequisquiapan – 70 km, 1 heure 30 ; bus 2e classe toutes les 30 minutes Flecha Amarilla (1,30 $US)

Train. Querétaro est desservi par le train División del Norte reliant Mexico à Ciudad Juárez, et par les trains n°1 et 2 de la ligne Mexico-Nuevo Laredo. Reportez-vous à la rubrique *Train* du chapitre *Mexico* pour tout ce qui concerne les horaires et les tarifs.

La gare (☎ 12-17-03) se trouve sur l'Avenida Héroes de Nacozari à hauteur de Invierno, à 1 km au nord du centre. La vente des billets est assurée tous les jours de 9h à 17h. Pour le División del Norte, il est nécessaire d'acheter les billets à l'avance.

Voiture et moto. Sur la 57/57D, le péage pour une voiture s'élève à 8,25 $US depuis Mexico. Le tronçon Querétaro-Irapuato, par la 45D, coûte 7 $US.

Comment circuler

Une fois parvenu au centre-ville, les sites se visitent aisément à pied. Pour aller à l'aéroport, distant de 8 km au nord-est, il faut prendre un taxi.

Les bus municipaux, parfois d'une lenteur insupportable, circulent de 6h à 21h ou 22h et coûtent 0,30 $US. A la gare routière, leur arrêt se trouve sur un terrain découvert à 3 ou 4 minutes du terminal en direction de la grande route. Plusieurs lignes desservent le centre. La n°8 et la n°19 passent par Alameda Hidalgo et remontent ensuite Ocampo.

En sens inverse, pour aller du centre à la gare routière, prenez le n°19 ou le n°36, ou n'importe quel bus indiquant "Terminal de Autobuses," sur le côté est de l'Alameda Hidalgo en direction du sud. Pour rejoindre la gare ferroviaire, vous pouvez prendre le n°110 en direction du nord dans Allende à hauteur de Madero.

ACOLMAN

• Hab. : 54 369 • Alt. : 2 250 m • ☎ 595

A environ 40 km au nord de Mexico, juste à côté de la 132D (la route à péage pour Teotihuacán), vous verrez les remparts de l'**Ex-Convento de San Agustín Acolman**. L'église adjacente de San Agustín, bâtie entre 1539 et 1560, possède un vaste intérieur gothique et ce qui fut l'une des premières façades plateresques. L'ancien monastère abrite aujourd'hui un musée d'objets et de tableaux datant de la première période missionnaire (ouvert de 10h à 17h du mardi au dimanche ; l'entrée coûte 2 $US). Le bâtiment historique, avec ses murs massifs, ses cours à colonnades et ses sculptures de pierre, est décoré de nombreuses fresques. C'est une halte agréable sur le chemin en allant ou en revenant de Teotihuacán. Des bus partent pour Acolman de la station de métro Indios Verdes à Mexico. Ce n'est pas loin de Teotihuacán, et vous pouvez donc vous offrir un taxi pour environ 4 $US.

TEOTIHUACÁN

• Hab. : 39 182 • Alt. : 2 300 m • ☎ 595

S'il est un site "incontournable" à proximité de Mexico, c'est bien Teotihuacán, situé à 50 km au nord-est du centre-ville et perdu dans les montagnes qui surplombent le valle de Mexico. Site des vastes Pirámides del Sol y de la Luna (pyramides du Soleil et de la Lune), Teotihuacán fut longtemps la plus grande ville du Mexique, avec 200 000 habitants à son apogée, et la capitale du plus grand empire précolombien. Vous apprécierez l'endroit en empruntant les sentiers les moins fréquentés, à l'écart de l'Avenida de los Muertos.

Lisez la rubrique *Histoire* dans le chapitre *Présentation du Mexique* pour un aperçu de l'importance de Teotihuacán. Dès le début de notre ère, la ville fut construite selon un quadrillage bien précis et la pyramide du Soleil fut édifiée – au-dessus d'un ancien sanctuaire dans une grotte – en 150. Le reste de la ville fut, en majeure partie, construit entre 250 et 600. A son apogée au VIe siècle, elle était devenue la sixième ville du monde. Elle déclina, fut pillée et abandonnée au VIIe siècle.

Deux grandes avenues se croisant près de la Ciudadela (Citadelle) divisaient la ville en quartiers. L'axe nord-sud est la célèbre voie des Morts, ainsi appelée parce que les derniers Aztèques croyaient que les grands édifices qui la bordent étaient des tombes bâties par des géants en l'honneur des premiers chefs de Teotihuacán. Les plus grandes structures sont caractérisées par le style *talud-tablero*, dans lequel des sections inclinées (talud) et verticales

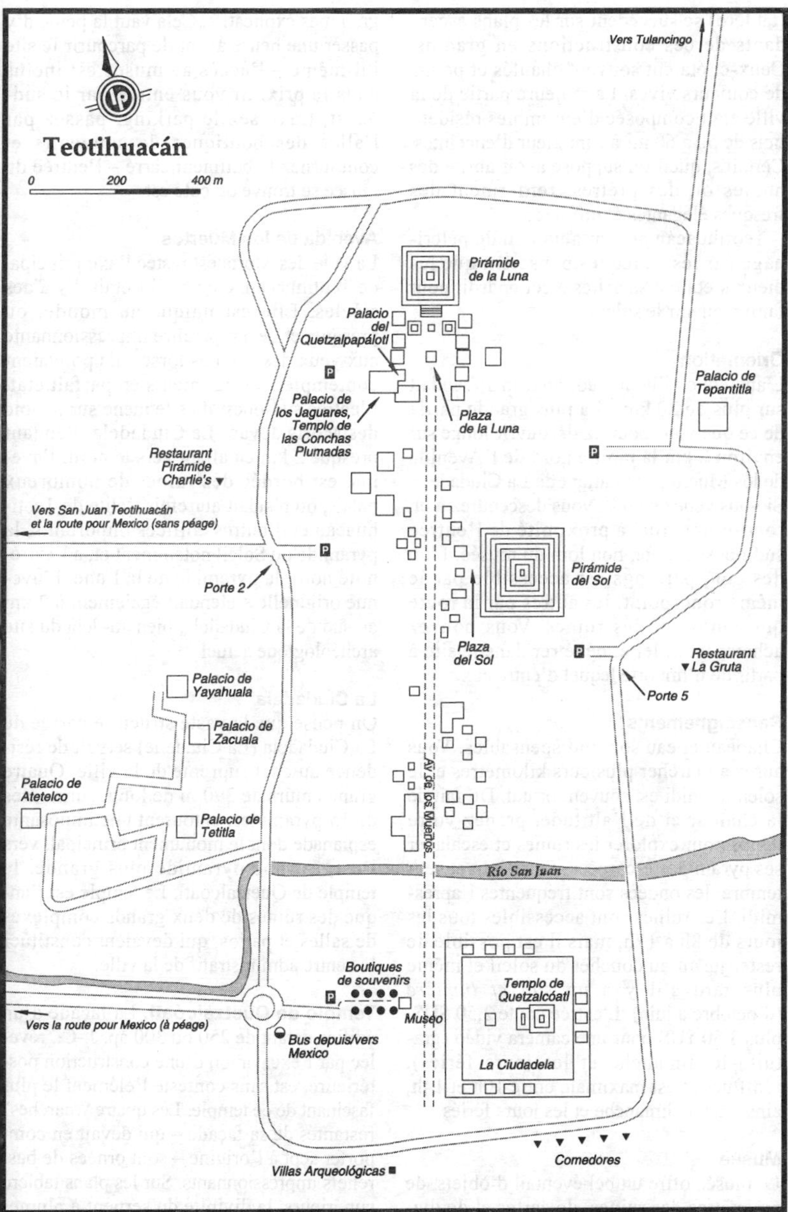
Teotihuacán
0
200
400 m
Vers Tulancingo
Pirámide de la Luna
Palacio del Quetzalpapálotl
Palacio de los Jaguares, Templo de las Conchas Plumadas
Plaza de la Luna
Palacio de Tepantitla
Restaurant Pirámide Charlie's
Vers San Juan Teotihuacán et la route pour Mexico (sans péage)
Porte 2
Pirámide del Sol
Plaza del Sol
Restaurant La Gruta
Porte 5
Palacio de Yayahuala
Palacio de Zacuala
Palacio de Atetelco
Palacio de Tetitla
Av de los Muertos
Río San Juan
Boutiques de souvenirs
Templo de Quetzalcóatl
Museo
Vers la route pour Mexico (à péage)
Bus depuis/vers Mexico
La Ciudadela
Comedores
Villas Arqueológicas

(tablero) se succèdent sur les plans ascendants de ces constructions en gradins. Ceux-ci étaient souvent chaulés et peints de couleurs vives. La majeure partie de la ville était composée d'ensembles résidentiels de 50 à 60 m² à l'intérieur d'enceintes. Certains, que l'on suppose avoir abrité des nobles ou des prêtres, renferment des fresques élégantes et raffinées.

Teotihuacán demeura un lieu de pèlerinage car les Aztèques pensaient que les dieux s'étaient sacrifiés à cet endroit pour faire mouvoir le soleil.

Orientation

L'ancienne ville de Teotihuacán s'étendait sur plus de 20 km². La plus grande partie de ce que vous pourrez découvrir longe sur environ 2 km la moitié nord de l'Avenida de los Muertos, en partant de La Ciudadela. Si vous venez en bus, vous descendrez à un rond-point situé à proximité de l'entrée sud-ouest du site, non loin du musée. L'un des cinq parkings est accessible par le même rond-point, les autres par la route qui contourne les ruines. Vous pouvez acheter un billet et pénétrer dans le site à partir de n'importe lequel d'entre eux.

Renseignements

Chapeau et eau sont indispensables. Vous aurez à marcher plusieurs kilomètres et le soleil de midi est souvent brutal. Du fait de la chaleur et de l'altitude, prenez votre temps pour explorer les ruines et escalader ses pyramides escarpées. Entre juin et septembre, les ondées sont fréquentes l'après-midi. Les ruines sont accessibles tous les jours de 8h à 17h, mais il est possible de rester jusqu'au coucher du soleil et même plus tard s'il y a un *son et lumière* (d'octobre à juin). L'entrée coûte 2,50 $US, plus 3,50 $US pour une caméra vidéo (gratuite le dimanche et les jours fériés). L'affluence est maximale entre 10h et 14h, ainsi que le dimanche et les jours fériés

Musée

Le musée offre un bel éventail d'objets, de maquettes des ruines, de cartes et de diagrammes explicatifs. Cela vaut la peine d'y passer une heure avant de parcourir le site lui-même – l'accès au musée est inclus dans le prix. Si vous entrez par le sud-ouest, traversez le parking, passez par l'allée des boutiques de souvenirs et contournez le bâtiment carré – l'entrée du musée se trouve du côté est.

Avenida de los Muertos

La voie des Morts est restée l'axe principal de Teotihuacán, comme il l'était il y a des siècles. Elle est unique au monde, ou presque, et devait paraître impressionnante aux yeux des anciens lorsqu'ils pouvaient contempler ses bâtiments en parfait état. L'entrée sud-ouest du site mène sur la voie des Morts devant La Ciudadela. Pendant presque 2 km en allant vers le nord, l'avenue est bordée des ruines de nombreux palais, où résidait autrefois l'élite de Teotihuacán et d'autres édifices importants, la pyramide du Soleil notamment et, à l'extrémité nord, la pyramide de la Lune. L'avenue originelle s'étendait également à 2 km au sud de la Ciudadela, bien au-delà du site archéologique actuel.

La Ciudadela

On pense que la vaste structure carrée de La Ciudadela (La Citadelle) servait de résidence au chef suprême de la ville. Quatre grands murs de 390 m de long, surmontés de 15 pyramides, entourent une imposante esplanade dont le monument principal, vers l'est, est une pyramide plus grande, le temple de Quetzalcóatl. Le temple est flanqué des ruines de deux grands complexes de salles et patios, qui devaient constituer le centre administratif de la ville.

Templo de Quetzalcóatl. La façade d'un édifice datant de 250 ou 300 ap. J.-C., révélée par l'excavation d'une construction postérieure, est sans conteste l'élément le plus fascinant de ce temple. Les quatre "marches" restantes de sa façade – qui devait en comporter sept à l'origine – sont ornées de bas-reliefs impressionnants. Sur les plans tablero supérieurs, la divinité du serpent à plumes

JOHN NOBLE
Temple de Quetzalcóatl, détail

aux crocs acérés, dont la tête émerge d'un "collier" de onze pétales, alterne avec une créature à quatre yeux et deux crocs, souvent identifiée comme Tláloc, dieu de la pluie, mais qui est plus vraisemblablement le serpent de feu, porteur du soleil dans son voyage quotidien à travers le ciel. Sur les plans inclinés, figure le serpent à plumes de profil, son corps ondulant derrière sa tête. Des coquillages – un motif important à Teotihuacán – figurent à l'arrière-plan des deux ensembles de panneaux.

Pirámide del Sol

La troisième pyramide du monde par la taille se trouve du côté est de l'Avenida de los Muertos. Seules les pyramides de Cholula et de Khéops en Égypte dépassent la pyramide du Soleil. Bâtie vers 100 ap. J.-C. et reconstruite en 1908, elle révèle une base d'environ 222 m². Elle s'élève à plus de 70 m de hauteur, mais était coiffée, à l'origine, par un temple de bois et de chaume. Cette pyramide fut réalisée avec quelque 3 millions de tonnes de pierre, de brique et de gravats, sans outil de métal, bêtes de trait ni roue !

Aucun fait n'attestait la croyance des Aztèques selon laquelle la pyramide était dédiée au dieu du soleil lorsque, en 1971, des archéologues découvrirent un tunnel souterrain de 100 m menant d'un point situé à proximité du côté ouest de la pyramide à une grotte en plein cœur de celle-ci, où ils mirent au jour des objets cultuels. On pense que le soleil était vénéré à cet endroit avant la construction de la pyramide et que les anciens habitants de la ville considéraient la grotte comme lieu de l'origine de la vie.

A l'apogée de Teotihuacán, l'enduit recouvrant la pyramide était peint en rouge vif, ce qui devait être impressionnant au crépuscule. Escaladez ses 248 marches, d'où vous dominerez la cité entière.

Pirámide de la Luna

La pyramide de la Lune, à l'extrémité nord de l'Avenida de los Muertos, n'est pas aussi imposante ni aussi élevée que la pyramide du Soleil, mais paraît mieux proportionnée. Son sommet se dresse presque à la même hauteur en raison de la différence de niveau entre les deux pyramides. Elle fut achevée vers 300 ap. J.-C.

Devant la pyramide, la Plaza de la Luna, offre une étonnante composition de douze plates-formes de temple. Certains experts attribuent au chiffre 13 un symbolisme astronomique. On pense que l'autel au centre de la plaza servait à la représentation de danses religieuses.

Palacio del Quetzalpapálotl

A l'angle sud-ouest de la Plaza de la Lune s'élève le palais du Quetzalpapálotl, ou Quetzal Papillon, résidence d'un grand prêtre. Une volée de marches mène à un portique, surmonté d'un toit et décoré d'une fresque abstraite. Un patio, bien restauré, le jouxte. Ses épaisses colonnes sont sculptées de représentations de quetzal ou d'un quetzal papillon hybride.

Palacio de los Jaguares et Templo de las Conchas Plumadas

Ces édifices sont situés derrière et en contrebas du palais du Quetzal Papillon. Les murs inférieurs de plusieurs des chambres du patio du palais des Jaguars sont ornés de fragments de fresques figurant le dieu Jaguar emplumé, soufflant dans des conques et invoquant apparemment le dieu de la pluie Tláloc.

Le temple des Escargots à plumes, dans lequel on entre par le patio du temple des Jaguars, date du IIe ou du IIIe siècle ; il est aujourd'hui souterrain. Des sculptures sur la façade montrent de grands coquillages – il s'agit sans doute d'instruments de musique – décorés de plumes et de fleurs à quatre pétales. La base sur laquelle repose la façade est ornée d'une fresque verte, bleue, rouge et jaune représentant des oiseaux rejetant de l'eau de leurs becs.

Palacio de Tepantitla

La fresque la plus connue de Teotihuacán, le *Paradis de Tláloc*, se trouve dans le palais Tepantitla, la résidence d'un prêtre, située à 500 m environ à l'est de la pyramide du Soleil. La fresque est située de part et d'autre d'une porte, dans un patio couvert, à l'angle nord-est de l'édifice. Le dieu de la pluie Tláloc, assisté de prêtres, est représenté de chaque côté. Dessous, à droite de la porte, on voit son paradis, sorte de jardin peuplé de petits personnages, d'animaux et de poissons qui nagent dans une rivière dévalant une montagne. A gauche de la porte, de minuscules êtres humains participent à un jeu de balle. Dans d'autres salles, des fresques figurent des prêtres à coiffures de plumes.

Palacio de Tetitla et Palacio de Atetelco

Un autre groupe de palais se trouve à l'ouest de la partie principale du site, à 1 km environ de son entrée sud-ouest. Les nombreuses fresques, découvertes dans les années 40, sont souvent bien conservées ou restaurées et parfaitement déchiffrables. Le palais Tetitla constitue un vaste complexe de plusieurs demeures. 120 murs, pas moins, sont ornés de fresques représentant notamment Tláloc, des jaguars, des serpents et des aigles. A quelque 400 m à l'ouest, s'élève le palais Atetelco, dont les peintures murales très vivantes de jaguar ou de coyote – originales et restaurées – se trouvent dans le patio Blanco, à l'angle nord-ouest. Les processions de ces créatures en camaïeu de rouge symbolisent probablement des ordres guerriers. On voit également des motifs imbriqués de prêtres en costume de Tláloc et de coyote.

Où se loger

Si vous souhaitez mener grand train au Mexique, jetez votre dévolu sur les *Villas Arqueológicas* (☎ 9-15-95), tenues par le Club Méditerranée, immédiatement au sud de l'ancienne ville. Il s'agit de très confortables simples/doubles climatisées à 42/48 $US. Une piscine, un court de tennis, une table de billard et un restaurant franco-mexicain font partie des prestations.

A quelques kilomètres de là, sur la route reliant Mexico à Tulancingo, se tient l'*Hotel La Cascada* (☎ 6-07-89). Les tarifs annoncés semblent dépendre de la fantaisie des réceptionnistes. Les simples, sans prétention, valent entre 12 et 14 $US, les doubles à partir de 23 $US.

El Temazcal Hotel (☎ 6-34-13) est à sept kilomètres des ruines. Suivez les panneaux à partir de la route Mexico-Tulancingo. Des simples/doubles spacieuses mais sans âme se négocient 23/44 $US. Heureusement, plusieurs piscines donnent un plus à l'établissement.

Des bus locaux font la navette entre le Cascada ou le Temazcal et les ruines moyennant 1,50 $US.

Où se restaurer

Sauf dans les quelques gargotes poussiéreuses sur la voie de contournement au sud du site archéologique, les repas sont onéreux à proximité des ruines. L'endroit le plus pratique est le 3e étage du musée, occupé par un restaurant assez cher jouissant d'une belle vue sur le site. Un bar est installé au 2e étage.

Sur la voie de contournement, immédiatement au nord de la porte 2, se tient le *Pirámide Charlie's*, qui sert des repas savoureux à des tarifs qui le sont moins : la soupe coûte entre 2 et 5 $US, les plats à base de poulet entre 5 et 7 $US, les spécialités de bœuf autour de 9 $US, et le poisson entre 9 et 12 $US.

Pour dîner dans un cadre original, retenez *La Gruta*, à 75 mètres à l'est de la porte 5. Cette cavité naturelle, fraîche et aérée, accueille des convives depuis 1929. Vous paierez environ 3 $US pour une soupe ou une salade, entre 3 et 6 $US pour des antojitos et 8 $US pour un filet mignon ou un plat de poisson.

Comment s'y rendre

Les bus 2e classe Autobuses San Juan Teotihuacán partent du Terminal norte de Mexico toutes les 15 ou 20 minutes dans la journée ; le trajet d'une heure environ coûte 1,50 $US. Le guichet est à l'extrémité nord du terminal. Assurez-vous que votre bus se rend bien à “Los Pirámides”, et pas seulement au village de Teotihuacán, situé à 2 km à l'ouest des ruines.

Vous descendrez à un rond-point devant l'entrée sud-ouest du site, où vous reprendrez le bus qui retourne à Mexico – dans ce sens, les départs sont plus fréquents après 13h. Le dernier bus part du rond-point vers 18h. Certains s'arrêtent à la station de métro Indios Verdes, sur Insurgentes Norte, au nord de Mexico. Si le métro ne vous tente pas, prenez un taxi qui descend Insurgentes jusqu'au centre-ville. De nombreuses visites guidées de Teotihuacán sont organisées au départ de Mexico.

PACHUCA

• Hab. : 220 485 • Alt. : 2 426 m • ☎ 771

La capitale de l'État d'Hidalgo est située à 90 km au nord-est de Mexico. Des maisons chaulées ou peintes de couleurs vives escaladent les coteaux secs autour du centre de cette ville calme et agréable qui constitue un bon point de départ pour des excursions vers le nord et l'est, aux confins impressionnants de la Sierra Madre.

De l'argent fut découvert dans la région dès 1534 ; on extrait encore une part conséquente de la production mondiale des mines de Pachuca et Real del Monte, à 9 km au nord-est. C'est à Pachuca que fut introduit le football au Mexique au XIXe siècle, avec l'arrivée de mineurs de Cornouailles.

Orientation et renseignements

Le cœur de Pachuca est la Plaza de la Independencia, au centre de laquelle se dresse une tour de l'horloge. Le principal marché se trouve Plaza Constitución, à deux pâtés de maisons au nord-est de la Plaza de la Independencia. Les rues importantes sont Matamoros, sur le côté est de la Plaza de la Independencia, et Allende, qui part de l'angle sud-ouest de la place en direction du sud. Guerrero est presque parallèle à la place, 100 m à l'ouest. Au sud, Guerrero et Matamoros rejoignent, 700 m plus loin, la moderne Plaza Juárez. Un office du tourisme (☎ 5-14-11), situé au pied de la tour de l'horloge, ouvre de 9h à 15h du lundi au vendredi, et de 10h à 18h le week-end. Plusieurs banques (munies de distributeurs) donnent sur la Plaza de la Independencia. La poste fait l'angle de Juárez et Iglesias.

Centre-ville

Quelques rues, à l'est de la Plaza de la Independencia, ont été interdites à la circulation et plusieurs petites places modernes ajoutées aux anciennes. La tour de l'horloge, la **Reloj Monumental**, fut construite en 1904 dans le style français de l'époque. Quatre sculptures de marbre, une sur chaque côté, représentent l'Indépendance, la Liberté, la Constitution et la Réforme.

Les anciennes **Cajas Reales** (Trésor royal) sont dissimulées derrière la partie nord de la Plaza Constitución.

Centro Cultural Hidalgo

L'ancien monastère de San Francisco est aujourd'hui le Centro Cultural Hidalgo. Il abrite deux musées, un théâtre, une bibliothèque et une galerie d'exposition. L'entrée est gratuite (sauf pour les spectacles) et le

ENVIRONS DE MEXICO

centre est ouvert du mardi au dimanche de 10h à 18h.

Descendez Matamoros au sud de la Plaza de la Independencia, jusqu'à un carrefour avec une fontaine. Une très belle **fresque**, inspirée de l'héritage indien otomí d'Hidalgo et représentant des animaux et des plantes, orne tout un mur au sud de cette fontaine. Depuis la fontaine, suivez Arista vers l'est jusqu'au monastère, à côté du Jardín Colón. Le **Museo Nacional de la Fotografía** expose des techniques anciennes – dont une reconstitution de studio de daguerréotype – avec une sélection choisie parmi les 1,5 million de photos de l'Instituto Nacional de Antropología e historia (INAH). Certaines images sont l'œuvre des premiers photographes européens et américains qui travaillaient au Mexique, alors que d'autres, plus nombreuses, sont de Victor Casasola, l'un des premiers photographes de presse mexicains.

Où se loger

La façade de l'*Hotel Grenfell* (☎ 5-08-68), sur le côté ouest de la Plaza de la Independencia, fait forte impression, mais on ne peut en dire autant de l'intérieur. De grandes simples/doubles au décor dépouillé coûtent 9/10 $US avec s.d.b. et 7/8 $US avec s.d.b. commune.

L'*Hotel de los Baños* (☎ 3-07-00), Matamoros 205, à une cinquantaine de mètres au sud-ouest du zócalo, présente un meilleur rapport qualité/prix. Les chambres 26 et 28 ne manquent pas d'atouts. Propres et spacieuses, elles sont équipées d'une TV, du téléphone et d'un balcon et sont meublées avec goût. Toutes les chambres de cet établissement magnifiquement tenu donnent sur une agréable cour intérieure. Il vous en coûtera 10/11 $US – une aubaine.

Autre choix de bon aloi : l'*Hotel Plaza El Dorado* (☎ 4-28-08), Guerrero 721. Ses 92 chambres, très accueillantes, avec TV, se monnaient 11/13 $US. Empruntez la rue à mi-hauteur du côté ouest de la Plaza de la Independencia, tournez à gauche dans Guerrero, et marchez 200 mètres. L'hôtel se dresse sur la gauche.

De style colonial, l'*Hotel Noriega* (☎ 5-15-55), Matamoros 305, deux rues au sud du zócalo, de style colonial, offre un excellent rapport qualité/prix. Au nombre de ses attraits, mentionnons un bon restaurant, une cour couverte, un escalier monumental et profusion de plantes. Les chambres, avec TV et s.d.b., coûtent 13/15 $US.

Le moderne *Hotel Emily* (☎ 5-08-68), du côté sud du zócalo, offre des chambres comparables à celles de l'El Dorado moyennant 20 $US pour une ou deux personnes. Dans la même catégorie que l'Emily, l'*Hotel Ciro's* (☎ 5-40-83) est situé sur le côté nord de la plaza. Retenez une chambre face à la tour de l'horloge.

Où se restaurer

Le restaurant-bar *Mirage*, dans Guerrero, entre l'Hotel Plaza El Dorado et le zócalo, est le meilleur endroit de la ville et pratique des tarifs abordables. Vous débourserez 2,50 $US pour un petit déjeuner, entre 2 et 4 $US pour une salade, 3,50 $US pour des plats à base de poulet et 6,50 $US pour du bœuf. Même le "sandwich traditionnel au jambon et au fromage" est un régal, composé d'un mélange heureux de jambon, de gruyère, d'avocat, de tomates, d'oignons et de piments doux. Le filete a la mexicana fait référence à une large tranche de bœuf recouvert de sauce et servi avec des pommes de terre, des pois et des tortillas (7 $US).

Le *Restaurant Noriega*, dans l'hôtel du même nom, affiche une certaine élégance (photos du vieux Londres sur les murs), mais les prix restent raisonnables.

Le *Chip's Restaurant*, dans l'Hotel Emily, évoque plutôt un bar chic où l'on consomme un café et en-cas, mais il sert également des plats corrects à des prix avantageux.

Le *Restaurant Ciro's*, du côté nord de la Plaza de la Independencia, populaire et enfumé, propose des plats dans le même ordre de prix que ceux du Mirage, sans pouvoir soutenir la comparaison du point de vue de la qualité.

Attenant à l'Hotel de los Baños, le *Restaurant-Bar Cabales* est plutôt séduisant.

Le cadre se compose de boiseries teintes et d'un joli bar entouré de tabourets. La nourriture est bonne et les tarifs concurrentiels (le menu du jour, à 5 plats, s'élève à 3,50 $US). Ouvert jusqu'à 23h.

Comment s'y rendre

Les bus 1re classe de la compagnie ADO partent du Terminal Norte de Mexico toutes les 15 minutes (3 $US). Au départ de Pachuca, les bus ADO desservent Mexico (toutes les 15 minutes, 3 $US), Poza Rica (3 bus par jour, 7 $US), Tampico (un bus à 20h45, 17 $US), Tulancingo (toutes les 30 minutes, 2 $US). La compagnie Futura propose également un service 1re classe à destination de Mexico toutes les 15 minutes (4 $US). Les bus reliant les villes situées plus près de Pachuca sont presque tous des bus 2e classe. Ils concernent Tula, Tulancingo et Tamazunchale. Pour Huejutla et Querétaro, il existe plusieurs liaisons quotidiennes.

Comment circuler

La gare routière est située à quelques kilomètres au sud-ouest du centre-ville, à côté de la route de Mexico. Les colectivos verts et blancs indiqués "El Centro" vous conduiront pour 1 peso à la Plaza Constitución (0,40 $US), à courte distance à pied de la Plaza de la Independencia. Un taxi classique vous reviendra à 3 $US.

LES ENVIRONS DE PACHUCA

La 85, la pan-américaine, passe par Actopan et Ixmiquilpan, en traversant la forêt parfois embrumée de la Sierra Madre, jusqu'à Tamazunchale et Ciudad Valles dans la Huasteca (reportez-vous au chapitre *Le centre de la côte du Golfe*). Deux autres belles routes descendent de la Sierra Madre : la 105 se dirige vers le nord à Huejutla et Tampico ; la 130 rejoint vers l'est Tulancingo et Poza Rica.

Actopan

• Hab. : 44 255 • Alt. : 2 400 m • ☎ 772

Actopan, à 37 km au nord-ouest de Pachuca sur la 85, possède l'un des plus beaux monastères fortifiés du XVIe siècle de l'État d'Hidalgo. Fondé en 1548, le **monastère** est en excellent état de conservation. Son église possède une belle façade plateresque et une tour unique d'influence mudéjar (maure). La voûte de la nef est gothique. Le cloître renferme les plus belles fresques mexicaines du XVIe siècle : des ermites dans la Sala De Profundis et, dans les escaliers, des saints, des augustins, une rencontre entre le père Martín de Acevedo (un des premiers moines d'Actopan) et deux nobles indiens, Juan Inica Actopa et Pedro Ixcuincuitlapilco. A gauche de l'église, la vaste capilla abierta voûtée est également ornée de fresques.

Le **marché** du mercredi d'Actopan se tient depuis au moins 400 ans. On y vend de l'artisanat local et des plats régionaux comme de la viande cuite au barbecue.

Comment s'y rendre. Il existe de fréquentes liaisons en bus 2e classe depuis Pachuca (45 minutes) et du Terminal Norte de Mexico.

Ixmiquilpan

• Hab. : 73 804 • Alt. : 1 700 m • ☎ 772

Cette ville, à 75 km de Pachuca sur la 85 (1 heure 30 en bus, fréquents), est l'ancienne capitale des Indiens Otomís, qui comptent parmi les premiers habitants de l'Hidalgo. L'aride vallée de Mezquital où se niche la ville est toujours une enclave otomí. La majorité des 350 000 Otomís du Mexique vivent dans l'État d'Hidalgo. Le vêtement traditionnel de la femme otomí est un quechquémitl, porté sur une blouse brodée. Les Otomís de la vallée de Mezquital fabriquent de splendides *ayates*, tissages à base d'*ixtle* (fibre du cactus maguey). Ils utilisent le maguey comme aliment et pour confectionner du savon ou des aiguilles.

La **Casa de Artesanías** expose et vend de l'artisanat otomí sur Felipe Ángeles, mais le **marché** du lundi est le meilleur endroit pour acheter ces objets : instruments de musique miniature en bois de genévrier avec incrustations de perles ou

ENVIRONS DE MEXICO

de coquillages, sacs en corde colorés ou textiles brodés. L'**église** du monastère d'Ixmiquilpan possède une grande voûte gothique. Le cloître abrite d'anciennes fresques d'artistes indiens représentant des combats et des figures mythiques précolombiennes, ainsi que des scènes religieuses.

Où se loger. Les petits budgets feront étape à l'*Hotel Palacio Real* (☎ 3-01-81), à l'angle sud de la Plaza Juárez. L'établissement dispose de 15 simples/doubles pourvues de lits solides, d'eau chaude et de la TV, facturées 9/13 $US. L'*Hotel Jardín* (☎ 3-03-08), à 75 mètres à l'est du Palacio Real, était en cours de rénovation au moment de la rédaction de cet ouvrage mais mérite une visite. Ses tarifs étaient de l'ordre de ceux du Palacio Real.

L'*Hotel Club Alcantara* (☎ 9-17-92), Peña y Ramirez 8, à une cinquantaine de mètres de la plaza, se compose de chambres étriquées aux cloisons peu épaisses, avec TV, louées au tarif prohibitif de 13/15 $US. Notons l'existence d'une piscine.

Pour séjourner dans le meilleur hôtel de la ville, l'*Hotel Del Valle Inn* (☎ 3-24-53), Cardonal 50, il vous en coûtera 23/30 $US. Une TV, un bon matelas et un téléphone équipent les 28 chambres, de taille standard, de couleur pêche.

Où se restaurer. La meilleure adresse d'Ixmiquilpan est l'*El Sabino*, Insurgentes 111, à trois pâtés de maisons du zócalo. Pour vous y rendre, empruntez la rue au sud du zócalo, en direction de l'ouest, après l'église. La rue décrit un coude vers la droite. Poursuivez jusqu'à la station-service Pemex. Le restaurant-bar se trouve 75 mètres plus loin. L'ambiance est agréable et les prix intéressants. Rares sont les plats qui dépassent 5 $US.

Le *Restaurant Los Portales*, attenant à l'hôtel Palacio Real, fait bonne impression mais la nourriture laisse franchement à désirer. Le restaurant de l'Hotel del Valle est vaste et aéré et possède une verrière faisant face aux montagnes. Le filet de sole, spécialité du lieu, est un délice (4 $US). Comptez 2,50 $US maximum pour un petit déjeuner, 3 $US pour des antojitos et 5 $US pour un plat à base de bœuf.

Au nord de Pachuca – route 105

A environ 9 km de Pachuca, sur la 105, une route bifurque sur la gauche en direction du nord-ouest et serpente pendant environ 10 km jusqu'à l'ancien village minier **Mineral del Chico**, situé dans le **Parc national El Chico**. Ce dernier possède de spectaculaires formations rocheuses attirant beaucoup de grimpeurs, des forêts de pins, ainsi que des rivières et des barrages idéales pour la pêche. On peut s'y restaurer et y camper, mais il existe peu d'autres solutions pour se loger.

A 2 kilomètres après la bifurcation vers le parc, **Mineral del Monte** (appelé aussi Real del Monte) fut le théâtre, en 1776, d'une grève de mineurs – commémorée comme la première grève des Amériques. La ville prit véritablement forme au XIXe siècle, lorsque la direction des mines fut confiée à une société britannique. Des bus réguliers desservent la ville depuis/vers Pachuca.

A 11 km au nord de Mineral del Monte, on peut bifurquer vers l'est pour atteindre **Huasca** (ou Huasca de Ocampo), avec son église du XVIIe siècle, ses balnearios et son artisanat local. Certaines haciendas ont été transformées en hôtels confortables. A proximité, se trouve un canyon avec d'imposantes colonnes de basalte et une chute d'eau.

Atotonilco el Grande, à 34 km de Pachuca, possède un monastère fortifié du XVIe siècle et un balneario dans les sources chaudes, situé à proximité. Le jour de marché est le mardi. La route descend ensuite assez abruptement vers Metzquititlán, dans la vallée fertile du Río Tulancingo – pour plus de renseignements reportez-vous aux rubriques *Tampico* et *La région de la Huasteca* dans le chapitre *Le centre de la côte du Golfe*.

A l'est de Pachuca – route 130

A 46 km à l'est de Pachuca, on parvient à **Tulancingo** (110 112 habitants, altitude : 2 140 m), la deuxième plus grande ville de l'Hidalgo. Tulancingo fut, pour une brève période, la capitale toltèque avant Tula. Une pyramide toltèque se dresse au pied d'une falaise à **Huapalcalco**, à 3 km au nord. Le jour de marché est le jeudi.

On atteint **Tenango de Doria**, un village Otomí situé à 40 km au nord de Tulancingo, par une piste accidentée, voire parfois impraticable. A **Huehuetla**, à 50 km au nord de Tulancingo, l'une des quelques communautés du minuscule groupe des Indiens tepehuas brode des dessins géométriques très colorés sur leurs quechquémitls et leurs enredos.

Au-delà de Tulancingo, la route 130 descend vers Huauchinango dans l'État de Puebla – reportez-vous à la rubrique *Nord de l'État de Veracruz* dans le chapitre *Le centre de la côte du Golfe*.

A l'est de Mexico

L'autoroute 190D, à péage, conduit à l'est à Puebla à travers un haut plateau aride parsemé de sommets volcaniques, dont le Popocatépetl, l'Iztaccíhuatl et La Malinche. Juste au nord de l'autoroute, le minuscule État de Tlaxcala (850 000 habitants) possède une charmante capitale et les vestiges d'une riche histoire précolombienne et coloniale. Puebla est elle-même l'une des villes coloniales mexicaines les mieux préservées. L'État de Puebla est majoritairement rural et peuplé d'un million et demi d'Indiens. Cette composante contribue à lui donner une importante activité artisanale : poteries, onyx gravé, tissages finement brodés.

Au-delà de Puebla, vous pouvez continuer vers l'est sur la 150D passant par le Pico de Orizaba (le plus haut sommet mexicain), puis descendre des montagnes vers la côte de l'État de Veracruz (voir le chapitre *Le centre de la côte du Golfe*). Une autre possibilité est de bifurquer au nord par la 140 vers la lointaine Sierra del Norte, ou de descendre vers la côte du Golfe en passant par Jalapa. Au sud et à l'est de Puebla, plusieurs routes permettent de rejoindre l'État et la ville d'Oaxaca en traversant de beaux paysages montagneux.

POPOCATÉPETL ET IZTACCÍHUATL

Les pics des deux plus célèbres montagnes du Mexique bordent le Valle de Mexico à l'est, à 60 km au sud-est de Mexico, et à 45 km à l'ouest de Puebla. Le Popocatépetl et l'Iztaccíhuatl sont respectivement les deuxième et troisième plus hauts sommets du pays. L'Iztaccíhuatl, dépourvu de cratère, n'est pas en activité, tandis que le Popocatépetl a fait parler de lui ces dernières années, provoquant l'évacuation de soixante-quinze mille personnes. Des scientifiques ont lancé des avertissements aux 30 millions de personnes qui vivent dans un périmètre potentiellement dangereux. Au moment de la rédaction de cet ouvrage, l'humeur du Popocatépetl faisait l'objet de toutes les attentions d'éminents volcanologues.

Le 22 décembre 1994, devant la menace d'une éruption imminente du Popocatépetl ("montagne fumante", en nahuatl), l'armée procéda à l'évacuation de 16 villages situés à proximité du monstre culminant à 5 452 m. La veille, le volcan avait craché 5 000 tonnes de nuées ardentes. Depuis, Popo, comme on le surnomme localement, se manifeste de temps à autre. Un cône de cendres est en cours d'édification à l'intérieur de la caldeira.

Depuis la conquête espagnole en 1519, Popo n'a connu que 16 périodes éruptives, qui n'ont fait aucune victime. Les spécialistes estiment que le volcan est en sommeil depuis 2 000 ans, et n'excluent pas une reprise de son activité dans un avenir proche. Dès lors, on comprend mieux que seuls les scientifiques qui l'auscultent soient autorisés à gravir ses flancs.

Accessible aux randonneurs, le cratère de l'Iztaccíhuatl ("femme blanche") se dresse à 20 km de celui du Popo. La légende raconte que Popo était un guerrier, épris d'Izta, la fille de l'empereur, laquelle mourut de chagrin lorsqu'il partit à la guerre. A son retour, il bâtit les deux montagnes, coucha le corps de sa bien-aimée sur l'une, et resta debout avec sa torche funéraire sur l'autre. De la fumée sort parfois du cratère du Popo et, avec un brin d'imagination, on peut trouver qu'Izta – surnommée La Mujer Dormida (la femme endormie) – évoque une femme allongée sur le dos. De Mexico, il est possible, par temps clair, de distinguer quatre pics, de gauche à droite : La Cabeza (tête), El Pecho (poitrine), Las Rodillas (genoux) et Los Pies (pieds).

Conditions météorologiques et saisons

Le vent peut se lever à tout moment et la température est susceptible de descendre bien au-dessous de zéro sur les plus hautes pentes d'Izta et ce, à n'importe quelle saison. Il gèle en outre presque toujours la nuit près des sommets, la glace et la neige y sont éternelles. La zone enneigée débute à environ 4 200 m d'altitude. Les périodes les plus propices aux ascensions se situent entre octobre et février, lorsque la neige est suffisamment dure pour que les crampons s'y accrochent. En février et en mars, il y a des risques de tempêtes et la visibilité est réduite. La saison des pluies, d'avril à septembre, est peu favorable en raison de la présence de nuages, de brouillards blancs, d'orages et des risques d'avalanches.

Mal des montagnes

Il est important de connaître les symptômes du mal des montagnes – qui peut être mortel – même si vous ne dépassez pas le Paso del Cortés, situé à 3 650 m d'altitude. Reportez-vous à la rubrique *Santé* du chapitre *Renseignements pratiques*.

Guides

Seuls les alpinistes chevronnés entreprendront l'ascension de l'Iztaccíhuatl. Crevasses et névés parsèment l'itinéraire. La présence d'un guide est fortement recommandée.

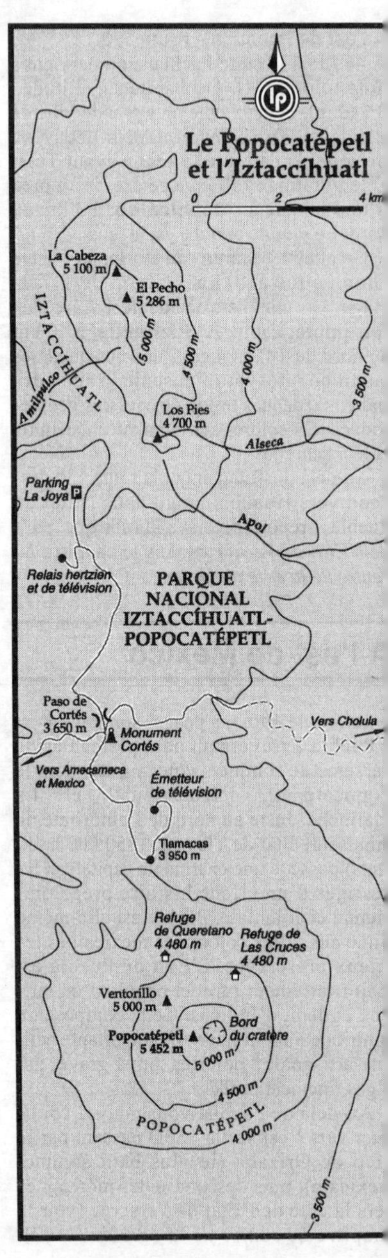

Mario Andrade, directeur des Coordinadores de Guías de Montañas, une organisation rassemblant des guides diplômés, a conduit de nombreuses courses sur l'Izta. Il parle anglais et espagnol et vous mettra en contact avec un autre guide s'il n'est pas disponible. Comptez 350 $US pour une ou deux personnes. Le prix comprend le transport aller-retour entre Mexico et l'Izta, les services du guide, l'hébergement, les frais d'accès au parc, deux repas et la corde. Demandez Andrade à la Coordinadores de Guías (☎/fax 5-584-46-95), Tlaxcala 47 Colonia Roma à Mexico, ou directement à son domicile dans la capitale (☎ 5-875-01-05). Adresse postale : PO Box M-10380, México DF, Mexico

Ascension de l'Iztaccíhuatl

Le plus haut sommet de l'Izta est El Pecho (5 286 m). Tous les sentiers menant au sommet obligent à passer une nuit en montagne.

Les itinéraires les plus courants partent tous du parking de La Joya. On peut loger dans quelques refuges situés entre La Joya et Las Rodillas. En moyenne, comptez 5 heures de La Joya aux refuges, 4 heures de plus jusqu'à El Pecho, puis 4 heures pour redescendre. Il existe quelques autres refuges et beaucoup d'autres itinéraires en direction d'Izta.

Si vous recourez aux services de Mario Andrade, celui-ci passera vous prendre à Mexico à 8h et vous conduira à Amecameca. De là, vous rejoindrez avec lui La Joya en taxi et commencerez l'ascension. Vous prendrez un repas et coucherez dans un refuge à 4 700 mètres. A 4h, cap sur le sommet, que vous atteindrez vers 9h. Un taxi vous récupérera à La Joya l'après-midi et vous ramènera à Amecameca. Mario Andrade vous déposera ensuite à Mexico.

Amecameca

• Hab. : 41 666 • Alt. : 2 480 m • ☎ 597

La ville d'Amecameca, à 60 km de la Mexico par la route, sert de point de départ à l'ascension de l'Itza. Il y a quelques restaurants autour de la place et un hôtel modeste, le *San Carlos* (pas de ☎), dans l'angle sud-est. Un petit marché animé se tient le samedi et le dimanche en face de l'église.

Comment s'y rendre. Un bus 2e classe de la ligne Sur circule très fréquemment entre le Terminal Oriente (TAPO) de Mexico et Amecameca (1 heure 15 ; 1,20 $US) et Cuautla. De la gare routière d'Amecameca, tournez à droite et marchez jusqu'à la plaza (deux pâtés de maisons).

TLAXCALA

• Hab. : 61 514 • Alt. : 2 252 m • ☎ 246

A quelque 120 km à l'est de Mexico et 30 km au nord de Puebla, cette ville coloniale assoupie est la capitale de l'État du même nom. Elle constitue une excursion agréable d'un jour depuis l'une ou l'autre des villes.

Histoire

Durant les siècles qui précédèrent la conquête espagnole, plusieurs petits royaumes (*señoríos*) guerriers firent leur apparition dans la région de Tlaxcala. Certains d'entre eux constituèrent une sorte de fédération de Tlaxcala, qui parvint à préserver son indépendance face à l'empire aztèque dont l'expansionnisme se manifestait bien au-delà du Valle de Mexico, au XVe siècle. On pense que le plus grand royaume fut Tizatlán, actuellement situé à la périphérie de la ville de Tlaxcala. Lorsque les Espagnols firent leur apparition en 1519, les Indiens tlaxcalas les combattirent, puis acceptèrent de s'allier avec eux contre les Aztèques. Ils devinrent les alliés les plus dévoués de Cortés, à l'exception d'un chef, Xicoténcatl le Jeune, qui tenta, par deux fois au moins, de soulever son peuple contre les Espagnols. Il fait aujourd'hui figure de héros national. En récompense, les Indiens tlaxcalas obtinrent certains privilèges, qu'ils utilisèrent pour pacifier plusieurs régions chichimèques du nord.

En 1527, Tlaxcala devint le siège du premier évêché de la Nueva España, mais dans les années 1540, la peste décima la population et la ville ne recouvra jamais son importance.

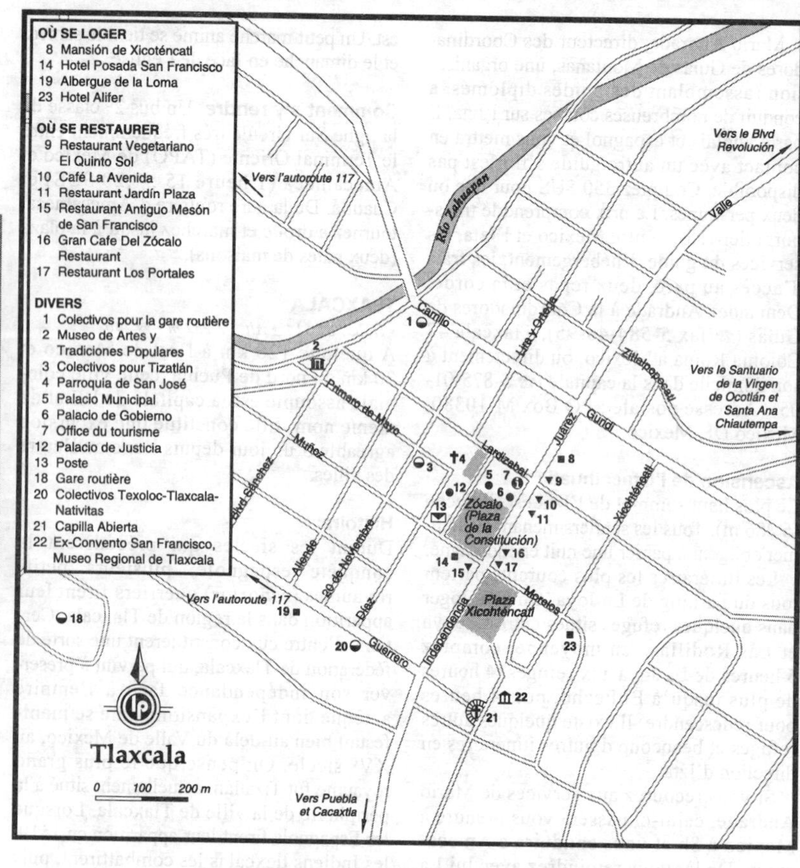

Orientation

Deux places centrales se rejoignent à l'angle d'Independencia et Muñoz. Celle située au nord, entourée de bâtiments coloniaux, est le zócalo, appelé Plaza de la Constitución. La seconde, la Plaza Xicohténcatl, accueille un marché d'artisanat le samedi. La gare routière de Tlaxcala se trouve à 1 km au sud-ouest du centre-ville.

Renseignements

L'office du tourisme de l'État de Tlaxcala (☎ 2-00-27), à l'angle de Juárez et Lardizabal, est ouvert de 9h à 19h du lundi au vendredi et de 10h à 18h le week-end. La poste est située à l'ouest du zócalo ; les agences de Bancomer et de Banamex (dotées de distributeurs automatiques) sont situées à proximité.

Zócalo

Le zócalo, vaste et ombragé, est l'un des plus beaux du Mexique. La majeure partie de son côté nord est occupée par le **Palacio Municipal**, un ancien entrepôt de céréales du XVIe siècle, et par le **Palacio de Gobierno**. A l'intérieur de celui-ci, on peut admirer plus de 450 m^{2} de fresques très expressives de l'un des meilleurs muralistes mexicains, Desiderio Hernández Xochitiotzin. Cette œuvre nécessita 30 ans de travail. Au-delà de l'angle nord-ouest du zócalo s'élève la jolie **Parroquia de San José**, en briques, carreaux de faïence et stuc.

Ex-convento San Francisco
Cet ancien monastère se trouve tout en haut d'une petite rue pentue qui débouche à l'angle sud-est de la Plaza Xicohténcatl. C'est l'un des premiers monastères du Mexique, construit entre 1537 et 1540. L'église possède un magnifique plafond de bois de style mauresque. L'entrée est gratuite. Le **Museo régional de Tlaxcala**, qui jouxte l'église, ouvre du mardi au dimanche de 10h à 17h..

Museo de Artes y Tradiciones Populares
Ce musée, sur Sánchez, au bout de Lardizabal, retrace en détail la vie de village au Tlaxcala : sculpture sur masque, tissage, fabrication du pulque, etc. Il ouvre tous les jours de 10h à 17h sauf le lundi, l'entrée coûte 1 $US. A côté, la Casa de Artesanías vend des textiles et des poteries.

Santuario de la Virgen de Ocotlán
C'est l'une des églises les plus étonnantes du pays et un important centre de pèlerinage – la Vierge y serait apparue en 1541. Sa façade du XVIIIe siècle est un exemple classique de style churrigueresque, décorée de stuc blanc contrastant avec les carreaux rouges unis. A cette même époque, l'Indien Francisco Miguel passa 25 ans à décorer la chapelle située derrière l'autel principal. Une image de la Vierge repose sur l'autel principal en souvenir de son apparition. Le troisième lundi de mai se déroule une grande procession attirant de nombreux pèlerins et curieux, au cours de laquelle on promène l'image de la Vierge dans toutes les églises.

Le sanctuaire est situé sur une colline à 1 km au nord-est du zócalo – marchez vers le nord sur Juárez, puis tournez à droite en remontant directement Zitlalpopocatl, ou prenez un bus ou un colectivo Ocotlán de la gare routière.

Santa Ana Chiautempan
Ce village voisin, situé à l'est de Tlaxcala (un peu plus grand avec ses 63 000 habitants), est connu pour son artisanat de tissage et de broderie. Le marché se tient le dimanche, mais il est possible d'admirer les travaux dans les magasins ouverts pendant la semaine. Prenez un bus local ou continuez à marcher vers l'est à partir d'Ocotlán.

Tizatlán
Ces ruines, rares vestiges du palais de Xicoténcatl, abritent deux autels aux fresques décolorées représentant des dieux : Tezcatlipoca (Miroir fumant), Tlahuizcalpantecuhtli (Étoile du Matin) et Mictlantecuhtli (Enfer). L'église San Estéban, à proximité des ruines, renferme une capilla abierta franciscaine du XVIe siècle et des fresques sur lesquelles des anges jouent des instruments médiévaux. Le site s'élève sur une petite colline à 4 km au nord du centre-ville. Prenez un colectivo "Tizatlán" à l'angle de Primero de Mayo et 20 de Noviembre. De la route, une allée mène au nord-ouest en haut de la colline jusqu'à l'église à coupole jaune.

Où se loger
L'*Hotel Alifer* (☎ 2-56-78), Morelos 11, idéalement situé, possède des simples/doubles propres, équipées de la TV et du téléphone, disposées autour d'un parking. La nuitée se monte à 13/15 $US. L'hôtel, à flanc de colline, est à moins de 200 mètres du zócalo. Certaines personnes trouveront pénibles les cinquante derniers mètres.

Autre possibilité avantageuse, l'*Albergue de la Loma* (☎ 2-04-24), Guerrero 58, en haut de la côte. Les chambres, spacieuses et propres, disposent de s.d.b. carrelées et reviennent à 18/21 $US. Le restaurant ainsi que certaines chambres offrent une belle vue sur la ville, mais les 61 marches d'escalier menant à l'hôtel peuvent être éprouvantes. Certains lits étant plus confortables que d'autres, inspectez la chambre.

L'hébergement le moins cher est la *Mansión de Xicoténcatl* (☎ 2-19-00), Juárez 15, dotée de chambres spacieuses mais sans caractère, louées 7/8 $US.

A l'autre bout de l'échelle, le luxueux *Hotel Posada San Francisco* (☎ 2-60-22), situé du côté sud du zócalo, dans une bâtisse restaurée du XIXe siècle, comporte un bon restaurant et une piscine. Les prix démarrent à 58/68 $US.

Où se restaurer

Pour un petit déjeuner ou des en-cas reconstituants, essayez le *Restaurant Vegetariano El Quinto Sol*, dans Juárez, à côté de la Mansión Xicoténcatl. Les formules, entre 2 et 4 $US, présentent un bon rapport qualité/prix. Salades, poisson, burgers végétariens, yaourts, fruits, muesli et jus de fruits figurent au menu. Une copieuse portion de yogurt mélangé à de la papaye, de la banane, de l'ananas et du melon, couronnée de muesli, ne dépasse pas 2,50 $US.

Plusieurs établissements se succèdent sous les arcades à l'est du zócalo. Le *Restaurant Jardín Plaza* se distingue plus particulièrement. Il prépare des mets délicieux et le cadre, à l'intérieur et en terrasse, est attrayant. Sachez que l'une des spécialités, le "molcajete jardín plaza", se compose de bœuf, de poulet, de poivrons frits, de pois noirs, de guacamole et de fromage, servis dans un grand bol d'argile. Ce plat succulent ne vous coûtera que 5,50 $US. Le *Restaurant Los Portales* est de la même veine, mais le service n'est pas pour autant à la hauteur. Entre les deux se tient le *Gran Cafe Del Zócalo Restaurant*, un cran en dessous en termes de qualité et de service.

Juste au nord des arcades, le *Café La Avenida* est fréquenté par des clients tirés à quatre épingles sirotant leur café (plus de 29 variétés disponibles). Les petits déjeuners (3,50 $US), les salades (environ 4 $US) et les soupes (2,50 $US) sont les points forts de cet établissement.

Au sud des arcades, le *Restaurant Antiguo Mesón de San Francisco*, à l'angle de Muños et de Juárez, a fait des fruits de mer sa spécialité. La soupe de tortilla, excellente, revient à 1,50 $US, l'assortiment de fruits de mer entre 1,50 et 4 $US et un plat à base de fruits de mer entre 4 et 9 $US.

Au sud du zócalo, le restaurant de l'*Hotel Posada San Francisco* sert la cuisine la plus onéreuse et, aux dires de certains, la plus raffinée de la ville.

Comment s'y rendre

La compagnie Flecha Azul assure toutes les heures une liaison directe en bus 2e classe entre Tlaxcala et Puebla (1 $US). Entre Tlaxcala et le Terminal Oriente de Mexico (TAPO) circulent les bus de la compagnie Autobuses Tlaxcala-Apizaco-Huamantla (ATAH). Les bus 1re classe "expresso" partent toutes les 30 minutes (5 $US) et les "ordinario" toutes les heures (4,50 $US). Le trajet dure deux heures.

Comment circuler

Dans Tlaxcala, les colectivos de couleur blanche et les bus coûtent 0,30 $US. A bord des colectivos gris, plus rapides et moins bondés, la course revient à 0,50 $US. Depuis la gare routière, la plupart des colectivos se rendent au centre-ville. En sens inverse, prenez un colectivo blanc ou gris à l'angle de Carrillo et d'Allende.

CACAXTLA ET XOCHITÉCATL

Les ruines de la colline de Cacaxtla (Ca-CACHT-la) offrent des fresques bien conservées et très colorées. Elles représentent des jaguars grandeur nature (ou presque) et des guerriers ayant les traits d'aigles livrant bataille. Ces ruines furent découvertes en septembre 1975 par des villageois de San Miguel del Milagro qui, soucieux de prouver l'existence des ces fresques, creusèrent un tunnel et découvrirent l'une d'elles.

Deux kilomètres plus loin, les ruines de Xochitécatl (So-chi-TÉ-catl), bien plus anciennes, se composent d'une pyramide d'une largeur exceptionnelle et d'une pyramide circulaire. Un archéologue allemand

RICHARD NEBESKY

JAMES SIMMONS

SCOTT DOGGETT

SCOTT DOGGETT

En haut à gauche : Telamones (atlantes) au sommet de la pyramide B, Tula
En haut à droite : guerrier de pierre à Tula
Au centre : détail, Teotihuacán
En bas : Don Tomás, orfèvre, Taxco

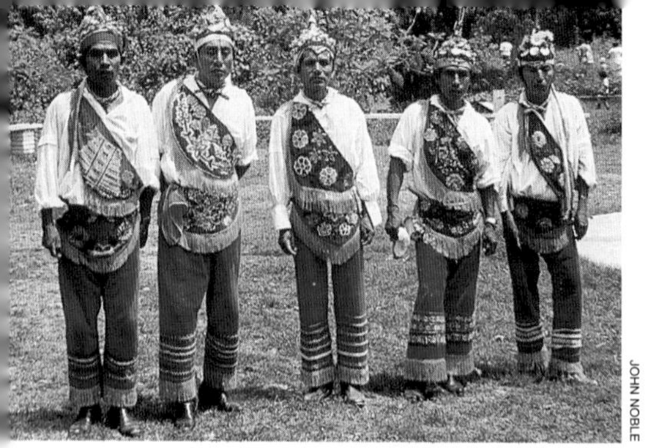

JOHN NOBLE

JAMES LYON

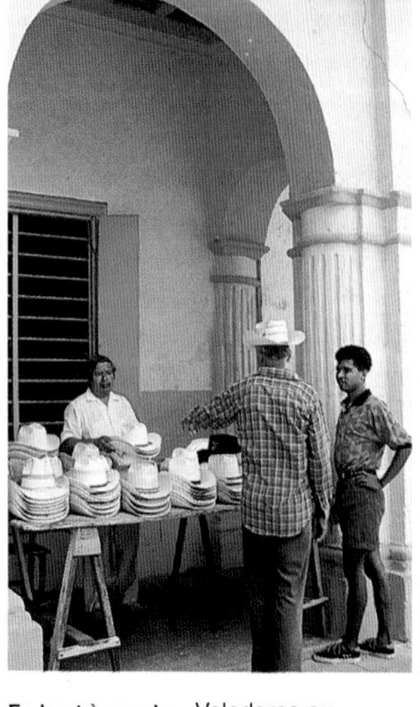

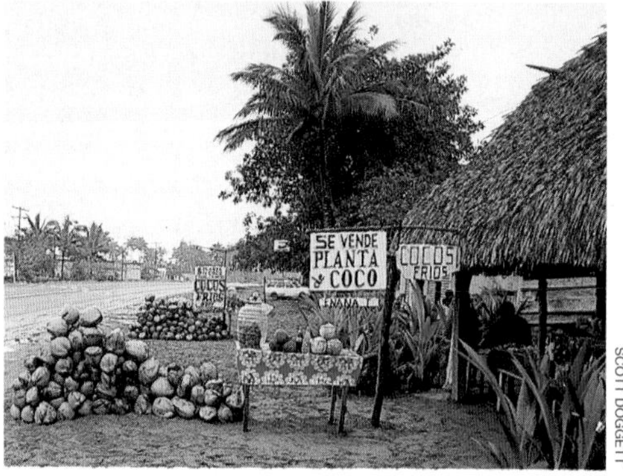

SCOTT DOGGETT

En haut à gauche : Voladores au sol, El Tajín

En haut à droite : vendeur de chapeaux, Tlacotalpan

Au milieu : noix de coco à vendre sur le bord de la route, Tampico

En bas : rafraîchissements, Veracruz

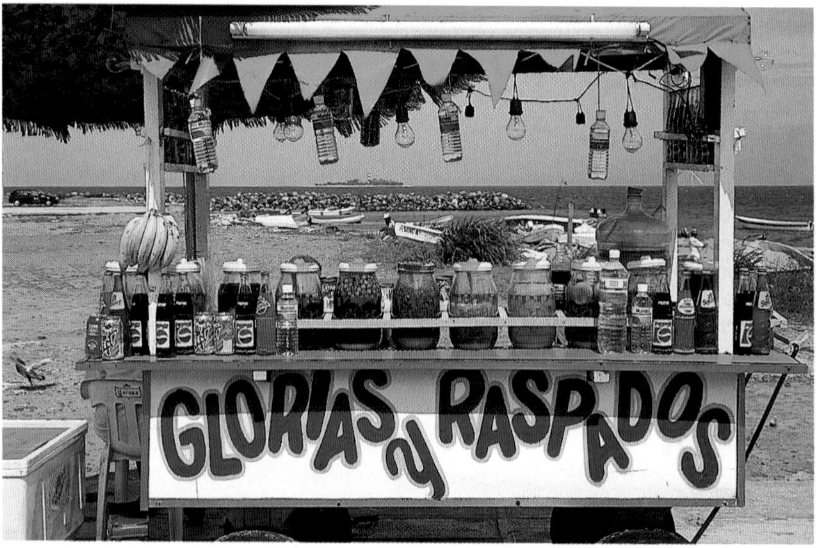

confirma la présence des ruines en 1930, mais les travaux d'excavation ne commencèrent qu'en 1992 et furent achevés deux ans plus tard. Le site fut ouvert au public dans la foulée.

Cacaxtla et Xochitécatl, à 35 km au nord-ouest de Puebla et à 20 km au sud-ouest de Tlaxcala, comptent parmi les sites archéologiques les plus remarquables du pays. Ils se visitent facilement et disposent de panneaux explicatifs en anglais et en espagnol.

Histoire

Cacaxtla était la capitale d'un groupe d'Olmecas-Xicallancas, ou Mayas Putúnes, qui parvinrent jusqu'au centre du Mexique dès le Ve siècle. Après le déclin de Cholula (auquel ils ont pu contribuer), vers 600, ils devinrent la puissance dominante du sud de Tlaxcala et de la vallée de Puebla. Cacaxtla connut son apogée entre 650 et 900, avant d'être abandonnée vers 1000.

A deux kilomètres à l'ouest de Cacaxtla, au sommet d'une colline, les ruines de Xochitécatl datent de 1 000 ans avant notre ère. On ignore qui furent précisément les premiers occupants mais, selon les experts, Xochitécatl abritait principalement des cérémonies sanglantes en l'honneur de Quecholli, le dieu de la fertilité, tandis que Cacaxtla servait de lieu d'habitation aux classes dominantes.

Reste que de telles cérémonies se déroulèrent également à Cacaxtla, comme l'atteste la mise au jour de plus de 200 squelettes d'enfants.

Cacaxtla

La billetterie, le musée, le restaurant et une boutique se trouvent à 200 m environ du parking. Le site est ouvert du mardi au dimanche de 10h à 16h30. L'entrée coûte 2 $US (gratuite le dimanche et les jours fériés). Conservez votre ticket, car il vous permettra de visiter les ruines de Xochitécatl (et inversement).

La partie principale du site, à 300 m de la billetterie, se compose d'une plate-forme naturelle de 200 m de long et 25 m de haut, appelée Gran Basamento, aujourd'hui protégée par une immense toiture métallique. C'est à cet endroit que se trouvaient les édifices civils et religieux ainsi que les résidences des prêtres. En face, au sommet des escaliers de l'entrée, vous apercevrez un espace découvert appelé Plaza Norte. Un sentier fait ensuite le tour des ruines et vous conduit aux fresques.

Face au côté nord de la Plaza Norte, on peut admirer le Mural de la Batalla (Fresque de la Bataille), antérieure à 750. Deux groupes de personnages habillés, pour les uns en jaguars, pour les autres en oiseaux, se livrent bataille. Il est clairement fait allusion à l'une de celles menées par les Olmecas-Xicallancas (les guerriers-jaguars à bouclier rond) pour repousser les envahisseurs Huastèques (les guerriers-oiseaux au crâne déformé, couverts d'ornements de pierre verte).

Après le Mural de la Batalla, tournez à gauche et prenez les escaliers pour contempler le second groupe de peintures murales, situé à votre droite derrière une barrière. Les deux fresques principales, peintes également vers 750, figurent un premier personnage en costume d'oiseau, le corps peint en noir – qui serait, semble-t-il, le prêtre-gouverneur olmeca-xicallanca – et un second personnage en costume de jaguar.

Xochitécatl

Pour accéder au parking de Xochitécatl, vous devez présenter le billet d'entrée de Cacaxtla ou en acheter un au gardien. Suivez ensuite le sentier qui vous conduit à la pyramide circulaire, la Pirámide en Espiral, au sommet de laquelle des villageois ont planté une croix bien avant de savoir ce que la colline contenait.

Vous arriverez ensuite en vue de trois autres pyramides, de dimensions différentes. Par ordre croissant de taille, il s'agit de Volcanos Basamento, Pirámide de la Serpiente et Pirámide de las Flores.

Le site est ouvert du mardi au dimanche de 10h à 16h30 (2 $US ; gratuit le dimanche et les jours fériés).

Comment s'y rendre

Le site de Cacaxtla est à 1,5 km en amont d'une petite route entre San Martín Texmelucan (à proximité de la 190D) et la 119, qui est la route secondaire entre Puebla et Tlaxcala. A 1,5 km à l'ouest du village de Nativitas, un panneau indique les directions "Cacaxtla" et "San Miguel del Milagro", le village voisin. Certains bus locaux vous conduiront directement jusqu'au site tandis que d'autres s'arrêtent à la voie d'accès.

Si vous êtes en voiture, obliquez vers l'ouest en sortant de la 119 à la hauteur du panneau "Cacaxtla", juste au nord de Zacatelco. A partir de là, vous êtes à environ 7,5 km de la bifurcation pour Cacaxtla. Entre Cacaxtla et Xochitécatl (2 km), prenez un taxi (3 $US) ou marchez.

En transport public à partir de Tlaxcala, prenez un colectivo "Texoloc-Tlaxcala-Nativitas", au croisement de Porfirio Díaz et Guerrero, ou un bus de la compagnie Autobuses Tepetitla affichant "Nativitas" au départ de la gare routière. Ils partent toutes les 10 minutes ; les billets sont en vente au guichet Flecha Azul. Autre solution : prenez un bus (de Tlaxcala ou de Puebla) jusqu'à Zacatelco, puis un minibus jusqu'à San Miguel del Milagro, qui vous déposera à 300 mètres du site.

LA MALINCHE

Le volcan éteint de 4 450 m qui porte le nom de l'interprète et de la maîtresse indienne de Cortés se trouve à 30 km au sud-est de Tlaxcala et 30 km au nord-est de Puebla. Ses flancs dominent l'horizon au nord de Puebla.

On y accède à partir de la 136. Tournez vers le sud sur la route menant au Centro Vacacional Malintzi, un centre géré par l'État situé à environ 15 km de la 136. Il est réservé aux athlètes mexicains de haut niveau.

La route devient impraticable à 3 000 m. On parcourt ensuite 1 km sur un sentier traversant en partie la forêt, jusqu'au sommet. La Malinche n'est enneigée que quelques semaines par an.

HUAMANTLA

• Hab. : 59 099 • Alt. : 2 500 m • ☎ 247

Cette ville date de 1534 et a été classée monument historique. Deux des bâtiments les plus remarquables sont l'**Ex-Convento San Francisco** du XVIe siècle et l'**Iglesia de San Luis** de style baroque bâtie au XVIIIe siècle. La plupart des taureaux de combats du Mexique sont élevés dans l'État de Tlaxcala et la ville de Huamantla s'enorgueillit de son **Museo Taurino** qui intéressera les aficionados.

Durant la **fiesta** annuelle qui se tient les deux premières semaines d'août, les rues de la ville se couvrent de superbes décorations florales. Une course de taureaux a lieu le dimanche suivant la fête de l'Assomption (15 août). Vous pouvez également visiter le **Museo Nacional del Títere**, consacré aux marionnettes.

Il existe trois hôtels dignes de ce nom dans le secteur : *El Centenario* (☎ 2-06-00), Juárez 209 Nte, doté de simples/doubles à 10/12 $US ; l'*Hotel Mesón del Portal* (☎ 2-26-26), Parque Juárez 9, où la nuitée revient à 13 $US pour une ou deux personnes ; et l'*Hotel Cuamanco* (☎ 2-22-09), au km 146 sur l'axe Mexico-Veracruz (13/16 $US).

PUEBLA

• Hab. : 1,5 million • Alt. : 2 162 m • ☎ 22

Peu de villes mexicaines ont conservé aussi fidèlement l'empreinte espagnole. Dans le seul quartier du centre, on compte plus de 70 églises et 1 000 autres édifices coloniaux – souvent ornés de faïence peinte à la main qui fait la réputation de la ville. Située sur la route Veracruz-Mexico, et dans la large vallée bordée à l'ouest par le Popocatépetl et l'Iztaccíhuatl, Puebla a toujours joué un rôle important.

Catholiques, criollos et conservateurs, ses habitants (Poblanos) ont conservé des liens avec l'Espagne plus longtemps que les autres villes du Mexique. Au XIXe siècle, leur patriotisme devint suspect, mais aujourd'hui, certaines familles sont fières de leur ascendance espagnole. C'est une ville animée dont le centre histo-

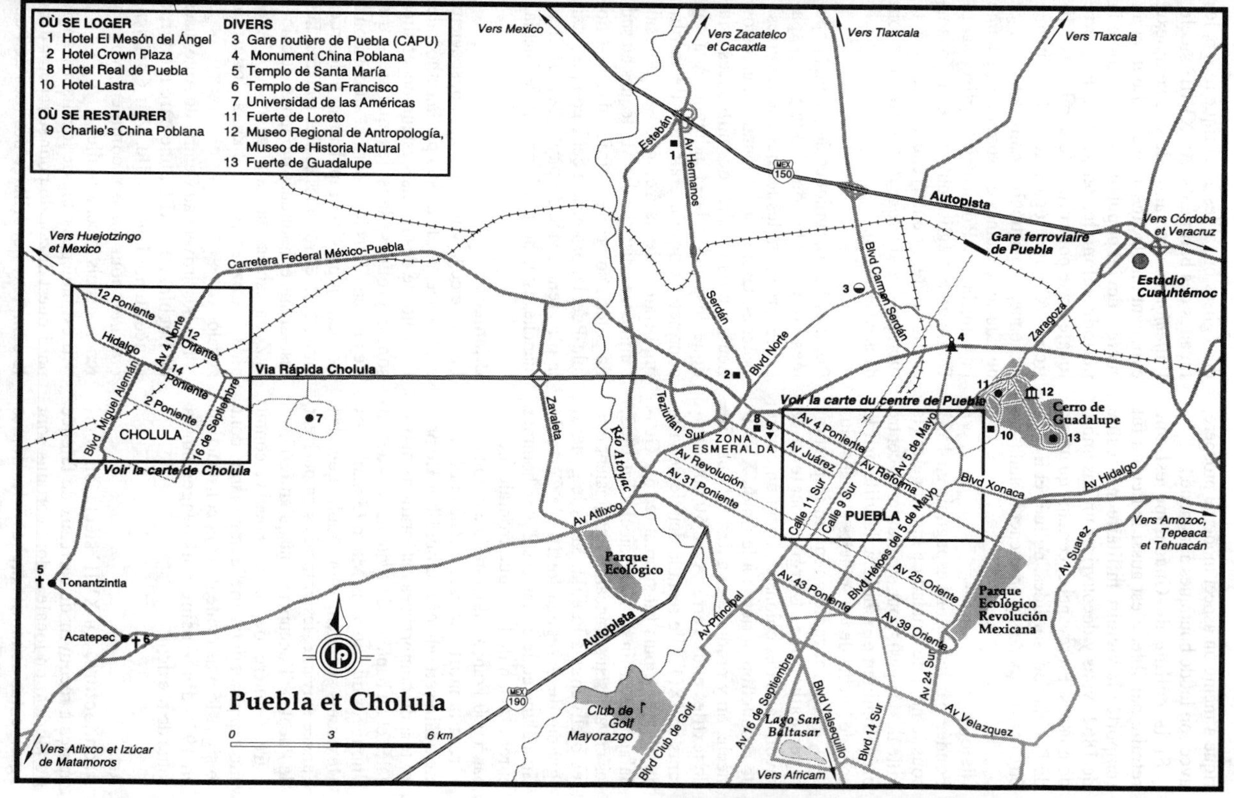

OÙ SE LOGER
1 Hotel El Mesón del Ángel
2 Hotel Crown Plaza
8 Hotel Real de Puebla
10 Hotel Lastra
OÙ SE RESTAURER
9 Charlie's China Poblana
DIVERS
3 Gare routière de Puebla (CAPU)
4 Monument China Poblana
5 Templo de Santa María
6 Templo de San Francisco
7 Universidad de las Américas
11 Fuerte de Loreto
12 Museo Regional de Antropología, Museo de Historia Natural
13 Fuerte de Guadalupe
Puebla et Cholula
0 3 6 km
Vers Mexico
Vers Zacatelco et Cacaxtla
Vers Tlaxcala
Vers Tlaxcala
Vers Huejotzingo et Mexico
Vers Córdoba et Veracruz
Vers Amozoc, Tepeaca et Tehuacán
Vers Atlixco et Izúcar de Matamoros
Vers Africam
Autopista
Gare ferroviaire de Puebla
Estadio Cuauhtémoc
Carretera Federal México-Puebla
Vía Rápida Cholula
Voir la carte du centre de Puebla
Voir la carte de Cholula
CHOLULA
PUEBLA
ZONA ESMERALDA
Cerro de Guadalupe
Parque Ecológico
Parque Ecológico Revolución Mexicana
Club de Golf Mayorazgo
Lago San Baltasar
Río Atoyac
Tonantzintla
Acatepec

rique a même un aspect moderne prospère, avec son lot de boutiques à la mode.

Si la colline de Guadalupe est une retraite paisible, c'est aussi le lieu où fut remportée la victoire militaire mexicaine de 1862. Vous y découvrirez un ensemble de musées. En revanche, certains quartiers de Puebla sont sordides, pollués et il peut être dangereux de s'y promener la nuit.

Histoire

Fondée par les colons espagnols en 1531 sous le nom de Ciudad de los Ángeles (la ville des Anges), pour supplanter le centre précolombien de Cholula, la ville prit le nom de Puebla de los Ángeles huit ans plus tard, et devint rapidement un important foyer catholique. L'argile locale et le savoir-faire des colons en firent un centre de production potière ; à la fin du XVIIIe siècle, on y produisait également quantité de textiles et de verre. Avec 50 000 habitants en 1811, elle resta la deuxième ville du Mexique, puis fut supplantée par Guadalajara, à la fin du XIXe siècle. En 1862, les envahisseurs français s'imaginaient être les bienvenus à Puebla. Mais le général Ignacio de Zaragoza fortifia le Cerro de Guadalupe et, le 5 mai, ses 2 000 hommes eurent raison de l'attaque frontale menée par 6 000 Français dont mille environ trouvèrent la mort. Ce rare succès militaire mexicain sert, encore aujourd'hui, de prétexte à de nombreuses célébrations nationales et au baptême de centaines de rues en l'honneur du Cinco de Mayo (5 mai). Les Mexicains semblent avoir oublié que, dès l'année suivante, les Français s'emparèrent de Puebla et l'occupèrent jusqu'en 1867.

Ces dernières décennies, Puebla a connu une expansion industrielle importante, dont le signe le plus évident est la construction en 1970 d'une usine Volkswagen sur la route de Mexico.

Arts

Architecture. Au XVIIe siècle, on commença à recouvrir de carreaux de faïence de fabrication locale – dont certains sont agrémentés de motifs arabes – les dômes des églises ou, alliés à la brique rouge, les façades des bâtiments. Au XVIIIe siècle, l'*alfeñique* – décoration de stuc complexe, évoquant un glaçage au blanc d'œuf et au sucre – devint populaire. Pendant toute la période coloniale, on sculpta la pierre locale grise pour orner de nombreux édifices. A noter également l'influence indienne, en particulier dans la surcharge de stuc sur certaines constructions, comme la Capilla del Rosario à l'église Santo Domingo et l'église du village de Tonantzintla, notamment (reportez-vous à la rubrique *Les environs de Cholula* plus loin dans ce chapitre).

Poterie. Les céramiques de Puebla, appelées talavera, du nom d'une ville espagnole, prennent des formes très diverses : assiettes, tasses, vases, fontaines, azulejos. Leurs motifs révèlent des influences asiatique, hispano-arabe et indienne. Avant la conquête, Cholula était la ville la plus importante de la région, et subissait l'influence artistique des Mixtèques au sud. La poterie colorée et vernie Mixteca-Cholula-Puebla, produite à cette époque, était la plus renommée du pays. La *majolica*, blanche, est la plus belle poterie de Puebla.

Orientation

Le centre de la ville est le zócalo, spacieux et ombragé, bordé au sud par la cathédrale. La majorité des hôtels, restaurants et sites sont regroupés dans les quartiers qui l'entourent. Plus loin, surtout au nord ou à l'ouest, on parvient rapidement à des rues moins bien entretenues et plus pauvres. Les restaurants et boutiques modernes et chic – la Zona Esmeralda – s'alignent sur l'Avenida Juárez, entre 1 et 2 km à l'ouest du zócalo.

Les bus arrivent au Central de Autobuses de Puebla, ou CAPU, une gare moderne située au nord de la ville. Voir *Comment circuler* pour savoir comment vous y rendre depuis le centre-ville.

Il est indispensable de localiser l'angle nord-ouest du zócalo pour se repérer dans le complexe quadrillage des rues de Pue-

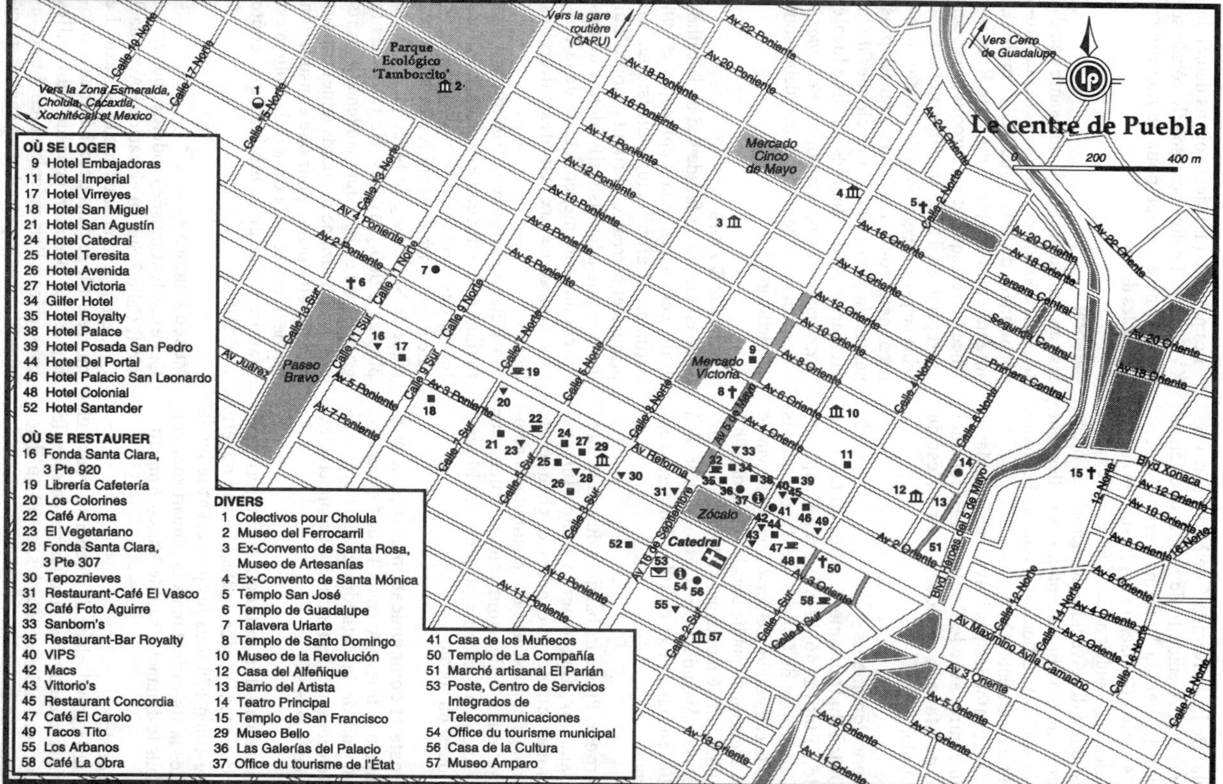
Le centre de Puebla
0
200
400 m
Vers Cerro de Guadalupe
Vers la gare routière (CAPU)
Vers la Zona Esmeralda, Cholula, Cacaxtla, Xochitécatl et Mexico
Parque Ecológico 'Tamborcito'
Paseo Bravo
Mercado Cinco de Mayo
Mercado Victoria
Zócalo
Catedral
OÙ SE LOGER
9 Hotel Embajadoras
11 Hotel Imperial
17 Hotel Virreyes
18 Hotel San Miguel
21 Hotel San Agustín
24 Hotel Catedral
25 Hotel Teresita
26 Hotel Avenida
27 Hotel Victoria
34 Gilfer Hotel
35 Hotel Royalty
38 Hotel Palace
39 Hotel Posada San Pedro
44 Hotel Del Portal
46 Hotel Palacio San Leonardo
48 Hotel Colonial
52 Hotel Santander
OÙ SE RESTAURER
16 Fonda Santa Clara, 3 Pte 920
19 Librería Cafetería
20 Los Colorines
22 Café Aroma
23 El Vegetariano
28 Fonda Santa Clara, 3 Pte 307
30 Tepoznieves
31 Restaurant-Café El Vasco
32 Café Foto Aguirre
33 Sanborn's
35 Restaurant-Bar Royalty
40 VIPS
42 Macs
43 Vittorio's
45 Restaurant Concordia
47 Café El Carolo
49 Tacos Tito
55 Los Arbanos
58 Café La Obra
DIVERS
1 Colectivos pour Cholula
2 Museo del Ferrocarril
3 Ex-Convento de Santa Rosa, Museo de Artesanías
4 Ex-Convento de Santa Mónica
5 Templo San José
6 Templo de Guadalupe
7 Talavera Uriarte
8 Templo de Santo Domingo
10 Museo de la Revolución
12 Casa del Alfeñique
13 Barrio del Artista
14 Teatro Principal
15 Templo de San Francisco
29 Museo Bello
36 Las Galerías del Palacio
37 Office du tourisme de l'État
41 Casa de los Muñecos
50 Templo de La Compañía
51 Marché artisanal El Parián
53 Poste, Centro de Servicios Integrados de Telecommunicaciones
54 Office du tourisme municipal
56 Casa de la Cultura
57 Museo Amparo

bla. De là, l'Avenida 5 de Mayo part vers le nord, l'Avenida 16 de Septiembre vers le sud, l'Avenida Reforma vers l'ouest et l'Avenida Camacho vers l'est. Les autres voies nord-sud sont des Calles, et les axes est-ouest des Avenidas, numérotés en ordre croissant à partir du centre. Les Calles sont Norte (Nte) ou Sur, les Avenidas Poniente (Pte) ou Oriente (Ote).

Ne confondez pas l'Avenida 5 de Mayo, au centre, avec le Boulevard Héroes del 5 de Mayo, à quelques rues à l'est du zócalo.

Renseignements

Office du tourisme. L'office du tourisme de l'État (☎ 46-12-85) est à l'angle de Camacho et de Calle 2 Nte, face au parvis de la cathédrale. Le personnel est serviable et accueille le public tous les jours de 10h à 20h. L'office municipal du tourisme (☎ 32-03-57), Avenida 5 Ote 3, est ouvert de 9h à 20h en semaine et de 10h à 19h les week-ends.

Argent. Plusieurs banques du centre, dont Banamex, Bancomer et Banco Internacional, changent espèces et chèques de voyage et possèdent des distributeurs automatiques. Elles sont toutes situées sur l'Avenida Reforma, à quelques blocs à l'ouest du zócalo.

Poste et communications. La poste principale se trouve Avenida 16 de Septiembre, au sud de la cathédrale. Le bureau de Telecomm (télégramme, télécopie et télex) jouxte la poste.

Horaires des musées. La majorité des nombreux musées de Puebla sont ouverts de 10h à 17h tous les jours sauf le lundi. Les tarifs varient mais la plupart sont gratuits le dimanche, sauf le Museo Amparo.

Zócalo

Sur la grand-place de Puebla se trouve un marché où avaient lieu les pendaisons, les corridas et les spectacles, avant qu'il soit aménagé en jardin, en 1854.

Les portales (arcades) voisins datent du XVIe siècle. Le dimanche soir, le zócalo se transforme en scène pour de nombreux spectacles de rue.

Catedral

Sise au sud du zócalo, l'imposante cathédrale est considérée comme la mieux proportionnée du Mexique. S'y mêlent, notamment, l'austérité du style Renaissance herreresque et un baroque précoce. Entreprise en 1550, sa construction fut achevée par l'évêque Juan de Palafox, dans les années 1640. Les tours sont les plus hautes du pays (69 m). Les cloches de la cathédrale sont célébrées en rime locale *"Para mujeres y campanas, las Poblanas"* – Les femmes et les cloches de Puebla sont les meilleures !

Casa de la Cultura

Situé en face de la façade sud de la cathédrale, cet ancien palais épiscopal est un bâtiment d'architecture classique, en briques et carreaux, abritant aujourd'hui des bureaux administratifs, dont l'un des offices du tourisme, et la Casa de la Cultura, consacrée aux activités culturelles locales.

A l'étage se trouve la Biblioteca Palafoxiana (bibliothèque Palafox). Elle renferme des centaines d'ouvrages d'une valeur inestimable, parmi lesquels la chronique de Nuremberg de 1493, qui comporte plus de 2 000 gravures. Ne ratez pas la grande roue en bois qui maintenait ouverts une demi-douzaine de lourds tomes et tournait sur elle-même pour une consultation rapide. L'entrée de la Casa de la Cultura est gratuite, celle de la bibliothèque coûte 1,30 $US.

Museo Amparo

Cet excellent musée moderne, ouvert en 1991, Calle 2 Sur, au niveau de l'Avenida 9 Ote, est à ne rater sous aucun prétexte. Le musée est logé dans deux bâtiments coloniaux. Le premier possède huit salles consacrées à l'art précolombien. Les commentaires, en espagnol et en anglais, retracent clairement les techniques de production, le contexte historique et régional ainsi que la portée anthropologique de ces objets. En rejoignant le second bâtiment, on traverse une série de salles présentant les plus belles pièces d'art et d'ameublement de la période coloniale.

Il est ouvert tous les jours sauf le mardi de 10h à 18h (entrée de 2,25 $US, gratuite le lundi). Pour 1 $US de plus, plus une caution, vous pourrez louer des écouteurs pour la vidéo explicative. Le musée possède une bibliothèque, une cafétéria et une très bonne librairie.

Museo Bello

Cette maison, Avenida 3 Poniente 302, présente l'éclectique collection d'œuvres d'art et d'artisanat ayant appartenu à José Luis Bello, industriel du XIXe siècle. Elle renferme notamment de magnifiques porcelaines françaises, anglaises, japonaises et chinoises, une vaste collection de céramiques talavera de Puebla ainsi que des chaînes cloutées pour l'auto-flagellation des nonnes. L'entrée coûte 1,50 $US (gratuite le samedi). Les visites guidées sont en espagnol et en anglais.

Casa de los Muñecos

Les carreaux ornant la Maison des Marionnettes, 2 Norte, près de l'angle nord-est du zócalo, caricaturent les pères de la ville qui intentèrent un procès au propriétaire, car sa maison était plus haute que les leurs. A l'intérieur, le Museo Universitario (entrée 1 $US) retrace l'histoire de l'enseignement à Puebla.

Templo de la Compañía

Cette église jésuite à la façade churrigueresque de 1767, située à l'angle de Avenida Maximino Avila Camacho et 4 Sur, est aussi appelée Espíritu Santo. On pense que la tombe derrière l'autel serait la sépulture d'une princesse asiatique du XVIIe siècle, vendue comme esclave au Mexique, puis affranchie. Elle y aurait introduit le costume China Poblana, composé d'un châle, d'une blouse à jabot, d'une jupe brodée et d'ornements d'or et d'argent, dans un style paysan chic du XIXe siècle. Mais *china* signifie également "servante", et certains costumes paysans espagnols sont peut-être à l'origine de ce mode vestimentaire.

A côté, l'Edificio Carolino datant du XVIe siècle, autrefois un collège jésuite, abrite à présent l'Université de Puebla.

Casa del Alfeñique

Cette maison, à l'angle de 6 Norte et Avenida 4 Oriente, illustre parfaitement le style alfeñique du XVIIIe siècle. A l'intérieur, le Museo del Estado (entrée 1,50 $US) présente divers objets locaux, datant des XVIIIe et XIXe siècles : vêtements China Poblana, attelages, meubles.

Teatro Principal et Barrio del Artista

Au 6 Norte, entre les Avenidas 6 et 8 Oriente, cet édifice, construit en 1756, est l'un des plus anciens théâtres des Amériques. Il brûla en 1902 mais fut reconstruit dans les années 30. Vous pourrez jeter un coup d'œil à l'intérieur entre 10h et 17h, lorsqu'il n'y a pas de répétition. Les maisons voisines, Calle 8 Norte, entre les Avenidas 4 et 6 Oriente, sont occupées par des ateliers et galeries d'artistes et de sculpteurs : c'est le "quartier des Artistes".

Templo de San Francisco

La porte nord de San Francisco, à l'est du Boulevard Héroes del 5 de Mayo, Avenida 14 Ote (Xonaca), est un bon exemple de style plateresque du XVIe siècle ; la tour et la belle façade de briques et de carreaux furent ajoutées au XVIIIe siècle. Le corps de San Sebastián de Aparicio repose derrière une vitrine dans la chapelle nord. Cet Espagnol, qui arriva au Mexique en 1533, traça quantité de routes mexicaines avant de devenir moine. Son corps attire un flot de fidèles.

Museo de la Revolución

C'est dans cette maison, Avenida 6 Ote 206, que se déroula la première bataille de la Révolution de 1910. Trahie deux jours avant le soulèvement prévu contre la dicta-

Les spécialités de Puebla

Le mole poblano, que l'on retrouve sur tous les menus, ou presque, des restaurants de Puebla, largement copié dans tout le pays, est une sauce épicée au chocolat habituellement servie sur de la dinde (pavo ou guajolote) ou du poulet – une véritable sensation gustative si elle est bien préparée. Inventée par, dit-on, Sor (Sœur) Andrea de la Asunción, du couvent de Santa Rosa, à l'occasion d'une visite du vice-roi, elle contient traditionnellement du piment frais, du chipotle (piment fermenté), du poivre, des cacahuètes, des amandes, de la cannelle, de la graine d'anis, des tomates, des oignons, de l'ail et, bien évidemment, du chocolat.

Les *chiles en nogada*, une spécialité saisonnière de Puebla qui se prépare aux mois de juillet, d'août et de septembre, ont été soi-disant créés en 1821 en l'honneur d'Agustín de Iturbide, le premier dirigeant du Mexique indépendant. Ce plat porte les couleurs du drapeau national : de gros piments verts, farcis de viande et de fruits, sont nappés d'une sauce aux noix d'un blanc crémeux et parsemés de graines rouges de grenade.

En avril et en mai, vous pourrez goûter les *gusanos de maguey* et, en mars, les *escamoles* – respectivement des vers de maguey et leurs œufs, préparés avec de l'avocat ou des œufs de poule.

Un taco *pan árabe* est la contribution de Puebla au taco – plus gros, il est préparé avec de la pita. Un autre en-cas substantiel, originaire de la ville, est le *cemita*, un petit pain légèrement toasté avec du fromage, du piment, du poulet, du jambon, de l'oignon, de la laitue... une super torta, en somme. Les *camotes* sont un bonbon poisseux local – des bâtonnets de gelée fruitée. ■

ture de Porfirio Díaz, la famille Serdán (Aquiles, Máximo, Carmen et Natalia) et 17 autres personnes se battirent contre 500 soldats jusqu'à ce que seuls Aquiles, leur chef, et Carmen restent vivants. Aquiles, dissimulé sous le plancher, aurait pu en réchapper si l'humidité ne l'avait fait éternuer. Sur les murs de la maison, on peut encore voir des impacts de balles. D'autres souvenirs commémorent cet événement, parmi lesquels une pièce dédiée aux femmes de la Révolution. L'entrée coûte 1,50 $US.

Templo de Santo Domingo

La principale fierté de cette église, à quelques dizaines de mètres au nord du zócalo, Avenida 5 de Mayo, est la Capilla del Rosario (chapelle du rosaire), au sud du grand autel. Construite entre 1680 et 1720, c'est une somptueuse accumulation baroque de stuc doré et de pierre sculptée, d'anges et de chérubins. On peut y entendre un excellent orchestre.

Ex-convento de Santa Rosa et Museo de Artesanías

Cet ancien couvent datant du XVIIe siècle abrite une collection très complète d'artisanat de l'État de Puebla. Il est obligatoire de prendre un guide – parlant anglais ou espagnol – pour en faire la visite mais vous pourrez du moins admirer des costumes indiens, de la poterie, des objets en onyx, en verre et en métal. Enfin, vous parviendrez à la cuisine où fut inventé le *mole poblano* (voir l'encadré *Les spécialités de Puebla* à la rubrique *Où se restaurer*). L'entrée (1,50 $US) s'effectue Avenida 14 Pte entre les Calles 3 et 5 Nte.

Ex-convento de Santa Mónica

Cet autre couvent-musée, doté d'une cour carrelée exquise, est situé Avenida 18 Pte 101, près du croisement avec l'Avenida 5 de Mayo (l'entrée coûte 1 $US). Vous y verrez essentiellement de l'art religieux et vous pourrez jeter un œil dans l'une des cellules des sœurs où l'on expose, entre autres, les instruments d'auto-flagellation.

Museo del Ferrocarril

Une douzaine de locomotives anciennes, de la plus majestueuse à la plus pittoresque, reposent devant l'ancienne gare de la ville, face à l'intersection de 11 Nte et 12 Pte. Entrée gratuite.

Cerro de Guadalupe

Ce parc, au sommet de la colline, s'étend à 1 km au nord de 2 Norte et 2 km au nord-est du zócalo. Vous y découvrirez deux sites historiques de Puebla – les forts de Loreto et Guadalupe et le Centro Cívico 5 de Mayo – ensemble de musées et d'expositions. La vue est belle, l'air relativement frais et les bois d'eucalyptus ajoutent à son charme. Prenez le bus "Loreto" (0,30 $US) à l'angle des Avenidas 5 de Mayo et 10 Poniente.

Le **Fuerte de Loreto**, à l'extrémité est du sommet de la colline, fut l'un des points de la défense mexicaine, le 5 mai 1862, lorsque l'armée française fut écrasée. Il abrite le Museo de la Intervención qui retrace, costumes et documents à l'appui, l'occupation française du Mexique (2 $US).

A l'est du fort, derrière le dôme de l'auditorium, se trouvent le **Museo Regional de Antropología** (2 $US), consacré à l'histoire sociologique de l'État, le **Museo de Historia Natural** (2 $US) et un planétarium en forme de pyramide, le **Planetario de Puebla**. A l'extrémité est de la colline, le **Fuerte de Guadalupe** (3 $US) joua également un rôle au cours de la bataille du 5 mai 1862.

Parc safari Africam

Il se trouve à 16 km au sud-est de Puebla, sur la route menant à Presa Valsequillo. Les animaux du parc, dont des rhinocéros, des ours et des tigres, s'ébattent en liberté. Pour les apercevoir, vous pouvez rester dans votre voiture ou monter à bord d'un taxi ou d'un bus Africam. Estrella Roja assure des liaisons directes, quotidiennes, depuis le CAPU de Puebla (2,50 $US ; tarif enfant à 2 $US).

Dans l'autre sens, un bus Africam vous ramènera au CAPU moyennant 1,50 $US. Visitez le parc en matinée de préférence, lorsque les animaux sont les plus actifs. L'entrée coûte 5 $US (tarif enfant à 4,50 $US). Ouvert tous les jours de l'année. Pour plus de renseignements, appelez Africam (☎ 35-09-75).

Où se loger – petits budgets

A Puebla, certains hôtels bon marché font penser à des prisons. Ainsi l'*Hotel Santander* (☎ 46-31-75), Avenida 5 Pte, à l'ouest de la cathédrale, où les "cellules" les moins chères coûtent 11 $US. Les portes sont en fer et les chambres ne possèdent pas de fenêtre. En revanche, elles ont l'eau chaude et la TV.

Encore moins confortable que le précédent, l'*Hotel Avenida* (☎ 32-21-04), Avenida 5 Pte 141, à environ 150 mètres à l'ouest du centre, est un vieux bâtiment dont les simples/doubles (5/6 $US) donnent sur une cour ou sur la rue. La propreté laisse à désirer.

Il n'en va pas de même à l'*Hotel Teresita* (☎ 32-70-72), Avenida 3 Pte 309, à environ 150 m à l'ouest du centre. L'établissement dispose de nouveaux tapis, de s.d.b. carrelées à neuf et de bons lits. A 10/12 $US (13 $US pour deux lits), c'est probablement le meilleur de sa catégorie.

L'*Hotel Victoria* (☎ 32-89-92), de l'autre côté de la rue, 3 Pte 306, est accueillant et propre, bien que présentant un aspect plutôt sombre et décati. Les simples/doubles avec s.d.b. valent 9/10 $US. A deux pas du Victoria, l'*Hotel Catedral* (☎ 32-23-68) comporte des chambres peu engageantes. L'une d'entre elles est équipée de 6 lits et d'une s.d.b. avec eau chaude et revient à 4 $US seulement.

A un pâté de maisons à l'ouest, Avenida 3 Pte 531, l'*Hotel San Agustín* (☎ 32-50-89) est plus attrayant que le Victoria (les chambres sont plus propres et plus confortables). Les prix sont en conséquence (13 $US).

L'*Hotel Virreyes* (☎ 42-49-80), Avenida 3 Pte 912, dispose de chambres spacieuses, propres, agrémentées de poutres. Elles ouvrent sur deux larges balcons surplombant une cour faisant office de parking. L'établissement est quelque peu délabré mais, à 13 $US la simple ou la double (15 $US la chambre de deux lits), vous ne ferez pas une mauvaise affaire. Des chambres avec s.d.b. commune sont également disponibles moyennant 7/9 $US.

Au nord du centre, l'*Hotel Embajadoras* (☎ 32-26-37), 5 de Mayo, entre 6 et 8 Ote, propose des simples/doubles avec s.d.b. commune à 4/5 $US (6/7 $US avec s.d.b.). Les chambres sont réparties sur trois étages entourant une grande cour couverte. Elles sont spacieuses et relativement propres, quoique sombres, dépouillées et passablement défraîchies.

Où se loger – catégorie moyenne

Oubliez l'*Hotel Imperial* (☎ 42-49-80), Avenida 4 Ote 212, qui est un véritable galetas (13/22 $US).

A l'ouest du zócalo, l'*Hotel San Miguel* (☎ 42-48-60), Avenida 3 Pte 721, offre des chambres propres et spacieuses avec s.d.b. et TV, louées 23/26 $US.

Pour un peu plus cher, vous séjournerez dans des établissements ayant du cachet. L'*Hotel Colonial* (☎ 46-47-09), 4 Sur 105, à l'angle de 3 Ote, à un pâté de maisons à l'est du zócalo, propose de ravissantes simples/doubles à 26/28 $US. Autrefois partie intégrante d'un monastère jésuite, il a conservé une touche coloniale en dépit de la modernisation des lieux. La plupart des 70 chambres sont grandes, carrelées et possèdent la TV et le téléphone. Les chambres à l'étage sont les plus agréables. La salle à manger de l'hôtel, où ont été aménagés plusieurs petits salons, est surmontée d'un dôme ancien en verre et ornée d'une fontaine en pierre sculptée. Il est conseillé de réserver. Pour information, sachez que l'ascenseur est minuscule et lent ; pour accéder à votre chambre, vous devrez certainement emprunter l'escalier.

De même style, l'*Hotel Royalty* (☎ 42-47-40), situé sur le zócalo, Portal Hidalgo 8, est également accueillant et bien tenu. Bien que de taille modeste, les chambres sont confortables et gaies, avec tapis et TV. Les tarifs sont acceptables : 25/32 $US.

L'*Hotel Palace* (☎ 42-40-30), Avenida 2 Ote 13, a pour atout un bon confort et une situation centrale. Comptez 25 $US la simple ou la double (33 $US la chambre à deux lits). Plus avantageux, l'*Hotel Gilfer*(☎ 46-06-11), Avenida 2 Ote 11, à un pâté de maisons du zócalo, met à disposition des chambres confortables et modernes équipées de TV, du téléphone et d'un coffre. Vous réglerez 24/30 $US la nuitée.

L'*Hotel Del Portal* (☎ 46-02-11), Camacho 205, se donne une allure coloniale. L'intérieur est en revanche moderne. Les chambres sont comparables à celles du précédent mais nettement plus onéreuses (32/41 $US).

Où se loger – catégorie supérieure

L'*Hotel Posada San Pedro* (☎ 46-50-77), dans un bâtiment colonial situé Avenida 2 Ote 202, dispose d'une petite piscine et de deux restaurants. Les simples/doubles, quoique pimpantes, ne sont pas mieux que celles du Royalty et coûtent bien plus cher (42/54 $US). L'*Hotel Palacio San Leonardo* (☎ 46-05-55), Avenida 2 Ote 211, possède un hall élégant avec un plafond de verre coloré. A l'instar du précédent, le rapport qualité/prix ne plaide pas en sa faveur (51/55 $US).

D'une capacité de 52 chambres, l'*Hotel Lastra* (☎ 35-97-55), Calzada de los Fuertes 2633, à 2 km au nord-est du zócalo sur le Cerro de Guadalupe, se prévaut d'un emplacement calme, de belles vues, d'un agréable jardin, d'un parking facile d'accès et d'un jardin coquet. Du lundi au jeudi, il vous en coûtera 40 $US pour une simple ou une double (48 $US du vendredi au dimanche). Les chambres sont confortables et plutôt spacieuses. Aller jusqu'au centre-ville à pied est une promenade un peu longuette mais fort agréable.

Les trois meilleurs hôtels, tous situés hors du centre, louent des chambres à partir de 75 $US. Tous trois peuvent se prévaloir d'un luxe appréciable, mais vous ne bénéficierez pas du charme du centre-ville. L'*Hotel El Mesón del Ángel* (☎ 24-30-00), Avenida Hermanos Serdán 807, à 6 km au nord-ouest du centre, près de l'autoroute pour Mexico, passe pour le meilleur. Il dispose de 190 chambres, de deux piscines, de courts de tennis et de plusieurs restaurants et bars. Les deux autres sont l'*Hotel Crown*

Plaza (☎ 48-60-55), d'une capacité de 400 chambres, plus proche du centre de 3 km, Hermanos Serdán 141, et l'*Hotel Real de Puebla* (☎ 48-96-00), Avenida 5 Pte 2522, dans la Zona Esmeralda.

Où se restaurer

Spécialités. Pour goûter à la cuisine poblana, nous vous recommandons la *Fonda Santa Clara*, représentée dans deux établissements de l'Avenida 3 Pte. Leur carte est identique. Celui du n°307, fermé le lundi, est plus proche du centre-ville et généralement plus fréquenté. La cuisine du n°920 (fermé le mardi) est tout aussi délicieuse et l'ambiance plus conviviale. Le poulet mole (6 $US) et les enchiladas (5 $US) sont succulents, tout comme les soupes (de 2 à 3 $US). Régalez-vous également de *mixiotes* (ragoût d'agneau coupé en tranches), servies avec du guacamole (7 $US).

Végétarien. *El Vegetariano*, Avenida 3 Pte 525, ouvert de 7h30 à 21h, possède une longue carte de plats végétariens, tels que des chiles rellenos, des rellenos népalais ("oreilles" de cactus farcies) et des enchiladas Suizas. Accompagnés d'une salade, d'une soupe et d'une boisson, ils coûtent 4,50 $US environ (3 $US servis seuls).

Sur le pouce et en-cas. Un taco pan árabe (voir l'encadré *Spécialités de Puebla*) vaut environ 1 $US. Poussez la porte du *Tacos Tito* qui possède plusieurs établissements dans le secteur zócalo, ou à *Los Arbanos*, sur Avenida 7 Ote. *Tepoznieves*, à l'angle de 3 Pte et de 3 Sur, est le meilleur glacier traditionnel de la ville. Vous vous délecterez d'une de leurs glaces (parfums variés) dans un décor enchanteur et à des prix attrayants.

Le secteur du zócalo. Le grand rendez-vous gastronomique du quartier est le *Vittorio's*, Portal Morelos 106 (2 Sur), côté est. Ce restaurant italien se présente comme "La Casa de la Pizza Increíble" en souvenir de la gargantuesque pizza de 20 m² qu'on y prépara en 1981, en guise de publicité. Les pizzas sont bonnes, mais assez onéreuses. Comptez de 3 à 7 $US la part individuelle, et de 8 à 17 $US (3 ou 4 personnes). La carte comporte des spaghettis à la bolognaise (4 $US) et des salades composées (3 $US).

A une encablure, *Macs* est une cafétéria en vogue où l'on prépare une bonne cuisine. Il existe des demi-portions pour les enfants (moitié prix).

Les autres établissements proches du zócalo ont beaucoup de charme mais affichent des tarifs assez élevés. Le *Restaurant-Café El Vasco*, à Portal Juárez, côté ouest, est l'endroit rêvé pour se retrouver entre amis. La carte est variée et les plats délicieux. Les antojitos valent entre 2 et 6 $US, les spécialités de poisson entre 3 et 7 $ US, le poulet entre 4 et 5 $US et le bœuf entre 3 et 6 $US. Au nord du zócalo, l'élégant *Restaurant-Bar Royalty* dispose de tables en terrasse, mais la vue se paie cher – un café con leche coûte 1 $US. Les plats à base de viande ou de poisson atteignent 10 $US.

Les prix sont plus raisonnables dans les restaurants qui se tiennent à l'écart du zócalo. Mentionnons le *Café Foto Aguirre* Avenida 5 de Mayo, propre et animé, très prisé des Poblanos. Un petit déjeuner composé d'un jus de fruit, d'un café et d'œufs coûte 2,50 $US, la comida corrida 3 $US. Vous trouverez un *Sanborns*, Avenida 2 Ote 6, et un café-librairie *VIPS* dans le bâtiment en fer forgé du XIXe siècle situé à l'angle des Avenidas 2 Ote et 2 Nte. A l'est du VIPS, sur l'Avenida 2 Ote, se trouvent quelques restaurants locaux bon marché, dont le *Restaurant Concordia,* qui propose des comidas corridas à 3 $US. Le *Café El Carolo*, Avenida Camacho, à moins d'un pâté de maisons à l'est du zócalo, sert des salades de fruits, des yaourts et une comida corrida à 2,50 $US seulement.

Le *Café Aroma*, 3 Pte 520, en face du El Vegetariano, propose 25 boissons différentes, servies entre 9h et 20h45. Rançon de son succès : les six tables sont généralement toujours occupées. Comptez 1,50 $US la tasse de café. Sodas, sandwiches et hot dogs sont également disponibles. A l'angle de Reforma et de 7 Nte, *Los Colorines* ne désemplit pas. Au menu (bilingue anglais), figurent des œufs et des crêpes entre 2,75 et 5 $US, des plats mexicains entre 2,75 et 6 $US, et des sandwiches entre 2,75 et 3,50 $US.

Zona Esmeralda. Le secteur huppé de Juárez est bordé de nombreux restaurants chic servant des spécialités de différents pays – notamment allemandes, italiennes et chinoises. Si vous voulez faire une petite folie dans un cadre clinquant, *Charlie's China Poblana*, Juárez 1918, est tout désigné. Ce vénérable établissement, qui appartient à la chaîne Carlos Anderson, sert des repas de 13h à 24h, mais le bar reste ouvert tard dans la nuit. Les salades coûtent 3 $US et les plats principaux 7 $US environ. Un repas complet peut facilement atteindre 15 $US. Nous déconseillons les pâtes.

Où sortir

La *Libreria Cafeteria*, à l'angle de Reforma et 7 Nte, est une librairie-café où se retrouvent artistes et étudiants, attirés par l'orchestre qui se produit tous les soirs de 21h à 1h. On y sert gâteaux, café, bière et autres boissons alcoolisées.

Le bar du *Charlie's China Poblana* passe pour un lieu de drague. La nuit, les mariachis tournent dans le Callejón del Sapo, une rue piétonne entre les Avenidas 5 et 7 Ote, à l'est de 4 Sur.

Pour écouter du rock tard dans la soirée dans la Zona Esmeralda, jetez votre dévolu sur *Corcores*, dans Juárez, à deux pâtés de maisons à l'est du Charlie's China Poblana. Le dimanche après-midi, des concerts de rock/blues ont lieu au *Café La Obra*, Avenida 3 Ote près de 6 Sur.

Pour les manifestations culturelles, consultez les panneaux d'affichage dans les offices du tourisme et à la Casa de la Cultura.

Achats

Les plus belles céramiques de Puebla sont exposées et vendues dans plusieurs boutiques de l'Avenida 18 Poniente, à l'ouest de l'Ex-Convento de Santa Monica. Les grandes pièces sont très chères et difficiles à transporter, mais vous pourriez vous laisser tenter par les petites céramiques talavera peintes à la main (5 $US) ou par un plat de (10 $US). Talavera Uriarte, Avenida 4 Pte 911, compte parmi les rares boutiques possédant une fabrique de poteries sur place. La salle d'exposition est ouverte tous les jours, mais vous ne pouvez visiter la fabrique que pendant les heures de travail, c'est-à-dire les jours de semaine jusqu'à 15h.

On trouve aussi de l'artisanat provenant d'autres régions de l'État : textiles indiens, onyx tecali et poterie d'Acatlán de Osorio, Amozoc, ou Izúcar de Matamoros. Un magasin proche de l'office du tourisme, Avenida 5 Ote 3, mérite une visite. Il est ouvert en semaine jusqu'à 20h.

Le marché artisanal El Parián, entre 6 et 8 Norte et les Avenidas 2 et 4 Ote, propose, outre les cuirs, bijoux et textiles que l'on trouve dans d'autres villes, des céramiques talavera locales, de l'onyx et des arbres de vie. La plupart des objets ne sont que des souvenirs en toc, mais on peut y découvrir quelques pièces intéressantes à des prix raisonnables.

Le Callejón del Sapo, entre les Avenidas 5 et 7 Ote, à l'est de 4 Sur, est bordée d'antiquaires, de bouquinistes et de boutiques de bric-à-brac. C'est l'endroit idéal pour chiner – la plupart ferment pour une longue pause-déjeuner. Les trois quartiers commerçants chic sont les rues au nord du zócalo, la Zona Esmeralda et la Plaza Dorada, à côté du Boulevard Héroes del 5 de Mayo.

Comment s'y rendre

Avion. Les seuls vols programmés à l'aéroport Hermanos Serdán, 22 km à l'ouest de Puebla sur la route Cholula-Huejotzingo, sont des allers et retours quotidiens vers Guadalajara et Tijuana, par AeroCalifornia (☎ 30-48-55). En règle générale, on prend l'avion pour Mexico et on continue en bus pour Puebla.

Bus. La gare routière de Puebla, le Central de Autobuses de Puebla (CAPU), est situé à 4 km au nord du zócalo et 1,5 km de l'autopista, près de l'angle des Avenidas Norte et Carmen Serdán. Vous y trouverez une consigne, un bureau de téléphone, une agence de la Banca Serfin (avec un distributeur), un restaurant et des boutiques.

Les bus circulant entre Mexico et Puebla partent du Terminal Oriente (TAPO). Le trajet de 130 km dure environ 2 heures. Trois compagnies exploitent cette ligne : ADO, avec des bus directo 1re classe qui partent toutes les 20 minutes (5 $US) ; AU, avec des bus directo 2e classe qui partent toutes les 12 minutes (4,25 $US) ; Estrella Roja, enfin, avec des bus 2e classe (4,25 $US), très fréquents. Estrella Roja dessert également l'aéroport de Mexico toutes les heures entre 3h et 20h, pour 8 $US.

Il existe des liaisons quotidiennes entre Puebla et le sud et l'est du Mexique, notamment :

Acapulco – 510 km, 7 heures ; un bus de luxe (26 $US, 22h) et 5 bus 1re classe (24 $US), avec Estrella Blanca

Córdoba – 170 km, 3 heures ; 11 bus ADO (12 $US), 25 bus AU (7,25 $US)

Cuernavaca – 175 km, 3 heures ; 4 bus de luxe (5,50 $US) et 14 bus 1re classe (5 $US), avec Autobuses Oro ; service fréquent de bus 2e classe avec Estrella Blanca (4,50 $US)

Jalapa – 185 km, 3 heures 45 ; 2 bus ADO-GL de luxe (8 $US), 7 bus ADO (7 $US) et 13 bus AU (6 $US)

Mérida – 1 390 km, 22 heures ; un bus ADO à 21h05 (70 $US)

Oaxaca – 320 km, 4 heures 30 ; 2 bus ADO-GL de luxe (17 $US), un bus UNO de luxe (20 $US, 18h), 5 bus ADO (13 $US) et 3 directos AU (11 $US)

Tampico – 730 km, 14 heures ; 3 bus ADO (20 $US) et un bus 1re classe Estrella Blanca (20 $US)

Tuxtla Gutiérrez – 870 km, 14 heures 30 ; un bus UNO de luxe (52 $US ; 22h45), un bus ADO (38 $US ; 22h40) et un bus 1re classe Cristóbal Colón (38 $US, 13h45)

Veracruz – 300 km, 5 heures ; 5 bus ADO-GL de luxe (12 $US), 7 bus ADO (11 $US) et 13 bus AU (10 $US)

Villahermosa – 690 km, 12 heures ; un bus UNO de luxe (47 $US), un bus ADO-GL de luxe (33 $US) et 2 bus ADO (28 $US)

Train. Les trains au départ et à destination de Mexico sont terriblement lents (entre 5 et 12 heures), mais le trajet jusqu'à Oaxaca traverse de beaux paysages. Le meilleur train est El Oaxaqueño, assurant chaque jour la liaison entre Mexico et Oaxaca. En théorie, il s'arrête à Puebla à 23h50 pour arriver à destination à 9h25, mais il part souvent de Puebla avec une ou deux heures de retard, et arrive à Oaxaca deux ou trois heures après l'heure prévue. Il traverse de jour la superbe Sierra Madre de Oaxaca. Les tarifs s'élèvent à 8,75 $US en primera preferente et à 5 $US en segunda clase. Il n'existe pas de voiture-couchette. Passez le matin ou la veille pour savoir quand les billets sont en vente. Le trajet de retour du Oaxaqueño de Oaxaca à Puebla s'effectue presque entièrement de nuit.

La gare de Puebla est située au nord de la ville, à 200 m au nord de l'angle de 9 Norte et Avenida 80 Poniente. Les colectivos Ruta 1 "Estación Nueva" partent de 9 Sur, à l'angle de l'Avenida 5 Pte, dans le centre-ville, et vous conduisent à la gare routière en 20 minutes. Dans l'autre sens, prenez le colectivo à 200 m environ de l'entrée de la gare, et descendez à Paseo Bravo. Un taxi entre la gare et le zócalo coûte environ 3 $US.

Voiture et moto. Puebla se trouve à 136 km de Mexico par une autopista rapide, l'autoroute 150D (les péages totalisent environ 8 $US). A l'est de Puebla, la 150D se poursuit jusqu'à Córdoba – négociant au passage une descente sinueuse et brumeuse de 22 km, depuis Cumbres de Maltrata (2 385 m) – et Veracruz.

Comment circuler

La plupart des hôtels et endroits dignes d'intérêt sont accessibles à pied depuis le zócalo. De la gare routière, le plus simple est d'acheter un ticket de taxi en arrivant (3 $US au guichet) ou de sortir de la gare routière et de prendre le Boulevard Norte sur la gauche jusqu'au carrefour avec le Boulevard Carmen Serdán. Là, vous pouvez soit continuer tout droit de l'autre côté du croisement et prendre un bus ou colectivo "Blvd 5 de Mayo/ Plaza Dorada". Il emprunte le Boulevard Norte vers l'est jusqu'au Boulevard Héroes del 5 de Mayo, où vous pouvez descendre à l'angle de Mendoza, trois rues à l'est du zócalo. Ou bien, vous tournez à droite au carrefour et prenez un colectivo "Paseo Bravo Directo" vers le sud, qui descend Carmen Serdán vers Paseo Bravo, un parc près de 11 Sur, cinq blocs à l'ouest du zócalo. Dans les deux cas, le trajet dure de 15 à 20 minutes.

Du centre-ville à la gare routière, empruntez un colectivo "CAPU", 9 Sur ou 9 Norte, quatre blocs à l'ouest du zócalo. Tous les bus urbains et colectivos coûtent 0,50 $US.

CHOLULA

• Hab. 78 177 • Alt : 2 170 m • ☎ 22

A 10 km à l'ouest de Puebla, s'élève la plus grande pyramide jamais construite, la Pirámide Tepanapa. Avec 425 m² et 60 m de haut, elle est encore plus massive que la pyramide de Kheops en Égypte. Il est malgré tout difficile de distinguer la forme d'une pyramide dans ce monticule envahi par la végétation, au sommet duquel trône une église. La ville moderne ne présente pas d'intérêt particulier mais jouit d'une ambiance internationale en raison d'une intense vie nocturne et de la présence de l'Université des Amériques, qui compte beaucoup d'étudiants étrangers. Les villages voisins de Tonantzintla et d'Acatepec possèdent de magnifiques églises.

Histoire

Au cours des six premiers siècles de notre ère, Cholula est devenue l'une des cités les plus importantes du Mexique central et un haut-lieu de culte, tandis que s'épanouissait la puissante Teotihuacán. La Grande Pyramide fut reconstruite plusieurs fois. Vers 600, Cholula tomba sous la domination olmeca-xicallanca et fut supplantée par la ville de Cacaxtla que firent construire les Olmèques non loin de là. Puis, entre 900 et 1300, elle fut asservie par les Toltèques et/ou les Chichimèques. Plus tard, elle passa sous la domination aztèque. On note aussi une influence artistique mixtèque, venue du sud.

En 1519, Cholula comptait 100 000 habitants, bien que la Grande Pyramide fût déjà envahie par la végétation. Cortés, qui s'était lié d'amitié avec les Indiens de Tlaxcala voisins, s'était rendu sur place, à la demande de Moctezuma. Prévenu par leurs nouveaux alliés d'une embuscade tendue par les guerriers aztèques, les Espagnols purent attaquer les premiers. Ils massacrèrent plus de 6 000 habitants, avant que les Indiens de Tlaxcala soumettent la ville. Cortés fit le vœu de construire dans la ville une église pour chaque jour de l'année, ou d'en construire une au sommet de tous les temples païens – selon la légende que l'on préfère. On dénombre aujourd'hui environ 39 églises.

Les Espagnols favorisèrent le développement de la ville voisine de Puebla pour tenter d'éclipser l'ancien centre païen. Cholula ne recouvra jamais son importance, surtout après l'épidémie de peste des années 1540.

Orientation et renseignements

Les bus et colectivos vous déposeront à deux ou trois rues au nord du zócalo. La Grande Pyramide surmontée d'une église, à 400 m à l'est, sert de point de repère pour se guider dans la ville. Un office du tourisme (☎ 47-33-93), ouvert de 9h à 18h30 en semaine (fermé les week-ends), se tient dans la Calle 4, à une cinquantaine de mètres du zócalo. Vous pourrez vous procurer des cartes. Pour changer ou retirer de l'argent, vous avez le choix entre Bancomer, Comermex et Banamex, sur le zócalo, et la Casa de Cambio Azteca à un demi-bloc au sud, 2 Sur. La poste est située Alemán 314, à trois blocs au sud du zócalo.

Zona Arqueológica

La **grande pyramide**, à l'origine probablement dédiée à Quetzalcóatl, est coiffée par l'église de **Nuestra Señora de los Remedios**, symbole classique de la conquête. Vous pouvez accéder à l'église

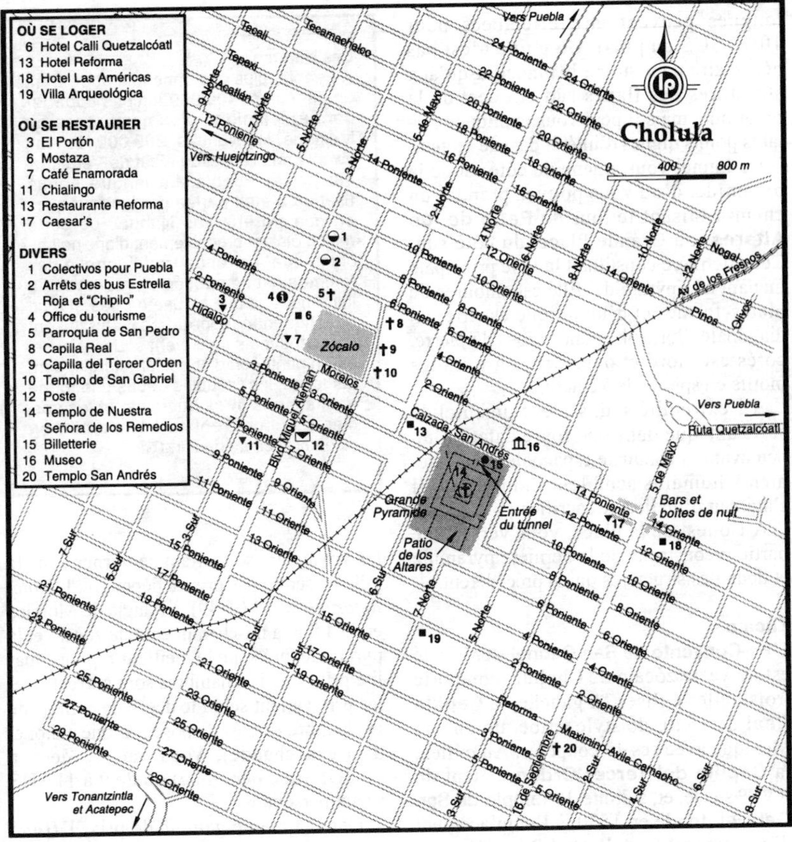

par un chemin partant de l'angle nord-ouest de la pyramide (entrée libre).

La Zona Arqueológica comprend des fouilles autour de la Pyramide et des tunnels qui la parcourent en profondeur. L'accès à la zona s'effectue par le tunnel situé sur le côté nord de la pyramide. On peut la visiter tous les jours de 9h à 17h ; l'entrée coûte 2 $US (gratuite le dimanche et les jours fériés), plus 4,50 $US si vous avez une caméra vidéo.

Le petit **musée**, en face du guichet d'entrée, au bas d'un petit escalier, constitue la meilleure introduction au site. Le prix d'entrée du musée est compris dans celui du site. Il est ouvert tous les jours de l'année. Plusieurs pyramides ont été édifiées les unes au-dessus des autres au cours des différentes reconstructions.

Plus de 8 km de **tunnels** ont été creusés par des archéologues afin de pouvoir accéder à chaque étape. Le tunnel ouvert au public ne fait que quelques centaines de mètres, mais il vous permet de voir certaines structures antérieures. A l'entrée du tunnel, des guides vous proposeront leurs services (4/5 $US pour une visite d'une heure en anglais/espagnol ; des visites plus longues peuvent être effectuées pour 10/12 $US ou plus). Un guide n'est pas nécessaire pour suivre le tunnel jusqu'aux structures des flancs sud et ouest de la pyramide, mais il peut vous expliquer certains points dignes d'intérêt dans le secteur.

Ce tunnel vous amène du côté est de la pyramide, d'où vous pouvez prendre un chemin faisant le tour du **Patio de los Altares**, ou Grande Place, du côté sud. Cette dernière constituait la voie principale menant à la pyramide. Elle est entourée de plates-formes et d'un unique escalier en diagonale. Sur trois grands blocs de pierre, côtés est, nord et ouest, sont gravés les motifs en spirale de Veracruz.

A l'extrémité sud, s'élève un autel de style aztèque dans une fosse datant d'un peu avant la conquête espagnole. Des ossements humains semblent indiquer qu'il s'agissait d'un lieu de sacrifice.

A l'ouest de la place, vous verrez une partie reconstruite de la dernière pyramide et deux des structures qui la précédèrent.

Les Nahuas

A Puebla, plus que dans tout autre État, on dénombre 400 000 Indiens appartenant à l'ethnie la plus nombreuse au Mexique, les Nahuas. 200 000 Nahuas vivent dans l'ouest de l'État de Veracruz, qui jouxte Puebla. La langue nahua (Nahuatl) était parlée par les Aztèques et, comme eux, les Nahuas de cette région étaient probablement d'origine chichimèque. La tenue traditionnelle des femmes est composée d'un enredo de laine noire, d'une blouse brodée et d'un quechquémitl (cape). Les Nahuas sont chrétiens mais ils croient souvent aussi en un panthéon d'êtres surnaturels, dont les *tonos*, les "doubles", sous une forme animale des êtres humains, et les sorcières qui peuvent se transformer en oiseaux suceurs de sang. ■

Zócalo

L'**Ex-Convento de San Gabriel**, sur le côté est du vaste zócalo de Cholula, comporte trois belles églises. A gauche, la **Capilla Real** de 1540, de style arabe, unique au Mexique avec ses 49 coupoles. Au milieu, la **Capilla del Tercer Orden**, datant du XVIIe siècle, et, à droite, le **Templo de San Gabriel**, fondé en 1530, à l'emplacement d'une pyramide. A l'est, 4 Pte, s'élève la **Parroquia de San Pedro** (1640).

Manifestations annuelles

Les artificiers de Cholula sont réputés pour leurs feux d'artifice éblouissants. Parmi les plus importantes manifestations, citons le Festival de la Virgen de los Remedios et la feria régionale, la première semaine de septembre. Chaque jour, des danses traditionnelles sont présentées sur la grande pyramide.

Où se loger

Cholula constitue facilement un but d'excursion à la journée depuis Puebla. Reste que les voyageurs souhaitant séjourner dans la ville ne seront pas pris au dépourvu. L'*Hotel Reforma* (☎ 47-01-49), à l'angle de Morelos et de 4 Sur, à mi-chemin entre le zócalo et la pyramide, présente le meilleur rapport qualité/prix. Les 13 chambres sont correctes, et les prix varient selon le degré de confort de la chambre (toutes disposent d'une s.d.b. et de l'eau chaude). Vous paierez de 6 à 10 $US (une personne) ou de 9 à 11 $US (deux personnes).

Dans la même gamme de prix, l'*Hotel Las Américas* (☎ 47-09-91), 14 Ote 6, à 300 mètres à l'est de la pyramide, loue des simples/doubles confortables avec TV et s.d.b. à 9/11 $US. L'hôtel possède un restaurant, une jolie cour fleurie et une piscine (en service en été uniquement).

D'un meilleur standing, l'*Hotel Calli Quetzalcóatl* (☎ 47-15-55), sur le zócalo, Portal Guerrero 11, propose des chambres modernes, une salle à manger et un bar. Le bâtiment est aménagé autour d'une cour avec une fontaine. Les simples/doubles coûtent 20/24 $US.

La luxueuse *Villa Arqueológica* (☎ 47-19-66), 2 Pte 601, au sud de la pyramide, de l'autre côté de plusieurs champs, appartient au Club Mediterranée. Elle comprend des courts de tennis, une piscine, des chambres à 50 $US et des suites à 65 $US.

Où se restaurer

Le Café Enamorada, à l'angle sud du Portal Guerrero, sur le zócalo, est l'établissement le plus en vogue de la ville. Des groupes s'y produisent presque tous les soirs et vous pourrez consommer des sandwiches (2 à 3 $US), des salades (3 $US), des tostadas, des quesadillas et des tacos (2,50 $US).

A quelques pas de là, l'Hotel Calli Quetzalcóatl abrite le *Mostaza*. Ce restaurant est convivial et chic, mais les prix sont corrects. Les petits déjeuners valent 3 $US, les sandwiches 3 $US et les plats à base de viande et de poisson environ 6 $US.

El Portón, à l'angle de Hidalgo et de Calle 5, à deux pâtés de maisons à l'ouest du zócalo, est réputé pour ses formules, qui comportent généralement quatre types de soupes, un plat principal (poulet, bœuf ou pâtes) et un dessert, à moins de 3 $US.

Non loin de là, le *Chialingo*, à l'angle de 7 Pte et de 3 Sur, est bien plus attrayant. Les murs sont agrémentés d'outils anciens et d'armes à feu, et la salle à manger donne sur une magnifique cour. Comptez 2,50 $US pour une salade, 5 $US pour un plat à base de poulet et 10 $US pour des fruits de mer.

Au sud-est du zócalo, le *Restaurante Reforma*, attenant à l'hôtel éponyme, se compose d'un bar agréable et sans prétention et de tables confortables installées dans une petite pièce dont les murs sont agrémentés de posters de Marylin Monroe et de photos des églises de la ville. La comida corrida se chiffre à 2,50 $US.

Dans Hidalgo, après la pyramide, vous atteindrez le *Caesar's*, un bar-restaurant convivial, sur deux étages, où vous pourrez commander de succulentes pizzas, des pâtes, des burgers et des antojitos. Les plats n'excèdent pas 4 $US.

Où sortir

Les boîtes de nuit sont regroupées dans les rues poussiéreuses, à proximité du carrefour de 14 Pte et 5 de Mayo. A partir de 22h environ, du jeudi au samedi, le *Faces*, le *Keops* et le *Milagro* éclatent de lumières et de musique forte. Comptez 5 $US l'entrée.

Comment s'y rendre

Des colectivos à destination de Cholula partent à intervalles réguliers de l'angle des Avenidas 6 Pte et 15 Nte à Puebla (20 minutes de trajet, 0,50 $US).

Estrella Roja exploite la ligne Mexico (TAPO)-Puebla, avec un arrêt à Cholula, à l'angle de 3 Nte et 6 Pte (3 $US).

LES ENVIRONS DE CHOLULA

Tonantzintla et Acatepec

Le petit **Templo de Santa María** à Tonantzintla figure parmi les églises les plus exubérantes du Mexique. La coupole est couverte de saints de stuc coloré, de démons, de fleurs, fruits, oiseaux, etc. – magistral exemple d'artisanat indien appliqué à des thèmes d'ordres chrétiens. Le 15 août, une procession et des danses traditionnelles sont organisées à Tonantzintla.

Le **Templo de San Francisco** à Acatepec, à 1,5 km au sud-est de Tonantzintla, date de 1730. Là, on s'intéressera surtout à la façade churrigueresque ornée de carreaux de Puebla bleus, verts et jaunes, habilement disposés sur la brique rouge.

On peut visiter ces deux petites églises tous les jours de 10h à 13h et de 15h à 17h.

Comment s'y rendre. Les Autobuses Puebla-Cholula assurent un service "Chipilo" de la gare routière de Puebla en direction de Tonantzintla et Acatepec. A Cholula, on peut les prendre à l'angle de 6 Poniente et 3 Norte. Entre les deux villages, vous pouvez soit attendre le prochain bus, soit marcher.

Huejotzingo

• *Hab. : 47 308* • *Alt. : 2 280* • ☎ *227*

Huejotzingo, à 14 km au nord-ouest de Cholula sur la 150, est une ville renommée pour son cidre et ses sarapes. Son beau monastère du XVIe siècle, de style plateresque, a été aménagé en musée. Il présente

ENVIRONS DE MEXICO

des expositions sur la vie monastique et les missions espagnoles (ouvert de 10h à 17h du mardi au dimanche ; entrée : 2 $US, gratuit le dimanche). L'église fortifiée est couverte d'une voûte à nervures gothiques et renferme d'anciennes fresques et des sculptures sur pierre. Mardi Gras, un carnaval masqué retrace la bataille entre les Français et les Mexicains. Des bus Estrella Roja desservent Huejotzingo depuis Puebla, Cholula et Mexico.

SIERRA NORTE DE PUEBLA

La Sierra Norte de Puebla couvre une bonne partie de la région septentrionale de l'État de Puebla. Les montagnes s'élèvent à plus de 2 500 m, avant de redescendre vers la plaine côtière du Golfe. Malgré une déforestation sensible sur certaines terres, cette région est demeurée belle, avec ses forêts de pins en altitude et sa végétation semi-tropicale en contrebas. Teziutlán est la ville principale, mais c'est surtout Cuetzalán et ses alentours qui offrent de belles balades. L'artisanat de la Sierra Norte – rebozos, quechquémitls, et paniers – est vendu sur les marchés de Cuetzalán, Zacapoaxtla, Teziutlán, Tlatlauquitepec, entre autres, ainsi qu'à Puebla et Mexico.

La Sierra Norte dénombre une forte population indienne, surtout nahua et totonaque. On pense que les ancêtres de ces Nahuas l'ont atteinte au XIVe siècle depuis le Valle de Mexico, le centre et le sud de Puebla. Pour plus de renseignements sur les Nahuas, reportez-vous à l'encadré qui leur est consacré dans le présent chapitre ; pour les Totonaques, se reporter au chapitre *Le centre de la côte du Golfe*, lequel aborde également certains endroits à l'extrême nord de l'État de Puebla.

Cuetzalán

• Hab. : 39 850 • Alt. : 1 000 m • ☎ 223

Au cœur d'une luxuriante région productrice de café, la ville coloniale de Cuetzalán est réputée pour son marché du dimanche, sur le zócalo, très fréquenté par des Indiens. On y vend, entre autres, des blouses brodées et des quechquémitls.

Manifestations annuelles. Vers le 4 octobre, Cuetzalán célèbre San Francisco de Assisi et la Feria del Café y del Huipil pendant plusieurs jours. Mi-juin, un festival de danse traditionnelle accueille des groupes venus de toute la région.

Où se loger. La Posada Jackeline (☎ 1-03-54), au sud du zócalo, présente le meilleur rapport qualité/prix de la ville. Les chambres, spacieuses et propres, avec eau chaude, reviennent à 8 $US par personne.

L'établissement le plus luxueux est l'*Hotel Posada Cuetzalán* (☎ 1-01-54), dans Zaragoza, à 100 mètres du zócalo. Les 39 chambres, douillettes, aux murs agrémentés de stuc blanc, rehaussées de boiseries, équipées de la TV et du téléphone, font cercle autour de deux superbes cours. Les simples/doubles se négocient 22/26 $US. Un restaurant fait également partie de l'hôtel.

Où se restaurer. Cuetzalán comprend quelques bons restaurants. Mentionnons le *Restaurant Yoloxochitl*, en face de la Posada Jackeline, dont le charme est indéniable. La vue est magnifique et la cuisine correcte. Vous débourserez 2 $US pour une salade et des antojitos, et 2,50 $US pour un plat à base de viande. Un petit déjeuner reconstituant, avec des œufs brouillés, du jambon, des haricots noirs et des tortillas, deux tasses de chocolat chaud et un succulent sandwich au poulet coûte 4 $US.

El Zargo Pizza, dans Morelos, à 30 mètres du zócalo, prépare d'excellentes pizzas et de savoureux sandwiches. Au *Bar El Calate*, à l'est du zócalo, essayez les boissons alcoolisées locales, à base de café, de citrons verts et de baies.

Comment s'y rendre. Deux bus ADO 1re classe circulent tous les jours dans le sens Puebla-Cuetzalán (8h15 et 10h15 ; 4 heures ; 7 $US), ainsi que plusieurs bus 2e classe. Les jeudi et les dimanche, deux bus ADO (16h30 et 18h ; 7 $US) et plusieurs bus 2e classe effectuent le trajet Cuetzalán-Puebla. Prenez vos billets suffisamment à l'avance. Il existe également des liaisons avec le Terminal Oriente de Mexico (TAPO).

Yohualichán. A 8 km de Cuetzalán par une route pavée, vous pourrez découvrir un site précolombien possédant une pyramide de niches similaire à celle d'El Tajín. Le site, proche de la grand-place de la ville de Yohualichán, est ouvert du mercredi au dimanche (1 $US). A Cuetzalán, prenez un colectivo en direction du nord-ouest, et descendez à l'arrêt situé à proximité du panneau bleu signalant une pyramide. Les colectivos circulent toutes les 30 minutes (0,40 $US).

LE SUD DE PUEBLA

Puebla est reliée à Oaxaca par une autoroute moderne à péage, la 135D, qui, vers le sud, devient la 150D, à 83 km à l'est de Puebla. Deux routes plus anciennes conduisent au sud-est de l'État, vers Oaxaca.

Route 150

Cette route, se dirigeant vers l'est depuis Puebla, suit en parallèle l'autopista 150D, mais se révèle être beaucoup plus lente et encombrée. Les bus 2e classe s'arrêtent dans les villages. **Amozoc**, à 16 km de Puebla, produit de la poterie et une grande partie des décorations fantaisies en argent portées par les charros. **Tepeaca**, situé à 40 km de Puebla, accueille un grand marché le vendredi, où l'on trouve surtout des produits usuels. Le village possède un monastère franciscain du XVIe siècle. Le village de **Tecali**, à 11 km au sud-ouest de Tepeaca, est un centre de sculpture sur onyx extrait des carrières voisines.

Tehuacán

• Hab. : 190 416 • Alt. : 1 640 m • ☎ 238

La Tehuacán moderne, sur la 150, à 115 km au sud-est de Puebla, est une ville agréable, parée d'un beau zócalo. Elle est réputée pour ses eaux minérales, vendues en bouteille dans tout le pays. Des visites de l'impressionnant centre de production de la **Peñafiel**, à 100 mètres au nord de l'hôtel Casas Cantarranas, sont programmées tous les jours, sauf le vendredi, à 16h15 et 18h. Dans la haute vallée sèche de Tehuacán, au sud-est de l'État de Puebla, des archéologues ont pu situer avec précision les tout débuts de l'agriculture au Mexique. Entre 7000 et 5000 av. J.-C., on cultivait des avocats, des piments, du coton et des courges, puis vers 5000 av. J. C., les premières variétés de maïs firent leur apparition. La poterie, signe de sédentarisation, apparut vers 2000 av. J.-C. Le **Museo del Valle de Tehuacán**, situé au nord-ouest du zócalo, rend compte des découvertes des archéologues.

Orientation et renseignements. En venant de Puebla, la voie principale est l'Avenida Independencia, qui passe à proximité de la gare routière ADO avant d'atteindre le côté nord du Parque Juárez – le zócalo. L'Avenida Reforma constitue la principale artère nord-sud. Le quartier des restaurants jouxte le zócalo, tout comme le Palacio Municipal. L'office du tourisme (☎ 3-15-14, poste 36) est à l'angle sud-ouest. Des cartes sont à disposition. Ouvert de 9h à 18h en semaine, parfois le samedi et le dimanche.

Où se loger. N'hésitez pas à pousser la porte du *Bogh Suites Hotel* (☎ 2-34-74), au nord-est du zócalo. Les simple/doubles, petites mais coquettes, avec TV, téléphone et ventil., se monnaient 23/26 $US. Les chambres du dernier étage, non accessibles par l'ascenseur, ne coûtent que 18 $US. La n°24 jouit d'une vue splendide sur la plaza.

L'*Hotel Monroy*, Reforma 7, propose des chambres spacieuses, sans prétention mais propres, à 11/13 $US. Certains chauffeurs de taxi font grand cas de l'*Hotel Plaza Iberia* (☎ 3-15-00), mais les chambres (11/13 $US) de cet établissement de style colonial auraient besoin d'une sérieuse cure de jouvence.

Faites halte aux *Casas Cantarranas* (☎ 3-49-22), Avenida de las Américas 2457, si vous recherchez le luxe. Ce complexe récent de 550 chambres, doté d'une grande piscine à carreaux bleus et de superbes chambres, pratiquait des tarifs avantageux au moment de la rédaction de cet ouvrage (30/40 $US). Pour les mêmes prestations, vous paieriez trois fois plus cher à Mexico.

Comment s'y rendre. La compagnie ADO, Independencia 119, assure de fréquentes liaisons en bus 1re classe depuis/vers Puebla (4 $US) et plusieurs rotations depuis/vers Mexico et Veracruz. Sont également assurées des liaisons régulières en bus 2e classe par la compagnie AU. Les bus Puebla-Oaxaca prennent soit un itinéraire par Huajuapan de León par Teotitlán del Camino.

Route 190

Cette route quitte Puebla vers le sud-ouest pour rejoindre **Atlixco**, à 31 km. La ville est célèbre pour ses cures thermales, ses avocats et son climat paradisiaque. Le dernier week-end de septembre, il s'y tient un festival de danse et de musique traditionnelles. 36 km plus loin, vous parviendrez à **Izúcar de Matamoros**, qui possède également des balnearios thérapeutiques, mais est plus connue pour son artisanat de céramique. **Acatlán de Osorio** est un autre centre de création de poterie.

Au sud de Mexico

Partant de Mexico vers le sud, les routes 95 et 95D (à péages) grimpent à plus de 3 000 m jusqu'à des forêts de pins rafraîchissantes, pour redescendre ensuite à Cuernavaca, capitale de l'État de Morelos, retraite favorite des habitants de Mexico. Sur cet itinéraire, on croise la 115D bifurquant au sud-est vers Tepoztlán, nichée entre de hautes falaises, et aux balnearios d'Oaxtepec et de Cuautla. Au sud de Cuernavaca, dans l'État de Guerrero, la 95 fait un détour par l'inoubliable ville aux mines d'argent, Taxco.

Morelos est l'un des États les plus petits et les plus densément peuplés du Mexique. Les vallées situées à différentes altitudes jouissent de plusieurs microclimats, et on y cultive, depuis l'époque précolombienne, fruits, légumes et céréales en abondance. Les sites archéologiques de Cuernavaca, de Tepoztlán et de Xochicalco témoignent des traditions agricoles des Tlahuicas et de celles des Aztèques qui les dominèrent. A l'époque coloniale, la majeure partie de l'État était sous le contrôle de quelques familles, parmi lesquelles des descendants de Cortés. On peut encore admirer leurs palais et leurs haciendas, ainsi que des églises et des monastères datant du XVIe siècle. Comme on pouvait s'y attendre, les paysans de Morelos devinrent de fervents partisans de la Révolution mexicaine, le héros de l'État étant Emiliano Zapata.

Une bretelle de la 95D rejoint Iguala, dans l'État montagneux de Guerrero, pour continuer ensuite sous le nom de 95 (sans avoir les prétentions d'une autopista) jusqu'à Chilpancingo et Acapulco. La route à péage à grande vitesse (95D) se dirige de manière plus directe vers Chilpancingo. Sur cette route privatisée au péage exorbitant et aux tarifs variables, on peut parcourir les 400 km séparant Mexico d'Acapulco en 3 heures pour un total pouvant aller jusqu'à 75 $US. Les routes gratuites "de rechange" sont bien évidemment très chargées, lentes et dangereuses. Il est déconseillé de conduire la nuit dans l'État de Guerrero, certains véhicules ayant été arrêtés et cambriolés. Le parcours d'Iguala à Ixtapa par les routes 51 et 134 est, paraît-il, particulièrement risquée.

TEPOZTLÁN

• Hab. : 26 513 • Alt. : 1 701 m • ☎ *739*

La ville de Tepoztlán (lieu du Cuivre) est lovée dans une vallée encerclée de hautes montagnes, à environ 75 km de Mexico, à proximité de l'autoroute 95D. Cette cité magique est le lieu de naissance légendaire, il y a plus de 1 200 ans, de Quetzalcóatl, le dieu serpent tout-puissant des Aztèques. Le

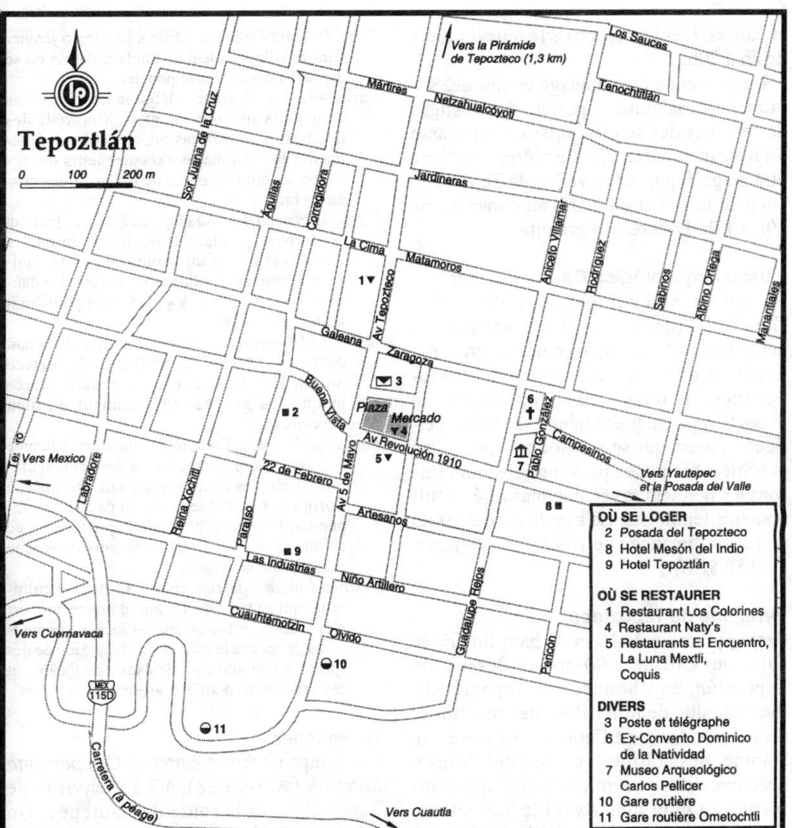

village a conservé quelques traditions indiennes ; les anciens parlent encore nahuatl et les jeunes l'apprennent dans le lycée de la ville.

Orientation et renseignements

La ville est assez petite pour être visitée à pied, exception faite de la pyramide de Tepozteco, au sommet d'une colline au nord. Les rues changent de nom au centre-ville : ainsi l'Avenida 5 de Mayo devient-elle l'Avenida Tepozteco au nord de la grand-place et les rues, orientées est-ouest, sont rebaptisées lorsqu'elles croisent cet axe. Les bureaux de poste et de télégraphe se trouvent du côté nord de la plaza principale. Des appels locaux et internationaux peuvent être effectués depuis les cabines disséminées dans la ville.

Ex-Convento Dominico de la Natividad

Ce couvent et son église, construits par les Dominicains entre 1560 et 1588, est de loin l'édifice le plus étonnant de la ville. Sa façade, de style plateresque, porte des sceaux dominicains entrecroisés de symboles indigènes où alternent les motifs : la Vierge, anges, fleurs, animaux, soleil, lune et étoiles. L'église est ouverte tous les jours de 7h à 20h.

Le couvent a été aménagé en musée. Ses murs impressionnants portent des vestiges de fresques des siècles passés. La terrasse du niveau supérieur, à l'arrière, offre une vue magnifique sur la vallée de Tepoztlán. On peut le visiter du mardi au dimanche de 10h à 17h. L'entrée est gratuite.

Museo Arqueológico Carlos Pellicer

Le musée archéologique, Calle Pablo González 2 (derrière l'église dominicaine), petit mais intéressant, avec un remarquable ensemble d'objets d'artisanat de toute provenance, offerts à la population de Tepoztlán par le poète tabasque Carlos Pellicer Cámara qui se passionnait pour l'art précolombien. Les personnages humains sont à l'honneur, avec une majorité de silhouettes féminines. Le musée est ouvert du mardi au dimanche de 10h à 18h (donation de 0,50 $US).

Pyramide de Tepozteco

Cette pyramide de 10 m de haut fut érigée sur une colline 400 m au-dessus de Tepoztlán, en l'honneur de Tepoztécatl, dieu aztèque de la fertilité, des récoltes et du pulque. On peut l'apercevoir depuis le sommet des collines vers le nord. Vous y accéderez par un sentier escarpé qui commence au bout de l'Avenida Tepozteco. Comptez, pour parcourir 1,3 km, 1 heure à 1 heure 30 de marche.

Au sommet, vous serez récompensé par la vue sur Tepoztlán et la vallée. Le site ouvre tous les jours de 9h à 16h30 (1,50 $US). Il est conseillé de se mettre en route en tout début de journée. Vous gagnerez à porter au moins de bonnes chaussures de sport.

Manifestations annuelles

Tepoztlán est une ville où de nombreuses fêtes chrétiennes s'ajoutent aux célébrations "païennes". Chacune des sept églises de Tepoztlán célèbre deux fêtes chaque année, en plus des manifestations importantes suivantes :

Feria de Santa Catarina – Elle a lieu le 16 janvier dans le village voisin de Santa Catarina où se déroulent des danses régionales.

Carnaval – Fin février ou début mars, durant les cinq jours qui précèdent le Mercredi des Cendres. A cette occasion, on peut voir Huehuenches et Chinelos exécuter leurs danses hautes en couleur parés de magnifiques costumes brodés.

Fiesta del Brinco del Chinelo – La Fête du Houblon se déroule pendant trois jours durant la semaine sainte, avant Pâques. Parés de lumineux costumes de plumes et de soie, les danseurs sautent comme des gymnastes pour amuser les spectateurs.

El Reto del Tepozteco – Cette fête se déroule la nuit du 7 septembre, sur la colline de Tepozteco près de la pyramide. On y consomme force pulque (ou *ponche*) en l'honneur du dieu Tepoztécatl.

Fiesta del Templo – Cette fête catholique, célébrée le 8 septembre, donne lieu à des représentations théâtrales en langue nahuatl. Destinée, à l'origine, à coïncider avec, et peut-être supplanter, le festival païen de Tepoztécatl ; ce dernier est anticipé par les buveurs de pulque et se célèbre la veille.

Festival Cultural de Tepoztlán – Cette fête culturelle, qui se tient du 1er au 10 novembre, est plus récente. Artisans, artistes locaux et grands noms du spectacle présentent chaque année des spectacles de musique, de danse, de théâtre, et des expositions d'art et d'artisanat.

Où se loger

Les campeurs feront étape au *Campamento Meztitla* (☎ 5-00-68), à 2 km environ de Tepoztlán, sur la route de Yautepec. Un autre terrain de camping se trouve sur la même route, 3 km plus loin.

L'*Hotel Mesón del Indio* (☎ 5-02-38), Revolución 44, est le moins cher de la ville. Son enseigne est minuscule. Il s'agit d'un petit établissement simple et agréable, pourvu de 8 chambres avec eau chaude et s.d.b., près d'un jardin. On vous demandera 12/13 $US la simple/double.

Les hôtels plus chic, surtout fréquentés le week-end par les habitants de Mexico, sont onéreux. L'*Hotel Tepoztlán* (☎ 5-05-22), Las Industrias 6, est un complexe de 36 chambres et 2 suites, avec piscine, restaurant et bar. Les simples/doubles coûtent 35/50 $US le samedi (petit déjeuner du lendemain compris), 30/40 $US les autres jours. La *Posada del Tepozteco* (☎ 5-00-10), Paraíso 3, est une hacienda construite à flanc de colline dans les années 30. D'une capacité de 18 chambres, elle dispose de deux piscines, d'un bar-restaurant et de terrasses avec vue panoramique sur la ville et la vallée. Comptez au moins 42 $US (60 $US pour une suite avec bain à remous), petit déjeuner compris.

La *Posada del Valle* (☎ 5-05-21), Camino a Meztitla 5, s'enorgueillit d'une piscine, de vues splendides sur les montagnes et de chambres calmes et romantiques à 40/50 $US. Elle se tient à 2 km de la ville et ne manque pas d'attrait. Prenez Revolución vers l'est sur 2 km et suivez les panneaux sur les 100 derniers mètres. Sachez que, dans cette gamme de prix, la plupart des visiteurs préfèrent séjourner à la Posada del Tepozteco, plus facilement accessible à pied depuis le zócalo.

Où se restaurer

L'Avenida Revolución est bordée d'une batterie d'établissements variés. Mentionnons *El Encuentro*, au n°12, installé au-dessus d'une boutique hippy/New Age. Vous dégusterez de succulentes pizzas, des pâtes fraîches, des salades, des plats à base de poulet ou de viande rouge. Les propriétaires parlent français. En face, au n°7, chez *Naty's*, la cuisine est correcte. Plus branchés et plus onéreux, *Coquis*, au n°10, et *La Luna Mextli*, au n°16, font office de restaurant, de bar et de galerie d'art.

Pour goûter des spécialités mexicaines traditionnelles, essayez le *Restaurant Los Colorines*, Tepozteco 13. Dans cet établissement fréquenté, au décor fringant, vous aurez le choix entre de nombreux plats tarifés entre 2 et 5 $US. Le poulet mole vaut son pesant d'or, tout comme la soupe de tortilla. Bon nombre de clients ne jurent que par les enchiladas, faites avec des tortillas de maïs.

Achats

Le week-end, les stands du marché de Tepoztlán vendent toute une série d'objets artisanaux, dont des sarapes, de la broderie, du tissage, des sculptures, des paniers et de la poterie. Les prix sont relativement élevés. Les maisons et les villages miniatures sculptés dans les épines des arbres *pochote* locaux, proches du liège, sont une spécialité artisanale locale.

Comment s'y rendre

Les bus pour Mexico (Terminal Sur) partent de l'Avenida 5 de Mayo 35, à l'entrée sud de la ville. Si l'appellation gare routière peut paraître excessive, il n'y en a pas moins une salle d'attente et un guichet. La compagnie Autos Pullman de Morelos assure de fréquentes liaisons pendant la journée, et davantage encore le week-end (70 km, 1 heure 15 ; 3 $US). Les bus Autobuses México-Zacatepec, au même endroit, desservent Yautepec (18 km, 30 minutes ; 1 $US) et Cuautla (25 minutes ; 2 $US) huit fois par jour. Si vous devez partir de Tepoztlán à des heures tardives, allez à la cabine de péage (caseta) sur l'autopista en dehors de la ville, où une quantité de bus vont vers Mexico ou en viennent. C'est également à cet endroit que vous prendrez le bus pour Oaxtepec (15 minutes ; 1 $US). A destination de Cuernavaca, les bus Ometochtli partent toutes les 15 minutes entre 5h et 21h (23 km, 30 minutes ; 1 $US). Leur gare routière se trouve au sud de la ville, sur la route menant à l'autopista.

OAXTEPEC

• Hab. : 4 500 • Alt. : 1 330 m • ☎ 735

L'attraction d'Oaxtepec est le Centro Vacacional Oaxtepec de 200 000 m^2. Ce balneario, financé par l'Institut mexicain de la Sécurité sociale, dispose de 25 piscines sur 20 hectares, certaines pour nager, d'autres pour plonger, d'autres encore alimentées par des sources sulfureuses. Le parc géant peut recevoir 42 000 baigneurs à la fois. Vous trouverez également des restaurants, des aires de pique-nique, un supermarché, des terrains de sport, un théâtre, des cinémas, un funiculaire pour admirer la vue au sommet de la colline et un choix d'hôtels. Le balneario est ouvert tous les jours de 8h à 18h. L'entrée coûte 3 $US pour les adultes, demi-tarif pour les enfants et les personnes âgées.

Où se loger

Si vous voulez séjourner à Oaxtepec, vous avez le choix entre les terrains de camping (4 $US par adulte), les chambres de 4 personnes de l'*Hotel Económico* (18 $US la chambre), celles de 6 personnes de l'*Hotel Familiar* (30 $US la chambre) ou des bungalows de 4 personnes (40 $US le bungalow). Renseignements et réservations à Mexico au ☎ (5)-639-42-00 ou au centre même (☎ 6-01-01).

Comment s'y rendre

Oaxtepec est au nord de la 115D, à 100 km environ de Mexico. Les compagnies Cristóbal Colón, Autos Pullman de Morelos et Estrella Roja assurent de fréquents départs du Terminal Sur (1 heure 30 ; 3,50 $US). La gare routière d'Oaxtepec est située à côté de l'entrée du centre thermal. Des bus desservent également Tepoztlán, Cuernavaca et Cuautla.

Emiliano Zapata combatit pour la redistribution des terres au profit des paysans au cri de "¡Tierra y Libertad!"

CUAUTLA

• Hab. : 14 250 • Alt. : 1 290 m • ☎ 735

Les sources minérales (balnearios) de Cuautla et la clémence de son climat ont toujours attiré beaucoup de monde depuis l'époque même de Moctezuma. Aujourd'hui, cette ville est peu attirante, bien que le centre thermal soit tout de même bien agréable.

Cuautla fut l'une des bases de José María Morelos y Pavón, l'un des premiers dirigeants dans la lutte pour l'indépendance. L'armée royaliste assiégea la ville du 19 février au 2 mai 1812 (deux rues en portent le nom). Morelos et son armée furent contraints d'évacuer la ville quand la nourriture vint à manquer. Un siècle plus tard, Cuautla soutint l'armée révolutionnaire d'Emiliano Zapata. C'est à Chinameca, à 31 km au sud de Cuautla, qu'il fut assassiné en 1919 par des traîtres fédéralistes. Depuis, chaque année, le 10 avril, le ministre de la Réforme agraire dépose une gerbe au pied de la statue de Zapata à Cuautla.

Orientation

Cuautla s'étend du nord au sud presque parallèlement au Río Cuautla. L'artère principale, Avenida Insurgentes, devient ensuite Batalla 19 de Febrero, puis Galeana et Los Bravos. Dans la zone piétonne au-delà de la grand-place, elle est fut rebaptisée Guerrero puis, finalement, Zemano.

Le zócalo est bordé au nord d'arcades abritant des restaurants, une église à l'est, le Palacio Municipal à l'ouest et l'Hotel Colón au sud. Les compagnies de bus disposent de gares routières différentes, dans les quartiers à l'est de la place.

Renseignements

L'office du tourisme (☎ 2-52-21) est situé à trois pâtés de maisons au nord de la plaza, dans les bâtiments du XVIe siècle de l'Ex-Convento de San Diego (première porte à l'entrée). Cet ancien monastère abritait auparavant le terminus du train panoramique (Ferrocarril Escénico) qui ne circule plus.

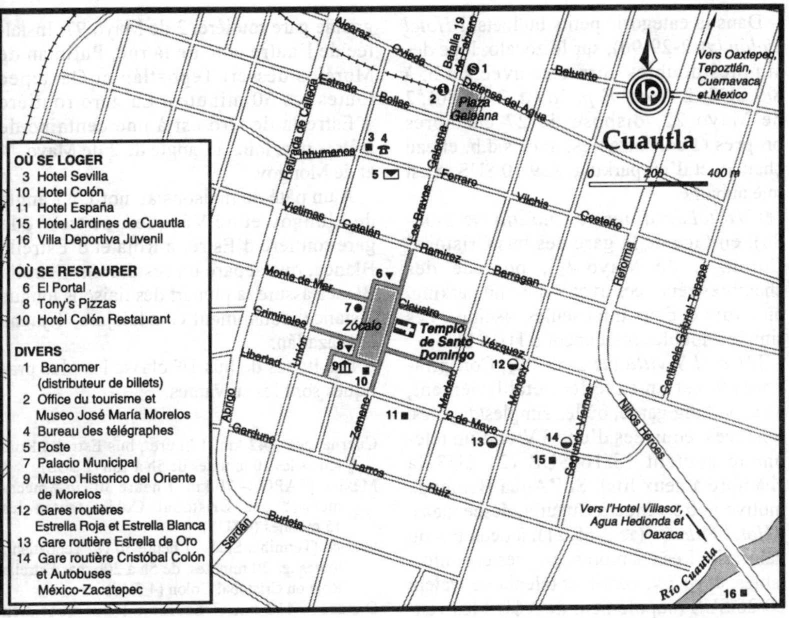

Les bureaux sont ouverts du lundi au vendredi de 10h à 18h, le week-end de 10h à 15h. Le personnel, qui ne parle que l'espagnol, est serviable et vous remet un plan de la ville très utile.

A voir

Le **Museo José María Morelos**, situé dans le même bâtiment que l'office du tourisme, est ouvert du mardi au dimanche de 9h à 14h et de 16h à 18h. Quelques objets personnels du héros y sont exposés. L'ancienne maison de Morelos, sur la plaza, abrite aujourd'hui le **Museo Histórico del Oriente de Morelos**, où l'on peut voir masques et costumes anciens, ainsi que les premières photos de Cuautla et de Zapata.

Balnearios

A Cuautla même, **Agua Hedionda**, du côté est de la rivière, est sans doute le balneario le plus célèbre. Son eau fraîche, à la légère odeur de soufre, remplit deux immenses piscines. Le complexe est ouvert tous les jours de 7h à 18h30. L'entrée coûte 6 $US. Pour vous y rendre, prenez un combi "Agua Hedionda" (0,50 $US). Parmi les autres balnearios de Cuautla figurent **El Almeal**, **Agua Linda**, et **Las Tazas**.

Où se loger

L'auberge de jeunesse de la ville, la *Villa Deportiva Juvenil* (☎ 2-02-18), confortable et bon marché, mérite que l'on s'y arrête. Elle est située juste derrière la piscine du Balneario Agua Linda, dans le centre sportif Unidad Deportiva, sur la droite après avoir traversé le Rio Cuautla en venant de la ville par Niños Héroes. L'auberge loue des lits en dortoirs séparés à 3,50 $US, literie comprise. Les s.d.b. communes sont propres et disposent généralement d'eau chaude. La carte des auberges de jeunesse n'est pas nécessaire et aucune limite d'âge n'est fixée. Elle est ouverte de 7h à 23h.

Dans la catégorie petits budgets, l'*Hotel Colón* (☎ 2-29-90), sur le zócalo, loue des simples/doubles correctes avec s.d.b. à 8/9 $US. L'*Hotel España* (☎ 2-21-86), 2 de Mayo 22, dispose de 27 chambres propres et confortables, avec s.d.b. et eau chaude, et d'un parking. A 9/10 $US, c'est une aubaine.

L'*Hotel Jardines de Cuautla* (☎ 2-00-88), en face de la gare des bus Cristóbal Colón, 2 de Mayo 94, possède des chambres rénovées avec s.d.b., un parking, un jardin et deux minuscules piscines. Les simples/doubles reviennent à 11/18 $US.

L'*Hotel Sevilla* (☎ 2-52-00), Conspiradores 9, est un excellent établissement, avec parking gardé, où les simples/doubles, rénovées, équipées d'une TV et d'un téléphone coûtent 13/16 $US (21 $US la chambre à deux lits). Si l'Agua Hedionda motive votre venue à Cuautla, descendez à l'*Hotel Villasor* (☎ 2-65-21), à deux pas du balneario. Les chambres, propres et confortables, avec TV, ventil. et téléphone, valent 20/26 $US (supplément de 3 $US les vendredi et samedi soir). La piscine est une invitation à la baignade.

Où se restaurer

Les établissements situés autour de la plaza sont les plus animés, surtout ceux possédant des tables disposées sous les arcades. La plupart proposent des formules petit déjeuner et déjeuner pour moins de 4 $US. Le restaurant de l'*Hotel Colón*, est très populaire et reste ouvert tard.

A l'ouest de la plaza, *Tony's Pizzas* prépare de délicieuses *chicas* à partir de 4 $US et des pizzas avec tous les ingrédients possibles à 9 $US. Burgers, sandwiches et spaghettis figurent également au menu. Côté nord, *El Portal* a fait des grillades sa spécialité (3,50 $US le copieux burger).

Au nord du zócalo, Galeana comporte de nombreux petits restaurants, des cafés, des étals de jus de fruits, etc.

Comment s'y rendre

Les compagnies Cristóbal Colón et Autobuses México-Zacatepec partagent une grande gare routière, 2 de Mayo 97. Installée de l'autre côté de la rue, Pullman de Morelos dessert Tepoztlán et Oaxtepec toutes les 30 minutes. La gare routière d'Estrella de Oro est à une centaine de mètres plus loin, à l'angle de 2 de Mayo 74 et de Mongoy.

A un pâté de maisons au nord, à l'angle de Mongoy et de Vázquez, se trouve la gare routière d'Estrella Roja et d'Estrella Blanca, que sépare un restaurant. Estrella Blanca assure la plupart des liaisons longue distance, notamment Guadalajara, Tijuana et Mazatlán.

Les lignes de bus 1re classe les plus pratiques sont les suivantes :

Cuernavaca – 42 km, 1 heure ; bus Estrella Roja toutes les 10 minutes de 5h à 18h (2 $US)

Mexico (TAPO) – 70 km, 1 heure 30 *via* Amecameca ; bus Cristóbal Colón toutes les 15 minutes (4 $US)

Mexico (Terminal Sur) – 1 heure 30 *via* Tepoztlán ; toutes les 20 minutes, de 5h à 20h, par Estrella Roja ou Cristóbal Colón (4 $US)

Oaxaca – 410 km, 7 heures ; 1 bus quotidien (23h30) avec Cristóbal Colón (12 $US)

Puebla – 125 km, 2 heures ; bus Estrella Roja toutes les heures jusqu'à 18h45 (3 $US)

CUERNAVACA

• Hab. : 316 760 • Alt. : 1 480 m • ☎ 73

Avec son doux climat, décrit un jour comme le "printemps éternel", Cuernavaca est un havre de paix pour les habitants de Mexico. Depuis l'époque coloniale, cette localité attire les nantis et les gens en vue de tout le Mexique, voire de l'étranger, et beaucoup y ont élu domicile, de façon permanente ou temporaire. Nombre de leurs somptueuses résidences abritent aujourd'hui des musées, des galeries, des restaurants ou des hôtels de luxe. Au fur et à mesure que sa population croît et que le nombre de visiteurs augmente et ce, surtout le week-end, Cuernavaca perd de son charme et subit les nuisances que les citadins de la capitale viennent fuir.

L'élégance de Cuernavaca se dissimule derrière de hauts murs ou à l'intérieur des cours coloniales, restant inaccessible au

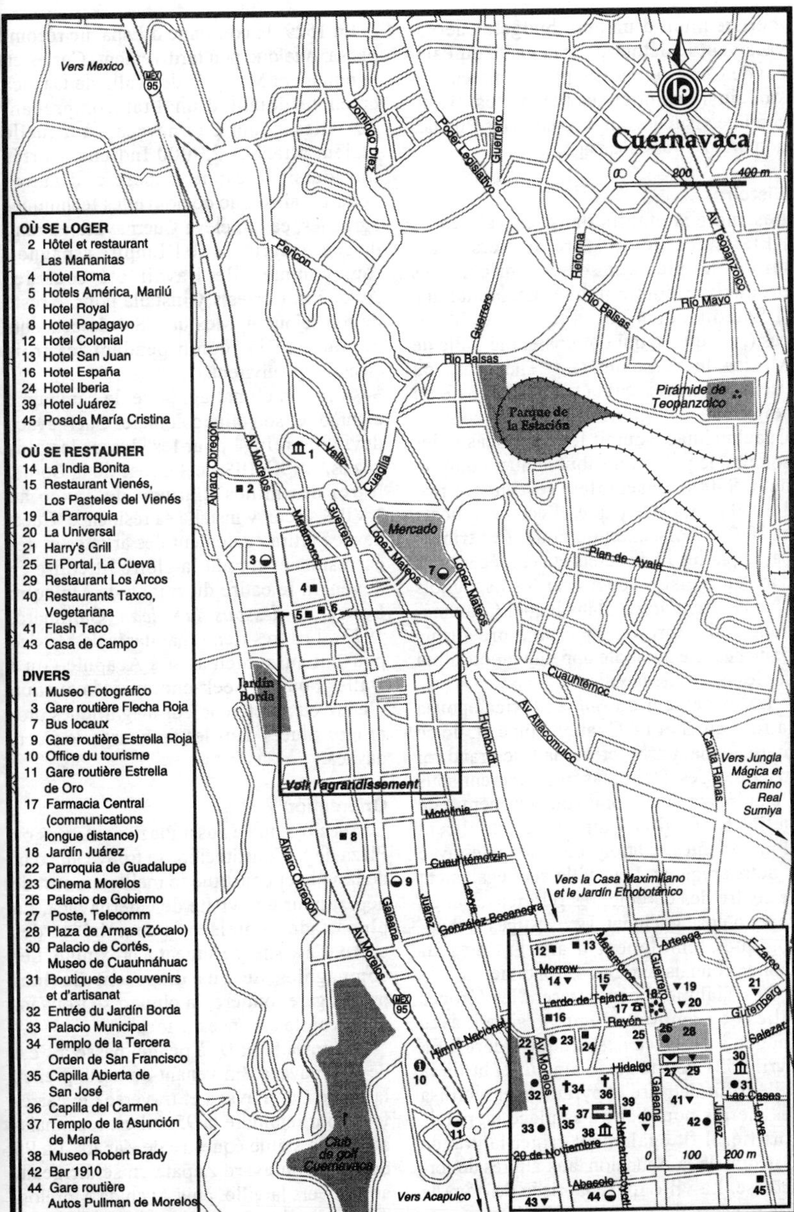
Cuernavaca
0 200 400 m
Vers Mexico
OÙ SE LOGER
2 Hôtel et restaurant Las Mañanitas
4 Hotel Roma
5 Hotels América, Marilú
6 Hotel Royal
8 Hotel Papagayo
12 Hotel Colonial
13 Hotel San Juan
16 Hotel España
24 Hotel Iberia
39 Hotel Juárez
45 Posada María Cristina
OÙ SE RESTAURER
14 La India Bonita
15 Restaurant Vienés, Los Pasteles del Vienés
19 La Parroquia
20 La Universal
21 Harry's Grill
25 El Portal, La Cueva
29 Restaurant Los Arcos
40 Restaurants Taxco, Vegetariana
41 Flash Taco
43 Casa de Campo
DIVERS
1 Museo Fotográfico
3 Gare routière Flecha Roja
7 Bus locaux
9 Gare routière Estrella Roja
10 Office du tourisme
11 Gare routière Estrella de Oro
17 Farmacia Central (communications longue distance)
18 Jardín Juárez
22 Parroquia de Guadalupe
23 Cinema Morelos
26 Palacio de Gobierno
27 Poste, Telecomm
28 Plaza de Armas (Zócalo)
30 Palacio de Cortés, Museo de Cuauhnáhuac
31 Boutiques de souvenirs et d'artisanat
32 Entrée du Jardín Borda
33 Palacio Municipal
34 Templo de la Tercera Orden de San Francisco
35 Capilla Abierta de San José
36 Capilla del Carmen
37 Templo de la Asunción de María
38 Museo Robert Brady
42 Bar 1910
44 Gare routière Autos Pullman de Morelos
Domingo Diez
Poder Legislativo
Guerrero
Pericon
Reforma
Av Teopanzolco
Río Mayo
Río Balsas
Pirámide de Teopanzolco
Parque de la Estación
Alvaro Obregón
Av Morelos
I. Vella
Cuaglia
Matamoros
Guerrero
López Mateos
Mercado
Plan de Ayala
Jardín Borda
Cuauhtémoc
Av Atlacomulco
Humboldt
Canta Ranas
Vers Jungla Mágica et Camino Real Sumiya
Voir l'agrandissement
Motolinia
Cuauhtémotzin
Vers la Casa Maximiliano et le Jardín Etnobotánico
Galeana
Juárez
Leyva
González Bocanegra
Himno Nacional
Club de golf Cuernavaca
Vers Acapulco
Arteaga
E. Zarco
Morrow
Lerdo de Tejada
Rayón
Gutenberg
Salazar
Hidalgo
Las Casas
Netzahualcóyotl
20 de Noviembre
Abasolo
0 100 200 m

touriste muni d'un petit budget. Cuernavaca vaut le détour pour la visite du Palacio de Cortés et du site précolombien voisin, ainsi que pour ses balnearios. Beaucoup de visiteurs s'inscrivent dans l'un des nombreux cours d'espagnol.

Histoire

Les Indiens établis dans les vallées de l'État moderne de Morelos, vers 1220, mirent sur pied une société agricole très productive implantée à Cuauhnáhuac (l'Endroit du bord de la forêt). Les Mexicas (Aztèques), qui dominaient le Valle de Mexico, les surnommèrent "Tlahuicas", ou "ceux qui travaillent la terre". En 1379, un seigneur de guerre Mexica conquit Cuauhnáhuac, soumit les Tlahuicas et les somma de payer un tribut annuel comprenant 8 000 ensembles vestimentaires, 16 000 feuilles de papier d'écorce d'amate et 20 000 boisseaux de maïs. Les tributs payés par les États-sujets étaient répertoriés dans un registre appelé par les Espagnols *Códice Mendocino*, dans lequel Cuauhnáhuac était représenté par un arbre à trois branches. Ce symbole apparaît aujourd'hui sur les armes de la ville.

Le successeur du *señor* Mexica épousa la fille du chef de Cuauhnáhuac et, de ce mariage, naquit Moctezuma I, le grand roi aztèque. Les Tlahuicas prospérèrent sous l'empire aztèque, dominant eux-mêmes de petits États situés au sud et établirent d'importantes relations commerciales avec d'autres régions. Leur ville était également le centre des cérémonies religieuses et un foyer d'enseignement. Les vestiges archéologiques témoignent d'ailleurs de leur grande connaissance en astronomie.

Les Tlahuicas demeurèrent les féroces alliés de l'empire aztèque, résistant avec fougue à l'avance des conquistadores. En avril 1521, Cortés les vainquit et brûla la ville. Il fit détruire la pyramide et réutilisa les pierres pour bâtir à sa place un palais fortifié. Il fit également ériger la grande Catedral de la Asunción, aux allures de forteresse. La ville fut rebaptisée du nom de Cuernavaca, à consonance plus hispanique.

En 1529, la couronne d'Espagne récompensa, quelque peu tardivement, Cortés en le nommant Marqués del Valle de Oaxaca et en le dotant d'un État comprenant 22 villes – dont Cuernavaca – à laquelle étaient attachés 23 000 Indiens. Cortés introduisit la canne à sucre et d'autres cultures, ainsi que de nouvelles techniques agricoles, ce qui éleva Cuernavaca au rang de centre agricole de l'Empire espagnol, tout comme elle l'avait été sous les Aztèques. Cortés s'y installa pour le reste de son séjour au Mexique. Ses descendants dominèrent la région pendant les trois siècles qui suivirent.

Avec son climat agréable, la campagne alentour et son élite coloniale, Cuernavaca devint un refuge pour les classes les plus aisées. Au XVIIIe siècle, José de la Borda, le roi des mines d'argent de Taxco au XVIIIe siècle, y installa sa résidence. Cuernavaca attira également des artistes et des écrivains, et connut la gloire littéraire en devenant le cadre du roman de Malcolm Lowry, *Au-dessous du volcan* (Gallimard, 1973). Les très riches habitants de Mexico peuvent aussi bien aller à Acapulco ou à Dallas pour le week-end, mais beaucoup d'entre eux préfèrent leur magnifiques propriétés situées dans les faubourgs de Cuernavaca.

Orientation

Le zócalo, appelé aussi Plaza de Armas ou Plaza de la Constitución, se trouve au cœur de la ville et constitue le meilleur point de départ pour une visite de Cuernavaca. La plupart des hôtels bon marché et des endroits à visiter se situent à proximité. Les compagnies de bus disposent de leur propre gare routière, la plupart se trouvant à une courte distance du zócalo.

L'autoroute 95D, à péage, passe à l'est de Cuernavaca. En venant du nord, prenez la sortie Cuernavaca et traversez le carrefour pour rejoindre la 95 – il est reconnaissable à la statue équestre de Zapata. La 95 devient Boulevard Zapata en se dirigeant au sud vers la ville, puis Avenida Morelos. Au sud de l'Avenida Matamoros, Morelos est à sens unique, vers le nord. Pour rejoindre le centre, tournez à gauche et descendez l'Avenida Matamoros.

En 1995, les autorités ont décidé de modifier l'adresse de presque tous les bâtiments de la ville. Certains propriétaires se sont conformés à cette directive et ont changé la plaque, mais d'autres ne l'ont pas fait. Parfois, les nouvelles adresses cohabitent avec les anciennes. Celles indiquées ici correspondent aux adresses les plus usitées au moment de la rédaction de cet ouvrage.

Renseignements

Office du tourisme. L'office du tourisme de l'État (☎ 14-38-72), Morelos Sur 187, est ouvert de 9h à 20h en semaine, et de 9h à 18h le week-end. Le personnel aimable vous fournira tous les renseignements sur les centres d'intérêt à Morelos.

Poste et communications. La poste se trouve du côté sud de la Plaza de Armas et dispose d'un service de télécopie. Elle est ouverte du lundi au vendredi de 8h à 19h, samedi de 9h à 13h. Plusieurs téléphones publics devant la poste acceptent les cartes de crédit. Vous trouverez un téléphone à la Farmacia Central, Galeana, face au Jardín Juárez, ouverte tous les jours de 7h à 22h.

Plaza de Armas et Jardín Juárez

La Plaza de Armas est la place principale de Cuernavaca, flanquée à l'est par le Palacio de Cortés, à l'ouest par le Palacio del Gobierno (siège du gouvernement de l'État), au nord-est et au sud par de nombreux restaurants.

Le Jardín Juárez, plus petit, jouxte l'angle nord-ouest du zócalo ; il s'y dresse un belvédère dessiné par Gustave Eiffel. Le snack du rez-de-chaussée propose un bon choix de jus de fruits. Les très nombreux restaurants en terrasse situés autour du jardin et du zócalo vous serviront du petit déjeuner au dernier verre de la soirée. C'est également la seule plaza principale du Mexique ne comportant *aucune* église, chapelle, couvent ou cathédrale.

Palacio de Cortés et Museo de Cuauhnáhuac

L'imposante forteresse médiévale de Cortés se trouve à l'extrémité sud-est de la Plaza de Armas. Ce palais de pierre à deux niveaux fut construit entre 1522 et 1532, à la place d'une pyramide que Cortés avait fait détruire. Il y résida jusqu'à son retour en Espagne en 1540. Le palais demeura une propriété familiale des Cortés durant une grande partie du XVIIe siècle. Au XVIIIe siècle, elle servit de prison, puis, à la fin du XIXe siècle, de bureaux administratifs, sous Porfirio Díaz.

Aujourd'hui, le palais abrite le Museo de Cuauhnáhuac, dans lequel sont présentées des expositions portant sur l'histoire et les différentes cultures mexicaines. Au rez-de-chaussée, l'accent est mis sur quelques-unes des grandes cultures précolombiennes dont la culture tlahuica. Par endroits, on peut encore distinguer la base de la pyramide.

Au premier étage, sont illustrés les principaux événements historiques, de la conquête espagnole à nos jours. Sur le balcon se trouve une fascinante fresque de Diego Rivera. Elle fut commandée dans les années 20 par Dwight Morrow, ambassadeur des États-Unis au Mexique qui en fit don aux habitants de Cuernavaca. Cette chronologie, qui se lit de droite à gauche, dépeint essentiellement la violence, l'oppression et les divers coups d'État qui ont marqué l'histoire mexicaine, de la Conquête à la Révolution de 1910.

Le musée est ouvert du mardi au dimanche de 10h à 17h (entrée à 2 $US, gratuite le dimanche).

Jardín Borda

Le Jardín Borda fut aménagé avec bassins et fontaines par Manuel de la Borda en 1783, pour parachever l'imposante demeure construite par son père José, le roi de l'argent à Taxco. En 1866, l'ensemble servit de résidence d'été à l'empereur Maximilien et l'impératrice Charlotte, qui recevaient la cour dans les jardins. Ce jardin reste, malgré un certain déclin l'une des principales attractions touristiques de la ville.

L'entrée se trouve dans Morelos. Vous pourrez visiter la maison et les jardins, et découvrir ainsi comment vivait l'aristocratie mexicaine. L'une des ailes du bâtiment abrite le **Museo de Sitio**, dans lequel des expositions témoignent de la vie quotidienne sous l'Empire, y compris des documents originaux portant les paraphes de Morelos, Juárez et Maximilien. Des tableaux romantiques dépeignent des scènes du temps de Maximilien : canotage sur le bassin, ou encore l'empereur et La India Bonita, une indienne qui devait devenir sa maîtresse.

Les jardins se déploient sur une série de terrasses, agrémentées de sentiers, d'escaliers et de fontaines. A l'origine, ces jardins botaniques renfermaient des centaines d'essences, arbres à fruits et plantes ornementales. Si la végétation est restée exubérante, avec de grands arbres et des buissons semi-tropicaux, la grande variété d'espèces a disparu, sans parler du bel étang que l'on voit sur les peintures, ressemblant plus aujourd'hui à une piscine en béton peu entretenue. On peut louer un petit canot pour 1,50 $US de l'heure. Maison et jardin sont ouverts du mardi au dimanche de 10h à 17h30 ; l'entrée coûte 1 $US (gratuite le mercredi).

A côté de la maison, s'élève l'église de la Parroquia de Guadalupe, également construite par José de la Borda, et consacrée le 12 décembre 1784.

Recinto de la Catedral

La cathédrale de Cuernavaca est une enceinte à hauts murs (*recinto*), sise à l'angle de Morelos et Hidalgo – l'entrée se trouve sur Hidalgo. A la manière du Palacio de Cortés, elle fut conçue comme une imposante forteresse, pour se défendre contre les Indiens, mais aussi pour les impressionner et les intimider. Les Franciscains la firent construire en 1526, sous Cortès, en utilisant la force de travail des Indiens et les pierres des décombres de Cuanuhnáhuac. Ce fut l'une des premières missions chrétiennes du Mexique. La première partie à être édifiée fut la **Capilla Abierta de San José**, la chapelle ouverte du côté ouest de la cathédrale.

La cathédrale elle-même, le **Templo de la Asunción de María**, est simple. L'entrée latérale, au nord de l'entrée principale, mêle les styles architecturaux indien et européen. Un crâne et des os en croix, surmontés d'une croix, symbolisent l'ordre des Franciscains. Au début du siècle, on découvrit des fresques sur les murs intérieurs. Elles représenteraient les persécutions subies par les missionnaires chrétiens au Japon. Cuernavaca était, en fait, le centre des activités de la mission franciscaine en Orient.

Dans l'enceinte de la cathédrale s'élèvent deux églises plus petites, de part et d'autre de l'entrée, Calle Hidalgo. Sur la droite, se trouve le **Templo de la Tercera Orden de San Francisco**, commencé en 1723, avec sa façade sculptée dans le style baroque du XVIIIe siècle par des artisans indiens, et son intérieur orné de dorures. A gauche, dans la **Capilla del Carmen**, datant de la fin du XIXe siècle, les fidèles viennent prier pour la guérison des malades.

Museo Robert Brady

Robert Brady (1928-1986), artiste et collectionneur américain, vécut 24 ans à Cuernavaca. Sa maison, la Casa de la Torre, faisait partie, à l'origine, du monastère se trouvant dans l'enceinte de la cathédrale. Le musée possède plusieurs tableaux de grands artistes mexicains tels que Tamayo, Kahlo et Cobarrubias. Il est ouvert du mardi au samedi de 10h à 18h. Tous les visiteurs doivent être accompagnés de l'un des guides. Téléphonez, au préalable, pour vérifier les heures d'ouverture. Le musée (☎ 18-85-54), situé Netzahualcóyotl 4, est à quelques minutes à pied du zócalo. L'entrée revient à 2,50 $US.

Palacio Municipal

Le Palacio Municipal (1883) se dresse sur l'Avenida Morelos, juste au sud du Jardín

Borda. Une série de grands tableaux très colorés est exposée dans la cour, à l'étage et en sous-sol. Ils dépeignent l'histoire de la région, notamment à l'époque précolombienne. Le bâtiment est ouvert du lundi au vendredi de 8h à 18h, et l'entrée est libre. Des expositions temporaires ont souvent lieu dans la cour.

Salto de San Antón

Pour une promenade agréable à moins d'un kilomètre du centre, prenez les petites rues à l'ouest du Jardín Borda jusqu'au *salto*, une chute d'eau de 40 m de haut. Une passerelle a été construite sur la façade de la falaise, vous permettant de passer juste derrière les chutes. C'est un lieu pittoresque, très boisé. Le village de San Antón, au-dessus des chutes, est un centre de poterie.

Casa de Maximiliano et Jardín Etnobotánico

Lorsque l'empereur Maximilien acheta cette maison, en 1866, elle se trouvait en pleine campagne. Elle est aujourd'hui située en pleine banlieue de Cuernavaca, à environ 1,5 km du centre-ville. C'était l'un de ses lieux de rendez-vous secrets privilégiés de Maximilien où il rencontrait sa maîtresse indienne. On la surnommait la Casa del Olvido (la Maison de l'Oubli) car Maximilen "oublia" d'y prévoir une chambre pour sa femme, mais fit construire une maisonnette pour sa maîtresse. Elle abrite aujourd'hui le **Museo de la Herbolaría**, musée des plantes médicinales traditionnelles. Le Jardín Etnobotánico qui l'entoure comporte une grande variété de plantes et d'herbes médicinales. Le site est ouvert tous les jours de 9h à 17h. Le musée ferme ses portes à 15h (entrée gratuite). Il est situé Calle Matamoros 200 à Colonia Acapantzingo, à 200 m au sud de Tamayo.

Pirámide de Teopanzolco

Ce petit site archéologique est situé Calle Río Balsas, dans la colonia Vista Hermosa. En réalité, il comprend deux pyramides, l'une à l'intérieur de l'autre. Cette méthode d'agrandissement des pyramides est caractéristique de l'art architectural des Indiens tlahuicas.

L'ancienne pyramide (à l'intérieur) fut construite il y a plus de 800 ans. La seconde, encore en chantier à l'arrivée de Cortés à Cuauhnáhuac, ne fut jamais achevée. Le nom de Teopanzolco signifie "Lieu de l'Ancien Temple". C'est sans doute une allusion à un édifice plus ancien, sis à l'ouest de l'actuelle pyramide, où l'on a retrouvé des objets datant de 7000 av. J.-C., ainsi que d'autres, d'influence olmèque.

Plusieurs plates-formes, de dimensions moins importantes, entourent la pyramide. Des restes humains, mélangés à des fragments de céramiques, furent mis au jour sur la plate-forme rectangulaire, à l'ouest de la double pyramide. Ils proviendraient de sacrifices au cours desquels on pratiquait la décapitation et le démembrement.

Le site est ouvert tous les jours de 10h à 17h. L'entrée coûte 2 $US, gratuite le dimanche. Il est situé à plus d'1 km du centre mais il faut contourner l'ancienne gare ferroviaire par le nord, ce qui représente une bonne marche. Vous pouvez prendre un bus local de la Ruta 9.

Autres curiosités

Si vous séjournez quelques jours à Cuernavaca, vous pourrez découvrir d'autres sites intéressants. Ceux situés en dehors de la ville peuvent être difficiles d'accès (voir *Comment circuler*).

Le grand muraliste mexicain David Alfaro Siqueiros possédait un atelier à Cuernavaca où il vécut et travailla de 1964 jusqu'à sa mort en 1974. Le **Taller Alfaro Siqueiros**, Venus 52, dans les Fraccionamiento Jardines de Cuernavaca, est ouvert du mardi au dimanche de 10h à 17h (1 $US). Vous pourrez y admirer quatre fresques inachevées, des photographies de ses diverses œuvres et des souvenirs personnels.

Martín Cortés, qui succéda à Hernán Cortés comme deuxième marquis del Valle de Oaxaca, construisit l'**Hacienda de San Antonio Atlacomulco** au XVIIe siècle. Elle fut nationalisée en 1833 puis, après

ENVIRONS DE MEXICO

avoir subi diverses modifications, fut utilisée comme fabrique d'aguardiente en 1852. Pendant la révolution, Emiliano Zapata y installa ses troupes. Après la révolution, elle se dégrada jusqu'à sa rénovation et sa transformation en Hotel Hacienda en 1980. Elle est située à 4 km environ de la ville, à Atlacomulco.

Autre résidence digne d'intérêt, convertie en hôtel, **Sumiya** fut la maison de la baronne Barbara Hutton, héritière de la fortune des magasins Woolworth's. Construite à grands frais dans un style japonais, elle comporte des équipements, des carreaux et même des rochers importés du Japon, ainsi qu'un théâtre kabuki, un jardin de méditation et des ponts de bois reliant les différentes pièces. La propriété fait aujourd'hui partie du Camino Real Sumiya Hotel (reportez-vous à la rubrique *Où se loger*). Quel meilleur prétexte pour visiter cet endroit que de s'offrir un repas au restaurant Sumiya ?

Le **Museo Fotográfico de Cuernavaca** possède quelques-unes des premières photos et cartes de la ville. Il est niché dans un très joli petit bâtiment datant de 1897, appelé le Castellito, situé Güemes 1, à 1 km au nord du zócalo. L'entrée est gratuite et il est ouvert, en semaine de 9h à 14h et de 16h à 18h, et le week-end de 10h à 14h.

Cours de langue

Cuernavaca attire de nombreux étrangers désireux d'apprendre l'espagnol. Les cours commencent chaque lundi. La plupart des écoles préconisent un minimum de quatre semaines. Les frais de scolarité vont de 600 à 1 000 $US pour une période de quatre semaines et sont généralement payables d'avance. Il se peut que vous obteniez une réduction en dehors des mois de janvier, février, juillet et août, ou si vous prenez plus de 4 semaines de cours. La majorité des écoles facturent également des frais de dossiers non remboursables entre 60 et 100 $US.

La plupart des écoles proposent un hébergement dans une famille mexicaine, sélectionnée par l'école, offrant l'avantage de "l'immersion totale". Comptez 18 $US par jour en pension complète si vous partagez la chambre et la s.d.b., 25 $US si vous disposez d'une chambre et d'une s.d.b. séparée. Les écoles peuvent également vous venir en aide pour trouver une autre formule de logement.

Vous pouvez contacter les écoles suivantes :

CALE – Center of Arts and Languages
Apdo Postal 1777, Cuernavaca, Morelos, México 62000 ; approche personnalisée, petit nombre d'enseignants (☎ 13-06-03 ; fax 13-73-52)

Cemanahuac Educational Community
Apdo Postal 5-21, Cuernavaca, Morelos, México 62051 ; l'accent est mis sur l'acquisition de la langue et la sensibilisation à la culture mexicaine (☎ 12-64-19 ; fax 12-54-18)

Center for Bilingual Multicultural Studies
Apdo Postal 1520, Cuernavaca, Morelos, México 62170 ; affilié à l'Universidad Autónoma del Estado de Morelos (☎ 17-10-87 ; fax 17-05-33)

Cetlalic Alternative Language School
Apdo Postal 1-201, Cuernavaca, Morelos, México 62000 ; apprentissage de la langue, éveil à la culture mexicaine, engagement social (☎ 12-67-18 ; fax 12-67-18)

Cuauhnáhuac – Instituto Colectivo de Lengua y Cultura
Apdo Postal 5-26, Cuernavaca, Morelos, México 62051 ; cours de spécialité pour étudiants, hommes d'affaires, personnel médical (☎ 12-36-73 ; fax 18-26-93)

Cuernavaca Language School
Apdo Postal 4-254, Cuernavaca, Morelos, México 62430 ; se prévaut d'une longue expérience en matière d'enseignement de l'espagnol (☎ 15-27-81 ; fax 17-51-51)

Encuentros Comunicación y Cultura
Apdo Postal 2-71, Cuernavaca, Morelos, México 62158. S'adapte aux besoins des clients. Sont prévues des rencontres avec des personnes du monde professionnel, ainsi que des visites d'entreprises (☎/fax 12-50-88)

Experiencia – Centro de Intercambio Bilingüe y Cultural
Apdo Postal 596, Cuernavaca, Morelos, México 62050 ; se distingue par son programme intercambio : deux heures de conversation avec des Mexicains, deux fois par semaine (☎/fax 18-52-09)

IIDEL – Instituto de Idiomas y Culturas Latinoamericanas

RICHARD NEBESKY

OAXACA
Au-dessus : masque mixtèque, Museo Regional de Oaxaca
A droite : En attendant le bœuf
En bas : "maison du Mezcal"

F STOPPELMAN

RICHARD NEBESKY

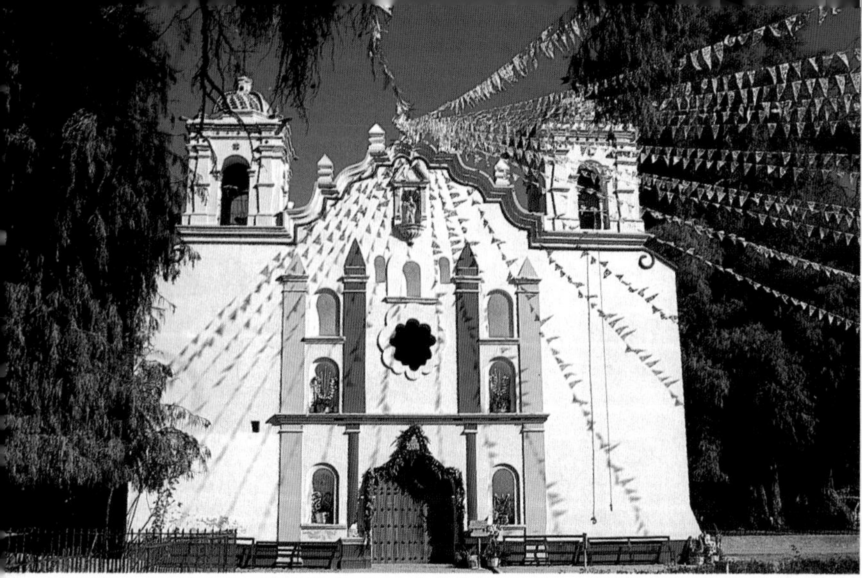

DAVE G HOUSER

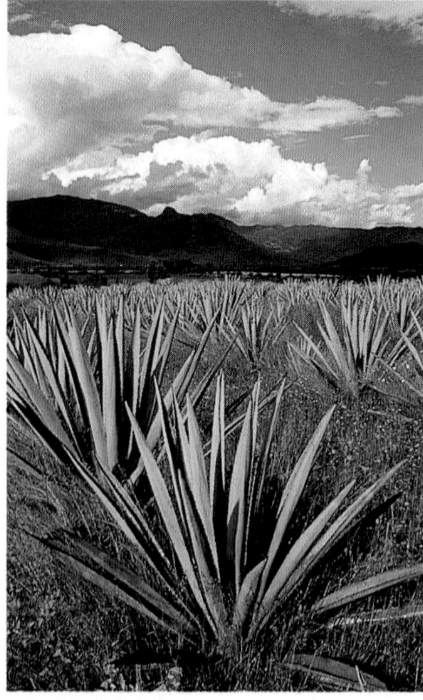

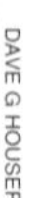

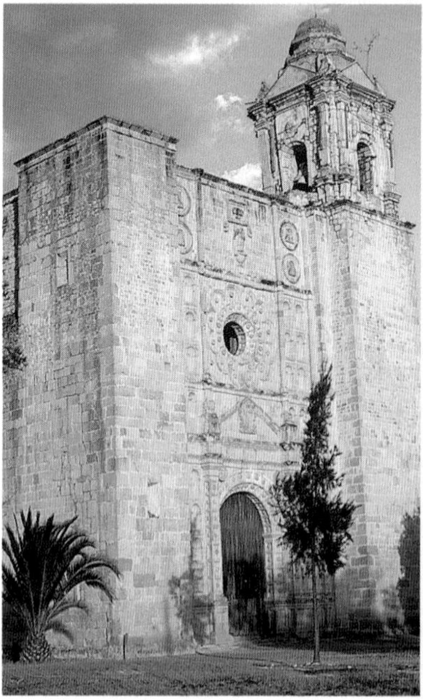

En haut : église, El Tule
En bas à gauche : champ d'agave, près de Oaxaca
En haut à droite : église de Coixtlahuaca, Oaxaca

Apdo Postal 12771-1, Cuernavaca, Morelos, México 62001 ; cours de langue couplés avec des excursions dans les environs de Cuernavaca, des projections vidéo, des manifestations culturelles et des soirées festives (☎/fax 13-01-57)

IDEAL – Instituto de Estudios de América Latina
Apdo Postal 2-65, Cuernavaca, Morelos, México 62158 ; immersion complète et cours dans un environnement décontracté (☎ 11-75-51 ; fax 11-75-51)

Instituto de Idioma y Cultura en Cuernavaca
Apdo Postal 2-42, Cuernavaca, Morelos, México 62158 ; ambiance familiale et professeur différent chaque semaine pour varier les interactions (☎ 17-04-55 ; fax 17-57-10)

Prolingua Instituto Español Xochicalco
Apdo Postal 1-888, Cuernavaca, Morelos, México 62000 ; cours de grammaire, de vocabulaire, de conversation et d'éveil à la culture (☎/fax 18-98-39)

Spanish Language Institute
Apdo Postal 2-3, Cuernavaca, Morelos, México 62191. Pas plus de cinq étudiants par cours. Vaste choix de cours sur la culture mexicaine (dont coutumes et traditions, psychologie latino-américaine, et littérature latino-américaine) (☎ 11-00-63 ; fax 17-52-94)

Tlahuica Spanish Language Learning Center
Apdo Postal 2-135, Cuernavaca, Morelos, México 62158. Établissement à taille humaine, approche personnalisée. Accès libre aux installations sportives et aux courts de tennis (☎ 80-07-73 ; fax 80-10-36)

Universal Centro de Lingua y Comunicación
Apdo Postal 1-1826, Cuernavaca, Morelos, México 62000. Apprentissage de la langue, visites de villages, rencontres avec des hommes politiques et des professeurs (☎ 18-29-04 ; fax 18-29-10)

Universidad Autónoma del Estado de Morelos
Apdo Postal 20, Cuernavaca, Morelos, México 62350 ; les professeurs du Centro de Lengua Arte e Historia para Extranjeros de cette université organisent des activités permettant aux étudiants de pratiquer la langue tout en découvrant la culture mexicaine (☎ 16-16-26 ; fax 22-35-13)

Fêtes

Parmi les fêtes et les événements auxquels vous pourrez assister à Cuernavaca :

Carnaval. Fin février ou début mars, durant les cinq jours qui précèdent le Mercredi des Cendres, on fête Mardi Gras : spectacles de rue avec les danseurs chinelos de Tepoztlán, défilés, expositions d'art, danse, etc.

Feria de la Primavera. La fête du Printemps de Cuarnavaca, du 21 mars au 10 avril, est l'occasion d'événements culturels et artistiques, de concerts, et d'une magnifique exposition de fleurs printanières locales.

San Isidro Labrador. Le 15 mai, à la fête de San Isidro, le saint patron des paysans. Les paysans des environs parent leurs mules et leurs bœufs de fleurs, puis ils les conduisent en ville pour qu'ils soient bénis.

Día de la Virgen de Guadalupe. La sainte patronne du Mexique est fêtée à Cuernavaca, comme ailleurs, le 12 décembre.

Où se loger

Les endroits bon marché sont généralement bien rudimentaires, les établissements de catégorie moyenne manquent de charme et les grands hôtels sont, certes, merveilleux mais très chers. Le week-end et les jours fériés, la ville est envahie par les habitants de la capitale ; il est donc conseillé de réserver ou de s'y prendre tôt pour trouver une chambre.

Où se loger – petits budgets

Les établissements les moins chers se trouvent dans Aragón y León, entre Morelos et Matamoros, un quartier où exercent des prostituées. A l'*América* (eau froide), au *Marilú* (eau chaude) et au *San Juan* (en cours de rénovation), les chambres, décaties et minimalistes, coûtent 5 $US. L'*Hotel Colonial* facture 12/13 $US la simple/double, propre, avec ventil., eau chaude et douche.

A l'angle, Matamoros 17, l'*Hotel Roma* (☎ 18-87-78) dispose de petites chambres dotées de s.d.b. peu engageantes à 9 $US. Sur les 40 chambres, quatre seulement sont équipées de ventil. L'eau chaude est disponible à certaines heures seulement. L'*Hotel Royal* (☎ 18-64-80), Matamoros 11, possède des chambres propres avec eau chaude disposées autour d'un parking louées 10/12 $US (supplément de 3 $US pour la TV).

L'*Hotel Juárez* (☎ 14-02-19), Netzahualcóyotl 17, conviendra parfaitement aux petits budgets. Central et calme, il comprend un grand jardin et une piscine. Les 13 chambres (10/13 $US) sont simples mais lumineuses, aérées et spacieuses. L'eau chaude est disponible en permanence. Si vous êtes en voiture, arrivez tôt car il n'y a qu'une seule place de parking.

Où se loger – catégorie moyenne

L'*Hotel Iberia* (☎ 12-60-40), Rayón 9, est apprécié des voyageurs et des étudiants étrangers. Les petites chambres sans prétention entourent un parking. Le tarif, 10/18 $US, est plutôt élevé, mais l'hôtel se tient à une courte distance à pied du zócalo.

L'*Hotel España* (☎ 18-67-44), de style colonial, à l'angle de Rayón et de Morelos, est plus attrayant que l'Iberia. Il est équipé de toilettes modernes, de rideaux de douche et de ventil. efficace, mais les chambres, passablement fanées, seraient certainement moins coûteuses dans d'autres villes (12/14 $US).

L'*Hotel Papagayo* (☎ 14-17-11), Motolinía 13, est sans doute, dans cette catégorie, l'hôtel le plus accueillant de la ville. Ses 77 chambres, modernes, sont aménagées autour d'un vaste jardin avec deux piscines, des agrès pour les enfants et un grand parking. Vous paierez 18/27 $US.

Où se loger – catégorie supérieure

Las Mañanitas (☎ 14-14-66), Linares 107, est l'un des fleurons de l'hôtellerie mexicaine. La fourchette tarifaire va de 120 $US pour une chambre standard à 250 $US pour une admirable suite-jardin. Ce lieu est réputé pour son grand jardin privé où des paons se pavanent tandis que des clients profitent de la piscine. Cet hôtel jouit d'une notoriété internationale, et son restaurant bénéficie d'une excellente réputation.

Le *Camino Real Sumiya* (☎ 20-91-99), logé dans l'ancienne demeure de Barbara Hutton, est un endroit féerique situé à Fraccionamiento Sumiya, dans les faubourgs sud de la ville. Les jardins environnants possèdent des arbres centenaires, des étangs et des fontaines. Le style japonais raffiné de cet endroit est unique au Mexique. Les prix s'échelonnent entre 145 $US pour une chambre et 350 $US pour une suite.

La *Posada María Cristina* (☎ 18-69-84), Leyva 20, est moins cossue que le précédent mais fait partie des adresses privilégiées de la ville. Les chambres sont meublées avec goût et le bâtiment, de style colonial, a été restauré. D'admirables jardins pentus et une piscine sont autant d'attraits. Les prix varient entre 70 $US pour une chambre et 95 $US pour une cabaña privée.

Où se restaurer

Petits budgets. Pour un simple en-cas composé d'un yaourt aux fruits, d'escamochas (sorte de salade de fruits), de maïs grillé, de glace, de jus de fruits ou de légumes frais, choisissez l'une des échoppes au rez-de-chaussée du *Jardín Juárez gazebo*, puis installez-vous sur un des bancs du parc.

Sur Galeana, au sud du Jardín Juárez, *El Portal* sert des hamburgers et des poulets-frites à prix modiques. *La Cueva* possède un menu légèrement plus cher avec des fruits de mer et des spécialités mexicaines. Encore un peu plus loin, sur Galeana, se trouve le populaire *Restaurant Taxco* servant différentes comidas corridas entre 3,50 et 6 $US. A côté, au petit *Restaurant Vegetariano*, on déguste une délicieuse comida corrida de quatre plats avec de la salade, de la soupe aux légumes, un plat chaud avec du riz complet, du thé et un dessert pour 3 $US.

En vous éloignant des plazas et en remontant sur Rayón, vous trouverez de nombreux petits restaurants bon marché. Certains servent des hamburgers, d'autres des tacos, des glaces ou des jus de fruits.

Catégorie moyenne. A l'est du Jardín Juárez, *La Parroquia* est l'un des restaurants favoris de Cuernavaca. Il sert tous les repas (délicieux) de la journée et reste ouvert longtemps (de 7h30 à 23h30). On y jouit, de surcroît, d'une belle vue sur la plaza, ce qui a un prix – les plats principaux à base de viande, par exemple, coûtent environ 7,50 $US. Son long menu (plats, cafés, desserts) affiche également des spécialités du Moyen-Orient. A quelques mètres de là, *La Universal* occupe une place stratégique, au coin des deux plazas, avec des tables abritées par un store disposées face à la Plaza de Armas. C'est ouvert de 9h à 24h ; il est de bon ton d'y être vu, mais c'est un endroit assez cher.

Du côté sud de la Plaza de Armas, vous apprécierez les tables et les parasols du *Restaurant Los Arcos* pour manger un petit en-cas ou boire un verre en regardant le va-et-vient sur la plaza. Son menu bilingue est varié et ce n'est pas trop cher. Ouvert tous les jours de 8h à 23h.

La India Bonita, au nord-ouest du Jardín Juárez, Morrow 106, est un charmant restaurant aménagé dans une cour et propose notamment une excellente cuisine traditionnelle. Les spécialités de la maison sont le mole au poulet, avec une savoureuse sauce mole à base de chocolat, de piment et de 70 autres ingrédients (8 $US) ; le filet mignon cuit au feu de bois (9 $US) ; ou un plat mexicain spécial avec sept ingrédients différents (7 $US).

Le *Restaurant Vienés*, Tejada 4, prépare une excellente variété de plats européens tels que "l'assiette du fermier" (travers de porc fumés, rôti de veau, saucisses de Francfort, pommes de terre et choucroute), de la saucisse allemande avec de la choucroute et des pommes de terre frites, ou du rôti farci servi avec des pommes de terre, des légumes et de la salade. Les plats principaux tournent autour de 8 $US. Ouvert tous les jours sauf le mardi de 13h à 22h. *Los Pasteles del Vienés*, à côté, appartient aux mêmes propriétaires et sert les meilleurs gâteaux, biscuits, choux à la crème et autres truffes au chocolat et au rhum que vous ayez goûtés depuis votre dernier séjour à Vienne. Leur excellent café est resservi à volonté.

Harry's Grill, Gutenberg 5, appartient à la chaîne de bars/restaurants Carlos Andersons où le rock'n roll à tue-tête ébranle les vieilles photos qui couvrent chaque centimètre carré de mur. Les restaurants Anderson sont généralement appréciés par les gringos, et celui-ci ne fait pas exception. Les plats principaux coûtent de 5 à 9 $US. Le grill est ouvert de 13h à 24h, mais le bar ferme plus tard.

Catégorie supérieure. Havre de paix pour les gens qui ont les moyens, Cuernavaca s'est dotée d'un certain nombre de restaurants de luxe. On y concocte, entre autres, des spécialités chinoises, espagnoles, italiennes, japonaises, libanaises et des spécialités de fruits de mer. Si votre budget vous contraint à faire un choix, essayez le *Restaurant Las Mañanitas* (☎ 14-14-66), situé dans l'hôtel du même nom, Ricardo Linares 107, l'un des meilleurs et des plus célèbres restaurants du Mexique. Les tables sont disposées à l'intérieur de la maison de maître et sur la terrasse donnant sur un jardin, où se pavanent des paons et des flamands roses, pendant que des cygnes évoluent majestueusement sur les étangs. Le menu propose des spécialités du monde entier, mais vous devrez vous munir d'au moins 20 $US par personne en espèces (les cartes de crédit ne sont pas acceptées). Ouvert tous les jours de 13h à 17h et de 19h à 22h30. Il est conseillé de réserver.

La *Casa de Campo*, Abasolo 101, ne fait que restaurant et une excellente cuisine dans une cour de style colonial encadrée de verdure rafraîchie par l'eau des fontaines. Une salade vous reviendra à 5 $US environ, une soupe à 4 $US, des pâtes à 8 $US et un plat principal à 10 $US.

Où sortir

Flâner sur les plazas centrales reste une activité très populaire à Cuernavaca, particulièrement le dimanche et le jeudi à partir de 18h, lors des fréquents concerts en plein air.

Les meilleures discothèques de la ville ne sont généralement ouvertes que le vendredi et le samedi. *Barba Azul*, Prado 10, Colonia San Jeronimo, et *Kaova*, située près du croisement de Motolini et de Morelos figurent parmi les plus réputées. Au moment de la rédaction de cet ouvrage, on se bousculait tellement au portillon du *1910* (☎ 14-35-30), qu'il était nécessaire de réserver. Pour un orchestre de salsa, essayez l'excellent *Rúmbale*, Bajada Chapultepec 50B, ou le *Sammaná*, Domingo Diez 1522, ouvert les jeudi, vendredi et samedi.

En face du Palacio de Cortés, le *Flash-Taco* se veut un "bar à vidéo et à antojitos", comme en témoignent les 43 écrans de TV qui distillent des images de foot dans la journée et du rock le soir.

Certains bars des meilleurs hôtels offrent une animation musicale chaque soir. Tentez votre chance au bar du *Villa Bejar*, Domingo Diez 2350, ou du *Villa del Conquistador*, Paseo del Conquistador 134. Ils sont situés au fin fond des banlieues chic – allez-y de préférence en taxi.

Le bar du *Harry's Grill* est un endroit idéal pour déguster un verre dans un cadre raffiné. Le bar du jardin de l'hôtel *Las Mañanitas*, ouvert tous les jours de 12h à 24h, est très agréable.

Le cinéma Morelos, à l'angle de Morelos et Rayón, est le théâtre de l'État de Morelos. C'est le siège de manifestations culturelles diverses : projection de films de qualité, théâtre, danse, etc.

Achats

Cuernavaca ne propose pas d'artisanat particulier, mais si un cendrier en onyx, une ceinture en cuir ou de l'argent de médiocre qualité vous font plaisir, faites un tour du côté des échoppes du Palacio de Cortés.

Comment s'y rendre

Bus. Quelques compagnies desservent Cuernavaca. Les principales utilisent les quatre gares routières suivantes :

Autos Pullman de Morelos (APM) – angle d'Abasolo et Netzahualcóyotl
Estrella de Oro (EDO) – Avenida Morelos Sur 900
Estrella Roja (ER) – angle de Galeana et Cuauhtémotzin
Flecha Roja (FR) – Avenida Morelos 503, entre Arista et Victoria

La gare routière Estrella de Oro est située à 1,5 km au sud ; les autres gares sont à une courte distance du zócalo. Beaucoup de bus locaux et de bus desservant les villes voisines partent de l'angle sud du mercado (marché). Les bus 1re classe au départ de Cuernavaca comprennent les destinations suivantes :

Acapulco – 315 km, 3 heures 30 ; 7 bus EDO (14 $US) et 7 FR (directos 13 $US, deluxe 14 $US)
Chilpancingo – 180 km, 3 heures ; 7 bus EDO et 7 bus FR (9 $US)
Cuautla – 42 km, 1 heure ; toutes les 20 minutes de 5h à 22h, avec Estrella Roja (2 $US)
Grutas de Cacahuamilpa – 80 km, 2 heures 30 ; toutes les heures de 6h à 18h, avec FR (2 $US)
Iguala – 90 km, 1 heure 30 ; 7 bus EDO et 7 bus FR (4 $US)
Izúcar de Matamoros – 100 km, 2 heures ; bus ER toutes les heures de 5h à 20h (3 $US)
Mexico (Terminal Sur) – 85 km, 1 heure ; toutes les 15 minutes de 5h à 21h30 avec PDM (ordinario 3,50 $US, deluxe 4 $US) ; toutes les 30 minutes de 6h30 à 22h avec FR (3,50 $US) ; 5 bus quotidiens avec EDO (3,50 $US)
Aéroport de Mexico – 100 km, 1 heure 15 ; 5 départs par jour avec PDM, 11 le dimanche (7 $US)
Puebla – 175 km, 3 heures ; départ toutes les heures de 5h à 20h, avec ER (5 $US)
Taxco – 80 km, 1 heure ; 10 bus quotidiens avec FR et 3 avec EDO (3 $US)
Tepoztlán – 23 km, 30 minutes ; départ toutes les 15 minutes jusqu'à 22h, du terminal des bus locaux au marché (1 $US)

Voiture et moto. Cuernavaca est à 85 km au sud de Mexico, ce qui représente un trajet d'1 heure 30 par la 95, ou d'1 heure par la route à péage, la 95D. Ces deux routes continuent vers le sud et Acapulco. La 95 passe par Taxco ; la 95D est plus directe et beaucoup plus rapide, mais les péages vous coûteront au moins 30 $US.

Comment circuler

Tous les endroits dignes d'intérêt dans le centre de Cuernavaca peuvent se découvrir à pied, mais il est plus difficile de se rendre à peu de frais dans les faubourgs. Les bus locaux ne coûtent que 0,50 $US, mais il faut parvenir à comprendre comment s'articulent leurs itinéraires. Ils affichent généralement le nom de la colonia (le quartier) où ils se rendent. Les taxis vous emmèneront dans la plupart des endroits en ville pour 2 $US.

LES ENVIRONS DE CUERNAVACA

Nombre de lieux à visiter se trouvent à moins d'une journée de voyage de Cuernavaca, ou bien sur la route de Mexico vers le nord ou de Taxco vers le sud.

Parc national Lagunas de Zempoala

A 25 km seulement au nord-ouest de Cuernavaca par des routes à lacets, vous atteindrez un ensemble de sept lacs situés en hauteur. Avis aux amateurs de pêche. La forêt environnante accueillera les adeptes du camping ou de la randonnée.

Xochicalco

Au sommet d'un plateau désolé, à 15 km à vol d'oiseau au sud-ouest de Cuernavaca, s'élève l'ancien foyer religieux de Xochicalco, l'un des sites archéologiques les plus importants du centre du Mexique. En nahuatl, la langue aztèque, Xochicalco signifie "Lieu de la Maison des Fleurs", ce qu'il était probablement pour les Toltèques du VIIe siècle. Aujourd'hui, c'est un vaste ensemble de ruines de pierre blanche qui s'étend sur environ 10 km^2 ; Nombre d'entre elles restent encore à mettre au jour. Les différentes cultures – toltèque, olmèque, maya, zapotèque, mixtèque et aztèque – qui y implantèrent leur empire, y sont représentées. Avec l'affaiblissement de Teotihuacán vers 650-700 ap. J.-C., Xochicalco prit de l'importance, pour atteindre son apogée entre 650 et 850. Vers 650, une assemblée de chefs spirituels, qui représentait les populations zapotèque, maya et celle de la côte du Golfe, fut réunie sur place, pour harmoniser leurs calendriers respectifs.

Le monument le plus célèbre est la Pirámide de Quetzalcóatl (pyramide du Serpent à Plumes). D'après plusieurs archéologues, dont l'hypothèse s'appuie sur l'étude de bas-reliefs bien conservés, il semblerait qu'une réunion de prêtres-astronomes ait eu lieu au début et à la fin de chaque cycle de 52 ans du calendrier précolombien. Xochicalco demeura un site important jusque vers 1200, date à laquelle sa croissance excessive l'entraîna dans une chute semblable à celle de Teotihuacán.

Comment s'y rendre. Toutes les heures, des bus Flecha Roja et Autos Pullman de Morelos font halte à 4 km du site. De là, vous pouvez continuer à pied ou prendre un taxi (2 $US). Le site est ouvert tous les jours de 10h à 17h (2 $US ; gratuit le dimanche).

Laguna de Tequisquitengo

Ce lac, situé à 37 km au sud de Cuernavaca, est un endroit très fréquenté pour la pratique des sports nautiques, notamment le ski. Des hôtels, des restaurants et d'autres aménagements bordent les rives du lac. Plusieurs balnearios réputés sont implantés dans le secteur. Il s'agit généralement de sources naturelles qui font office depuis plusieurs siècles de centres thérapeutiques. Mentionnons Las Estacas (☎ 734-2-14-44), à Tlaltizapán, et El Rollo (☎ 734-2-19-88), à Tlaquiltenango, plutôt destiné aux familles. D'anciens monastères franciscains se tiennent également à Tlaquiltenango et à Tlaltizapán. Pour de plus amples renseignements, adressez-vous à l'office du tourisme de Cuernavaca

Zoofari

Plus de 150 espèces d'animaux vivent dans ce zoo que l'on visite en voiture, et si beaucoup se promènent en liberté dans de grands espaces clos, un certain nombre d'entre eux vivent dans des cages peu reluisantes. Le Zoofari (☎ 20-97-23) est ouvert tous les jours de 9h à 17h. Le *Restaurant Timbuktu* est fermé pendant la semaine. Le zoo se trouve à 55 km de Cuernavaca par la 95 (sans péage) rejoignant Taxco. L'entrée revient à 4,50 $US pour les adultes, à 3,50 $US pour les enfants.

TAXCO

• Hab. : 95 135 • Alt. : 1 800 m • ☎ *762*

L'ancienne ville minière (argent) de Taxco, à 170 km au sud-ouest de Mexico, est un superbe exemple du style colonial et l'un des lieux les plus typiques et les plus agréables du Mexique. Accrochées à une falaise abrupte, ses rues étroites pavées de

ENVIRONS DE MEXICO

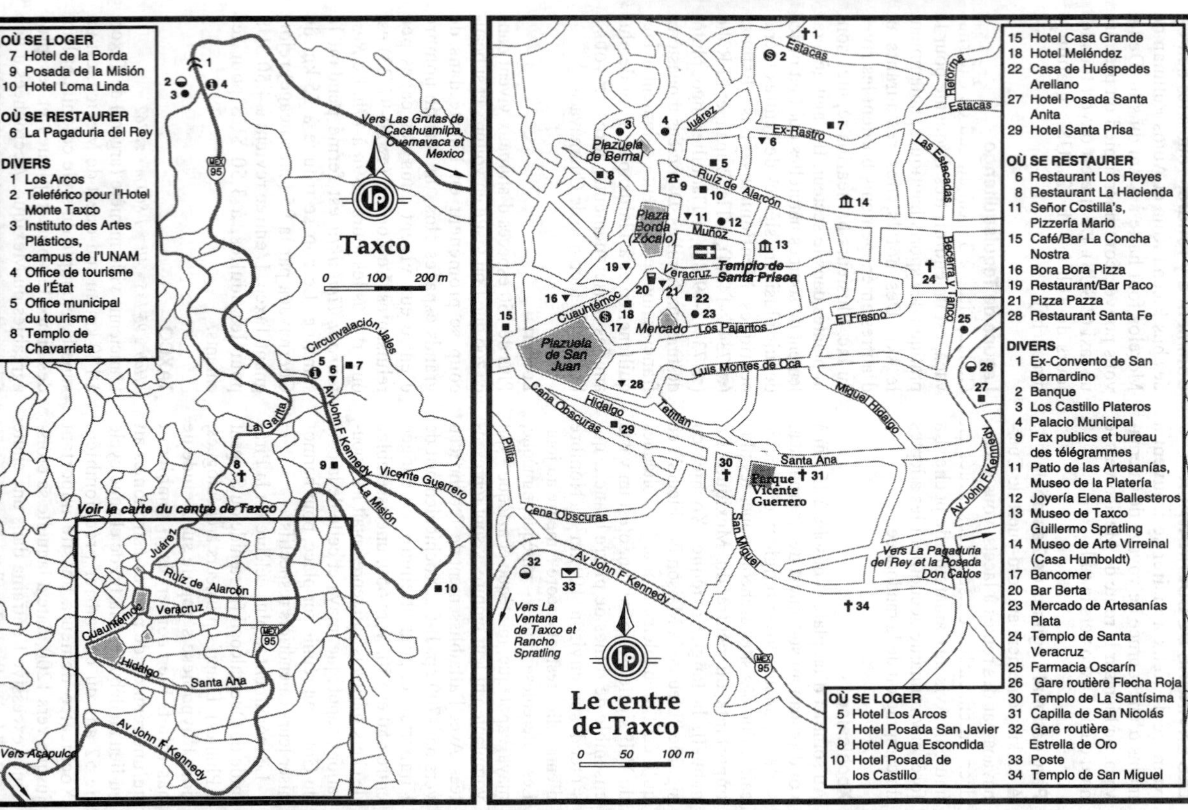
ENVIRONS DE MEXICO
Taxco
OÙ SE LOGER
7 Hotel de la Borda
9 Posada de la Misión
10 Hotel Loma Linda
OÙ SE RESTAURER
6 La Pagaduria del Rey
DIVERS
1 Los Arcos
2 Teleférico pour l'Hotel Monte Taxco
3 Instituto des Artes Plásticos, campus de l'UNAM
4 Office de tourisme de l'État
5 Office municipal du tourisme
8 Templo de Chavarrieta
Vers Las Grutas de Cacahuamilpa, Cuernavaca et Mexico
Vers Acapulco
Voir la carte du centre de Taxco
Circunvalación Jales
Av John F Kennedy
Vicente Guerrero
La Misión
La Garita
Juárez
Ruíz de Alarcón
Veracruz
Cuauhtémoc
Hidalgo
Santa Ana
0 100 200 m
Le centre de Taxco
OÙ SE LOGER
5 Hotel Los Arcos
7 Hotel Posada San Javier
8 Hotel Agua Escondida
10 Hotel Posada de los Castillo
15 Hotel Casa Grande
18 Hotel Meléndez
22 Casa de Huéspedes Arellano
27 Hotel Posada Santa Anita
29 Hotel Santa Prisa
OÙ SE RESTAURER
6 Restaurant Los Reyes
8 Restaurant La Hacienda
11 Señor Costilla's, Pizzería Mario
15 Café/Bar La Concha Nostra
16 Bora Bora Pizza
19 Restaurant/Bar Paco
21 Pizza Pazza
28 Restaurant Santa Fe
DIVERS
1 Ex-Convento de San Bernardino
2 Banque
3 Los Castillo Plateros
4 Palacio Municipal
9 Fax publics et bureau des télégrammes
11 Patio de las Artesanías, Museo de la Platería
12 Joyería Elena Ballesteros
13 Museo de Taxco Guillermo Spratling
14 Museo de Arte Virreinal (Casa Humboldt)
17 Bancomer
20 Bar Berta
23 Mercado de Artesanías Plata
24 Templo de Santa Veracruz
25 Farmacia Oscarín
26 Gare routière Flecha Roja
30 Templo de La Santísima
31 Capilla de San Nicolás
32 Gare routière Estrella de Oro
33 Poste
34 Templo de San Miguel
Estacas
Reforma
Las Estacadas
Ex-Rastro
Plazuela de Bernal
Plaza Borda (Zócalo)
Muñoz
Templo de Santa Prisca
Becerra y Tanco
El Fresno
Plazuela de San Juan
Mercado
Los Pajaritos
Luis Montes de Oca
Miguel Hidalgo
Cena Obscuras
Tetitlán
Pilita
Parque Vicente Guerrero
San Miguel
Vers La Pagaduria del Rey et la Posada Don Carlos
Vers La Ventana de Taxco et Rancho Spratling
0 50 100 m

galets grimpent et se faufilent entre les vieux bâtiments décatis, s'ouvrant soudain sur de jolies plazas et offrant des vues magnifiques à chaque détour.

Au contraire de bon nombre de villes mexicaines fondées à cette époque, celle-ci ne possède pas de banlieues industrielles. La circulation elle-même revêt un certain charme : le flot quotidien des voitures cède la place à une colonie de taxis et de combis Volkswagen traçant leur chemin à travers le labyrinthe des rues. De plus, très peu de rues sont défigurées par le stationnement des voitures, la plupart d'entre elles étant simplement trop étroites.

La ville a été classée monument historique national par le gouvernement fédéral, et des lois locales protègent l'architecture coloniale et le patrimoine de Taxco. Les bâtiments anciens sont, autant que possible, préservés et restaurés, et les nouvelles constructions doivent se conformer aux anciennes par le style, les dimensions et les matériaux – il n'y a qu'à regarder la station Pemex coloniale pour s'en convaincre.

Bien que les mines d'argent de Taxco soient pratiquement épuisées, les bijoux en argent faits à la main constituent l'une des principales ressources économiques de la ville. Il existe des centaines de magasins d'orfèvrerie d'argent (platería), et chiner de l'un à l'autre est le meilleur prétexte pour parcourir le dédale des rues et des allées. Les hôtels et les restaurants pratiquent des prix raisonnables, et ils sont généralement si agréables que le rapport qualité/prix est excellent.

Histoire

Les Aztèques, qui contrôlaient la région de 1440 jusqu'à l'arrivée des Espagnols, l'appelaient Tlachco ("lieu où l'on pratique le jeu de balle"). Le capitaine Rodrigo de Castañeda fonda la ville coloniale en 1529 sur l'ordre d'Hernán Cortés. Parmi ses premiers habitants espagnols, trois mineurs – Juan de Cabra, Juan Salcedo et Diego de Nava – et le charpentier Pedro Muriel créèrent sur place en 1531 la première mine espagnole du continent nord-américain.

Les Espagnols cherchaient de l'étain, qu'ils trouvèrent en petites quantités. Mais en 1534 ils découvrirent un énorme filon d'argent. L'Hacienda del Chorrillo fut construite cette année-là, et équipée d'une roue à eau, d'une fonderie et d'un aqueduc. Les vieilles arches (Los Arcos) au-dessus de la route, au nord de Taxco, sont les seuls vestiges de cet aqueduc. La roue et la fonderie ont disparu depuis longtemps. En revanche, l'hacienda, après diverses transformations, fait aujourd'hui partie d'une école d'art.

Les premiers filons furent vite épuisés, et les prospecteurs quittèrent Taxco. On ne découvrit plus de quantités importantes de minerai avant 1743. Don José de la Borda, arrivé de France en 1716 à l'âge de 16 ans pour travailler avec son frère, découvrit par hasard l'un des plus riches filons de la région. Selon la légende, il chevauchait à proximité de l'actuelle église Santa Prisca lorsque son cheval trébucha et déplaça une pierre, sous laquelle apparut le métal.

Borda fit fortune trois fois et déclara faillite deux fois. Il introduisit de nouvelles techniques d'extraction et de réparation des mines, et acquit la réputation de bien mieux traiter les ouvriers indiens que les autres propriétaires de mines coloniales. Cet homme pieux, dont les deux enfants entrèrent dans les ordres, offrit l'église de Santa Prisca à la ville de Taxco. Il est resté dans les mémoires grâce à son proverbe "*Dios da a Borda, Borda da a Dios*" ("Dieu donne à Borda, Borda donne à Dieu").

Sa soudaine richesse attira de nombreux prospecteurs, et les filons furent de nouveau rapidement épuisés. Taxco redevint une ville tranquille, avec une population et une économie en baisse constante. En 1929, le professeur et architecte américain William Spratling, à l'instigation de son ambassadeur, installa un petit atelier avec quelques argenteurs. L'atelier devint usine, et les apprentis de Spratling ouvrirent leurs propres boutiques. Taxco compte, de nos jours, plus de 300 ateliers.

Orientation. Les rues tortueuses de Taxco vous donneront l'impression d'être une souris lâchée dans un labyrinthe. Les cartes de la ville elles-mêmes sont un peu déroutantes au premier abord, mais vous apprendrez vite à vous repérer et, de toute façon, c'est un bel endroit pour se perdre. La Plaza Borda, appelée parfois zócalo, est au cœur de la ville. L'église qui s'y dresse, Santa Prisca, est un repère pratique.

La 95 prend le nom d'Avenida John F Kennedy lorsqu'elle contourne le côté est du centre-ville. Les deux gares routières se trouvent dans cette rue. De Kennedy, la Calle La Garita part vers l'ouest, en face de la station Pemex, pour devenir l'artère principale coupant la ville en son centre. Cette route à circonvolutions se dirige plus ou moins vers le sud-ouest (à sens unique) jusqu'à la Plaza Borda, en changeant de nom en cours de route pour s'appeler Calle Juárez.

Après la plaza, elle prend l'appellation de Cuauhtémoc, et descend vers la Plazuela de San Juan.

La plupart des endroits intéressants se trouvent sur l'axe La Garita-Juárez-Cuauhtémoc ou à proximité. C'est en fait un chemin facile à suivre et très fréquenté par les combis.

Plusieurs rues moins importantes reviennent vers l'est sur Kennedy, dont la circulation va dans les deux sens et qui constitue par là la seule voie pour rejoindre en voiture le nord de la ville.

L'itinéraire habituel des combis effectue une boucle allant dans le sens inverse des aiguilles d'une montre, se dirigeant vers le nord sur Kennedy puis vers le sud par le centre, mais il en existe quelques variantes.

Renseignements

Office du tourisme. La Secretaría de Fomento Turístico (☎ 2-22-74) se trouve au Centro de Convenciones de Taxco, Avenida Kennedy à l'extrémité nord de la ville, là où les vieilles arches de l'aqueduc enjambent la route. A 2 km plus au sud dans l'Avenida Kennedy, l'office du tourisme (☎ 2-07-98), dont le personnel est plus serviable, est ouvert tous les jours de 8h à 19h.

Argent. Il existe plusieurs banques équipées de distributeurs automatiques autour des plazas principales de la ville.

Poste et communications. La poste, située Kennedy 34, au sud de la ville, est ouverte du lundi au vendredi de 8h30 à 19h, le samedi de 9h à 13h.

Les hôtels, les banques et les boutiques vendent des cartes de téléphone. Vous trouverez des téléphones à cartes autour de la Plaza Borda et dans les halls d'hôtels. Le bureau de Telecomm, au sud de la Plazuela de Bernal, est ouvert du lundi au vendredi de 9h à 15h.

Horaires des musées. Tous les musées de Taxco sont ouverts du mardi au dimanche de 9h à 14h et de 16h à 18h.

Templo de Santa Prisca

Située sur la Plaza Borda, cette église de pierre rose est un bel exemple d'architecture baroque, avec sa façade churrigueresque enrichie d'une profusion de motifs délicatement sculptés. Au-dessus de la porte, un bas-relief retrace le baptême du Christ. A l'intérieur, vous pourrez admirer les sculptures complexes de l'autel, dorées à la feuille, autre très bel exemple de l'art churrigueresque.

L'autorité catholique locale permit à Don José de la Borda d'offrir cette église à la ville à la condition qu'il hypothèque sa maison et d'autres biens afin d'en garantir l'achèvement. Elle fut dessinée par les architectes Diego Durán et Juan Caballero, et édifiée entre 1748 et 1758, ruinant presque complètement Borda.

Autres églises

Parmi les autres églises et chapelles coloniales de Taxco on peut visiter La Santísima, San Nicolás, San Miguel Arcángel, Santa Veracruz, Chavarrieta et l'Ex-Convento de San Bernardino, ainsi qu'Odeja et Guadalupe, en haut de la colline, au-dessus de la Plaza Borda. La vue sur la ville est magnifique depuis la place devant l'église de Guadalupe.

Museo de Taxco Guillermo Spratling
Ce musée historique et archéologique sur trois niveaux se trouve Calle Delgado 1, juste derrière l'église Santa Prisca. La collection d'art précolombien des deux étages supérieurs compte notamment des statuettes de jade, des céramiques olmèques, et autres objets provenant, pour la plupart, de la collection privée de William Spratling. Le rez-de-chaussée accueille des expositions temporaires. L'entrée coûte 2 $US.

Museo de Arte Virreinal
Calle Juan Ruíz de Alarcón, deux blocs en contrebas de la Plazuela de Bernal, s'élève l'une des plus anciennes maisons coloniales de Taxco. On la désigne généralement sous le nom de **Casa Humboldt**, bien que l'explorateur et naturaliste allemand Alexander von Humboldt n'y ait dormi qu'une nuit en 1803.

Le bâtiment restauré abrite aujourd'hui un musée d'art religieux colonial proposant une collection certes restreinte, mais bien présentée, avec des pièces étiquetées en espagnol et en anglais. Une exposition intéressante retrace une partie du travail de restauration de l'église Santa Prisca qui a permis des découvertes fabuleuses. Le prix d'entrée est de 2 $US.

Museo de la Platería
Le petit musée de l'Orfèvrerie expose de superbes échantillons de cet art et retrace son développement à Taxco. On y admire, entre autres, des dessins classiques de William Spratling et des pièces primées lors de concours nationaux et internationaux. Vous remarquerez l'alliance très colorée de l'argent avec des pierres semi-précieuses telles que le jade, le lapis lazuli, la turquoise, la malachite l'agate et l'obsidienne. Ce travail de l'argent, proche de la sculpture, évoque certaines traditions précolombiennes de sculptures sur pierre.

Le musée se trouve Plaza Borda 1, en contrebas du bâtiment du Patio de las Artesanías (entrez à l'intérieur comme si vous vous rendiez au restaurant de Señor Costilla, puis tournez à gauche dans le patio, et descendez les escaliers). L'entrée coûte 1 $US.

Rancho Spratling
L'orfèvrerie est toujours active depuis la mort de William Spratling en 1967. Dans son atelier, on continue de produire, en utilisant des méthodes artisanales et des motifs classiques, de remarquables pièces d'argenterie.

N'hésitez pas à visiter l'atelier pour apprécier la finesse du travail. Un petit musée retrace également la vie de Spratling. Le ranch (☎ 2-00-26) est à 20 minutes en voiture au sud de Taxco sur la 95. Pour s'y rendre depuis Taxco, le moyen le plus économique est le combi, direction "Campusano" ou "Iguala" ; demandez au chauffeur de vous déposer au Rancho Spratling (1 $US). Pour le retour, montez à bord de n'importe quel combi en direction du nord. La visite du ranch est gratuite. Ouvert du lundi au samedi de 8h à 13h et de 14h à 17h.

Teleférico et Monte Taxco
A l'extrémité nord de Taxco, près de Los Arcos, un téléphérique fabriqué en Suisse escalade les 173 m menant au luxueux hôtel de la station Monte Taxco. La vue panoramique sur Taxco et les montagnes environnantes est fantastique.

Le téléphérique fonctionne tous les jours de 7h30 à 19h. L'aller-retour coûte 3,50 $US (demi-tarif pour les enfants). Montez à pied jusqu'à Los Arcos, puis passez la porte de l'Instituto de Artes Plásticos de Taxco, où vous pourrez apercevoir la station du téléphérique.

Manifestations annuelles
Essayez de programmer votre visite pendant l'une des fêtes de Taxco, mais réservez votre chambre. Pendant la Semana Santa, la ville se remplit de visiteurs venus assister aux processions.

Fiestas de Santa Prisca et San Sebastián. Les deux saints patrons de Taxco sont fêtés le 18 janvier (Santa Prisca) et le 20 janvier (San Sebastián).

Une messe est célébrée dans le Templo de Santa Prisca, tandis que les fidèles défilent près de l'entrée avec leurs animaux familiers, leurs vaches et leurs chevaux, pour les faire bénir. Des baraques foraines sont dressées devant l'église, et des danseurs divertissent les nombreux pèlerins.

Rameaux. L'entrée triomphale de Jésus à Jérusalem est reconstituée dans les rues de Taxco le dimanche qui précède Pâques.

Jeudi Saint. Le jeudi avant Pâques, l'eucharistie est commémorée par d'impressionnantes processions de pénitents encapuchonnés, dans les rues. Certains portent une croix et se flagellent.

Día de San Miguel. Le 29 septembre, des groupes régionaux dansent sur le parvis de la magnifique chapelle du XVIIIe siècle de l'archange San Miguel.

Día del Jumíl. El Día del Jumíl est célébré le premier lundi, qui suit le jour des Morts (1 et 2 novembre). Voir l'encadré pour plus de détails concernant ce festival original.

Feria de la Plata. La foire nationale de l'argent dure toute la dernière semaine de novembre ou la première de décembre (renseignez-vous à l'office du tourisme). Divers concours sont organisés (statuaire, joaillerie, etc.). On y présente quelques-unes des plus belles pièces d'orfèvrerie du pays. Les autres festivités comprennent des concerts d'orgue à Santa Prisca, des rodéos, courses de burro (âne), musique et danse.

Las Posadas. Du 16 au 24 décembre, des processions nocturnes aux flambeaux sillonnent les rues, font du porte-à-porte en chantant, d'une église à l'autre, et parviennent à l'église Santa Prisca, la veille de Noël. Les enfants portent des costumes évoquant des personnages bibliques et, à la fin des processions, se précipitent sur les piñatas pour les casser.

Où se loger – petits budgets

Dans les hôtels bon marché de la ville, oubliez les rideaux de douche et les cuvettes sur les toilettes. Les établissements mentionnés ci-dessous sont corrects, disposent de l'eau chaude et de lits en bon état dans des chambres à la propreté acceptable.

L'*Hotel Casa Grande* (☎ 2-11-08) est installé sur la Plazuela de San Juan, sous l'arcade et en montant les escaliers. Il propose 12 simples/doubles sans prétention, propres, aménagées autour d'une cour intérieure. Retenez de préférence une chambre au dernier étage – nombreuses fenêtres, ventilation naturelle et grande terrasse. Vous pouvez laver vos vêtements à la laverie attenante. Comptez 9/13 $US.

La *Casa de Huéspedes Arrellano* (☎ 2-02-15), Calle los Pajaritos 23, loue 10 chambres simples mais propres qui jouissent d'une position centrale, dans une ruelle en face du Mercado de Artesanías Plata. Cet hôtel familial possède des terrasses et un endroit sur le toit où laver son linge. La nuitée revient à 9/15 $US. Descendez l'allée au sud de Santa Prisca jusqu'à un escalier partant sur la droite, que vous emprunterez. Arrivé à hauteur de boutiques, un autre escalier descend sur la gauche. La Casa de Huéspedes se trouve 30 marches plus bas, sur la gauche.

L'*Hotel Posada Santa Anita* (☎ 2-07-52), Avenida Kennedy 106, n'offre aucun charme particulier. Les chambres, petites et sombres, mais calmes, reviennent à 9 $US par personne. Il se situe à environ 1 km du centre, mais à proximité d'une gare routière des bus 2e classe, et possède un grand parking.

Où se loger – catégorie moyenne

L'un des hôtels les plus avenants de Taxco est l'*Hotel Posada San Javier* (☎ 2-31-77), Calle Ex-Rastro 4, à une centaine de mètres en contrebas du Palacio Municipal. Bien que central, il est calme, dispose d'un parking privé et d'un vaste jardin clos où trône une grande piscine. Les chambres, à plafond haut, sont confortables et spacieuses et la plupart disposent d'une terrasse privée. Les prix démarrent à 20/22 $US pour une chambre et à 22/26 $US pour une suite junior.

Le bâtiment de l'*Hotel Los Arcos* (☎ 2-18-36), Ruíz de Alarcón 2, est un ancien monastère datant de 1620, qui a su conserver tout son attrait. Il loue 26 chambres spacieuses et propres à 15/22 $US. L'hôtel est égayé d'une cour agréable et d'une terrasse sur le toit. En face, au n°3, l'*Hotel Posada de los Castillo* (☎ 2-13-96) offre également un charme colonial à des tarifs encore plus compétitifs : 13/18 $US.

L'*Hotel Meléndez* (☎ 2-00-06), Cuauhtémoc 6, plus ancien, propose des sièges en

El Día del Jumíl
Les *jumiles* sont des coléoptères d'un centimètre de long qui migrent tous les ans vers le Cerro de Huxteco (la montagne située derrière Taxco) pour s'y reproduire. Les premiers arrivent vers septembre, les derniers sont partis en janvier ou février. Les habitants de Taxco s'en régalent : seuls, accommodés en sauce avec tomates, ail, oignon, piment, etc., voire vivants, dans des tortillas (vous pouvez les acheter vivants au mercado ; le Restaurant Santa Fe sert une *salsa de jumíl* traditionnelle).

Pour la fête (le premier lundi après la Toussaint), toute la population escalade le Cerro de Huixteco, attrape des jumiles, apporte son pique-nique et partage nourriture et amitié. De nombreuses familles campent sur la montagne le week-end précédant ce lundi. Cette fête symbolise le don d'énergie et de vie fait par les jumiles aux habitants de Taxco pour l'année qui doit s'écouler. ■

terrasse, un restaurant agréable, et il est bien situé entre la Plazuela de San Juan et la Plaza Borda. Des plantes à profusion ajoutent une note paysagère. Les simples/doubles valent 18/24 $US.

Sur le zócalo, l'*Hotel Agua Escondida* (☎ 2-07-26), Spratling 4, dispose de terrasses attrayantes, d'une petite piscine et d'un parking au sous-sol. Les chambres, confortables et aérées, se montent à 25/28 $US.

Au sud de la Plazuela de San Juan, l'*Hotel Santa Prisca* (☎ 2-09-80), Cena Obscuras 1, est un établissement élégant, de style colonial. Il possède un patio tranquille, un salon clair et confortable, une bibliothèque et un restaurant accueillant où l'on peut prendre un petit déjeuner. Les chambres, pour la plupart avec terrasse, s'élèvent à 19 $US (24 $US avec le petit déjeuner).

Sur la route près de la ville, l'*Hotel Loma Linda* (☎ 2-02-06), Avenida Kennedy 52, surplombe un terrain vague. Une piscine et un restaurant font partie des prestations. On vous demandera 19/23 $US.

Où se loger – catégorie supérieure

Le quatre-étoiles *Hotel de la Borda* (☎ 2-00-25), Cerro del Pedregal 2, est un établissement moderne de style colonial. Il possède une piscine et 120 chambres spacieuses et propres, facturées 45 $US. Certaines jouissent d'une vue panoramique sur la ville. L'accès est en revanche pénible, car les combis ne montent pas dans l'allée qui mène à l'entrée.

Également à l'écart du centre, le *Posada Don Carlos* (☎ 2-00-75), Calle del Consuelo 8, comprend 9 chambres, dont 6 jouissent d'une vue magnifique sur Taxco. Les quatre plus grandes chambres se négocient 50 $US, les deux autres 40 $US. Toutes sont décorées avec goût et disposent d'une terrasse.

Plutôt que de vous escrimer à grimper la côte jusqu'au Don Carlos, montez à bord d'un combi affichant la direction "Bermeja", qui vous déposera devant l'entrée moyennant 0,30 $US (ou prenez un taxi pour 1,50 $US). Dites au chauffeur "Posada Don Carlos".

La *Posada de la Misión* (☎ 2-00-63), Avenida Kennedy 32, fleure bon le luxe. Les 120 chambres, spacieuses, disposent de terrasses donnant sur Taxco. Au-dessus de la grande piscine se trouve une mosaïque murale dessinée par Juan O'Gorman. Une chambre standard se monnaie 40 $US, une suite junior 50 $US.

Au sommet de la montagne dominant Taxco, l'*Hotel Monte Taxco* (☎ 2-13-00), est probablement le plus luxueux de la ville (cinq-étoiles). On peut s'y rendre en voiture, en taxi ou par le téléphérique. Le prix de 100 $US pour les chambres, ou 150 $US pour les suites, ne comprend pas l'accès aux courts de tennis, au gymnase, aux bains de vapeur et à la piscine.

Golf et équitation sont également à supplément.

Plusieurs restaurants, bars et une discothèque sont intégrés à l'établissement.

Où se restaurer

Les habitants de Taxco font grand cas (à juste titre, d'ailleurs) du *Restaurant Santa Fe*, Hidalgo 2, à côté de la Plazuela de San Juan. On vous servira des mets agréables au palais pour une somme modique. Les plats principaux n'excèdent pas 5 $US, un petit déjeuner 4,50 $US, et la comida corrida à 3,50 $US ne comporte pas moins de quatre plats.

Idéal pour observer la vie de la rue, le *Restaurant/Bar Paco*, en plein air, donne sur la Plaza Borda. Il est ouvert tous les jours de 13h à 23h. L'une de ses spécialités, l'ensalada Popeye (salade d'épinards, avec des champignons, du bacon et des noix) coûte 4 $US. Il sert également des soupes, des plats de viande (entre 5 et 9 $US) et du poulet (entre 4 et 5 $US). La cuisine et l'ambiance sont l'une et l'autre fort agréables.

Señor Costilla's, à l'étage du Patio de las Artesenías, Plaza Borda, appartient à la chaîne Carlos Anderson et ressemble à tous les autres restaurants pour gringos qui fleurissent au Mexique : rock à tue-tête et décoration exubérante. Les portions sont plutôt généreuses, et les prix sont à l'avenant. Service tous les jours de 13h à 24h.

Dans le même bâtiment, prenez l'escalier à gauche du Señor Costilla's pour vous rendre à la *Pizzería Mario*. Ce restaurant, disposant seulement de quelques minuscules tables sur une terrasse, offre une vue saisissante sur Taxco. Il propose d'excellents spaghettis et des pizzas, servis avec du pain à l'ail.

Le *Bora Bora Pizza,* Delicias 4, près de la Calle Cuauhtémoc et de la Plaza Borda, mitonne la meilleure pizza de Taxco, quoi qu'en disent les partisans de *Pizza Pazza*, à côté de la cathédrale, plus chiche sur les garnitures et la pâte. Les prix s'échelonnent entre 2,50 et 4,50 $US pour une petite pizza, et 5 à 9 $US pour une maxi. Spaghettis, fondue au fromage et desserts figurent également au menu. Ouvert tous les jours de 13h à 24h.

On accède au *Restaurant La Hacienda*, près de la Plaza Borda, par le hall de l'Hotel Agua Escondida. Sa spécialité, la cecina hacienda, est une délicieuse spécialité mexicaine : bifteck tendre accompagné de saucisses, riz, haricots, guacamole, fromage, *chicharrones* (couenne de porc frite) et *chalupita* (petite tostada). On y sert le petit déjeuner (4 $US tout au plus), une comida corrida consistante (6 $US) et vous pourrez y dîner jusqu'à 22h.

En face du Palacio Municipal, à l'étage, le *Restaurant Los Reyes*, Juárez 9, à l'écart de la Plaza Borda, est plus calme. Vous apprécierez les nappes aux coloris vifs et les quelques tables en terrasse. Accueil tous les jours de 8h à 22h.

Les deux restaurants les plus huppés de Taxco trônent sur la colline qui surplombe le centre-ville, et sont facilement accessibles en taxi. Les spécialités italiennes constituent le credo de *La Ventana de Taxco*. La Piccata Ventana (du veau frit dans une sauce au citron, au champignon et au persil) est à se damner. L'addition se chiffre à 25 $US environ. *La Pagaduria del Rey* mérite également le détour et pratique des tarifs plus attractifs (4 $US la salade, 10 $US les fruits de mer, 6 $US le poulet et 7 $US les assiettes mexicaines). L'endroit est idéal pour boire un verre en se délectant de la vue.

Achats

Argent. Avec les 300 boutiques que compte Taxco, le choix de bijoux est ahurissant. Si vous êtes prudent et disposé à marchander, vous pourrez faire de bonnes affaires. La plupart des magasins affichent un panneau *menudeo* et *mayoreo* (détail et gros) – pour obtenir le prix de gros, vous devrez acheter 10 exemplaires du même objet.

Le prix d'une pièce est habituellement déterminé par son poids. Si vous voulez acheter de l'argent, renseignez-vous sur le cours du gramme lors de votre séjour à Taxco et faites peser toute pièce avant de vous mettre d'accord sur un prix. Tous les magasins possèdent une balance, souvent électronique, ce qui garantit une relative exactitude.

Si le prix d'une pièce est inférieur au prix du cours au gramme, c'est que ce n'est probablement pas de l'argent véritable. Tous les objets que vous achetez doivent porter le poinçon du gouvernement ".925" et l'aigle déployé, qui garantissent que l'objet est composé d'argent fin à 92,5%. Si une pièce est trop petite ou trop fine pour être poinçonnée, un magasin tenant à sa réputation vous fournira un certificat vous garantissant la pureté du métal.

Quiconque pris en train de vendre des fausses pièces estampillées ".925" est envoyé en prison.

Autre artisanat. On trouve dans la rue des plateaux, des plats et des boîtes en bois ou en papier mâché délicatement peints, ainsi que des peintures sur écorce et sur bois. Plusieurs magasins vendent des pierres semi-précieuses, des fossiles et des cristaux minéraux, d'autres encore des masques, des marionnettes et des sculptures.

Comment s'y rendre

Taxco dispose de deux gares routières Avenida Kennedy. La gare Flecha Roja (ou Estrella Blanca), au n°104, sert aussi aux bus Cuauhtémoc et à d'autres lignes de bus de 2e classe. La gare Estrella de Oro se trouve au n°126, au sud de la ville. Les combis passent devant les deux gares à quelques minutes d'intervalle, et vous mèneront à la Plaza Borda pour 0,50 $US (prenez ceux qui indiquent "Zócalo"). Réservez bien à l'avance pour les bus au départ de Taxco, car il est parfois difficile d'obtenir une place. Les liaisons longue distance (bus directos, sauf indication contraire) comprennent :

Acapulco – 266 km, 4 heures 30 ou 5 heures ; 4 bus quotidiens Cuauhtémoc (9 $US), 4 bus quotidiens Estrella de Oro (9 $US en 1re classe ; 13 $US en bus deluxe).

Chilpancingo – 130 km, 3 heures ; 4 départs par jour (5 $US en 1re classe) avec Estrella de Oro ; 4 bus quotidiens avec Cuauhtémoc (5 $US).

Cuernavaca – 80 km, 1 heure 30 ; directos toutes les heures (3,50 $US) et ordinarios plus fréquents (3 $US) avec Flecha Roja ; 13 bus quotidiens avec Cuauhtémoc (4 $US) ; 2 bus par jour avec Estrella de Oro (3 $US)

Grutas de Cacahuamilpa – 30 km, 45 minutes ; prenez un bus pour Toluca (toutes les heures) et descendez au carrefour "Grutas", ou prenez un combi devant la gare routière de Flecha Roja (1,50 $US)

Iguala – 35 km, 1 heure ; toutes les 15 minutes de 5h à 21h avec Cuauhtémoc (1,50 $US)

Ixtapan de la Sal – 68 km, 2 heures ; toutes les heures avec Flecha Roja (3 $US)

Mexico (Terminal Sur) – 170 km, 3 heures ; 12 bus par jour avec Flecha Roja (6 $US), 4 bus quotidiens Estrella de Oro (7 $US en bus 1re classe ; 8 $US en bus deluxe) ; 3 bus 1re classe avec Futura pour Mexico (7 $US)

Toluca – 145 km, 3 heures ; 3 bus quotidiens avec Cuauhtémoc (5 $US)

Comment circuler

Hormis la marche, les combis et les taxis sont les moyens les plus courants pour sillonner les rues escarpées et tortueuses de Taxco.

Combis. Les combis (Volkswagen blancs), fréquents et bon marché (0,50 $US), circulent de 7h à 20h. Les combis "Zócalo" partent de la Plaza Borda, descendent Cuauhtémoc vers la Plazuela de San Juan, puis poursuivent leur descente jusqu'à Hidalgo. Ils tournent ensuite à droite sur San Miguel, tournent à gauche sur l'Avenida Kennedy, qu'ils empruntent vers le nord jusqu'à La Garita où ils tournent à gauche et reviennent au zócalo. Les combis "Arcos/Zócalo" suivent à peu près le même itinéraire, mais vont au-delà de La Garita jusqu'à Los Arcos où ils effectuent un demi-tour et reviennent vers La Garita. Les combis affichant PM pour "Pedro Martín" se rendent au sud de la ville, au-delà de la gare routière Estrella de Oro.

Taxi. Les taxis sont nombreux. Une course coûte en moyenne de 1,50 à 2 $US. Vous pouvez demander un taxi au ☎2-03-01.

LES ENVIRONS DE TAXCO

Las Grutas de Cacahuamilpa

Véritable merveille de la nature, les grottes de Cacahuamilpa sont situées à 30 km au nord-est de Taxco. Leurs stalactites et stalagmites gigantesques, leurs immenses salles, pouvant atteindre une hauteur de 82 m, sont vraiment impressionnantes. Ce site classé parc national mérite une visite.

La visite (obligatoirement guidée) se déroule sur 2 km le long d'un chemin éclairé et dure 2 heures environ. Nombre de formations reçoivent un surnom d'après une ressemblance un peu fantaisiste – "l'éléphant", "la bouteille de champagne", "la tête de Dante", "les tortillas", etc. – et l'éclairage est installé de façon à accentuer cette prétendue ressemblance. Toutefois le commentaire du guide, s'il peut être amusant, ne comporte que peu d'informations relatives à la géologie. Quand la visite guidée prend fin, vous rejoignez l'entrée à votre rythme. Votre plaisir du retour risque d'être obscurci par manque d'éclairages.

En quittant les Grutas, un sentier descend la vallée escarpée vers Río dos Bocas, où deux rivières émergent des grottes. Le trajet aller et retour dure 30 minutes et c'est une jolie promenade.

Les groupes partent du centre d'accueil des visiteurs, situé à l'entrée, toutes les heures de 10h à 17h. Le prix de la visite est de 2,50 $US (2 $US pour les enfants de moins de 12 ans).

Comment s'y rendre. Des combis partent toutes les heures de Taxco devant la gare Flecha Roja et se rendent directement au centre d'accueil des grottes (30 km, 45 minutes ; 2 $US). Sinon, vous pouvez prendre n'importe quel bus en direction de Toluca ou d'Ixtapan de la Sal, descendre au croisement "Grutas" et suivre la route à pied pendant 1 km jusqu'à l'entrée qui se trouvera sur votre droite. Les derniers combis quittent le site à 17h les jours de semaine, 18h le week-end. Au-delà de cette heure, vous pouvez toujours essayer d'arrêter un bus allant vers Taxco aux carrefours, mais il ne faut pas trop compter dessus.

Tehuilotepec

Dans ce village (souvent appelé "Tehui"), situé à 5 km au nord de Taxco sur la route de Cuernavaca (95), se trouve le **Museo de la Minería**. Il loge dans une maison historique construite par José de la Borda sur la grand-place, où s'élève également une vieille église coloniale. Pour vous y rendre, prenez un combi "Tehui" devant la gare routière Flecha Roja à Taxco Le musée n'affiche pas d'horaires réguliers, l'entrée coûte 1 $US.

Ixcateopan

Ce village, au sud-ouest de Taxco, vit naître Cuauhtémoc, dernier empereur aztèque, vaincu et exécuté par Cortés. Ses restes furent ramenés à son village natal. Ils reposent dans l'église, sur la grand-place, où se trouve également un musée historique, le **Museo de la Mexicanidad**. Les carrières de marbre d'Ixcateopan sont également dignes d'intérêt. C'est l'une des rares villes au monde aux rues pavées de marbre.

Comment s'y rendre. Un combi "Ixcateopan" part de Taxco devant le Seguro Social, au croisement de la Calle San Miguel avec la route principale, à peu près toutes les heures de 7h à 17h (26 km, 1 heure à 2 heures ; 2 $US).

IGUALA

• Hab. : 116 591 • Alt. : 720 m • ☎ 733

Iguala est une ville industrielle située sur l'autoroute 95, à 35 km environ au sud de Taxco et à 170 km de Mexico. Son passé en fait une ville digne d'intérêt.

Le 24 février 1821, au plus fort de la lutte pour l'indépendance, Agustín Iturbide, officier de l'armée espagnole, et le chef rebelle Vicente Guerrero s'y rencontrèrent et rédigèrent le plan de Iguala, une étonnante déclaration d'indépendance. Renonçant à servir la couronne espagnole, Iturbide offrait notamment de signer la paix avec Guerrero.

Iturbide et Guerrero reconnaissaient la nécessité d'un soutien du parti conservateur pour maintenir en place le nouveau gouvernement. Ils souhaitaient également calmer les factions libérales qui exigeaient une république indépendante. Au lieu de critiquer l'Espagne, ils affirmèrent notamment qu'elle était sans nul doute la nation la plus magnanime, mais qu'il était temps que le Mexique, qui avait été une colonie trois siècles durant, devienne une nation à part entière. L'Espagne finit par ratifier le traité ; on fit coudre le premier drapeau mexicain, on le hissa à Iguala, et on installa une junte provisoire à Mexico, prélude à un congrès indépendant.

Le seul monument intéressant d'Iguala est le monolithique **Monumento a la Bandera** (monument au Drapeau), érigé sur la grand-place en 1942, et sur lequel sont sculptés les héros de l'indépendance, Morelos, Guerrero et Hidalgo. Les tamariniers, plantés autour de la place en 1832 en l'honneur du traité de Iguala, font de cet arbre l'emblème de la ville. Goûtez une *agua de tamarindo* chez un des vendeurs de jus de fruits près de la place.

Chaque année, du 17 au 28 février, Iguala accueille la Feria de la Bandera, une fête animée avec rodéos, courses hippiques, défilés et expositions agricoles.

A l'ouest de Mexico

La 15D quitte la capitale vers l'ouest et rejoint Toluca. Cette ville possède un agréable centre, un musée intéressant et plusieurs galeries d'art. Des ruines se trouvent à proximité, et certains des villages environnants sont réputés pour leur artisanat. La superbe campagne au sud, à l'est et à l'ouest de Toluca, révèle des forêts de pins, des rivières et un immense volcan. Valle de Bravo, une station balnéaire située au bord d'un lac à 70 km à l'ouest de Toluca, est une destination de week-end à la mode. La route conduisant au sud à Taxco (55D/55) passe, entre autres, par la source thermale d'Ixtapan de la Sal, à 80 km au sud de Toluca.

TOLUCA

• Hab. : 564 287 • Alt. : 2 660 m • ☎ 17

Toluca est située à 67 km à l'ouest de Mexico et à une altitude plus élevée de 400 m. La périphérie est de la ville est une zone industrielle, mais le centre datant de l'époque coloniale possède de belles plazas et des arcades très animés. La vie culturelle est assurée par un nombre surprenant de musées et de galeries d'art.

Toluca est habitée par les Indiens depuis le XIIIe siècle. La ville espagnole fut fondée au XVIe siècle, après la défaite des Aztèques et des Matlazincas qui vivaient dans la vallée, puis rattachée au Marquesado del Valle de Oaxaca, propriété de Hernán Cortés. Depuis 1830, c'est la capitale de l'État de Mexico, qui entoure le Distrito Federal sur trois côtés, comme un "U" renversé.

Orientation

L'artère principale venant de Mexico, prend le nom de Paseo Tollocan, une route à quatre voies, en approchant de Toluca et se transforme en périphérique contournant le sud du centre-ville. La gare routière et le grand Mercado Juárez sont à 2 km au sud-est du centre, juste après le Paseo Tollocan.

La vaste Plaza de los Mártires sur laquelle s'élèvent le Palacio de Gobierno et la cathédrale, constitue le centre de la ville. La partie la plus animée se situe toutefois au sud, au cœur d'un petit quartier entouré de colonnades reliées par des arcades sur ses côtés sud, ouest et est.

Ces portales sont bordés de boutiques et de restaurants et envahis par la foule une grande partie de la journée. Le carré de maisons lui-même, ainsi que les rues situées à l'est, est un quartier piétonnier. L'agréable Parque Alameda est à trois rues à l'ouest sur Hidalgo.

Renseignements

Offices du tourisme. L'office du tourisme de l'État (☎ 12-60-48) est logé dans l'Edificio de Servicios Administrativos, bureau 110, à l'angle d'Urawa et de Paseo Tolloca. Vous pourrez vous procurer de bonnes cartes de Toluca et de l'État de México (fermé le dimanche). Un kiosque d'information est également installé dans le Palacio de Gobierno.

ENVIRONS DE MEXICO

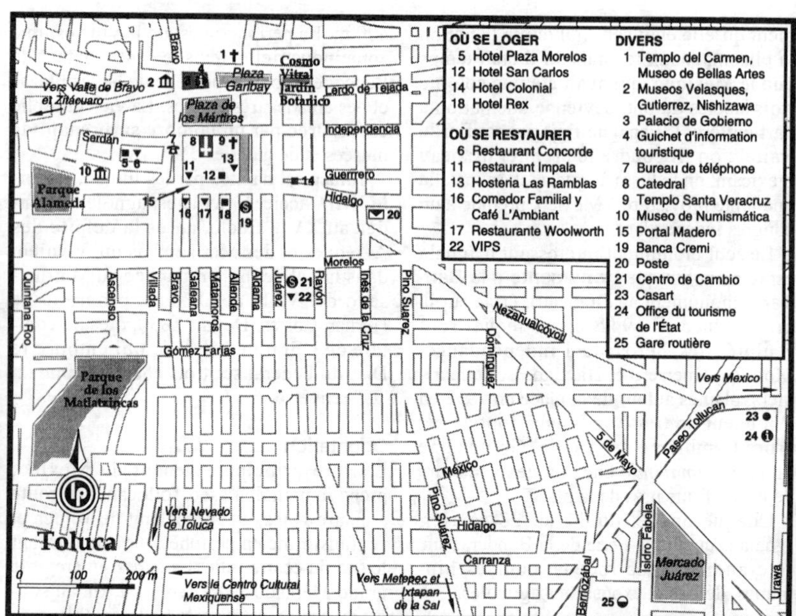

Argent. Plusieurs banques sont installées près du Portal Madero mais, au moment de notre visite, seule la Banca Cremi, dans Allende, acceptait de changer les espèces et les chèques de voyage. Un Centro de Cambio est attenant au restaurant VIPS, dans Juárez.

Poste et communications. La grande poste est située à l'angle d'Hidalgo et de la Cruz, à 500 m à l'est du Portal Madero. Les téléphones ne manquent pas dans le secteur des portales et un bureau des téléphones, au nord du parking souterrain, à l'ouest de la cathédrale, est ouvert tous les jours de 7h30 à 20h45. Vous pourrez effectuer des appels internationaux ou envoyer des fax.

Centre-ville

Le **Portal Madero**, longue arcade de 250 m datant du XIXᵉ siècle longeant Hidalgo, et les arcades de la rue piétonne à l'est est le théâtre d'une intense activité. A un bloc au nord, la large **Plaza de los Mártires** est entourée de beaux bâtiments gouvernementaux anciens. Sur le côté sud se dressent la **Catedral** du XIXᵉ siècle et le **Templo Santa Veracruz**, du XVIIIᵉ siècle.

Au nord-ouest de la Plaza de los Mártires se trouve la **Plaza Garibay** et sa fontaine, à l'extrémité de laquelle s'élève le **Cosmo Vitral Jardín Botánico** (Jardin botanique en verre cosmique). Construit en 1909 pour servir de marché – le *tianguis* (marché indien) hebdomadaire s'y tint jusqu'en 1975 –, il abrite un jardin botanique de 3 500 m², éclairé depuis 1980 par 48 panneaux de vitraux colorés réalisés par l'artiste local Leopoldo Flores. Ce lieu paisible est ouvert du mardi au dimanche de 9h à 17h ; l'entrée coûte 2 $US. Au nord de la Plaza Garibay s'élève le **Templo El Carmen**, du XVIIIᵉ siècle.

Mercado Juárez et Casart

Le marché Juárez, sur Fabela derrière la gare routière, a lieu tous les jours, mais le vendredi les villageois des environs viennent acheter et vendre fruits, fleurs, casseroles, objets en plastique et vêtements.

L'ambiance de la Casart (Casa de Artesanía) est beaucoup plus sereine. Cet excellent magasin artisanal d'État, sur le Paseo Tollocan, propose un vaste choix, d'une qualité souvent supérieure à ce que l'on trouve dans les villages. Les prix sont fixes, et dans l'ensemble bien plus élevés que ceux que vous pouvez obtenir en marchandant sur les marchés.

Centro Cultural Mexiquense

L'impressionnant Centre culturel de l'État de Mexico, situé dans une ancienne hacienda à 8 km à l'ouest du centre, regroupe trois musées intéressants et une bibliothèque. Le **Museo de Culturas Populares** offre un aperçu très complet de l'artisanat de l'État de Mexico, dont quelques époustouflants arbres de vie, des figurines du Jour des Morts fort insolites et un bel équipement de charro – selles, sombreros, épées, pistolets, cordes et éperons. Le **Museo de Antropología e Historia** abrite également une belle collection allant des temps préhistoriques au XXe siècle, et de superbes pièces précolombiennes. Le **Museo de Arte Moderno** retrace le développement de l'art mexicain de l'Academia de San Carlos, à la fin du XIXe siècle, jusqu'à la Nueva Plástica, et expose des peintures de Tamayo, Orozco... Les musées sont ouverts tous les jours, sauf le lundi, de 10h à 18h. L'entrée est gratuite. Des bus affichant la direction "Hípico" ou "Centro Cultural", au croisement d'Independencia et de Juárez, s'y rendent toutes les 20 minutes.

Autres musées

Les bâtiments appartenant autrefois à un couvent voisin de la Plaza Garibay abritent le **Museo de Bellas Artes** de Toluca (peinture de la période coloniale au XXe siècle). Sur Bravo, en face du Palacio de Gobierno, se trouvent des musées consacrés aux œuvres de José María Velasques, Felipe Gutiérrez et Luis Nishizawa. Ce dernier était un artiste d'origine mexicaine et japonaise dont le travail exprime l'influence de ces deux cultures. Renseignez-vous à l'office du tourisme pour plus de détails sur le Museo de Estampa (philatélie), le Museo de Numismática (numismatique), ou le Museo de Ciencias Naturales.

Où se loger

L'*Hotel San Carlos* (☎ 14-94-22), dans Hidalgo, Portal Madero 210, et l'*Hotel Rex* (☎ 15-93-00), à quelques mètres de là, Matamoros Sur 101, sont deux établissements corrects, sans plus, avec s.d.b. et TV dans les chambres. Le San Carlos est plus agréable, avec des simples/doubles propres et assez grandes à 6/8 $US. Celles du Rex coûtent 9/11 $US.

L'*Hotel Colonial* (☎ 15-97-00), Hidalgo Oriente 103, à l'est de Juárez, dégage une ambiance qui correspond à son nom. Il loue des chambres bien tenues et confortables, agencées autour d'une cour intérieure, à 19/22 $US. Les clients de l'hôtel peuvent utiliser un parking situé à proximité.

L'*Hotel Plaza Morelos* (☎ 15-92-00), Serdán 115 peut faire l'affaire. Un hall accueillant mène aux chambres, confortables (bien que petites), avec TV et téléphone, à 25/30 $US. Il y a un parking, un petit salon d'étage douillet et un restaurant correct.

Où se restaurer

Au centre-ville, l'*Hostería Las Ramblas*, située Portal 20 de Noviembre 105 (dans la galerie piétonne) est l'un des endroits où l'on mange le mieux et où l'on s'amuse le plus. Les antojitos, servis à partir de 18h uniquement, coûtent 2 $US, la papaya 1,50 $US. Les sandwiches n'excèdent pas 3 $US. Les plats de viande vont de 3 à 4 $US. Le pichet de sangría (mélangé à de la vodka) vaut 4 $US.

Le *Restaurant Impala,* dans le Portal Madero, vous servira une bonne comida corrida moyennant 2,50 $US. De l'autre côté de la rue, Hidalgo Pte 229, le *Comedor Familial y Café L'Ambiant*, animé, propose également une comida corrida à

2,50 $US. La carte comporte enchiladas, plats aux œufs et ensalada de verduras à 2 $US environ, et viandes entre 3 et 4 $US. Plutôt cossu, le *Restaurant Concorde*, un établissement franco-mexicain situé dans Serdán, à côté de l'Hotel Plaza Morelos, prépare des plats de poisson à 9 $US et une escouade de steaks à partir de 8 $US.

Face à l'Hotel San Carlos, le *Restaurante Woolworth* a bonne presse. Un petit déjeuner roboratif vous reviendra à 3 $US, une salade à 4 $US, et une comida corrida à 2,50 $US. Très en vogue, le *VIPS* situé dans le centre commercial Grand Plaza, sert des plats américains et mexicains. Vous débourserez 4 $US pour un hamburger, de 2,50 à 5 $US pour des antojitos, à partir de 4,50 $US pour un plat principal et de 4 à 6 $US pour un petit déjeuner.

Comment s'y rendre

La gare routière de Toluca est située à Berriozábal 101, à 2 km au sud-est du centre. A Mexico, les bus pour Toluca partent du Terminal Poniente. Le meilleur service entre les deux villes est assuré par TMT (1re classe), dont les bus directs partent toutes les 5 minutes de 6h à 22h (80 minutes de trajet). Autres destinations accessibles depuis Toluca : Chalma, Cuernavaca, Guadalajara, Malinalco, Morelia, Pátzcuaro, Querétaro, Taxco et Uruapan.

Comment circuler

Un taxi, depuis la gare routière ou le marché jusqu'au centre, coûte environ 2 $US. Le système des bus urbains est compliqué – renseignez-vous auprès de votre hôtel. Les bus "Centro" devant la gare routière conduisent au centre. Les bus "Terminal", à Juárez, au sud de Lerdo de Tejada dans le centre, se rendent à la gare routière.

LES ENVIRONS DE TOLUCA

Calixtlahuaca

Ce site aztèque se trouve à 2 km à l'ouest de la nationale 55 et à 8 km au nord de Toluca. Il est en partie restauré et présente quelques originalités, telles une pyramide circulaire sur laquelle se dressait un temple dédié à Quetzalcóatl, ou le Calmecac, qui était, pense-t-on, une école pour les enfants de prêtres et de nobles. L'entrée coûte 1,50 $US (gratuite le dimanche) ; le site est fermé le lundi. Un bus vous déposera à quelques minutes à pied.

Metepec

• Hab. : 177 969 • Alt. : 2 610 m • ☎ 72

Les potiers de Metepec, à 7 km au sud de Toluca – qu'elle touche presque – par la 55, créent des arbres de vie hautement symboliques et des "soleils de Metepec", larges disques solaires en terre au visage peint. Malheureusement, ces objets merveilleux ne sont pas en vente. On trouve des ateliers (*alfarerías*) de poterie dans toute la ville. Nombre d'entre eux se spécialisent apparemment dans les pièces de grande taille et les personnages de Walt Disney plutôt que dans les figurines de style traditionnel. On ne trouve qu'un choix limité de pièces de petite taille et très travaillées susceptibles d'être transportées. A côté de l'arrêt de Metepec, se trouve un édifice triangulaire avec une carte du village indiquant les ateliers de potiers. Liaisons régulières en bus 2e classe à partir de la gare routière de Toluca.

NEVADO DE TOLUCA

Le volcan éteint de Nevado de Toluca ou Xinantécatl, haut de 4 583 m, barre l'horizon au sud de Toluca. Une route escalade les 48 km qui mènent aux deux lacs du cratère, El Sol et La Luna. Vous aurez une chance de jouir d'une vue dégagée si vous atteignez le sommet relativement tôt – les nuages apparaissent aux alentours de midi. Le sommet est *nevado* (enneigé) de novembre à mars, et permet parfois la pratique du ski de randonnée.

Les bus circulant sur la 134, qui relie Toluca à Tejupilco, s'arrêteront au croisement. Le week-end, il devrait être possible de faire du stop pour parcourir les 27 km vous séparant du cratère.

Les bus de la 10 allant vers Sultepec vous rapprocheront de 8 km du sommet. Du cratère, en empruntant une route très médiocre sur 6 km ou un sentier très agréable de 1,5 km, vous trouverez un gardien, une barrière d'accès et un café (où l'on peut déjeuner le week-end).

Où se loger et se restaurer

Vous pouvez loger à la *Posada Familiar*, à côté de l'entrée (4,50 $US), ou à l'*Albergue Ejidal* (3,50 $US), 1 km plus haut. On peut manger dans ces deux endroits uniquement le week-end. Prenez un sac de couchage.

VALLE DE BRAVO

• Hab. : 47 520 • Alt. : 1 800 m • ☎ 726

A environ 70 km de Toluca, ce qui était un village tranquille est devenu, dans les années 40, le site d'un barrage et d'une station hydroélectrique. Le lac, nouvellement créé, a donné à la ville une vocation touristique. La principale activité est la voile, mais se pratiquent également le ski nautique, l'équitation ou le deltaplane. Vous pouvez camper dans les collines des alentours qui attirent des papillons monarque entre décembre et mars. L'office du tourisme est installé au bord du lac. Vous pouvez trouver une carte de la ville et des renseignements dans le journal local gratuit.

Où se loger et se restaurer

Les hôtels bon marché de la ville, tels l'*Hotel Mary* et l'*Hotel Blanquita*, sont peu recommandables et coûtent au moins 10 $US, voire plus le week-end.

La *Posada Casa Vieja* (☎ 2-03-38), Juárez 101, fait exception à la règle. Les 15 chambres, claires, propres et gaies, avec eau chaude, possèdent des lits en bon état. Vous paierez 9 $US du dimanche au jeudi, 20 $US les vendredi et samedi. Vous ne regretterez pas votre séjour dans cette hacienda séculaire.

L'*Hotel ISSEMYM* (☎ 2-00-04), Independencia 404, est un centre de vacances pour les fonctionnaires mais est ouvert à tous. Il offre un bon rapport qualité/prix (28/32 $US la simple/double). Il possède un parking, une grande piscine et d'autres équipements de loisirs.

La ville fourmille de restaurants, de cafés et d'échoppes alimentaires. Prenez un verre ou un en-cas aux bars-restaurants flottants *La Balsa Avadaro* et *Los Pericos*, dont vous apprécierez l'ambiance.

Comment s'y rendre

Les bus directs et de paso ne manquent pas à destination de Toluca (3 $US) et de Mexico (Terminal Poniente, 4 $US), au départ de la gare routière de Valle de Bravo. Le dernier bus part à 19h. De nombreux bus directs circulent également dans le sens Toluca-Valle de Bravo (moins de 2 heures de trajet). Si vous allez en voiture de Toluca à Valle de Bravo, prenez la route du sud passant par la 134 : elle est plus rapide et traverse de beaux paysages.

TENANGO DEL VALLE ET TEOTENANGO

Tenango, à 25 km au sud de Toluca sur la route 55, est dominé à l'ouest par les vastes ruines du centre de cérémonies matlazinca de Teotenango, datant du IXe siècle. Le site, vaste étendue où se succèdent pyramides, places et terrains de jeux de balle, s'ouvrent sur de magnifiques paysages. Il se visite tous les jours, sauf le lundi (2 $US).

La route, qui y mène, circule sur le flanc nord de la colline – de Toluca, dépassez la route à péage et tournez à droite pour aller en ville. Puis tournez à nouveau à droite pour trouver la route. Un musée se tient au dernier virage vers le sommet de la colline. Des bus partent de la gare routière de Toluca toutes les 10 minutes pour Tenango, mais le site est alors à 20 ou 30 minutes de marche.

TENANCINGO

• Hab. : 62 742 • Alt. : 2 020 m• ☎ 714

Cette ville, à 50 km de Toluca par la 55, est connue pour ses rebozos aux couleurs vives et ses liqueurs de fruits. Le marché a lieu le dimanche. Vous pouvez loger à l'*Hotel Jardín*, sur la plaza, pour un prix modique, et partir découvrir les sites des environs, comme la cascade d'**El Salto**,

ENVIRONS DE MEXICO

l'ancien couvent de **Santo Desierto del Carmen**, à 12 km au sud-est dans le parc national du même nom et les ruines de Malinalco.

MALINALCO

• *Hab. : 20 157* • *Alt. : 1 740 m* • ☎ *714*

L'un des rares temples aztèques assez bien préservés s'élève à flanc de colline au-dessus de Malinalco, une ville ravissante et peu visitée, à 20 km à l'est de la 55 *via* Joquicingo, à partir de Tenancingo. Le site est accessible par une piste montant à l'ouest du centre-ville (1 km).

Les Aztèques conquirent cette région en 1476 ; ils étaient en train d'y édifier un centre rituel quand ils furent eux-mêmes conquis par les Espagnols. Le temple des Guerriers de l'Aigle et du Jaguar, où les fils des nobles aztèques étaient initiés à ces ordres guerriers, subsista car il est taillé dans la montagne même. On le reconnaît à son toit de chaume restauré. L'entrée est sculptée en forme de serpent à crochet – l'accès se fait en marchant sur sa langue. Le site est ouvert du mardi au dimanche, de 10h à 16h30. Entrée : 2 $US. Les quelque 300 marches et l'altitude peuvent constituer une véritable épreuve pour certains.

Où se loger et se restaurer

Les Avenidas Guerrero et Hidalgo flanquent la place principale de Malinalco. C'est dans ces rues, à proximité des escaliers menant aux ruines, que vous trouverez trois restaurants pleins de charme et peu onéreux ainsi qu'un hôtel où vous ne vous ruinerez pas. Du zócalo, prenez Guerrero vers l'ouest. Vous atteindrez le restaurant *La Playa*, installé dans un cadre tropical, le *Restaurante Copil*, où vous remarquerez l'intérieur fait de pierres et de briques, ainsi que le restaurant-bar *Los Pericos*, dont les tables sont disposées sous des palapas et entourées de plantes tropicales. A un pâté de maisons plus au nord, dans Hidalgo, l'*Hotel Santa Monica* (☎ 7-00-31) possède 13 chambres monacales, sans ventil. mais avec eau chaude, louées 6 $US par personne.

Comment s'y rendre

Vous pouvez rejoindre Malinalco en bus ou en colectivo venant de Tenancingo, en bus au départ de la gare routière de Toluca ou du Terminal Poniente de Mexico. En voiture, de Toluca, vous pouvez quitter l'autoroute 55 à 12 km au sud de Tenango et rejoindre Malinalco en passant par Joquicingo.

CHALMA

L'un des lieux de pèlerinage importants du Mexique se trouve dans le petit village de Chalma, à 12 km à l'est de Malinalco. En 1533, une représentation du Christ, El Señor de Chalma, apparut "miraculeusement" dans une grotte pour remplacer celle du dieu local Oxtéotl. Elle éloigna de la ville les animaux dangereux et fit d'autres prodiges. Le Señor réside maintenant dans l'église du XVIIe siècle de Chalma. Le plus important des nombreux pèlerinages a lieu à la Pentecôte ; des milliers de personnes venues de Mexico et d'ailleurs campent, organisent un marché et présentent des danses traditionnelles. Essayez de vous procurer *Le Christ est né à Chalma : foi et traditions des Indiens du Mexique et du Guatemala* du père Maurice Cocagnac (Albin Michel, Spiritualités vivantes, 1994).

Comment s'y rendre. Départs de Toluca en bus 2e classe Líneas Unidas del Sur (2 $US). Depuis la gare routière Flecha Roja de Cuernavaca, 4 bus quotidiens (le matin et en début d'après-midi) desservent Chalma. Plusieurs compagnies assurent des liaisons en bus 2e classe à partir du Terminal Poniente de Mexico.

IXTAPAN DE LA SAL

• *Hab. : 24 892* • *Alt. : 1 880 m* • ☎ *714*

L'**Ixtapan Vacation Center Aquatic Park**, parc de loisirs et de thérapie aquatique géant, associe des bassins d'eaux thermales à des cascades, des lacs, des cours d'eau, des piscines à vagues et un train miniature. C'est une ville très touristique, mais qui vous conviendra si vous souhaitez prendre les eaux ou si vous voyagez avec vos enfants. Les bains sont ouverts de 10h à 18h et coûtent 6 $US par adulte, 3,50 $US par enfant. Le toboggan aquatique ferme un peu plus tôt et coûte 1 $US de plus le week-end et les jours fériés.

Orientation

La 55 prend le nom de Boulevard San Román lorsqu'elle contourne la ville en arc de cercle du côté ouest. L'Avenida Juárez coupe cet arc de cercle du nord au sud, du balneario à la gare routière.

Où loger et se restaurer

La plupart des hôtels de la ville sont implantés dans Juárez ou à proximité. Les possibilités d'hébergement sont variées. L'*Hotel San Francisco* (☎ 3-22-50), dans Juárez, près d'Aldama, avait tout juste deux mois au moment de la rédaction de cet ouvrage. Les chambres, avec eau chaude et équipements neufs, reviennent à 6 $US par personne seulement. A toutes fins utiles : le bar vidéo de l'hôtel est bruyant et reste ouvert tard. Si vous recherchez le calme, optez pour la *Casa de Huéspedes María Alejandra* (☎ 3-04-23), Juárez 55. Les chambres, équipées de lits dignes de ce nom et d'eau chaude, sont tout à fait acceptables. Comptez 9/17 $US.

Toujours dans Juárez, les 3 adresses mentionnés ci-après offrent des prestations comparables : piscine, chambres confortables avec TV, lits en bon état et eau chaude. L'*Hotel Casa Blanca* (☎ 3-00-36) est le plus attrayant et demande 25/28 $US. Imposant, l'*Hotel Avenida* (☎ 3-10-39) facture la chambre 28 $US. Quant à l'*Hotel Belisana* (☎ 3-00-13), il dégage plus de charme que l'Avenida et réclame 21 $US par personne.

Seul complexe touristique de la ville, l'*Hotel Ixtapan* (☎ 3-00-21), à l'extrémité nord de Juárez, se distingue par ses infrastructures modernes. Vous débourserez 95/120 $US en pension complète (tennis et golf en supplément).

Un repas banal au restaurant de l'Hotel Ixtapan – au service approximatif – se chiffre à 15 $US. A l'extrémité nord de Juárez, des restaurants proposent des formules à 4 $US. Les prix décroissent à mesure que l'on se dirige vers le sud de la rue. Le *Restaurant Los Soles*, immédiatement au sud d'Aldama, est le meilleur établissement de la catégorie moyenne. Vous dépenserez 3 $US pour de délicieux antojitos, 2,50 $US pour des soupes, et 3,50 $US pour un sandwich avec des frites.

Comment s'y rendre

De la gare routière Tres Estrellas de Oro, à l'extrémité sud de Juárez, partent régulièrement des bus pour Toluca, Taxco, Cuernavaca, Mexico (Terminal Poniente) et Tenancingo. Pour ces trajets, comptez de 3 à 4 $US. Vers le nord, une autoroute à péage (55D) suit partiellement la route 55, en évitant Tenango et Tenancingo. En allant vers le sud à Taxco, vous pouvez décider de ne pas visiter les Grutas de la Estrella, mais il serait vraiment dommage de rater les Grutas de Cacahuamilpa (reportez-vous à la rubrique *Les environs de Taxco* du présent chapitre).

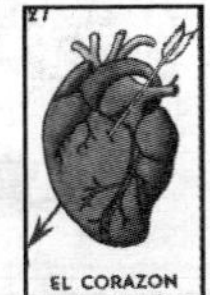

État d'Oaxaca

L'État d'Oaxaca s'étend à quelque 250 km au sud de Mexico, mais il est séparé du centre du Mexique par des chaînes de montagnes. L'atmosphère magique de la région tient à son paysage aride et accidenté, son isolement, sa lumière exceptionnelle et surtout à la présence des Indiens, maîtres d'œuvre de l'artisanat local.

Bien que devenue une destination touristique, la ville d'Oaxaca n'a rien perdu de sa beauté et de sa richesse artistique. Non loin, les vallées centrales s'épanouissent autour des marchés villageois pittoresques, près des ruines grandioses de cités précolombiennes, notamment Monte Albán et Yagul.

Sur la côte, la plus récente des stations balnéaires du Mexique est en train de naître sur les magnifiques Bahías de Huatulco. Plus petites, Puerto Escondido et Puerto Ángel garderont le charme des stations anciennes.

Situé dans une région où se mêlent des zones de climat tropical et tempéré et plusieurs chaînes de montagnes, l'Oaxaca offre une variété de paysages spectaculaires, ainsi qu'une diversité biologique exceptionnelle. Chênes et pins tapissent l'intérieur des terres, tandis que les régions plus basses et les versants des montagnes face au Pacifique abritent une forêt tropicale d'arbres à feuilles caduques.

Histoire

Zapotèques et Mixtèques. L'Oaxaca précolombien entretenait des relations commerciales avec les autres régions du Mexique, mais les cultures de ces régions, préservées des conflits, se développèrent au point de rivaliser avec celles du Centre du Mexique.

Les Valles Centrales ont toujours constitué le pivot de la vie dans l'Oaxaca. Vers 500 av. J.-C., les premières constructions apparurent à Monte Albán. Devenu le centre de la civilisation zapotèque, il parvint à contrôler toutes les Valles Centrales

A NE PAS MANQUER

- La ville d'Oaxaca – une ville coloniale pleine d'animation, à l'artisanat magnifique
- Monte Albán – les ruines de l'ancienne capitale zapotèque dans un site montagneux superbe
- Hierve El Agua – des bassins d'eau glacée en haut d'une falaise, au milieu d'un paysage étrange de "cascades gelées"
- Région de Puerto Ángel – cadre décontracté, excursions en bateau, plongée, tortues de mer, dauphins, crocodiles...
- Puerto Escondido – cette petite station balnéaire tropicale est un paradis pour les surfers
- Lagunas de Manialtepec et Chacahua – pour se promener en bateau à travers les lagons bordés de palétuviers

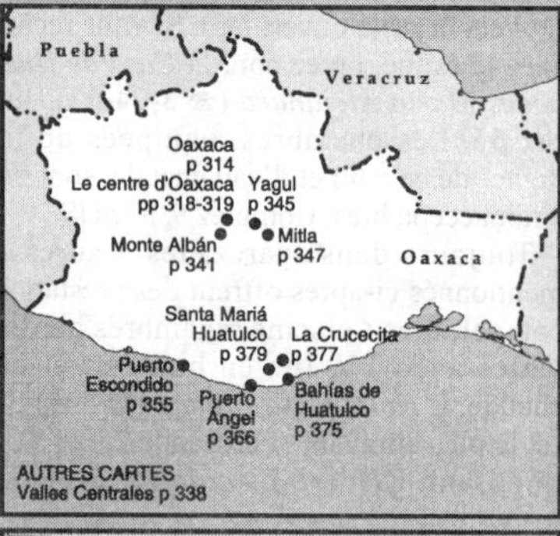

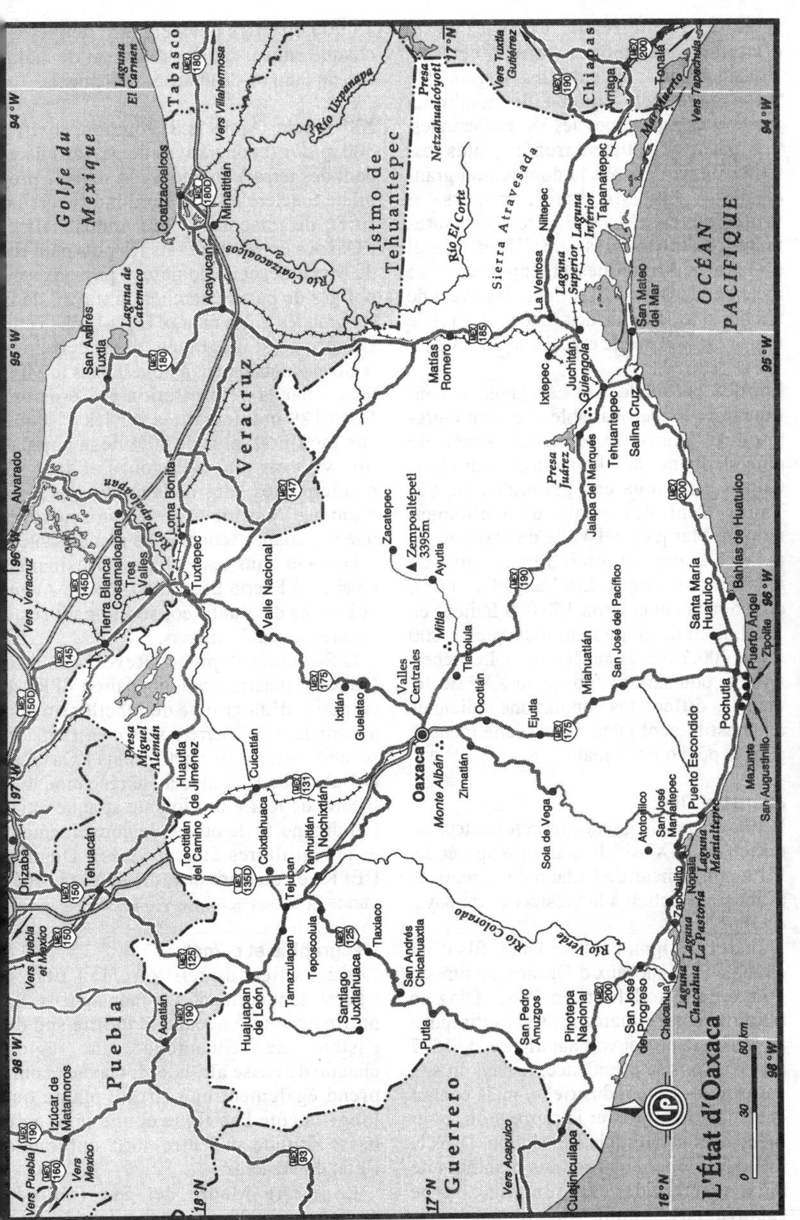
L'État d'Oaxaca
Golfe du Mexique
Océan Pacifique
Puebla
Veracruz
Tabasco
Chiapas
Guerrero
Istmo de Tehuantepec
Sierra Atravesada
Valles Centrales
Oaxaca
Monte Albán
Mitla
Zempoaltépetl 3395m
Presa Miguel Alemán
Presa Juárez
Presa Netzahualcóyotl
Laguna de Catemaco
Laguna Superior
Laguna Inferior
Río Coatzacoalcos
Río Uxpanapa
Río El Corte
Río Papaloapan
Río Colorado
Río Verde
Coatzacoalcos
Minatitlán
Acayucan
San Andrés Tuxtla
Alvarado
Loma Bonita
Tuxtepec
Cosamaloapan
Tres Valles
Tierra Blanca
Orizaba
Tehuacán
Teotitlán del Camino
Huautla de Jiménez
Cuicatlán
Coixtlahuaca
Nochixtlán
Yanhuitlán
Tejupan
Tamazulapan
Teposcolula
Tlaxiaco
Huajuapan de León
Acatlán
Izúcar de Matamoros
Santiago Juxtlahuaca
San Andrés Chicahuaxtla
Putla
San Pedro Amuzgos
Pinotepa Nacional
San José del Progreso
Cuajinicuilapa
Chacahua
Zapotalito
Puerto Escondido
San Augustinillo
Mazunte
Zipolite
Puerto Ángel
Pochutla
Santa María Huatulco
Bahías de Huatulco
Salina Cruz
Tehuantepec
Juchitán
Ixtepec
Matías Romero
La Ventosa
Niltepec
Tapanatepec
Arriaga
Tonalá
San Mateo del Mar
Jalapa del Marqués
Valle Nacional
Ixtlán
Guelatao
Tlacolula
Ayutla
Zacatepec
Ocotlán
Ejutla
Miahuatlán
San José del Pacífico
Zimatlán
Sola de Vega
Atotonilco
San José Manialtepec
Vers Veracruz
Vers Villahermosa
Vers Tuxtla Gutiérrez
Vers Tapachula
Vers Puebla et Mexico
Vers Puebla
Vers Mexico
Vers Acapulco
0 30 50 km

et autres territoires de l'Oaxaca avant d'atteindre son apogée entre 250 et 750. Brusquement, la ville déclina, et vers 750, fut abandonnée, comme de nombreux autres sites zapotèques des Valles Centrales.

A partir de 1200 environ, les cités restantes passèrent sous la domination grandissante des Mixtèques, potiers et forgerons réputés, originaires des hautes terres du nord-ouest de l'État actuel d'Oaxaca. Mixtèques et Zapotèques se mêlèrent dans les Valles Centrales avant de tomber sous la férule des Aztèques, entre le milieu du XVe siècle et le début du XVIe.

Époque coloniale. Les Espagnols rencontrèrent un accueil variable et durent entreprendre quatre expéditions avant de pouvoir fonder la ville d'Oaxaca en 1529. Cortés s'attribua une grande partie des Valles Centrales et fut officiellement nommé Marqués del Valle de Oaxaca. Le taux de la population indienne chuta de manière dramatique. Les Valles Centrales, qui comptaient environ 150 000 Indiens en 1568, n'en dénombraient plus que 40 000 ou 50 000, dans les années 1630. Les rébellions se poursuivirent jusqu'au XXe siècle, mais les différentes populations indiennes ne constituèrent jamais une réelle menace pour le pouvoir colonial.

Juárez et Díaz

Benito Juárez, le grand chef réformateur du milieu du XIXe siècle était un Zapotèque. Il fut gouverneur de l'État à deux reprises avant son élection à la présidence du pays, en 1861.

Juárez désigna Porfirio Díaz, fils d'un entraîneur de chevaux d'Oaxaca, au titre de gouverneur de l'État, en 1862. Díaz se retourna contre Juárez en 1871 et imposa au Mexique un pouvoir autoritaire, de 1877 à 1910. Sous sa présidence, le pays fit son entrée dans l'ère industrielle, mais connut aussi la corruption et la répression, pour finalement aboutir à la Révolution. Dans la Valle Nacional au nord, des planteurs de tabac créèrent des exploitations de type esclavagiste, dont la plupart des 15 000 ouvriers devaient être remplacés chaque année, car ils mouraient de maladie, de faim ou de mauvais traitements.

XXe siècle. Après la Révolution, environ 300 *ejidos* (coopératives de paysans détenant des terres) ont été créés, mais la propriété foncière reste aujourd'hui encore un sujet de discorde. Peu industrialisé, l'Oaxaca est un des États les plus pauvres du Mexique, et de nombreux paysans sont obligés de partir chercher du travail dans les grandes villes ou aux États-Unis ; cette situation est aggravée dans certaines régions – notamment à l'ouest dans le Mixteca – par la déforestation et l'érosion. Dans 129 municipalités sur les 570 que compte l'État, plus de 60% de la population vit sans tout-à-l'égout ; et dans 93 municipalités, plus de la moitié des gens n'ont pas l'électricité. Si le tourisme revêt une importance économique grandissante à Oaxaca et dans les villages avoisinants, ainsi qu'à Puerto Escondido, Puerto Ángel et Bahías de Huatulco, son impact reste encore très faible ailleurs.

L'Ejército Popular Revolucionario (armée populaire révolutionnaire ; EPR) se compose d'un groupe de rebelles qui est apparu dans le Guerrero voisin en 1996. Ils se sont montrés très actifs dans l'Oaxaca, et Bahías de Huatulco a été récemment le théâtre de leur plus violente attaque qui a fait dix morts (la police, le gouvernement et les militaires étaient visés). Depuis, l'EPR se consacre davantage à la propagande qu'à des actes de violence.

Géographie et climat

Les deux tiers du territoire de l'État, à l'ouest, sont accidentés et montagneux. Sa partie orientale occupe la moitié sud de l'isthme de Tehuantepec, une région chaude de basse altitude. L'Oaxaca comprend également une étroite plaine qui longe la côte Pacifique et une région de basse altitude au centre-nord, qui jouxte l'État de Veracruz.

La Sierra Madre del Sur (altitude moyenne : 2 000 m) pénètre dans l'État à

Les compagnies de bus d'Oaxaca
Dans ce chapitre, les compagnies de bus de 2e classe sont désignées sous les abréviations suivantes :

AVN – Autotransportes Valle del Norte
EB/TG – Estrella Blanca/Transportes Gracela
EV/OP – Estrella del Valle/Oaxaca Pacifico
FYPSA – Fletes y Pasajes
TOI – Transportes Oaxaca-Istmo

l'ouest et s'étire le long de la côte. La Sierra Madre de Oaxaca (altitude moyenne : 2 500 m) se forme à partir de la cordillère volcanique du centre du Mexique. Les deux chaînes se rencontrent pratiquement au centre de l'État. Elle sont séparées par les trois Valles Centrales, au cœur desquelles se dresse la ville d'Oaxaca.

Les Valles Centrales jouissent d'un climat chaud et sec. Les températures varient de 10°C les nuits d'hiver à un peu plus de 30°C en journée l'été. L'essentiel des 60 cm de précipitations annuelles a lieu entre juin et septembre. Sur la côte et dans les zones de basse altitude, le climat est plus chaud et un peu plus humide.

Population et ethnies

Parmi les 3,2 millions d'habitants de l'État d'Oaxaca, environ 1,25 million d'Indiens se compose d'au moins quatorze ethnies différentes. Chaque groupe possède sa propre langue et environ 75% des Indiens de l'Oaxaca parlent l'espagnol. Certaines coutumes indiennes cèdent sous la pression du changement – ainsi, les costumes colorés disparaissent progressivement – mais la présence indienne, que l'on remarque dans l'artisanat, les marchés et les fêtes demeure partout très forte. Le territoire et l'habitat indiens comptent parmi les plus pauvres de l'État. Lorsque les organisations indiennes se battent pour défendre leurs droits fonciers, les réactions du pouvoir sont souvent meurtrières.

Quelque 500 000 Zapotèques vivent dans les Valles Centrales et sur l'isthme de Tehuantepec. La plupart sont agriculteurs, bien qu'ils participent également à la commercialisation de leurs produits, notamment l'artisanat et le mezcal. Mais bon nombre sont obligés d'émigrer temporairement pour chercher du travail.

Environ 500 000 Mixtèques sont disséminés sur les frontières montagneuses des États d'Oaxaca, de Guerrero et de Puebla et plus des deux tiers, dans l'ouest de l'Oaxaca. Les deux autres groupes indiens les plus importants sont les Mazatèques (environ 190 000) dans l'extrême nord, les Mixes (110 000), qui vivent dans les hautes terres isolées du nord-est des Valles Centrales et les Chinantèques (110 000) dans la région de la Valle Nacional, au nord.

Dans la ville d'Oaxaca, vous rencontrerez parfois des Triquis, groupe originaire de l'ouest de l'Oaxaca. Ils ne sont que 12 000 et leur histoire est jalonnée de conflits territoriaux avec les Mestizos et les Mixtèques.

Désagréments et dangers

Les bus et les autres types de véhicules qui empruntent l'autoroute sur des portions isolées, y compris l'autoroute 200 qui longe la côte et l'autoroute 175 qui relie Oaxaca à Pochutla, se font quelquefois arrêter et dévaliser. Le meilleur moyen d'éviter ce risque est de ne pas voyager de nuit.

Oaxaca

• Hab.: 400 000 • Alt. : 1 550 m • ☎ 951

Oaxaca est la capitale de l'État du même nom et la seule ville de quelque importance. C'est une cité espagnole aux rues étroites bordées de beaux édifices coloniaux. La particularité d'Oaxaca est son ambiance, à la fois détendue et dynamique, isolée et cosmopolite. L'air sec de la montagne, la taille modérée de la ville, ses vieux bâtiments, places et cafés, contribuent à adoucir le rythme de vie. Simultanément, la ren-

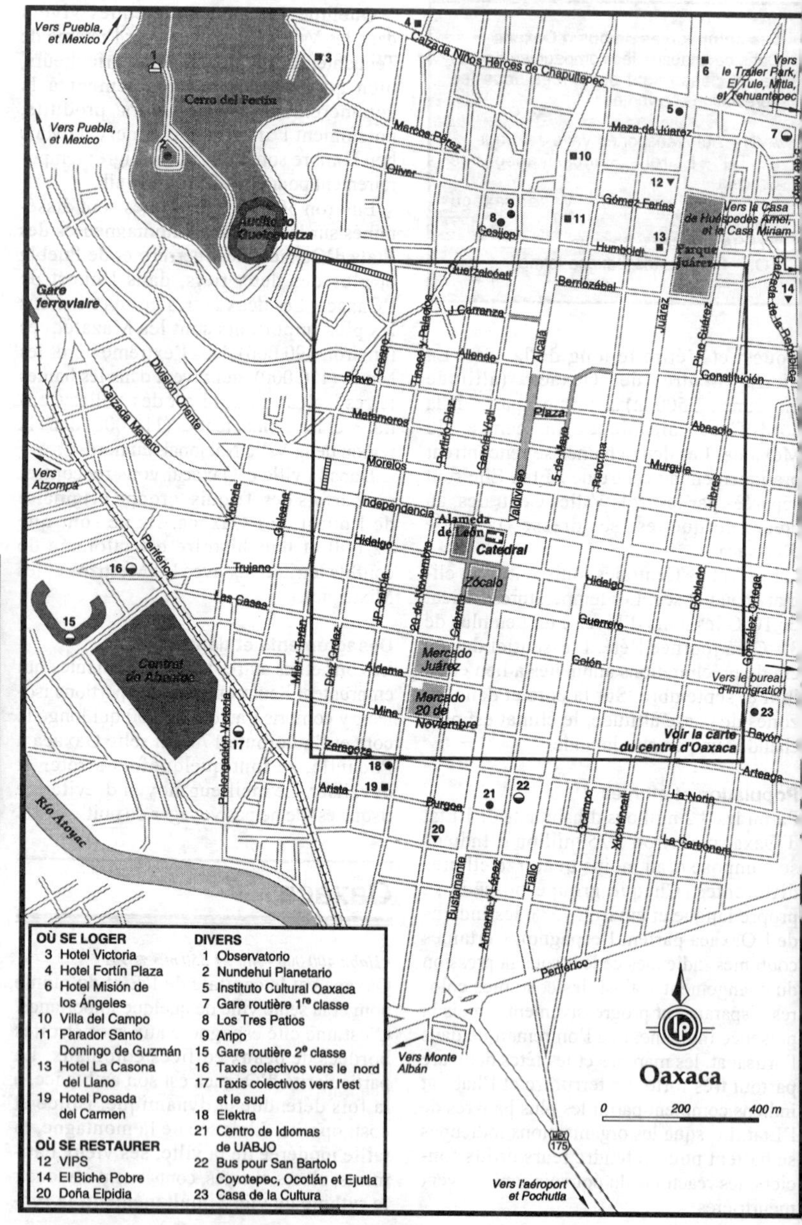
Vers Puebla, et Mexico
Vers Puebla, et Mexico
Cerro del Fortín
Auditorio Guelaguetza
Gare ferroviaire
Vers Atzompa
Calzada Niños Héroes de Chapultepec
Vers le Trailer Park, El Tule, Mitla, et Tehuantepec
Marcos Pérez
Oliver
Maza de Juárez
Gómez Farías
Humboldt
Vers la Casa de Huéspedes Arnel, et la Casa Miriam
Parque Juárez
Calzada de la República
Quetzalcóatl
Berriozábal
Gosijopi
J Carranza
Allende
Constitución
Bravo
Crespo
Tinoco y Palacios
Alcalá
Juárez
Pino Suárez
Plaza
Matamoros
Porfirio Díaz
García Vigil
5 de Mayo
Reforma
Abasolo
Murguía
Morelos
Libres
Valdivieso
Independencia
Alameda de León
Catedral
Hidalgo
Zócalo
Hidalgo
Trujano
Las Casas
División Oriente
Calzada Madero
Periférico
Victoria
Galeana
Guerrero
Dóblado
González Ortega
Colón
Central de Abastos
Mercado Juárez
Mercado 20 de Noviembre
Díaz Ordaz
JP García
20 de Noviembre
Cabrera
Aldama
Mina
Miler y Terán
Vers le bureau d'immigration
Rayón
Voir la carte du centre d'Oaxaca
Zaragoza
Arista
Prolongación Victoria
Arteaga
Burgoa
La Noria
La Carbonera
Río Atoyac
Bustamante
Armenta y López
Fiallo
Ocampo
Xicoténcatl
Periférico
Vers Monte Albán
Vers l'aéroport et Pochutla
MEX 175
Oaxaca
0 200 400 m
OÙ SE LOGER
3 Hotel Victoria
4 Hotel Fortín Plaza
6 Hotel Misión de los Ángeles
10 Villa del Campo
11 Parador Santo Domingo de Guzmán
13 Hotel La Casona del Llano
19 Hotel Posada del Carmen
OÙ SE RESTAURER
12 VIPS
14 El Biche Pobre
20 Doña Elpidia
DIVERS
1 Observatorio
2 Nundehui Planetario
5 Instituto Cultural Oaxaca
7 Gare routière 1re classe
8 Los Tres Patios
9 Aripo
15 Gare routière 2e classe
16 Taxis colectivos vers le nord
17 Taxis colectivos vers l'est et le sud
18 Elektra
21 Centro de Idiomas de UABJO
22 Bus pour San Bartolo Coyotepec, Ocotlán et Ejutla
23 Casa de la Cultura

contre de différentes cultures d'Oaxaca, du Mexique et d'autres pays, suscite une certaine exaltation. Une promenade sur le zócalo vous en donnera un avant-goût. Donnez-vous ensuite le temps de flâner pour découvrir les marchés, l'artisanat, les cafés et les fêtes. Nombreuses sont les possibilités d'excursions passionnantes d'une journée dans les Valles Centrales.

Histoire

La localité aztèque implantée à cet endroit s'appelait Huaxyacac (Dans le nez de la courge) dont dérive le nom "Oaxaca". Une ville espagnole fut bâtie autour de l'actuel zócalo en 1529. Elle devint rapidement l'agglomération la plus importante du Sud. Les ordres religieux installés, notamment les dominicains, en multipliant les contacts avec la population, jouèrent un grand rôle dans la pacification des Indiens de la région.

Au XVIIIe siècle, Oaxaca s'enrichit grâce à l'exportation de la teinture rouge de cochenille, extraite des minuscules insectes du même nom. Sa prospérité tarit en 1783 lorsque la couronne espagnole interdit l'esclavage des personnes endettées, qui liait une bonne partie des paysans producteurs de teinture de cochenille aux commerçants de la ville. Mais Oaxaca demeura un centre textile actif. En 1796, c'était probablement la troisième ville de la Nouvelle-Espagne, avec 20 000 habitants (dont 600 religieux) et 800 métiers à tisser.

En 1854, un important séisme détruisit une grande partie de la ville. Sous la présidence de Porfirio Díaz, Oaxaca connut un nouvel essor et, dans les années 1890, sa population dépassa les 30 000 habitants. En 1931, un autre séisme rendit 70% de la ville inhabitable. Sa croissance eut lieu surtout durant ces vingt dernières années, pendant lesquelles le tourisme et les nouvelles industries attirèrent la population rurale.

Orientation

Le centre d'Oaxaca est constitué du zócalo et de la plaza Alameda, devant la cathédrale. La Calle Alcalá, partant vers le nord depuis la cathédrale, l'une des artères les plus connues, est presque entièrement piétonne.

Les rues au nord du zócalo sont plus élégantes, plus propres et moins encombrées que celles situées au sud et, plus particulièrement, au sud-ouest, où sont regroupés les hôtels bon marché et les quelques marchés.

La route en provenance de Mexico et Puebla serpente sur les versants du Cerro del Fortín, puis traverse la ville en direction de l'est sous le nom de Calzada Niños Héroes de Chapultepec. La gare routière 1re classe se trouve à côté de cette route, à environ 1,75 km au nord-est du zócalo. La gare routière 2e classe se situe à environ 1 km à l'ouest du centre, près du marché principal le Central de Abastos.

Renseignements

Immigration. Faire prolonger la carte de tourisme (voir le chapitre *Renseignements pratiques*) prend environ une heure au bureau de l'immigration, situé Periférico 2724, à environ 1 km à l'est du zócalo. Il est ouvert en semaine de 9h à 14h.

Offices du tourisme. Oaxaca possède deux offices du tourisme principaux. Le premier se trouve Independencia 607, en face de l'Alameda (☎ 4-77-88, 6-01-23), et le second, 5 de Mayo 200 (☎ 6-48-28). Ils sont ouverts tous les jours de 9h à 20h et disposent d'un personnel efficace et compétent.

Consulats. Les délégations consulaires peuvent être jointes aux numéros suivants : Canada (☎ 3-37-77) ; France (☎ 6-35-22) ; Italie (☎ 5-31-15).

Argent. Deux banques pratiquant les opérations de change ont de longs horaires d'ouverture : la Bancomer, García Vigil 202, ouvre de 9h à 13h30 et de 14h à 19h en semaine, de 9h à 15h le samedi, et de 10h à 14h le dimanche ; et la Banamex, Porfirio Díaz 202, à l'angle de Morelos, est ouverte en semaine de 9h à 13h. La Bancomer propose de bons taux de change. Toutes deux, de même que la Banamex située Hidalgo 821, à une rue à l'est du zócalo, disposent de distributeurs automatiques de billets.

Les casas de cambio permettent d'éviter l'attente, mais leurs taux de change sont moins avantageux – soyez sur vos gardes lors de la transaction. Les deux plus centrales qui changent les dollars américains à taux raisonnable sont l'Internacional de Divisas, à l'angle nord-est du zócalo (ouverte tous les jours), et la Cash Express, Alcalá 201 (ouverte du lundi au samedi).

Le représentant d'American Express est installé Viajes Micsa (☎ 6-27-00), Valdivieso 2, Le bureau principal des Télégrafos, dans Independencia, à côté de la poste (voir *Poste et communications*), et le magasin Elektra, 20 de Noviembre à l'angle de Zaratoga, disposent tous les deux de guichets "Dinero en Minutos" de la Western Union, qui effectuent des transferts d'argent.

Poste et communications. La grande poste, ouverte du lundi au vendredi de 8h à 18h, et le samedi de 9h à 14h, est située dans Alameda.

Viajes Micsa (voir la rubrique ci-dessus) possède un service de courrier pour les clients d'American Express.

Vous pouvez envoyer et recevoir des télécopies au bureau des Telégrafos d'Independencia, à côté de la poste, ouvert aux mêmes heures.

Des cabines téléphoniques sont installées sur le zócalo et ailleurs. Parmi les nombreuses casetas, deux appartiennent à Computel et offrent des services de fax, l'une dans Independencia, en face du bureau des Telégrafos, l'autre dans Trujano, entre JP García et 20 de Noviembre.

La Cafetería Restaurant Gyros Makedonia (☎ 4-07-62), près du zócalo, 20 de Noviembre 225, est un café doté d'une caseta qui possède également un service de fax, d'e-mail et d'Internet. Au moment où nous mettions sous presse, les tarifs étaient plus intéressants à Terra Nostra (☎/fax 6-82-92, terran@antequera.com), Morelos 600, au premier étage. Terra Nostra demande 1,30 $US pour envoyer un e-mail (jusqu'à 15 minutes sur l'ordinateur), 0,70 $US pour en recevoir un, et 3,25 $US pour passer 30 minutes sur Internet.

Agences de voyages. Centroamericana de Viajes (☎ 6-37-25), Portal de Flores 8, sur le zócalo, est une agence efficace qui vend des billets pour pratiquement tous les moyens de transport.

Librairies. Corazón El Pueblo, Alcalá 307 à l'angle de Bravo, à l'étage sur la Plaza Alcalá, possède un grand choix de livres en langues étrangères sur Oaxaca et le Mexique, tout comme la Librería Universitaria, Guerrero 108, près du zócalo. Códice, Alcalá 403, propose des livres et des cartes en français, en anglais et en allemand. Proveedora Escolar, Independencia 1001, à l'angle de Reforma, dispose au premier étage d'un formidable rayon en langue espagnole d'histoire régionale, d'archéologie et d'anthropologie. Les principaux musées vendent aussi des livres.

Bibliothèques. Oaxaca possède quelques excellentes bibliothèques. La Biblioteca Circulante de Oaxaca (bibliothèque de prêt), Alcala 305, contient un nombre important de livres et de magazines en espagnol et en anglais sur Oaxaca et le Mexique. Elle ouvre en semaine de 10h à 13h et de 16h à 19h, et le samedi de 10h à 13h. Des petites annonces de logement ainsi que d'autres informations utiles sont affichées sur un tableau.

L'Instituto Welte de Estudios Oaxaqueños, niché derrière la Plaza Fray González Lucero dans 5 de Mayo, a une extraordinaire bibliothèque de titres en espagnol et en anglais concernant l'ethnographie, l'archéologie et d'autres domaines, notamment un excellent rayon sur les femmes de l'Oaxaca. Elle est ouverte en semaine de 9h30 à 13h 30 et de 17h à 19h. L'Instituto de Artes Gráphicas de Oaxaca, Alcalá 507, dispose de bons ouvrages en espagnol et en anglais sur les arts et l'architecture que les visiteurs peuvent consulter.

Médias. L'*Oaxaca Times* et l'*Oaxaca*, deux journaux mensuels destinés aux touristes, contiennent de précieuses informations.

Blanchissage/nettoyage. La Superlavandería Hidalgo, à l'angle de Hidalgo et de JP Garcia, demande 3 $US pour laver et sécher jusqu'à 3,5 kg de linge dans la journée. Elle est ouverte du lundi au vendredi de 8h à 20h. La Clin Lavandería, 20 de Noviembre 605, est à peine plus chère.

Services médicaux. Le Dr Raúl Cruz Aguillón (☎ 6-38-40) est un médecin parlant anglais recommandé par les professionnels du tourisme de la ville. Son cabinet se trouve García Vigil 305. La Clínica Hospital Carmen (☎ 6-26-12), Abasolo 215, ouverte tous les jours 24h/24, a également bonne réputation et l'un des médecins au moins parle anglais.

Urgences. En cas d'urgence, vous pouvez appeler le ☎ 06. Pour la police, composez le ☎ 6-27-26. Le Centro de Protección al Turista (Ceprotur ☎/fax 6-72-80), Alcalá 107, Plaza Santo Domingo, est là pour aider les touristes rencontrant des problèmes avec la justice.

Zócalo et Alameda

Ombragé, piétonnier, entouré de *portales* (arcades) abritant cafés et restaurants, c'est l'endroit idéal pour jouer les badauds. L'Alameda, à proximité, est également un lieu de rassemblement réputé, interdit aux véhicules.

Le côté sud du zócalo est occupé par le **Palacio de Gobierno**, dont l'escalier est orné d'une fresque d'Arturo García qui retrace l'histoire d'Oaxaca. Son panneau central est principalement consacré aux réformateurs du XIXe siècle, notamment Juárez (présenté avec son épouse Margarita) et Morelos. Porfirio Díaz apparaît plus bas, en bleu. En bas à droite, est représentée l'exécution de Guerrero à Cuilapan. Le mur de gauche est dédié à la Mitla antique, tandis que celui de droite est dominé par des personnages féminins, notamment Juana Inés de la Cruz, la religieuse du XVIIe siècle, auteur de poèmes sur l'amour. La **cathédrale** d'Oaxaca, dont la construction fut entreprise en 1553 et achevée (après plusieurs séismes) au XVIIIe siècle, s'élève sur le côté nord du zócalo. Sa façade principale (ouest), dans l'Alameda, arbore de belles sculptures baroques.

Édifices près du zócalo

Les églises coloniales, aux splendides façades sculptées, sont **La Compañía** (à l'angle sud-ouest du zócalo) et la très fréquentée **San Juan de Díos**, la plus vieille église d'Oaxaca (1526), à l'angle d'Aldama et de 20 de Noviembre.

Le baroque **Templo de San Felipe Neri** (XVIIe siècle) se trouve au croisement d'Independencia et de JP García. C'est ici, en 1843, que se marièrent Benito Juárez et Margarita Maza.

Le **Teatro Macedonio Alcalá** (1903), à l'angle de 5 de Mayo et d'Independencia, est inspiré de l'architecture française, à la mode sous Porfirio Díaz. Il possède un escalier en marbre et un amphithéâtre à cinq niveaux pouvant accueillir 1 300 personnes.

Calle Alcalá

La Calle Alcalá a été interdite à la circulation et ses belles bâtisses de pierre ont été restaurées. Elle fourmille de boutiques et de restaurants pour touristes qui, heureusement, n'altèrent pas son allure coloniale.

Le **Museo de Arte Contemporáneo de Oaxaca** (☎ 4-71-10) loge dans la belle demeure coloniale Casa de Cortés, Alcalá 202. La collection permanente comprend les œuvres de cinq artistes célèbres natifs d'Oaxaca : celles du grand Rufino Tamayo, un Zapotèque né à Oaxaca, dont les couleurs semblent souvent imprégnées de l'intense luminosité de cette région méridionale, voisinent avec les créations de Francisco Gutiérrez, Rodolfo Nieto, Francisco Toledo et Rodolfo Morales. Le musée possède un agréable café à l'arrière. Il est

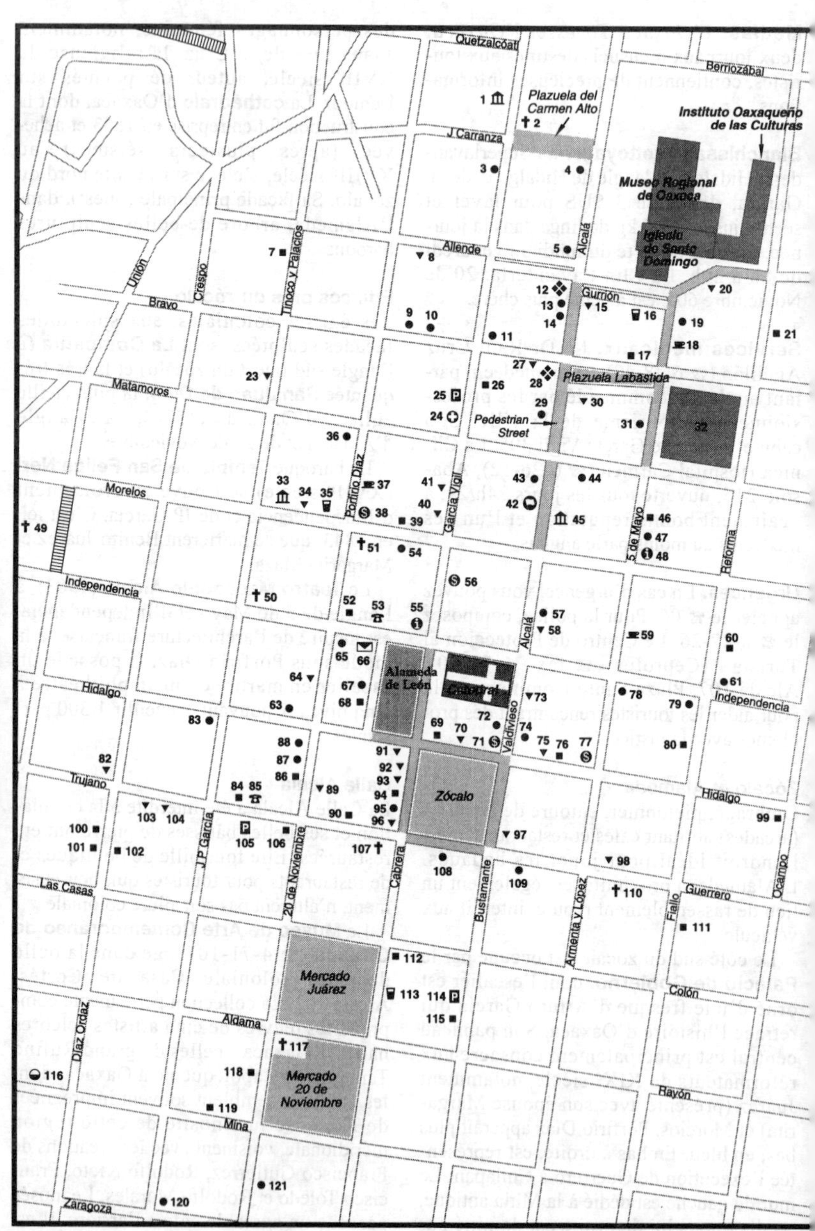
Quetzalcóatl
Berriozábal
Plazuela del Carmen Alto
Instituto Oaxaqueño de las Culturas
J.Carranza
Museo Regional de Oaxaca
Iglesia de Santo Domingo
Allende
Alcalá
Gurrión
Unión
Crespo
Tinoco y Palacios
Bravo
Matamoros
Plazuela Labastida
Pedestrian Street
García Vigil
Porfirio Díaz
Morelos
5 de Mayo
Reforma
Independencia
Alameda de León
Catedral
Hidalgo
Valdivieso
Trujano
Zócalo
J.P. García
20 de Noviembre
Cabrera
Las Casas
Bustamante
Armenta y López
Fiallo
Guerrero
Ocampo
Mercado Juárez
Colón
Aldama
Díaz Ordaz
Mercado 20 de Noviembre
Rayón
Mina
Zaragoza

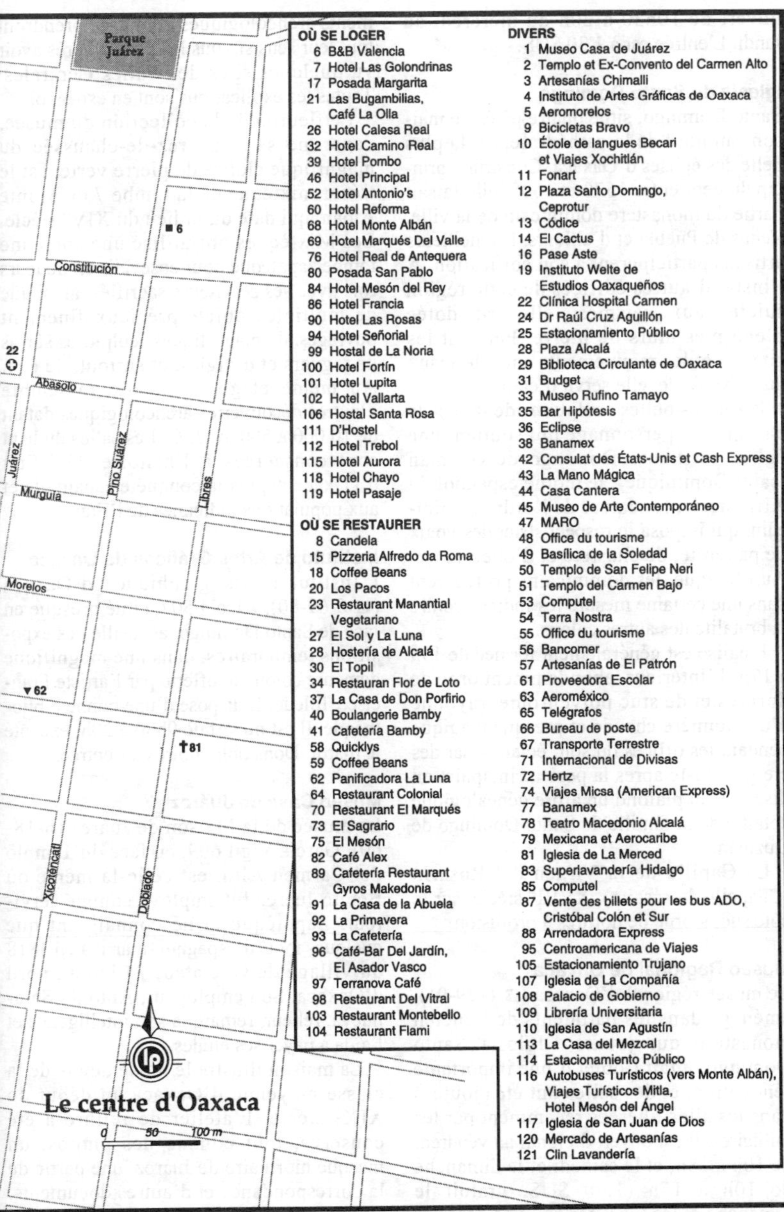

ÉTAT D'OAXACA

ouvert de 10h30 à 20h du mercredi au lundi. L'entrée est à 1,30 $US.

Iglesia de Santo Domingo

Santo Domingo, situé quatre pâtés de maisons au nord de la cathédrale, est la plus belle des églises d'Oaxaca. Construite principalement entre 1570 et 1608, elle faisait partie du monastère dominicain de la ville. Venus de Puebla et d'ailleurs, les meilleurs artisans participèrent à son édification. A l'instar d'autres édifices de cette région sujette aux séismes, elle est dotée d'énormes murs de pierre. Pendant les guerres et les mouvements anti-cléricaux du XIXe siècle, elle servit d'étable.

Parmi les belles sculptures de la façade baroque, le personnage qui soutient une église est Santo Domingo de Guzmán (saint Dominique), le moine espagnol du XIIIe siècle, fondateur de l'ordre dominicain, qui imposa le respect strict des vœux de pauvreté, de chasteté et d'obéissance. Au Mexique, les dominicains protégèrent dans une certaine mesure les Indiens contre la brutalité des autres colons.

L'église est généralement fermée de 13h à 17h. L'intérieur, abondamment orné de dorures et de stuc polychrome, rayonne d'une lumière chaude et presque magique pendant les offices du soir, éclairés par des cierges. Juste après la porte principale, on discerne au plafond un arbre généalogique détaillé de la famille de Santo Domingo de Guzmán.

La Capilla de la Virgen del Rosario (Chapelle du rosaire), XVIIIe siècle, sur le côté sud, s'orne de dorures à profusion.

Museo Regional de Oaxaca

Le musée régional d'Oaxaca (☎ 6-29-91), aménagé dans les bâtiments de l'ancien monastère qui jouxte l'Iglesia Santo Domingo, a fait l'objet d'une importante rénovation, et des salles ont été ajoutées dans les ailes libérées récemment par les militaires. Il est ouvert du lundi au vendredi de 10h à 18h, et le samedi et le dimanche de 10h à 17h (1,90 $US, gratuit le dimanche et les jours fériés). Les départements archéologiques du musée prendront tout leur sens si vous les visitez après avoir vu quelques sites des Valles Centrales. Toutes les explications sont en espagnol.

Le fleuron de la collection du musée, dans une salle au rez-de-chaussée du magnifique cloître de pierre verte, est le trésor mixtèque de la tombe 7 de Monte Albán, qui date du milieu du XIVe siècle. Les Mixtèques ont utilisé une ancienne tombe zapotèque pour ensevelir un de leurs rois avec ses serviteurs sacrifiés, ainsi que de multiples objets précieux finement ouvragés, de magnifiques sculptures sur os de jaguars et d'aigles, et surtout, de l'or. Au même étage, une salle rassemble d'autres découvertes archéologiques datant de 10 000 à 500 av. J.-C. Les salles du haut sont consacrées à l'histoire de l'État d'Oaxaca depuis la conquête espagnole et aux populations indiennes de l'État.

Instituto de Artes Gráficas de Oaxaca

L'Institut d'arts graphiques d'Oaxaca (☎ 6-69-80), Alcalá 507, situé presque en face de Santo Domingo, accueille des expositions temporaires, dans une magnifique demeure coloniale offerte par l'artiste Francisco Toledo. Il dispose d'une bonne bibliothèque. Il est ouvert de 9h30 à 20h, excepté le mardi. Dons obligatoires à l'entrée.

Museo Casa de Juárez

Le musée de la Maison de Juárez (6-18-60), García Vigil 609, en face du Templo del Carmen Alto, est celle-là même où Benito Juárez fut employé comme serviteur. Zapotèque et ne connaissant que quelques mots d'espagnol, il arriva en 1818 du village de Guelatao, 74 km au nord d'Oaxaca. Son employeur, Antonio Salanueva, relieur, remarqua son intelligence et l'aida à payer ses études.

La maison illustre le mode de vie de la classe moyenne d'Oaxaca au début du XIXe siècle. L'atelier de reliure a été conservé, tout comme des photos, un masque mortuaire de Juárez, une partie de la correspondance et d'autres documents. Le musée est ouvert du mardi au vendredi de 10h à 18h, le week-end de 10h à 17h (1,30 $US).

Museo Rufino Tamayo
Cet intéressant musée (☎ 6-47-50) est installé dans une belle demeure ancienne, Morelos 503, léguée à Oaxaca par l'artiste Rufino Tamayo. La collection présentée regroupe essentiellement des objets précolombiens. Elle est particulièrement riche en œuvres de l'époque préclassique et de civilisations encore mal connues, comme celle de Veracruz. Le musée est ouvert le lundi et du mercredi au samedi de 10h à 14h et de 16h à 19h, le dimanche de 10h à 15h. Entrée : 1,60 $US.

Basílica de La Soledad
L'église La Soledad, XVIIe siècle, trois pâté de maisons à l'ouest de l'Alameda dans Independencia, est très vénérée car elle abrite l'image de la sainte patronne d'Oaxaca, la Virgen de la Soledad (Vierge de la solitude). L'église, agrémentée d'une riche façade baroque, a été érigée à l'endroit même où la Vierge serait miraculeusement apparue, sur un âne. Aujourd'hui, elle est parée de 600 diamants et d'une énorme perle. La couronne d'or de 2 kg qui complétait auparavant la parure a été volée Les bâtiments conventuels voisins abritent un musée religieux.

Cerro del Fortín
Cette colline boisée, qui domine la ville au nord-ouest, est le refuge idéal pour fuir le bruit et les odeurs de la ville. Depuis le grand auditorium Guelaguetza, en plein air, juste au-dessus de la voie rapide qui serpente à mi-hauteur de la colline, une route monte à l'observatoire du Cerro del Fortín. Entre l'auditorium et l'observatoire, un sentier mène au planétarium Nundehui. A pied, vous pouvez grimper la colline par l'Escalera del Fortín, un long escalier partant de Crespo, environ 2 km séparent la montée du zócalo de l'observatoire. Ensuite, un sentier grimpe jusqu'au sommet de la colline, signalé par une croix, à 20 ou 30 minutes de marche.

Balades équestres
Sierra Madre Adventure (☎ 5-68-64) et le Rancho Sebastián (☎ 952-1-52-03) organisent des promenades à cheval individuelles ou en petits groupes dans la campagne ou les montagnes proches. Les guides parlent espagnol et anglais. Le tarif est d'environ 6,50 $US pour une heure.

Thérapie traditionnelle
Si faire l'expérience d'un bain *temazcal* (à base de plantes locales) vous intéresse, adressez-vous à Las Bugambilias, Reforma 402 (voir *Bed and Breakfasts* dans la rubrique *Où se loger*) qui possède un temazcal en dehors de la ville.

Cours de langue. Les écoles de langue ont poussé comme des champignons. S'il existe une forte rivalité entre elles, les étudiants que nous avons rencontrés semblaient dans l'ensemble satisfaits. Plusieurs établissements ont des sites Internet.

L'instituto Cultural Oaxaca (☎ 5-34-04, 5-13-23 ; fax 5-37-28 ; inscuoax@antequera.com), Juárez 909, à l'angle de Calzada Niños Héroes de Chapultepec, dispose de spacieux jardins et terrasses où ont lieu les cours. Douze sessions de quatre semaines, avec sept heures de cours cinq jours par semaine, sont organisées chaque année. Outre l'étude de la langue, les cours comportent des ateliers de cuisine, d'artisanat et de danse, des conférences sur l'histoire, l'anthropologie, l'archéologie et l'art. Le tarif pour 4 semaines est de 450 $US, frais d'inscription compris. Pour plus de renseignements, écrivez à Lic. Lucero Topete, Instituto Cultural Oaxaca, Apartado Postal 340, Oaxaca, Oaxaca 68000, México.

L'Instituto de Comunicación y Cultura (☎/fax 6-34-43 ; info@iccoax.com), à l'étage sur la Plaza Alcalá, Alcalá 307, propose des cours de trois heures en petits groupes du lundi au vendredi, à 100 $US la semaine ou 350 $US le mois. Les cours débutent chaque lundi. L'école met l'accent sur le langage parlé, mais pas exclusivement. Les professeurs sont qualifiés et expérimentés.

Benito Juárez

Juárez (1806-1872) se destinait à la prêtrise, avant de lui préférer le droit. Il travailla comme avocat au service des pauvres et devint membre du conseil municipal, puis du gouvernement de l'État d'Oaxaca. Gouverneur de l'État de 1848 à 1852, il ouvrit des écoles et réduisit la bureaucratie. Exilé par le gouvernement conservateur en 1853, Juárez revint en 1855 lors de la Révolution d'Ayutla, qui avait chassé le général Santa Anna, et devint ministre de la Justice d'un gouvernement national libéral. Sa Ley (Loi) Juárez, qui décidait du jugement des soldats et prêtres accusés de délits civils devant des juridictions civiles ordinaires, fut la première des Lois de Réforme visant à briser le pouvoir de l'Église. Elles provoquèrent la Guerre de Réforme de 1858 à 1861, au cours de laquelle les libéraux, après quelques revers, l'emportèrent sur les conservateurs.

Juárez fut élu président en 1861. Il n'était entré en fonction que depuis quelques mois lorsque les Français, soutenus par de nombreux conservateurs et par le clergé, envahirent le Mexique et le forcèrent à s'exiler. En 1866-1867, avec le soutien militaire américain, il chassa les Français. Il rendit l'enseignement primaire gratuit et obligatoire.

Il mourut en 1872, un an après avoir été réélu président pour la quatrième fois. Des statues, rues, écoles et places innombrables portent le nom de ce héros ambigu. Sa maxime *El respeto al derecho ajeno es la paz* (Le respect des droits d'autrui est la paix) est souvent citée. ■

ÉTAT D'OAXACA

La Becari Language School (☎/fax 4-60-76 ; becari@antequerra.antequerra.com), Plaza San Cristóbal, Bravo 210, organise également des cours de trois heures en semaine. Le programme de base coûte 75 $US la semaine ; il existe aussi des programmes plus intensifs.

Vous pouvez vous renseigner également au Centro de Idiomas de l'Universidad Autónoma Benito Juárez de Oaxaca (UABJO, ☎ 6-58-22), Burgoa, ou à la Biblioteca Circulante de Oaxaca, Alcalá 305, L'UABJO organise des cours de 20 heures par semaine pour tous les niveaux. Trouver des professeurs particuliers est assez facile – ils mettent souvent une petite annonce. Un cours particulier coûte généralement 10 $US de l'heure.

La plupart du temps, les écoles se chargent de loger leurs étudiants dans des familles ou à l'hôtel. Chez l'habitant, il faut compter entre 11 et 20 $US la nuit avec le petit déjeuner.

Cours de cuisine. Seasons of My Heart (☎/fax 6-52-80), que dirige l'experte américaine Susan Trilling dans son ranch à proximité d'Oaxaca, propose toutes sortes de cours pour apprendre la cuisine du Mexique et de l'Oaxaca, pouvant durer d'une journée à une semaine. Le passage au marché pour choisir les ingrédients du festin fait partie de la leçon. Nous avons reçu des commentaires élogieux de la part de participants. Les cours en groupe d'une journée coûtent 8,50 $US par personne.

Circuits organisés

Plusieurs agences organisent des excursions d'une journée dans divers endroits des Valles Centrales. En voici quatre offrant l'avantage d'un large choix d'itinéraires :

Viajes Turísticos Mitla (☎ 4-31-52), à l'Hotel Mesón del Ángel, Mina 518, et à l'Hotel Santa Rosa (☎ 4-78-00), Trujano 201

Viajes Xochitlán (☎ 4-36-28), Plaza San Cristóbal, Bravo 210
Central de Guías (☎ 6-55-44, poste 411), Hotel Calesa Real, García Vigil 306
Turismo Marqués Del Valle (☎ 4-69-62), Hotel Marqués Del Valle, sur le zócalo, Portal de Clavería

Un circuit de trois ou quatre heures à Monte Albán ou à El Tule, Teotitlán et Mitla coûte environ 8 $US, mais il existe de nombreuses autres possibilités.

La société américaine Bicicletas Bravo (pas de ☎ ; wkemper@carleton.edu), Bravo 214, organise des circuits en VTT en dehors de la ville. Un des circuits d'une journée les plus appréciés est celui qui passe par les villages Atzompa, Arrazola et parfois Cuilapan, en contournant le côté ouest de Monte Albán. Un autre circuit comprend une nuit au village de Benito Juárez, dans les montagnes couvertes de forêts de pins, au nord-est de la ville. Le coût est de 16 $US par jour et par personne.

Manifestations annuelles

Virgen del Carmen. Les rues autour du Templo Carmen Alto, dans García Vigil au niveau de Carranza, se transforment en vaste champ de foire, une semaine ou plus avant la fête de la Virgen del Carmen, le 16 juillet. Les nuits sont illuminées par les processions et les feux d'artifices.

Guelaguetza. Cette grande fête de danse folklorique se déroule dans l'Auditorio Guelaguetza, un grand amphithéâtre en plein air, sur le Cerro del Fortín, généralement les deux premiers lundi qui suivent le 16 juillet. Si l'anniversaire de la mort de Juárez (18 juillet) tombe un lundi, Guelaguetza est célébré le 25 juillet et le 1er août. Des milliers de personnes affluent dans la ville, et plusieurs jours avant le début des festivités, la ville connaît une grande animation.

De 10h à 13h, des troupes de danseurs magnifiquement costumés, venus des sept régions de l'État d'Oaxaca, exécutent une succession de danses traditionnelles solennelles, entraînantes ou comiques, au son de divers orchestres, et jettent en offrande à la foule des produits locaux. L'excitation atteint son comble avec la danse de l'ananas, exécutée par les femmes de la région de Papaloapa et l'impressionnante danse zapotèque des plumes (Danza de las Plumas), effectuée par des hommes coiffés de magnifiques parures à plumes, qui retrace la conquête du Mexique par les Espagnols.

Les places de l'auditorium, qui peut accueillir jusqu'à 10 000 spectateurs, sont réparties en quatre zones (*palcos*). Pour les deux plus proches de la scène, les billets (45 ou 39 $US) sont mis en vente plusieurs mois à l'avance à l'office du tourisme d'Independencia. D'autres points de vente sont ouverts dans la ville peu avant la fête. Posséder l'un de ces billets vous garantit un siège mais il est conseillé d'arriver avant 8h pour être bien placé. Les deux palcos à l'arrière, plus étendus, sont gratuits et se remplissent de bonne heure : il vous faudra arriver avant 8h pour avoir une place. A partir de 10h, soyez heureux si vous trouvez une place debout. Dans tous les cas, prévoyez un chapeau et des boissons car vous resterez assis en plein soleil pendant des heures.

Bénédiction des animaux. Les animaux domestiques sont parés et amenés à l'Iglesia de La Merced, au croisement d'Independencia et Doblado vers 17h le 31 août.

Manifestations précédant Noël. Le 16 décembre est la première des neuf nuits des **Posadas**, les processions d'enfants et d'adultes symbolisant le voyage de Marie et de Joseph jusqu'à Bethléem. Le 18 décembre, le **Día de la Virgen de la Soledad**, des processions et des danses traditionnelles – dont la Danza de las Plumas – se déroulent à la Basílica de la Soledad. La **Noche de los Rábanos** (la nuit des radis), le 23 décembre, d'étonnantes silhouettes sculptées dans des radis sont exposées sur le zócalo. Vous êtes alors censés manger des *buñuelos* (sorte de pâte à beignet croustillante) et, quand vous avez fini, jetez votre bol en l'air en faisant un

Origines de la Guelaguetza
Avant la conquête, les Zapotèques, Mixtèques et Aztèques des vallées du Centre célébraient une fête au même endroit et à la même date, en l'honneur des divinités du maïs et du vent. Les prêtres chrétiens la remplacèrent par des festivités associées à la fête de la Virgen del Carmen (16 juillet), avant que de telles survivances, à moitié païennes, ne soient abolies en 1882. Cependant, les populations continuèrent à effectuer des pèlerinages et des pique-niques sur la colline les deux lundi suivant le 16 juillet. La fête se déroule sous sa forme actuelle depuis les années 30.

Chaque année, le samedi précédant la Guelaguetza, des délégations des sept régions défilent en musique lors d'une procession haute en couleur à travers la ville. Le dimanche soir précédant chaque fête, le *Bani Stui Gulai* – spectacle vibrant de musique, de feux d'artifice et de danse expliquant l'évolution de la Guelaguetza – se déroule devant la Basílica de la Soledad. ■

vœu. Le 24 décembre, les processions du soir, appelées **calendas**, partent des églises pour converger vers le zócalo à 22h environ, dans une débauche de musique, de chars et de feux d'artifice.

Où se loger – petits budgets

La plupart des hôtels de cette catégorie sont regroupés dans les rues bruyantes et très fréquentées au sud et à l'ouest du zócalo mais vous trouverez des établissements confortables et bon marché dans d'autres quartiers.

Camping. Le grand *Oaxaca Trailer Park* (☎ 5-27-96), assez ombragé, se trouve à 3,5 km au nord-est du centre, à l'angle de Violetas et de Heroica Escuela Naval Militar. L'emplacement pour un véhicule avec tous les raccordements nécessaires coûte entre 7 et 9 $US pour deux personnes. Pour vous y rendre, dirigez-vous vers le nord à partir du panneau "Colonia Reforma" dans Calzada Niños Héroes de Chapultepec, à 500 mètres à l'est de la gare routière 1re classe, et remontez environ sept rues plus haut.

Au sud du zócalo. Le *D'Hostel*, Fiallo 305, à deux rues à l'est, puis à un demi pâté de maisons au sud du zócalo, est tenu par un personnel jeune et accueillant et dispose de 30 lits en dortoirs ou en chambres doubles à 4 $US par personne. Ce n'est pas le grand luxe, et on est un peu à l'étroit, mais l'établissement était en cours de rénovation lors de notre dernier passage. L'auberge comporte un coin cuisine et une buanderie, et les clients se rassemblent autour d'une grande table installée dans une cour agréable à l'arrière. L'eau chaude ne fonctionne que le matin et le soir et les dortoirs sont dépourvus d'armoires fermant à clé. Quelques VTT sont à louer pour 4 $US la journée.

L'*Hotel Aurora* (☎ 6-41-45), près du zócalo, Bustamante 212, loue des simples/doubles à 5,25/7,75 $US. L'accueil est chaleureux et les chambres sont propres, mais de style monacal. Les s.d.b., communes, sont moins nettes, et les douches froides.

La Calle 20 de Noviembre comporte plusieurs hôtels du même type : une longue cour étroite flanquée de trois étages de chambres semblables à des boîtes. L'*Hotel Chayo* (☎ 6-41-12), n°508, en face du Mercado 20 de Noviembre, demande 12 $US en simple ou en double pour une chambre simple mais correcte avec s.d.b.

Plus confortable, l'*Hotel Posada del Carmen* (☎ 6-17-79), au n°712, à un pâté de maisons du précédent, arbore une peinture et un mobilier flambant neufs et son personnel est accueillant. Les chambres sont propres et valent 8,50 $US la simple, 10 $US la double avec un grand lit et 15 $US avec deux lits. Une permanence est assurée à la réception, ce qui est un bon point côté sécurité.

L'*Hotel Pasaje* (☎ 6-42-13), Mina 302, très apprécié des voyageurs, loue des simples/doubles petites mais nettes avec s.d.b. pour 7,75/11 $US. Un autre ensemble d'établissements bon marché se trouve dans Díaz Ordaz, à trois rues à l'ouest du zócalo. Attendez-vous toutefois à croiser quelques cafards. Le meilleur est l'*Hotel Vallarta* (☎ 6-49-67), Díaz Ordaz 309, qui propose des chambres avec bain à 11/12 $US et quelques places de parking. De l'autre côté de la rue, l'*Hotel Fortín* (☎ 6-27-15), n°312, comporte des simples à 6,50 $US et des doubles avec deux lits à 7,75 $US. L'*Hotel Lupita* (☎ 6-57-33), n°310, a des simples/doubles avec s.d.b. commune à 5,25/6,50 $US, et des doubles avec s.d.b. à 9,25 $US.

Au nord du zócalo. Dans la tranquille Colonia Jalatlaco, à 10 minutes à pied au sud de la gare routière 1re classe et à 20 minutes du centre, la *Casa de Huéspedes Arnel* (☎ 5-28-56), Aldama 404 à l'angle d'Hidalgo, est gérée par la famille Arnel ; accueillante pour les voyageurs à petit budget, elle est très appréciée, à juste titre. Les chambres, petites mais propres, sont réparties sur deux étages autour d'une grande cour aux allures de jungle où s'égaye un perroquet. Les simples/doubles/triples avec s.d.b. coûtent 12/15/19 $US, les simples/doubles avec s.d.b. commune, 5/12 $US. L'eau chaude fonctionne 24h/24, et une buanderie est mise à la disposition des clients. On peut prendre un petit déjeuner, ou un en-cas le soir. En outre, il est possible de réserver des billets de bus à destination de la côte.

La famille Arnel s'occupe également de la *Casa Miriam* (☎ 5-28-56), de l'autre côté de la rue, qui ressemble plus à un motel, avec des places de parking (1,30 $US par jour). Les quatre simples/doubles spacieuses avec bain valent 12/15 $US, mais on peut aussi louer des appartements avec cuisine à 380 $US et 450 $US par mois. Les chambres avec balcon de l'étage supérieur donnent sur la ravissante Iglesia San Matías Jalatlaco.

A quatre rues au nord du zócalo, l'accueillante *Posada Margarita*, (☎ 6-28-02), Plazuela Labastida 115, est une affaire familiale et offre une vue étonnante sur les tours de l'Iglesia de Santo Domingo. Les 19 chambres avec s.d.b. sont de taille variable, mais toutes sont d'une propreté irréprochable. Celles à l'étage sont plus claires. Comptez 11/12 $US.

L'*Hotel Reforma* (☎ 6-09-39), Reforma 102, où la moquette a été remplacée récemment, est assez confortable et dispose d'un coin salon sur le toit. Demandez à voir la chambre avant de vous engager – celles du dernier étage jouissent d'une belle vue. Une simple/double vous reviendra à 12/13 $US.

L'excentrique *Hotel Pombo* (☎ 6-26-73), Morelos 601, à une rue au nord de l'Alameda, fourmille de coins et de recoins et semble presque toujours disposer d'une chambre libre sur les 50 très inégales que compte l'établissement. Le confort est spartiate, mais les meilleurs chambres sont plutôt claires et spacieuses. Il vous en coûtera 7,25/8,50 $US une simple/double avec s.d.b., ou 4,75/6 $US avec s.d.b. commune. Ces dernières sont généralement plus vieilles, plus cloîtrées et quelquefois humides.

Où se loger – catégorie moyenne

Alentours du zócalo. L'*Hotel Marquès Del Valle* (☎ 6-36-77), sur le zócalo, Portal de Clavería (pas de numéro), possède des simples/doubles spacieuses et confortables, certaines avec une belle vue, à 37/39 $US. L'*Hotel Señorial* (☎ 6-39-33), sur le zócalo, Portal de Flores 6, comporte plus de 100 chambres ; les plus petites – et plus sombres – qui donnent sur l'intérieur coûtent 32/34 $US, les plus grandes – et plus aérées –, inondées de soleil, valent 37/39 $US. Celles qui se trouvent au dernier étage et bénéficient d'une terrasse commune sur le toit sont les plus agréables. Toutes sont d'une grande propreté et équipées de la TV. L'hôtel possède également un restaurant et une piscine.

L'*Hotel Las Rosas* (☎ 4-22-17), Trujano 112, offre un bon rapport qualité/prix. Les chambres propres, confortables avec ventilateur et s.d.b. sont réparties sur deux niveaux autour d'une cour agréable. Comptez 17/23 $US, et sachez que l'hôtel met à votre disposition une salle de télévision, une buanderie sur le toit, de l'eau minérale gratuite, ainsi que du thé et du café dans le hall. L'entrée se trouve en haut d'un escalier.

L'*Hostal Santa Rosa* (☎ 4-67-14), Trujano 201, propose 17 chambres propres et plaisantes avec TV couleur et s.d.b. à 19/24 $US, ainsi qu'un restaurant. Au n°212, les 27 chambres de l'*Hotel Méson del Rey* (☎ 6-00-33 ; fax 6-14-34) sont aussi propres et confortables. Une chambre moquettée avec TV, ventilateur et bain revient à 19/23 $US. L'*Hotel Francia* (☎ 6-48-11), 20 de Noviembre 212, est un peu sombre, ses chambres sont plutôt minuscules, mais l'établissement est impeccable et accueillant – et D.H. Lawrence y a séjourné. Les simples/doubles avec ventil. et s.d.b. sont à 16/20 $US.

L'*Hotel Antonio's* (☎ 6-72-27 ; fax 6-36-72), Independencia 601, possède 15 chambres claires, agréables et assez grandes à 21 $US les simples, et de 24 à 28 $US les doubles. Les meilleures sont celles situées au-dessus du restaurant dans la cour.

A l'*Hotel Real de Antequera* (☎ 6-46-35), Hidalgo 807, les chambres propres de taille moyenne, avec TV et ventil., sont aménagées au-dessus du café installé dans la cour. Le tout est recouvert d'un toit isolant qui protège de la chaleur. Les simples/doubles coûtent 16/18 $US.

L'*Hotel Trebol* (☎ 6-12-56), qui se cache pratiquement en face du Mercado Juárez, à l'angle de Las Casas et de Cabrera, a des chambres nettes et claires de taille moyenne, joliment meublées, disposées autour d'une cour moderne. Comptez 17/23 $US avec s.d.b.

Au nord du zócalo. L'excellent *Hotel Las Golondrinas* (☎ 4-32-98 ; fax 4-21-26), Tinoco y Palacios 411, se trouve à quatre rues et demie au nord et à deux rues à l'ouest du zócalo. Entretenu avec amour par des propriétaires et un personnel charmants, l'établissement est très apprécié par les Américains. Les 18 chambres ouvrent sur trois adorables petites cours parsemées de fleurs. C'est souvent complet, aussi est-il prudent de réserver. Aucune des chambres n'est vraiment spacieuse, mais toutes sont décorées avec goût et d'une

La cocina oaxaqueña

La bonne cuisine oaxaqueña est délicieusement épicée. Les spécialités de la région sont les suivantes :

Amarillo con pollo – poulet avec une sauce jaune au cumin et au piment.

Chapulines – sauterelles grillées, souvent avec de l'oignon et de l'ail ; riches en protéines et délicieuses avec un filet de citron.

Coloradito – porc ou poulet avec une sauce rouge au piment et à la tomate.

Mole Oaxaqueño ou *Mole negro* – sauce foncée faite de piments, de bananes, de chocolat, de poivre et de cannelle, généralement servie avec du poulet.

Picadillo – porc émincé épicé, souvent utilisé dans la farce des chiles rellenos.

Quesillo – fromage coulant d'Oaxaca.

Tamale oaxaqueño – tamale avec un mole oaxaqueño et (généralement) une farce au poulet.

Tasajó – tranche de bœuf

Tlayuda ou *tlalluda* – grande tortilla, traditionnellement couverte de *salsa* et de piments. Assaisonnée désormais avec à peu près n'importe quoi, elle tend à ressembler à une pizza

Verde con espinazo – longe de porc avec une sauce verte aux haricots, piments, persil et epazote (épinard sauvage). ■

propreté impeccable. Les simples valent 18 $US, les doubles entre 23 et 28 $US. De savoureux petits déjeuners sont servis de 8h à 10h.

Depuis longtemps l'une des adresses préférées des voyageurs pour ses chambres confortables à prix raisonnables, l'*Hotel Principal* (☎ 6-25-35), 5 de Mayo 208, est un vieil établissement bien tenu, qui offre des grandes chambres donnant sur une cour paisible et ensoleillée. Les doubles sont à 26 $US. Seules deux des 16 chambres sont louées en simple (23 $US), mais plusieurs fonctionnent en triple (35 $US). Les quelques chambres situées dans la cour arrière, moins attrayantes, sont plus petites.

La *Villa del Campo* (☎ 5-96-52), Alcalá 910, à un peu plus de dix rues au nord du zócalo, compense son éloignement en proposant des chambres agréables à prix raisonnables, un jardin, une piscine et un restaurant. Des suites sont également disponibles. Les 20 chambres "standard" avec s.d.b., ventil. et TV coûtent 17/21/24 $US en simple/double/triple.

Bien qu'installé dans une rue bruyante, l'*Hotel La Casona del Llano* (☎ 4-77-19), Juárez 701, à l'angle d'Humboldt, compte 28 chambres propres et modernes avec s.d.b., situées à l'écart de la route et donnant sur un grand jardin. Elles valent 27/34/40 $US. L'hôtel possède un restaurant.

Bed and Breakfasts. *Las Bugambilias* ((☎/fax 6-11-65) ; digitek@antequera.com) est un charmant B&B niché derrière le Café La Olla, Reforma 402, Cette superbe maison coloniale dispose d'un joli jardin et de quelques chambres au décor personnalisé avec s.d.b. carrelée, certaines avec terrasse ; il est également possible de louer un appartement. On vous demandera entre 11 et 25 $US pour une simple, et 30 $US pour une double (un peu plus en décembre, pendant la Semana Santa, et en juillet). Le petit déjeuner peut être adapté à toutes sortes de régimes ; le propriétaire s'intéresse à la diététique, aux thérapies traditionnelles et alternatives, ainsi qu'aux traditions et coutumes indiennes.

Un autre B&B très attrayant est installé dans la ravissante maison de l'accueillante famille *Valencia*, Pino Suárez 508. Il vous en coûtera 15 $US par personne, mais il n'existe qu'une seule simple. La maison se compose de 10 chambres, certaines avec s.d.b., les meilleures donnant sur le jardin central. Le petit déjeuner est servi autour d'une grande table dans la salle à manger familiale. Les propriétaires possèdent également deux appartements à proximité qu'ils louent 400 $US par mois.

Vous trouverez d'autres adresses de B&B dans les journaux *Oaxaca Times* et *Oaxaca*.

Appartements. La *Posada San Pablo* (☎ 6-49-14), Fiallo 102, faisait autrefois partie d'un monastère. Elle loue environ 20 chambres aux murs de pierre, propres mais un peu sombres, qui donnent sur une cour coloniale. Chacune est équipée d'une cuisinière, d'un réfrigérateur et d'une s.d.b. Les simples/doubles sont à 16/20 $US par jour, ou à 325/390 $US par mois.

Le *Parador Santo Domingo de Guzmán* (☎ 4-21-71 ; fax 4-10-19), Alcalá 804, à un peu plus de 8 pâtés de maisons au nord du zócalo, comporte des appartements modernes, spacieux, propres et bien meublés. Chacun se compose d'une chambre à deux grands lits, d'un salon, d'une s.d.b. et d'une cuisine équipée. Il est possible d'avoir recours à un service de type hôtelier (les draps sont changés tous les jours). La location se fait à la journée (38/42/46 $US en simple/double/triple) ou à la semaine (240/264/311 $US). Les prix diminuent en basse saison.

Si vous souhaitez louer un appartement ou une maison, consultez les petites annonces d'*Oaxaca Times* et d'*Oaxaca*, du quotidien de langue espagnole *Noticias* ainsi que les panneaux d'affichage de l'école de langues de l'Instituto Cultural Oaxaca et de la Biblioteca Circulante.

Où se loger – catégorie supérieure

L'*Hostal de La Noria* (☎ 4-78-44 ; fax 6-39-92), Hidalgo 918, trois rues à l'est du zócalo, est une demeure coloniale reconvertie récemment en un hôtel agréable de 43 chambres. Aménagé autour d'une cour ravissante, il mêle le charme de l'ancien au confort moderne, mais les chambres équipées de ventil. ne sont pas immenses, et les simples n'ont pas de vue. Les simples/doubles coûtent 54/61 $US, et plus en haute saison. L'établissement possède un restaurant et un bar.

L'*Hotel Calesa Real* (☎ 6-55-44), García Vigil 306, deux rues au nord de l'Alameda, est joliment carrelé et d'une propreté impeccable, mais la plupart des chambres dépourvues de fenêtres, avec ventil. et TV, sont petites pour les 40/50 $US demandés. Vous profiterez en revanche d'une petite piscine.

L'*Hotel Camino Real* (☎ 6-06-11 ; fax 6-07-32), 5 de Mayo 300, quatre rues au nord-est du zócalo, est le meilleur établissement de style colonial d'Oaxaca. Le monastère de Santa Catalina, du XVIe siècle, a été reconverti dans les années 70 pour créer cet hôtel. L'ancienne chapelle est désormais une salle de réception, une des cours abrite une superbe piscine et le bar est rempli de livres parlant d'une dévotion d'une autre époque. Les épais murs de pierre – certains encore recouverts de fresques d'origine – garantissent une délicieuse fraîcheur. Les 91 chambres joliment décorées commencent à 178 $US. Choisissez si possible une de celles qui se trouvent à l'étage, à l'écart du bruit de la rue et des cuisines.

D'autres hôtels haut de gamme sont situés dans la partie nord de la ville, assez loin du centre. Le moderne *Hotel Fortín Plaza* (☎ 5-77-77), Venus 118, juste après Calzada Niños Héroes de Chapultepec, offre une ambiance plaisante et feutrée dans un décor de céramique et de marbre. Les 100 chambres réparties sur six étages sont claires et assez spacieuses, et celles sur le devant ont vue sur la ville. La piscine est agréable. L'hôtel est fréquenté à la fois par des groupes et des voyageurs indépendants. Les simples/doubles reviennent à 51/57 $US.

L'*Hotel Misión de los Ángeles* (☎ 5-15-00 ; fax 5-16-80), Calzada Porfirio Díaz 102, au nord de Calzada Niños Héroes de Chapultepec, se compose de plus de 150 chambres vastes et confortables dans un jardin tropical, ainsi que des courts de tennis et une grande piscine. Comptez 54/67 $US.

L'*Hotel Victoria* (☎ 5-26-33 ; fax 5-24-11) s'élève au-dessus de la Calzada Niños Héroes de Chapultepec, au pied des versants du Cerro del Fortín. La plupart des grandes chambres et des suites surplombent la ville, et l'hôtel possède une piscine olympique au milieu d'immenses jardins. Le restaurant jouit d'une bonne réputation. Les doubles "standard" sont à 81 $US. L'hôtel est situé à 20 ou 30 minutes de marche du centre, mais une navette est mise à votre disposition.

Où se restaurer

De nouveaux établissements très différents ouvrent sans cesse, et Oaxaca peut même se vanter désormais de posséder quelques très bons cafés. La plupart des restaurants font figurer des spécialités régionales sur leur carte, mais deux d'entre eux s'y consacrent exclusivement : El Biche Pobre et La Casa de la Abuela (voir ci-dessous).

Marchés. Vous dégusterez de la cuisine oaxaqueña à bon prix au *Mercado 20 de Noviembre*, à deux rues au sud du zócalo. La plupart des petits comedores servent des spécialités locales, tel que le poulet au mole negro. Les prix étant rarement affichés, sachez qu'un plat coûte généralement 1,30 $US. Choisissez plutôt un comedor très fréquenté – ce sont souvent les meilleurs. Ils restent ouverts jusqu'en début de soirée, mais plus vous viendrez tôt, plus les produits seront frais. Il existe d'autres comedores dans le grand Central de Abastos (voir la rubrique *Achats*).

Zócalo. Tous les cafés et les restaurants installés sous les arcades du zócalo sont des endroits parfaits pour regarder vivre Oaxaca, mais la cuisine et le service varient considérablement d'un établissement à l'autre. Le *Café-Bar Del Jardín*, au coin sud-ouest, est un des préférés des Oaxaqueños, mais convient mieux pour prendre un verre que pour faire un repas. *La Cafetería*, côté nord, est plus récente et se spécialise dans les antojitos (de 2 à 3 $US), bien qu'on y serve aussi des petits déjeuners. *La Primavera* est un nouveau restaurant assez bon qui propose quelques plats végétariens, comme les quesadillas complètes aux épinards et au fromage (2,50 $US) ou des tortas complètes.

Le *Restaurant El Marquès*, côté nord du zocalo, prépare des petits déjeuners aussi savoureux qu'exotiques, comme les potosinos (1,90 $US) – œufs brouillés avec oignons, piments et tomates enveloppés dans une tortilla nappée d'une sauce mole rouge, le tout baignant dans une sauce mole noire.

Le *Terranova Café*, côté est, l'un des meilleurs de la place, sert des plats pleins d'imagination : des tourtes chaudes aux poires (1,70 $US), des omelettes huitlacoche (2,25 $US), mais aussi des pizzas et divers plats de viande ou de poulet (entre 3,25 et 6,50 $US).

El Asdor Vasco (☎ 4-47-55), au-dessus du Café-Bar Del Jardín, propose une cuisine excellente, mais assez chère, d'inspiration espagnole, mexicaine et internationale. A l'heure du dîner, des musiciens viennent jouer la sérénade et demandent un pourboire. La plupart des plats s'échelonnent entre 5 et 9 $US, steaks et brochettes représentant les meilleurs choix. Si vous voulez une table donnant sur le zócalo, pensez à réserver en début de journée.

La Casa de la Abuela (☎ 6-35-44), en étage, à l'angle nord-ouest de la place, prépare l'une des meilleures cuisines régionales de la ville. La parrillada oaxaqueña, assortiment de grillades à la mode d'Oaxaca, se compose de six plats pour 7,75 $US. Les délicieux chiles rellenos de picadillo (4 $US), servis avec du guacamole et des frijoles, constituent à eux seuls un petit repas. L'établissement est ouvert tous les jours de 13h à 18h30, sauf le vendredi.

El Mesón, Hidalgo 805, au coin du zócalo, sert des plats mexicains alléchants, souvent grillés au charbon de bois, sur des fourneaux installés au centre du restaurant. Tacos et quesadillas sont les spécialités, de 1,20 à 2,50 $US la portion de deux ou trois. Les tacos alambre et les tacos rajas con queso (aux haricots avec du fromage) sont tous les deux un régal.

A l'ouest du zócalo. Le *Café Alex*, propre et animé, Díaz Ordaz 218, mérite l'effort pour le trouver, ne serait-ce que pour ses savoureux petits déjeuners servis tous les jours de 7h à 12h, et ses abordables déjeuners ou dîners servis tous les jours jusqu'à 21h, sauf le dimanche. Le petit déjeuner à 2 $US comporte une omelette aux pommes de terre, au jambon, au fromage ou au bacon avec des frijoles, des tortillas, un jus de fruit et un café. Les portions sont généreuses. La clientèle qui se presse ici se compose généralement de Mexicains et de gringos, et le service est rapide.

Un bon endroit où l'on déjeune à bon marché à partir de 13h30 est le *Restaurant Colonial*, 20 de Noviembre, au sud d'Independencia. Les habitués occupent la dizaine de tables pour déguster la comida corrida à 2 $US. Cette dernière comprend une soupe, un plat de riz, un plat principal – pollo a la naranja (poulet à l'orange) ou costillitas de res (côtes de bœuf) – et de l'agua de fruta. La *Cafetería Restaurant Gyros Makedonia*, 20 de Noviembre 225, est tenu par un Américain d'origine grecque et propose de la bonne cuisine grecque : spanakopita (tourte aux épinards et au fromage), sandwiches pita, omelettes, et autres délices – tout vaut entre 1 et 1,50 $US.

Le *Restaurant Flami*, Trujano 301, endroit vaste et animé, fréquenté principalement par des Mexicains, prépare une bonne comida corrida pour les carnivores – soupe, riz, trois plats de viande au choix, agua de fruta et café ou dessert – au prix de 2,25 $US. Le *Restaurant Montebello*, à l'étage, juste à côté, propose une comida similaire, la boisson en moins, pour

1,60 $US. On y sert aussi des petits déjeuners bon marché.

Au sud et à l'est du zócalo. Le restaurant *Doña Elpidia*, Cabrera 413, à cinq rues de la place, existe depuis longtemps et sert une comida corrida aussi fameuse que copieuse. Il n'est ouvert qu'à l'heure du déjeuner et n'est indiqué que par un panneau "Restaurant" un peu miteux. Mais, une fois à l'intérieur, vous découvrirez une grande cour verdoyante égayée par le chant des oiseaux. Le repas de six plats, à 4 $US, commence généralement par une botana (hors d'œuvre façon Oaxaca), suivie d'une soupe, de riz, de deux plats de viande au choix (plats végétariens à la demande) et d'un dessert.

Le *Restaurant Del Vitral* (☎ 6-31-24), Guerrero 201, l'un des plus élégants d'Oaxaca, est installé à l'étage d'une imposante demeure. Le personnel est efficace, et la cuisine pourrait se définir comme "une rencontre entre l'Oaxaca et l'Europe". Vous pourrez commencer par les sauterelles au citron, puis continuer par le savoureux steak flambé à la moutarde. Un dîner de deux plats sans boisson vous reviendra de 10 à 15 $US. Le Del Vitral est ouvert tous les jours de 13h à 23h30.

Au nord du zócalo. Les adresses suivantes sont données en remontant approximativement du sud vers le nord.

El Sagrario, Valdivieso 120, à quelques dizaines de mètres de la place, est une pizzeria/restaurant/bar où l'on sert de la nourriture mexicaine, italienne et internationale. Les plats principaux coûtent environ 5 $US, mais un buffet à volonté, à 5,25 $US, est dressé tous les jours de 13h à 17h.

Quicklys, Alcalá 101, à une rue et demie du zócalo, est une bonne adresse pour prendre un repas sans surprise et bon marché. Les parrilladas – légumes et riz nappés de fromage fondu, servis avec des tortillas et du guacamole – vous rassasieront pour 2,75 $US à 3,50 $US. Certaines contiennent aussi de la viande. Et vous pourrez déguster divers hamburgers (y compris végétariens) avec des frites à partir de 2 $US. Le menú del día est sans grand intérêt.

La *Cafetería Bamby*, García Vigil 205, à un peu plus de deux rues au nord du zócalo, est d'une clarté et d'une propreté éblouissantes. Ouverte tous les jours sauf le dimanche de 8h à 22h, on y sert de copieuses portions d'une cuisine sans originalité mais correcte – salades à 1,90 $US, spaghetti à 2,50 $US, poulet ou viande autour de 3,75 $US. Si la soupe de carotte est au menu, goûtez-la. La comida corrida vaut ici 3 $US.

A nouveau dans Alcalá, le restaurant dans la cour du *Museo de Arte Contemporáneo* propose une savoureuse comida (2,50 $US) dans un cadre très reposant. *El Topil*, sur la Plazuela Labastida, sert des plats "comme à la maison". Le tasajó avec guacamole et légumes (4 $US) est l'une des spécialités, mais vous pourrez aussi commander différentes soupes – le garbanzo (soupe de pois chiche, 1,90 $US) est délicieux – et de bons antojitos.

Si vous voulez faire un petit déjeuner somptueux, le buffet à volonté de l'*Hotel Camino Real*, 5 de Mayo 300, vous reviendra à 9,25 $US.

El Sol y La Luna, Bravo 109, se compose de trois ou quatre petites salles décorées de peintures et de photos d'art, où des groupes de musiciens viennent jouer pratiquement chaque soir (voir la rubrique *Où sortir*). De 18h à 1h du matin, vous pourrez savourer de bonnes salades (2,75 $US), des pâtes et des pizzas (de 3,25 à 4,75 $US), du poulet (4,75 $US) et des steaks ou des brochetas (6,50 $US).

L'*Hostería de Alcalá*, à l'angle d'Alcalá et de la Plazuela Labastida, est l'un des restaurants les plus élégants, où se presse une foule d'habitués dès le milieu de l'après-midi. Attendez-vous à débourser 6,25 $US pour un plato oaxaqueño, 4 $US pour des pâtes et 7,25 $US pour un plat de bœuf.

A une rue au nord, la *Pizzería Alfredo da Roma*, Alcalá 400, en-dessous de l'Iglesia Santo Domingo, sert une cuisine italienne plutôt correcte. Les pâtes coûtent aux alentours de 3,50 $US, et les pizzas (20 assortiments au choix) existent dans cinq tailles ; celles pour deux personnes valent environ 4,75 $US. Vous pourrez arroser le tout de vin ou de sangría.

Los Pacos, dans Gurrión, offre un heureux mélange de cuisine régionale et internationale à des prix élevés. Le service, aimable, s'effectue dans deux agréables patios, dont l'un débouche sur une galerie d'art contemporain. Comptez entre 4 et 7 $US pour les plats principaux, servis généreusement.

Si vous passez près de Santo Domingo entre 13h et 18h, faites une pause au *Candela*, Allende 211, La carte succincte propose des plats mexicains et végétariens, tous délicieux, à environ 3,25 $US, que vous pourrez emporter ou déguster sur place. Le menú del día à 2,50 $US est très bon également. On croise ici quelques personnalités excentriques à l'heure du déjeuner. Le soir, lorsque le Candela se transforme en salle de spectacles musicaux, la qualité de la nourriture baisse considérablement.

El Biche Pobre, Calzada de la República 600, à 1,5 km au nord-est du zócalo, est spécialisé dans la cuisine régionale. Ouvert tous les jours de 13h30 à 18h30, ce restaurant convivial dispose d'une douzaine de tables, certaines pouvant réunir une famille mexicaine au grand complet. Si vous désirez vous initier à la cuisine oaxaqueña, le mieux est de commander la botana surtida (assortiments d'en-cas) à 3,50 $US. Cela vous permettra de goûter une douzaine de petits plats savoureux qui constituent un vrai repas.

Végétariens. Nombre de restaurants proposent des plats végétariens, mais les adresses suivantes, toutes situées au nord du zócalo, en servent plus que la plupart.

Le *Café La Olla*, Reforma 402 (en face de Las Bugambilias), conviendra parfaitement aux végétariens et amateurs de plats complets, bien qu'il serve aussi de la viande et des plats régionaux. Vous trouverez ici de bonnes tortas à la farine complète (1,30 $US), des salades et des pâtes (de 2,25 à 3,75 $US), ainsi que de la viande et du poulet (entre 3,25 $US et 4,75 $US). Tout est délicieux. L'établissement est ouvert tous les jours de 8h à 22h. La comida corrida (3,25 $US) est très nourrissante.

Le *Restauran Flor de Loto*, Morelos 509, s'efforce de satisfaire le palais de tous les gringos, végétariens ou carnivores. Les crepas de espinacas (crêpes aux épinards) ou les verduras al gratin (gratin de légumes), qui valent 2,50 $US, sont un régal. La comida corrida à 2,75 $US existe en version végétarienne et constitue un vrai repas.

Le *Restaurant Manantial Vegeteriano*, Tinico y Palacio 303, nouveau bienvenu dans le genre, est ouvert tous les jours de 9h à 22h et dispose de tables en plein air. Vous pourrez commencer la journée par un grand choix de petits déjeuners (de 1,10 à 2,25 $US), servis jusqu'à midi. De 13h à 18h, le menú del día – une salade, une soupe, un plat principal, un dessert et une boisson chaude – est proposé au prix de 2,75 $US. Et le repas du soir, à partir de 19h, se compose de crêpes salées ou sucrées, ou de spaghetti accompagnés d'un assortiment de sauces, chaque plat valant 2,25 $US.

Maisons du café et boulangeries. Vous en avez assez de boire du café sans aucun goût ? Dans les deux succursales de *Coffee Beans*, 5 de Mayo 114 et 400C, vous pourrez déguster une large sélection de vrais cafés, y compris des variétés locales biologiques, ainsi que des gâteaux et des en-cas. Un café noir coûte 0,70 $US, et un cappuccino, 1,30 $US.

La *Panificadora La Luna*, Independencia 1105, à l'est du zócalo, est l'une des meilleures boulangeries de la ville. On trouve différentes sortes de pan integral aussi bien que des croissants.

La boulangerie *Bamby*, à l'angle de García Vigil et de Morelos, est très pratique pour acheter des bolillos, du pan integral ou des pâtisseries.

Où sortir

Grâce à sa population estudiantine et touristique, Oaxaca jouit d'une vie culturelle et nocturne très animée. Le programme des réjouissances le plus complet est donné par le mensuel *Guía Cultural*, publié en espagnol et en anglais par l'Instituto Oaxaqueña de las Culturas, Reforma 501. Vous pouvez vous le procurer (0,70 $US) à La Casa de Don Porfirio (voir *Bars et cafés* ci-dessous) et à La Mano Mágica, Alcalá 203.

Musique. Des concerts gratuits – donnés par l'orchestre de marimba de l'État – ont lieu tous les dimanches à midi, et du lundi au vendredi à 19h, sur le zócalo.

Au nord de la place, le *Restaurant El Marquès* accueille un groupe latino-américain chaque soir de 21h à 24h.

Le *Terranova Café*, à l'est de la place, propose du jazz, du classique ou des orchestres de mariachi. Tout proche, le *Segrario*, Valdivieso 120, reçoit de bons groupes latino-américains dans son bar en sous-sol. Aucun prix d'entrée n'est exigé, mais vous devez consommer pour un minimum de 5,25 $US (en buvant ou en dînant).

Une des meilleures adresses d'Oaxaca, *El Sol y La Luna*, est installée Bravo 109. Différents groupes ou musiciens viennent jouer presque tous les soirs à partir de 20h ou 21h jusque tard dans la nuit. Passez consulter le programme. L'entrée coûte 2,75 $US pour s'asseoir dans le patio central d'où l'on voit les musiciens. On y mange bien, et l'endroit possède aussi un bar.

Le *Candela*, Allende 211, accueille des groupes du mardi au samedi de 22h à 2h du matin – surtout des formations latino-américaines, parfois soutenues par un groupe de rock. L'entrée est à 2,75 $US. Il est fréquenté par des habitués et des étrangers, surtout des étudiants, et l'animation est à son comble le vendredi et le samedi. Arrivez tôt pour obtenir une table.

Los Tres Patios, Cosijopí 208, à trois rues au nord du Candela, est un endroit décontracté où passe de la musique latino-américaine tous les soirs (sauf le lundi), de 23h à 2h du matin. On peut aussi danser, et l'entrée coûte 2 $US. Il est possible de commander des en-cas ou un repas léger.

Spectacles de danse. Si vous n'avez pas la chance d'être à Oaxaca au moment de la Guelaguetza, vous pourrez vous consoler en allant voir la mini-Guelaguetza présentée tous les soirs à partir de 20h30 à la *Casa Cantera* (☎ 4-75-85), Murguía 102. Diverses danses de l'Oaxaca sont interprétées en costumes chamarrés au son d'une musique entraînante. L'entrée coûte 5,25 $US, et l'on peut prendre un verre ou se restaurer. Pour réserver des places, téléphonez ou passez dans l'après-midi.

Autre possibilité, le spectacle de *danzas folklóricas* d'une heure et demie qui se déroule chaque soir à partir de 20h30 à l'*Hotel Monte Albán*, Alameda de León 1 (5,25 $US). Une autre "Guelaguetza" a lieu le mercredi et le vendredi soirs, avec dîner-buffet compris, dans le luxueux *Hotel Camino Real*, 5 de Mayo 300.

Bars et cafés. Le *Pase Aste*, dans Gurrión en face de Santo Domingo, est un bar d'étudiants agréable qui sert du mezcal de San Lorenzo Albarradas (près de Mitla) – réputé comme étant le meilleur de l'Oaxaca – à 0,70 $US le verre. La *Casa del Mezcal*, un des plus vieux bars de la ville, dans Cabrera, à un peu plus de deux rues au sud du zócalo, propose également un bon mezcal – 0,70 $US l'ordinaire, 1 $US l'*especial*. L'endroit est plutôt du style cantina ; le personnel assure que les femmes peuvent venir là sans problème, mais la clientèle est essentiellement masculine.

La Casa de Don Porfirio, Porfirio Díaz 208, est un café-librairie style bohème, très animé jusque tard dans la soirée. L'établissement est ouvert tous les jours de 15h à 23h ou 24h. Les en-cas sont un peu chers, mais vous pouvez vous contenter d'un verre.

Tout proche, le *Bar Hipótesis*, Morelos 511A, attire une foule de noctambules, mi-artiste mi-bohème. Il est ouvert du lundi au samedi jusqu'à 2h du matin. Les deux étages sont remplis de tables serrées. Il arrive que quelqu'un se mette au piano ou sorte sa guitare. La sélection d'en-cas coûte en moyenne 1,50 $US.

Discothèques. Les meilleures discothèques d'Oaxaca sont celles installées dans les hôtels de luxe dans la partie nord de la ville.

Le *Tequila Rock*, à l'Hotel Misión de los Ángeles, est une des plus en vogue, et le *Victoria*, dans l'Hotel Victoria, offre une belle vue depuis le bar. Ces deux discothèques sont généralement ouvertes du mardi au samedi, de 22h environ jusqu'à 2h du matin. L'entrée coûte 5 $US le vendredi et le samedi, moins cher les autres soirs (pour les adresses, reportez-vous à la rubrique *Où se loger*). L'*Eclipse*, Porfirio Díaz 219, est plus proche du centre et ouvre du jeudi au dimanche à partir de 22h (entrée : 2,75 $US).

Divers. Le *Videocine MACO*, au Museo de Arte Contemporáneo, Alcalá 202, projette gratuitement des films mexicains et étrangers, généralement du vendredi au dimanche à 18h. Vous trouverez le programme à la librairie du musée.

Oaxaca est également une ville où fleurit l'improvisation : des expositions d'art, d'artisanat ou de photos ainsi que des spectacles de rue de théâtre, de danse ou de musique et des rencontres peuvent se dérouler à n'importe quel moment, n'importe où.

Achats

L'État d'Oaxaca est l'un des plus riches et des plus inventifs du Mexique en ce qui concerne l'art populaire, et la ville est la plaque tournante de l'artisanat régional. Les plus beaux objets se trouvent généralement dans les boutiques, mais les prix sont moins élevés sur les marchés. L'artisanat n'est pas forcément plus cher à Oaxaca que dans les villages où il est fabriqué, mais si vous faites vos achats en ville (surtout dans une boutique), sachez que la plus grande partie du bénéfice ira à un intermédiaire, ne laissant parfois quasiment rien à l'artisan. Certains artisans se sont regroupés afin de vendre directement leurs propres produits : la MARO (voir *Boutiques*) est une entreprise de ce type, tout comme l'AMAO, qui rassemble 140 femmes originaires de quatre villages de l'Oaxaca et dont les textiles portent le label Zenzonti.

Bien que les méthodes de fabrication traditionnelle soient conservées, de nouvelles techniques sont développées pour répondre à la demande internationale. Les animaux en bois peints de couleurs vives, les *alebrijes*, ne sont apparus que ces dernières années et ont été créés à partir des jouets que les habitants de l'Oaxaca sculptent pour leurs enfants depuis des siècles.

Les objets artisanaux locaux sont la poterie noire, propre au village de San Bartolo Coyotepec ; les couvertures et tapis de Teotitlán del Valle ; les huipiles et autres vêtements indiens de toutes les contrées de l'Oaxaca (ceux de Yalalag et des Indiens Triquis et Amuzgos figurent parmi les plus jolis) et les objets, en fer blanc repoussé colorés d'Oaxaca même, très prisés depuis qu'un artisan en a fait des décorations de Noël.

Les tapis aux couleurs mates sont moins susceptibles d'avoir été fabriqués à l'aide de teintures synthétiques que ceux arborant des couleurs plus criardes. Pour vous assurer de la qualité d'un tapis ou d'une couverture, vous pouvez :

- essayer d'écarter délicatement les fibres pour vérifier que le tissage est bien serré
- le frotter avec vos doigts ou votre paume pendant environ 15 secondes : si une boule se forme, c'est que la qualité est médiocre
- le froisser un peu dans votre main, puis l'étaler sur le sol – si le tapis est de bonne qualité, les plis disparaissent

En bijouterie, Oaxaca se spécialise dans la fabrication de boucles d'oreilles – copies des trésors mixtèques de Monte Albán (comptez environ 600 $US pour les plus belles) – mais aussi dans la vente de bijoux en argent incrustés de pierres précieuses. Les meilleures boutiques se trouvent sur Alcalá – les prix sont un peu plus élevés qu'à Mexico ou à Taxco. Sur les marchés, vous pouvez acheter du cuir, des chapeaux, des tissus, des chaussures et des vêtements, pas toujours de fabrication locale.

Marchés. Le grand marché, ou Central de Abastos (Centre d'approvisionnement), est installé à l'ouest de la ville, sur le Periférico, près de la gare routière de 2e classe. Le samedi est le jour le plus animé. Une vingtaine de vendeurs de paniers sont regroupés à un endroit, quelques dizaines d'échoppes de poterie à un autre. Le soin apporté à la présentation de la nourriture, et surtout des légumes, peut concurrencer n'importe quelle vitrine.

Plus près du centre-ville, le marché couvert Juárez, au sud-est du zócalo, est principalement alimentaire (plus cher que le Central de Abastos), mais on y trouve aussi des fleurs.

Le marché 20 de Noviembre, une rue plus loin en direction du sud, abrite essentiellement des comedores mais le côté ouest compte quelques échoppes d'artisanat. Le Mercado de Artesanías, à l'angle de Zaragoza et J. P. García, une rue au sud-ouest du marché 20 de Noviembre, attire peu de clients car il se tient à l'écart des artères passantes. Là, sont surtout proposés des couvertures et autres textiles.

Deux marchés artisanaux, plus petits, se tiennent chaque jour sur plusieurs places, à proximité d'Alcalá. Sur la Plazuela Labastida, vous trouverez des bijoux, des animaux sculptés et des ceintures de cuir et vous pourrez voir des artisans au travail. La Plazuela del Carmen Alto est consacrée aux tissages, broderies, couvertures et autres textiles. Vous pourrez y voir des femmes triquis tisser.

Boutiques. La boutique située près de l'office du tourisme dans Independencia propose une bonne sélection d'artisanat de l'Oaxaca à des prix raisonnables. Intéressante également, la Mujeres Artisanas de las Regiones de Oaxaca (MARO, Femmes artisans des régions de l'Oaxaca), 5 de Mayo 204, est un immense magasin géré par une coopérative qui a pour but de préserver l'artisanat traditionnel, et vous en verrez là de multiples exemples, notamment quelques pièces de textiles impressionnantes.

On trouve des articles d'excellente qualité dans les boutiques élégantes d'Alcalá et des environs. Artesanías de El Patrón, Alcalá 104, vend de beaux objets d'artisanat de l'Oaxaca et d'ailleurs, principalement de la poterie et des textiles.

Parmi les autres magasins intéressants – ouverts, pour la plupart, tous les jours sauf le dimanche – figure celui qui est géré par le gouvernement d'État, Fonart, García Vigil 513 (aluminium embouti et poteries originales de Josefina Aguilar d'Ocotlán). Visitez aussi La Mano Mágica, Alcalá 203 (tapis et art contemporain) et El Cactus, Alcalá 401 (couvertures et tapis).

Plusieurs boutiques de luxe vendant de beaux objets d'artisanat, des bijoux et des vêtements de créateurs sont installées dans 5 de Mayo, en face de l'Hotel Camino Real, et sur la Plaza Alcalá, à l'angle d'Alcalá et de Bravo. La boutique Aripo, García Vigil 809, gérée par le gouvernement d'État, comporte plusieurs salles consacrées à l'artisanat – nappes, vêtements, poterie, aluminium, travail sur bois et autres – le tout de très grande qualité. Des tisserands travaillent sur des métiers dans une arrière-salle. La boutique est ouverte en semaine de 9h à 19h, ainsi que le samedi matin.

La région d'Oaxaca est l'une des principales zones de brassage de mezcal du Mexique. Plusieurs boutiques au sud-ouest du zócalo sont spécialisées dans la vente du mezcal, présenté dans divers récipients étranges. Essayez Mezcal Perla del Valle et El Rey de Mezcales, dans Aldama, entre J. P. García et Díaz Ordaz.

Comment s'y rendre

Avion. Mexicana et Aeroméxico assurent conjointement des liaisons directes depuis/vers Mexico avec au moins cinq vols quotidiens (1 heure, 75 $US). Aviasca propose un vol quotidien depuis/vers Tuxtla Gutiérrez, au Chiapas (avec des correspondances pour Tapachula). Aerocaribe dessert Acapulco tous les jours et effectue plusieurs liaisons quotidiennes depuis/vers Tuxtla Gutiérrez, avant de poursuivre sur différentes destinations : Villahermosa, Mérida et Cancún (deux fois par jour ou plus), Palenque et Veracruz (trois fois par semaine). Le tarif jusqu'à Mérida est d'environ 150 $US.

Trois compagnies au moins effectuent le spectaculaire trajet d'une demi-heure au-dessus de la Sierra Madre del Sur depuis/vers la côte de l'Oaxaca (environ 45 $US). Aerocaribe assure au moins un vol par jour depuis/vers Bahías de Huatulco ; les petits avions d'Aeromorelos desservent quotidiennement Bahías de Huatulco et Puerto Escondido ; et un avion à cinq places d'Aerovega part tous les jours depuis/vers Puerto Escondido.

Parmi les compagnies aériennes représentées à Oaxaca, citons : Aerocaribe (☎ 6-02-66) et Mexicana (☎ 6-84-14), toutes deux Fiallo 102 ; Aeroméxico (tél 6-37-65), Hidalgo 513 ; Aeromorelos (☎ 6-09-74), Alcalá 501B ; Aerovega (☎ 6-27-77), Hotel Monte Albán, Alameda de León 1 ; Aviacsa (☎ 3-18-09), Hotel Misión de los Ángeles, Calzada Porfirio Díaz 102.

Bus. L'ouverture récente de l'autoroute 135D en direction du nord a réduit la durée du trajet depuis Mexico et Puebla d'au moins deux heures et demie. L'autoroute emprunte un itinéraire spectaculaire à travers les montagnes, mais défigure le paysage à certains endroits.

La principale gare routière 1re classe, utilisée par tous les bus UNO (deluxe), ADO et Cristóbal Colón (deluxe ou 1re classe), se trouve Calzada Niños Héroes de Chapultepec 1036, à 1,5 km au nord-est du zócalo. La principale gare 2e classe – assaillie par des centaines de voyageurs, desservie par de nombreuses compagnies de bus et réputée pour attirer voleurs et pickpockets – est située à environ 1 km à l'ouest du zócalo en empruntant Trujano ou Las Casas. Les principales compagnies de bus longue distance partant d'ici sont EV/OP, FYPSA et TOI. Les bus mentionnés ci-dessous partent de ces deux gares routières principales, sauf indication particulière.

Il est conseillé de réserver un jour ou deux à l'avance pour certaines destinations moins bien desservies, comme San Cristóbal de Las Casas, ou pour prendre les meilleurs bus reliant la côte. Les compagnies Cristóbal Colón, ADO et Sur disposent d'un bureau de réservation dans le centre-ville, 20 de Noviembre 204A, ouvert du lundi au samedi de 9h à 14h et de 16h à 19h, ainsi que le dimanche de 9h à 15h.

La côte. Vous avez le choix entre les bus 2e classe, qui empruntent la route directe par la nationale 175, et les bus 1re classe Colón, qui prennent une route plus longue *via* Salina Cruz.

Par la nationale 175, EV/OP fait partir des *directos* à 9h30 et à 22h30 à destination de Pochutla (245 km, 6 heures, 6 $US) et de Puerto Escondido (310 km, 7 heures, 8,75 $US), depuis la gare routière située Armenta y López 721, à 500 mètres au sud du zócalo. Vous pouvez acheter des billets à l'agence de voyage Centroamericana de Viajes, sur la place.

Un directo des Transportes Aragal part à 22h30 (Pochutla 6 $US, Puerto Escondido 7,25 $US ; achat des billets à l'Hotel Trebol). Il existe aussi de nombreux *ordinarios* EV/OP pour Pochutla (5,75 $US) et Puerto Escondido (7,50 $US), et cinq pour Bahias de Huatulco (275 km, 7 heures, 8,50 $US) au départ de la gare 2e classe. Prenez garde à vos bagages en prenant les bus 2e classe desservant la côte – des voyageurs ont perdu des affaires lors des cohues précédant la montée dans les bus.

Les deux ou trois bus quotidiens Colón mettent 7 heures 30 jusqu'à Bahías de Huatulco (de 12 à 15 $US), 8 heures 30 jusqu'à Pochutla (14 $US) et 10 heures jusqu'à Puerto Escondido (16 $US).

Autres destinations. Les renseignements concernant les bus pour les Valles Centrales, la Mixteca et le Nord de l'État d'Oaxaca sont fournis dans les rubriques correspondantes. Parmi les autres destinations au départ d'Oaxaca, citons :

- Mexico (la plupart au TAPO, quelques-uns au Terminal Sur ou au Terminal Norte) – 442 km, 6 heures 30 ; huit UNO (28 $US) ; vingt-deux ADO et onze Colón (de 17 $US à 20 $US) ; trois Sur 2e classe au départ de la gare routière 1re classe, empruntant une route plus longue et amenant le trajet à 9 heures (13 $US) ; treize FYPSA (15 $US ; et 14 $US par une route plus longue)
- Puebla – 320 km, 4 heures 30 ; un UNO (20 $US) ; sept ADO et cinq Colón (de 13 à 15 $US) ; dix FYPSA (11 $US)
- San Cristóbal de Las Casas – 630 km, 12 heures ; deux Colón (18 $US ou 21 $US)
- Tehuantepec – 260 km, 4 heures 30 ; dix Colón (7,25 ou 8,75 $US) ; nombreux FYPSA et TOI (6,25 $US tous les deux)
- Tuxtla Gutiérrez – 550 km, 10 heures ; trois Colón (de 16 à 19 $US) ; cinq FYPSA et cinq TOI (13 $US)
- Veracruz – 460 km, 7 heures ; un Colón (19 $US) ; deux ADO (17 $US) ; deux Cuenca 2e classe au départ de la gare routière 1re classe (10 $US)
- Villahermosa – 700 km, 12 heures ; trois ADO (23 $US)

Train. *El Oaxaqueño* est un moyen tout à fait envisageable pour voyager depuis/vers Mexico ou Puebla, à condition d'accepter de se passer de couchette ou de voiture-restaurant. Le train est certes beaucoup plus lent que le bus, mais il traverse de somptueux paysages. Pour les horaires et les tarifs, reportez-vous à la rubrique *Comment s'y rendre* dans le chapitre consacré à *Mexico*. Ce train arrive souvent avec trois ou quatre heures de retard, ce qui signifie que, si vous allez vers le sud, c'est en plein jour que vous gravirez l'impressionnante Sierra Madre de Oaxaca ; et en remontant vers le nord, vous pourrez admirer une série de volcans à l'approche de la capitale. Les billets sont en vente à la gare d'Oaxaca de 6h30 à 11h et de 15h30 à 19h, tous les jours. La gare ferroviaire se trouve Calzada Madero 511, à environ 2 km à l'ouest du zócalo.

Voiture et moto. Pour les voitures, les péages de Mexico à Oaxaca sur les autoroutes 150D et 135D atteignent un total de 23 $US (15 $US depuis Puebla) ; le trajet dure environ 6 heures. Curieusement, l'autoroute 135D est rebaptisée 131D sur certains tronçons. Emprunter la nationale 190, l'autre route principale sans péage, *via* Izúcar de Matamoros et Huajuapan de León, rallonge le trajet de plusieurs heures.

Location de voitures. Les agences demandent généralement 40 $US par jour pour une berline Volkswagen, assurance comprise et kilométrage illimité, mais Herz est légèrement plus cher. Celles qui ont des bureaux à l'aéroport proposent parfois des offres spéciales. Arrendadora Express loue également des motos.

Arrendadora Express
 20 de Noviembre 204A (☎ 6-67-76)
Budget
 5 de Mayo 315A (☎ 6-44-45)
 Aéroport (☎ 1-52-52)
Hertz
 Portal de Clavería, dans Valdivieso, près du zócalo (☎ 6-24-34)
 Hotel Camino Royal, 5 de Mayo 300 (☎ 6-00-09)
 Aéroport (☎ 1-54-78)

Parking. Si votre hôtel ne dispose pas d'un parking, il est plus sûr de laisser votre véhicule la nuit dans un parking gardé. Estacionamiento Trujano, dans Trujano, à un peu plus d'une rue à l'ouest du zócalo, est ouvert tous les jours de 6h à 23h. Le tarif pour une nuit jusqu'à 7h du matin est de 2,50 $US.

Comment circuler

Desserte de l'aéroport. L'aéroport d'Oaxaca est situé à 6 km environ au sud de la ville, près de la nationale 175. Les minibus colectivos de Transportación Terrestre vous emmèneront de l'aéroport jusqu'à l'endroit de votre choix dans le centre-ville pour 1,30 $US. Un taxi revient à environ 5 $US. Vous pouvez aussi faire à pied les 500 mètres qui mènent à la route principale et prendre l'un des bus qui passent fréquemment.

Pour aller de la ville à l'aéroport, la réservation auprès de Transportacion Terrestre (☎ 4-43-50), Alameda de León 1G, à côté de l'Hotel Monte Albán, peut se faire par téléphone ou en passant à leur bureau – ouvert du lundi au samedi de 9h à 14h et de 17h à 20h.

Les bus municipaux indiquant "Aeropuerto" ou "Raya" vont à l'aéroport ou s'arrêtent à quelques minutes de marche le long de la route principale (0,20 $US). Pour aller vers le sud, vous pouvez les prendre dans JP Garcia, au sud de Trujano, mais soyez prêt à attendre une demi-heure avant d'en voir arriver un.

Transports urbains. La plupart des sites importants de la ville sont à une courte distance à pied les uns des autres, mais peut-être préférerez-vous utiliser un bus depuis/vers la gare routière ou la gare ferroviaire.

Les bus municipaux coûtent 0,20 $US. De la gare routière 1re classe, un bus Tinoco y Palacios, roulant vers la gauche (l'ouest) en sortant de la gare, vous emmènera à Tinoco y Palacios, à deux rues à l'ouest du zócalo. Pour retourner à la gare routière, vous pouvez attraper un bus ADO allant vers le nord en direction de Crespo.

Les bus qui relient la gare routière 2e classe et le centre-ville avançant lentement dans des rues embouteillées, il est souvent tout aussi rapide de marcher. Les bus Centro partant devant la gare desservent le centre-ville en passant par Trujano. Pour aller dans le sens inverse, prenez un bus Central roulant vers l'ouest dans Mina. De la gare ferroviaire jusqu'au centre, montez dans un bus Centro ou Independencia.

Taxi. Un trajet dans le centre-ville, ou jusqu'aux gares routière et ferroviaire, coûte 1,30 $US.

Vélos. Les Bicicletas Bravo, Bravo 214, loue des vélos de ville (de 3 $US à 4 $US la journée), ainsi que des VTT mexicains costauds pour faire des balades en dehors de la ville. A 6,50 $US la journée, le tarif comprend des cartes, un casque, une pompe, de l'eau, un cadenas, une chaîne et un kit de crevaison. Des randonnées à VTT avec guide sont également organisées (voir la rubrique *Visites organisées*). Arrendadora Express (voir la rubrique *Voiture et moto*) loue des vélos à 1,30 $US l'heure ou 6 $US la journée.

Valles Centrales

Trois vallées convergent à Oaxaca : le Valle de Tlacolula s'étire sur 50 km vers l'est ; le Valle de Etla, sur environ 40 km vers le nord ; et le Valle de Zimatlán, sur une centaine de kilomètres au sud, jusqu'à Miahuatlán.

Dans ces Vallées Centrales (Valles Centrales), toutes à une journée de route d'Oaxaca, vous découvrirez des ruines précolombiennes, des villages d'artisans et des marchés de campagne bouillonnant d'activité. Les habitants de ces vallées sont en majorité des Zapotèques.

Si vous souhaitez explorer les vallées ou les montagnes environnantes à votre rythme, les Bicicletas Bravo à Oaxaca vous fourniront de précieux renseignements sur les circuits de randonnées à pied ou en VTT. Pour plus de détails, reportez-vous aux rubriques *Visites organisées* et *Comment circuler* dans le chapitre consacré à Oaxaca.

Jours de marché

C'est le matin que les marchés sont au plus fort de leur activité. Ils se répartissent comme suit :

Dimanche – Tlacolula
Lundi – Miahuatlán
Mercredi –San Pedro y San Pablo Etla
Jeudi – Zaachila et Ejutla
Vendredi – Ocotlán

Hébergement

Le secrétariat au tourisme de l'État, le Sedetur, a créé neuf petites unités meublées, appelées *tourist yú'ùs*, afin d'encourager le tourisme rural dans les Vallées du

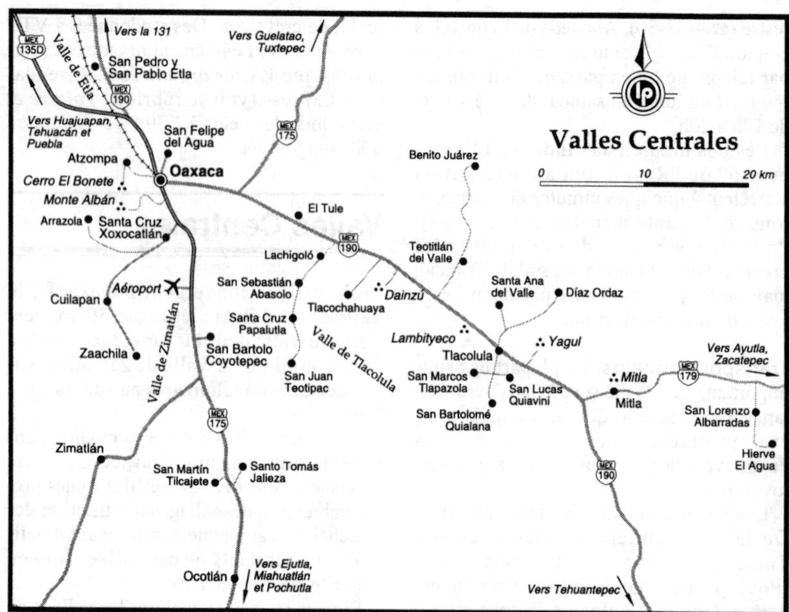

Centre. ("Yú'ù" se prononce "you" et signifie "maison" en zapotèque). Bien que rudimentaires, elles sont bien conçues. Chacune peut accueillir six personnes en lits superposés ou sur des matelas, les draps et les serviettes sont fournis, et des douches ainsi qu'une cuisine équipée sont à la disposition des clients. Le prix est de 4 $US pour une personne, 8 $US pour deux, 12 $US pour trois et 13 $US de quatre à six. Certaines disposent d'emplacements pour planter une tente, à 1,30 $US par personne. Il est conseillé de réserver dans l'un des offices du tourisme d'Oaxaca, qui vous donnera également des renseignements sur les villages où des *yú'ùs* sont implantées.

Vous trouverez des hôtels sommaires à Mitla et à Tlacolula.

Comment s'y rendre

La plupart des endroits à l'est d'Oaxaca mentionnés ci-dessous sont accessibles à pied depuis la route reliant Oaxaca à Mitla. Au sud de la ville, la nationale 175 traverse San Bartolo Coyotepec, Ocotlán, Ejutla et Miahuatlán. Une route séparée mène à Cuilapan et à Zaachila. Monte Albán se trouve au sommet d'une petite route qui part au sud-ouest de la ville d'Oaxaca.

Les bus TOI à destination de Mitla, qui partent toutes les cinq minutes de la gare routière 2e classe d'Oaxaca (porte 9), vous déposeront où vous le souhaiterez le long de la route Oaxaca-Mitla. De plus amples détails concernant les services de bus sont donnés dans les rubriques correspondant à chaque site ou village.

L'autre possibilité consiste à prendre un taxi colectivo, qui coûte environ deux fois plus cher. Ces taxis desservent des villages situés au nord d'Oaxaca (Atzompa et San Pedro y San Pablo Etla) – ils partent de la rue au nord de la gare routière 2e classe – ainsi qu'à l'est, au sud et au sud-est (El Tule, Teotitlán del Valle, Tlacolula, San Bartolo Coyotepec, Ocotlán, Arrazola, Cuilapan et Zaachila) – le départ se fait alors dans Prolongación Victoria, à l'est du marché Central de Abastos. Ils démarrent dès qu'ils sont pleins (cinq à six personnes).

MONTE ALBÁN

L'ancienne capitale zapotèque se dresse sur un vaste plateau artificiel, au sommet d'une colline surplombant le fond de la vallée de 400 m, à quelques kilomètres à l'ouest d'Oaxaca. La situation élevée de Monte Albán rend le site spectaculaire.

Histoire

Monte Albán fut d'abord occupée pendant une courte période, aux alentours de 500 av. J.-C., sans doute par un groupe zapotèque. Ils nouèrent probablement assez vite des liens avec les Olmèques du nord-est.

Les archéologues divisent son histoire – ainsi que celle des Valles Centrales – en cinq périodes. Pendant les années qui précédèrent 200 av. J.-C. (Monte Albán I), le nivellement du sommet de la montagne précéda l'édification des temples et éventuellement des palais, puis d'une ville de 10 000 habitants, voire davantage, sur les versants. Entre 200 av. J.-C. et 300 ap. J.-C. (Monte Albán II), la ville accrut sa domination sur la région. Les bâtiments étaient généralement constitués d'énormes blocs de pierre et de murs très élevés.

La ville connut son apogée entre 300 et 700 (Monte Albán III). Les versants de la colline principale et des collines avoisinantes furent disposés en terrasses pour accueillir les habitations. La population atteignit environ 25 000 habitants.

L'essentiel de ce qui est visible à l'heure actuelle date de cette époque. De nombreux édifices étaient recouverts d'enduit et peints en rouge ; l'architecture de style Talud-tablero révèle l'influence de Teotihuacán. Pas loin de 170 tombes souterraines, datant de cette période, ont été mises au jour, nombre d'entre elles étant décorées de fresques.

Monte Albán était le cœur d'une société hautement organisée, dominée par des prêtres, où l'irrigation était très pratiquée. Au moins 200 autres centres religieux et d'habitat furent établis dans les Valles Centrales.

Entre 700 et 950 (Monte Albán IV), le site fut en grande partie abandonné, et tomba progressivement en ruines. La civilisation zapotèque se réorganisa autour d'autres localités des Valles Centrales.

Entre 950 et 1521 (Monte Albán V), Monte Albán connut peu d'activité, excepté lorsque les Mixtèques parvinrent dans les Valles Centrales, entre 1100 et 1350, et réutilisèrent d'anciennes tombes pour ensevelir leurs dignitaires. La Tumba (tombe) 7 abritait l'un des plus beaux trésors du continent américain, aujourd'hui présenté au Museo Regional d'Oaxaca.

Renseignements

Le site est ouvert tous les jours de 8h à 17h (1,90 $US, gratuit le dimanche). A l'entrée se trouvent un musée intéressant (explications en espagnol), une cafétéria et une bonne librairie. Demandez au guichet quelles tombes sont ouvertes, car les plus importantes ne le sont pas toujours. Sachez que des copies grandeur nature de la Tumba 104 et des peintures de la Tumba 105 sont visibles au Museo Nacional de Antropología de Mexico. Des guides officiels proposent leurs services devant le guichet (environ 7 $US pour un petit groupe), mais rien ne vous interdit de visiter le site tout seul.

Gran Plaza

La Gran Plaza (300 m de long sur 200 m de large) constituait le centre de Monte Albán. Les édifices encore visibles, temples ou habitations, datent presque tous de la période Monte Albán III. La description qui suit vous conduit autour de la plaza dans le sens des aiguilles d'une montre.

Les terrasses de pierre du **Juego de Pelota** (jeu de balle), creusé en profondeur et en forme de "I", faisaient probablement partie de l'aire de jeu, et non des tribunes réservées aux spectateurs. La pierre ronde du milieu était peut-être utilisée pour lancer la balle au début du jeu.

Un petit temple à piliers s'élevait au sommet de la **Pirámide** (Edificio P.). Le célèbre masque du dieu chauve-souris en jade, exposé au Museo Nacional de Antropología, provient de l'autel devant la pyramide. De chaque côté partent des tunnels très bas, dans lesquels il n'est possible que de ramper.

Le **Palacio** possède un large escalier qui débouche au sommet sur un patio, encadré par les vestiges de salles typiques des bâtiments résidentiels de la période Monte Albán III. Sous ce patio a été trouvée une tombe de plan cruciforme, datant sans doute de la période Monte Albán IV.

La grande **Plataforma Sur** (plate-forme sud), dotée d'un imposant escalier, offre un beau panorama sur la plaza. A deux ou trois cents mètres au sud-ouest se dresse une grande structure que l'on appelle l'**Edificio 7 Ciervo** (l'édifice des 7 cerfs), d'après l'inscription figurant sur le linteau de l'entrée.

L'**Edificio J**, un bâtiment en forme de pointe de flèche, date de l'époque Monte Albán II. Il est truffé de tunnels et d'escaliers intérieurs (interdits à la visite) et forme un angle à 45° avec les autres édifices de la Gran Plaza. Il s'agissait probablement d'un observatoire. Les silhouettes et les hiéroglyphes gravés sur ses murs évoquent des conquêtes militaires.

La façade du **Sistema M**, qui date de la période Monte Albán II, a été ajoutée, comme celle du Sistema IV, à une structure plus ancienne, apparemment pour tenter de corriger le manque de symétrie de la place – les grands monticules rocheux sur lesquels ont été construites les plates-formes sud et nord ne sont pas exactement face à face.

L'**Edificio L** est composé d'une structure de la période Monte Albán I, qui renferme les fameux bas-reliefs des Danzantes, et d'une autre, plus tardive, bâtie par-dessus. Les **Danzantes** (danseurs) – on en voit quelques-uns autour de la partie basse – représentent des prisonniers et des chefs zapotèques. Ils ont généralement la bouche ouverte (quelquefois sens dessus dessous, dans le style olmèque), les yeux fermés, et dans certains cas, du sang s'écoule de leurs parties génitales tranchées. Les dates hiéroglyphiques – et ce que l'on suppose être des noms – qui les accompagnent constituent la plus ancienne forme d'écriture du Mexique connue à ce jour.

Le **Sistema IV** est une construction typique de la période Monte Albán II, recouverte d'ajouts des périodes Monte Albán III et IV. La stèle 18 (haute de 5 m à l'origine) située au nord date également de la période Monte Albán II.

Plataforme Norte

La plate-forme nord, construite comme la plate-forme sud sur une excroissance rocheuse, est presque aussi vaste que la Gran Plaza. Elle a été reconstruite plusieurs fois au cours des siècles. Des chambres, de part et d'autre de l'escalier principal, renferment des tombes, et des colonnes au sommet soutenaient le toit d'une salle. En haut de la plate-forme se trouve le **Patio Hundido** (patio enseveli), doté au centre d'un autel ; cette aire de cérémonie, construite entre 500 et 800, se compose des Edificios D, VG et E (au sommet desquels s'élevaient des temples en pisé) et du Templo de Dos Columnas.

Tombes

Tumba 104. Datée de 500 à 700, c'est la seule tombe importante régulièrement ouverte. Au-dessus de l'entrée souterraine se tient une urne en forme de Pitao Cozobi, le dieu zapotèque du Maïs, portant un masque de Cocijo, le dieu de la Pluie dont la langue fourchue représente la foudre. La lourde stèle de pierre gravée dans l'antichambre servait à dissimuler l'entrée de la tombe.

Il est possible de jeter un coup d'œil sur quelques autres tombes situées dans le grand monticule, derrière la tombe 104.

Tumba 7. Cette tombe, juste à côté du parking, date de la période Monte Albán III, mais a été réutilisée par les Mixtèques au XIVe ou XVe siècles pour enterrer un dignitaire et deux autres personnes – probablement des serviteurs sacrifiés – ;

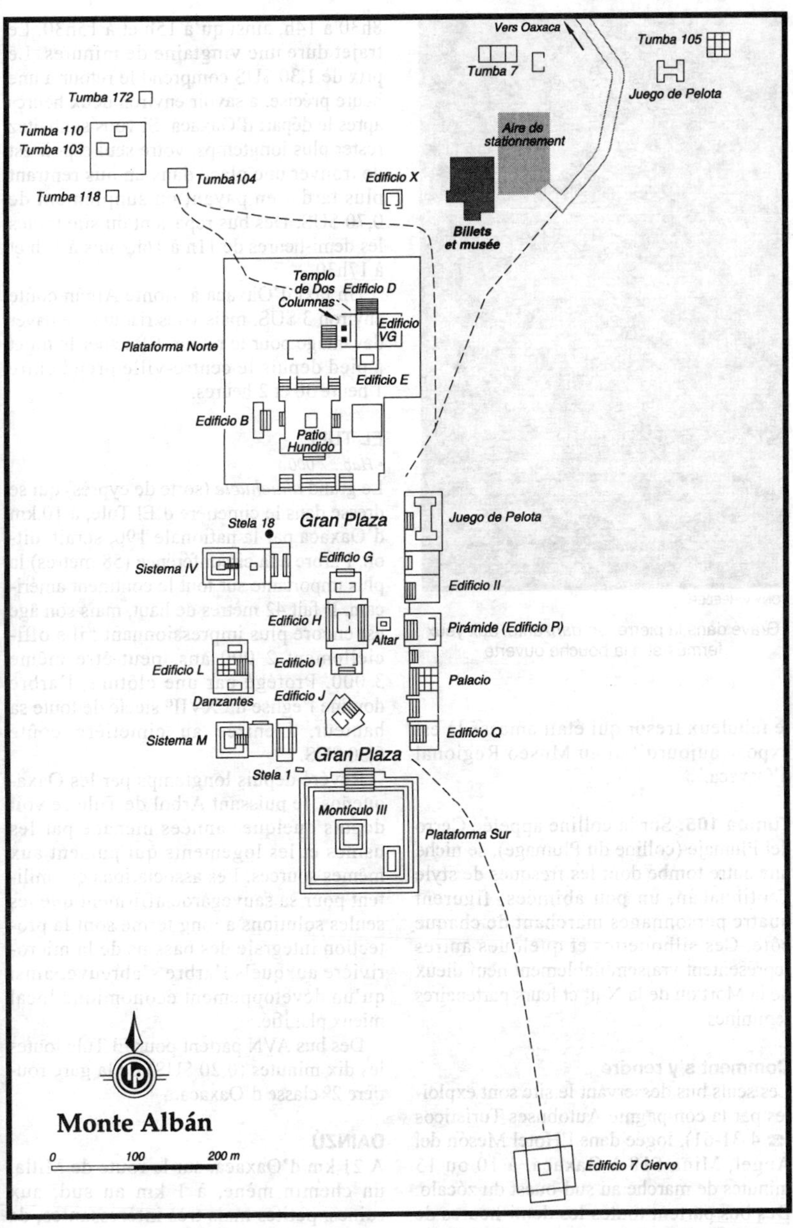
Vers Oaxaca
Tumba 105
Tumba 7
Juego de Pelota
Tumba 172
Aire de stationnement
Tumba 110
Tumba 103
Tumba104
Edificio X
Tumba 118
Billets et musée
Templo de Dos Columnas
Edificio D
Edificio VG
Plataforma Norte
Edificio E
Edificio B
Patio Hundido
Stela 18
Gran Plaza
Juego de Pelota
Edificio G
Sistema IV
Edificio II
Edificio H
Altar
Pirámide (Edificio P)
Edificio L
Edificio I
Palacio
Danzantes
Edificio J
Sistema M
Edificio Q
Gran Plaza
Stela 1
Montículo III
Plataforma Sur
lp
Monte Albán
0
100
200 m
Edificio 7 Ciervo

TONY WHEELER

Gravé dans la pierre, un *danzante* aux yeux fermés et à la bouche ouverte

le fabuleux trésor qui était amassé là est exposé aujourd'hui au Museo Regional d'Oaxaca.

Tumba 105. Sur la colline appelée Cerro del Plumaje (colline du Plumage), se niche une autre tombe dont les fresques de style Teotihuacán, un peu abîmées, figurent quatre personnages marchant de chaque côté. Ces silhouettes et quelques autres représentent vraisemblablement neuf dieux de la Mort ou de la Nuit et leurs partenaires féminines.

Comment s'y rendre

Les seuls bus desservant le site sont exploités par la compagnie Autobuses Turísticos (☎ 4-31-61), logée dans l'Hotel Mesón del Ángel, Mina 518 à Oaxaca, à 10 ou 15 minutes de marche au sud-ouest du zócalo. Des bus partent toutes les demi-heures de 8h30 à 14h, ainsi qu'à 15h et à 15h30. Le trajet dure une vingtaine de minutes. Le prix de 1,30 $US comprend le retour à une heure précise, à savoir environ deux heures après le départ d'Oaxaca. Si vous souhaitez rester plus longtemps, votre seul espoir est de trouver une place dans un bus rentrant plus tard – en payant un supplément de 0,70 $US. Des bus repartent du site toutes les demi-heures de 11h à 16h, puis à 17h et à 17h30.

Un taxi d'Oaxaca à Monte Albán coûte environ 3 $US, mais vous risquez de payer davantage pour le retour. Effectuer le trajet à pied depuis le centre-ville prend entre 1 heure 30 et 2 heures.

EL TULE

• *Hab.: 7 000*

Le grand *ahuehuete* (sorte de cyprès) qui se dresse dans le cimetière d'El Tule, à 10 km d'Oaxaca par la nationale 190, serait, dit-on, l'arbre à la circonférence (58 mètres) la plus importante sur tout le continent américain. Il fait 42 mètres de haut, mais son âge est encore plus impressionnant : il a officiellement 2 000 ans, peut-être même 3 000. Protégé par une clôture, l'arbre domine l'église du XVIIe siècle de toute sa hauteur. L'entrée au cimetière coûte 0,30 $US.

Révéré depuis longtemps par les Oaxaqueños, le puissant Arbol de Tule se voit depuis quelques années menacé par les usines et les logements qui puisent aux mêmes sources. Les associations qui militent pour sa sauvegarde affirment que les seules solutions à long terme sont la protection intégrale des bassins de la micro-rivière auxquels l'arbre s'abreuve, ainsi qu'un développement économique local mieux planifié.

Des bus AVN partent pour El Tule toutes les dix minutes (0,20 $US) de la gare routière 2e classe d'Oaxaca.

DAINZÚ

A 21 km d'Oaxaca, sur la route de Mitla, un chemin mène, à 1 km au sud, aux ruines, petites mais très intéressantes, de

Dainzú, qui datent de 300 av. J.-C. (voire encore avant) à l'an 1000 de notre ère. Le site est ouvert tous les jours de 8h à 17h (1 $US, gratuit le dimanche et les jours fériés).

A gauche en arrivant, vous verrez l'Edificio A en forme de pyramide – 50 mètres de long et 8 mètres de haut – construit vers 300 av. J.-C. Le mur inférieur est orné de plusieurs bas-reliefs qui rappellent les Danzantes de Monte Albán. Ils représentent presque tous des joueurs de balle, avec des masques ou des casques de protection et une balle dans la main droite.

Parmi les ruines, en contrebas de l'Edificio A, à droite en regardant vers le bas, vous découvririez une tombe ensevelie dont l'entrée est sculptée en forme de jaguar tapi et, sur la gauche, un terrain de jeu de balle partiellement restauré, datant environ de l'an 1000. Au sommet de la colline, derrière le site, vous apercevrez d'autres bas-reliefs, sculptés dans la roche, qui rappellent les joueurs de balle. L'ascension s'avère cependant pénible, et vous aurez besoin d'un guide pour les dénicher.

TEOTITLÁN DEL VALLE

• *Hab.: 5 000*

Ce célèbre village de tisserands se trouve à 4 km au nord de la nationale 190 et à environ 25 km d'Oaxaca. La *desviación* (bifurcation) est signalée. Couvertures, tapis et sarapes sont exposés dans les maisons et les magasins qui bordent la route menant au village (et qui devient Avenida Juárez en approchant du centre). Des panneaux indiquent le **Mercado de Artesanías** central, où des centaines d'autres couvertures, tapis et sarapes sont en vente. La variété des dessins est étonnante – des dieux zapotèques, des motifs géométriques de style Mitla, des oiseaux et des poissons, et même des imitations d'œuvres d'artistes tels que Rivera, Picasso, Miró ou Escher.

La tradition du tissage remonte ici à l'époque précolombienne, Teotitlán ayant dû payer un tribut aux Aztèques sous forme de tissus. La qualité a dans l'ensemble été maintenue, et les teintures traditionnelles à base de cochenille et d'indigo sont encore parfois utilisées. Les prix ne sont pas forcément plus bas ici qu'à Oaxaca, mais le choix est plus grand. Vous verrez des tisserands travailler dans de nombreuses boutiques.

En face du Mercado de Artesanías, sur la place centrale, se dresse le **Museo Balaa Xtee Guech Gulal**, ouvert tous les jours sauf le lundi, de 10h à 14h et de 16h à 18h (0,70 $US). Le musée présente plusieurs découvertes archéologiques locales, ainsi que des documents sur l'artisanat du textile et les traditions locales. De la place, des marches grimpent jusqu'à un beau et grand cimetière, qui abrite dans un coin le ravissant **Templo de la Preciosa Sangre de Cristo**, du XVIIe siècle. Le marché du village, qui a lieu tous les jours, se tient derrière le haut du cimetière.

Où se loger et se restaurer

Un tourist yú'ù est installé à l'approche du village, à 500 m de la nationale. Il n'est cependant pas très pratique, car il est distant de trois kilomètres du centre du village. Le *Restaurante Tlamanali*, Avenida Juárez 39, ouvert tous les jours sauf le lundi, et uniquement à l'heure du déjeuner, sert une cuisine oaxaqueña excellente – soupe à 2,50 $US, poulet au mole negro à 5,25 $US. En outre, vous pourrez y admirer des expositions de tissus artisanaux très intéressantes.

Comment s'y rendre

Chaque jour, des bus AVN partent toutes les dix minutes pour Teotitlán (50 minutes, 0,40 $US) de la gare 2e classe d'Oaxaca (porte 29). Le dernier bus repart du village vers 18h.

BENITO JUÁREZ

• *Hab.: 2 500 •Alt.: 2 750 m*

Niché dans la fraîcheur des montagnes et des forêts de pins, à une vingtaine de kilomètres au nord de Teotitlán par une route non goudronnée, ce village offre l'un des sites les plus attrayants. Le yu'ú qui se trouve au centre du village est bien tenu. A

2 km de marche, vous arriverez à un poste d'observation situé à 3 000 m d'où l'on jouit d'un panorama somptueux – avec un peu de chance, vous apercevrez même le lointain Pico de Orizaba. Le village abrite le Templo de la Asunción, du XVIIe siècle, à côté duquel se tient le marché du dimanche, et la Capilla del Rosario du XVIe siècle.

Les bus Flecha de Zempoaltépetl partant de la gare routière 2e classe d'Oaxaca vers diverses destinations, notamment Villa Alta et Yalalag, vous déposeront à l'embranchement pour Benito Juárez (1 heure 45 de trajet). De là, le village est à 4 km de marche. La plupart des bus partent à 8h ou 9h.

LAMBITYECO

Le petit site archéologique de Lambityeco est situé du côté sud de la route de Mitla, à 29 km d'Oaxaca. Vers 600-800, Lambityeco semble être devenu une importante localité zapotèque d'environ 3 000 habitants.

Le principal intérêt du site réside dans ses deux patios. Dans le premier, à gauche de la pyramide principale, juste à côté du parking, deux frises figurent chacune un homme barbu portant un os (symbole des droits héréditaires) et une femme à la coiffure zapotèque. Les deux couples, plus un troisième en stuc, sur une tombe du patio, auraient dirigé Lambityeco au VIIe siècle.

Le second patio renferme deux têtes reconstituées du dieu de la Pluie Cocijo. Sur l'une d'elles, une énorme coiffe, encadrant son visage austère, représente elle-même la tête d'un jaguar. Lambityeco est ouvert tous les jours de 9h à 17h. L'entrée coûte 1 $US, gratuite le dimanche et les jours fériés.

TLACOLULA

• Hab.: 20 000

A 2 km au-delà de Lambityeco et à 31 km d'Oaxaca, cette ville abrite chaque dimanche l'un des marchés les plus importants des Valles Centrales, fréquenté par un grand nombre d'Indiens. Une foule immense envahit ce jour-là le pourtour de l'église. Les couvertures de Teotitlán figurent parmi les articles en vente.

L'église de Tlacolula est l'un des nombreux édifices religieux fondés par les Dominicains en Oaxaca. A l'intérieur, la coupole de la Capilla del Santo Cristo (XVIe siècle) révèle une débauche d'or et des décorations d'influence indienne, comparables à celle de la Capilla del Rosario de Santo Domingo, à Oaxaca. Vous y verrez des martyrs tenant leur tête sous le bras.

De nombreux bus TOI et FYPSA partent de la gare routière 2e classe d'Oaxaca. Le trajet dure 1 heure et coûte 0,50 $US.

SANTA ANA DEL VALLE

• Hab.: 2 000

A 4 km au nord de Tlacolula, Santa Ana del Valle est un autre village où la tradition du tissage est antérieure à l'arrivée des Espagnols. Aujourd'hui, il fabrique des couvertures, des sarapes et des sacs. Les teintures traditionnelles sont encore utilisées, de même que les motifs traditionnels – fleurs, oiseaux, dessins géométriques. Le **Mercado de Artesanías**, sur la plaza principale, étant organisé en coopérative, les prix sont nettement plus bas que ceux des boutiques de Teotitlán del Valle ou d'Oaxaca. Sur la même place se trouvent le **Templo de Santa Ana** du XVIIe siècle, richement décoré, et le **Museo Shan-Dany**, petit musée communautaire ouvert tous les jours, sauf le lundi, de 10h à 14h et de 15h à 18h.

Un tourist yú'ù très correct est installé sur la route qui mène au village, à 500 mètres environ du centre. Des randonnées à cheval sont proposées au prix de 6,50 $US la journée. Des bus et des minibus effectuent de fréquentes liaisons entre Tlacolula et Santa Ana.

YAGUL

Les ruines de Yagul sont superbement situées au sommet d'une colline couverte de cactus, au bout d'une voie goudronnée d'1,5 km à partir de la route Oaxaca-Mitla. Le panneau indiquant la bifurcation se trouve à 34 km d'Oaxaca. Le site est ouvert tous les jours de 8h à 17h30 (1 $US, gratuit le dimanche et les jours fériés).

ÉTAT D'OAXACA

Yagul est devenue une bourgade importante des Valles Centrales quelques temps après le déclin de Monte Albán. La plupart de ce qui est encore visible est postérieur à 750 et a probablement été construit par les Zapotèques, avec toutefois une influence mixtèque.

Le **Patio 4** était entouré de quatre temples. A l'est surgit un animal sculpté dans la pierre, vraisemblablement un jaguar. L'entrée de l'une des **Tumbas Triples** (triples tombes) souterraines se situe à côté de la plate-forme centrale. Des marches descendent vers une minuscule cour et les trois tombes.

Le magnifique **Juego de Pelota** est le second plus grand découvert à ce jour sur cette partie du continent (après celui de Chichén Itzá). Du côté ouest, à flanc de colline, se dresse le Patio 1, longé au nord par l'étroite **Sala de Consejo** (salle du conseil). Derrière cette salle se trouve un passage décoré de mosaïques de pierre de style Mitla.

Le **Palacio de los Seis Patios** (palais des six patios), véritable labyrinthe, abritait

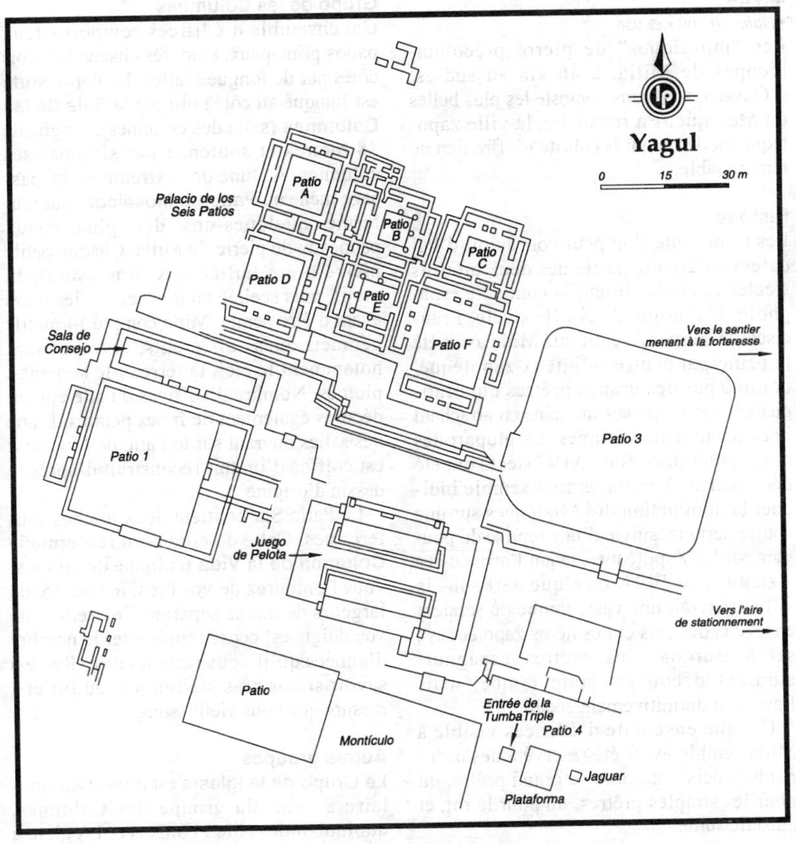

probablement la résidence du chef. Les murs étaient enduits de plâtre et peints en rouge.

Monter au sommet de la **Forteresse**, l'énorme rocher qui surplombe les ruines, vaut la peine. Le chemin d'accès passe devant la **Tumba 28**, en pierre taillée, dans laquelle on entre en descendant quelques marches (vous pouvez regarder à l'intérieur). Du haut de la forteresse, la vue est imprenable : le côté nord forme un à-pic d'au moins 100 mètres. Les ruines de plusieurs édifices, envahies par la végétation, sont éparpillées tout autour.

MITLA

• *Hab.: 10 700* • ☎ *956*

Les “mosaïques” de pierre précolombiennes de Mitla, à 46 km au sud-est d'Oaxaca, sont sans conteste les plus belles du Mexique. En revanche, la ville zapotèque moderne qui les abrite n'offre rien de remarquable.

Histoire

Les ruines que l'on peut voir aujourd'hui datent en grande partie des deux ou trois siècles qui précédèrent la conquête espagnole. Un moine du XVIIe siècle, Francisco de Burgoa, a écrit que Mitla avait été le principal centre religieux zapotèque, dominé par des grands prêtres qui pratiquaient des sacrifices humains en arrachant le cœur de leurs victimes. La plupart des poteries mixtèques du XIVe siècle ont été découvertes à Mitla, et tout semble indiquer la domination des Mixtèques sur une courte période, suivie d'une reprise du pouvoir par les Zapotèques, avant l'arrivée des Aztèques en 1494. Quelque part sous la ville existerait une vaste tombe où seraient ensevelis des rois et des héros zapotèques ; selon Burgoa, des prêtres espagnols auraient découvert cette tombe, mais l'auraient définitivement scellée.

Chaque ensemble d'édifices visible à Mitla semble avoir été réservé à des occupants précis – un pour le grand prêtre, un pour les simples prêtres, un pour le roi, et ainsi de suite.

Orientation et renseignements

Si vous expliquez au conducteur du bus d'Oaxaca que vous vous rendez à *las ruinas*, il vous déposera à un carrefour à l'entrée de la ville. De là, vous devrez prendre sur la gauche pour remonter vers la place centrale. Pour atteindre les ruines, continuez tout droit de l'autre côté de la place vers l'Iglesia San Pablo à trois coupoles, à 850 mètres. Le site principal, le Grupo de las Columnas, se trouve face à cette église et est ouvert tous les jours de 8h à 17h (1,30 $US, gratuit le dimanche et les jours fériés).

Grupo de las Columnas

Cet ensemble d'édifices comporte deux patios principaux, entourés chacun sur trois côtés par de longues salles. Le Patio Norte est flanqué au côté nord par la **Sala de las Columnas** (salle des colonnes), longue de 38 mètres et soutenue par six épaisses colonnes. A l'une des extrémités, un passage mène au **Patio de Mosaicos**, qui renferme quelques-uns des plus beaux panneaux de pierre de Mitla. Chaque petite pierre a été taillée aux dimensions du motif, puis scellée au mortier sur les murs avant d'être peinte. Mitla compte 14 motifs géométriques différents, symbolisant notamment le ciel, la terre et le serpent à plumes. Nombre d'édifices du site étaient décorés également de frises peintes. L'une des salles ouvrant sur le Patio de Mosaicos est coiffée d'un toit reconstruit d'après le dessin d'origine.

Le Patio Sur contient deux tombes souterraines. Celle du côté nord renferme la **Columna de la Vida** (colonne de vie) – si vous l'entourez de vos bras, le nombre de largeurs de mains séparant l'extrémité de vos doigts est censé représenter le nombre d'années qu'il vous reste à vivre. Reste à savoir si nos bras s'allongent au fur et à mesure que nous vieillissons…

Autres groupes

Le Grupo de la Iglesia est d'un style similaire à celui du groupe des Colonnes, quoique moins bien conservé. L'église a

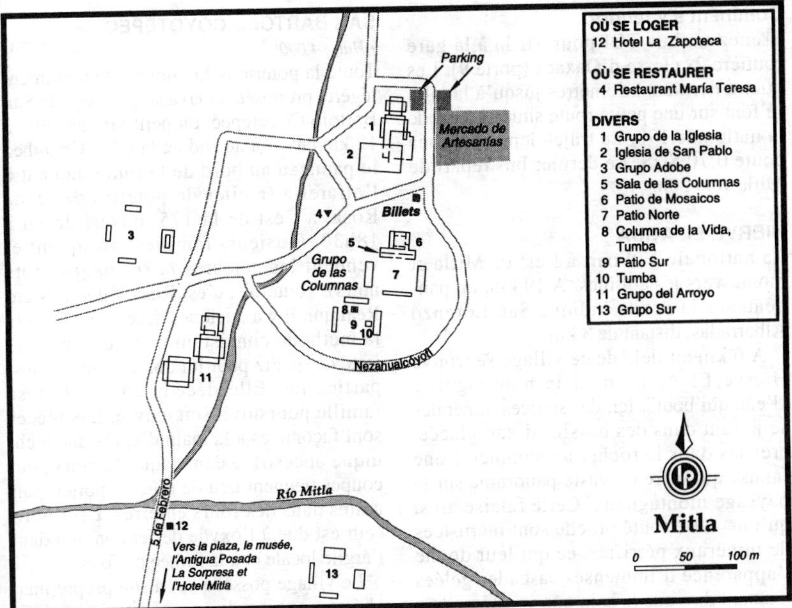

été construite au sommet d'un des patios en 1590. Le **Grupo del Arroyo** est le plus important des autres groupes non encore mis à jour. Les vestiges de forts, de tombes et d'autres édifices sont disséminés dans la campagne sur de nombreux kilomètres.

Musée

Le Museo de Mitla de Arte Zapoteca (ouvert tous les jours, sauf le mercredi, de 10h à 17h, 1,30 $US), situé dans l'Antigua Posada La Sorpresa (voir *Où se loger et se restaurer*), renferme une collection de petites pièces archéologiques. L'ensemble pourrait être intéressant s'il était mieux présenté.

Où se loger et se restaurer

L'*Antigua Posada La Sorpresa*, tout près de la place, sert des petits déjeuners, ainsi qu'une comida corrida copieuse à 5,25 $US. De l'autre côté de la rue, le très rudimentaire mais accueillant *Hotel Mitla* (☎ 8-01-12) loue des simples/doubles sans ventilateur mais aux lits défoncés, à 6,50/9,25 $US ; on peut y manger simplement à bas prix.

L'*Hotel La Zapoteca*, 5 de Febrero 8, entre la plaza et les ruines, est moins décrépit mais aussi moins sympathique, et propose des chambres sommaires sans ventil. à 9,25/11 $US.

Le *Restaurant María Teresa*, près du site, prépare une cuisine correcte à des prix raisonnables.

Achats

Les rues de Mitla sont bordées de boutiques vendant du mezcal et des textiles, dont beaucoup sont fabriqués sur place. Un grand marché artisanal se tient juste à côté des ruines, proposant le même genre d'articles.

Certains rebozos sont rehaussés de motifs typiques de Mitla.

Comment s'y rendre

Prenez un bus TOI pour Mitla à la gare routière 2e classe d'Oaxaca (porte 9). Les quatre derniers kilomètres jusqu'à la ville se font sur une petite route située à l'est de la nationale 190. Le trajet depuis Oaxaca coûte 0,70 $US. Le dernier bus repart de Mitla vers 20h.

HIERVE EL AGUA

La nationale 179 part à l'est de Mitla et monte vers les collines. A 19 km, un panneau sur la droite indique San Lorenzo Albarradas, distant de 3 km.

A 6 km au-delà de ce village se trouve Hierve El Agua, dont le nom signifie "l'eau qui bout". Ici, des sources minérales se jettent dans des bassins d'eau glacée, creusés dans le rocher au sommet d'une falaise qui offre un vaste panorama sur le paysage montagneux. Cette falaise ainsi qu'une autre toute proche sont incrustées de minéraux pétrifiés, ce qui leur donne l'apparence d'immenses cascades gelées – autant dire que le bain que vous prendrez ici sera une expérience des plus originales.

Hierve El Agua est un lieu d'excursion très apprécié le week-end par les habitants des alentours. Au-dessus des bassins et des falaises se trouvent plusieurs comedores, un yú'ù confortable, ainsi que six autres cottages dans le même style, mais sans cuisine, et aux mêmes prix. La région regorge de champs d'agaves, et San Lorenzo Albarradas est connu pour produire l'un des meilleurs mezcals de l'État. Il est apparemment possible de faire une belle randonnée depuis le sud de San Lorrenzo Albarrada vers les collines situées à l'ouest, jusqu'à Xaagá et Mitla – renseignez-vous en ville.

Les bus FYPSA desservent Hierve El Agua (1,50 $US) depuis la gare routière 2e classe d'Oaxaca du lundi au samedi – les départs avaient lieu à 8h10, à 14h10 et à 16h30 lors de nos dernières vérifications. Le trajet dure environ 2 heures 30. De Mitla, vous pouvez prendre un bus ou un taxi colectivo jusqu'à l'embranchement vers Sans Lorenzo, puis continuer à pied ou faire du stop.

SAN BARTOLO COYOTEPEC

• *Hab.: 4 000*

Toute la poterie polie, noire, étonnamment légère, proposée à Oaxaca, provient de San Bartolo Coyotepec, un petit village situé à 12 km environ au sud de la ville. Cherchez le panneau au bord de la route menant à l'alfarería (atelier de poterie) de Doña Rosa, à l'est de la 175, ouvert de 9h à 18h30. Plusieurs familles fabriquent et vendent les célèbres *barro negro* (pots noirs). Toutefois, c'est Rosa Valente Nieto Real qui, il y a quelques décennies, inventa la méthode consistant à cuire la poterie avec du quartz pour lui donner son lustre si particulier. Elle décéda en 1979 et sa famille poursuivit son œuvre. Les pièces sont façonnées à la main d'après une technique ancestrale dans laquelle deux soucoupes tiennent lieu de roue de potier, puis cuites dans des fours enterrés. Leur noirceur est due à l'oxyde de fer contenu dans l'argile locale et à la fumée du four.

Le village possède aussi son propre marché où sont vendues ces poteries noires. Des bus partent pour San Bartolo Coyotepec (0,30 $US) toutes les dix minutes d'une petite gare routière, Armenta y López 721, à 500 mètres au sud du zócalo à Oaxaca.

SAN MARTÍN TILCAJETE ET SANTO TOMÁS JALIEZA

San Martín • Hab.: 1 600

Santo Tomás • Hab.: 2 800

San Martín Tilcajete, à l'ouest de la 175, environ 27 km au sud d'Oaxaca, est le village où sont fabriqués la plupart des *alebrijes* (animaux en bois peints de couleurs vives) que vous voyez à Oaxaca. Vous pourrez les acheter ici directement chez les artisans.

A Santo Tomás Jalieza, à l'est de la 175, environ 2 km plus au sud, se tient chaque vendredi un marché de textiles, qui coïncide avec le marché d'Ocotlán. Les femmes tissent différents textiles de très bonne qualité sur des métiers à bretelle, et leurs larges ceintures en coton sont brodées de jolis motifs de plantes ou d'animaux.

ÉTAT D'OAXACA

Des taxis colectivos desservent Santo Tomás depuis Ocotlán.

OCOTLÁN

• *Hab.: 17 000*

Le grand marché très animé du vendredi à Ocotlán, à 35 km au sud d'Oaxaca, remonte à l'époque précolombienne. Les spécialités locales sont les paniers de roseau, mais l'on trouve aussi d'autres articles fabriqués dans les Valles Centrales. L'artisan le plus célèbre d'Ocotlán est Josefina Aguilar, qui créée des poteries colorées pleines de fantaisie, représentant des silhouettes de femmes (y compris, depuis peu, celle de Frida Kahlo), ornées de toutes sortes de motifs originaux. Si vous souhaitez voir ou acheter ses œuvres, demandez "la casa de Josefina Aguilar", qui se trouve près du centre.

Des bus pour Ocotlán (45 minutes, 0,40 $US) partent toutes les dix minutes de la gare routière située Armenta y López 721 à Oaxaca.

EJUTLA

• *Hab.: 18 000*

A Ejutla, à environ 60 km d'Oaxaca, sur la 175, le marché a lieu le jeudi. La ville est réputée pour ses articles en cuir, ainsi que pour ses couteaux, machettes et épées sculptées – ainsi que pour le metzcal produit à Amatengo, tout proche, l'un des meilleurs de l'Oaxaca. Des bus (0,80 $US) partent toutes les dix minutes de la gare routière d'Armenta y López 721 à Oaxaca.

ARRAZOLA

En dessous et à l'ouest de Monte Albán, à environ 4 km de la route de Cuilapan, Arrazola produit nombre des *alebrijes* colorés que vous trouverez en vente à Oaxaca. Vous pourrez les voir – et les acheter – dans les maisons des artisans.

CUILAPAN

• *Hab.: 11 000*

Cuilapan, à 12 km à l'ouest d'Oaxaca, est l'une des rares enclaves mixtèques dans les Valles Centrales. Le principal attrait de la ville est le très beau monastère dominicain chargé d'histoire, l'**Ex-Convento de Santiago Apóstol** (ouvert tous les jours de 10h à 18h, 1,70 $US). Commencé vers 1555 et construit en pierre pâle.

En 1831, le héros de l'indépendance mexicaine, Vicente Guerrero, fut exécuté au monastère par des soldats à la solde du conservateur Anastasio Bustamante, qui venait de le destituer de la présidence libérale. Guerrero, en fuite sur un bateau au départ d'Acapulco, fut livré par le capitaine à ses ennemis.

Dès l'entrée, vous découvrez l'élégante et longue salle basse dépourvue de toit qui constituait une église dont la construction fut interrompue en 1560. Au-delà, se trouve l'édifice qui lui succéda. En longeant son côté droit, vous parvenez au cloître à deux niveaux, à l'architecture Renaissance. Les chambres du fond, au rez-de-chaussée, sont ornées de fresques des XVIe et XVIIe siècles. Une peinture représentant Guerrero est accrochée dans la salle où il fut détenu.

L'église principale, souvent fermée, contiendrait les tombes chrétiennes de Juana Donají (fille de Cocijo-eza, le dernier roi zapotèque de Zaachila) et de son époux mixtèque.

Les fréquents Autobuses de Oaxaca (0,30 $US), qui partent de la gare routière 2e classe d'Oaxaca, s'arrêtent juste devant le monastère.

ZAACHILA

• *Hab.: 15 000*

Le village de Zaachila, mi-mixtèque mi-zapotèque, sis à 6 km de Cuilapan, connaît un marché très animé, le jeudi. Durant le carnaval, une simulation de bataille oppose les prêtres qui se défendent avec des croix et des seaux d'eau et les démons brandissant des fouets. Zaachila fut une capitale zapotèque entre 1400 et la conquête espagnole, mais elle fut contrôlée pendant une partie de cette période par les Mixtèques. Son dernier roi zapotèque, Cocijo-eza, se fit baptiser du nom de Juan Cortés et mourut en 1523. Sur la place principale, se tiennent six monolithes précolombiens et l'église du village.

Tombes

En haut de la route, derrière l'église, un sentier vers la droite indiqué par un panneau Zona Arqueológica conduit à des monticules contenant au moins deux tombes utilisées par les anciens Mixtèques. Dans l'une d'elles, la tumba 2, un trésor mixtèque fut mis au jour, comparable à celui de la tumba 7 à Monte Albán.

Il est aujourd'hui exposé au Museo Nacional de Antropología. Les habitants étaient si farouchement opposés à ce que l'on touche à ces reliques que les célèbres archéologues mexicains Alfonso Caso et Ignacio Bernal furent contraints de fuir lors de leurs fouilles, dans les années 40 et 50. Roberto Gallegos revint en 1962 et dut travailler sous la protection de gardes armés.

Les tombes sont officiellement accessibles tous les jours de 9h à 17h (entrée 1,70 $US, gratuite le dimanche et les jours fériés), mais il est rare de trouver quelqu'un pour les ouvrir. Le jour de marché est probablement le meilleur moment pour essayer de visiter le site. Demandez au Palacio Municipal, sur le zócalo d'Oaxaca, de vous indiquer un guide susceptible de vous aider.

Comment s'y rendre

Des bus Autobuses de Oaxaca relient Zaachila (0,30 $US) fréquemment à partir de la gare routière 2e classe d'Oaxaca. De la gare de Zaachila, remontez la rue principale jusqu'à la place centrale.

ATZOMPA ET SES ENVIRONS

• *Hab.: 11 000*

A 8 km au nord-ouest d'Oaxaca, Atzompa est un village de potiers, qui utilisent pour la plupart un vernis vert facilement reconnaissable. Vous pourrez voir et acheter leurs œuvres à la Casa de Artesanías (ouverte tous les jours). Une route mène au Cerro El Bonete, la colline qui s'élève au sud du village et abrite des ruines précolombiennes non restaurées à son sommet. Il existe d'autres ruines abandonnées en haut d'El Gallo, la colline qui se dresse entre El Bonete et Monte Albán. L'ensemble de ces édifices étaient autrefois associés à Monte Albán.

Des bus Choferes del Sur desservent Atzompa toutes les trente minutes au départ de la gare routière 2e classe d'Oaxaca (porte 39).

La Mixteca Alta et la Mixteca Baja

La Mixteca (terre des Mixtèques) comprend trois zones contiguës à l'ouest de l'État d'Oaxaca. Les régions frontalières du nord-ouest, près de Huajuapan de León, font partie de la Mixteca Baja, qui se prolonge jusque dans l'État de Puebla, entre 1 000 et 1 700 m d'altitude. La Mixteca Alta est la région accidentée entre la Mixteca Baja et les Valles Centrales d'Oaxaca, généralement à une altitude supérieure à 2 000 m. La Mixteca de la Costa est une zone isolée, au sud-ouest, qui s'étend de la côte aux montagnes.

C'est vers le XIIe siècle que les Mixtèques imposèrent leur domination sur les Valles Centrales et la région de Tehuantepec, depuis la Mixteca Alta. Réputés pour leur travail de l'or et des pierres précieuses, les Mixtèques développèrent aussi un style de poterie peinte appelée Mixteca-Puebla, poterie qui, dit-on, était la seule dans laquelle l'empereur aztèque Moctezuma acceptait de manger.

La Mixteca Alta et la Mixteca Baja furent soumises par les Aztèques au XVe siècle.

Aujourd'hui, une grande partie de la Mixteca est érodée par une exploitation excessive du sol et des forêts. La politique et l'économie locales sont dominées par les mestizos. Beaucoup de Mixtèques sont contraints d'émigrer pour trouver du travail. Les visiteurs se font rares dans cette région.

A voir

Les monastères dominicains du XVIe siècle des villages de Yanhuitlán, Coixtlahuaca et Teposcolula, dans la Mixteca Alta, comptent parmi les plus beaux édifices de style colonial du pays. Ils s'enrichissent de l'influence des architectures plateresque, Renaissance et indienne.

Le monastère de **Yanhuitlán**, le plus facilement accessible, domine la 190, l'ancienne route vers Puebla et Mexico, à 120 km d'Oaxaca. Il a été conçu pour résister aux séismes et servir de refuge. Le cloître abrite un intéressant petit musée d'objets provenant du monastère (ouvert tous les jours de 10h à 17h). L'église renferme des œuvres d'art de grande valeur ; demandez au gardien du musée de vous l'ouvrir. Le dais de bois finement ouvragé qui soutient le chœur est de style mudéjar.

Le monastère de **Coixtlahuaca**, à 2 km de la 135D et à environ 115 km d'Oaxaca, est peut-être encore plus beau que celui de Yanhuitlán. A côté de l'église s'élève une gracieuse *capilla abierta* (chapelle ouverte), en ruines, à l'origine utilisée pour les sermons aux foules indiennes. Adressez-vous au gardien du musée du cloître pour faire ouvrir l'église, qui possède une splendide voûte à nervures et aux clefs sculptées. A **Tejupan**, à 22 km au sud-ouest sur la 190, se dresse une autre majestueuse église dominicaine du XVIe siècle.

Teposcolula est située sur la nationale 125, à 13 km au sud de la nationale 190. Le couvent se dresse à côté du zócalo, sur la route qui traverse la ville. Son imposante capilla abierta, composée de trois baies ouvertes, jouxte l'église du monastère au nord. Le cloître sert de musée (ouvert tous les jours de 10h à 17h).

Avant la Révolution, **Tlaxiaco**, 43 km au sud de Teposcolula sur la nationale 125, était appelée "Paris Chiquita" (Petit Paris) du fait de l'abondance d'articles de luxe français – vêtements et vin, notamment – importés pour ses riches propriétaires de terres et de moulins. Aujourd'hui, les seuls vestiges de cette élégance sont les portales autour de la plaza principale et quelques imposantes demeures avec jardin. La place du marché se trouve à l'angle sud-est de la Plaza. Le samedi est le grand jour de marché.

Au sud de Tlaxiaco, la 125, goudronnée sur toute sa longueur, serpente dans la Sierra Madre del Sur jusqu'à Pinotepa Nacional, sur la route côtière 200. La seule agglomération de quelque importance sur cette route est **Putla**, à 95 km de Tlaxiaco. **San Andrés Chicahuaxtla**, dans le petit territoire des Indiens Triquis, précède l'arrivée à Putla. Les Indiens amuzgos de **San Pedro Amuzgos**, 73 km au sud de Putla, sont réputés pour leurs splendides huipiles.

Où se loger et se restaurer

Il est possible de visiter les Mixteca Alta et Baja en une journée (bien remplie) en partant d'Oaxaca. Néanmoins, il existe des hôtels rudimentaires à Nochixtlán (où se croisent la 190 et la 135D), Coixtlahuaca, Tamazulapan (sur la 190 au sud-est de Huajuapan de León) et Putla, ainsi que des établissements plus confortables à Tlaxiaco et Huajuapa de León.

A Tlaxiaco, l'*Hotel Del Portal* (☎ 955-2-01-54), sur la place, propose de grandes simples/doubles propres avec s.d.b. disposées autour d'une cour agréable à 8/11 $US. La *Casa Habitación San Michell*, dans Independencia, demande un tarif légèrement inférieur. L'*Hotel Colón* (☎ 955-2-00-13), à une rue à l'est de la place, à l'angle de Colón et de Hidalgo, est moins cher. Le *Café Uni-Nuu*, à côté de l'Hotel Del Portal, sert de la bonne cuisine, tout comme le *Restaurant En La Bohemia*, situé entre l'Hotel Colón et la place principale.

Comment s'y rendre

Yanhuitlán, Tejupan et Huajuapan, sur la 190, sont desservies quotidiennement par plusieurs bus 1re classe et 2e classe depuis Oaxaca. Yanhuitlán est à 2 heures 30 (1re classe, 3,75 $US). Pour Coixtlahuaca, un bus à destination de Puebla ou de Mexico peut vous déposer à l'embranchement ; vous pouvez aussi prendre un bus à destination de Huajuapan jusqu'à Tejupan, d'où des taxis colectivos vous emmèneront à Coixtlahuaca.

Quelques bus 1re classe Cristóbal Colón ainsi qu'une demi-douzaine de bus 2e classe (FYPSA) partent quotidiennement d'Oaxaca pour Teposcolula, Tlaxiaco et d'autres villes bordant la 125. N'importe quel bus va jusqu'au croisement des nationales 190 et 125 ; il suffit de prendre ensuite un minibus parcourant la 125. Quelques bus Cristóbal Colón et FYPSA relient Tlaxiaco à Putla et Pinotepa Nacional.

Plusieurs villes de la Mixteca sont desservies par des bus partant du Terminal Oriente (TAPO) de Mexico.

Nord de l'État

Tuxtepec, sur le fleuve Papaloapan, à 128 km d'Alvarado sur la côte de Veracruz, est la "capitale" d'une région de basse altitude au nord de l'État d'Oaxaca, apparentée à Veracruz par sa culture et sa topographie. La difficile mais souvent spectaculaire 175 serpente sur 210 km dans les montagnes depuis Oaxaca avant de l'atteindre. La ville compte plusieurs hôtels aux prix modérés. Elle est desservie par des bus 1re classe et 2e classe en provenance de la plupart des villes des États d'Oaxaca et de Veracruz.

Sur la route de Tuxtepec, à 74 km de Oaxaca, se trouve **Guelatao**, où naquit Benito Juárez ; deux statues au moins sont érigées à sa mémoire, et un musée lui est consacré. A **Ixtlán**, à 5 km au-delà de Guelatao sur la nationale 175, se dresse le Templo de Santo Tomás de style baroque, où fut baptisé le petit Benito.

Côte de l'État

Un moment de détente sur cette magnifique côte – connue localement sous le nom de Costa Chica (petite côte), par opposition à la Costa Grande, plus loin à l'ouest dans l'État de Guerrero – est un parfait complément à la visite d'Oaxaca et des Valles Centrales. Les paysages que traverse la 175 depuis la capitale sont spectaculaires : elle monte à travers les forêts de pins au sud de Mihuatlán, puis redescend au milieu d'une forêt tropicale de plus en plus chaude et luxuriante.

Les liaisons aériennes et les nouvelles routes goudronnées apparues au cours des vingt dernières années ont rapproché cette région autrefois isolée du reste du Mexique et transformé les villages de pêcheurs de Puerto Escondido et de Puerto Ángel en petites stations balnéaires. Ces villes ont cependant conservé leur échelle modeste, et leur ambiance reste détendue – Puerto Ángel tout particulièrement.

Si Puerto Escondido attire de nombreux surfers, les environs de Puerto Ángel offrent une série de petites plages merveilleuses pas encore envahies – l'une d'elles, Zipolite, est depuis longtemps appréciée des voyageurs à petit budget – où de nombreuses solutions d'hébergement sont proposées à bas prix. Plus à l'est, une immense station touristique est en train de naître autour des Bahias de Huatulco, en prenant soin toutefois de respecter l'environnement.

A l'ouest de Puerto Escondido, les amoureux de la nature pourront visiter les lagunes de Manialtepec et Chacahua qui abritent d'innombrables espèces d'oiseaux. Une autre excursion intéressante consiste à se rendre dans une des nombreuses plantations de café dans les collines couvertes de forêts derrière la côte. La culture du café a été développée ici par des colons allemands au XIXe siècle.

La côte est plus chaude et beaucoup plus humide que les hautes terres de l'intérieur. Les pluies tombent principalement entre juin et septembre, rendant la végétation extrêmement verdoyante.

A partir d'octobre, le paysage commence à devenir plus sec, et vers mars, la plupart des arbres – en grande majorité à feuilles caduques – sont dénudés. Mai est le mois le plus chaud.

ÉTAT D'OAXACA

Désagréments et dangers

La côte de l'Oaxaca, une région plutôt défavorisée en dehors de ses quelques enclaves paradisiaques et touristiques, n'échappe pas à une certaine hostilité à l'encontre des touristes. Prenez garde aux voleurs à Puerto Escondido et aux alentours de Puerto Ángel et Zipolite.

Le meilleur moyen d'éviter de risquer de se faire dévaliser sur la nationale 200 qui longe la côte ou sur la 175 venant d'Oaxaca est de ne pas voyager à la nuit tombée.

Hébergement

Les prix des chambres indiqués ci-dessous correspondent à ceux de la haute saison, à savoir de Noël à Pâques, en juillet et en août. Le reste de l'année, les prix dans les trois principales stations balnéaires baissent de 15% à 50% dans beaucoup d'établissements.

Comment s'y rendre

Si vous voyagez du Chiapas vers la côte, ou vice versa, et que vous ne trouviez pas de bus à votre convenance, une solution consiste à prendre un jusqu'à Juchitán ou Salina Cruz, puis d'en prendre un autre jusqu'à la côte.

PUERTO ESCONDIDO

• Hab.: 35 000 • ☎ 958

Les surfeurs ont envahi cette région bien avant que la route ne soit carrossable. Puerto Escondido (port caché), devenu une véritable station balnéaire, s'est toutefois relativement peu développé et demeure assez bon marché. Étagée à flanc de colline au-dessus de l'océan, la ville compte peu de rues bitumées. Elle possède pourtant plusieurs plages, quelques hôtels aux prix raisonnables, des cafés et des restaurants.

Vous aurez plus de chance de jouir d'un peu de fraîcheur en grimpant dans les montagnes qu'en séjournant au niveau de la mer. Les plus fortes précipitations ont lieu en mai, en juin, début juillet et en septembre. Jusqu'à une époque très récente, la fréquentation des touristes durant ces périodes chutait considérablement et Puerto Escondido revêtait un aspect peu agréable pour d'autres raisons – les agressions des touristes semblaient alors en augmentation. Actuellement, le tourisme se répartissant plus équitablement tout au long de l'année, et la prospérité croissante touchant l'ensemble de la population, il semble y avoir moins de raisons aux comportements désespérés.

Orientation

La ville surplombe une petite baie face au sud (la Bahía Principal). La route 200 traverse la montagne à mi-hauteur, séparant la ville haute, où vivent et travaillent les habitants – et où arrivent les bus – de la ville basse, fréquentée par les touristes. L'Avenida Pérez Gasga, en partie piétonne – elle est d'ailleurs surnommée "adoquín", pavé en espagnol –, constitue le cœur de la ville basse. L'extrémité ouest de Pérez Gasga serpente jusqu'à la route 200, qu'elle rejoint à un carrefour appelé El Crucero.

La Bahía Principal s'incurve, à son extrémité est, vers la longue Playa Zicatela – idéale pour le surf mais dangereuse pour la baignade – bordée par plusieurs hôtels modernes, essentiellement de catégorie moyenne. D'autres plages longent une série de baies à l'ouest.

Renseignements

Office du tourisme. Le principal office du tourisme (☎ 2-01-75) se trouve à 2,5 km à l'ouest de Pérez Gasga sur la route de l'aéroport, à l'angle du Boulevard Juárez. Il est logé dans des bâtiments aux toits de palme arborant un panneau "Sedetur Representación de Turismo", ouverts en semaine de 9h à 15h et de 18h à 20h, et le samedi de 9h à 13h. C'est ici que vous devrez venir si vous rencontrez de sérieux problèmes, mais le kiosque d'informations aux touristes, situé à l'extrémité ouest de l'allée piétonne Pérez Gasga, est efficace et plus pratique. Il est ouvert en semaine de 9h à 14h et de 16h à 19h, et le samedi de 9h à 14h. Renseignez-vous ici sur les visites guidées de la ville même, souvent laissées de côté par les touristes.

L'ouragan Pauline

Les 7, 8 et 9 octobre 1997, l'ouragan Pauline a provoqué des dégâts considérables et de nombreuses pertes humaines tout le long de la côte de l'Oaxaca et à l'intérieur des terres, ainsi que dans l'isthme de Tehuantepec. Au moins 75 000 personnes, peut-être beaucoup plus, ont péri, plus de 50 000 foyers ont été détruits ou endommagés, la plupart des arbres le long de la côte arrachés et des parcelles entières de forêts déracinées. En tout, plus de 1 300 km^2 de plantations et de terres cultivables ont été dévastées.

Les plus touchés parmi la population ont été les plus pauvres. Des milliers de maisons sommaires, construites en bois, en carton, en aluminium ou en pisé, ont tout simplement été balayées par des vents soufflant jusqu'à 200 km/h ou emportées par les inondations qui ont fait suite aux pluies torrentielles déversées par l'ouragan. Dans certains villages, pas une seule maison n'est restée debout. Plusieurs régions de collines isolées se sont retrouvées coupées du monde et ont dû attendre au moins une semaine après la catastrophe pour recevoir de l'aide. Les ravages causés dans l'agriculture ont laissé de nombreux paysans sans espoir de retrouver un emploi avant de longs mois.

Si les stations balnéaires, construites plus solidement, ont moins souffert, les quartiers les plus pauvres de Puerto Escondido et les villages proches de Huatulco ont néanmoins subis de sérieux dommages. Des témoins ont parlé de nombreuses maisons détruites, le toit arraché pour la plupart, à Puerto Ángel, et de zones dévastées à Zipolite ainsi que dans les villages à proximité. ■

Argent. La Banamex, à l'angle de Pérez Gasga et d'Unión, change les dollars et les chèques de voyage en semaine de 9h à 15h et dispose de distributeurs. La Bancomer et la Bital, dotées de distributeurs également, sont situées dans la partie haute de la ville (Norte), respectivement à l'angle de 2a et de 3a Poniente. Leurs horaires d'ouverture sont plus ou moins de 8h30 à 14h30 en semaine, et de 10h à 14h le samedi. Il existe plusieurs casas de cambio – appelées Money Exchange – où les taux de change sont moins avantageux que ceux des banques, mais qui ouvrent du lundi au samedi de 9h à 14h et de 16h à 19h : vous en trouverez au moins deux dans la rue piétonne et une autre à la Playa Zicatela, en face des Bungalows Acuario.

Poste et communications. La poste se trouve à 25 minutes de marche en remontant depuis le front de mer. Son bâtiment bleu est situé dans Oaxaca à l'angle de 7a Norte. Prenez un bus Mercado ou un taxi colectivo pour économiser vos jambes. Elle est ouverte du lundi au vendredi de 8h à 19h, le samedi de 9h à 13h.

Vous trouverez des cabines téléphoniques dans la voie piétonne et une caseta, avec service de fax, en face de la Farmacia Cortés. D'autres cabines sont installées devant le Money Exchange de la Playa Zicatela.

Blanchisserie. Vous pouvez laver 8 kg de linge pour 2,50 $US à la Lavamática del Centro, Pérez Gasga, un peu au-dessus de l'Hotel Nayar. Si vous le donnez à laver, sécher et repasser, il vous en coûtera 9,50 $US. Une autre blanchisserie est située à l'extrémité est de Pérez Gasga.

Désagréments et dangers. Les histoires de vols et d'agressions à l'arme blanche étaient encore fréquentes il y a quelques années, mais nous avons pu observer une amélioration de la situation. Des mesures ont été prises pour rendre la Playa Zicatela – connue autrefois pour ses agressions – plus sûre : éclairages supplémentaires et patrouilles de police plus nombreuses sur la Calle del Morro, parallèle à la plage. Cependant, il est fortement conseillé de rester dans les zones éclairées la nuit et dans les endroits peuplés la journée pour éviter tout incident. Dans le doute, prenez un taxi.

ÉTAT D'OAXACA

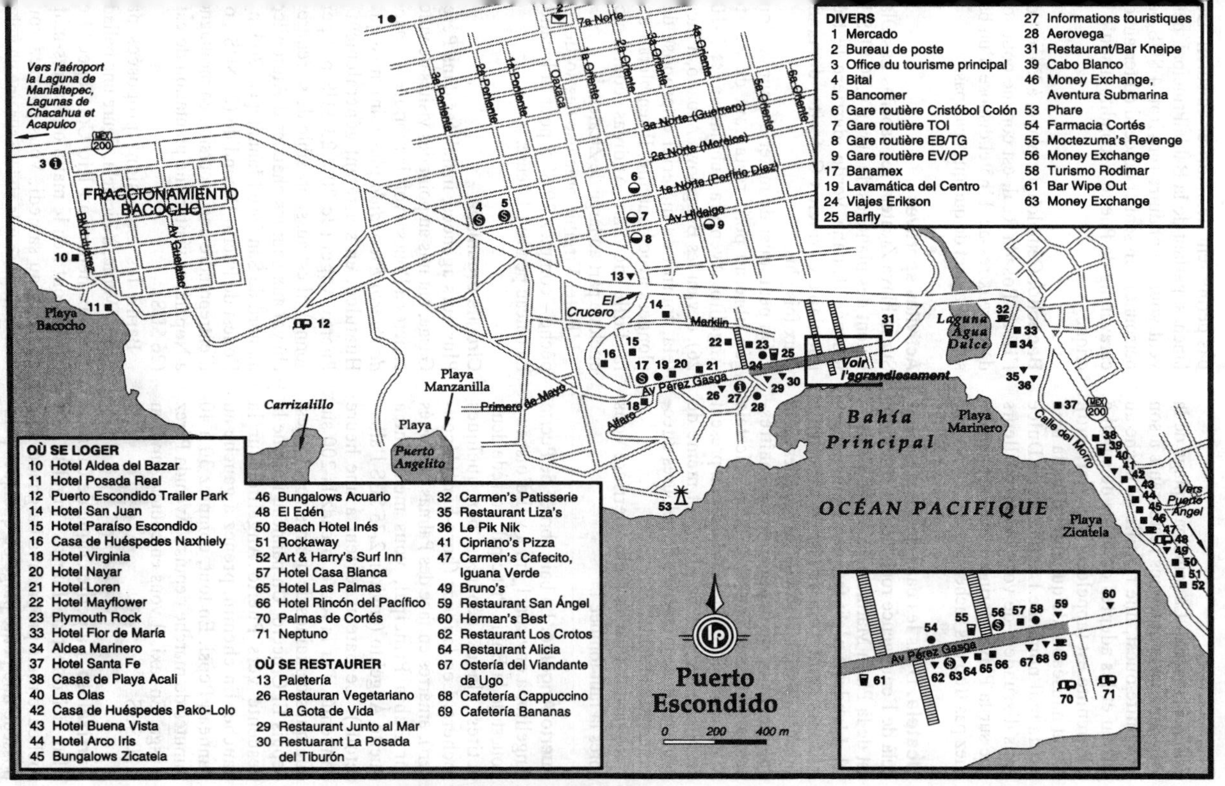

ÉTAT D'OAXACA

Plages

Bahía Principal. La principale plage de la ville accueille quelques restaurants à son extrémité ouest, une flottille de pêche au milieu et les adeptes de bains de soleil à l'extrémité est (appelée Playa Marinero). L'eau nauséabonde qui entre dans la baie par la mal nommée Laguna Agua Dulce vous dissuadera de vous baigner ailleurs que sur la Playa Marinero. Ne vous approchez pas trop des rochers.

Zicatela. Dans les eaux de Zicatela, au-delà de l'émergence rocheuse à l'extrémité est de la Playa Marinero, le ressac est mortel. L'endroit n'est fréquenté que par les surfeurs qui sont aussi d'excellents nageurs. Il semblerait que les noyades aient quasiment cessé depuis que des maîtres-nageurs patrouillent sur la plage. Zicatela se développe très vite et dispose à présent de plusieurs bars de plage, et même de petits jardins agrémentés de pelouses directement sur le sable.

Regardez tout de même derrière vous après la nuit tombée !

Puerto Ángelito. La baie abritée de Puerto Ángelito, à environ 1 km à vol d'oiseau à l'ouest de la Bahía Principal, possède deux petites plages séparées par quelques rochers. Les *lanchas* (hors-bord découvert), amarrés en face des Palmas de Cortés sur Bahía Principal, vous mèneront à Puerto Ángelito (environ 2,75 $US l'aller-retour). Le bateau revient à une heure convenue. Par la route, prenez la 200 sur quelques centaines de mètres vers l'ouest depuis El Crucero. Un panneau indique la descente vers Puerto Angelito, sur la gauche. En chemin, prenez à gauche au panneau Pepsi. En tout, comptez 30 à 40 minutes de marche depuis l'Avenida Pérez Gasga. En taxi, il vous en coûtera environ 1,30 $US.

Carrizalillo. La petite crique de Carrizalillo, à l'ouest de Puerto Angelito, est rocheuse mais propre à la baignade. Elle possède une petite plage où quelques palapas permettent de s'abriter du soleil. Des lanchas, partant de la Bahía Principal, peuvent vous y conduire (environ 4 $US par personne). Un sentier descend du terrain de caravaning de Puerto Escondito jusqu'à la crique.

Bacocho. Cette longue plage, à l'ouest de l'Hotel Posada Real, est connue pour son dangereux ressac. L'hôtel dispose d'un bar sur la plage et de quelques palapas.

Activités sportives

Sur la Playa Zicatela, les cabañas Las Olas louent des planches de surf à 6,50 $US la journée. Iguana Verde, derrière le très populaire Carmen's Cafecito, demande deux fois plus.

On peut louer du matériel pour la plongée libre au petit restaurant de Puerto Ángelito. Aventura Submarina (☎ 2-10-26), devant les Bungalows Acuario, à Zicatela, fournit du matériel et propose des plongées avec bouteille. Il semblerait que la faille de San Andreas commence quelque part au large de Zicatela !

L'Hotel Virginia organise des sorties de pêche – comptez 20 $US pour la location du bateau pendant 1 heure.

Circuits organisés

Plusieurs agences, installées dans Pérez Gasga, ont mis au point des visites de villes côtières à l'ouest (voir la rubrique *A l'ouest de Puerto Escondido* plus loin) ainsi qu'à Huatulco, en s'arrêtant généralement à Puerto Ángel (de 20 à 23 $US par personne). Il est aussi possible de se rendre à cheval aux sources chaudes d'Atotonilco, au nord de San José Manialtepec, 20 km à l'ouest de Puerto Escondido (22 $US), ou d'entreprendre une excursion en montagne, à Nopalá, et visiter une plantation de café (26 $US).

Parmi les excursions proposées par Iguana Verde, à Zicatela, figure une ballade de deux heures au Río Colotepec. Les départs ont lieu le matin ou l'après-midi, du lundi au samedi. Vous pourrez vous laisser flotter sur la rivière sur une chambre à air (10 $US par personne). Lorsque nous sommes passés, les gens faisaient la queue pour s'adonner à ce plaisir.

Manifestations annuelles

La Semana Santa donne lieu à de nombreuses réjouissances pendant une semaine. Le carnaval du surf de l'État d'Oaxaca se tient à la même période. Deux compétitions internationales de surf se déroulent chaque année, en août et en novembre. En fait, le mois de novembre est le plus animé : le championnat national de surf, qui a lieu entre le 17 et le 20 novembre, coïncide avec la fiesta de Puerto Escondido – des danses folkloriques, des concours de beauté, des concours de pêche et bien d'autres distractions figurent au programme. Le 18 décembre, une statue de la Virgen de la Soledad est emmenée au large à bord d'un bateau, suivie par une procession religieuse.

Où se loger

Durant la haute saison, il arrive que les établissements les plus appréciés affichent complet, toutes catégories confondues. Si vous n'avez pas réservé, la meilleure solution est de faire le tour des hôtels en début de journée.

Où se loger – petits budgets

Campings. Le *Puerto Escondido Trailer Park* (☎ 2-00-77) occupe un vaste espace sur la falaise qui surplombe la Playa Carrizalillo. Le tarif de 10 $US pour deux personnes comprend l'approvisionnement en eau et en électricité ; un supplément est demandé pour les emplacements offrant vue sur la mer. La meilleure route pour y accéder est l'Avenida Guelatao.

Le *Neptuno*, sur la Bahía Principal, possède un terrain en terre battue pour le camping, doté de branchements électriques et d'un large espace pour faire du feu au milieu. Les toilettes communes sont crasseuses. Comptez 1,30 $US par personne. A côté, et d'un meilleur rapport qualité/prix, le *Palmas de Cortés*, plus ombragé mais moins grand, revient à 2,75 $US par personne (plus la même somme par véhicule), douches, électricité et emplacement barbecue compris.

El Éden est un agréable petit terrain de camping situé à Zicatela. Il se trouve à côté du restaurant Bruno's, sur une étroite bande de terre menant à quelques cabañas rudimentaires et bon marché. Les cocotiers procurent une ombre bienvenue. Le tarif est de 2,75 $US par personne, raccordement électrique compris.

Playa Zicatela. La *Art & Harry's Surf Inn*, tout au bout de Zicatela, propose des simples/doubles agréables avec s.d.b., eau chaude, ventilateur et moustiquaires à 11/13 $US. La plupart des chambres donnent sur la plage, et quelques-unes disposent même d'un coin salon. Des rénovations étaient en cours lors de notre dernière visite, aussi les prix auront-ils sans doute augmenté.

Bahía Principal. Les cabañas sur la Playa Marinero sont en général modestes, d'aspect douteux (certaines sont carrément sales) et serrées les unes aux autres dans une zone déjà surpeuplée. Les plus habitables sont celles de l'*Aldea Marinero*, dans une petite allée qui part de la plage. Équipées de lits en toile, de moustiquaires, de hamacs accrochés devant et de s.d.b. communes, les simples/doubles valent 3,25/5,25 $US. L'endroit est assez bruyant.

Le terrain de camping *Neptuno* possède quelques petites cabañas sommaires (sans moustiquaire, mais avec peu de moustiques) à 2,75 $US par personne.

Avenida Pérez Gasga. Vous trouverez quelques établissements assez récents offrant des dortoirs dans Libertad, qui monte à flanc de colline à l'ouest de la partie piétonne. Le sympathique et attrayant *Hotel Mayflower* (☎ 2-03-67) loue des chambres spacieuses de trois à six lits à 4 $US par personne. Les simples/doubles à 20/24 $US sont de taille moyenne. En face, le *Plymouth Rock* propose des lits en dortoirs à 4 $US par personne.

ÉTAT D'OAXACA

L'*Hotel Virginia* (☎ 2-01-76), dans Alfaro, qui débouche dans Pérez Gasga, à 400 mètres en remontant la colline après le centre commercial, compte environ 10 chambres correctes avec ventilateur et s.d.b. à 9,25/13 $US. Celles à l'étage jouissent d'une belle vue et de la brise.

La *Casa de Huéspedes Naxhiely*, Pérez Gasga 301, dispose de chambres propres et convenables, mais assez petites et étouffantes, avec ventilateur et s.d.b. à 12 $US, en simple ou en double.

Où se loger – catégorie moyenne

Playa Marinero et Playa Zicatela. Si l'*Hotel Flor de María* (☎ 2-05-36) était installé ailleurs que dans cette petite allée poussiéreuse, entre la Playa Marinero et la nationale, ce serait la meilleure adresse de la ville. Tenu par un couple mexicano-italien chaleureux, l'hôtel comporte 24 chambres vastes et joliment décorées, avec ventilateur, deux lits doubles et s.d.b., disposées autour d'une cour. Vous pourrez profiter également d'une petite piscine sur le toit, d'une salle de télévision et d'un restaurant. Les simples/doubles coûtent 26/33 $US.

Sur Zicatela, les *Casas de Playa Alcali* (☎ 2-07-54) se composent de 17 cabañas en bois pouvant accueillir jusqu'à quatre personnes et équipées de moustiquaires, ventilateur, réfrigérateur, cuisinière, douche, toilettes et d'eau filtrée. Les simples/doubles/triples sont à 13/20/24 $US. L'endroit possède une piscine.

Plus loin sur la promenade, *Las Olas* propose six agréables cabañas ou bungalows avec s.d.b., ventilateur, moustiquaires, réfrigérateur et cuisinière à partir de 16/18 $US la simple/double – prix raisonnables pour Zicatela.

La *Casa de Huéspedes Pako-Lolo*, très appréciée des surfers et tenue par un propriétaire accueillant, déménageait près de la Cipriano's Pizza lorsque nous sommes passés. Renseignez-vous sur ses tarifs.

A flanc de colline, au-dessus de Cipriano's, se trouve l'*Hotel Buena Vista* (☎ 2-14-74), qui offre d'agréables chambres, simples mais nettes, avec s.d.b., ventilateur et moustiquaire. Les balcons, d'où la vue est splendide, profitent de la brise. Comptez 16/18 $US ; les doubles avec cuisine sont à 24 $US.

Juste derrière, l'*Hotel Arco Iris* (☎ 2-04-32 ; fax 2-14-94) possède une vingtaine de grandes chambres propres, avec ventilateur, cuisine et balcon donnant directement sur le rivage, ainsi qu'une belle piscine et un bon restaurant/bar, en étage et en plein air. Cet hôtel décontracté attire, entre autres, une clientèle de surfers. Les simples/doubles coûtent ici 26,60/31 $US.

A côté, *Bungalows Zicatela* (☎/fax 2-07-98) dispose de 12 bungalows spacieux, chacun comportant trois lits doubles, une cuisinière, un réfrigérateur et une s.d.b. Vous pourrez également profiter d'un restaurant et d'une piscine. Simples/doubles à 26/29 $US. Dans un bâtiment de deux étages, douze chambres moins chères sont louées à 18/24 $US.

Plus loin, derrière le Money Exchange, les 12 cabañas en bois confortables de *Bungalows Acuario* sont disposées autour d'une piscine. Elles sont équipées de s.d.b., d'un ventilateur et de moustiquaires, il est possible d'y faire la cuisine, et elles valent 26 $US, en simple ou en double. Presque à l'extrémité de la promenade, le *Beach Hotel Inés* (☎ 2-07-92) bénéficie d'un joli coin piscine avec un café, où l'on sert d'excellents plats, et de simples/doubles propres avec ventilateur et s.d.b. à 32 $US. L'établissement possède également plusieurs cabañas à 16/20 $US, et quelques suites plus onéreuses. Le *Rockaway* (☎ 2-06-68) propose des cabañas autour d'une piscine avec des simples/doubles/triples à 16/26/37 $US.

Avenida Pérez Gasga et alentour. L'*Hotel Rincón del Pacífico* (☎ 2-00-56), dans la partie piétonne, comporte 20 chambres dotées de grandes fenêtres et de ventilateurs autour d'une cour plantée de palmiers, ainsi que son propre café/restaurant sur la plage. Quoique d'aspect un peu délabré, ses chambres (18/20 $US)

ÉTAT D'OAXACA

sont assez bien tenues, et le personnel est serviable. L'*Hotel Las Palmas* (☎ 2-02-30), à côté, est d'un genre similaire, avec des chambres un peu plus grandes à 16/20 $US. Dans ces deux établissements, évitez les chambres sur la rue si vous ne voulez pas entendre de la musique jusque tard dans la nuit.

De l'autre côté de la rue, l'accueillant *Hotel Casa Blanca* (☎ 2-01-68), Pérez Gasga 905, est sensiblement plus confortable que les deux précédents. Il donne sur la rue, pas sur la plage, mais ses 21 chambres sont spacieuses, modernes, ventilées, dotées de grandes s.d.b. et de balcons côté rue. Simples/doubles/triples à 16/19/23 $US. Il dispose d'une piscine.

A une minute de marche au-delà de la partie piétonnière, toujours dans Pérez Gasga, se trouve l'*Hotel Loren* (☎ 2-00-57 ; fax 2-05-91), qui demande 24 $US pour une simple/double nue mais de taille correcte. Toutes sont équipées de ventilateur, d'eau chaude, de TV et d'un balcon – mais certaines seulement ont vue sur la mer. En haut de la rue, l'*Hotel Nayar* (☎ 2-03-19), similaire, possède de vastes parties communes que rafraîchit agréablement la brise. Les 36 chambres avec ventilateur (3,25 $US de supplément pour la clim.) disposent de l'eau chaude, de TV et de petits balcons. Certaines donnent sur la mer. Comptez 15/19 $US en simples/doubles. Ces deux établissements comportent une piscine.

L'accueillant *Hotel San Juan* (☎ 2-03-36), Marklin 503, à l'est de Pérez Gasga et juste en dessous d'El Crucero, offre 30 chambres à divers prix, à partir de 16/20 $US. Toutes sont équipées de s.d.b., de ventilateurs et de moustiquaires ; les plus chères bénéficient d'une terrasse privée. Il possède une piscine et un grand salon à ciel ouvert pour profiter du soleil, de la vue ou de la brise.

Où se loger – catégorie supérieure

Le meilleur établissement à proximité de Pérez Gasga est l'*Hotel Paraiso Escondido* (☎ 2-04-44), dans la petite rue Unión. C'est un établissement bleu et blanc truffé de coins et de recoins, et décoré de céramiques, de poteries et de sculptures en pierre. La partie restaurant/bar/piscine est très attrayante. Les 24 chambres propres, mais de taille moyenne, sont climatisées. Certaines possèdent des fenêtres en vitraux. Les prix sont à 46/59 $US tout au long de l'année.

A côté du cap rocheux qui sépare la Playa Marinero de la Playa Zicatela se trouve l'*Hotel Santa Fe* (☎ 2-01-70 ; fax 2-02-60). Les 51 chambres sont joliment disposées autour de petites terrasses et d'une piscine bordée de palmiers. Les escaliers sont en céramique, et le ravissant restaurant/bar qui profite de la brise surplombe la plage de Zicatela. Les chambres n'offrent pas toutes la même taille, ni la même vue, mais sont bien conçues – les céramiques sont savamment utilisées – ce qui les rend dans l'ensemble très agréables. La plupart sont climatisées et équipées d'un ventilateur. Les simples/doubles coûtent 65/75 $US ou 75/85 $US. Huit charmants bungalows avec cuisine sont également à louer, entre 79 et 89 $US.

L'*Hotel Posada Real* (☎ 2-01-33 ; fax 2-01-92), qui appartient à la chaîne Best Western, est à 2,5 km à l'ouest de la ville, Boulevard Juárez 11, dans la zone actuellement en construction de Fraccionamiento Bacocho, près de la 200. Il possède des jardins ombragés par des grands palmiers, une piscine, ainsi que 100 chambres climatisées avec balcon dans un bâtiment à étages dominant la Playa Bacocho. Comptez de 60 à 90 $US, selon la saison.

L'*Hotel Aldea del Bazar* (☎ 2-05-08), Boulevard Juárez 7, également au-dessus de la plage Bacocho, est un immense hôtel luxueux au style mauresque un peu voyant. Les chambres valent 83 $US en haute saison, et 45 $US le reste du temps. Il possède tous les équipements qu'offre ce genre d'établissement, y compris une belle piscine et de vastes jardins.

Appartements. Il est possible de louer un appartement ou une maison pour un séjour bref ou long. Renseignez-vous au kiosque d'informations aux touristes dans Pérez Gasga, à la Carmen's Patisserie ou au restaurant Le Pic Nic, sur la Playa Marinero.

Où se restaurer

Les restaurants et les cafés de Puerto Escondido sont pour la plupart des endroits simples comportant une partie en plein air. La cuisine italienne est très répandue, et Escondido est un paradis pour les végétariens. Ne manquez pas de goûter aux excellentes glaces, boissons aux fruits et *paletas* (fruit pressé et glacé sur un bâton) dans n'importe quel établissement indiquant *paletería* ou *nevería*. Vous en trouverez une très bonne au nord d'El Crucero ; essayez le délicieux et rafraîchissant lait glacé à la noix de coco (0,30 $US). Le principal marché de produits frais est situé dans la partie supérieure de la ville (voir la carte).

Playa Marinero et Plaza Zicatela. De bons pains complets ou à la banane, des gâteaux, des croissants et des pâtisseries sont vendus à la minuscule *Carmen's Patisserie*, juste au-dessus de l'Hotel Flor de María, dans la petite allée qui mène à la Playa Marinero. Le petit café style palapa attenant, avec ventilateur, sert de savoureux petits déjeuners ou des en-cas, du café à volonté, et même du thé en sachet. Il est ouvert du lundi au vendredi de 7h à 18h. Le *Carmen's Cafecito*, dans Zicatela, tenu par le même couple mexicano-canadien sympathique, offre le même genre de choses et ne désempli pas. Il est ouvert tous les jours de 6h à 21h.

Le Pik Nik est un nouveau restaurant en plein air très apprécié sur la Playa Marinero. Les en-cas d'inspiration française, comme le pâté, coûte environ 2 $US, et les plats de poissons typiquement mexicains, 4,75 $US. Des groupes de musiciens s'y produisent quelquefois le soir.

Le restaurant de l'*Hotel Santa Fe*, spacieux et ouvert à la brise, propose de délicieux fruits de mer et de la cuisine végétarienne (mais attendez-vous à ne pas avoir ce que vous aurez choisi). Les prix sont modérés : les poissons et les fruits de mer coûtent de 4,25 à 11 $US, les antojitos, les pâtes, le tofu et les plats végétariens entre 3,25 et 7 $US.

Le long de Zicatela, la *Cipriano's Pizza*, accueillante, confectionne les meilleures pizzas de la ville : la pâte fine et croustillante recouverte de bons fromages est cuite dans un four en briques. Le choix des garnitures est très varié, et une pizza entre 3,25 et 9,25 $US suffit pour deux. Des petits déjeuners bon marché sont également servis.

Derrière le Cipriano's, le restaurant de l'*Hotel Arco Iris*, fort agréablement situé en étage, prépare un savoureux mélange de cuisine mexicaine et internationale à la grande satisfaction des surfers de Zicatela. Les pâtes et les antojitos sont tarifés entre 1,60 et 3,25 $US, les poissons et les viandes de 3,25 à 6 $US – mais vous aurez sans doute besoin en plus, disons, d'une salade, pour vous sentir vraiment rassasié. A côté, le restaurant des *Bungalows Zicatela* offre un honnête rapport qualité/prix – essayez les burgers (à la viande, au soja ou au poisson) à moins de 2 $US, accompagnés de frites et de salade.

Vers le milieu de Zicatela, *Bruno's* concocte derrière son bar de fameux cocktails, parfaits pour attendre votre commande. La carte originale comprend des plats végétariens, asiatiques et italiens entre 2,75 et 4,50 $US. Certaines soirées sont consacrées à des cuisines particulières, thaï ou japonaise, par exemple. L'établissement ouvre de 18h à 22h, plus tard lorsque des groupes se produisent.

Avenida Pérez Gasga. Des restaurants à prix raisonnables proposant des fruits de mer – que nous avons toujours trouvés d'une excellente fraîcheur – sont regroupés à l'ouest de la partie piétonne. Plusieurs donnent directement sur la plage. Le *Restaurant Junto al Mar*, le *Restaurant La Posada del Tiburón* et le *Restaurant Los Crotos* servent tous de bons repas. La plupart des plats de poissons – comme un huachinango moelleux et entier avec du riz ou des frites et une petite salade – coûtent entre 4,75 et 6 $US. La délicieuse soupe de poissons du Junto al Mar constitue presque un repas à elle seule (avec de gros morceaux de poisson bien moelleux) à 5 $US.

Juste derrière l'extrémité de la partie piétonne, le *Restauran Vegetariano – La Gota de Vida* sert une cuisine savoureuse. Petits déjeuners, tortillas et grosses salades valent environ 2,50 $US. On y mange aussi du tofu ou du tempeh – goûtez la torta de tempeh con salsa barbacoa, un délicieux burger de tempeh servi sur du pain aux céréales avec de la salade et de la sauce tomate épicée. Vous pourrez également déguster des fruits et diverses douceurs au yaourt. Ce restaurant gère une succursale sur Zicatela.

A peu près au milieu de la partie piétonne, le petit *Restaurant Alicia* est d'un rapport qualité/prix intéressant avec ses cocktails de fruits de mer et ses excellents poissons de 1,90 à 4 $US. Des petits déjeuners bon marché sont servis également. Vers l'est de la rue piétonne, la bonne *Osteria del Viandante da Ugo*, tenue par des Italiens, propose tout un choix de pâtes et de pizzas individuelles entre 1,90 et 6,25 $US, ainsi que de délicieuses salades (à l'avocat ou au poulpe) de 2,25 à 4,50 $US. La *Cafetería Cappuccino* prépare un excellent café, mais aussi de bons bols de yaourt, de salade de fruits et de müesli, ainsi que des crêpes correctes ; le buffet du petit déjeuner coûte 2,75 $US. Les plats principaux, y compris les poissons, valent aux alentours de 5,50 $US.

Le *Restaurant San Ángel*, en face de la Cafetería Bananas tout au bout à l'est de la rue piétonne, cuisine des poissons et des fruits de mer à des prix raisonnables, comme le huachinango à 3,75 $US et les camarones à 5,25 $US.

Encore plus à l'est, vous pourrez savourer au *Herman's Best* une cuisine "comme à la maison", délicieuse et bon marché, et apprécier l'humeur joviale du chef et patron. Les sept tables sont vite occupées, mais l'attente est largement récompensée. Pour 2,25 $US, il vous préparera du poisson, du porc ou du poulet frit avec du riz, des frijoles, de la salade et d'énormes tortillas.

Où sortir

A Puerto Escondido, la soirée commence en général au moment du happy hour – de 18h à 21h environ – dans les cafés-bars : le *Wipe Out*, le *Barfly*, la *Cafeteria Bananas* ou l'*Hotel Las Palmas*, tous situés dans la partie piétonne ; le *Restaurant Liza's*, sur la Playa Marinero ; ou le *Cabo Blanco* et le bar de l'*Hotel Arco Iris*, sur la Playa Zicatela.

Les somptueux couchers de soleil d'Escondido sont réputés. Aussi trouverez-vous souvent un ou deux endroits où des orchestres se produisent jusque très tard dans la nuit – lors de notre dernière visite, le *Wipe Out* présentait une très bonne formation latino-américaines, tandis qu'un excellent groupe mexicain de salsa/samba passait au *Moctezuma's Revenge*. Ces deux établissements sont installés dans la partie piétonne. Le *Restaurant/Bar Kneipe*, à l'extrémité orientale de Pérez Gasga, accueille des musiciens tous les soirs. Un groupe assez médiocre massacrait joyeusement des tubes des années 70 lors de notre dernière visite.

Vous pourrez aussi danser toute la nuit au *Tequila Sunrise*, tout à l'ouest de la Bahía Principal. Les réjouissances commencent vers 21h et se prolongent très tard dans la nuit.

Comment s'y rendre

Avion. Reportez-vous au paragraphe *Comment s'y rendre* de la rubrique *Oaxaca* pour les détails concernant les vols entre Puerto Escondido et Oaxaca.

Mexicana assure des vols directs depuis/vers Mexico au mois cinq fois par semaine (1 heure, 98 $US). Les bureaux de Mexicana (☎ 2-00-98, 2-03-02) et d'Aeromorelos (☎ 2-06-53) sont situés à l'aéroport. Aerovega (☎ 2-01-51) dispose d'un bureau à l'extrémité ouest de la partie piétonne. Turismo Rodimar (☎ 2-07-34) et Viajes Erikson (☎ 2-08-49), tous deux dans Pérez Gasga, vendent des billets d'avion.

Bus. Les gares routières 2e classe des bus EB/TG, EV/OP et TOI se trouvent dans l'Avenida Hidalgo, en haut de la ville : prenez à droite (vers l'est) à deux rues d'El Crucero. Les bus directo d'EB/TG correspondent quasiment à un service 1re classe. Cristóbal Colón (1re classe) est situé dans 1a Norte, entre 1a et 2a Oriente, deux rues au nord d'El Crucero.

Il est conseillé de réserver sur les lignes les meilleures et les moins desservies, notamment sur les bus directs pour Oaxaca et les bus Colón. Parmi les départs quotidiens, citons :

Acapulco – 400 km, entre 6 heures 30 et 7 heures 30 ; quatorze EB/TG (de 8,75 à 11 $US)
Bahías de Huatulco – 115 km, 2 heures 30 ; deux Colón (3,25 $US), onze EB/TG (de 2,25 à 2,75 $US)
Oaxaca – 310 km, 7 heures ; cinq directos (9,25 $US) et plusieurs ordinarios EV/OP (7,50 $US) ; un bus 2e classe directo Transportes Aragal à 21h30 du terminal TOI (7,25 $US) ; un Colón de nuit *via* Salina Cruz (530 km, 10 heures, 16 $US)
Pochutla – 65 km, 1 heure 30 ; onze EB/TG (de 1,30 à 1,70 $US)

Les bus Colón assurent chaque jour quatre liaisons avec Tuxtla Gutiérrez, et deux avec San Cristóbal de Las Casas (19 $US). Colón et EB/TG desservent quotidiennement Salina Cruz. Et tous les jours, EB/TG et EV/OP relient Mexico.

Voiture et moto. Budget (☎ 2-03-12/15) dispose d'un bureau de location dans l'Hotel Posada Real.

Comment circuler

Desserte de l'aéroport. L'aéroport est situé à 4 km environ à l'ouest du centre-ville, sur le côté nord de la 200. Si vous voyagez à deux ou trois, le taxi est le moyen le plus économique d'aller en ville, à condition que vous en trouviez un et que vous parveniez à négocier un prix raisonnable (2 $US).

Des minibus colectivos (2 $US par personne) vous déposeront n'importe où en ville. Vous pouvez réserver pour le trajet centre-ville/aéroport auprès des agences de voyages dans Pérez Gasga. Vous ne devriez pas rencontrer de problèmes pour trouver un taxi pour l'aéroport à un prix raisonnable.

Taxis et lanchas. Les taxis stationnent près des barrières, aux extrémités de la partie piétonne de Pérez Gasga. Outre les lanchas desservant certaines plages, les taxis sont le seul moyen de transport entre le centre – Pérez Gasga/Bahía Principal – et les plages environnantes si marcher ne vous tente pas ou vous semble dangereux. Comptez 1,30 $US pour une course jusqu'à Playa Zicatela ou Puerto Ángelito.

A L'OUEST DE PUERTO ESCONDIDO

La nationale 200, qui se dirige vers Acapulco, traverse une région côtière parsemée de lagunes et de plages où abondent les oiseaux et la végétation. Les habitants proviennent d'origines diverses : Mixtèques, Espagnols, descendants d'esclaves africains ayant fui le joug espagnol ou de voyageurs asiatiques et chiliens dont les navires firent naufrage alors qu'ils rejoignaient la Californie au moment de la Ruée vers l'or. Ces derniers sont à l'origine d'une musique populaire locale appelée la Chilena.

Laguna de Manialtepec

Cette lagune, longue de 8 km, commence à environ une quinzaine de kilomètres de Puerto Escondido, le long de la 200. Elle abrite des ibis et plusieurs espèces de faucons, des balbuzards pêcheurs, des aigrettes, des hérons, des martins-pêcheurs et des iguanes. Les oiseaux sont resplendissants en juin et en juillet ; le meilleur moment pour les observer est le matin de très bonne heure, mais même en milieu de journée et en janvier, des amateurs de notre connaissance en ont dénombré 40 espèces. La lagune est cernée principalement de mangroves, mais des fleurs tropicales et des palmiers poussent également côté océan.

Hidden Voyages Ecotour, dirigé par Michael Malone, un ornithologue canadien averti, et géré par Turismo Rodimar, dans Pérez Gasga à Puerto Escondido, organise de très intéressants circuits à Manialtepec au lever et au coucher du soleil (30 $US). Les autres circuits d'observation d'oiseaux avec un guide anglophone coûtent 20 $US avec Turismo Rodimar ou avec Ana Márquez, que l'on peut joindre à l'Hotel Rincón del Pacífico.

Si vous souhaitez y aller seul, prenez un bus EB/TG ou conduisez jusqu'aux petits villages de La Alejandría ou d'El Gallo, sur la rive nord de la lagune, tout près de la 200. Vous trouverez là deux restaurants qui proposent des bateaux à louer. La Alejandría, à environ 16 km de Puerto Escondido, dispose d'une plage ombragée, d'un espace pour camper et de quelques cabañas rudimentaires. Le restaurant *Isla de Gallo*, un peu plus loin, à El Gallo, qui sert de bons poissons grillés, peut emmener jusqu'à huit personnes sur un bateau couvert, accompagnées par un capitaine compétent. Il demande 26 $US pour un tour en bateau de 2 heures 30, qui comprend un arrêt sur la bande de sable du côté de la lagune ouvrant sur l'océan.

Lagunas de Chacahua

La zone autour des lagunes côtières de Chacahua et de La Pastoría constitue le magnifique Parque Nacional Lagunas de Chacahua. Ces endroits sont d'un intérêt tout particulier pour les ornithologues en hiver, lorsque les oiseaux migrateurs arrivent d'Alaska et du Canada.

Les îles bordées de mangroves abritent des cormorans, des cigognes des bois, des hérons, des aigrettes, des ibis, des spatules roses, ainsi que des orchidées noires, des arbres d'acajou, des crocodiles et des tortues. El Corral, une longue voie d'eau bordée par la mangrove où s'égayent d'innombrables oiseaux, relie les deux lagunes. De là, vous verrez des nuées d'oiseaux effleurer la surface de l'eau et s'élancer vers l'azur parsemé de nuages blancs vaporeux, tandis que les contours des montagnes de l'intérieur scintillent dans le lointain.

Zapolito. Une route de cinq kilomètres bifurque de la 200 en direction du sud, à 60 km de Puerto Escondido, pour rejoindre Zapolito, petit village de pêcheurs sur la rive est de la Pastoría. La coopérative de tourisme locale organise des circuits de 2 heures en lanchas autour des lagunes, qui coûtent 45 $US pour un bateau plein (environ six personnes). Certains circuits prévoient un arrêt-baignade sur la plage de Cerro Hermoso, ou sur celle proche de Chacahua, village de pêcheurs situé à l'extrémité ouest du parc national. Des bateaux colectivos (2,75 $US par personne) relient également Zapolito au village de Chacahua ; ils partent dès que sept ou huit passagers sont montés à bord. Le trajet d'environ 25 km dure à peu près 45 minutes. A Zapolito, vous trouverez des bateaux colectivos (avec des dais protégeant du soleil) à une courte distance du point de départ des circuits en lanchas. Quelques restaurants simples sont installés au bord du lagon.

Chacahua. Ce village, à 5 minutes de marche d'une merveilleuse et grande plage ouvrant sur l'océan, est un endroit propice à la béatitude – pour une journée, quelques jours ou plusieurs semaines. Les vagues superbes attirent les surfers, mais les courants sont forts – demandez aux habitants où il n'est pas dangereux de se baigner. Pour se loger, *Siete Mares*, face à la lagune, propose des cabañas sommaires à 4/8 $US en simple/double. Vous trouverez d'autres cabañas moins chères sur la plage, où sont également installés plusieurs restaurants avec des hamacs suspendus à l'ombre ; tous servent essentiellement du poisson, des fruits de mer et des fruits tropicaux. L'accueillant *Restaurant Siete Mares*, sur la plage, propose des petits déjeuners copieux et prépare du huachinango pour 4 $US ou des camarones pour 6 $US. De l'autre côté au bout du lagon (vous pouvez le contourner) se trouve une ferme de crocodiles, qui possède une assez triste collection de créatures destinées à protéger et à reproduire l'espèce. La population de crocodiles de Chacahua (inoffensifs pour l'homme) a été décimée par les chasseurs.

Comment s'y rendre. Le plus simple est de se joindre à une excursion organisée d'une journée depuis Puerto Escondido avec les mêmes opérateurs que pour Manialtepec (de 23 à 36 $US par personne). Venir ici par ses propres moyens représente une véritable expédition : de Puerto Escondido, prenez un bus EB/TG jusqu'à Río Grande (45 minutes, 1 $US). Des taxis colectivos relient Río Grande et Zapolito, à environ 15 km à l'ouest. Vous devrez ensuite emprunter un lancha colectivo de Zapolito à Chacahua, et pareil au retour !

On peut aussi rejoindre le village par une route difficile (impraticable pendant la saison des pluies) qui part de José del Progreso, 30 km plus loin sur la 200, à environ 80 km de Puerto Escondido.

Pinotepa Nacional

• Hab.: 40 000 • ☎ 954

Dans cette ville – la plus grande entre Puerto Escondido et Acapulco – à forte population mixtèque, un marché a lieu le dimanche. Vous trouverez plusieurs endroits où vous loger. L'un des meilleurs est l'*Hotel Carmona* (☎ 3-23-22), Porfirio Díaz 127, où les simples/doubles avec bain sont à 11/13 $US avec ventilateur, et à 15/23 $US avec la clim. L'*Hotel Tropical* (☎ 3-20-10), dans Pte 3, au coin de Progreso, propose des simples/doubles à 9,25/10 $US.

POCHUTLA

• Hab.: 30 000 • ☎ 958

Pochutla est la ville-carrefour où la 175 en provenance d'Oaxaca croise la 200 qui longe la côte.

Orientation

La 175 traverse Pochutla sous le nom de Cárdenas, une rue étroite qui constitue le principal axe nord-sud. L'Hotel Izala, à l'angle de Juárez, marque le centre de Cárdenas. La place principale, Plaza de la Constitución, est une rue plus loin dans Juárez. Le marché se tient dans Allende, à l'est de Cárdenas, à deux rues au nord de l'Hotel Izala. Les gares routières sont regroupées dans Cárdenas, à quelques centaines de mètres au sud du même hôtel. La 175 croise la 200 à environ 1,5 km des gares routières.

Renseignements

La Bital Bank, dans Cárdenas, une rue au nord de l'Hotel Izala, change les chèques de voyage et les dollars US du lundi au samedi, de 8h à 18h30 ; la Bancomer, dans la même rue à l'angle d'Allende, change de l'argent en semaine de 9h à 13h45, et le samedi de 10h à 14h. Toutes deux disposent de distributeurs automatiques.

Le bureau de poste, ouvert en semaine de 8h à 19h et le samedi de 9h à 13h, est situé Avenida Progreso, derrière la Plaza de la Constitución. Plusieurs cabines téléphoniques et casetas (dont certaines possèdent un service de fax) sont installées dans Cárdenas.

L'hôpital (☎ 4-02-16), du côté est de la route au sud des gares routières, a été sérieusement endommagé par l'ouragan Pauline en 1997.

Où se loger et se restaurer

L'*Hotel Santa Cruz* (☎ 4-01-16), Cárdenas 88, au nord des gares routières, propose des simples/doubles rudimentaires avec ventilateur et s.d.b. à 4/8 $US. L'*Hotel Izala* (☎ 4-01-19), Cárdenas 59, loue des chambres correctes à 9/14 $US avec ventilateur et TV, et à 14/18 $US avec clim. et TV. L'*Hotel Pochutla* (☎ 4-00-33), Madero 102, une rue au nord puis un demi-bloc à l'est de l'Izala, possède 32 chambres propres avec ventilateur au prix de 7,75/9,25 $US. Le plus agréable est l'*Hotel Costa del Sol* (☎ 4-03-18), Cárdenas 47, un pâté de maisons et demi au nord de l'Izala, où les chambres propres avec ventilateur (simples ou doubles) coûtent 9,25 $US, et les simples/doubles avec la clim., 11/12 $US.

L'un des meilleurs établissements est le *Restaurant Los Ángeles*, dans Allende,

ÉTAT D'OAXACA

presque en face du marché : les plats à base d'œufs valent 1,30 $US, la soupe de poissons ou de crevettes 2,25 $US, les cocktails de fruits de mer 3,25 $US ou 4,75 $US. Le marché abrite plusieurs comedores à bas prix. *La Michoacana*, en haut et en face de Cárdenas en venant de la gare routière EB/TG, est à recommander pour ses jus de fruits et ses licuados.

Comment s'y rendre

Bus. Les trois gares routières principales, suivant un axe nord-sud en descendant Cárdenas, sont : EB/TG (2e classe), à l'ouest de la rue ; EV/OP (2e classe), à l'est ; et Cristóbal Colón (1re classe), à l'ouest. Parmi les départs quotidiens, citons :

Acapulco – 465 km, 8 heures ; quatre EB/TG (de 10 à 12 $US)
Bahías de Huatulco – 50 km, 1 heure ; sept EB/TG (1 $US) ; bus Transportes Rápidos de Pochutla toutes les 15 minutes jusqu'à 19h, depuis la cour située en face d'EB/TG (1 $US) ; quatre Colón (1,30 $US)
Mazunte – 22 km, 45 minutes ; mêmes bus (0,60 $US) et minibus que pour Puerto Ángel
Oaxaca – 240 km, 6 heures 30 ; un EV/OP "1re classe" à 23h (7,25 $US) ; toutes les heures, EV/OP 2e classe, de 5h à 17h (5,75 $US ; un directo 2e classe Transportes Aragal à 22h30 (6 $US), guichet dans la première rue à l'est de Cárdenas, au-dessus d'EB/TG ; deux Colón *via* Salina Cruz (465 km, 8 heures 30, 14 $US)
Puerto Ángel – 13 km, 20 minutes ; EV/OP toutes les 20 minutes, de 6h à 20h (0,30 $US) ; des minibus doublent ce service au départ de la rue suivante, au coin de Cárdenas, au-dessus de la gare EB/TG
Puerto Escondido – 65 km, 1 heure 30 ; neuf Colón (2 $US) ; douze EB/TG (de 1,30 à 1,70 $US)
San Cristóbal de Las Casas – 585 km, 11 heures ; deux Colón (17 $US)
Tuxtla Gutiérrez – 500 km, 10 heures ; trois Colón (de 15 à 18 $US)
Zipolite – 17 km, 30 minutes ; mêmes bus (0,40 $US) et minibus que pour Puerto Ángel

Colón et EB/TG desservent Salina Cruz. Colón va également à Tehuantepec et à Juchitán, et effectue une liaison de nuit avec Tapachula. Ces trois compagnies vont à Mexico.

Taxi. Des taxis attendent dans Cárdenas entre les gares routières d'EB/TG et d'EV/OP. Jusqu'à 20h, ils desservent assez fréquemment Puerto Ángel en formule colectivo, pour 0,60 $US par personne ; un taxi pris individuellement coûte 3 $US.

PUERTO ÁNGEL

• *Hab.: 10 000* • ☎ *958*

L'ancien port exportateur de café de Puerto Ángel est à présent une petite ville de pêcheurs, et un paradis pour les voyageurs, qui se déploie autour d'une baie encadrée par deux promontoires rocheux. Des plages s'étalent à l'intérieur même de la baie, et plusieurs autres sont facilement accessibles le long d'une côte splendide qui s'étend sur quelques kilomètres de part et d'autre de la ville – notamment celle de Zipolite, à 4 km à l'ouest. Désormais, des routes goudronnées relient Puerto Ángel à Oaxaca, Salina Cruz et Acapulco, et on peut prendre un avion jusqu'à Huatulco ou Puerto Escondido, mais le tourisme, relativement discret, n'a pas réussi à perturber la tranquillité de cette petite ville. Plus isolé que Puerto Escondido, Puerto Ángel comporte de bons établissements où se loger et se restaurer. Bien que sérieusement touché par l'ouragan Pauline en 1997 – des bateaux de pêche ont été coulés et de nombreuses maisons endommagées ou détruites – la plupart des hôtels et restaurants mentionnés ci-dessous ont estimé pouvoir recommencer à fonctionner normalement en quelques mois.

Orientation

La route goudronnée en provenance de Pochutla, 13 km au nord, débouche à l'extrémité est de la petite Bahía de Puerto Ángel, d'où apparaît la presque totalité du village. La route contourne la baie, traverse le lit d'un ruisseau, grimpe sur une colline, puis se scinde : à droite, elle rejoint Zipolite, à gauche, elle descend vers la Playa del Panteón.

Renseignements

L'Oficina del Alcalde (bureau du maire, pour les renseignements touristiques) et le

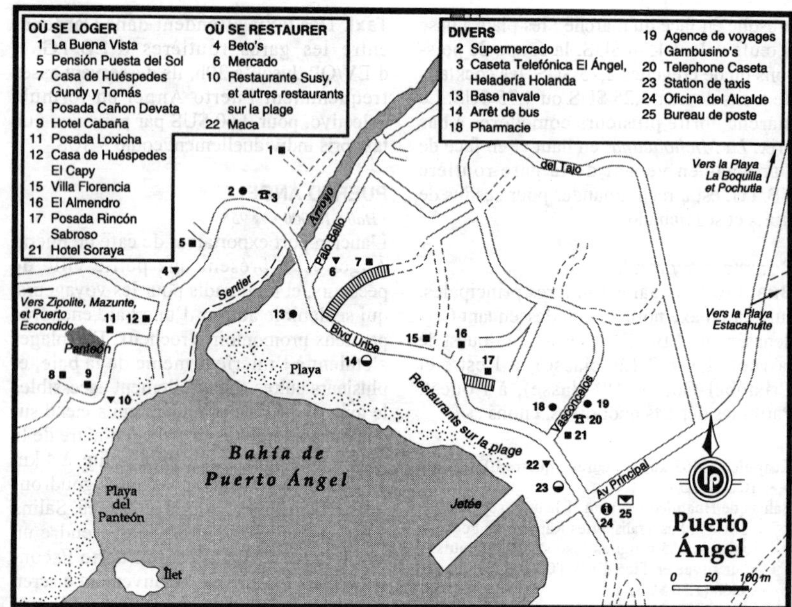

bureau de poste sont côte à côte dans l'Avenida Principal, près de la jetée à l'extrémité est de la Bahía de Puerto Ángel. La poste est ouverte en semaine de 9h à 20h30.

La banque la plus proche est située à Pochutla, mais plusieurs hôtels et restaurants changent des espèces ou des chèques de voyage à leur propre taux. Une caseta (avec service de fax) est installée dans un petit café dans Vasconcelos, à côté de Gambusino's. La Caseta Telefónica El Ángel, Boulevard Uribe, juste derrière l'arroyo, possède également un service de fax et accepte les principales cartes de crédit.

L'agence de voyage Gambusino's, Vasconcelos 3, au-dessus de l'Hotel Soraya, réserve les billets d'avion ; elle est ouverte du mardi au samedi de 9h à 20h, et le lundi de 12h à 20h.

Le Dr Constancio Aparicio (☎ 4-30-25) est un médecin qui nous a été recommandé par des résidents étrangers. La pharmacie dans Vasconcelos vous expliquera où le trouver.

Les vols et les agressions peuvent être un réel problème, notamment sur la route de Zipolite, à la nuit tombée.

Plages

Playa del Panteón. Cette petite plage située du côté ouest de la Bahía de Puerto Ángel, jouit d'une eau calme et peu profonde, plus propre que celle des plages près de la jetée des pêcheurs, du côté opposé de la baie. Vous pouvez nager jusqu'à une bande de sable qui relie le rivage à un îlot sur la droite.

Estacahuite. A 500 m de Puerto Ángel, sur la route de Pochutla, un panneau indique la plage, à "500 m". En fait, elle se trouve à 700 m mais ces trois minuscules baies sablonneuses, idéales pour la plongée, valent bien cet effort (attention toutefois aux méduses). Deux petits bars-restaurants servent des fruits de mer ou des spaghettis à un prix raisonnable. L'un d'eux dispose de matériel de plongée en location.

Playa La Boquilla. Au nord-est d'Estacahuite, la côte est parsemée de plages plus agréables et peu fréquentées. La Playa La Boquilla est de celles-ci, dans une petite baie à environ cinq kilomètres, où est installé un bon restaurant, le Bahía de la Luna. On peut y accéder par une route en terre de 3,5 km, assez mauvaise en certains endroits, après une bifurcation à 4 km de Puerto Ángel sur la route de Pochutla. Il est toutefois beaucoup plus amusant de s'y rendre en bateau – vous devriez trouver un pêcheur qui accepte de vous emmener et de revenir vous chercher plus tard pour environ 13 $US.

Activités

Il est possible de louer du matériel de plongée libre dans certains cafés-restaurants de la Playa del Panteón ou de demander à un pêcheur de vous emmener faire un tour en bateau de Panteón ou de la jetée vers l'autre côté de la baie. Une boutique située à côté de l'Hotel Cabaña loue du matériel de plongée, ainsi que masques, palmes et tubas, et organise des excursions à la journée.

Où se loger

Choisissez de préférence des endroits en hauteur, où vous profiterez de la brise, et dotés de moustiquaires. Certains établissements manquent d'eau ; vous en aurez généralement assez pour vous laver vous, mais pas vos vêtements.

L'*Hotel Soraya* (☎ 4-30-09), dans Vasconcelos, surplombe la jetée. Malgré un aspect légèrement délabré, il compte 32 chambres propres avec s.d.b., ventilateur et moustiquaire, dont la plupart ouvrent sur un balcon offrant une belle vue. Les simples/doubles coûtent 16 $US.

La petite *Posada Rincón Sabroso* (☎ 4-02-95) est à une volée de marches sur la droite quand on aborde la baie. Elle possède 10 chambres nettes avec ventilateur donnant sur une terrasse de verdure ombragée, chacune dotée d'un hamac. Les s.d.b. ne disposent de l'eau que quelques heures par jour. Les simples/doubles sont à 18 $US. *El Almendro*, dans un jardin ombragé en haut d'une petite allée, quelques mètres derrière l'escalier du Rincón Sabroso, propose des chambres tout aussi bien tenues, quoique plus petites et plus sombres pour la plupart. Les simples/doubles valent 17 $US, petit déjeuner inclus. Il comporte aussi des bungalows pour des séjours plus longs, et une petite bibliothèque.

La *Villa Florencia* (☎ 4-30-44) abrite 13 chambres agréables mais assez petites, toutes avec s.d.b., ventilateur et moustiquaire. Le coin salon avec des perroquets en cage est très plaisant. Les simples/doubles/triples reviennent à 14/21/28 $US.

Géré par les mêmes propriétaires que l'El Almendro, la *Casa de Huéspedes Gundy y Tomás* (☎ 4-31-02) loue diverses chambres : des simples/doubles avec s.d.b. commune à 7,75/11 $US, des doubles avec ventilateur et s.d.b. à 13 $US. Toutes sont équipées de moustiquaires. Les moins chères sont, pour la plupart, situées dans les étages, donc plus aérées. Vous pouvez aussi suspendre votre hamac en plein air ou en louer un pour 2,75 $US. De bons plats, accompagnés de pain fait maison et de jus de légumes, sont servis dans un décor agréable. Vous pourrez laisser vos objets de valeur dans un coffre.

Pour arriver à l'excellent hôtel *La Buena Vista* (☎/fax 4-31-04), tournez à droite le long de l'arroyo, puis remontez sur quelques mètres le premier chemin sur la gauche. La douzaine de grandes chambres, parfaitement tenues, avec s.d.b., ventilateur et moustiquaire, ouvrent sur des balcons, dotés de hamacs se balançant sous la brise. Tout au long de l'année, les prix s'échelonnent entre 16/20 et 22/26 $US, selon la taille de la chambre. Quelques bungalows en terre et en briques, dont un avec deux chambres, sont également à louer, de 30 à 33 $US. Le restaurant en terrasse sert une délicieuse cuisine dans une très bonne ambiance.

La *Pensión Puesta del Sol* (☎ 4-30-96), tenue par un couple germano-mexicain, sur la droite après avoir franchi l'arroyo offre des chambres, de taille correcte et propres, équipées de ventilateur et de moustiquaire. Les simples/doubles avec s.d.b.. commune reviennent de 12 à 14 $US ; les doubles avec s.d.b. entre 17 et 20 $US. Il est possible de se restaurer le matin et le soir. Une petite bibliothèque, la TV par câble et des vidéos sont mises à la disposition des clients dans un salon, et des hamacs sont installés sur plusieurs petites terrasses où l'on peut se relaxer en savourant la brise.

Sur la route qui descend vers la Playa del Panteón, la *Casa de Huéspedes El Capy* (☎ 4-30-02) propose 26 chambres impeccables et aérées mais assez petites, avec ventilateur et s.d.b, jouissant pour la plupart d'une belle vue, au prix de 7,75/11 $US. Juste derrière, en haut d'un chemin escarpé sur la droite, l'accueillante et détendue *Posada Loxicha* dispose de 6 chambres aux mêmes tarifs qu'El Capy, ainsi que de hamacs à 3,25 $US. Des cabañas sont également à louer pour 6,50 $US. Le restaurant d'une propreté irréprochable sert des petits déjeuners et une comida corrida, chacun à 2 $US. De là-haut, la vue est vraiment splendide.

Derrière la Playa del Panteón se trouve l'*Hotel Cabaña* (☎ 4-31-05), plus grand, dont les 23 chambres, propres et confortables, entourent un petit patio verdoyant. Les doubles/triples avec s.d.b., ventilateur et moustiquaire coûtent 18/24 $US.

Plus loin sur cette même route, en haut d'une volée de marches sur la droite, l'accueillante *Posada Cañon Devata* (☎/fax 4-30-48) propose diverses formules d'hébergement disséminées à flanc de colline. L'endroit est idéal si vous recherchez une retraite paisible – des cours de yoga sont même organisés le matin. Les simples/doubles confortables avec ventilateur et s.d.b. coûtent 11/13 $US, et un bungalow de deux pièces, avec quatre lits, revient à 30 $US pour deux personnes, plus 3,25 $US par adulte supplémentaire. La nourriture servie ici, principalement végétarienne, est délicieuse. Les propriétaires ont reboisé tout le cañon et installé des toilettes écologiques. La posada est fermée en mai et en juin.

Ouvert tout récemment, le *Bahía de la Luna*, vers la Playa La Boquilla, se compose de ravissants bungalows en pisé avec s.d.b. à 20 $US. Il possède un bon café-restaurant sur la plage à prix raisonnables – les poissons valent en moyenne 5 $US. Vous pouvez contacter les propriétaires à l'adresse suivante : Apartado Postal 90, Pochutla 70900, Oaxaca.

Où se restaurer

Le succulent restaurant de *La Buena Vista* ouvre pour le petit déjeuner et le dîner – le dimanche, il ne sert que des petits déjeuners légers. Installé sur une terrasse surplombant la baie, il prépare à la fois des spécialités mexicaines et nord-américaines, des gâteaux tout frais (2,50 $US) aux délicieux chiles rellenos (4,75 $US). Les tamales sont spécialement préparés avec des farces végétariennes ou à base de poulet et de mole (3,25 $US).

Inutile de loger à la *Posada Cañon Devata* pour y manger : vous ferez un copieux dîner de trois plats (5 $US) autour de longues tables, dans une jolie salle à manger semi-ouverte coiffée d'un toit de palme. Le repas est en général végétarien et à base de légumes biologiques. Il est conseillé de réserver en début de journée. De 19h30 à 2h, vous dégusterez notamment des sandwiches, des enchiladas et des burgers de soja sur un délicieux pain fait maison, ou encore du yaourt avec du müesli et des bananes.

La plage principale et la rue centrale, le Boulevard Uribe, comportent de nombreux restaurants. Ils sont assez bon marché – petit déjeuner autour de 1,50 $US, belle assiette de spaghettis de 1,50 à 2 $US et poisson à environ 2,50 $US – mais la plupart sont assez mal fréquentés ; le *Restaurant Marisol* sert des plats d'un bon rapport qualité/prix et des bières pas chères, et *Maca*, le petit restaurant au bout de la jetée, prépare de bons plats.

Le restaurant italien de la *Villa Florencia*, Boulevard Uribe, propose généralement de bonnes pâtes (goûtez celles au pistou) de 2 à 3,25 $US, d'excellents cappucinos à 1,10 $US, etc.

Dans les restaurants de la Playa del Panteón, notamment au bon *Restaurante Suzy*, vous savourerez de délicieux poissons et fruits de mer entre 2,75 et 5,25 $US, ou des plats moins chers tels que des entomatas ou des œufs. Attention aux fruits de mer en basse saison. Le cadre est magnifique à la nuit tombée. Deux petits restaurants situés sur la route en direction de Playa del Panteón servent une cuisine correcte. Le *Betos* propose un savoureux filet de poisson al mojo de ajo, a la veracruzana ou nature, qui ne coûte que 2,25 $US. Comptez entre 1,60 et 3,25 $US pour une salade ou un plat de viande. Betos n'ouvre qu'en fin d'après-midi. Le restaurant en terrasse de la *Casa de Huéspedes El Capy*, propose du poisson, des crevettes, de la salade du poulet ou de la viande pour environ 3,50 $US.

Comment s'y rendre

Pour aller en bus à Puerto Ángel, vous devez d'abord vous rendre à Pochutla, à 13 km au nord. De nombreux bus et colectivos relient les deux villes entre 6h et 20h. Après, vous devrez prendre un taxi. Reportez-vous à la rubrique *Pochutla* pour plus de détails.

Le principal arrêt de bus à Puerto Ángel est situé dans la rue principale, près de la base navale.

ZIPOLITE

Zipolite – une bande de sable blond s'étirant sur 2 km et qui débute à 3 km à l'ouest de Puerto Ángel – a la réputation d'être *la* plage du Mexique où poser son hamac et en faire le moins possible. Zipolite a été durement frappé par l'ouragan Pauline en octobre 1997 – presque toutes les constructions sommaires ont été détruites ou emportées, et de nombreux palmiers le long du rivage abattus. Avant le passage de l'ouragan, les baraques de pêcheurs, les comedores et des établissements bon marché proliféraient tout au long de la plage, et Zipolite était devenu de plus en plus fréquenté – tout en restant un havre de paix, la magie de l'endroit tenant à la mer, au soleil, aux nuits passées à la belle étoile et, pour certains, à la drogue.

La reconstruction des maisons, des hôtels et des restaurants a commencé dès les premiers jours qui ont suivi la catastrophe, et le village devrait plus ou moins redevenir ce qu'il était auparavant. Les renseignements concernant ces établissements seront bien entendu différents de ceux mentionnés ici, qui ont été recueillis avant le passage de l'ouragan, mais que nous avons décidé de maintenir en pensant que ce serait mieux que rien.

Attention, les vagues de Zipolite sont très dangereuses, avec des courants qui entraînent vers le large et un fort ressac. Les dispositifs de secours sont inexistants, et l'on déplore des noyades presque chaque année. Les habitants évitent de se baigner. De mai à août en particulier, on risque sa vie dès que l'eau arrive à hauteur du genou. Restez à bonne distance des rochers aux deux extrémités de la plage. Si vous êtes emporté, votre seule chance de survie consiste à nager calmement, parallèlement au rivage, pour échapper au courant.

Les vols et agressions sont fréquents à Zipolite et il est déconseillé de faire la route Puerto Ángel-Zipolite une fois la nuit tombée. Prenez garde également en ce qui concerne la drogue.

De nos jours, le nudisme se pratique de plus en plus à l'extrémité ouest de la plage.

Renseignements

Un bureau de change offre des taux raisonnables dans la rue principale à l'entrée de Zipolite. Il est ouvert de 9h à 17h. Tout près, vous trouverez des endroits où laver votre linge.

Où se loger

Le *Palmera Trailer Park* se trouve sur la route venant de Puerto Ángel avant d'arriver à Zipolite. A proximité, tous les propriétaires d'auvents de palme ou de pisé qui bordent la plage vous loueront de petites chambres et/ou des emplacements pour suspendre votre hamac. Choisissez un endroit dont le propriétaire acceptera de garder vos affaires, si possible sous clé. Le prix pour la location d'un hamac est de 2 $US la nuit, et vous pourrez suspendre le vôtre pour 1,40 $US. Les chambres commencent à 4 $US, la plupart coûtant en-dessous de 10 $US. Le prix varie selon la taille, mais aussi selon qu'elle est équipée ou non d'une douche, d'un ventilateur ou de moustiquaires.

Parmi les endroits les plus corrects, *Lola's*, à l'extrémité est de la plage (plus près de Puerto Ángel) propose une quinzaine de chambres avec s.d.b., ventilateur et moustiquaire ; les meilleures sont situées à l'étage, face à l'océan. Comptez 11/13 $US pour une simple/double. Juste à côté, le *Restaurante Tomás* – qui sert de la cuisine italienne et mexicaine – loue des cabañas à 5,25 $US par personne et des lits en dortoir à 2,75 $US. Un peu plus loin, *Lyoban* dispose de 12 chambres rudimentaires (avec des rideaux en guise de portes) sur deux niveaux, avec des consignes pour les bagages. Les douches sont communes. Il vous en coûtera 2,75 $US par personne. Vers le milieu de la plage, l'*Aris* possède 9 chambres de 4 $US à 6,50 $US. Son voisin *The Green Hole* loue 12 cabañas simples et nues, les deux meilleures se trouvant à l'étage. Le tarif est de 4 $US par personne.

Le *Tao Zipolite*, vers l'ouest, se composent de 20 chambres simples avec moustiquaires et douches communes. On vous demandera 6,50 $US pour une double, et vous profiterez d'un bar-restaurant.

Un des endroits les plus prisés est *Lo Cósmico*, dont les cabañas sont disposées autour d'un haut promontoire rocheux à l'extrémité ouest de la plage. Un hamac dans une cabaña vous coûtera ici 4 $US, et sur une terrasse sous la brise, 2 $US. Mais vous pourrez également choisir une double à 26 $US dans une des cabañas plus grandes au décor plus personnalisé. Il y règne une ambiance décontractée et chaleureuse. Au sommet du promontoire se dressent les huttes en forme de fusée du couple mexicano-suisse accueillant qui est propriétaire de l'endroit. On y sert de la bonne cuisine dans le restaurant en plein air.

La *Shambhala Posada*, un vieil établissement plus souvent appelé *Casa Gloria*, du nom de sa propriétaire nord-américaine, est située tout au bout de la plage, sur une colline d'où l'on découvre un magnifique panorama. On peut louer un emplacement pour mettre son hamac, sa tente ou son camping-car à 2 $US, ou une petite cabaña avec un lit et une moustiquaire à 7,75 $US, ou encore une cabaña plus spacieuse à 11 $US. Des chambres bon marché sont également proposées. Les s.d.b. communes sont correctes.

Où se restaurer

Peu d'établissements à Zipolite fournissent gratuitement de l'eau potable. Dans les nombreuses comedores très simples qui jalonnent la plage, un plat typique de poisson accompagné de riz et d'une salade vous reviendra environ à 3,50 $US.

Deux endroits offrent un plus grand choix, et même un vrai menu. Le *Restaurante-Bar La Choza*, vers le milieu de la plage, propose une carte variée – un petit déjeuner avec des œufs coûte en moyenne 1,30 $US ; les poissons et fruits de mer, y compris les crevettes, valent jusqu'à 4 $US. Sur le chemin en terre qui passe derrière la route principale vers le milieu de la plage se trouve le *3 Diciembre*, un restaurant végétarien-pâtisserie-pizzeria très apprécié. Il est ouvert de 19h à 3h.

Vers l'extrémité ouest de la plage sont regroupés trois des établissements les plus grands et les mieux organisés. Leur popularité atteste de leur réelle qualité. Le premier, la *Posada San Cristóbal*, prépare un honnête huachinango ou des crevettes pour 4 $US, des spaghettis, des sandwiches et des hamburgers entre 2 et 3 $US. On y sert même du cappucino.

Lo Cósmico, sur les rochers vers l'ouest de la plage, prépare de la bonne nourriture dans une cuisine d'une propreté impeccable, notamment de savoureuses crepas (sucrées et salées) de 1,60 à 2,50 $US, et des salades.

Comment s'y rendre

La route de Puerto Ángel à Zipolite est goudronnée sur toute sa longueur. Des bus et des minibus parent environ toutes les dix minutes de Pochutla, en passant par Puerto Ángel, de 6h à 20h. Reportez-vous à la rubrique à *Pochutla* pour les détails. Le trajet entre Puerto Ángel et Zipolite coûte 0,30 $US. Le principal arrêt de bus est situé derrière les bâtiments qui se dressent vers le milieu de la plage, et la station de taxis se trouve à 200 mètres avant sur la route de Puerto Ángel. Un taxi jusqu'à Pochutla revient à environ 3 $US.

MAZUNTE ET ALENTOUR

A l'ouest de Zipolite, d'autres plages splendides s'étendent presque tout le long de la côte jusqu'à Puerto Escondido. A proximité des villages de San Agustinillo (à 4 km de Zipolite) et de Mazunte (1 km plus loin), vous trouverez plusieurs endroits très décontractés où séjourner. Ces deux villages offrent des plages sans danger, et Mazunte s'est lancé dans un projet original d'écotourisme villageois très intéressant.

La côte qui s'étire entre Zipolite et Puerto Escondido est l'un des principaux lieux de ponte des tortues de mer dans le monde. C'était aussi, encore tout récemment, le théâtre d'une sinistre industrie de la tortue : on comptait jusqu'à 50 000 tortues massacrées chaque année dans un abattoir de San Agustinillo. Le village de Mazunte a grandi en s'appuyant sur cette industrie. (Voir l'encadré *Les tortues du Mexique en survie*) Suite à l'interdiction, officielle depuis 1990, de chasser et de tuer les tortues, de nombreux villageois se sont tournés vers la déforestation, mettant en danger les forêts environnantes

En 1991, avec le soutien d'Ecosolar, un groupe d'écologistes implanté à Mexico, Mazunte s'est autoproclamé Reserva Ecológica Campesina. Sa vocation consiste à protéger l'environnement local tout en soutenant l'économie villageoise. Parmi les projets figurent des ateliers d'imprimerie et de fabrication de cosmétiques naturels, l'utilisation de toilettes écologiques, la collecte sélective des détritus et l'éducation nutritionnelle. Le tourisme occupe une place-clé dans ce processus. Ecosolar dispose d'un site sur le web (voir l'*Annuaire Internet* à la fin de ce guide).

Tout comme Zipolite, Mazunte et San Agustinillo ont été très durement touchés par l'ouragan Pauline en 1997, mais les détails sur les dégâts provoqués étaient encore difficiles à obtenir au moment où nous mettions sous presse. En dehors des renseignements sur le Centro Mexicana de la Tortuga, nous avons laissé cette rubrique telle qu'elle était avant le passage de l'ouragan, en espérant sera utile.

Comment s'y rendre. Une route goudronnée relie à présent Puerto Ángel, Zipolite, San Agustinillo et Mazunte avant de rejoindre la 200. De 6h à 20h, des bus et des minibus partent toutes les dix minutes environ de Pochutla à Mazunte, *via* Puerto Ángel, Zipolite et San Agustinillo. Le tarif de Puerto Ángel à Mazunte est de 0,40 $US. Le dernier bus part de Mazunte vers 19h30.

San Agustinillo

Au-delà du cap rocheux à l'ouest de Zipolite, la longue Playa Aragón – dans le genre de celle de Zipolite, mais pratiquement déserte – s'étire jusqu'à San Agustinillo. Vous pouvez emprunter les sentiers qui partent derrière la Casa Gloria ou bien la route qui bifurque vers l'intérieur pour revenir ensuite sur San Agustinillo.

La plage de San Agustinillo est délimitée par deux petits caps rocheux, et ses vagues sont souvent parfaites pour le body board. Elle est bordée par une série de comedores – poisson, poulpe ou crevettes de 3 à 4 $US – derrière lesquels s'élèvent les restes du sinistre abattoir de tortues.

Les prix des quelques cabañas et chambres à louer sont comparables à ceux pratiqués à Zipolite. Au sommet de la pente escarpée qui longe la Playa Aragón, le *Rancho Cerro Largo* (fax 958-4-30-63) propose cinq cabañas de qualité supérieure, confortables, avec ventilateur, à 40 $US la simple ou 50 $US la double, prix comprenant un bon petit déjeuner et un dîner. On y accède par la route.

Mazunte

☎ *958*

Lorsqu'on arrive à Mazunte par la route de San Agustinillo, le Centro Mexicana de la Tortuga se trouve sur la gauche. Un peu plus loin à droite, sur la place du village, vous verrez le très utile kiosque d'informations aux touristes (☎ 4-07-14), ouvert tous les jours de 8h à 19h. La superbe plage de Mazunte – en général sans danger, bien que les vagues puissent être assez grosses – dessine un arc de cercle jusqu'à la Punta Cometa, le cap qui la délimite à l'ouest.

Centro Mexicana de la Tortuga. Le Centre mexicain de la tortue, un aquarium et un centre de recherche abritant de nombreuses espèces de tortues de mer et d'eau douce, a été sérieusement endommagé par l'ouragan Pauline en 1997. Personne ne sait quand il sera opérationnel à nouveau.

Les tortues du Mexique en survie

Sur les huit espèces de tortues de mer connues de par le monde, on en trouve sept dans les eaux du Mexique. Les lieux de ponte sont disséminés tout au long des côtes mexicaines. Les tortues déposent en général leurs œufs sur les plages où elles sont nées, quitte à parcourir des distances considérables pour les rejoindre. Elles sortent sur le rivage pendant la nuit et creusent un trou dans le sable dans lequel elles déposent de 50 à 200 œufs. Ensuite, elles recouvrent les œufs et retournent vers l'océan. De six à dix semaines plus tard, les bébés tortues fendent leur coquille et gagnent la mer pendant la nuit. Seuls deux ou trois sur cent parviennent à l'âge adulte.

La Playa Escobilla, à l'est de Puerto Escondido, est l'un des principaux terrains de ponte dans le monde de la **tortue olivâtre** (*tortuga golfina*, pour les Mexicains), l'espèce la plus petite et la seule dont l'existence ne soit pas menacée. Entre mai et janvier, environ 700 000 tortues arrivent par dizaines de vagues – les *arribadas* – sur le rivage en l'espace de deux ou trois nuits. Les arribadas ont souvent lieu (mais pas toujours) en période de lune décroissante. Les tortues de la Playa Escobilla sont gardées par des soldats armés, et la plage n'est pas accessible aux touristes.

La rare **tortue-luth** (*tortuga laud* ou *tortuga de altura*) est la plus grosse des tortues de mer – elle atteint trois mètres de long, peut peser une tonne et vivre 80 ans. Un de ses lieux de ponte favori est la Playa Mermejita, entre la Punta Cometa et la Playa Ventanilla, près de Mazunte ; ou bien encore la plage de la Barra de la Cruz, à l'est des Bahías de Huatulco.

La tortue de mer la plus menacée, la **tortue perroquet** (*tortuga lora*), reste sur la côte du golfe du Mexique, où l'un de ses principaux lieux de ponte, Rancho Nuevo, au Tamaulipas, est protégé.

La **tortue verte** (*tortuga verde*) est une espèce végétarienne qui se nourrit de plancton. La plupart des adultes mesurent un mètre de long. Pendant des millénaires, la tortue verte, source de protéines pour les hommes vivant sous les tropiques, a été recherchée aussi bien pour sa viande que pour ses œufs. L'exploration du globe entreprise par les Européens a marqué le commencement de son déclin. Au XIXe siècle, on pouvait acheter de la tortue en conserve à Londres. Jusque dans les années 60, l'Empacadora Baja California d'Ensenada, en Basse-Californie, mettait en boîte 100 tonnes de soupe de tortue chaque saison. La majorité des lieux de ponte des tortues vertes se situent dans des endroits isolés de Basse-Californie et du Michoacán.

La **cacouane** est réputée pour parcourir des distances considérables entre l'endroit où elle se nourrit et son lieu de ponte. Des cacouanes se nourrissant en Basse-Californie auraient fait éclore des œufs sur des lieux de ponte au Japon ou même en Australie. Une cacouane tatouée en Basse-Caifornie en 1994 s'est retrouvée prise dans un filet de pêcheurs 16 mois plus tard au large du Japon. Plus récemment, des chercheurs ont suivi par satellite le trajet d'une tortue, baptisée "Adelita", lâchée en Basse-Californie en 1996. Pour avoir des détails sur les progrès d'Adelita, reportez-vous au site "Turtle Happenings" dans l'annuaire Internet.

Au Mexique, les autres lieux de ponte importants sont Mimaloya et Nuevo Vallarta, près de Puerto Vallarta, au Jalisco ; Playa Troncones, près de Zihuatanejo, au Guerrero ; Lechugillas, au Veracruz ; Celestún, au Yucatán, pour la tortue verte et la **tortue à écaille** (*tortuga carey*) ; et Pamul et Akumal, au Quintana Roo. La saison de la ponte est variable, mais la fin de l'été est un moment favorable dans beaucoup d'endroits.

Ce centre, l'une des principales attractions de Mazunte, financé par le gouvernement, a été ouvert en 1994, Les sept espèces de tortues de mer du Mexique étaient exposées dans d'assez grands aquariums, et pouvoir observer de près ces créatures – certaines sont vraiment énormes – était extrêmement fascinant. Le centre était ouvert du mardi au samedi de 10h à 16h30, et le dimanche de 10h à 14h30 ; des visites guidées (en espagnol) étaient organisées au tarif de 1,30 $US.

Fábrica de Cosmeticos. L'atelier et la boutique de cosmétiques écologiques de Mazunte sont situés en bordure de route à l'extrémité ouest du village.

Soutenue par diverses organisations, cette coopérative de 14 personnes fabrique des shampoings et des produits cosmétiques à base de maïs, de noix de coco, d'avocat et de graines de sésame. On vend ici des tee-shirts, du müesli et des jouets en bois fabriqués par des handicapés, ainsi que d'autres articles produits par d'autres coopératives du village.

La septième espèce du Mexique, la **tortue noire** (*tortuga negra*) reste sur la côte du Pacifique.

En dépit d'efforts entrepris sur un plan international pour les protéger, la plupart des espèces de tortues restent encore menacées. Au Mexique, le massacre et le pillage des œufs, bien qu'illégaux, se poursuivent – ce qui n'est pas surprenant dans la mesure où la vente de quelques œufs rapporte davantage que ce que gagne un ouvrier en une semaine. En 1996, lorsque les soldats qui gardent la Playa Escobilla ont dû quitter temporairement leur poste pour aller combattre la guerilla menée par l'EPR à Bahías de Huatulco, des braconniers ont massacré des tortues et emporté ce qu'on estime correspondre entre 800 000 à 1 million d'œufs. La chair et les œufs de tortue sont très appréciés en tant que nourriture, les œufs étant supposés posséder des vertus aphrodisiaques. Quant à la peau et à la carapace, elles sont utilisées dans le domaine de l'habillement et de la décoration.

Un nouvel événement est venu menacer la population des tortues de mer du Mexique en 1997, quand l'ouragan Pauline a détruit des centaines de milliers de nids sur les plages du Pacifique – notamment dans l'État d'Oaxaca – emportant une proportion importante des œufs pondus au cours de l'année.

Si vous vous trouvez sur une plage qui est un lieu de ponte, voici quelques conseils donnés par le Grupo Ecológico de la Costa Verde de Nayarit :

- essayez d'éviter ces plages entre le coucher et le lever du soleil
- ne vous approchez pas des tortues quand elles sortent de l'océan, et ne dérangez pas des tortues en train de pondre, ou des œufs en train d'éclore, par des bruits ou des lumières intempestifs (les lumières sur la plage ou à proximité peuvent faire perdre leur sens de l'orientation aux bébés tortues lorsqu'ils se dirigent vers la mer)
- laissez les véhicules, mêmes les vélos, à bonne distance des plages
- ne construisez pas de châteaux de sable et ne plantez pas de parasol dans le sable
- ne prenez jamais un bébé tortue entre vos mains, même pour le porter jusqu'à la mer – la course pénible qu'il mène est d'une importance vitale pour son développement
- boycottez les articles fabriqués avec des tortues ou toute autre espèce animale menacée. ■

Activités sportives. Le kiosque d'informations aux touristes proposent des excursions au large à bord de lanchas, au cours desquelles vous pourrez vous baigner au milieu des tortues et des dauphins (2 heures, 39 $US jusqu'à 10 personnes) ; des promenades à cheval par groupes de six le long de la Playa Ventanilla (3 heures, 16 $US par personne) ; des locations de vélos (1,30 $US de l'heure) ; et des visites de la lagune de Playa Ventanilla (6,50 $US par personne).

Où se loger et se restaurer. Le kiosque d'informations pourra vous mettre en contact avec une *village family*, qui vous louera une chambre avec moustiquaire à 12 $US par personne, repas compris. Plusieurs comedores le long de la plage proposent des chambres, des cabañas ou des emplacements pour tentes/hamacs. Par exemple, au *Comedor Yuri*, un peu à l'ouest du Centro de la Tortuga, vous pouvez installer votre propre hamac ou tente pour 1,30 $US par personne, louer un hamac pour 2 $US, prendre une chambre avec s.d.b. à 7,75 $US (simple ou double) ou une cabaña avec s.d.b. à 12 $US.

Sur un petit promontoire rocheux vers l'ouest de la plage, la *Posada del Arquitecto*, tenu par un couple italo-mexicain, dispose de différents types d'hébergement respectant la nature du terrain, et construits uniquement dans des matériaux naturels. Un *tapanco* – un lit double posé sur une plate-forme en corde, avec un espace en dessous pour suspendre un hamac – coûte 13 $US ; la *casita*, une petite case en pisé habilement creusée à même le rocher, vaut environ 27 $US. Ces prix comprennent un petit déjeuner continental. *El Rinconcito*, un peu plus loin sur la plage, loue d'agréables cabañas à 5,25 $US la double. Vous trouverez plusieurs autres lieux d'hébergement à cette extrémité de la plage, et d'autres encore près de la route. Sur la plage, un comedor typique demande 3 $US pour un filet de poisson ou des crevettes, et 1,20 $US pour des œufs.

Playa Ventanilla

A environ 2,5 km de la route à l'ouest de Mazunte, un panneau sur la gauche indique la Playa Ventanilla, qui se trouve à 1,2 km au bout d'une piste. Les quelques maisons et comedores installés ici représentent les seules possibilités d'hébergement. La plage s'étire vers l'ouest jusqu'à Puerto Escondido – mais soyez prudent si vous vous baignez. Pour 2,75 $US, les habitants vous emmèneront faire un tour en canot dans un lagon bordé de mangroves, un peu derrière la plage. Vous pourrez observer là des crocodiles et toutes sortes d'oiseaux – ils sont plus nombreux en juillet et en août. L'excursion d'1 heure 30 comprend un arrêt sur une île où vous achèterez des noix de coco pour vous rassasier ou vous désaltérer. Trois ou quatre kilomètres plus loin à l'ouest, la plage se transforme en un lagon plus large, relié à la mer de juillet à janvier. Des promenades à cheval sont également proposées.

Un taxi de Mazunte à la Playa Ventanilla coûte 3,25 $US.

BAHÍAS DE HUATULCO

• *Hab.: 20 000* ☎ *958*

La grande station balnéaire la plus récente du Mexique est en train de prendre forme le long d'une série de baies magnifiques, les Bahías de Huatulco, à 50 km à l'est de Pochutla. Jusque dans les années 80, cette bande côtière ne comportait qu'un petit village de pêcheurs et n'était connue que de quelques étrangers comme un petit paradis aux eaux transparentes. Heureusement, les promoteurs de Huatulco semblent avoir tiré des leçons des autres stations balnéaires mexicaines modernes. La zone de développement est limitée à une petite échelle et entrecoupée de bandes de rivage laissées vierges. Les constructions ne peuvent dépasser six étages, les hôtels devant sont limités à quatre. Toutes les eaux usées sont censées être recyclées, et aucune canalisation d'égout ne doit se déverser dans l'océan. A ce stade de son développement, Huatulco reste une station balnéaire agréable et relativement peu fréquentée, où se succèdent des plages superbes, baignées par des eaux paradisiaques et bordées par la forêt. En revanche, ce n'est pas un lieu où séjourner trop longtemps si votre budget est serré.

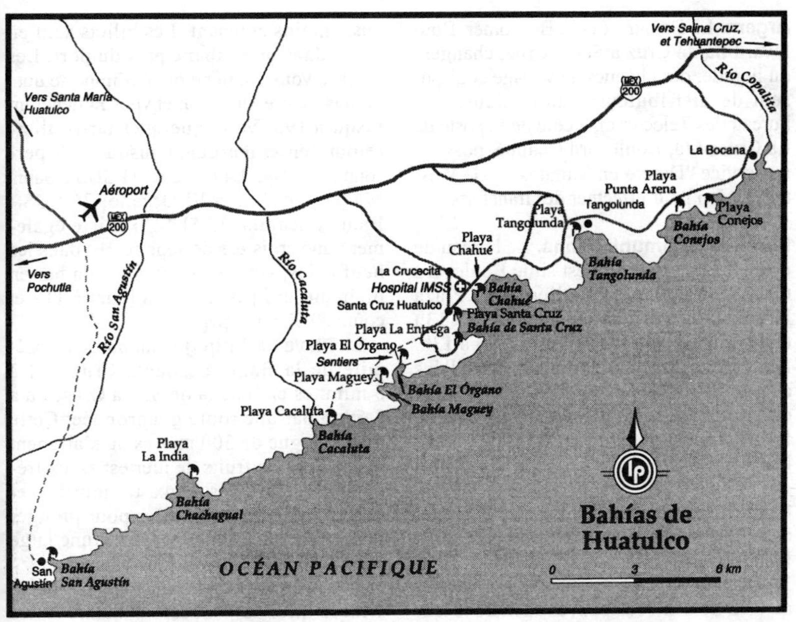

La structure solide de la plupart des bâtiments a réduit en grande partie les dommages causés par l'ouragan Pauline en 1997. La Bahía Tangolunda est l'une des principales stations balnéaires qui a le plus souffert – une partie de la plage a été emportée, mais elle doit être remplacée. Les dégâts ont été apparemment plus importants parmi les bâtiments les plus fragiles de Bahía San Agustin.

Orientation

Une route à double sens permet de parcourir les quelques kilomètres séparant la 200 de La Crucecita, la ville fonctionnelle de la station, où sont regroupés les marchés, les gares routières, la plupart des magasins, les seuls hôtels économiques et quelques restaurants de bon rapport qualité/prix. Un kilomètre au sud de La Crucecita, sur la Bahía de Santa Cruz, vous parviendrez à Santa Cruz Huatulco, le site du village d'origine, comprenant quelques hôtels et le port. Tangolunda, à 5 kilomètres à l'est, regroupe la plupart des hôtels de catégorie supérieure. Les autres baies se succèdent sur 10 km, de part et d'autre de Santa Cruz Huatulco. D'ouest en est, ce sont San Agustín, Chachacual, Cacaluta, Maguey, El Órgano, Santa Cruz, Chahué, Tangolunda et Conejos.

L'aéroport de Huatulco se situe à 400 mètres au nord de la 200, 12 km à l'ouest de la bifurcation menant à La Crucecita et à Santa María Huatulco.

Renseignements

Offices du tourisme. L'Asociación de Hoteles de Huatulco (☎ 7-08-48, 7-10-37), Boulevard Santa Cruz, à Santa Cruz, fournit des renseignements touristiques en semaine de 9h à 18h, et le samedi de 10h à 14h. En outre, un office du tourisme (1-03-88, 1-01-76), Avenida Juárez, à Tangolunda, à 250 mètres environ à l'ouest de l'hôtel Caribbean Village, est ouvert tous les jours de 9h à 15h et de 16h à 21h.

Argent. La Banamex et la Bancomer, Boulevard Santa Cruz à Santa Cruz, changent du liquide, des chèques de voyage et disposent de distributeurs automatiques. Le bureau des Telecomm, à côté de la poste de La Crucecita, Boulevard Chahué, possède un service "Dinero en Minutos" de la Western Union pour effectuer des transferts.

Poste et communications. Le bureau de poste de La Crucecita est situé Boulevard Chahué, à 400 mètres à l'est de la Plaza Principal – ouvert en semaine de 9h à 13h et de 15h à 18h, et le samedi de 9h à 13h. Des cabines téléphoniques sont installées autour de la place principale de La Crucecita et une caseta (offrant un service de fax) se trouve un peu plus loin, Bugambilias 505.

Blanchisserie. La Lavandería Estrella, dans Flamboyan, à la hauteur de Carrizal, à La Crucecita, lave 3 kg de linge pour 3,25 $US si vous le reprenez le jour même, ou 2,75 $US si vous pouvez attendre le lendemain.

Services médicaux. Plusieurs médecins parlent anglais à l'Hospital IMSS (☎ 7-11-83), Boulevard Chahué, à mi-chemin entre La Crucecita et la Bahía Chahué. Les hôtels les plus importants sont en relation avec des médecins parlant anglais.

ÉTAT D'OAXACA

Plages

Toutes les plages de Huatulco sont des étendues de sable blanc baignées par des eaux d'une transparence étonnante (bien que les bateaux, les scooters et autres engins laissent des dépôts d'huile ici et là). Certaines possèdent au large des récifs de corail et offrent d'excellents sites de plongée, même si la visibilité est souvent moins bonne pendant la saison des pluies.

A Santa Cruz de Huatulco, la petite **Playa Santa Cruz** est assez propre, mais moins attrayante que la plupart de celles de Huatulco. Des lanchas vous emmèneront vers les autres plages du port de Santa Cruz. Un taxi coûte moins cher, mais c'est aussi moins amusant. Les billets sont en vente dans une cabane près du port. Les lanchas vous emmèneront à n'importe quel moment entre 8h et 16h et vous ramèneront jusqu'à 19h. Voici quelques tarifs aller-retour (en embarquant jusqu'à 10 personnes) : Playa La Entrega, 11 $US ; Bahía Maguey ou Bahía El Órgano, 26 $US ; Bahía Cacaluta, 33 $US. Il existe également une croisière de sept heures dans les neuf baies, sur un bateau avec un bar en plein air, qui part tous les jours à 11h et coûte 20 $US par personne.

La **Playa La Entrega**, qui borde l'extrémité de la Bahía de Santa Cruz, est à 5 minutes en lancha de Santa Cruz, ou à 2,5 km par une route goudronnée. Cette plage longue de 300 mètres où s'alignent les palapas de fruits de mer est assez fréquentée, mais les eaux tranquilles et magnifiques sont parfaites pour plonger avec masques, palmes et tubas ; une large zone balisée est interdite aux bateaux.

Les routes qui mènent vers les baies situées plus à l'ouest – quand elles existent – sont assez chaotiques. Un chemin carrossable d'1,5 km aboutit à la **Bahía Maguey** ; il part de la route de La Entrega, à environ 500 mètres de Santa Cruz. Maguey possède une belle plage de 400 mètres de long qui se déploie autour d'une baie claire et paisible en arc de cercle, délimitée par deux caps tapissés de forêts. Là aussi, vous trouverez toute une série de palapas, moins fréquentés toutefois que ceux de La Entrega. Près des rochers sur la gauche (à l'est) de la baie, vous découvrirez quelques beaux coins pour la plongée libre. La **Bahía El Órgano**, une enclave à l'est de Maguey, est longue de 250 mètres. On l'atteint en marchant dix minutes sur un sentier étroit entre les arbres, qui démarre à peu près au milieu du chemin pour Maguey, à l'endroit où il s'élargit brièvement. Ici, les eaux sont calmes et limpides, parfaites pour la plongée, mais aucun comedor n'est installé.

La **Bahía Cacaluta** offre une plage d'environ 1 km, protégée par une île, mais où le courant peut être assez fort. Il est conseillé de rester autour de l'île pour faire de la plongée. La lagune juste derrière la plage abrite d'innombrables oiseaux. Un chemin étroit, à peine carrossable par temps sec, conduit à l'ouest du chemin de Maguey, à 200 mètres au-dessus du parking de Maguey, et serpente sur 2,5 km, en grande partie à travers la forêt, jusqu'à Cacaluta.

Inaccessible par voie terrestre, la **Bahía Chachagual**, limitée par deux caps, se compose de deux plages – dont l'une, la Playa La India, est l'une des plus belles de Huatulco.

A treize kilomètres au bout d'une piste qui part de la 200 au carrefour situé à 1,7 km à l'ouest de l'aéroport, s'étend la **Bahía San Agustin**. La route est praticable, mais elle traverse une rivière à gué au bout de neuf kilomètres, ce qui peut s'avérer délicat après de fortes pluies. Cette longue plage de sable fin compte de nombreux comedores-palapas, dont certains louent des hamacs pour la nuit. Elle est très appréciée des Mexicains pendant le week-end et les vacances, mais plutôt tranquille le reste du temps. En général, la mer est calme, et vous trouverez là de bons sites de plongée – plusieurs comedores louent des masques, des palmes et des tubas.

Une route goudronnée dessert les baies à l'est de La Crucita et de Santa Cruz, puis continue jusqu'à la 200. Actuellement, la **Bahía Chahué** ressemble surtout à un chantier de construction. La **Bahía Tangolunda** regroupe les principaux complexes hôteliers haut de gamme implantés récemment. Rien n'empêche de profiter des plages situées devant les hôtels, sauf que la mer y est parfois assez forte. Tangolunda possède également un terrain de golf à 18 trous. Trois kilomètres plus loin vers l'est s'étire la longue **Playa Punta Arena**, dans la Bahía Conejos. Derrière un cap à l'extré-

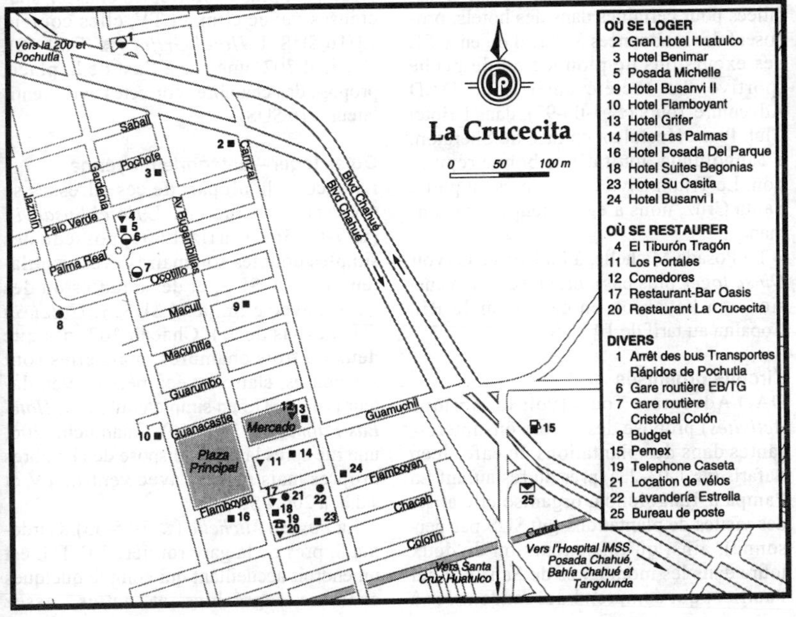

mité est de cette baie se trouve la **Playa Conejos**, plus abritée mais inaccessible par la route.

A deux ou trois kilomètres au-delà de la Bahía Conejos, la route redescend vers la côte sur La Bocana, où quelques comedores de fruits de mer sont installés à l'embouchure du Río Copalita. Une autre longue plage s'étend vers l'est.

Activités sportives

Il est possible de louer des équipements de plongée au kiosque de lanchas du port de Santa Cruz au prix de 4 $US la journée. A la Playa La Entrega, un stand vous louera un masque et un tuba pour 2 $US par jour (4 $US avec des palmes). Pendant la haute saison, ces tarifs s'entendent à l'heure, alors qu'ils sont valables le reste du temps pour toute une journée. Sur cette plage, vous pourrez également vous adonner aux joies du "banana" (1,30 $US les 30 minutes) ou faire du ski nautique (13 $US la demi-heure).

De nombreuses agences de voyages, installées pour certaines dans des hôtels, proposent des randonnées à cheval ou en VTT, des excursions de plongée ou de pêche sportive. La société américaine DAD Adventure Tours (☎ 1-00-97), dans l'Hotel Club Plaza Huatulco, en face du Sheraton, à Tangolunda, jouit d'une bonne réputation. Le Triton Dive Center, près du port à Santa Cruz, nous a également été recommandé.

La Posada Michelle, à La Crucecita (voir *Où se loger* plus bas), organise des excursions en kayak ou en canoë sur le Río Copalita au tarif de 19 $US.

Circuits organisés

DAD Adventure Tours (voir la rubrique *Activités*) propose des excursions intéressantes dans des plantations de café. Jeep Safaris (☎ 1-03-23), près du restaurant La Pampa à Tangolunda, organise elle aussi des visites de plantations (60 $US par personne), ainsi qu'une excursion de deux jours dans les montagnes de San José del Pacífico, qui comprend des randonnées à travers une forêt de pins jusqu'à un village zapotèque et une cascade de 30 mètres de haut (environ 150 $US).

Eco Discover Tours, en face du Sheraton à Tangolunda, organise des circuits guidés en vélo.

Où se loger – petits budgets

Tous les hôtels mentionnés ci-dessous sont situés à La Crucecita. L'*Hotel Benimar* (☎ 7-04-47), Bugambilias 1404, à hauteur de Pochote, est, malgré un aspect douteux, un établissement correct ; les chambres avec ventilateur et s.d.b. valent 10 $US en haute saison.

L'*Hotel Busanvi II* (☎ 7-08-90), Macuil 208, est un peu terne, mais convenable. Les chambres, avec ventilateur et eau chaude, sont à 11/15 $US en simple/double ou à 18 $US pour deux ou trois personnes dans deux lits doubles. Certaines ont la TV.

Les simples/doubles de l'*Hotel Posada Del Parque* (☎ 7-02-19), sur la Plaza Principal, sont plus confortables et assez spacieuses ; avec clim. et TV, elles coûtent 13/16 $US. L'*Hotel Grifer* (☎ 7-00-48), Carrizal 702, une rue à l'est de la place, propose des chambres correctes avec ventilateur à 16 $US.

Où se loger – catégorie moyenne

Là encore, la plupart de ces adresses se trouvent à La Crucecita. L'*Hotel Busanvi I* (☎ 7-00-56), Carrizal 601, possède des simples/doubles sommaires avec ventilateur à 10/20 $US, et des doubles ou des triples avec clim. à 24 $US. L'*Hotel Su Casita* (pas de ☎), Chacah 207, n'a que deux ou trois chambres, mais elles sont spacieuses, claires et équipées de ventilateur (16/20 $US en simple/double). L'*Hotel Las Palmas* (☎ 7-00-60), Guamuchil 206, une rue après la place, dispose de chambres propres mais petites, avec ventil., TV et s.d.b. à 20/24 $US.

La *Posada Michelle* (☎ 7-05-35), Gardenia 8, près de la gare routière EB/TG, est un endroit accueillant qui compte quelques chambres agréables et nettes, assez

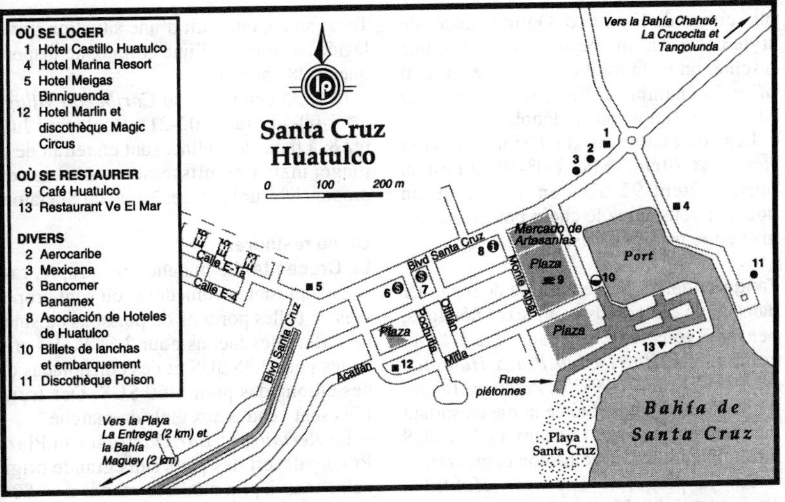

grandes, avec s.d.b. et TV. Les simples/doubles/triples/quadruples coûtent 19/26/30/32 $US avec ventilateur et 27/30/38/39 $US avec clim.

Le petit *Hotel Suites Begonias* (☎ 7-00-18 ; fax 7-03-90), Bugambilias 503, tout près de la Plaza Principal, offre des chambres confortables avec TV et ventilateur qui donnent sur des galeries à l'étage. Comptez 30 $US en simple/double.

La *Posada Chahué* (☎ 7-09-45), Calle Mixie L75, est située à environ un kilomètre à l'ouest de La Crucecita. En descendant le Boulevard Chahué vers la Bahía Chahué, prenez la seconde à gauche (à l'est) après la station-service Pemex. Les 23 chambres attrayantes, claires et bien tenues, toutes avec deux lits doubles, la clim., des ventilateurs et la TV couleur, coûtent 33 $US pour une ou deux personnes – et 20% de moins si vous vous passez de la clim. Elle possède également un restaurant à prix modérés.

Où se loger – catégorie supérieure

La Crucecita. Le *Gran Hotel Huatulco* (☎ 7-01-15 ; fax 7-01-83), Carrizal 1406, possède des chambres modernes, impeccables et climatisées (5O $US, simple ou double), ainsi qu'une piscine.

Le tout rose *Hotel Flamboyan* (☎ 7-01-13 ; fax 7-01-21), sur la Plaza Principal, où le personnel est serviable, comporte une cour intérieure agréable, une belle piscine, des simples/doubles à 64 $US et son propre restaurant. Une navette gratuite dessert la Playa La Entrega toutes les heures.

Santa Cruz Huatulco. Tenu par des Français, l'*Hotel Marlin* (☎ 7-00-55, 800-27373 ; fax 7-05-46), Mitla 28, loue des simples/doubles joliment décorées et colorées, avec la clim. et la TV, à 59 $US. Il dispose aussi d'un restaurant et d'une petite piscine au centre de l'établissement.

L'*Hotel Castillo Huatulco* (☎ 7-01-44 ; fax 7-01-31), à l'extrémité est du Boulevard Santa Cruz, abrite une agréable piscine, un restaurant, ainsi que 107 chambres spacieuses et climatisées (75 $US en simple ou en double). Il possède un club de plage dans la Bahía Chahué, jusqu'où un transport gratuit est prévu.

L'*Hotel Meigas Binniguenda* (☎ 7-00-77 ; fax 7-02-84), Boulevard Santa Cruz près de la Calle E-1a, est le plus vieil établissement de Huatulco. Outre le décor de style colonial, une belle cour-jardin, une piscine, un restaurant et un coffee-shop, il offre 74 chambres climatisées au prix de 81 $US en simple ou en double.

Les 40 chambres de *l'Hotel marina Resort* (☎ 7-09-63 ; fax 7-08-30), à l'est du port, coûtent 92 $US en simple ou en double ; vous aurez le choix pour vous baigner entre trois piscines.

Tangolunda. Si vous envisagez de séjourner dans un de ces grands complexes hôteliers, pensez à vous renseigner sur le tarif "tout compris". L'*Hotel Club Plaza Huatulco* (☎ 1-00-51 ; fax 1-00-35), Paseo de Tangolunda 23, de l'autre côté de la rue en sortant du Sheraton, propose 12 suites à 82/97 $US en simple/double, avec balcon et jacuzzi.

Sur la plage, le *Sheraton Huatulco Resort* (☎ 1-00-55 ; fax 1-03-01) se compose de plus de 300 chambres, qui ont toutes vue sur l'océan et coûtent environ 190 $US en simple ou double. L'immense piscine est installée dans un jardin qui donne sur la plage, et vous trouverez là tous les avantages auxquels on peut s'attendre dans ce type d'établissement – restaurants, bars, tennis, centre de remise en forme, sports nautiques et boutiques. Juste à côté, l'*Hotel Royal Maeva Huatulco* (☎ 1-00-00 ; fax 1-02-20) propose quatre piscines, de la bonne cuisine, 300 chambres à 110 $US, des tennis, une salle de gymnastique, une discothèque, des animations, des sports aquatiques et bien d'autres activités. Il est surtout apprécié des touristes venus en voyages organisés qui ne tarissent pas d'éloges sur l'endroit et le personnel accueillant.

Un peu plus loin dans la baie, le *Zaashila Huatulco* (☎ 1-04-60 ; fax 1-04-61) compte 164 chambres, certaines avec piscine privée, à environ 200 $US. L'élégante *Casa del Mar* (☎ 1-01-02, 800-90060 ; fax 1-02-02), située juste derrière, ne possède que 25 chambres climatisées ; les simples/doubles coûtent ici 102/112 $US.

Le récent et très luxueux *Hotel Quinta Real* (☎/fax 1-04-28), à l'extrême ouest de Tangolunda, qui jouit d'une situation privilégiée au sommet d'une colline, ne dispose que de 28 chambres.

Les 135 chambres du *Caribbean Village* (☎ 1-00-44 ; fax 1-02-21), Boulevard Juárez 8, à flanc de colline, sont en retrait de la plage, mais l'établissement possède son propre club sur la plage, à côté du Sheraton.

Où se restaurer

La Crucecita. Le marché, très propre, rassemble plusieurs comedores où sont proposées de belles portions de poissons cuisinés de différentes façons pour 2 $US, des crevettes pour 2,75 $US et des enfrijoladas ou des entomadas pour 1,60 $US. Des fruits frais sont vendus aux étals du marché.

Le *Restaurant-Bar Oasis*, sur la Plaza Principal, sert des plats sans grande originalité mais à prix modérés : tortas de 0,80 à 1,30 $US, filete de pescado à 3,25 $US ou steaks à 4,75 $US. Il s'essaie aussi à la cuisine japonaise. *Los Portales*, correct également, demande par exemple 1,60 $US pour quatre tacos de bœuf, 3 $US pour un filet de poisson et 4 $US pour des alambres (viande). Le *Restaurant La Crucecita*, dans Bugambilias près de Chacah, une rue après la plaza, est ouvert de 7h à 22h et prépare des petits déjeuners ainsi que des viandes, du poulet ou des fruits de mer d'un rapport qualité/prix intéressant, entre 2,50 et 4 $US. Les sincronizadas a la mexicana (2 $US) constituent un bon antojito.

El Tiburón Tragón, près de la Posada Michelle, sert des fruits de mer et de la cuisine du Guerrero à prix doux – quesadillas aux œufs ou au poulet à 1,20 $US, filete empanizado ou biftecks à 2 $US, cocktails de crevettes ou de poulpes à 2,50 $US.

Santa Cruz Huatulco. La cuisine est souvent décevante, excepté au *Restaurant Ve El Mar*, tout à l'est, où les fruits de mer sont excellents et les margaritas parfaites. Les poissons coûtent à partir de 4 $US, les poulpes ou les crevettes, 4,75 $US.

Le *Café Huatulco*, sur la plaza près du port, prépare un bon café Pluma (café local) de toutes sortes de façons – le cappu-

ÉTAT D'OAXACA

cino frio (froid, avec une boule de glace) justifie son prix de 1,30 $US.

Tangolunda. Les grands hôtels offrent tout un choix de bars, de coffee-shops et de restaurants à prix onéreux. L'hôtel *Casa del Mar* abrite l'un des meilleurs restaurants et jouit d'une vue superbe. La plupart des plats reviennent entre 10 et 13 $US. Il vous en coûtera de 30 à 50 $US pour un repas complet arrosé de vin.

Quelques restaurants à des prix très légèrement inférieurs sont répartis dans les deux rues de Tangolunda. Le restaurant *La Pampa Argentina*, à l'extrémité ouest où les deux rues se croisent, prépare de bons et coûteux steaks (13 $US).

Plages. Les palapas de La Entrega sont sans grande surprise (de 5 à 6 $US pour du poisson ou des fruits de mer), mais vous pourrez déguster un excellent repas à Maguey – comptez 4 $US pour un huachinango entier. Les comedores de La Bocana vous feront griller un délicieux poisson, accompagné de frites ou de salade, pour environ 4 $US.

Où sortir

A Santa Cruz, les discothèques *Magic Circus*, près de l'Hotel Marlin, et *Poison*, à côté du port, n'ouvrent que le week-end, sauf pendant la saison touristique. Lors de notre dernier passage, l'entrée au Poison coûtait 17 $US pour les hommes et 2,75 $US pour les femmes, avec les boissons gratuites. Le Magic Circus est, paraît-il, moins cher. *Noches Oaxaqueñas*, près du rond-point à Tangolunda, présente des danses régionales style Guelaguetza le vendredi, le samedi et le dimanche soirs, à 13 $US avec une boisson et à 24 $US avec un dîner.

Comment s'y rendre

Avion. Mexicana assure une liaison deux fois par jour ou plus, et Aeromar une fois presque tous les jours, depuis/vers Mexico (à partir de 71 $US). Aeromorelos et Aerocaribe effectuent toutes les deux une ou plusieurs liaisons par jour depuis/vers Oaxaca (45 $US). Il existe quelques charters économiques au départ de l'Amérique du Nord.

Mexicana (☎ 7-02-23, 1-90-08 à l'aéroport) et Aerocaribe (☎ 7-12-20, 1-90-30 à l'aéroport) possèdent des bureaux près de l'Hotel Castillo Huatulco à Santa Cruz. Aeromar (☎ 1-90-01) et Aeromoreos (☎ 1-90-22) sont installés seulement à l'aéroport.

Bus. A La Crucecita, les principales gares routières sont situées dans Gardenia. Certains bus affichent "Santa Cruz Huatulco" bien que leur terminus soit La Crucecita. Assurez-vous que votre bus ne va *pas* à Santa María Huatulco, qui se trouve très loin à l'intérieur des terres.

Cristóbal Colón (1re classe) est installé dans Gardenia, à la hauteur d'Ocotillo, quatre rues après la plaza. La plupart de ses bus sont *de paso*. EB/TG, plus loin dans Gardenia près de Palma Real, dispose de services *primera* rapides et assez confortables, sans être vraiment de 1re classe, et de bus *ordinario*. Parmi les départs quotidiens, citons :

Oaxaca – 415 km, 7 heures 30 ; deux Colón de nuit *via* Salina Cruz (12 ou 15 $US)
Puerto Escondido – 105 km, 2 heures ; six Colón (3,25 $US), onze EB/TG (2,25 ou 2,75 $US)
Pochutla – 50 km, 1 heure ; onze EB/TG (1 $US) ; des bus Transportes Rápidos de Pochutla partent toutes les 15 minutes, jusqu'à 19h, de la route principale en face de Bugambilias (1 $US)
Salina Cruz – 140 km, 2 heures 30 ; plusieurs Colón (4,25 $US), trois EB/TG (3,75 $US)

Plusieurs bus Colón desservent également Tehuantepec et Juchitán, et quelques-uns seulement Tuxtla Gutiérrez, San Cristóbal de Las Casas et Tapachula. EB/TG relie Acapulco. Ces deux compagnies de bus effectuent des liaisons avec Mexico.

Voiture et moto. Voici quelques adresses d'agences de location de voitures :

Advantage
Hotel Castillo Huatulco, Santa Cruz
(☎ 7-01-44)

ÉTAT D'OAXACA

Budget
Ocotillo, à l'angle de Jazmín, La Crucecita (☎ 7-00-34)
Aéroport (☎ 7-00-10, 1-00-20)
Dollar
Hotel Castillo Huatulco, Santa Cruz (☎ 7-02-51)
Sheraton Huatulco Resort, Tangolunda (☎ 1-00-55)
Fast
Caribbean Village, Tangolunda (☎ 1-00-02, 1-00-44)
Aéroport (☎ 1-90-31)
National
Hotel Club Plaza Huatulco, Tangolunda (☎ 1-02-93)

Advantage et Fast louent des Coccinelles Volkswagen à environ 45 $US la journée, avec kilométrage illimité, et d'autres voitures à partir de 60 $US environ.

Comment circuler

Desserte de l'aéroport. Transporte Terrestre (☎ 1-90-14, 1-90-24) propose des minibus colectivos à 5,25 $US par personne pour La Crucecita ou Santa Cruz, et à 6 $US pour Tangolunda. Les billets se prennent à leur guichet à l'aéroport. Un taxi devrait vous revenir à 8 $US jusqu'à La Crucecita ou Salina Cruz, et à 9,50 $US jusqu'à Tangolunda.

Bus. Jusque vers 20h, des bus locaux effectuent une liaison toutes les 15 minutes environ entre La Crucecita, Santa Cruz Huatulco et Tangolunda. A La Crucecita, ils s'arrêtent dans Gardenia, en face des gares routières, et dans Guamuchil, à une rue de la Plaza Principal. A Santa Cruz, l'arrêt se fait à côté du port, et à Tangolinda, près du rond-point, devant l'hôtel Maeva.

Vélos. Une boutique, dans Flamboyan, à quelques pas de la Plaza Principal de La Crucecita, loue des vélos à environ 8 $US la journée. Eco Discover Tours, en face du Sheraton à Tangolunda, demande 9,25 $US pour la journée et 6,50 $US pour la demi-journée.

Taxi. Les taxis sont très nombreux, et les tarifs fixes. Aller de La Crucecita ou de Santa Cruz à Tangolunda coûte 1,90 $US, et de La Crucecita à Maguey, 5,50 $US.

Isthme de Tehuantepec

L'est de l'État d'Oaxaca occupe la moitié sud de l'isthme de Tehuantepec. Large de 200 km, c'est la partie la plus étroite du Mexique. La région, plate et humide est dominée par la culture zapotèque. Tehuantepec est la ville la plus attrayante mais il vous faudra changer de bus à Salina Cruz ou à Juchitán. Si vous y séjournez une nuit ou deux, vous serez agréablement surpris par le dynamisme et l'accueil chaleureux des habitants.

A une quinzaine de kilomètres à l'est de Juchitán, près de La Ventosa, là où la nationale 185 à destination d'Acayucan bifurque de la 190 en direction du Chiapas, prenez garde aux forts vents septentrionaux qui parviennent parfois à faire quitter la route aux véhicules hauts.

Histoire et population

En 1496, les Zapotèques de l'isthme repoussèrent les Aztèques depuis la forteresse de Guiengola, près de Tehuantepec. L'isthme n'appartint jamais à l'empire aztèque. Plus tard, c'est là que les Espagnols rencontrèrent la plus farouche résistance, notamment de 1524 à 1527, face à l'alliance des Zapotèques, des Mixes, des Zoques et des Chontals, et pendant la rébellion de Tehuantepec, en 1660.

Les femmes de l'isthme sont ouvertes et confiantes, et elles d'ailleurs occupent une place dominante dans les secteurs économique et politique. Beaucoup de vieilles dames portent encore des huipiles brodés et de volumineuses jupes imprimées. Pour les fêtes, les femmes de Tehuantepec et Juchitán revêtent des huipiles de velours ou de satin et des jupes brodées de fleurs de soie aux couleurs extraordinaires. Elles sont coiffées d'étonnants couvre-chefs et se parent de bijoux en or et en argent, signe de richesse. Lors des fêtes de l'isthme, vous assisterez à la *tirada de frutas*, au cours de laquelle plusieurs femmes montent sur les toits et bombardent les hommes de fruits.

TEHUANTEPEC

• *Hab.: 50 000* • ☎ *971*

Tehuantepec est une ville plutôt accueillante où les fêtes de quartier sont très nombreuses.

Orientation et renseignements

La 190 Oaxaca-Tuxtla Gutiérrez croise la 185, en provenance de Salina Cruz, à l'ouest de Tehuantepec, puis contourne le nord de la ville. Les gares routières de Tehuantepec, collectivement appelées Terminal, longent la 190 au nord-est de la ville, à environ 1,5 km du centre. Les bus locaux, depuis/vers Salina Cruz, s'arrêtent aussi au croisement de la nationale avec 5 de Mayo, à une minute de marche de la plaza centrale.

Pour rejoindre la plaza à pied des gares routières, suivez l'Avenida Héroes, la rue se dirigeant vers la ville, jusqu'au croisement en T. Ensuite, empruntez Guerrero à droite sur quatre pâtés de maisons, jusqu'à un autre croisement en T ; tournez alors à gauche dans Hidalgo.

Vous obtiendrez des renseignements touristiques à l'Ex-Convento Rey Cosijopí. Quelques banques autour de la place centrale disposent de distributeurs automatiques. Le marché sombre, presque médiéval, est situé du côté ouest de la plaza, et le bureau de poste du côté nord.

Ex-Convento Rey Cosijopí

Au bout d'une courte rue perpendiculaire à Guerrero (une boutique appelée Keiko se trouve juste à l'angle), cet ancien monastère dominicain est à présent la Casa de la Cultura de la ville, où sont organisés divers cours, ainsi que des expositions temporaires ; il est ouvert tous les jours. Vous pourrez admirer la structure ramassée des deux étages construits autour d'une cour centrale. Fondé au XVIe siècle, il porte le nom d'un chef zapotèque local. Le bâtiment a servi de prison avant d'être restauré dans les années 70.

Guiengola

La place forte de Guiengola, au sommet de la colline, d'où le roi Cosijozea repoussa les Aztèques, se trouve au nord de la 190 en partant d'un embranchement situé à 11 km environ de Tehuantepec. Un panneau indique "Ruínas Guiengola 7", juste après la borne des 240 km. Vous y admirerez les vestiges de deux pyramides, d'un jeu de balle, d'un ensemble de 64 pièces dénommé Palacio et d'un épais mur défensif. Le panorama sur l'isthme est merveilleux.

Vous pouvez y parvenir en prenant, au Terminal, un bus pour Jalapa del Marqués. Descendez à Puente Las Tejas. Vous êtes à 2 heures 30 de marche de votre but. Il est souhaitable de profiter de la fraîcheur du matin en partant vers 6h ou même avant. Vous avez quelques chances de trouver un guide en vous adressant à l'Ex-Convento Rey Cosijopí.

Manifestations annuelles

La fête Vela Guiexoba (la vigile de jasmin), qui a lieu la troisième semaine de mai, comprend des défilés en costume régional et une tirada de frutas. Chaque barrio de Tehuantepec organise sa grande fête en l'honneur de son saint patron, qui se déroule sur plusieurs jours, avec parades, tiradas de frutas, nombreux marimbas et danses.

Où se loger

L'*Hotel Donají* (☎ 5-00-64), Juárez 10, deux rues au sud du côté est de la plaza centrale, loue des chambres propres avec s.d.b. (eau chaude par intermittence) aux deux étages supérieurs ouvrant sur de larges galeries en plein air. Les simples/doubles avec ventilateur coûtent 7,75/11 $US (0,50 $US de plus pour deux lits jumeaux), et 11/16 $US avec la clim.

L'*Hotel Oasis* (☎ 5-00-08), Ocampo 8,

près de Romero, une rue au sud du côté ouest de la place, propose des chambres un peu plus petites avec ventilateur, rudimentaires et nues, mais avec des douches chaudes, pour 8/10 $US (11 $US avec deux lits jumeaux). Le parking est permis dans la cour.

Où se restaurer

El Portón, Romero 54, un pâté de maisons et demi au sud de la plaza, prépare une cuisine simple, fraîche et bon marché, avec une comida corrida à 1,60 $US. Le *Cafe Colonial*, Romero 66, un peu plus loin dans la rue, sert de généreuses portions de poulet ou de viande de 3,25 à 5 $US, des antojitos entre 2,25 et 3,75 $US et un menú del día à 3 $US.

Le *Restaurant Scarú*, Leona Vicario 4, en haut d'une rue perpendiculaire et à un pâté de maisons à l'ouest de l'Hotel Donají, est un endroit des plus intéressants. Installé dans une maison du XVIIIe siècle, agrémentée d'une cour et de fresques modernes colorées sur la vie de Tehuantepec, on y déguste divers plats de poisson, de viande ou de poulet et des fruits de mer, valant pour la plupart entre 3,25 et 4,75 $US ; c'est ouvert tous les jours de 7h à 23h.

Comment s'y rendre

Le trajet de 260 km depuis Oaxaca prend 4 heures 30 en bus 1re classe. La route descend en serpentant sur 160 km. Vous apercevrez des carcasses de véhicules dans les fossés en contrebas.

Cristóbal Colón (1re classe) assure onze liaisons quotidiennes avec Oaxaca (de 7,25 à 8,75 $US) et quelques-unes avec Tuxtla Gutiérrez, San Cristóbal de Las Casas, Bahías de Huatulco, Pochutla et Puerto Escondido. Des bus relient également Mexico et Tapachula. ADO (1re classe) dessert Villahermosa et Palenque, ainsi que Acayucan. La plupart des bus de ces deux compagnies sont *de paso* et partent souvent au petit matin.

AU (2e classe) effectue quelques liaisons avec Veracruz, Oaxaca et Mexico. Sur (2e classe) relie fréquemment Tonalá, et un peu moins souvent Oaxaca (toujours de nuit), Tapachula et Mexico. TOI (2e classe), à 50 mètres à l'est sur la nationale en venant de Cristóbal Colón, fait partir des bus toutes les heures pour Oaxaca (6,25 $US), ainsi que quelques-uns pour Tuxtla Gutiérrez et Tapachula.

En face de Cristóbal Cólon, des bus locaux desservent Juchitán (25 km) et Salina Cruz (15 km). Ils partent au moins toutes les demi-heures tant qu'il fait jour, et le trajet dure 30 minutes jusqu'à l'une ou l'autre de ces destinations.

Comment circuler

Des taxis, des colectivos et des bus relient la plaza aux gares routières pendant la journée.

Un mode de transport local assez curieux est le *motocarro*, une sorte de véhicule à trois roues où le conducteur est installé sur le siège avant et le passager voyage debout sur une plate-forme à l'arrière.

SALINA CRUZ

• Hab. : 70 000 • ☎ 971

Salina Cruz devint un port important au début du siècle grâce à la construction d'une ligne de chemin de fer sur l'isthme. Mais l'absence de grands gisements de pétrole et l'ouverture du canal de Panama, plus au sud, mirent rapidement fin à sa prospérité.

Ces dernières années, Salina Cruz est redevenu un terminal d'oléoduc, doté d'une importante raffinerie. Dans cette cité, balayée par les vents, règne parfois une ambiance de Far West.

Orientation et renseignements

La 200, venant de Puerto Escondido et Pochutla, rejoint la 185, Salina Cruz-Tehuantepec, au nord de Salina Cruz, à 2 km environ du centre-ville. Près de l'Avenida Ferrocarril – qui part de ce carrefour vers le sud et rejoint le centre – sont situées les principales gares routières : Estrella Blanca est dans Obrero, pratiquement à mi-chemin du centre-ville ; Cristóbal Colón, ADO, Sur et AU sont regroupées dans Laborista, trois rues après Obrero.

L'Avenida Ferrocarril devient l'Avenida Tampico en approchant du centre et passe à une rue à l'ouest de la vaste place balayée par le vent qui se trouve sur la gauche.

Les banques situées à proximité de la plaza disposent de distributeurs automatiques. Des cabines téléphoniques et des casetas sont installées sur la place, de même que d'autres casetas près des gares routières. Le grand marché se tient à l'angle nord-est de la plaza.

Où se loger

L'*Hotel Posada del Jardín* (☎ 4-01-62), Camacho 108, environ deux rues au nord du côté ouest de la place principale, loue des petites chambres propres avec douche et ventilateur, disposées autour d'une jolie cour verdoyante, à 5,25/7,75 $US, ou 6,50/9,25 $US avec TV.

Au 5 de Mayo 520, une pâté de maisons et demi au sud du côté est de la plaza, l'accueillant *Hotel Altagracia* (☎ 4-07-26) possède des chambres nettes et climatisées à 17/20 $US. Le plus central est le moderne *Hotel Costa Real* (☎ 4-02-93 ; fax 4-51-11), Progreso 22, deux rues au nord de la place puis un demi-pâté de maisons à l'est de l'Avenida Tampico. Les simples/doubles climatisées avec TV couleur et moquette coûtent 20/24 $US. Vous disposerez en outre d'un restaurant et d'un parking.

Où se restaurer

Propre et moderne, le *Restaurant Viña del Mar*, Camacho 110, un pâté de maisons et demi au nord de la plaza principale, sert des plats à partir de 4 $US. Le *Cafe Istmeño*, du côté est de la place, prépare des déjeuners économiques de 1,30 à 2,50 $US ou des tortas à partir de 0,70 $US. Le *Jugos Hawaii*, un demi-pâté de maisons au nord de la plaza dans Camacho, est parfait pour prendre un jus de fruit (1 $US), des tortas (0,80 $US), des quesadillas ou des sincronizadas.

Comment s'y rendre

De fréquents bus pour Tehuantepec (30 minutes, 0,40 $US) et Juchitán (1 heure, 1 $US) partent du coin de l'Avenida Tampico et de Progreso, une rue à l'ouest puis deux rues au nord de la plaza.

Cristóbal Colón et ADO effectuent des liaisons quotidiennes en bus deluxe et 1re classe ; les autres compagnies proposent des bus 2e classe. Neuf bus Colón et quatre bus Estrella Blanca relient tous les jours Bahías de Huatulco (140 km, 2 heures 30, de 3,75 à 4,25 $US), Pochutla (190 km, 3 heures 30, de 4,75 $US à 5,50 $US) et Puerto Escondido (250 km, 5 heures, de 6,25 à 7,50 $US). Oaxaca (275 km, 5 heures) est desservie chaque jour par sept bus Colón (7,75 ou 9,50 $US) et trois bus Sur (6,75 $US). Colón assure deux liaisons avec Tuxtla Gutiérrez (315 km, 6 heures, 9 $US) et San Cristóbal de Las Casas (400 km, 8 heures, 12 $US). Il existe aussi des services 1re classe pour Tapachula, Veracruz, Villahermosa, Palenque et Acayucan.

Comment circuler

Des bus locaux longent l'Avenida Ferrocarril, depuis les gares routières jusqu'au centre de la ville. Pour rejoindre ces gares, vous pouvez prendre un bus affichant "Refineria" ou marcher.

JUCHITÁN

• Hab.: 70 500 • ☎ 971

Ville accueillante, peu visitée par les touristes, Juchitán présente des similitudes culturelles avec Tehuantepec.

Orientation et renseignements

La Prolongación 16 de Septiembre relie le grand carrefour de la 190 à la périphérie nord de la ville. La principale gare routière se trouve 100 m plus bas sur cette rue, à droite. La Prolongación passe ensuite devant l'Hotel La Mansión, puis trace une courbe vers la droite et se scinde : la 5 de Septiembre (à droite) et la 16 de Septiembre (à gauche). Ces deux rues parallèles mènent de chaque côté de la plaza centrale, Jardín Juárez, sept rues plus loin. Plusieurs banques se tiennent sur et près du Jardín Juárez, certaines ayant des distributeurs automatiques. Vous trouverez des casetas, de l'autre côté de la route, en face de la principale gare routière.

A voir et à faire

Le **Jardín Juárez** est une place centrale très animée. Un **marché** déborde sur les rues voisines depuis l'un des côtés de la plaza. C'est ici qu'il faut acheter des hamacs, fabriqués sur place.

La **Lidixi Guendabiani** (Casa de la Cultura) de Juchitán, à un pâté de maisons du Jardín Juárez dans José F Gómez, possède, entre autres, des œuvres de grands artistes mexicains contemporains comme Rufino Tamayo et José Luis Cuevas, ainsi qu'une belle collection archéologique. Elle entoure un grand patio à côté de l'Iglesia de San Vicente Ferrer datant du XIXe siècle.

Où se loger et se restaurer

L'*Hotel Malla*, à l'étage de la principale gare routière, loue des simples/doubles fraîches, d'une propreté acceptable, à 6,75/8,50 $US. L'*Hotel Santo Domingo del Sur* (☎ 1-10-50 ; fax 1-19-59), près du croisement sur la 190, est légèrement supérieur avec des simples/doubles à 14/19 $US et de nombreuses places de parking. La *Casa de Huéspedes Echazarreta*, Jardín Juárez, est correcte pour les prix qu'elle demande : 4,75 $US pour une simple ou une double avec s.d.b. commune, ou 5,25 $US avec s.d.b.

Le *Restaurant La Oaxaqueña*, au croisement de la 190, prépare une bonne carne asada pour 2,50 $US ; on y sert aussi d'autres plats de viande ou de poisson. Il ferme à 20h. Le *Café Colón*, près de la station-service de l'autre côté de la route, est un établissement plus élégant où les serveurs officient en nœud papillon. Les pancakes et les salades coûtent entre 2,50 $US et 4 $US, les plats principaux à partir de 4 $US. Vous trouverez quelques restaurants ouverts 24h/24 en face de la principale gare routière. Le meilleur restaurant de la ville est le *Casagrande Cafe Restaurant*, où le service impeccable s'effectue dans une cour agréable qui donne sur le Jardín Juárez. Vous savourerez toutes sortes de bonnes choses, notamment des "paquetes típicos" régionaux comme le Xadani, à savoir un jus de fruit, du porc farci avec du mole negro et un café (3,25 $US).

Comment s'y rendre

Cristóbal Colón et ADO (1re classe), tout comme Sur et AU (2e classe) utilisent la même gare routière située dans Prolongación 16 de Septiembre. Des bus Autotransportes Istmeños partent fréquemment pour Tehuantepec (30 minutes) et Salina Cruz (1 heure). Ils s'arrêtent juste à côté de la gare routière dans la journée. FYPSA (2e classe) possède sa propre gare routière, séparée de la gare routière principale par une station-service Pemex. De nombreux bus longue distance sont *de paso* et partent au milieu de la nuit.

Oaxaca (285 km, 5 heures) est desservie par neuf Colón, huit ADO et dix-neuf FYPSA, tous les jours. FYPSA assure des départs pratiquement 24h/24, Colón effectue six liaisons quotidiennes avec Bahías de Huatulco, Pochutla et Puerto Escondido. Colón et FYPSA vont plusieurs fois par jour à Tuxtla Gutiérrez et Tapachula, et Colón va deux fois à San Cristóbal de Las Casas. Sur dessert fréquemment Acayucan. Les bus de nuit d'ADO assurent une liaison avec Villahermosa et Palenque. Colón et AU relient Mexico, Veracruz et Puebla.

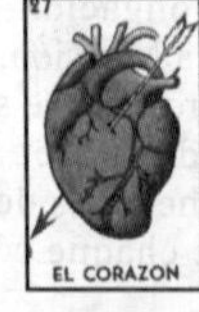

ÉTAT D'OAXACA

Acapulco et ses environs

ACAPULCO

• Hab.: 1,5 million • ☎ 74

Acapulco est la "doyenne" des villes côtières touristiques mexicaines. Son nom évoque immanquablement des images de plages de sable fin, de vie nocturne, sans oublier les plongeurs de La Quebrada effectuant le saut de l'ange dans un gouffre étroit agité par le ressac.

Acapulco est une ville à la croissance rapide, à la double personnalité : d'un côté, des plages superbes, des hôtels de luxe, des discothèques, des centres commerciaux gigantesques et des restaurants affichant des menus en espagnol, en anglais et en français (la ville est très appréciée des Québécois) bordant la Bahía de Acapulco ; de l'autre, un centre-ville commercial beaucoup moins resplendissant, aux rues sales, aux trottoirs envahis par la foule et aux longues files de bus bruyants dont la fumée étouffe les passants.

L'ouragan Pauline

Du 7 au 9 octobre 1997, l'ouragan Pauline ravagea la côte du Pacifique. Acapulco, la ville la plus durement touchée, déplora de nombreuses victimes et des centaines d'habitants des villages de montagne avoisinants furent laissés provisoirement sans abri. En revanche, l'ouragan épargna Puerto Vallarta, Manzanillo, Ixtapa et Zihuatanejo.

Quelques jours plus tard, on annonçait que les dégâts causés aux infrastructures touristiques d'Acalpuco seraient rapidement réparés. Les services de transport ainsi que les hôtels en bordure de la plage, peu endommagés, devraient fonctionner normalement. Cependant, il est possible que certains hôtels, restaurants ou services signalés ici ne soient plus en mesure d'accueillir la clientèle. ■

Toute l'année, la température est de 27 à 33°C le jour et de 21 à 27°C la nuit. Les averses sont fréquentes l'après-midi de juin à septembre, rares le reste de l'année.

Orientation

Acapulco s'étend sur une étroite plaine côtière de 11 km au bord de la Bahía de Acapulco. Depuis l'est et l'ouest, on y accède par la 200, depuis le nord par la 95 et la 95D. Elle se trouve à 400 km au sud de Mexico et 240 km au sud-est de Zihuatanejo et Ixtapa.

Acapulco est divisée en trois parties : Acapulco Naútico – connu auparavant sous le nom d'Acapulco Tradicionál –, à l'ouest (la vieille ville), Acapulco Dorado, longeant la baie vers l'est à partir de Playa Hornos et Acapulco Diamante, un quartier de complexes touristiques s'étendant de la péninsule – à la pointe sud de Puerto Marqués – vers l'est sur environ 10 km, en longeant Playa Revolcadero jusqu'à l'aéroport international.

Pie de la Cuesta, formée d'une lagune et d'une plage à environ 10 km à l'ouest d'Acapulco, est un peu moins touchée par le tourisme. A l'extrémité nord de la ville, la Peninsula de las Playas se détache au sud, depuis le centre d'Acapulco. Au sud de cette péninsule se trouve la populaire Isla de la Roqueta et, à proximité, le prétendu "reliquaire sous-marin", une statue immergée de la Vierge de Guadalupe, en bronze.

L'Avenida López Mateos remonte depuis Playa Caleta, au sud de la péninsule, vers l'ouest puis le nord, vers la Playa La Angosta et La Quebrada, avant de s'incurver vers l'est et le centre-ville.

La Playa Caleta marque également le début de l'Avenida Costera Miguel Alemán ("La Costera"), la principale avenue d'Acapulco. La plupart des hôtels, restaurants, discothèques et autres sites d'intérêt se trouvent sur La Costera, ou à proximité.

Depuis la Playa Caleta, La Costera coupe la péninsule suivant un axe nord/nord-ouest, puis suit le rivage jusqu'à la base navale d'Icacos, à l'est de la ville. Après la base navale, La Costera devient La Carretera Escénica (la route panoramique) sur 9 km, puis croise la 200 sur la gauche et la route de Puerto Marqués à droite. L'aéroport se trouve à 2,5 km de là.

Renseignements

Office du tourisme. Le Secretaría de Fomento Turístico del Estado de Guerrero (☎ 86-91-67, 86-91-68 ; fax 86-45-50), à l'est de la vieille ville d'Acapulco installé dans un immeuble face à l'océan, La Costera 187, vous fournira de la documentation sur Acapulco et l'État de Guerrero. Il est ouvert du lundi au vendredi de 9h à 14h et de 16h à 19h, le samedi de 10h à 14h, et, pendant la haute saison, le dimanche matin.

La Procuraduría del Turista (bureau d'assistance aux touristes) (☎/fax 84-44-16), La Costera 4455, devant le centre des congrès d'Acapulco, assure une assistance aux vacanciers tous les jours de 8h à 22h.

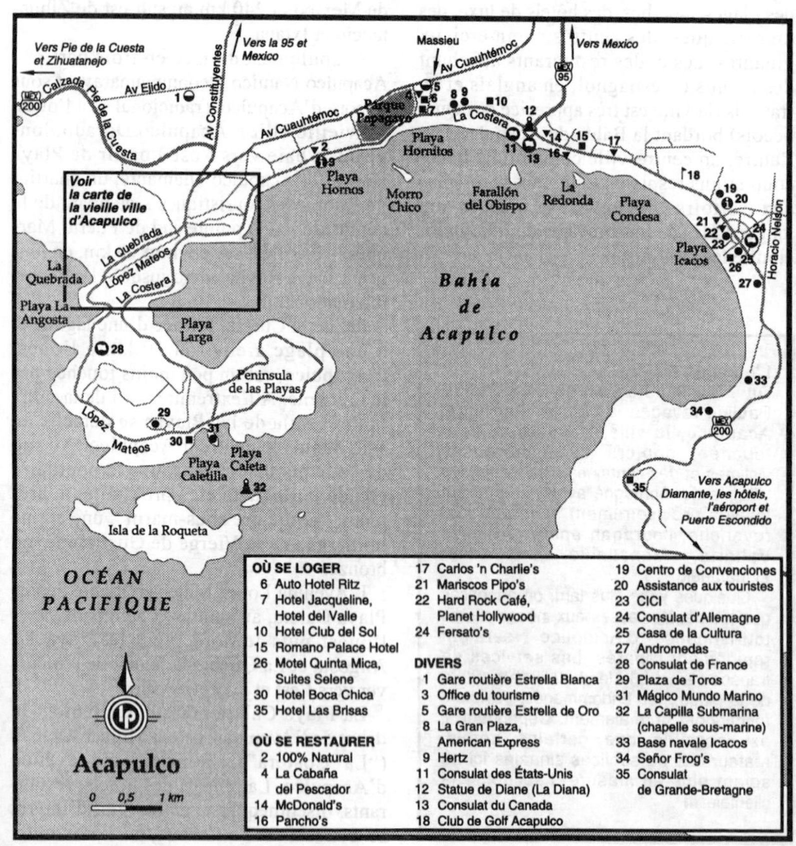

Consulats. Parmi les délégations consulaires à Acapulco, citons :

Canada
Plaza Marbella, en face de la statue de Diane (☎ 84-13-05, fax 84-13-06)

France
Costa Grande 235, Fraccionamiento Las Playas (☎ 82-33-94)

Argent. Les banques offrent les meilleurs taux de change et elles ouvrent du lundi au vendredi de 9h à environ 15h ou 17h. Les casas de cambio pratiquent des taux légèrement moins intéressants. Elles abondent sur La Costera et leurs horaires sont plus commodes que ceux des banques. Les hôtels assurent également le change, à des taux peu avantageux.

Le bureau American Express (☎ 69-11-00, fax 69-11-88), La Costera 1628, sur La Gran Plaza, change les chèques de voyage Amex au même taux que dans les banques, sans l'attente aux guichets et à des horaires plus pratiques : de 10h à 19h du lundi au samedi.

Poste et communications. La grande poste est située La Costera 125, dans le Palacio Federal, à côté du magasin Sanborns, deux rues à l'est du zócalo. Elle est ouverte du lundi au samedi de 8h à 20h. Dans le même immeuble, le bureau Telecomm assure service de telex, télégrammes, télécopies et virements. Il ouvre du lundi au vendredi de 8h à 19h, le samedi et le dimanche de 9h à 12h.

Les appels téléphoniques longue distance s'effectuent depuis les téléphones publics, nombreux dans toute la ville, ou depuis les casetas téléphoniques. Un service de téléphone et de télécopie est offert, sur le côté ouest du zócalo, à la Caseta Alameda, sur La Paz. En outre, La Costera est jalonnée de casetas.

Blanchisseries. Elles sont ouvertes du lundi au samedi. Dans le centre, la Lavandería y Tintorería Coral, Juárez 12 à côté de l'hôtel La Mama Hélène, demande 0,60 $US pour un kilo de linge. La Lavandería (☎ 82-28-90), dans Iglesias, peut livrer le linge à domicile. Sur La Costera, la Lavandería del Sol se trouve à l'intérieur de l'hôtel Club del Sol.

Urgences. Locatel (☎ 81-11-00), dépendant de l'office gouvernemental du tourisme, est un service accessible 24h/24 répondant à tous types d'urgence. La police touristique peut être contactée au numéro suivant : ☎ 80-02-10.

Fuerte de San Diego

Construit en 1616 tout en haut d'une colline, à l'est du zócalo, ce fort à cinq côtés, devait protéger les naos ou galions qui naviguaient entre les Philippines et le Mexique des pirates hollandais et anglais. Il fut sans doute efficace car cette route fut maintenue jusqu'au début du XIXe siècle. Il le fut également assez pour repousser de quatre mois la prise de la ville par le chef indépendantiste Morelos.

Il fallut reconstruire le fort après le séisme de 1776. Il demeura inchangé depuis et a été parfaitement restauré. Le fort abrite aujourd'hui le **Museo Histórico de Acapulco**, qui présente d'intéressantes expositions sur l'histoire. Le musée est ouvert du mardi au dimanche de 10h30 à 16h40. L'entrée est de 1,80 $US, gratuite dimanche et jours fériés, ainsi que pour les enfants et les étudiants.

Plongeurs de La Quebrada

Les célèbres clavadistas de La Quebrada qui s'élancent de la montagne étonnent les visiteurs depuis 1934. Ils plongent avec grâce de 25 à 45 m de haut dans une étroite crevasse alimentée par la houle. Les plongeurs prient devant un petit autel avant de sauter, comme le fit Elvis Presley dans *L'Idole d'Acapulco*. Ils se produisent tous les jours à 12h45, 19h30, 20h30, 21h30 et 22h30.

Vous pourrez aussi regarder le spectacle depuis le restaurant et le bar de la Plaza Las Glorias/El Mirador Hotel. L'entrée au bar, pendant les plongées, coûte 8,50 $US (2 boissons comprises).

Une histoire longue et illustre

Le nom "Acapulco" vient du nahuatl et signifie "là où étaient les roseaux", ou "lieu des roseaux géants". Des découvertes archéologiques révèlent qu'à l'arrivée des Espagnols, les Indiens habitaient déjà la baie d'Acapulco et celle, voisine, de Puerto Marqués depuis environ 2 000 ans. Ils étaient passés d'une subsistance basée sur la chasse et la cueillette à une société agricole.

Les navigateurs espagnols découvrirent la baie d'Acapulco en 1512 et, rapidement, installèrent un port et des chantiers navals, en raison de la configuration naturelle.

En 1523, Hernán Cortés, Juan Rodríguez Villafuerte et le commerçant Juan de Sala s'associèrent pour financer une route commerciale entre Acapulco et Mexico. Ce "Camino de Asia" constituait le principal axe commercial reliant Mexico au Pacifique. Le "Camino de Europa", qui le prolongeait de Mexico à Veracruz sur la côte du Golfe, reliait l'Asie à l'Espagne.

Acapulco devint le seul port du Nouveau Monde autorisé à recevoir les *naos* (galions espagnols) en provenance des Philippines et de Chine. La foire annuelle d'Acapulco, qui durait de 3 à 8 semaines au printemps, après l'arrivée des galions de Manille, attirait des commerçants de Manille, de Mexico et du Pérou.

Au XVIIe siècle, le commerce avec l'Asie était florissant et les bateaux pirates hollandais et anglais abondaient dans le Pacifique et le long des côtes du Mexique et de Basse-Californie. D'où la construction du fort San Diego, au sommet d'une colline qui domine la baie. Ce n'est qu'à la fin du XVIIIe siècle que l'Espagne permit à ses colonies des Amériques de commercer librement et mit ainsi fin au monopole des naos et de la route Manille-Acapulco. Les naos continuèrent à naviguer jusqu'au début du XIXe siècle.

Après l'indépendance, le Mexique mit un terme à la plupart de ses relations commerciales avec l'Espagne et ses colonies ; l'activité portuaire d'Acapulco déclina. La ville devint relativement isolée du reste du monde jusqu'à la construction, en 1927, d'une route qui la reliait à Mexico. Au fur et à mesure que Mexico s'agrandit, ses habitants se ruèrent sur la côte pour les vacances. Mais l'activité balnéaire d'Acapulco connut un véritable essor dans les années 50, avec la construction de l'aéroport international. ■

Parque Papagayo

Ce grand parc d'attraction, avec accès aux Playas Hornos et Hornitos, est rempli d'arbres tropicaux et d'attractions pour petits et grands, notamment un circuit de patin à roulettes, un lac avec des pédalos, un train pour les enfants et des manèges. Pour monter, vous pouvez prendre un télésiège (*telesilla*) pour 0,40 $US et redescendre par le toboggan (0,70 $US). Les deux fonctionnent tous les jours de 13h à 20h. Le parc est ouvert en semaine de 6h à 20h. L'entrée est gratuite. La zone des manèges est accessible en semaine de 16h à 22h et jusqu'à 23h le week-end.

CICI

Le Centro Internacional de Convivencia Infantil (CICI) est un parc de sports nautiques familial situé dans La Costera, à l'est d'Acapulco. On y montre des dauphins et des phoques plusieurs fois par jour. Le CICI est ouvert tous les jours, de 10h à 18h. L'entrée est de 6,50 $US. Tous les bus "CICI", "Base" ou "Puerto Marqués" vous y déposeront.

Centro de Convenciones

Également appelé Centro Internacional Acapulco, ☎ 84-71-52), ce vaste complexe situé sur le flanc montagneux de La Costera, non loin du CICI propose une exposition permanente d'artisanat (Galería de Artesanías), des expositions temporaires et il dispose d'une grande place, ainsi que de plusieurs théâtres et salles de concert. Une Fiesta Mexicana y est organisée plusieurs soirs par semaine (voir *Où sortir*).

Casa de la Cultura

Ce groupe de bâtiments disposés autour d'un jardin, La Costera 4834, à côté du

La vieille ville d'Acapulco

OÙ SE LOGER
5 Hotel El Faro
6 Hotel Casa Amparo
7 Hotel Coral
8 Hotel Asturias
9 Hotel Angelita
10 Hotel Mariscal
11 Casa de Huéspedes Aries, Casa de Huéspedes La Tía Conchita
12 Hotel Misión
13 Hotel Maria Antonieta
14 Hotel Sutter
16 La Mama Héléne
27 La Torre Eiffel
28 Hotel Real del Monte
29 Hotel Casablanca

OÙ SE RESTAURER
2 Restaurants Rotisserie Chicken
4 Restaurant La Perla, Hotel Plaza Las Glorias
15 El Amigo Miguel
17 El Pingüe
20 Restaurant Ricardo, Restaurant San Carlos
21 Restaurant Café Astoria
22 Mi Parri Pollo
23 La Flor de Acapulco
24 Woolworth's
25 Sanborn's

DIVERS
1 Gare routière 2e classe Estrella Blanca
3 Plongeurs
18 Lavandería
19 Caseta Alameda
26 Poste et Telecomm
30 Quai (bateaux à moteur et voiliers)

Vers Pie de la Cuesta et Zihuatanejo
Vers Pie de la Cuesta et Zihuatanejo
200
Vers Playa Hornos
Aquiles Serdán
Av Cuauhtémoc
Zaragoza
Mercado de Artesanías
Acacias
Guerrero
Escudero
Mina
Parana
V de León
5 de Mayo
Mendoza
Progreso
Galeana
Mina
Hornitos
Morelos
Fuerte de San Diego
Madero
La Quebrada
Catedral
Zócalo
Malecón
Iglesias
Hidalgo
Valle
Azueta
La Costera (Costera Miguel Alemán)
La Paz
Juárez
5 de Enero
La Quebrada
Av López Mateos
Plaza La Quebrada
La Quebrada
Inalambrica
Bahía de Acapulco
Playa Tlacopanocha
La Costera
Playa Manzanillo
Vers Playa Caleta
OCÉAN PACIFIQUE
Playa La Angosta
0 150 300 m

CICI regroupe un musée archéologique, une galerie d'art et une boutique d'artisanat ouverts du lundi au samedi.

Mágico Mundo Marino
Il s'agit d'un aquarium installé sur une petite langue de terre entre les Playas Caleta et Caletilla. Les principales attractions consistent en un spectacle mettant en scène une otarie, une séance où l'on nourrit requins et piranhas, des piscines, des toboggans et un musée océanographique. Il est ouvert tous les jours de 9h à 19h. L'entrée est de 3,25 $US (2 $US pour les enfants de 3 à 12 ans).

Isla de la Roqueta
La Isla de la Roqueta offre une plage réputée et la possibilité de faire de la plongée avec ou sans bouteille. Son zoo, équipé de télescopes et de jeux pour enfants, est ouvert tous les jours, sauf le mardi, de 10h à 17h (0,40 $US).

Des bateaux partent toutes les 30 minutes depuis les Playas Caleta et Caletilla. La traversée dure 8 minutes et coûte 2 $US aller-retour. Un bateau à fond vitré partant des mêmes plages emmène les touristes à la Isla de la Roqueta et à la Capilla Submarina (la chapelle sous-marine abritant une statue en bronze de la Virgen de Guadalupe). Le circuit coûte 3,25 $US et dure 45 minutes, à moins que vous ne débarquiez sur l'île et décidiez de revenir par un autre bateau, plus tard.

Plages
Les plages qui s'étendent à l'est du zócalo autour de la baie – **Playas Hornos**, **Hornitos**, **Condesa** et **Icacos** – sont les plus réputées. Le quartier d'hôtels gratte-ciel s'amorce Playa Hornitos, à l'est du Parque Papagayo. Les bus urbains sillonnent constamment La Costera, ce qui permet d'accéder facilement à cette longue série de plages.

Les Playas **Caleta** et **Caletilla** sont deux petites étendues protégées, situées l'une à côté de l'autre dans une crique au sud de la Peninsula de las Playas. Tous les bus passant dans La Costera et indiquant "Caleta" vous conduiront à ces plages. Un aquarium, construit sur une petite langue de terre, sépare les deux plages. De cet endroit, des bateaux desservent régulièrement la Isla de la Roqueta.

La **Playa La Angosta** est une autre plage sise dans une minuscule crique à l'ouest de la péninsule. Du zócalo, comptez environ 20 minutes de marche, ou prenez un bus "Caleta" et descendez près de l'Hotel Avenida, dans La Costera, à un pâté de maisons à l'ouest de la plage.

Sports nautiques
Dans la Bahía de Acapulco, sont pratiqués le ski nautique, le scooter, les promenades sur une grande "banane" tirée par un hors-bord et le parachute ascensionnel. Sur les petites Playas Caleta et Caletilla vous pouvez aussi louer des bateaux à voile et à moteur, des bateaux de pêche, des pédalos, des canoës, du matériel de plongée libres et des bicyclettes.

Pour des promenades et/ou des cours de plongée sous-marine, vous avez le choix entre plusieurs organisateurs : Aqua Mundo (☎ 82-10-41) et Divers de México (☎ 82-13-98, 83-60-20), tous deux installés La Costera 100, et Mantarraya (☎/fax 82-41-76) Gran Via Tropical 2, face à la Playa Caleta.

Il est également possible de pêcher en haute mer. Pour cela, renseignez-vous sur les plages ou auprès des agences de voyage, ou bien promenez-vous le long du Malecón à proximité du zócalo. Avec Barracuda's Fleet (☎ 83-85-43, 82-52-56) vous paierez entre 100 et 250 $US, selon la taille du bateau, pour 5 heures au large. Aqua Mundo et Mantarraya offrent les mêmes prestations.

Si vous voulez faire un tour de bateau décoiffant sur le Río Papagayo, contactez Shotover Jet (☎ 84-11-54) à l'Hotel Continental Plaza, La Costera 121.

Autres activités sportives
Acapulco compte trois terrains de golf de 18 trous : le Club de Golf Acapulco (☎ 84-

65-83) sur La Costera ; et deux à Acapulco Diamante (près de l'aéroport), le Tres Vidas (☎ 62-10-00) et un autre à l'Acapulco Princess Hotel (☎ 69-10-00). Un terrain de 9 trous dépend du Vidafel Mayan Palace Hotel (☎ 62-00-20).

Pour jouer au tennis, vous avez le choix entre le Club de Tenis Hyatt (☎ 84-12-25), le Villa Vera Racquet Club (☎ 84-03-33) et l'Acapulco Princess Hotel. Des salles de musculation et de squash, entre autres activités, sont également à votre disposition. L'office du tourisme pourra vous fournir tous les renseignements.

Croisières

Divers bateaux proposent des croisières au départ du Malecón, près du zócalo, depuis les bateaux à plusieurs ponts avec salsa hurlante et bar, aux voiliers pour faire une promenade romantique dans le port au coucher du soleil. Tous empruntent sensiblement le même trajet : les embarcations partent du Malecón, font le tour de la Peninsula de las Playas jusqu'à l'Isla de la Roqueta, côtoient les falaises pour apercevoir les plongeurs de La Quebrada, se rendent de l'autre côté à Puerto Marqués, puis reviennent le long de la Bahía de Acapulco.

Le *Hawaiano* (☎ 82-21-99, 82-07-85), le *Bonanza* et le *Fiesta* (☎ 83-18-03, 83-25-31) et le grand catamaran *Aca Tiki* (☎ 84-61-40) sont parmi les plus empruntés. Vous pouvez réserver directement, par l'intermédiaire d'une agence de voyages ou dans la plupart des hôtels.

Manifestations annuelles

La période de l'année la plus intense sur le plan touristique est probablement la Semana Santa : la ville se remplit de touristes et les discothèques et les plages débordent d'activité. Un Tianguis Turístico se déroule pendant une semaine en avril, donnant lieu à toutes sortes de promotions touristiques. Après le tianguis, le Festivales de Acapulco (également en mai) propose des spectacles musicaux dans différentes salles de la ville.

La fête en l'honneur de la sainte patronne du Mexique, la Virgen de Guadalupe, est célébrée la nuit du 11 décembre et toute la journée du lendemain, avec des processions escortées par des orchestres ambulants, des feux d'artifices et des danses populaires dans les rues, convergeant toutes vers la cathédrale sur le zócalo. Des festivals de cinéma se déroulent en juin et en décembre.

Où se loger

Acapulco compte plus de 30 000 chambres d'hôtel, mais son tourisme est saisonnier (de mi-décembre à la fin des fêtes de Pâques). Les prix peuvent alors atteindre le double des tarifs d'été. Mais ce n'est pas le cas pour tous les hôtels, ni pour toute la durée de la saison. Le reste de l'année, vous pouvez souvent obtenir des réductions de prix, surtout pour de longs séjours. En période très touristique, comme les fêtes de fin d'année, réservez à l'avance.

Où se loger – petits budgets

La plupart de ces hôtels sont regroupés autour du zócalo et Calle La Quebrada, qui monte derrière la cathédrale jusqu'à La Quebrada et ses plongeurs. Sauf indication contraire, tous les hôtels disposent de l'eau chaude.

Dans la Calle La Quebrada, l'*Hotel Angelita* (☎ 83-57-34), au n°37, est propre et réputé avec des simples/doubles à 6,50/12 $US la majeure partie de l'année, et 7,75/13 $US en hiver. Au n°35, l'*Hotel Mariscal* (☎ 82-00-15) propose des chambres à 5,25/7,75 $US (10 $US par personne en pleine saison). L'*Hotel Asturias* (☎ 83-65-48) au n°45, est un établissement agréable et bien tenu. Les chambres sont réparties autour d'une cour agrémentée d'une petite piscine. Le prix des chambres est de 8,50/16 $US (10/19 $US en pleine saison). Également doté d'une petite piscine, l'*Hotel Coral* (☎ 82-07-56), au n°56, loue ses chambres 6,50 $US par personne, ou 9 $US en hiver.

Dans les mêmes prix, sans eau chaude mais avec piscine, l'*Hotel Casa Amparo*

(☎ 82-21-72) se trouve au n°69. Si vous arrivez au bout de vos économies, adressez-vous à la *Casa de Huéspedes Aries* (☎ 83-24-01) au n°30 ou à la *Casa de Huéspedes La Tía Conchita* (☎ 82-18-82), au n°32. Les deux proposent de petites chambres (sans eau chaude) à 3,25 $US par personne toute l'année.

En haut de la colline, au sommet de La Quebrada, la Plaza La Quebrada surplombe la mer. On peut laisser sa voiture sans crainte au grand parking gardé, mais l'endroit devient animé et bruyant le soir, quand les plongeurs sont à l'œuvre. Les hôtels sont plus aérés qu'au bas de la colline du fait de la brise marine.

Perché sur une éminence dominant la plaza, *La Torre Eiffel* (☎ 82-16-83), Inalámbrica 110, possède une petite piscine et de grands balcons avec des sièges face à la mer. Ses chambres claires coûtent 5,25 $US par personne la majeure partie de l'année, 7,75 $US par personne en pleine saison. Il est conseillé de marchander. Sur la place même, Calle La Quebrada 83, l'*Hotel El Faro* (☎ 82-13-65) offre de grandes chambres avec balcon à 6,50/13 $US, qui augmentent de 20% en hiver.

Près du zócalo, nous recommandons l'*Hotel Maria Antonieta* (☎ 82-50-24), Azueta 17, aux chambres relativement calmes à 6,50 $US par personne, et disposant d'une cuisine accessible aux hôtes. En face, l'*Hotel Sutter* (☎ 82-02-09), Azueta 10, demande 6,50/10 $US, mais il est plus bruyant et l'eau est froide. Non loin de là, *La Mama Hélène* (☎ 82-23-96, fax 83-86-97), Juárez 12, à 10/16 $US toute l'année pour des chambres sans eau chaude, est un choix assez intéressant en pleine saison. Le petit déjeuner (2,75 $US) est servi dans une cour agrémentée d'aquariums. On y parle français.

Où se loger – catégorie moyenne

Dans le quartier du zócalo, l'*Hotel Misión* (☎ 82-36-43 ; fax 82-20-76), Valle 12, est

ERIN REID

un endroit reposant, de style colonial. Les chambres sont élégamment décorées de lourds meubles espagnols et de carreaux en céramique. Elles sont disposées autour d'une adorable cour ombragée où vous prendrez le petit déjeuner (2,75 $US). Les simples/doubles sont à 10/21 $US et augmentent de 50% en pleine saison.

A l'est du Parque Papagayo, près de La Costera et de la célèbre Playa Hornitos, l'*Hotel Jacqueline* (☎ 85-93-38) offre 10 chambres avec clim., donnant sur un joli petit jardin, à 19 $US (plus chères en cas d'affluence).

A côté, l'*Hotel del Valle* (☎ 85-83-36/88) dispose d'une petite piscine, de cuisines (5,75 $US de supplément par jour), et de chambres avec ventil./clim. à 23/26 $US. Ces deux établissements se trouvent dans la Calle Espinosa bien que le panneau le plus proche indique Calle Morin (qui commence en fait un pâté de maisons plus au nord).

Tout aussi proche de la Playa Hornitos, dans l'Avenida Wilfrido Massieu, le *Auto Hotel Ritz* (☎ 85-80-23 ; fax 85-56-47) est un bel hôtel de 6 étages avec un parking privé. Les chambres climatisées sont pourvues de grands balcons donnant sur la piscine. En 1997, il était fermé pour cause de rénovation.

Près du parc CICI et de la Playa Icacos sont regroupés plusieurs autres hôtels, dont deux louent de grands appartements avec piscine, parking, clim. et cuisine tout équipée : *Suites Selene* (☎/fax 84-29-77), Colón 175, tout près de la plage, offre de beaux appartements d'une/deux chambres à 30/60 $US, et des chambres à 24 $US (plus chères pendant les vacances) ; au *Motel Quinta Mica* (☎ 84-01-21/22), Colón 115, des appartements plus simples coûtent 32 $US, mais leur prix varie selon la demande (plus cher le week-end). Le supermarché Comercial Mexicana, à proximité, permet de se ravitailler.

Parmi les coûteux hôtels-tours de La Costera, l'un des plus économiques est le *Romano Palace Hotel* (☎ 84-77-30 ; fax 84-13-50), La Costera 130, dont les chambres luxueuses sont dotées de balcons privatifs et de baies vitrées. Demandez une chambre à un étage élevé. Les prix se situent à 45 $US la chambre de 1 à 4 personnes (74 $US pendant les vacances).

Sur La Costera, toujours, le *Club del Sol* (☎ 85-66-00 ; fax 85-66-95), au croisement avec Reyes Católicos, dispose de quatre piscines et d'un sauna et offre la possibilité de faire de la musculation, du squash, de l'aérobic et du volley. Les chambres climatisées, avec coin cuisine et balcon, coûtent 38 $US (60 $US du 15 juillet au 30 août et du 15 décembre à Pâques).

Donnant sur la Playa Caletilla, l'*Hotel Boca Chica* (☎ 83-63-88 ; fax 83-95-13 ; bchica@mpsnet.com.mx), dans Privada de Caletilla, est un endroit charmant au bord de la mer, avec une piscine d'eau de mer, un jardin avec vue sur la Isla de la Roqueta, et des chambres climatisées avec de belles perspectives. Les simples/doubles sont à 35/48 $US avec majoration en décembre.

On bénéficiera de vues superbes également en haut de la Peninsula de las Playas, à l'*Hotel Real del Monte* et à l'*Hotel Casablanca Tropical* (☎ 82-12-12 ; fax 82-12-14), deux hôtels reliés l'un à l'autre, Cerro de la Pinzona 80. Les chambres sont offertes à un prix intéressant de 27 $US (plus chères à Pâques et à Noël) et l'on trouvera une piscine.

Où se loger – catégorie supérieure

Vous avez le choix entre de nombreux hôtels "deluxe", "grand tourism" et "special category". Parmi ces derniers, citons le *Las Brisas*, l'*Acapulco Princess*, le *Pierre Marqués*, le *Camino Real* et le *Hyatt Regency Acapulco*. Ceux de la catégorie "grand tourism" comprennent l'*Acapulco Plaza*, le *Sheraton Acapulco Resort*, le *Villa Vera*, le *Fiesta Americana Condesa* et le *Vidafel Mayan Palace*.

Nombre d'hôtels de luxe d'Acapulco sont situés dans la récente zone Acapulco Diamante, dans Puerto Marqués, et le long de la mer sur La Costera. Le quartier des hôtels gratte-ciel commence du côté est du

Parque Papagayo et s'étend vers l'est autour de la baie.

Où se restaurer

Près du Zócalo. A l'est du zócalo, *La Flor de Acapulco* offre à ses clients une salle couverte et des tables en terrasse pour profiter de l'animation de la place. Il est ouvert tous les jours de 8h à 1h du matin. Dans la rue piétonne Carranza, juste après l'angle avec la place, *Mi Parri Pollo*, ouvert de 8h à 24h, permet également de manger dehors à l'ombre d'un grand arbre.

Dans un coin retiré de la place, à l'est de la cathédrale, le *Restaurant Café Astoria* dispose, lui aussi, de tables en terrasse dans un endroit ombragé et calme. Il est ouvert tous les jours de 8h à 23h, avec une comida corrida (3,25 $US) de 13h30 à 16h. Sur le côté ouest du zócalo, on trouvera un établissement spécialisé dans la cuisine allemande. Sur l'Avenida Escadero à l'est du zócalo, le restaurant des magasins *Woolworth's* est climatisé. Il est ouvert tous les jours de 7h à 24h et sert des menus à prix fixes intéressants.

A l'ouest du zócalo, la Calle Benito Juárez compte une douzaine de restaurants. Le *Restaurant Ricardo* est souvent plein. Sa comida corrida est avantageuse, à 2 $US. Il est ouvert tous les jours de 8h à 1h. Un peu plus près du zócalo, le *Restaurant San Carlos* est également très populaire, avec son agréable patio en plein air, et pratique des prix similaires ; il sert tous les jours de 7h30 à 22h30. Dans le pâté de maisons suivant, à l'ouest, le beau restaurant à patio *El Pingüe*, Juárez 10, offre l'un des breakfasts les plus intéressants d'Acapulco, avec œufs au jambon ou au bacon, toast, fruit ou jus, et café, pour 1,70 $US seulement. Il est ouvert tous les jours de 8h à 22h environ.

De nombreux restaurants sont installés à l'ouest du zócalo, beaucoup affichent des spécialités de fruits de mer. *El Amigo Miguel*, en plein air, à l'angle de Juárez et Azueta, est fréquenté par des habitués. Il est ouvert tous les jours de 10h30 à 21h30. Pour du poulet rôti, ou un repas rapide à prendre sur place ou à emporter, dirigez-vous vers 5 de Mayo, quatre établissements offrant ce type de service s'y succèdent.

La Costera. Elle est bordée de dizaines de restaurants, de plus en plus chers à mesure qu'on s'éloigne du zócalo vers la zone touristique. *Fersato's*, dans La Costera, en face de la Casa de la Cultura, près du CICI, est un établissement familial proposant de la délicieuse cuisine mexicaine (la comida corrida coûte 3,25 $US). Il est ouvert tous les jours de 7h30 à 24h. Un pâté de maisons à l'ouest du CICI, les célèbres (et beaucoup plus coûteux) *Hard Rock Café* et *Planet Hollywood* sont voisins l'un de l'autre, et ouverts de 12h à 2h du matin. Dans le pâté de maisons suivant à l'ouest, *Mariscos Pipo* est réputé pour ses fruits de mer. La petite assiette mixte à 6 $US nous a beaucoup plu. Il est ouvert tous les jours de 13h à 21h30.

Pour des repas plus économiques, on essaiera *La Cabaña del Pescador* dans la rue Morin, où la comida corrida ne coûte que 1,70 $US. Elle est ouverte tous les jours de 8h à 19h.

En revenant sur La Costera, on trouvera le *Pancho's*, en plein air, au n°109, servant à des prix abordables une cuisine à base de viande grillée. Il est ouvert tous les jours de 6h à 22h30. *Carlos 'n Charlie's*, au n°999, en face des Torres Gemelas, n'est pas donné, mais l'ambiance est plaisante. Il est ouvert tous les jours de 18h à 24h ou plus. Autre succursale : *Señor Frog's* qui est installée dans la Carretera Escénica, à l'est de la Bahía de Acapulco. La vue est superbe.

La chaîne de restaurants *100% Natural*, axée sur la cuisine végétarienne, est présente un peu partout dans Acapulco, particulièrement le long de La Costera (aux n°200 et 248).

Playa Caletilla. Beaucoup de restaurants de fruits de mer, aux tarifs raisonnables, en plein air profitent de l'ombre des grands arbres qui bordent l'arrière de Playa Caletilla.

La Quebrada. Si l'envie vous prend de faire des folies, le *Restaurant La Perla*

(☎ 83-11-55) dans le Plaza Las Glorias Hotel, Plaza La Quebrada, propose chaque soir de 19h à 24h un buffet à 22 $US par personne que l'on déguste aux chandelles sous la nuit étoilée, tout en admirant les plongeurs.

Grands magasins. Comercial Mexicana, Gigante et Bodega se succèdent dans La Costera entre le zócalo et le Parque Papagayo.

Où sortir

Discothèques, clubs et bars. La plupart des discothèques ouvrent vers 22h. Le droit d'entrée est d'environ 11 $US. Certaines sont plus chères encore, avec souvent, dans ce cas, accès libre au bar. Les femmes seules bénéficient parfois de l'entrée gratuite.

Sur La Costera, on se presse à l'*Andromedas*, une discothèque récente techno-pop à thème nautique (fermée le lundi). A proximité, sur La Costera, on trouvera le *Salon Q*, avec des rythmes latins et de la musique live, et une discothèque plus petite, l'*Atrium*. Au même endroit, *Baby'O*, réputé être l'une des meilleures boîtes de la ville, offre un spectacle laser et draine un public plus jeune.

A 400 mètres environ plus au sud, sur La Costera, la discothèque/salle de concert *News* se présente fièrement comme "l'une des discothèques les plus grandes et les plus spectaculaires du monde."

L'*Extravaganzza* et le *Palladium* sont deux lieux célèbres du quartier de Las Brisas au sud-est de la ville. Le second a la préférence des jeunes. Le *Fantasy*, dans le même quartier, offre un spectacle laser et de la musique disco.

Le *Disco Beach*, directement sur la Playa Condesa, est également dans le vent. Le *Nina's*, La Costera 41, et le *Cat's*, Juan de la Cosa 32 à deux pas de La Costera, sont spécialisés dans la musique latine live. Le *B&B*, Gran Via Tropical 5 dans le quartier de Caleta, passe surtout des succès des années 50 à 80.

N'oubliez pas le *Hard Rock Café*, La Costera 37 à l'ouest du CICI. La succursale de la célèbre chaîne est ouverte tous les jours de 12h à 2h du matin, et propose de la musique live six soirs par semaine (le jour de relâche est variable) de 23h à 1h30 du matin.

Il existe plusieurs bars et clubs à dominante homosexuelle. Les numéros de travestis sont l'une des grandes attractions du gay Acapulco, ainsi au *Tequila's Le Club*, en face du Gigante.

Si les discothèques ne vous attirent pas, vous pouvez essayer les bars des grands hôtels sur La Costera.

Autres sorties. Au Centro de Convenciones, une Fiesta Mexicana a lieu tous les lundi, mercredi et vendredi soirs de 19h à 22h, présentant des danses folkloriques, des mariachis, les fameux voladores Papantla et des acrobaties à la corde. Pour 18 $US – ou 30 $US avec accès libre au bar – par personne, vous aurez droit à un somptueux buffet mexicain (☎ 84-71-52 pour les réservations).

Les autres théâtres du Centro de Convenciones proposent des pièces, des concerts, de la danse et différentes manifestations culturelles, tout comme la Casa de la Cultura (☎ 84-23-90, 84-38-14).

Acapulco compte plusieurs cinémas. Vous en trouverez un sur le zócalo, deux ou trois sur La Costera et plusieurs autres ailleurs dans la ville. Ils sont listés dans les journaux *Novedades* et *Sol de Acapulco*.

Manifestations sportives

Corridas. Au sud-est de La Quebrada et au nord-ouest des Playas Caleta et Caletilla se trouve la *Plaza de Toros*, ou arène d'Acapulco. Les corridas ont lieu le dimanche à 17h30. Les billets sont vendus à partir de 16h30. Appelez l'office du tourisme pour plus de détails (☎ 82-11-82, 83-95-61). Le bus "Caleta" passe près de l'arène.

Achats

Le principal marché artisanal d'Acapulco (400 stands) se trouve quelques rues à l'est du zócalo, situé entre l'Avenida Cuauhtémoc et Vicente de León. Il est agréable et vous pourrez y obtenir de meilleurs prix que dans les boutiques des hôtels : sarapes, hamacs, bijoux en argent, huaraches, tee-shirts, et autres. Le marchandage est de règle. Il est ouvert tous les jours de 9h à 20h.

Sur La Costera, les vendeurs d'Artesanías sont installés devant le Parque Papagayo et à proximité de la statue de Diane.

Comment s'y rendre

Avion. Acapulco possède un aéroport international. Les compagnies desservant Acapulco sont notamment :

Aeroméxico
La Costera 286, près du Cine Playa Hornos (☎ 85-16-00/25)
Continental Airlines
Aéroport (☎ 66-90-63)
Delta Airlines
Aéroport (☎ 66-94-84)
Mexicana
Torre Acapulco, La Costera 1252 (☎ 84-68-90/37)
TAESA
Hotel Imperial, La Costera 251 (☎ 86-56-00/01).

Bus. Acapulco dispose de deux grandes gares routières. La gare Estrella de Oro (☎ 85-93-60, 85-87-05) est située à l'angle des Avenidas Cuauhtémoc et Wilfrido Massieu et desservie par le bus local Base-Cine Río-Caleta. Vous pouvez le prendre en face du magasin Sanborn's dans La Costera, à deux rues à l'est du zócalo.

La gare Estrella Blanca (☎ 69-20-28/30), est installé Avenida Ejido 47.

N'importe quel bus affichant "Ejido" partant en face de Sanborn's vous y déposera. Les billets sont vendus à l'agence Estrella Blanca, Gran Plaza 1616, La Costera, et à la Zocalo Travel Agency, La Costera 207, près du zócalo.

Les deux compagnies assurent des liaisons fréquentes avec Mexico. Les prestations sont très variées.

La durée des trajets dépend de leur itinéraire : la nouvelle autopista (95D), plus rapide, ou la vieille route fédérale (95).

Les deux compagnies relient le Terminal Sur et le Terminal Norte de Mexico.

Les destinations assurées sont :

Chilpancingo – 132 km, entre 1 heure 30 et 2 heures (de 3,75 à 4,50 $US) ; service régulier en 1re classe par les deux compagnies, et toutes les 20 minutes de 5h à 20h (3 $US) depuis la gare 2e classe d'Estrella Blanca, Avenida Cuauhtémoc 101
Cuernavaca – 315 km, entre 4 et 5 heures ; 8 bus 1re classe Estrella Blanca et Futura (de 13 à 15 $US) ; avec Estrella de Oro, service 1re classe "Plus" à 10h30, 15h40 et 20h (15 $US, 4 heures)
Iguala – 231 km, 3 heures ; toutes les heures de 3h40 à 23h55 (8 $US) avec Estrella Blanca ; 5 bus entre 8h et 18h40 avec Estrella de Oro (6,50 $US)
Mexico (Terminal Sur ou Terminal Norte) – 400 km, entre 5 heures et 6 heures 30 ; bus 1re classe Estrella Blanca en catégorie "primera", "primera especial" et "Futura" (de 15 à 19 $US), et bus "ejecutivo" deluxe (26 $US, 5 heures) partant toutes les heures de 24h à 18h35 ; 16 bus 1re classe Estrella de Oro en catégorie "Primera," "Plus" et "Crucero" (de 15 à 19 $US), et 4 bus "Diamante" deluxe (26 $US, 5 heures)
Puerto Escondido – 400 km, entre 6 heures 30 et 7 heures 30 (de 8,50 à 10 $US) ; 5 bus Estrella Blanca (les bus du matin sont plus lents et plus économiques)
Taxco – 266 km, entre 4 heures 30 et 5 heures (10 $US) ; 5 bus Estrella Blanca, 4 bus Estrella de Oro
Zihuatanejo – 239 km, 4 heures ; 1re classe Estrella Blanca toutes les heures de 4h30 à 18h30, et à 21h, 23h15 et 0h55 (de 6 à 7,75 $US) ; Estrella de Oro 2e classe (5,50 $US) à 10h50 et 15h, et 1re classe (9 $US) à 18h20

Voiture et moto. De nombreuses sociétés louent des jeeps et d'autres voitures. Plusieurs disposent d'un guichet en ville et à l'aéroport et peuvent vous livrer gratuitement le véhicule à l'endroit de votre choix. Hertz (☎ 85-89-47) se situe à La Costera 1945, Budget (☎ 81-05-92) et Quick (☎ 86-34-20) lui font face. Parmi les autres sociétés de location, citons :

Alamo	☎ 84-23-67, 84-33-05
Autos Hernández	☎ 85-86-99, 86-34-20
Avis	☎ 62-00-85
Bet Mer	☎ 66-95-09
Dollar	☎ 84-30-66
Economovil	☎ 84-18-19, 66-90-02
Flash	☎ 85-66-22
National	☎ 84-82-34

Saad ☎ 84-34-45, 84-53-25
Sands ☎ 84-38-32

Vous pouvez louer des motos près de l'Acapulco Plaza Hotel, La Costera.

Comment circuler

Desserte de l'aéroport. L'aéroport d'Acapulco est à 23 km au sud-est du centre, audelà de l'intersection de Puerto Marqués. Si vous venez par avion, prenez un ticket pour aller en ville au guichet Transportaciones de Pasajeros avant de quitter l'aéroport. Tous les colectivos coûtent le même prix : 5 $US par personne pour vous amener directement à votre hôtel. Un taxi depuis l'aéroport coûte entre 19 $US (secteur Diamante) et 30 $US (le centre et l'ouest).

En partant d'Acapulco, téléphonez à Transportación de Pasajeros (☎ 62-10-95), à Transportación Turística (☎ 82-93-75, 86-49-32) ou à Movil Aca (☎ 66-92-98/99) 24 heures à l'avance pour réserver votre transfert jusqu'à l'aéroport. On viendra vous chercher 1 heure 30 avant le départ pour les vols intérieurs, 2 heures avant pour les vols internationaux. Il vous en coûtera 5 $US. Un taxi du centre-ville à l'aéroport reviendra à 10 $US si vous le prenez dans une rue ; les tarifs pratiqués par les hôtels sont plus élevés.

Bus. Acapulco dispose d'un bon réseau de bus qui circulent à quelques minutes d'intervalle dans tous les sens, de 5h à 23h, et qui coûtent 0,30 $US. Depuis le zócalo, l'arrêt en face de Sanborn's est l'endroit tout indiqué pour prendre le bus. Il se trouve sur La Costera, deux rues à l'est du zócalo, et au départ de plusieurs lignes. Vous pourrez donc avoir une place assise.

Les itinéraires les plus utiles sont :

Base-Caleta
: depuis la base navale Icacos au sud-est d'Acapulco, dans La Costera, par le zócalo jusqu'à Playa Caleta

Base-Cine Río-Caleta
: de la base navale Icacos, il prend à l'intérieur de La Costera à l'Avenida Wilfrido Massieu puis l'Avenida Cuauhtémoc, traverse le quartier d'affaires et revient vers La Costera, juste avant d'atteindre le zócalo et continuer à l'ouest vers Caleta

Puerto Marqués-Centro
: part face à Sanborn's, prend La Costera jusqu'à Puerto Marqués

Zócalo-Pie de la Cuesta
: face à Sanborn's jusqu'à Pie de la Cuesta. Les bus affichant "Playa" ou "Luces" descendent la route bordant la plage de Pie de la Cuesta ; ceux indiquant "San Isidro" s'arrêtent à l'entrée de Pie de la Cuesta

Taxi. Ils sont nombreux. Mettez-vous d'accord sur le prix avant de monter.

PIE DE LA CUESTA

☎ *74*

A 10 km environ au nord-ouest d'Acapulco, Pie de la Cuesta est une étroite péninsule de 2 km de long s'étirant entre l'océan et la lagune d'eau douce Laguna de Coyuca. Comparé à Acapulco, c'est un endroit agréable et calme. En revanche, la baignade peut s'avérer dangereuse (présence d'un contre-courant et formation de vagues). Chaque année le ressac fait des victimes.

Parmi les autres loisirs envisageables, citons la visite des îles de Montosa, de Presido ou d'un sanctuaire d'oiseaux appelé Pájaros.

A Pie de la Cuesta, de nombreux restaurants de plage sont spécialisés dans les fruits de mer ; c'est par ailleurs un endroit de rêve pour admirer le coucher de soleil. Il y a peu de distractions le soir : si vous recherchez une vie nocturne intense, restez plutôt à Acapulco. Plusieurs clubs de ski nautique sont rassemblés autour de la Laguna de Coyuca (comptez environ 32 $US de l'heure). Les prix des excursions en bateau se négocient ; l'alternative est de prendre un colectivo (4 $US par personne) partant à heure fixe. On peut aussi faire du cheval sur la plage.

Où se loger

Pie de la Cuesta offre une bonne solution de rechange aux hôtels d'Acapulco. Il compte une quinzaine d'hôtels répartis sur 2 km entre la plage et la lagune. Chacun dispose d'un parking privé.

Camping. Deux terrains de camping-caravaning sont installés au bout de la route, près du terminus des bus d'Acapulco. Le *Trailer Park Quinta Dora* (☎ 60-11-38) et le *Acapulco Trailer Park & Mini-Super* (☎ 60-00-10, fax 60-24-57) accueillent aussi bien des caravanes que des tentes. Les deux disposent de terrains de camping de chaque côté de la route. Comptez environ 10 $US pour une caravane, 6 $US pour une tente.

Hôtels et pensions. L'hébergement est assuré par des petites structures familiales et proches de la plage. L'eau chaude est rare. D'est en ouest, elles se présentent dans l'ordre suivant :

L'*Hotel-restaurant Rocío* (☎ 60-10-08) offre des doubles à un/deux lits à 16/19 $US avec eau chaude. Vous passerez de bons moments grâce à Felix López, le barman, cuisinier, guitariste et chanteur.

Le *Quinta Karla* (☎ 60-12-55) possède une piscine et loue ses chambres 7,75/18 $US en basse/haute saison.

Au *Villa Nirvana* (☎ 60-16-31), les hôtes profiteront d'un jardin avec piscine en bordure de la plage. Les simples/doubles sont à 16/19 $US de mai à octobre, 19/26 $US de novembre à avril, et il existe un appartement pouvant loger 4 personnes.

L'*Hotel Quinta Blanca* (pas de téléphone) possède une grande piscine et 24 chambres spacieuses à 10/13 $US, ou 16/19 $US en haute saison.

L'*Hotel Sunset-Puesta del Sol* (☎ 60-04-12) à 50 mètres de la route côtière par une petite allée, est un choix excellent en bordure de la plage. Il offre un joli jardin ombragé, une piscine, un court de tennis et un bar-restaurant. Les chambres ordinaires sont à 16/19 $US en basse/haute saison, les grandes chambres à 4 lits avec cuisine coûtent 32/45 $US.

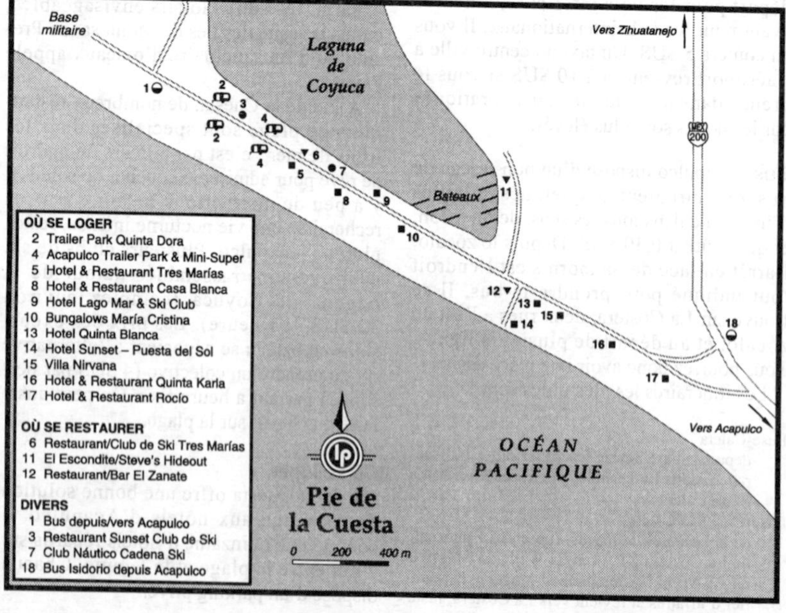

Les *Bungalows María Cristina* (☎ 60-02-62) est un endroit propre et reposant tenu par une famille fort sympathique. Il possède un barbecue et des hamacs d'où l'on peut voir la plage. Les prix sont comparables à ceux du Villa Nirvana, mais les grandes chambres à l'étage, avec cuisine et vue sur la mer, pouvant loger 5 personnes, reviennent à 32/45 $US en été/hiver.

L'*Hotel Lago Mar* (pas de téléphone) borde le lagon et dispose de l'eau chaude, d'une piscine et d'un club de ski nautique. Les grandes chambres sont plutôt élégantes, avec leurs sols carrelés et leurs s.d.b. Elles coûtent 19 $US jusqu'à 3 personnes, ou 32 $US en haute saison.

L'*Hotel-restaurant Casa Blanca* (☎ 60-03-24) est un autre endroit propre et bien tenu au bord de la plage, dans une ambiance familiale. Les prix sont de 7,75/13 $US, légèrement majorés en haute saison.

L'*Hotel-restaurant Tres Marías* (☎ 60-01-78) possède une piscine et des chambres doubles correctes à 36 $US toute l'année, donc intéressantes en pleine saison.

Où se restaurer

Les restaurants sont réputés pour leurs fruits de mer. Les établissements en plein air sont nombreux au bord de la plage, mais beaucoup ferment tôt en soirée. Presque tous les hôtels et pensions sont dotés de restaurants, de même que certains clubs de ski nautique. La cuisine du *Tres Marías* est la plus réputée de toutes.

Le *Restaurant El Zanate* est un petit endroit simple, au bord de la route, où les repas ne coûtent que 1,60 $US. En face, sur la rive du lagon, *El Escondite/Steve's Hideout* est joliment construit sur pilotis et offre de belles vues.

Comment s'y rendre

D'Acapulco, prenez un bus pour Pie de la Cuesta dans La Costera, en face de la poste (celle située près de Sanborn's, à côté du zócalo), sur le côté baie de la rue. Ils passent toutes les 15 minutes de 6h à 20h environ. Le trajet de 35 minutes vous reviendra à 0,30 $US.

Renseignez-vous sur l'heure de départ du dernier bus de Pie de la Cuesta. Un taxi vous coûtera environ 8 $US l'aller.

Autres destinations

A environ 18 km d'Acapulco, **Puerto Marqués** est une baie beaucoup plus petite que la Bahía de Acapulco. La vue sur cette dernière est superbe lorsque la Carretera Escénica prend de la hauteur, à la sortie de la ville, au sud.

L'eau paisible de Puerto Marqués favorise la pratique du ski nautique et de la voile. Les bus affichant "Puerto Marqués" partent de La Costera toutes les 10 minutes de 5h à 21h (0,30 $US). Après Puerto Marqués, en direction de l'aéroport, se trouve la **Playa Revolcadero**, la longue bande de sable de la nouvelle zone touristique Acapulco Diamante. Les vagues sont très hautes et c'est un rendez-vous de surfeurs, surtout en été. En revanche, la baignade peut s'avérer extrêmement dangereuse. Vous pouvez également pratiquer l'équitation sur la plage.

Durant la Semana Santa, les jours précédant Pâques, la Passion du Christ est représentée à **Treinta**, à 30 km au nord-est d'Acapulco. Pour plus de détails, adressez-vous à l'office du tourisme d'Acapulco.

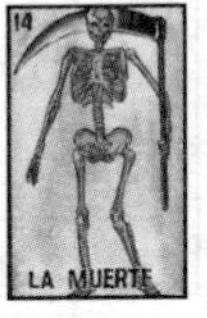

Le centre de la côte du Golfe

La route du nord-est au sud-est du Mexique longe la plaine côtière, du golfe du Mexique aux montagnes centrales. Veracruz est la plus attrayante des villes de la côte. C'est une destination de vacances appréciée des Mexicains, réputée pour son ambiance festive et son carnaval, l'un des plus spectaculaires du pays. Plusieurs villes se partagent l'intérieur des terres, sur les contreforts de la Sierra Madre. Jalapa, la capitale de l'État de Veracruz, et Córdoba sont les plus intéressantes.

Ce chapitre traite de la côte et de l'arrière-pays, de Ciudad Madero au nord jusqu'à Coatzacoalcos au sud, soit à peine plus de 600 km à vol d'oiseau mais plus de 800 km par la nationale 180 qui longe la côte. Un site archéologique important, El Tajín, près de Papantla, témoigne de la richesse de l'histoire précolombienne de la région. Il mérite absolument une visite.

Le sud de Veracruz constitue le berceau de la civilisation olmèque, mais il n'en reste guère de traces. Les plus belles collections d'objets olmèques – dont plusieurs têtes colossales en basalte sculpté – sont exposées au Museo de Antropología de Jalapa et au Parque-Museo La Venta à Villahermosa

A NE PAS MANQUER

- Le port tropical de Veracruz, une des villes les plus chargées d'histoire et les plus joyeuses du pays, capitale du *danzón*.
- Le superbe musée d'Anthropologie de Jalapa, qui renferme sept immenses têtes olmèques et d'innombrables et merveilleux objets façonnés.
- Catemaco, une ville tranquille qui s'étend en pente douce jusqu'au bord d'un lac, connue dans tout le Mexique pour ses chamans.
- Les ruines mystiques d'El Tajín, encerclées par la jungle et restaurées en grande partie.
- La Costa Esmeralda qui longe une mer paisible et compte nombre d'agréables hôtels – un endroit parfait pour se reposer.

TONY WHEELER

(voir le chapitre *Tabasco et Chiapas*). Le musée de Jalapa possède la meilleure collection archéologique de la côte du Golfe.

Histoire

Les Olmèques. Le grand centre où naquit la première civilisation d'Amérique centrale, ancêtre de la culture mexicaine, s'épanouit de 1200 à 900 av. J.C. à San Lorenzo, dans le sud de l'État de Veracruz. Après son déclin, La Venta, située dans l'État voisin de Tabasco, devint le nouveau foyer de la culture olmèque jusqu'à sa destruction vers 600 av. J.-C. Elle subsista encore quelques siècles à Tres Zapotes, dans l'État de Veracruz, subissant de plus en plus d'influences extérieures.

Le Veracruz classique. Après le déclin des Olmèques, les centres de civilisation de la côte du Golfe se déplacèrent vers l'ouest et vers le nord. El Pital, dont les ruines n'ont été découvertes qu'au début des années 90, était une grande ville située à une centaine de kilomètres au nord-ouest de Veracruz. Durant son existence, de 100 à 600 environ, elle entretint des relations avec Teotihuacán et comptait vraisemblablement plus de 20 000 habitants.

La période classique (300-900) vit l'émergence de plusieurs centres de pouvoir dans le centre et le nord de l'État de Veracruz. Politiquement indépendants, ils étaient dotés d'une religion et d'une culture communes. Aujourd'hui, on les regroupe sous l'appellation de civilisation classique de Veracruz. Cette dernière se caractérise par un style de sculpture unique au monde, faite de lignes parallèles incurvées et imbriquées. On le retrouve essentiellement sur trois types d'objets mystérieux de pierre gravée, certainement en rapport avec le jeu de balle rituel. Ce sont le *yugo* en forme de U, représentant probablement une ceinture de bois ou de cuir portée pendant le jeu, la longue *palma*, en forme de raquette, et la *hacha* ressemblant à un couperet. Ces deux derniers objets, figurant souvent des êtres humains ou des animaux, représenteraient des accessoires attachés à

l'avant de la ceinture. Les hachas servaient peut-être aussi à délimiter le terrain.

El Tajín, le plus important des sites du Veracruz classique, connut son apogée vers 600 à 900 et abrite au moins onze jeux de balle. Les autres centres importants étaient Las Higueras, proche de Vega de Alatorre et de la côte au sud de Nautla, et El Zapotal près d'Ignacio de la Llave, au sud de Veracruz. Ces sites témoignent d'influences venues des terres mayas et de Teotihuacán. En retour, Veracruz exportait du coton, du caoutchouc, du cacao et de la vanille vers le centre du Mexique, orientant ainsi le développement de Teotihuacán, de Cholula et d'autres cités.

Totonaques, Huastèques, Toltèques et Aztèques. En 1200, lorsqu'El Tajín fut abandonné, les Totonaques s'établirent dans une région qui s'étendait de Tuxpan au nord jusqu'au-delà de Veracruz au sud. Au nord de Tuxpan, la civilisation huastèque, autre ensemble de petits États probablement indépendants, fleurit de 800 à 1200. Ses habitants furent les premiers producteurs de coton du Mexique. Ils construisirent nombre de lieux de cérémonie, témoignant de leur remarquable savoir-faire dans le domaine de la sculpture sur pierre.

Les Toltèques, qui dominèrent la majeure partie du centre du Mexique au début de l'ère postclassique, se déplacèrent également vers la côte du Golfe et occupèrent le centre huastèque de Castillo de Teayo entre 900 et 1200. On note aussi une influence toltèque à Zempoala, important site totonaque, situé à proximité de Veracruz. Au milieu du XVe siècle, les Aztèques soumirent la plus grande partie des régions totonaques et huastèques, établissant des garnisons pour mater les fréquentes révoltes. Ils prélevèrent de lourds tributs et de nombreuses victimes pour leurs sacrifices.

L'époque coloniale. Lorsque Cortés gagna la côte du Golfe, en avril 1519, il fit des Totonaques de Zempoala ses premiers alliés contre les Aztèques. Il leur demanda d'emprisonner cinq percepteurs aztèques, leur promettant de les protéger des représailles. Cortés établit son premier campement, Villa Rica de la Vera Cruz (Riche Ville de la Vraie Croix), au nord de l'actuelle ville de Veracruz, puis un second à La Antigua, où il saborda ses bateaux avant de marcher sur Tenochtitlán, la capitale aztèque. En mai 1520, de retour à Zempoala, il eut raison de l'expédition rivale espagnole envoyée contre lui.

En 1523, toute la côte du Golfe était aux mains des Espagnols. La population indienne fut décimée par diverses maladies inconnues jusqu'alors, comme la variole. Le port de Veracruz assuma un rôle essentiel dans le commerce et les échanges avec l'Espagne. Quiconque voulait conquérir ou gouverner le Mexique devait passer par cette ville. Toutefois, le climat, les maladies tropicales et la menace des pirates compromirent l'expansion des colonies espagnoles.

Les XIXe et XXe siècles. La population de Veracruz diminua pendant la première moitié du XIXe siècle. Sous la dictature de Porfirio Díaz, la ville fut reliée par le chemin de fer à Mexico en 1872 et des industries s'y développèrent.

En 1901, on découvrit du pétrole dans la région de Tampico qui, dans les années 20, assurait un quart de la production mondiale. Cette proportion diminua mais depuis la découverte de nouveaux gisements au sud de Veracruz dans les années 80, on sait que la côte du Golfe détenait plus de la moitié des réserves de pétrole du pays.

Géographie et climat

Plus de 40 rivières descendent des montagnes de l'arrière-pays et traversent un agréable paysage vallonné jusqu'au centre de la côte. La plaine côtière ondoyante du nord contraste avec le relief plat du sud-est, un territoire sujet aux inondations, ponctué de marécages et de jungles, qui s'étend jusqu'au Tabasco.

La région est chaude et humide : plus chaude le long de la côte, plus humide au pied des montagnes – plus chaude et plus humide que partout ailleurs dans le bas sud-est. Deux tiers des précipitations ont lieu entre juin et septembre. La ville seule de Veracruz reçoit environ 1 650 mm de pluie par an. La température dépasse largement les 30°C d'avril à octobre, et ne tombe à 10°C que la nuit, uniquement de décembre à février.

Tuxpan et Tampico, sur la côte nord, sont un peu plus sèches en été et légèrement plus fraîches en hiver. Coatzacoalcos, au sud-est, reçoit 3 000 mm de précipitations par an.

Population et ethnies

Veracruz, avec environ 7 millions d'habitants, est le troisième État du Mexique. Au XVIe siècle, un nombre important d'esclaves africains furent envoyés par bateau sur la côte du Golfe. Leurs descendants contribuent, avec les plus récents immigrés cubains, à intégrer une composante africaine dans la population et la culture.

Parmi les 500 000 Indiens de la région, on compte environ 150 000 Totonaques et autant d'Indiens huastèques, qui sont les ethnies majoritaires.

Tampico et la région de la Huasteca

Dans l'arrière-pays de Tampico s'étend la magnifique région de la Huasteca, un territoire fertile où la plaine côtière rejoint les contreforts de la Sierra Madre orientale. Cette région, qui s'étire depuis le sud du Tamaulipas jusqu'au nord de Veracruz, et bordée à l'ouest par l'État de San Luis Potosí, porte le nom des populations huastèques qui y vivent depuis environ 3 000 ans.

En direction du sud-est, plusieurs routes relient la Huasteca au centre de la côte du Golfe. De la côte vers l'ouest et la région du Bajío ou de Mexico, quatre routes escarpées grimpent en lacets jusqu'à la Sierra, à partir de Ciudad Valles, Xilitla, Tamazunchale et Huejutla.

TAMPICO-CIUDAD MADERO

• Hab. : 600 000 • ☎ 12

Ville humide, peu avenante mais très vivante, située à quelques kilomètres en amont de l'embouchure du Río Pánuco, Tampico n'attire pas les visiteurs. Sur le déclin depuis son âge d'or dans les années 20, elle demeure un port animé, une ville tropicale dont le centre est en cours de réhabilitation après des années d'abandon et où les bars restent ouverts très tard. Les prix des hôtels sont assez élevés du fait des installations pétrolières. Ciudad Madero, entre Tampico et la côte, est le centre de traitement des plus anciens gisements de pétrole du pays. La ville est agrémentée d'une grande plage de sable.

Histoire

En 1523, Cortés défit les Indiens huastèques de la région et fonda la colonie de San Estéban, aujourd'hui appelée Pánuco, à 30 km en amont de Tampico. Durant les quelques années qui suivirent, il vainquit non seulement les rebelles huastèques mais aussi ses rivaux espagnols, parmi lesquels Nuño de Guzmán, nommé gouverneur royal de la région de Pánuco en 1527. Ce dernier s'adonnait au pillage et au massacre d'Indiens dans l'ouest du Mexique et razziait des esclaves au nord de Pánuco ; il finit par être renvoyé en Espagne.

La conversion des Huastèques au christianisme s'amorça avec l'implantation d'une mission à Tampico, dans les années 1530. Tampico fut détruite par des pirates en 1684, puis reconstruite en 1823 par plusieurs familles d'Altamira, au nord.

Avec la découverte de pétrole dans la région en 1901, elle devint le plus grand port pétrolier du monde. Le pétrole et ses bénéfices restèrent sous contrôle étranger jusqu'en 1938, date à laquelle le président Lázaro Cárdenas nationalisa l'industrie pétrolière après une grêve des ouvriers de Tampico.

Le boom pétrolier mexicain des années 70 et 80 eut lieu plus au sud de la côte mais la région de Tampico-Ciudad Madero a conservé son importance. Des oléoducs et des flottes de barges acheminent le pétrole des gisements jusqu'aux raffineries et au port. Ciudad Madero est le siège du puissant syndicat des ouvriers du pétrole, le STPRM.

Orientation

Tampico, située dans une région marécageuse de l'embouchure du Río Pánuco, est entourée de plusieurs lacs, dont la Laguna del Chairel, une base de loisirs, et la peu attrayante Laguna del Carpintero.

En arrivant par le nord ou par l'ouest de la ville, vous traverserez de nombreuses petites rivières se jetant dans l'estuaire. Au sud, le spectaculaire Puente Tampico (le pont de Tampico) enjambe le Río Pánuco pour rejoindre l'État de Veracruz.

Le centre de Tampico est marqué par deux places : le zócalo, ou Plaza de Armas, avec la cathédrale du XXe siècle au nord et l'Hotel Inglaterra au sud, et la superbe Plaza de la Libertad, très animée. Les hôtels et les restaurants de toutes catégories se situent dans les environs de ces deux plazas. En bas d'une pente douce, au sud des places, s'étend un quartier populaire et

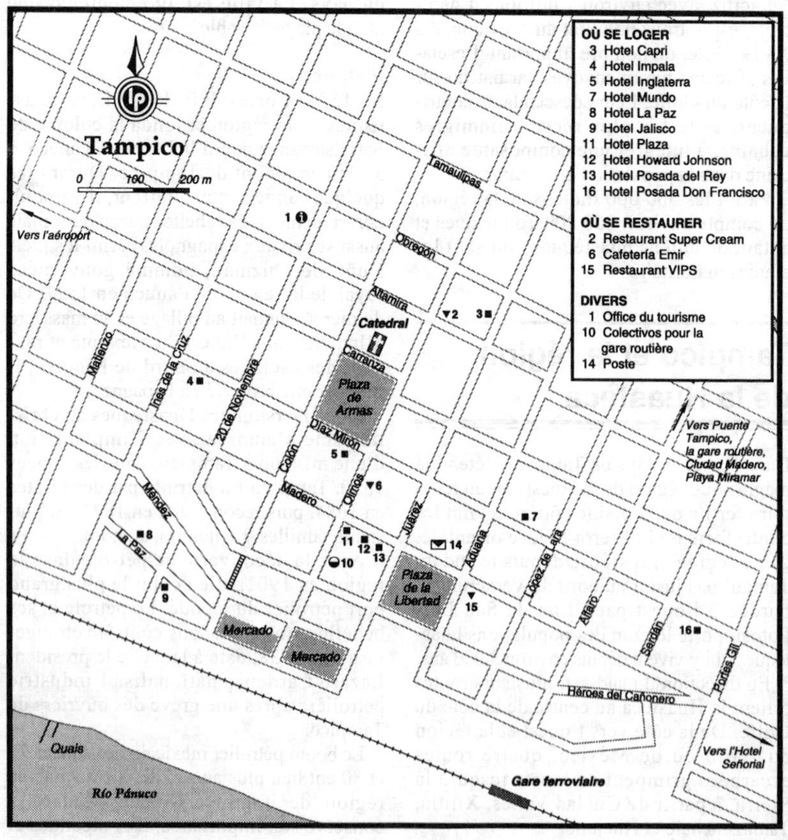

peu sûr la nuit où sont installés le marché, la gare ferroviaire et les docks de la rivière.

La gare routière de Tampico s'élève au nord de la ville, loin du centre. Des colectivos desservent le centre-ville pour 0,50 $US. Le centre de Ciudad Madero est à quelques kilomètres au nord-est de celui de Tampico ; ses zones industrielles occupent l'est jusqu'à Playa Miramar, sur le golfe du Mexique.

Les axes est-ouest portent généralement le suffixe Ote (Oriente, est) ou Pte (Poniente, ouest), tandis que les rues orientées nord-sud sont indiquées Nte (Norte, nord) ou Sur (sud). La démarcation est formée par le croisement de Colón et Carranza, à l'angle nord-ouest du zócalo.

Renseignements

Office du tourisme. L'office du tourisme de Tampico (☎ 12-00-07), 20 de Noviembre, entre Obregón et Altamira, animé par un personnel serviable, dispose de brochures et de cartes. Il ouvre en semaine de 8h à 19h et le week-end de 9h à 13h.

Argent. Banorte, Bancomer et d'autres banques sont regroupées sur et autour des plazas. Elles acceptent les chèques de voyage et disposent de distributeurs.

Poste et communications. La poste principale est installée au nord de la Plaza de la Libertad, Madero 309. A la gare routière, vous trouverez une poste dans le hall 2e classe, des téléphones à pièces et une caseta de téléphone dans le hall 1re classe.

Museo de la Cultura Huasteca

Le musée de la Culture huastèque, à l'intérieur de l'Instituto Tecnológico de Ciudad Madero, abrite une petite collection huastèque précolombienne et une bonne librairie. Depuis le centre de Tampico, prenez un bus "Boulevard A López Mateos" dans Alfaro vers le nord, et demandez "Tecnológico Madero". Le musée est ouvert du lundi au vendredi de 10h à 17h et le samedi de 10h à 15h (entrée gratuite).

Playa Miramar

La plage Miramar, de 10 km de long, se trouve à 15 km environ du centre de Tampico. Pour y parvenir, traversez le centre de Ciudad Madero et longez plusieurs kilomètres d'installations pétrochimiques. La plage, large et assez propre, est bordée de quelques hôtels et restaurants mal entretenus. L'*Hotel Moeva Miramar* (☎ 13-63-61) fait exception et propose des simples/doubles, avec clim., TV et téléphone, à 35/40 $US. Jalonnée de palapas et de chaises longues en location, la plage reste déserte en semaine. L'eau est assez chaude mais n'est pas transparente. Du centre de Tampico, prenez un bus ou un colectivo "Playa".

Manifestations annuelles

Lors de la Semana Santa, de nombreuses activités se déroulent sur la Playa Miramar : régates, concours de pêche, de planche à voile et de châteaux de sable, musique, danse et feux de joie. L'anniversaire de la seconde fondation de Tampico en 1823 est célébré le 12 avril par une procession qui part d'Altamira et traverse le zócalo.

Où se loger – petits budgets

L'*Hotel Capri* (☎ 12-26-80), Juárez 202 Nte, offre le meilleur rapport qualité/prix de la ville avec ses simples/doubles, petites et propres, équipées de ventilateur et de s.d.b. avec eau chaude, à 6 $US. Également bon marché, l'*Hotel Señorial* (☎ 12-40-90) Madero 1006 Ote, à 400 m à l'est de la Plaza de la Libertad, loue de minuscules chambres aux lits un peu fatigués pour 6,50 $US. Bien meilleur mais plus cher, l'*Hotel Posada Don Francisco* (☎ 19-25-34), Díaz Mirón 710 Ote, net et bien tenu, propose des chambres avec clim. à partir de 12/17 $US.

Près des marchés, au milieu des relents des cantinas et dans un environnement peu sûr la nuit tombée, l'*Hotel La Paz* (☎ 14-11-19), La Paz 307 Pte, dispose de chambres avec clim. à 9/10 $US. L'*Hotel Jalisco* (☎ 12-27-92), La Paz 120 Pte, propose des chambres à 8/9 $US et un parking sûr. Les femmes voyageant seules éviteront ce quartier après 19h, heure où sortent les prostituées.

Où se loger – catégorie moyenne

Les hôtels de cette catégorie louent des chambres, avec clim. moquette, TV par câble et téléphone, à prix modérés. L'*Hotel Posada del Rey* (☎ 14-11-55), Madero 218 Ote, demande 22/24 $US en simple/double. Sa situation stratégique et ses chambres donnant sur la ravissante Plaza de la Libertad en font une excellente adresse. Plus petites, les chambres de l'*Hotel Plaza* (☎ 14-17-84), Madero 204 Ote, propres, confortables et climatisées, valent 16/17 $US. D'un standing supérieur mais nettement plus cher, l'*Hotel Howard Johnson* (☎ 12-76-76), Madero 210 Ote, offre des chambres nettes, modernes, décorées avec goût et climatisées pour 38/42 $US.

Si les autres hôtels de Tampico sont complets, l'*Hotel Impala* (☎ 12-09-90), Díaz Mirón 220 Pte, à un pâté de maisons à l'ouest du zócalo, vous louera une chambre défraîchie pour 24/28 $US. Pour 2 $US de moins, l'*Hotel Mundo* (☎ 12-03-60), Díaz Mirón, entre López de Lara et Aduana, dispose de chambres spacieuses et bien tenues, avec de bons lits, la TV couleur, la clim. et le téléphone. Il possède également un restaurant très apprécié et un parking.

Où se loger – catégorie supérieure

Le meilleur établissement du centre-ville est l'*Hotel Inglaterra* (☎ 19-28-57), sur le zócalo, Díaz Mirón 116 Ote. Il offre 120 simples/doubles dotées de tout le confort moderne (70 $US). L'hôtel abrite un restaurant raffiné aux prix raisonnables, une petite piscine et met un service de navettes gratuit à la disposition de ses clients depuis/vers l'aéroport.

Sur la route de l'aéroport, l'*Hotel Camino Real* (☎ 13-88-11), Avenida Hidalgo 2000, est le plus luxueux de Tampico, avec des chambres et des bungalows ouvrant sur un jardin tropical et une grande piscine. Les prix démarrent à 90 $US pour une ou deux personnes.

Où se restaurer

Tampico n'est certes pas le paradis des fins gourmets, mais vous aurez l'occasion de déguster de bons fruits de mer. La spécialité locale, la *carne asada Tampiqueña* – steak mariné dans de l'ail, de l'huile et de l'origan –, s'accompagne généralement de guacamole, de lanières de chili et de chips de maïs.

Les meilleurs restaurants du centre-ville se trouvent dans les grands hôtels comme l'Inglaterra, qui sert un délicieux steak au poivre (7 $US) et un excellent filet de poisson enveloppé dans une feuille de banane, bouilli avec de l'achiote (épice) et servi avec une sauce à l'orange (9 $US)

Le *Restaurant Super Cream*, au coin d'Altamira et d'Olmos, bénéficie d'une ambiance agréable, d'un service aimable et d'une bonne cuisine. Les petits déjeuners valent de 1 $US (deux biscuits avec beurre et confiture) à 3 $US (une grosse omelette, un verre de jus de fruit et du café). Les hamburgers et les plats mexicains reviennent à 2/3 $US.

La *Cafetería Emir*, Olmos 107 Sur, est appréciée de la population locale malgré les tables branlantes et la musique à plein volume. Comptez environ 2,50 $US pour une quesadilla ou une enchilada et 3/5 $US pour un plat de viande ou de poisson.

Tout aussi populaire et très américain avec son service rapide et son atmosphère décontractée, le *VIPS*, à l'angle d'Aduana et de Madero, offre un grand choix de salades et de plats américains ou mexicains qui dépassent rarement 5 $US. L'endroit est très prisé par la bourgeoisie locale.

Comment s'y rendre

Avion. Mexicana Airlines (☎ 13-96-00), dont le bureau en ville se situe Universidad 700-1, assure des vols quotidiens depuis/vers Mexico, Veracruz et San Luis Potosí. Aero Litoral (☎ 28-08-57) ne dispose que d'un bureau à l'aéroport et dessert Veracruz et Villahermosa.

Bus. La gare routière de Tampico est à 7 km du centre-ville, dans Rosario Bustamente.

Les billets de 1re classe, en vente à droite de la gare en entrant, sont principalement proposés par ADO, Linea Azul (LA) et Futura ; les guichets des billets de 2e classe se situent du côté gauche. La partie réservée à la 1re classe comporte une consigne et des téléphones. Il existe des liaisons avec la plupart des principales villes situées au nord de Mexico et le long de la côte du Golfe. Parmi les principales destinations quotidiennes, citons :

Mexico (Terminal Norte) – 515 km, 9 heures 30 ; 3 bus deluxe de nuit UNO (31 $US), nombreux bus 1re classe (21 $US) et 2e classe (18 $US)
Pachuca – 380 km, 9 heures ; 1 Futura (17 $US) et quelques bus 2e classe
Poza Rica – 250 km, 5 heures ; 1 bus deluxe UNO (12 $US), 21 Futura (10 $US) et fréquents bus 2e classe (8 $US)
Tuxpan – 190 km, 4 heures ; nombreux bus 1re classe (7 $US) et 2e classe (6 $US)
Veracruz – 490 km, 10 heures ; 1 bus deluxe UNO (32 $US), 9 ADO (19 $US) et nombreux bus 2e classe (17 $US)

Des bus longue distance 1re classe assurent également des liaisons avec Reynosa, Soto la Marina, Villahermosa et Jalapa. Les villes de la Huasteca sont principalement desservies par des bus 2e classe, notamment Ciudad Valles, Tamazunchale et Huejutla.

Voiture et moto. La nationale 180 traverse le pont Puente Tampico (péage 3 $US). Entre ce pont et Tuxpan, la route est bonne, mais rouler de nuit est déconseillé.

Comment circuler

Desserte de l'aéroport. L'aéroport de Tampico se trouve à 15 km environ au nord du centre-ville. A l'arrivée des vols, Transporte Terrestre (☎ 28-45-88) propose des combis-colectivos qui rejoignent n'importe quel point de Tampico-Ciudad Madero, moyennant 8 $US (le prix varie selon la distance) et un service de taxis, *uniquement* de la ville vers l'aéroport (environ 20 $US depuis le centre-ville).

Desserte de la gare routière et de la plage. Les taxis colectivos sont de vieilles voitures américaines, habituellement peintes en jaune vif ; la destination est inscrite sur les portes. Elles attendent devant la gare routière pour vous mener au centre-ville (0,50 $US). Du centre à la gare routière, prenez un colectivo "Perimetral" ou "Perimetral-CC" dans Olmos, une rue au sud du zócalo (0,40 $US). Dans Alfaro, les bus et colectivos "Playa" se dirigeant vers le nord rejoignent la Playa Miramar (5 $US).

CIUDAD VALLES

• Hab. : 320 000 • Alt. : 80 m • ☎ 138

Ciudad Valles se trouve sur la nationale 85, la Panaméricaine, à mi-chemin environ entre Monterrey et Mexico et à l'intersection de la nationale Tampico-San Luis Potosí. Le commerce de café et de bétail figure parmi ses principales activités.

Orientation

La plaza principale se situe à environ sept rues à l'ouest de la nationale 85. Le Central de Autobuses s'élève à la périphérie sud de la ville.

Museo Regional Huasteco

Situé à l'angle de Rotarios et d'Artes, le musée présente une collection d'objets huastèques. Il est ouvert en semaine de 10h à 18h.

Où se loger

L'*Hotel Rex* (☎ 2-33-35), Hidalgo 418, à trois pâtés de maisons et demi de la place, et l'*Hotel Piña* (☎ 2-01-83), Juárez 210, un peu plus proche de la place, sont tous deux propres et rudimentaires, avec des simples de taille moyenne. Seul le second dispose de chambres climatisées. Les prix varient de 9 $US à 11 $US et de 10,50 $US à 13 $US (selon que vous ayez ou non la TV).

Plus cher, mais d'un meilleur rapport qualité/prix, l'*Hotel San Fernando* (☎ 2-22-80), Mexico-Laredo 17 Nte, propose des simples/doubles, avec clim., TV et téléphone, à 18/19 $US. Les chambres sont grandes, propres et confortables.

A 1 km au nord de la ville, sur la nationale 85, l'*Hotel Valles* (☎ 2-00-50) est un luxueux motel avec des chambres spacieuses et climatisées, éparpillées dans un immense jardin tropical (40/45 $US). Il possède une grande piscine, ainsi que 25 emplacements de camping/caravane dont le prix de raccordement tourne autour de 15 $US.

Des trois hôtels situés en face de la gare routière, l'*Hotel San Carlos* (☎ 1-21-42) est le plus intéressant avec des chambres propres et confortables, avec clim. et TV, à 9/11 $US.

Les Huastèques

La langue huastèque est d'origine maya, apparentée à celle des Mayas du Yucatán. Il est d'ailleurs possible qu'elles proviennent d'une seule et même langue parlée autrefois le long de la côte du Golfe. On pense que la langue huastèque se différencia des autres vers 900 av. J.-C., à l'époque où la culture olmèque s'imposait dans la région intermédiaire. Quetzalcóatl, le dieu serpent à plumes du Mexique central était probablement d'origine huastèque.

L'époque de gloire des Huastèques se situe entre 800 et 1200. Sous la férule de plusieurs chefs indépendants, ils bâtirent nombre de lieux de cérémonies et pratiquèrent les rites phalliques de fertilité. Leur expansion se fit jusqu'au nord-est de l'État de Querétaro. Ils excellaient dans l'art de la poterie ainsi que dans la sculpture sur pierre et sur coquillage. Les sites huastèques les plus intéressants à visiter sont Tamuín et Castillo de Teayo (reportez-vous à la rubrique *Les environs de Tuxpan*).

Après la conquête espagnole, l'esclavage et les maladies importées contribuèrent à réduire le nombre d'Indiens huastèques : au cours du XVIe siècle, la population passa d'un million environ à moins de 100 000 personnes. Des rébellions s'amorcèrent alors et se perpétuèrent jusqu'au XIXe siècle. Aujourd'hui, 150 000 Huastèques vivent dans la Huasteca, se répartissant majoritairement entre Ciudad Valles et Tamazunchale, ainsi que dans l'est de Tantoyuca. Nombre de femmes portent encore le quechquémitl, brodé des traditionnels arbres de vie, d'animaux, de fleurs et de croix à deux branches de couleurs vives. Ce peuple pratique toujours les rites de fertilité de la terre, en particulier sous la forme de danses. ■

Où se restaurer

La *Pizza Bella Napoli*, Juárez 210, près de l'Hotel Piña, prépare de succulents spaghettis (3,50 $US) et pizzas (3/4 $US). Pour une comida corrida, essayez le *Restaurant Malibu*, Hidalgo 109, à quelques pas de la place principale ; la plupart des plats valent moins de 3 $US. L'Hotel Valles possède un grill à prix raisonnables, le *Restaurant Del Bosque*.

Comment s'y rendre

Bus. La gare routière se trouve dans Contreras, entre Delgadillo et Davalos, près de l'autoroute de Mexico. Les principaux services de 1re classe sont assurés par Ómnibus de Oriente (ODO), Línea Azul (LA) et Transportes Frontera (TF). Il existe de nombreux bus 2e classe. Parmi les départs quotidiens, citons :

Mexico (Terminal Norte) – 465 km, 10 heures ; 5 ODO, 4 TF, 3 LA (20 $US) et départs de bus 2e classe toutes les heures (13 $US)

Tampico – 140 km, 2 heures 30 ; nombreux bus 1re classe (5,50 $US) et 2e classe (4 $US)

Pachuca, Ciudad Victoria et Tamazunchale sont également desservies.

Voiture et moto. La nationale 70 vers l'ouest et San Luis Potosí (270 km) emprunte un parcours spectaculaire à travers la Sierra Madre jusqu'à l'Altiplano Central. Cependant, elle est sinueuse et vous pouvez vous retrouver coincé derrière un camion ou un bus. La nationale 110, menant vers l'est à Tampico, est en pire état mais plus rectiligne. Vers le sud, la 85 dessert Tamazunchale. En continuant ensuite jusqu'à Huejutla, il est possible de revenir à Tampico en faisant le tour de la Huasteca.

TAMUÍN

Le centre de cérémonie huastèque de Tamuín connut son apogée entre 700 et 1200. Les ruines n'ont rien d'époustouflant, mais elles constituent l'un des rares sites huastèques intéressants. Elles se trouvent à 7 km de la ville de Tamuín et à 30 km à l'est de Ciudad Valles sur la nationale 110. A environ 1 km à l'est de la ville, prenez une route à droite indiquée "San Vicente" et suivez-la pendant 5,5 km jusqu'au petit panneau "zona arqueológica" ; il vous restera environ 800 m à parcourir à pied jusqu'aux ruines.

Des bus fréquents reliant Tampico à Ciudad Valles traversent Tamuín. De là, marchez ou prenez un taxi.

Des 170 000 m^2 du site, seule une place, encadrée de plates-formes de pierres provenant de la rivière, a été mise au jour. Un banc, flanqué de deux autels coniques, prolonge la partie orientale d'une petite plateforme sise au milieu de la place et porte des fragments de fresques (probablement du VIIIe ou IXe siècle) ; elles figurent sans doute des prêtres de Quetzalcóatl.

TANCANHUITZ

La petite ville de Tancanhuitz, appelée également Ciudad Santos, est le cœur de la région actuellement habitée par les Huastèques. Elle est lovée dans une vallée arborée, à 52 km au sud de Ciudad Valles et à 3 km à l'est de la nationale 85. Un marché animé s'y tient le dimanche. Des vestiges huastèques pré-colombiens s'élèvent près de **Tampamolón**, à quelques kilomètres à l'est.

Tancanhuitz et Aquismón (voir plus bas) fêtent San Miguel Arcángel et la Virgen de Guadalupe, respectivement les 28 et 29 septembre et le 12 décembre. Parmi les danses huastèques présentées à cette occasion, Las Varitas (les brindilles) et Zacamson (petite musique) imitent les mouvements d'animaux sauvages.

AQUISMÓN

Le marché du village huastèque d'Aquismón, à 11 km au nord-ouest de Tancanhuitz, se déroule le samedi. La Zacamson, une danse pratiquée exclusivement dans les environs d'Aquismón, compte, dans sa version intégrale, plus de 75 rôles interprétés à différents moments du jour et de la nuit, à grand renfort d'alcool de canne lors des fêtes.

Dans la campagne, inaccessible en voiture, se trouvent la **Cascada de Tamul**, haute de 105 m et large de 300 m lorsqu'elle est en crue, et le **Sótano de las Golondrinas** (le puits des hirondelles), un trou de 300 m de profondeur où ne s'aventurent que des spéléologues expérimentés.

XILITLA

Édifiée sur les pentes de la Sierra, à 1 000 m d'altitude, cette petite ville au climat tempéré possède une église et une mission du XVIe siècle. La **Cueva del Saliter**, et ses stalactites, et le **Castillo de Sir Edward James**, la folie architecturale d'un aristocrate britannique excentrique, sont les deux attractions des alentours. Xilitla est située à 21 km à l'ouest de la nationale 85, en remontant la 120.

TAMAZUNCHALE

• Hab. : 65 000 • Alt. : 20 m • ☎ 136

La pittoresque ville de Tamazunchale, à 95 km au sud de Ciudad Valles sur la nationale 85, se dresse dans une région tropicale de basse altitude, riche en avifaune. Le marché dominical, haut en couleurs, ne propose que peu d'artisanat huastèque. Le jour des Morts (le 2 novembre), les rues se couvrent de confettis et d'œillets. Il n'existe pas de gare routière à proprement parler, les bus s'arrêtent devant le bureau des différentes compagnies, dans l'Avenida 20 de Noviembre.

L'*Hotel González* (☎ 2-01-36), le moins cher des établissements corrects, offre des simples/doubles rudimentaires avec ventilateur et TV à 7,50/9,50 $US. L'*Hotel Mirador* (☎ 2-01-90) et l'*Hotel Tropical* (☎ 2-00-41) disposent tous deux de chambres convenables à 14/16 $US ; comptez 1 $US supplémentaire pour la clim. Le meilleur hôtel de la ville, l'*Hotel Tamazunchale* (☎ 2-04-96) propose de superbes chambres, très bien équipées, pour 28/33 $US. Tous ces hôtels se trouvent le long de la nationale 85, à l'endroit où la circulation ralentit pour traverser la ville.

Au sud-est de Tamazunchale, la nationale 85 grimpe jusqu'à Ixmiquilpan, puis continue vers Pachuca et Mexico. C'est la route la plus directe pour la Huasteca et la capitale. Escarpée, traversant les beaux paysages de la Sierra Madre, elle est fréquemment envahie par le brouillard et la brume. Mieux vaut l'emprunter de bon matin.

HUEJUTLA

• Hab. : 50 000 • Alt. : 30 m • ☎ *129*

Huejutla est située tout au nord de l'État d'Hidalgo mais fait encore partie de la région des plaines semi-tropicales. La ville est dotée d'un monastère fortifié datant du XVIe siècle. Sur la place, le grand marché du dimanche est fréquenté par de nombreux Indiens nahuas. L'*Hotel Oviedo* (☎ 6-05-90), Morelos 12, offre des chambres propres, avec clim., réfrigérateur et TV, pour 10 $US. L'*Hotel Fayad* (☎ 6-00-40), Hidalgo, à l'angle de Morelos, propose également des chambres avec clim., légèrement défraîchies, à 10 $US.

AU SUD D'HUEJUTLA

De Tampico, la nationale 105 traverse principalement des terres cultivées vallonnées ; au sud d'Huejutla, elle gravit les pentes de la très belle Sierra Madre orientale. Jusqu'à Pachuca la route est sinueuse, parfois plongée dans le brouillard. En cours de route, vous pouvez visiter les anciens monastères de **Molango** et de **Zacualtipán**.

La route quitte ensuite la Sierra Madre pour descendre jusqu'à **Metzquititlán**, situé dans la vallée fertile du Río Tulancingo. Le village de **Meztitlán**, à 23 km au nord-ouest en remontant la vallée, fut autrefois le cœur d'un État indien otomí que les Aztèques ne parvinrent pas à soumettre. Il possède un monastère bien conservé. Environ 100 km plus loin et 800 m plus haut, se situe **Atotonilco el Grande**, distant de Pachuca de 34 km (reportez-vous au chapitre *Les environs de Mexico* pour ce qui concerne la région de Pachuca).

Le nord de l'État de Veracruz

Au sud de Tampico, vous pénétrez dans l'État de Veracruz, dont la moitié nord, principalement couverte de plaines moutonnantes, s'étend entre la côte et l'extrémité sud de la Sierra Madre orientale. La Laguna de Tamiahua longe 90 km de côte, séparée du golfe de Mexico par une série de bancs de sable et d'îles. El Tajín est le site archéologique le plus intéressant de la région.

TUXPAN

• Hab.: 130 000 • ☎ *783*

Tuxpan, ville de pêcheurs et port pétrolier de faible importance, se situe près de l'embouchure du Río Tuxpan, à 300 km au nord de Veracruz et 190 km au sud de Tampico. La ville elle-même, que traverse une large rivière, est agrémentée de parcs plaisants et d'une belle plage, à 12 km. Elle constitue une halte plus agréable que Tampico.

Orientation

Le centre de la ville occupe la rive nord du Río Tuxpan et s'étend sur six pâtés de maisons en amont du haut pont qui traverse la rivière. Le Boulevard Jesús Reyes Heroles, la voie qui longe la rivière, passe sous le pont et se prolonge sur 12 km vers l'est jusqu'à la Playa Norte. L'artère parallèle, l'Avenida Juárez, accueille de nombreux hôtels. L'extrémité ouest du Parque Reforma tient lieu de zócalo et s'anime le soir à la fraîche.

Renseignements

L'office du tourisme (☎ 4-01-77), dans le Palacio Municipal, ouvre tous les jours. Le Parque Reforma comporte des téléphones à pièces ; une agence Banamex (avec distributeur automatique) se situe à proximité. La Banca Serfin et Bancomer, Avenida Juárez, sont également équipées de distributeurs. En dehors des heures de bureaux, l'hôtel Plaza accepte de changer les

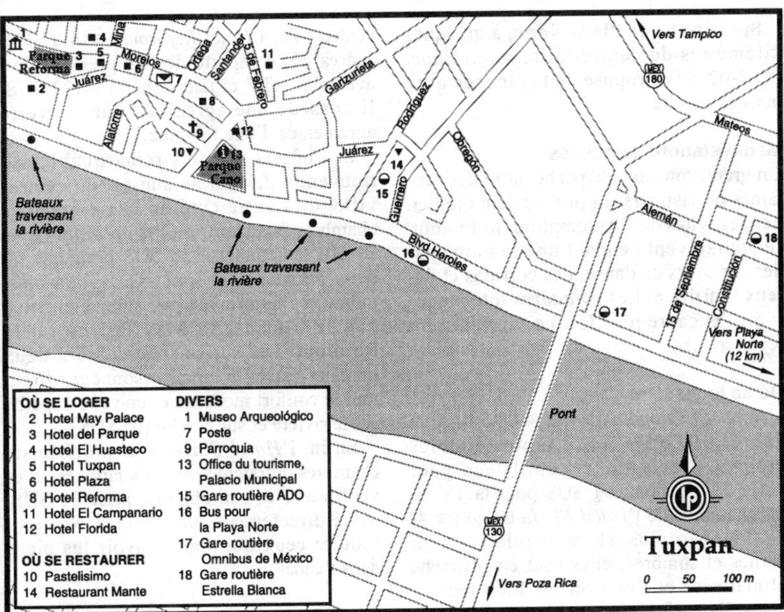

chèques de voyage. La poste se trouve Morelos 12.

Musées

A l'ouest du Parque Reforma s'élève le **Museo Arqueológico** où sont exposés des objets totonaques et huastèques. Il ouvre de 9h à 19h du mardi au samedi (entrée gratuite). Du côté sud de la rivière, le **Museo Histórico de la Amistad México-Cuba** (musée de l'Amitié mexico-cubaine) commémore le séjour de Fidel Castro à Tuxpan, en 1956, alors qu'il projetait et préparait la révolution cubaine.

La collection, composée de photos en noir et blanc, d'affiches et d'une carte de l'expédition révolutionnaire, est loin d'être passionnante.

A côté du musée se tient une réplique du *Granma*, un bateau de bois sur lequel Fidel Castro et 82 *compañeros* s'embarquèrent pour Cuba. Le musée est ouvert tous les jours de 9h à 17h. L'entrée est gratuite, mais une petite contribution est demandée. Pour vous y rendre, prenez l'une des petites embarcations qui traversent la rivière (0,40 $US), parcourez quelques pâtés de maisons jusqu'à Obregón, puis tournez à droite. Le musée est au bout d'Obregón, juste avant la rivière.

Playa Norte

A 12 km à l'est de la ville, la plage de Tuxpan est une large bande de sable s'étendant sur 20 km vers le nord depuis l'embouchure du Río Tuxpan. Sa beauté est altérée par une usine hydroélectrique, à 2 km au nord de l'embouchure de la rivière, mais l'eau et le sable demeurent relativement propres. Les bus locaux "Playa" partent toutes les 20 minutes du côté sud de Heroles et vous déposeront au sud de la plage (25 minutes, 0,60 $US). En sens inverse, les bus passent rapidement par le centre-ville avant d'atteindre Heroles, près de l'extrémité de Rodríguez.

Sur la route de Playa Norte, à quelques kilomètres du centre-ville, *Aqua Sport* (☎ 7-02-59), propose de la plongée avec masque et tuba.

Manifestations annuelles

Un grand concours de pêche attire des centaines de visiteurs fin juin ou début juillet. Les festivités de l'Assomption, le 15 août, se poursuivent pendant une semaine par des concours de danse, des corridas et des feux d'artifice. Les *voladores* totonaques (voir l'encadré plus loin) s'y produisent régulièrement.

Où se loger

L'*Hotel El Campanario* (☎ 4-08-55), 5 de Febrero 9, offre des simples/doubles propres, avec s.d.b. et ventilateur, pour 10/11 $US ; ajoutez 1 $US pour la TV. Si les chambres de l'*Hotel El Huasteco* (☎ 4-18-59), Morelos 41, sont relativement petites et sombres, elles sont en revanche climatisées et l'endroit est bien tenu et accueillant (9/10 $US). Moins cher mais peu attrayant, l'*Hotel Tuxpan* (☎ 4-41-10), à l'angle de Juárez et de Mina, dispose de 30 chambres ventilées à 7/7,50 $US. A l'est du Parque Reforma, l'*Hotel del Parque* (☎4-08-12) est un peu bruyant, mais plutôt net et bon marché avec ses simples/doubles ventilées à 7 $US. Certains lits sont plus confortables que d'autres.

D'un standing et à des prix nettement supérieurs, l'*Hotel Florida* (☎ 4-02-22), Juárez 23, compte 77 grandes chambres propres, dotées de literie neuve. Celles de l'étage, donnant sur le devant, jouissent d'une jolie vue sur la rivière. Prévoyez 23/26 $US pour une chambre avec clim. et TV. Bien que sans vue sur la rivière, les chambres de l'*Hotel Plaza* (☎ 4-07-38), Juárez 9, sont tout aussi agréables (13/17 $US).

Mieux que les précédents mais un peu plus cher, l'*Hotel May Palace* (☎ 4-88-81), au sud du Parque Reforma, propose des chambres tout confort à 27/33 $US. Demandez à loger sur la rivière. Autre établissement très confortable dans le centre-ville, l'*Hotel Reforma* (☎ 4-02-10), Juárez 25, comporte des simples/doubles, avec clim., TV et téléphone, à 27/32 $US. Il possède une agréable cour couverte agrémentée d'une fontaine.

Les hôtels les plus remarquables se trouvent à 2,5 km au sud-est du centre-ville, de l'autre côté de la rivière. Les chambres "standard" de l'*Hotel Tajín* (☎ 4-22-60) reviennent à 25 $US pour une ou deux personnes et sont assez plaisantes, même si l'hôtel n'est pas aussi bien situé que le Florida, le May Palace ou le Reforma. Les suites spacieuses à deux niveaux (jusqu'à cinq personnes) offrent tout le confort moderne et une vue superbe sur la rivière et sur la ville (65 $US).

Enfin, l'*Hotel Playa Azul* propose six chambres défraîchies aux lits fatigués, avec ventilateur et eau chaude, pour 11 $US. Situé directement sur la Playa Norte, il séduira ceux qui aiment avoir les pieds dans l'eau.

Où se restaurer

Les restaurants des hôtels *Florida* et *Plaza* et l'*Antonio's* de l'Hotel Reforma comptent parmi les meilleurs de la ville ; ils privilégient les fruits de mer. Très fréquenté, celui de l'Hotel Florida sert une comida corrida copieuse à 3,50 $US. L'Antonio's est le plus onéreux des trois, avec des plats approchant à 7 $US environ ; malgré le nombre des serveurs, le service y est en général médiocre.

Vous trouverez d'autres petits restaurants dans Juárez, ainsi que plusieurs pâtisseries, vers l'extrémité est. Le *Restaurant Mante*, dans Rodriguez, au bout de Juárez, est animé, accueillant et propose tout un choix de plats à prix raisonnables : des antojitos (1,50 $US) et des cocktails de fruits de mer (2/2,50 $US) à la *carne Tampiqueña* (lanières de bœuf servies avec bananes frites, petites tortillas, guacamole, frijoles, salade et fromage), 4 $US.

Le *Pastelísimo*, à l'est du Parque Cano, est parfait pour prendre un café et une pâtisserie. Au centre du Parque Reforma, plusieurs endroits agréables servent des fruits frais, des jus de fruit et des glaces. La route qui mène à la plage compte plusieurs restaurants de fruits de mer et, sur la plage même, se succèdent des palapas (petites échoppes de fruits de mer bon marché), où une soupe de poisson vous reviendra à 2 $US, un poisson frais à 4/5 $US et un grand cocktail de crevettes ou du poulpe au riz à 4 $US.

Comment s'y rendre

Réservez votre place dans un bus 1re classe aussi tôt que possible car le nombre de sièges réservés aux passagers qui montent à Tuxpan est limité. Il se peut que vous soyez obligé de prendre un bus 2e classe jusqu'à Poza Rica, où vous pourrez changer pour un bus 1re classe. La gare ADO (1re classe) se tient dans Rodríguez, à quelques dizaines de mètres au nord de la rivière. La gare Ómnibus de México (1re classe) est installée sous le pont, du côté nord de la rivière. La gare Estrella Blanca (1re et 2e classes) se situe à l'angle de Constitución et d'Alemán, à deux rues à l'est du pont. Dans la liste ci-dessous, la mention "EB" désigne les bus 1re classe de la compagnie. Parmi les destinations quotidiennes, citons :

Jalapa – 350 km, 6 heures 30 ; 4 ADO (11 $US)
Mexico (Terminal Norte) – 355 km, 6 heures ; 11 ADO, 6 EB et 4 ODM (11 $US)
Papantla – 90 km, 1 heure 15 ; 8 ADO (25 $US)
Poza Rica – 60 km, 1 heure ; nombreux ADO, EB et ODM (2 $US) ; bus 2e classe toutes les 20 minutes
Tampico – 190 km, 4 heures ; 19 ADO, 3 EB et 2 ODM (8,50 $US) ; bus 2e classe toutes les 30 minutes
Veracruz – 300 km, 6 heures ; 11 ADO (12 $US)
Villahermosa – 780 km, 14 heures ; 4 ADO (31 $US)

LES ENVIRONS DE TUXPAN

Tamiahua

Tamiahua, à 43 km au nord de Tuxpan par une route goudronnée, se trouve à l'extrémité sud de la Laguna de Tamiahua. La ville possède quelques cabanes-restaurants de fruits de mer. Vous pouvez louer des bateaux pour aller pêcher ou vous promener sur l'île qui clôt la lagune. Plusieurs bus 1re classe Ómnibus de México partent chaque jour de Tuxpan pour Tamiahua (1 $US).

Castillo de Teayo

Cette petite ville, à 23 km à l'ouest de la nationale 180 par une route accidentée (l'embranchement est situé à 44 km de Tuxpan et 15 km de Poza Rica), constituait, depuis le IXe siècle environ, l'un des points les plus méridionaux de la civilisation huastèque.

A côté de la grand-place, se dresse une pyramide restaurée de 13 m de haut, surmontée d'un petit temple. De style toltèque, elle fut probablement construite à l'époque où les Toltèques dominaient la région, entre 900 et 1200. La base de la pyramide est ornée de bas-reliefs découverts dans les environs, œuvres sans doute des Huastèques et des Aztèques. Les Aztèques contrôlèrent cette province pendant une courte période avant la conquête espagnole.

POZA RICA

• *Hab. : 179 000 • Alt. : 28 m • ☎ 782*

La ville pétrolifère de Poza Rica se trouve à la jonction des nationales 180 et 130. Peut-être devrez-vous changer de bus ici. Si vous êtes obligé d'y passer la nuit, essayez l'*Auto Motel* (☎ 2-16-00), à 100 m à l'ouest du terminus 1re classe. Il offre des chambres tout à fait convenables, avec clim., TV et téléphone, à 10 $US pour une ou deux personnes. L'*Hotel Farolino* (☎ 3-24-25), entre le terminus et l'Auto Hotel, propose des chambres ventilées assez propres pour 6 $US (ajoutez 2 $US pour la clim.).

Comment s'y rendre

Quelques bus 1re classe partent de la principale gare routière de Poza Rica, Calle Puebla, à 1 km à l'est de Cárdenas, mais la plupart des liaisons sont assurées par ADO qui se trouve dans le bâtiment voisin. Les bus ADO desservent quotidiennement les destinations suivantes :

Mexico (Terminal Norte) – 260 km, 5 heures ; 22 ADO (8,50 $US)

Pachuca – 209 km, 4 heures ; 2 ADO, à 12h45 et à 14h (6 $US)
Tampico – 250 km, 5 heures ; toutes les 20 minutes (10 $US)
Tuxpan – 60 km, 1 heure ; toutes les 20 minutes (2 $US)
Veracruz – 250 km, 5 heures ; 18 ADO (9 $US)

A destination de Papantla, des bus ADO partent environ toutes les heures (25 km, 30 minutes, 1 $US) et des bus 2e classe Transportes Papantla toutes les 15 minutes (0,70 $US). Ces derniers stationnent dans les bâtiments situés derrière le terminus 1re classe. Chaque jour à 1h, trois bus deluxe UNO quittent le terminus 1re classe à destination de Mexico (14 $US), de Veracruz (14 $US) et de Tampico (15 $US).

Depuis/vers El Tajín. Si vous arrivez de bonne heure à Poza Rica, vous pouvez vous rendre directement à El Tajín par les bus Transportes Papantla (départ toutes les heures vers Coyutla, 1 $US) et profiter de la journée pour visiter le site. Les bus Autotransportes Coatzintla, et d'autres compagnies de bus 2e classe, à destination d'El Chote, d'Agua Dulce et de San Andrés, devraient également vous permettre de rejoindre El Tajín. Demandez la Desviación El Tajín (l'embranchement pour El Tajín).

DE POZA RICA A PACHUCA

La 130, qui couvre les 200 km de Poza Rica à Pachuca, est la voie la plus directe pour se rendre à Mexico depuis le nord de l'État de Veracruz. Cette route pittoresque, et parfois brumeuse, grimpe dans la Sierra Madre en traversant le nord semi-tropical de l'État de Puebla jusqu'à Hidalgo. La population compte une forte proportion d'Indiens nahuas et totonaques.

Huauchinango, à mi-chemin de Poza Rica et de Pachuca, est le centre d'une région horticole. On trouve des textiles brodés sur le marché du samedi. Une fête des fleurs, agrémentée de danses traditionnelles, se déroule pendant une semaine autour du troisième vendredi de carême. **Xicotepec**, à 22 km au nord-est de Huauchinango, possède un petit hôtel bon marché très agréable, *Mi Ranchito*. Le marché dominical d'**Acaxochitlán**, à 25 km à l'ouest de Huachinango, propose, entre autres spécialités, du vin et des conserves de fruits. On y voit des femmes nahuas vêtues de blouses richement brodées.

Nombre de vêtements tissés et ornés de motifs d'animaux et de plantes multicolores proviennent du village traditionnel nahua de **Pahuatlán**. L'accès se fait par un embranchement quittant la 130 vers le nord, environ 10 km après Acaxochitlán. Une piste impressionnante de 27 km descend en serpentant sur plusieurs centaines de mètres jusqu'au village où, le dimanche, se tient un important marché. Pahuatlán possède au moins un hôtel. A environ une demi-heure de route, **San Pablito** est un village otomí où les femmes arborent des blouses brodées de couleurs vives.

La 130 grimpe abruptement jusqu'à Tulancingo, dans l'État d'Hidalgo (voir le chapitre *Les environs de Mexico* pour plus de détails sur le reste de cet itinéraire vers Pachuca).

Les Totonaques
Quelque 260 000 Totonaques survivent aujourd'hui, principalement entre Tecolutla, sur la côte de Veracruz, et le sud de la Sierra Madre orientale, dans le nord de l'État de Puebla. Le catholicisme se superpose aux croyances totonaques ancestrales, encore très vivaces dans les zones montagneuses. Les ancêtres, le soleil (également dieu du maïs) et saint Jean (ou dieu de l'eau et du tonnerre) figurent parmi les principales divinités totonaques. Vénus et la Lune sont assimilées à Qotiti, le diable, maître du royaume souterrain de la mort. La fête de la sainte Croix (3 mai) coïncide avec des rites de fertilité de la terre et des semences. ■

TONY WHEELER

RICHARD NEBESKY

TONY WHEELER

En haut à gauche : temple des Guerriers, Palenque
En haut à droite : Palenque
Middle : temple des Inscriptions et Palais, Palenque
En bas à gauche : temple des Inscriptions, Palenque
En bas à droite : Stela 1, La Venta, Villahermosa

RICHARD NEBESKY

TONY WHEELER

JOHN NOBLE

MARK DOWNEY

JOHN NOBLE

TONY WHEELER

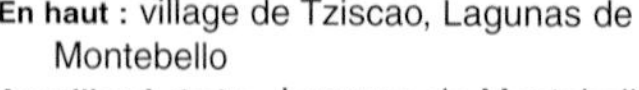

En haut : village de Tziscao, Lagunas de Montebello

Au milieu à droite : Lagunas de Montebello

En bas à gauche : femme indienne du Chiapas

En bas à droite : Templo del Carmen, San Cristóbal de Las Casas

PAPANTLA

• Hab. : 125 000 • Alt. : 198 m • ☎ 784

Sise sur une colline des contreforts de la Sierra Madre orientale, Papantla est un plaisant lieu de séjour. La ville n'est pas très bien entretenue mais possède un zócalo agréable, animé le dimanche soir, lorsque les voladores se produisent à côté de la cathédrale. Certains Totonaques portent encore leurs costumes traditionnels : chemises blanches bouffantes et pantalons pour les hommes, blouses brodées et quechquémitls pour les femmes. Événement majeur de l'année, la fête du Corpus Christi, fin mai-début juin, rend hommage à la culture totonaque.

Orientation

Papantla est desservi par la nationale 180, qui se dirige vers le sud-est à partir de Poza Rica. Le centre-ville se trouve au sommet de la colline en venant de la route principale. Pour gagner le centre à partir de la gare routière ADO, prenez à gauche en sortant et marchez quelques centaines de mètres sur la grande route, jusqu'à la Calle 20 de Noviembre. Tournez à gauche et remontez 20 de Noviembre (assez escarpée) jusqu'à la Calle Enríquez qui délimite le zócalo au bas de la colline. De la gare routière Transportes Papantla, située du côté est de la Calle 20 de Noviembre, obliquez à gauche et remontez la colline jusqu'au zócalo.

Zócalo

Le zócalo (officiellement, Parque Téllez) est dominé par la cathédrale sur son côté sud, en dessous de laquelle une fresque de 50 m de long retrace l'histoire des Totonaques et de Veracruz. Un serpent, sur presque toute la surface du mur, relie entre eux un sculpteur précolombien, la pyramide des niches d'El Tajín, les voladores et un puits de pétrole. L'intérieur du Palacio Municipal est orné de copies de sculptures d'El Tajín provenant du jeu de balle sud.

Monument du volador

Au sommet de la colline, au-dessus de la cathédrale, se dresse la statue d'un musicien volador jouant de la flûte pour préparer les quatre voltigeurs à se lancer dans le vide. Elle fut érigée en 1988. Pour vous y rendre, empruntez la rue qui grimpe la colline, à l'angle de la cour de la cathédrale.

Manifestations annuelles

Pendant la dernière semaine de mai et les deux premiers jours de juin, Papantla célèbre la fête du Corpus Christi et accueille défilés, danseurs et autres réjouissances. Les voladores s'y produisent tout spécialement, deux ou trois fois par jour. La principale procession a lieu le premier dimanche. Vous pourrez assister aux danses Los Negritos, Los Huehues (les Vieillards) et Los Quetzalines.

Où se loger

Bâtiment bleu à quelques mètres à gauche au-dessus de la fresque du zócalo, l'*Hotel Tajín* (☎ 2-06-44), Núñez 104 possède des simples/doubles climatisées à 17/23 $US ; les chambres à deux lits démarrent à 22/30 $US. La vue depuis les chambres est variable – celles donnant sur l'avant ont un balcon qui surplombe la ville – mais toutes sont propres, de bonne taille correcte et bien tenues.

Moins cher, l'*Hotel Pulido* (☎ 2-10-79), Enríquez 205, à 250 m à l'est en descendant du zócalo, loue des chambres plus petites et un peu négligées, ouvrant sur un parking. L'endroit est cependant accueillant. Comptez 8/9 $US, ou 11 $US pour une chambre à deux lits.

Au nord du zócalo, l'*Hotel Premier* (☎ 2-00-80), Enríquez 103, est un établissement moderne qui propose de grandes chambres confortables et climatisées à 27/32 $US, ainsi que des suites décevantes à 47 $US. Les chambres sur l'arrière sont beaucoup plus calmes.

Où se restaurer

A Papantla, vous ne mangerez que mexicain, et particulièrement de la viande dans cette région d'élevage. Le restaurant de l'*Hotel Tajín*, correct mais un peu cher, sert différents plats de bœuf pour 5 $US environ.

Plusieurs restaurants sont concentrés dans Enríquez, en bas du zócalo. Le *Restaurante Sorrento*, n°105, banal, concocte une honnête comida corrida à seulement 2 $US.

Le plus chic est le *Restaurante Enríquez*, dans l'Hotel Premier, qui bénéficie de la clim., de nappes, de la TV et de serveurs en noeud papillon. Comptez à partir de 5 $US pour un plat de viande ou de poisson et 2/4 $US pour un petit déjeuner. A mi-chemin en termes de prix et d'emplacement, le *Plaza Pardo* propose des plats assez médiocres pour 2/3 $US, mais les bananes frites (1 $US) sont un régal. Autour de la place, plusieurs boutiques vendent de délicieuses glaces à 0,75 $US la boule.

Achats

Au marché Hidalgo, à l'angle nord-ouest du zócalo, vous pourrez acheter des costumes totonaques, certains assez jolis, de beaux paniers et de la vanille. Papantla est le premier centre de culture du vanillier du Mexique. La vanille s'achète sous forme d'extrait, en gousse ou en *figuras*, des gousses tissées en forme de fleur, d'insecte, etc. Le marché Juárez, à l'angle sud-ouest, en face de la cathédrale, vend essentiellement des produits alimentaires.

Comment s'y rendre

Rares sont les bus longue distance qui s'arrêtent à Papantla. Il n'existe aucune liaison avec Tampico (correspondance à Tuxpan ou Poza Rica). Essayez de réserver votre place pour quitter Papantla dès votre arrivée, ce qui peut s'avérer difficile dans la mesure où la plupart des bus sont de paso. En désespoir de cause, allez à Poza Rica et prenez l'un des bus, beaucoup plus fréquents, qui partent de cette ville. ADO, Juárez 207, est la seule compagnie de 1re classe desservant Papantla. L'alternative en 2e classe est assurée par Transportes Papantla (TP), Calle 20 de Noviembre, qui possède des véhicules vieux et lents. Reportez-vous à la rubrique *Orientation* ci-dessus en ce qui concerne les dessertes des gares routières. Les départs quotidiens de Papantla comprennent :

Jalapa – 260 km, 5 heures 30 ; 7 ADO (9 $US) et 8 TP (8 $US)
Mexico (Terminal Norte) – 290 km, 5 heures 30 ; 6 ADO (10 $US)
Poza Rica – 25 km, 30 minutes ; 11 ADO (0,80 $US) ; bus TP 2e classe toutes les 20 minutes (0,70 $US)
Tuxpan – 90 km, 1 heure 15 ; 3 ADO (26 $US)
Veracruz – 230 km, 5 heures ; 6 ADO (9 $US) et 8 TP (7 $US)

Depuis/vers El Tajín. Des minibus blancs partent toutes les heures pour El Tajín depuis 16 de Septiembre, la rue remontant la colline vers la cathédrale (30 minutes environ, 0,80 $US). Il est également possible de parcourir cette distance en deux étapes : du même arrêt, prenez un bus jusqu'à El Chote, puis l'un des nombreux bus en direction de l'ouest (à droite) jusqu'à l'embranchement pour El Tajín. D'autres bus reliant Papantla à El Chote partent de la gare TP.

EL TAJÍN

El Tajín se cache dans les montagnes verdoyantes, à quelques kilomètres de Papantla. Son nom signifie tonnerre, éclair ou ouragan en totonaque, trois phénomènes météorologiques fréquents dans cette région en été. Les Totonaques semblent avoir habité El Tajín un temps, mais le site fut, en majeure partie, construit avant que la civilisation totonaque ne prenne réellement de l'importance. Il représente l'aboutisement le plus achevé de la civilisation de Veracruz classique dont on sait peu de choses

El Tajín fut occupé pour la première fois vers 100, mais l'essentiel des vestiges date de 600 ou 700. Il connut son apogée, en tant que ville et centre religieux, entre 600 et 900, puis fut abandonné vers 1200, peut-être après plusieurs attaques de Chichimèques. Il fut ignoré des Espagnols jusque vers 1785, lorsqu'un fonctionnaire le découvrit alors qu'il recherchait des plantations de tabac illégales.

Parmi les caractéristiques du site figurent les rangées de niches carrées sur les flancs des bâtiments, un grand nombre (onze au moins) de jeux de balle et les sculptures illustrant des sacrifices humains liés au jeu de balle. Pour l'archéologue qui effectua une grande partie des fouilles, José García Payón, les niches et les mosaïques de pierre d'El Tajín symbolisaient le jour et la nuit, la lumière et l'ombre, la vie et la mort dans un univers composé d'oppositions de paires, mais cette interprétation est controversée. Malgré des travaux intensifs de restauration, El Tajín conserve intact son mystère et semble plus "perdu dans la jungle" que nombre d'autres sites célèbres.

Renseignements

Le site entier couvre environ 10 km^2 et ouvre tous les jours de 9h à 17h (entrée : 2,50 $US, gratuite le dimanche et pour les visiteurs de moins de 13 ans et de plus de 60 ans). Deux grandes parties ont été dégagées : la zone la plus basse, avec la Pirámide de los Nichos (la pyramide des Niches) et, en haut, un groupe de bâtiments appelés El Tajín Chico (petit El Tajín).

Le centre d'accueil des visiteurs comporte un restaurant, des boutiques de souvenirs, une consigne, un guichet de renseignements et un musée présentant une maquette du site. A l'extérieur, vous trouverez un parking et des échoppes de nourriture et d'artisanat.

Voladores totonaques

Les Indiens totonaques pratiquent le rite des voladores (hommes volants), presque tous les jours, depuis un mât de 30 m dressé à côté du centre d'accueil des visiteurs. Ils se produisent généralement vers

Les voladores

Le rite des voladores est une sorte de quadruple saut à l'élastique au ralenti. Cinq hommes, vêtus de costumes colorés, grimpent au sommet d'un très haut mât. Quatre s'assoient sur une petite plate-forme carrée de bois et attachent leurs chevilles à une corde fixée à la plate-forme, tandis que le cinquième danse, tape sur un tambour et joue de la flûte d'une plate-forme plus petite, située au-dessus de la première. Brusquement, il s'arrête et les voladores se jettent dans le vide. La tête en bas, les bras en croix, ils tournent avec grâce autour du mât et descendent vers le sol tandis que se déroulent les cordes.

Cette cérémonie revêt une signification hautement symbolique. Certains y voient un rite de fertilité, dans lequel les voltigeurs symbolisent des aras invoquant les quatre coins de l'univers avant de tomber au sol entraînant avec eux le soleil et la pluie. Il est également dit que chaque volador tourne 13 fois autour du mât, soit 52 révolutions au total, un chiffre qui, non seulement correspond au nombre de semaines d'une année, mais aussi, à un chiffre particuliè-rement important dans le Mexique pré-colombien qui disposait de deux calendriers – l'un correspondant à l'année solaire de 365 jours, l'autre à une année rituelle de 260 jours. Toutes les 52 années solaires seulement, un jour bien précis du premier calendrier coïncidait au même jour du second calendrier.

JOHN NOBLE

Il est triste de voir un rituel transformé en spectacle pour touristes. Cependant, ceux qui exécutent cette performance spectaculaire disent avoir besoin d'argent. ■

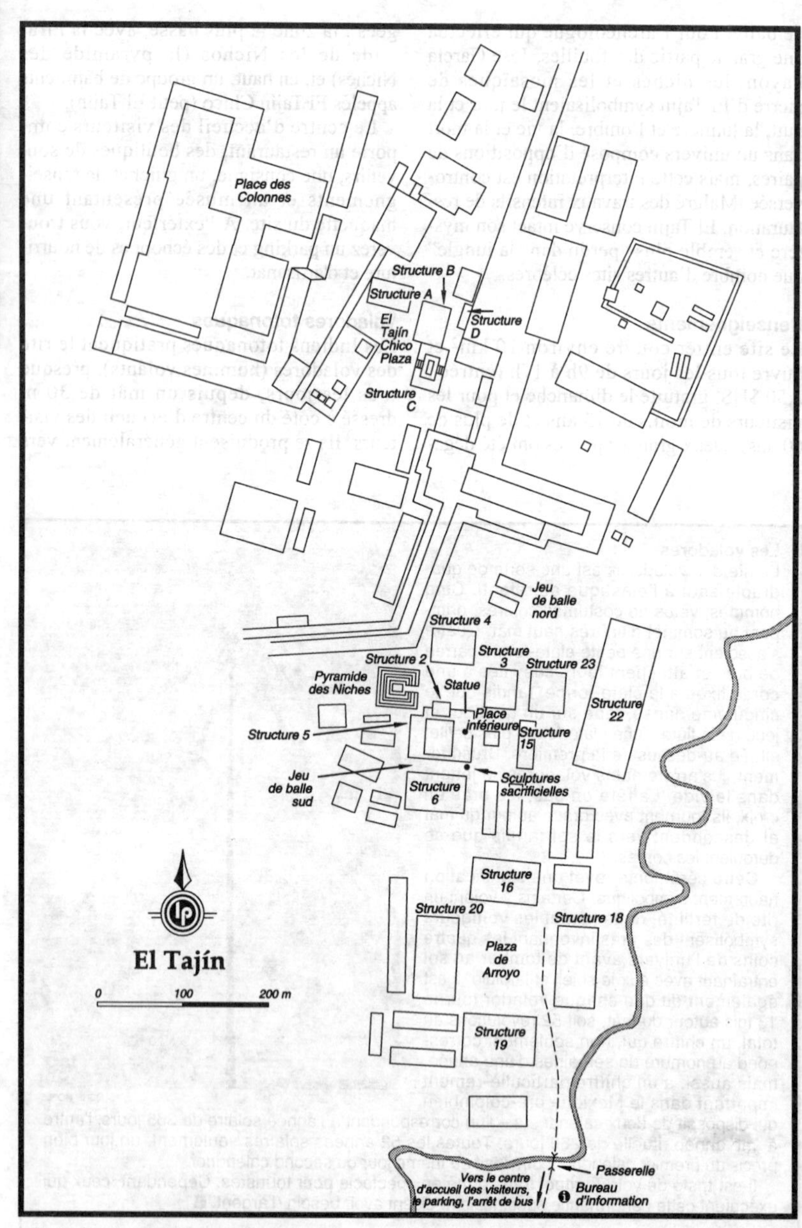

Place des Colonnes
Structure B
Structure A
El Tajín Chico Plaza
Structure D
Structure C
Jeu de balle nord
Structure 4
Structure 3
Structure 23
Structure 2
Pyramide des Niches
Statue
Place inférieure
Structure 22
Structure 5
Structure 15
Jeu de balle sud
Structure 6
Sculptures sacrificielles
Structure 16
Structure 20
Structure 18
Plaza de Arroyo
El Tajín
0
100
200 m
Structure 19
Passerelle
Vers le centre d'accueil des visiteurs, le parking, l'arrêt de bus
Bureau d'information

12h et 16h. Avant de commencer, un Totonaque en costume traditionnel fera le tour de l'assistance pour recueillir les dons.

Plaza Menor

A l'intérieur du site, après avoir dépassé la Plaza del Arroyo, sans grand intérêt, vous parviendrez à la place inférieure, qui fait partie du principal centre de cérémonie d'El Tajín ; elle est dotée d'une plate-forme basse en son milieu.

La statue, au premier niveau de la structure 5 (une pyramide sur le côté ouest de la place), représente soit un dieu du tonnerre et de la pluie, particuliè-rement important à El Tajín, soit Mictlan-tecuhtli, dieu de la mort. Tous les édifices autour de cette place étaient probablement surmontés de petits temples, certains peints de rouge et de bleu.

Juego de Pelota Sur

Le jeu de balle de 60 m de long, qui s'étend entre les structures 5 et 6, est l'un des plus célèbres du Mexique, célébrité due aux six sculptures ornant ses murs et datant de 1150 environ.

Angles nord. Le parement, à l'angle nord-est (à droite en entrant dans le jeu de balle depuis la place inférieure), est le plus facile à déchiffrer. Au milieu, trois joueurs de balle portent des genouillères. Le premier a les bras maintenus par le second, tandis que le troisième se prépare à lui plonger un couteau dans la poitrine, selon un sacrifice rituel pratiqué après le jeu.

Un dieu de la mort squelettique, sur la gauche, et un deuxième personnage, sur la droite, observent la scène. Un autre dieu de la mort voltige au-dessus de la victime.

Le parement, à l'extrémité nord-ouest du même mur, illustre une cérémonie précédant le jeu de balle.

Deux joueurs se font face, l'un avec les bras croisés, l'autre armé d'une dague. Des symboles émergent de leurs bouches. A leur droite, se tient un personnage portant un masque de coyote, l'animal qui mène les victimes du sacrifice dans l'autre monde. Le dieu de la mort se dresse sur la droite.

Angles sud. Le parement sud-ouest semble figurer l'initiation d'un jeune homme, au sein d'un groupe de guerriers. Un personnage central est étendu sur une table. Sur la gauche, un autre tient une cloche. Au-dessus se tient un personnage à masque d'aigle, probablement un prêtre. Sur le panneau sud-est, un homme offre des lances ou des flèches à un autre individu, peut-être au cours de la même cérémonie.

Parements centraux. Ils sont consacrés à la libation de la bière de cactus, le pulque. Sur le parement le plus au nord, un personnage tenant un récipient adresse un signe à un autre adossé à un grand récipient à pulque. Quetzalcóatl est assis en tailleur à côté de Tláloc, le dieu à crocs de l'eau et de la lumière. Sur le parement sud, Tláloc, accroupi, tend une gourde à un personnage portant un masque de poisson, qui semble se tenir dans une cuve de pulque. Sur la gauche, apparaît un plant de maguey dont on tire le pulque.

Le maguey n'est pas une plante propre à cette région du Mexique, ce qui révèlerait l'existence d'influences originaires du centre du pays (peut-être toltèques) à l'apogée de l'activité d'El Tajín.

Pirámide de los Nichos

La pyramide des Niches (35 m²) se dresse à côté de la Plaza Menor, près de l'angle nord-ouest du bâtiment 5. Les six niveaux inférieurs, chacun encadré de rangées de petites niches carrées, atteignent une hauteur de 18 m. Le large escalier, construit au-dessus de quelques niches sur la face orientale, a été ajouté postérieurement. Certains archéologues pensent que l'ensemble devait comporter 365 niches, ce qui indiquerait que l'édifice servait de calendrier. L'intérieur des niches était peint en rouge, leur encadrement en bleu.

Le seul édifice semblable connu est une pyramide à niches de sept niveaux située à

Yohualichán près de Cuetzalán, à 50 km au sud-ouest d'El Tajín, et probablement antérieure.

El Tajín Chico

Le sentier nord, qui rejoint El Tajín Chico, passe par le Juego de Pelota Norte (le jeu de pelote nord), plus petit et plus ancien que celui du sud, également flanqué de sculptures de part et d'autre. Bon nombre d'édifices d'El Tajín Chico portent des motifs de mosaïque géométriques appelés Greco (grecques), qui rappellent étonnamment les décorations plus récentes de Mitla (Oaxaca).

Les édifices principaux, datant probablement du IXe siècle, sont alignés sur les côtés est et nord de la place d'El Tajín Chico. Le bâtiment C, sur le côté est, composé de trois niveaux et d'un escalier face à la place, était à l'origine peint en bleu. Le bâtiment B, qui le jouxte, constituait probablement la résidence de prêtres ou de dignitaires. Le bâtiment D, derrière le bâtiment B et près de la place, est orné d'une grande mosaïque à motifs en losange et d'un passage en contrebas.

Au nord de la place, le bâtiment A comporte une façade qui rappelle l'arête d'un toit maya ; un escalier mène au sommet par une arcade médiane. Cette arcade en encorbellement, dont les deux côtés se rejoignent au sommet en un bloc unique – typique de l'architecture maya –, témoigne, elle aussi, de l'imbrication des cultures précolombiennes.

Sur une hauteur, au nord-ouest de la Plaza d'El Tajín Chico, se situe la Plaza de las Columnas (place des Colonnes), non encore restaurée, qui compte des édifices parmi les plus importants du site. Dotée, à l'origine, d'un patio ouvert et de bâtiments annexes s'étendant sur la colline, elle couvrait une superficie de près de 200 m sur 100 m. Les colonnes ont été en partie réassemblées et sont exposées au musée du site.

Comment s'y rendre

De fréquents bus locaux desservent El Tajín à partir de Papantla et de Poza Rica (reportez-vous, plus haut, aux rubriques consacrées à ces villes pour plus de détails). Pour revenir, prenez un bus local à côté du parking.

AU SUD DE PAPANTLA

La nationale 180 longe la côte sur une bonne partie des 230 km séparant Papantla de la ville de Veracruz. La force des courants rend la baignade dangereuse dans ces parages.

Tecolutla et la Costa Esmeralda

A Gutiérrez Zamora, à 30 km à l'est de Papantla, un embranchement conduit à Tecolutla, à 11 km au nord-est de la 180 et à l'embouchure du Río Tecolutla. Cette petite station balnéaire possède une plage frangée de palmiers et quelques hôtels. Des bus ADO et Transportes Papantla la relient à Papantla.

La Costa Esmeralda est le nom donné aux 20 km de côte entre La Guadalupe (à 20 km au sud-est de Gutiérrez Zamora) et Nautla. De nombreux hôtels, restaurants et au moins trois terrains de camping jalonnent la bande de terre entre la nationale et la plage. **Nautla**, petit village de pêcheurs, offre une poignée d'hôtels bon marché mais corrects, et une longue plage où vous dégusterez des fruits de mer.

Laguna Verde et Villa Rica

La première centrale nucléaire du Mexique est implantée à Laguna Verde, à 80 km au nord de Veracruz, en bordure de la 180. La centrale produit 4% de l'électricité du Mexique. La première unité est devenue opérationnelle en 1989, la seconde en 1996. Cependant, le projet d'installer une dizaine de réacteurs ou plus dans le pays a été abandonné suite aux protestations des citoyens. Le village de pêcheurs de Villa Rica, à 69 km au nord de Veracruz, est l'endroit où Cortés a probablement fondé la première colonie espagnole du Mexique. Sur le Cerro de la Cantera subsistent les vestiges d'un fort et d'une église. A proximité, au sommet d'une colline, les tombes totonaques de **Quiahuiztlán** surplombent la mer.

Centre de l'État de Veracruz

La nationale 180 longe la côte jusqu'à Cardel, au-delà des ruines de Zempoala. A cet endroit, la 140 bifurque vers l'agréable capitale de cet État, Jalapa. La dynamique cité portuaire de Veracruz est à 35 km au sud de Cardel. Depuis Veracruz, la 150 se dirige vers le sud-ouest jusqu'à Córdoba, Fortín de las Flores et Orizaba, au pied de la Sierra Madre.

ZEMPOALA

La ville précolombienne totonaque de Zempoala occupe une place essentielle dans l'histoire de la conquête espagnole du Mexique. Les ruines se dressent dans la ville moderne du même nom, à 42 km au nord de Veracruz et à 3 km à l'ouest de la 180. La bifurcation est située à proximité d'une station Pemex, à 8 km au nord de Cardel. Des voladores se produisent aux ruines pendant le week-end entre 12h et 14h.

La plupart des façades des bâtiments sont recouvertes de galets lisses et ronds provenant du lit de la rivière. Elles sont couronnés par des "dents" ou créneaux, appelées *almenas*.

Histoire

Zempoala devint un important foyer de la culture totonaque après 1200 et fut peut-être à la tête d'une "fédération" des États totonaques méridionaux. Elle tomba sous la férule des Aztèques au milieu du XVe siècle et nombre de ses édifices reflètent le style de cet empire. La ville possédait un système de murs défensifs, d'adduction d'eau souterraine et des égouts. A l'arrivée des Espagnols, en mai 1519, elle dénombrait environ 30 000 habitants.

Le chef corpulent de Zempoala, Chicomacatl, passé à la postérité sous le surnom de "gros cacique" (selon la description de Bernal Díaz del Castillo), conclut avec Cortés une alliance contre les Aztèques. Toutefois, son hospitalité n'empêcha pas les Espagnols de détruire les statues de ses dieux et de vouloir convertir ses sujets au christianisme. Des porteurs originaires de Zempoala accompagnaient les Espagnols lorsqu'ils partirent pour Tenochtitlán en 1519. L'année suivante, c'est à Zempoala que Cortés défit l'expédition de Pánfilo de Narváez, envoyée par le gouverneur de Cuba pour l'arrêter.

Au XVIIe siècle, Zempoala avait pratiquement cessé d'exister. Sa population, décimée par les maladies, se réduisait à huit familles. Peu après, la cité fut abandonnée. La ville actuelle date de 1832.

Les ruines de Zempoala

Les principales ruines se trouvent au bout d'un petit chemin, situé à droite en entrant à Zempoala. Elles ouvrent tous les jours de 9h à 18h (entrée : 1,50 $US, gratuite le dimanche).

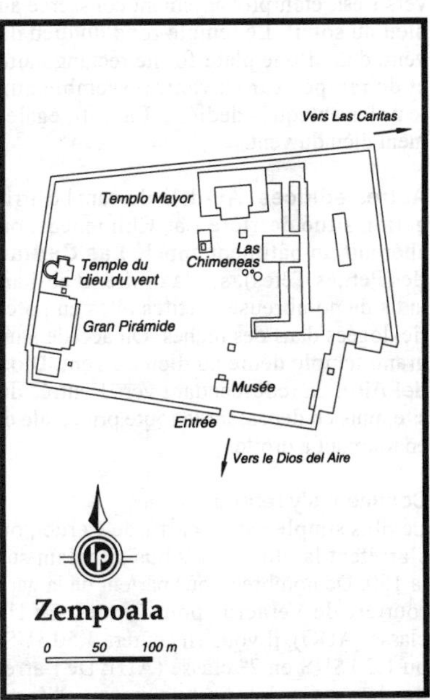

Templo Mayor. Le temple principal est une pyramide de 11 m de haut, composée de treize plates-formes. A l'origine, elle était recouverte de plâtre et peinte. Un large escalier conduit à un sanctuaire de trois chambres, au sommet. Pánfilo de Narváez s'en servit probablement comme quartier général en 1520. Les hommes de Cortés s'en emparèrent en mettant le feu à son toit de chaume.

Las Chimeneas. C'est dans les cheminées que Cortés et ses hommes logèrent lors de leur première visite à Zempoala. Le nom provient des colonnes creuses sur l'avant, qui étaient remplies de bois. On pense qu'un temple coiffait ses sept plates-formes.

Édifices occidentaux. Les deux principaux édifices de l'ouest sont appelés Gran Pirámide et temple du dieu du vent. Deux escaliers de styles typiquement toltèque et aztèque escaladent les trois plates-formes de la grande pyramide. Celle-ci, orientée vers l'est, était probablement consacrée au dieu du soleil. Le temple rond du dieu du vent, doté d'une plate-forme rectangulaire et de rampes sur l'avant, ressemble aux temples aztèques dédiés à Ehecatl, également dieu du vent.

Autres édifices. Au-delà du canal d'irrigation situé derrière Las Chimeneas, on aperçoit un bâtiment appelé **Las Caritas** (les Petites Têtes), sur la droite. Il abritait jadis de nombreuses petites têtes en poterie, logées dans des niches. On accède à un grand temple dédié au dieu du vent, **Dios del Aire**, en redescendant vers l'entrée du site, puis en dépassant la route principale et en tournant à droite.

Comment s'y rendre

Le plus simple est de partir de Cardel, où s'arrêtent la plupart des bus circulant sur la 180. De nombreux bus partent de la gare routière de Veracruz pour Cardel. En 1re classe (ADO), il vous en coûtera 1,50 $US, ou 1,20 $US en 2e classe (AU). De l'arrêt des bus à Cardel, un bus marqué "Zempoala" vous y conduit pour 0,75 $US, ou un taxi orange et blanc pour 3,50 $US. Le trajet total de Veracruz à Zempoala dure environ 1 heure.

ENVIRONS DE ZEMPOALA

La principale ville de la région est **Cardel**, que la plupart des voyageurs traversent simplement pour se rendre aux ruines de Zempoala. Si besoin est, vous pouvez loger à l'*Hotel Plaza* (simples/doubles à 14/16 $US). Sur la côte, **Chachalacas**, à quelques kilomètres au nord-est de Cardel, offre sa plage, quelques restaurants de fruits de mer et la piscine du luxueux *Chachalacas Hotel*. Au nord de l'embranchement pour Zempoala, **Paso de Doña Juana**, sur la route côtière, possède un terrain de camping, de caravaning et une auberge de jeunesse.

JALAPA

• Hab. : 400 000 • Alt. : 1 427 m • ☎ 28

Fraîche et propre, bien équipée, Jalapa (parfois orthographiée Xalapa) représente l'un des joyaux coloniaux du Mexique. L'université de Veracruz est installée depuis 1944 dans cette ville de montagne, capitale de l'État de Veracruz. La vie artistique et les distractions ne manquent pas, les cafés sont conviviaux et vous y dénicherez quelques bons restaurants.

Du fait de sa situation, sur la pente semi-tropicale entre la côte et le haut plateau central, elle est entourée de parcs et s'ouvre sur de magnifiques panoramas. Cependant, elle est souvent confronté à la brume et au crachin. La circulation et la pollution automobile y sont parfois insupportables. Jalapa est célèbre pour son superbe musée d'Anthropologie.

Sur ce site, une cité précolombienne fut incorporée à l'empire aztèque vers 1460. Cortés et ses hommes la traversèrent en 1519. Toutefois, la ville espagnole ne prit véritablement son essor qu'avec l'instauration d'une foire annuelle de produits espagnols, de 1720 à 1777. Aujourd'hui, Jalapa est devenue l'un des centres du commerce du café et du tabac. Elle est aussi réputée pour ses fleurs.

Orientation

Le centre-ville est perché sur une colline, avec, plus ou moins en son milieu, la plaza, ou Parque Juárez. La cathédrale se dresse dans Enríquez, légèrement à l'est de Juárez. Un peu plus loin à l'est, la plupart des hôtels et restaurants se regroupent dans Enríquez et Zaragoza. La gare routière est située à 2 km à l'est du centre et le musée d'Anthropologie, à quelques kilomètres au nord.

L'Alliance française a ses quartiers Juan Alvarez 21, Col Centro (☎ 17-43-30).

Renseignements

Office du tourisme. Situé dans le gratte-ciel Torre Animas, à 3 km à l'est du centre, l'office du tourisme de l'État (☎ 12-85-00), dans l'artère principale menant à la ville, ouvre en semaine de 9h à 21h.

Argent. Banca Serfin, Bancomer et Banamex sont regroupées dans Enríquez. Elles disposent toutes de distributeurs automatiques ; Bancomer n'accepte pas les chèques de voyage. La Casa de Cambio Jalapa, Gutiérrez Zamora 36, pratique des

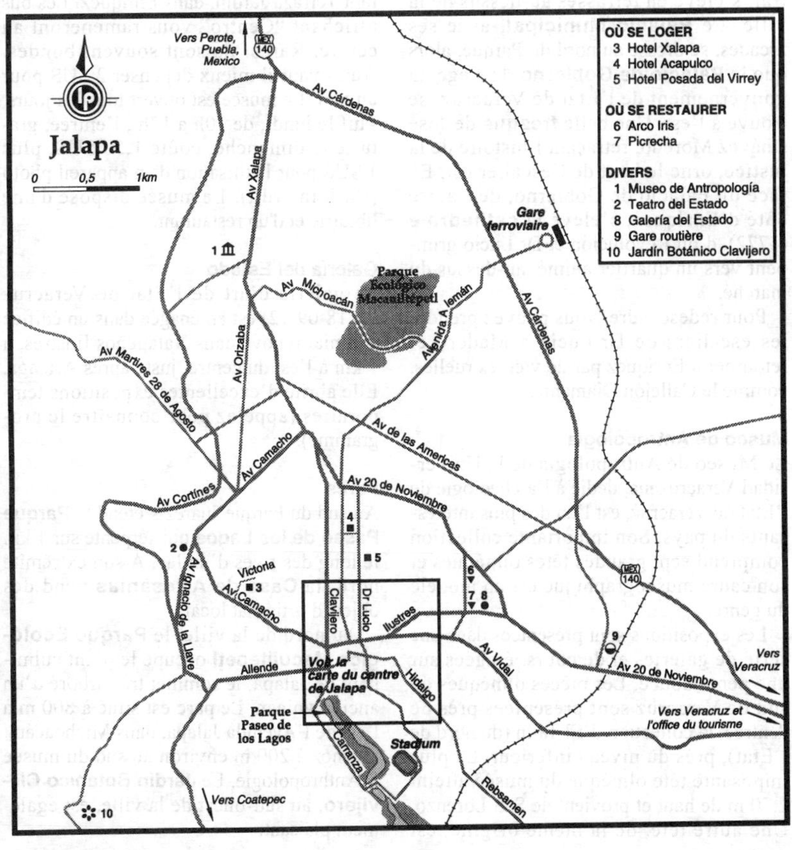

taux légèrement inférieurs mais reste ouverte plus longtemps : du lundi au vendredi de 9h à 13h30 et de 16h à 18h30.

Poste et communications. La poste, à l'angle de Zamora et Leño, ouvre du lundi au vendredi de 8h à 19h, et le samedi de 9h à 13h. A côté, le bureau de télécommunications, avec services de télécopie, télex et télégramme, est ouvert du lundi au vendredi de 8h à 19h, le samedi de 9h à 13h. Les téléphones à pièces sont nombreux.

Centre-ville

La partie sud du Parque Juárez, le parc central, s'élève en terrasses au-dessus de la ville. Le **Palacio Municipal**, avec ses arcades, se dresse au nord du Parque, alors que le **Palacio de Gobierno**, le siège du gouvernement de l'État de Veracruz, se trouve à l'est. Une belle **fresque** de José Chávez Moreno, retraçant l'histoire de la justice, orne le haut de l'escalier est. En face du Palacio de Gobierno, de l'autre côté d'Enríquez, s'élève la **cathédrale** (1772), d'où Revolución et Dr Lucio grimpent vers un quartier animé, au-dessus du marché.

Pour redescendre, vous pouvez prendre les escaliers de Dr Lucio à Madero et retourner à Enríquez par de vieilles ruelles, comme le Callejón Diamante.

Museo de Antropología

Le Museo de Antropología de la Universidad Veracruzana, dédié à l'archéologie de l'État de Veracruz, est l'un des plus intéressants du pays. Son importante collection comprend sept grandes têtes olmèques et son cadre muséographique est un modèle du genre.

Les expositions sont présentées dans une série de galeries et de cours, étagées sur une pente douce. Les pièces olmèques du sud de Veracruz sont présentées près de l'entrée, la collection d'El Tajín (du nord de l'État), près du niveau inférieur. La plus imposante tête olmèque du musée atteint 2,70 m de haut et provient de San Lorenzo. Une autre tête, de la même origine, est piquée de centaines de petits trous, interprétés comme une mutilation délibérée, motivée pense-t-on par la chute de San Lorenzo. En dehors des autres très belles sculptures olmèques, ne manquez pas les magnifiques yugos et hachas provenant du centre de l'État de Veracruz, les fresques de Las Higueras, foyer du Veracruz classique, et la collection d'immenses figures en poterie de la période classique provenant d'El Zapotal.

Le musée se situe à l'ouest de l'Avenida Jalapa, à 4 km au nord-ouest du centre. Prenez un bus "Tesorería-Centro-SEP" ou "Museo" (0,50 $US) à l'ouest du Restaurant Terraza Jardín, dans Enríquez. Les bus affichant "Centro" vous ramèneront au centre. Rares, ils sont souvent bondés. Aussi vaut-il mieux dépenser 2 $US pour un taxi. Le musée est ouvert tous les jours, sauf le lundi, de 10h à 17h ; l'entrée, gratuite le dimanche, coûte 1,50 $US, plus 1 $US pour l'utilisation d'un appareil photo (flash interdit). Le musée dispose d'une librairie et d'un restaurant.

Galería del Estado

La galerie d'art de l'État de Veracruz (☎ 18-09-12) est aménagée dans un édifice colonial rénové dans Xalapeños Ilustres, à 1 km à l'est du centre, juste après Arteaga. Elle abrite d'excellentes expositions temporaires (appelez pour connaître le programme).

Parcs

Au sud du Parque Juárez s'étend le **Parque Paseo de los Lagos** qui serpente sur 1 km le long des rives d'un lac. A son extrémité nord, la **Casa de Artesanías** vend des objets d'artisanat local.

Au nord de la ville, le **Parque Ecológico Macuiltépetl** occupe le point culminant de Jalapa, le sommet très arboré d'un ancien volcan. Le parc est situé à 800 m à l'est de l'Avenida Jalapa, dans Michoacán : tournez à 200 m environ au sud du musée d'Anthropologie. Le **Jardín Botánico Clavijero**, au sud-ouest de la ville, est également plaisant.

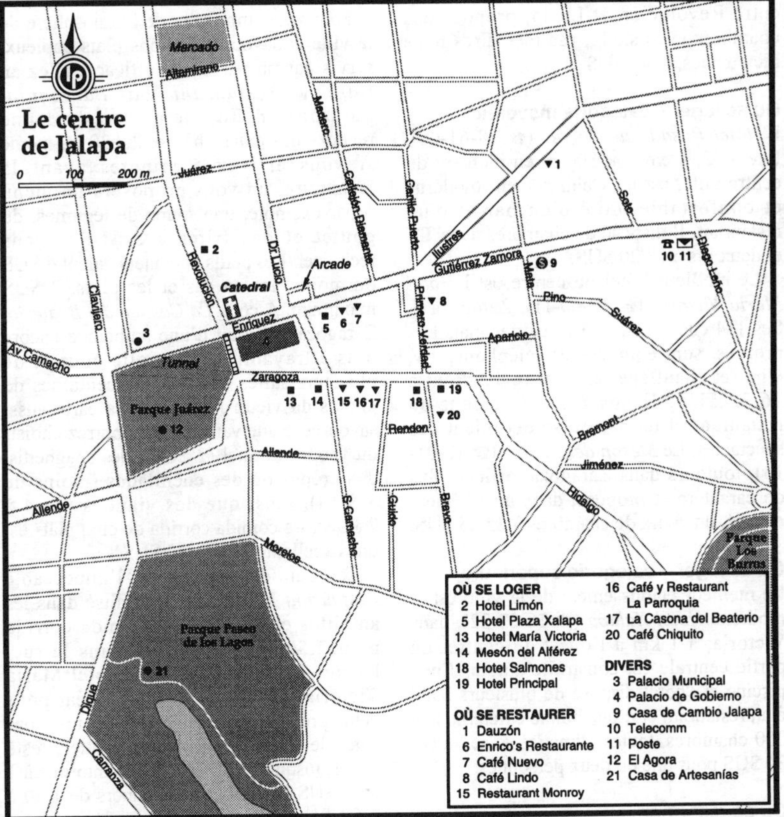

Où se loger – petits budgets

Très bien situé, l'*Hotel Limón* (☎ 17-22-04), Revolución 8, propose des petites chambres propres, avec s.d.b. et eau chaude, disposées autour d'une cour carrelée agrémentée d'une fontaine. Comptez 6 $US en simple, 7 $US en double à grand lit et 8 $US avec deux lits. Un parking sûr est disponible à 50 m, de l'autre côté de la rue.

Tout aussi propres et plus spacieuses, les chambres de l'*Hotel Principal* (☎ 17-64-00), Zaragoza 28, bénéficient également d'eau chaude (9/10 $US en simple/double). Celles qui donnent sur la rue sont bruyantes. Tout proche du centre, l'*Hotel Plaza Xalapa* (☎ 17-33-10), Enríquez 4, offre des chambres rudimentaires assez propres à 6/7 $US. Évitez les chambres sur la rue ou prévoyez des boules Quiès.

Le grand *Hotel Salmones* (☎ 17-54-31), Zaragoza 24, possède un petit jardin, un grand hall, un restaurant ainsi que des chambres défraîchies, avec moquette, téléphone et TV (12/14 $US en simple/double).

A 1 km au-dessus du centre, l'*Hotel Acapulco* (☎ 18-24-58), Julian Carillo, entre Revolución et Lucio, propose des chambres avec s.d.b., rudimentaires mais bien tenues, à 8/9 $US.

Où se loger – catégorie moyenne

L'*Hotel Posada del Virrey* (☎ 18-61-00), Lucio 42, à environ 300 m en montant du centre-ville, est un établissement moderne et confortable, doté d'un bar et d'un restaurant. Il dispose de chambres avec TV et deux lits à 18/20 $US.

Le meilleur hôtel du centre est l'*Hotel María Victoria* (☎ 18-60-11), Zaragoza 6, Ses 114 chambres, un peu petites mais très propres, sont équipées de téléphone, TV, clim. et chauffage, et vous reviendront à 26/32 $US. Il possède également un restaurant et un bar où se déroulent des spectacles. Le *Mesón del Alférez* (☎ 18-01-13), toujours dans Zaragoza, affiche plus de caractère et propose, dans un bâtiment rénové, un choix de chambres à 22/25 $US.

Où se loger – catégorie supérieure

Le meilleur établissement de la ville est le moderne *Hotel Xalapa* (☎ 18-22-22), dans Victoria, à 1 km à l'ouest du centre. La partie centrale est construite autour d'une piscine et l'hôtel dispose de plusieurs bars, d'un restaurant et d'une bonne cafétéria. Ses 200 chambres, toutes climatisées, se louent 34 $US pour une ou deux personnes.

Où se restaurer

Les endroits les plus branchés sont situés dans deux rues parallèles. Le *Café Lindo*, Primero Verdad 21, offre une atmosphère conviviale, des sièges confortables et une fontaine intérieure. Des étudiants viennent y flirter à toute heure de la journée. Comptez de 0,75 à 1,80 $US pour un café, de 0,50 à 1,80 $US pour un jus de fruit et de 3 à 3,50 $US pour un plat de viande. Un peu plus au sud, le *Café Chiquito*, dans Rendón, près de Bravo, est animé par des musiciens de jazz ou de *bamba* qui viennent jouer presque tous les soirs. Il propose un vaste choix de cafés et de jus de fruits ; ses tacos, renommés, reviennent à environ 2,50 $US.

Pour vous imprégner de l'atmosphère de la ville et savourer de bons plats copieux, servis par un personnel efficace, allez au *Café y Restaurant La Parroquia*, Zarazoga 18, Tout le monde s'y donne rendez-vous entre 7h30 et 22h30 et, même si vous arrivez 5 minutes avant la fermeture, on vous proposera un menu – par exemple, une soupe de légumes, du poulet et des frites à 5 $US – sans rechigner. Les petits déjeuners valent 4 $US ou moins, les en-cas et les plats, 7 $US maximum. A côté, *La Casona del Beaterio*, Zaragoza 20, jouit d'une ambiance encore plus attrayante, d'une jolie cour et de plusieurs salles décorées de centaines de photos du vieux Jalapa. Sur la carte aussi savoureuse que variée, vous pourrez choisir du yaourt au miel (2 $US), des spaghettis, des crêpes ou des enchiladas (moins de 3 $US), ainsi que des viandes (de 4 à 7 $US). La comida corrida de cinq plats est une excellente affaire à 3 $US.

Toujours dans Zaragoza, l'impeccable *Restaurant Monroy* est spécialisé dans les antojitos et prépare une comida corrida pour 2,50 $US. Plus loin dans la rue, l'*Aries Restaurant*, dans l'Hotel Maria Victoria, est ouvert 24h/24. Idéal pour venir prendre un dernier café ou un repas léger, le *Café Nuevo*, dans Enríquez, reste ouvert jusqu'à 0h30 et sert des antojitos à 1 ou 2 $US et des petits déjeuners de 1,50 à 2,50 $US. Une assiette de délicieuses pâtisseries accompagne le Nescafé con leche (vous payez ce que vous mangez). L'établissement, très apprécié par de vieux habitués, existe depuis plus de 60 ans.

A côté de l'Hotel Plaza Xalapa, l'*Enrico's Restaurante*, dans Enríquez au centre-ville, vaste et tranquille, est parfait pour faire une halte en savourant un cappucino (0,80 $US) ou un jus de fruit (1 $US). Les plats du jour valent environ 3 $US, les plats de viande, de 2 à 7 $US, et les petits déjeuners, de 2 à 4 $US.

Il existe plusieurs bonnes boulangeries et pâtisseries, dont des succursales de *Dauzón*. Celle de Xalapeños Ilustres, entre Mata et Soto, comporte un café à l'arrière où vous pourrez déguster gâteaux, tartes et autres strudels (de 0,75 à 2 $US) ou prendre un petit déjeuner complet pour 2,50 $US environ. A 1 km à l'est du centre, le *Picrecha*, à l'angle de Xalapeños Ilustres et d'Arteaga, vaut le détour pour l'éclairage aux chandelles, l'ambiance un peu bohème et les bons plats italiens et mexicains à prix raisonnables. Pour un repas végétarien, remontez Arteaga jusqu'à l'*Arco Iris*.

Où sortir

A proximité du Parque Juárez, *El Agora* (cinéma, théâtre, galerie, librairie et café), est l'un des pôles de la vie artistique de Jalapa. Il est ouvert tous les jours, sauf le lundi, de 8h30 à 21h. Vous y trouverez affichés les programmes des événements culturels de la ville (il existe également un panneau d'informations au Café La Parroquia, dans Zaragoza).

Le *Teatro del Estado Ignacio de la Llave*, théâtre d'État, à l'angle des Avenidas Camacho et Ignacio de la Llave, accueille l'Orquestra Sinfónica de Jalapa et le Ballet Folklórico de la Universidad Veracruzana.

Comment s'y rendre

Bus. A 2 km à l'est du centre, la gare routière, la CAXA (Central de Autobuses de Xalapa), est un bâtiment moderne, très bien organisé. UNO offre des bus deluxe, ADO des bus de 1re classe et AU des services 2e classe. Parmi les destinations desservies, citons :

Cardel – 72 km, 1 heure 30 ; 20 ADO (2,50 $US) et 2 AU (2 $US) à 4h45 et à 19h15

Mexico (TAPO) – 315 km, 5 heures ; 5 UNO (19,25 $US), 19 ADO (11 $US) et 20 AU (10 $US)

Papantla – 260 km, 5 heures 30 ; 7 ADO (9 $US)

Puebla – 185 km, 3 heures 15 ; 8 ADO (7 $US) et 15 AU (6 $US)

Tampico – 525 km, 11 heures ; 1 ADO à 22h30 (20 $US)

Veracruz – 100 km, 2 heures ; un ADO toutes les 30 minutes de 5h30 à 22h (4 $US) et fréquents AU (3,50 $US)

Villahermosa – 575 km, 9 heures ; 1 UNO à 23h30 (34 $US) et 3 ADO (20 $US)

ADO dessert aussi Acayucan, Campeche, Catemaco, Córdoba, Fortín de las Flores, Mérida, Orizaba, Poza Rica, San Andrés Tuxtla et Santiago Tuxtla. AU se rend également à Salina Cruz.

Voiture et moto. Jalapa est à 185 km de Puebla par la 140, qui s'avère relativement accidentée après Perote.

La route Jalapa-Veracruz est en meilleur état. Du nord de la côte du Golfe, il est plus facile de suivre la 180 le long de la côte jusqu'à Cardel, puis de bifurquer vers l'intérieur des terres.

La route de l'intérieur *via* Martínez de la Torre traverse de splendides paysages mais la circulation y est difficile.

Comment circuler

Pour prendre un bus à partir de la gare routière jusqu'au centre-ville, suivez les panneaux indiquant la station de taxi, puis descendez l'Avenida 20 de Noviembre. Tournez à droite pour parvenir à l'arrêt de bus. De là, n'importe quel minibus ou bus "Centro" vous déposera tout près du Parque Juárez pour 0,25 $US.

Un ticket de taxi de la gare routière au centre coûte 1,75 $US. Vous pouvez aussi en héler un sur 20 de Noviembre. En sens inverse, prenez un bus "CAXA", le long de Zaragoza vers l'est.

ENVIRONS DE JALAPA

Les sources chaudes d'**El Carrizal** se situent au sud de la route de Veracruz, à 44 km de la ville. Les spéléologues trouveront leur bonheur dans les **grottes** d'El Volcanillo et d'Acajete. La **Hacienda Lencero**, à 10 km de Jalapa, date de l'époque de la domination française et comporte un petit musée.

Parc national Cofre de Perote

Ce volcan de 4 274 m d'altitude est situé au sud-ouest de Jalapa. La piste (Calle Allende à son début) que vous emprunterez à partir de la ville de Perote, à 50 km à l'ouest de Jalapa sur la 140, s'élève de 1 900 m en 24 km.

Coatepec et Xico

Coatepec, une ville coloniale sise à 15 km au sud de Jalapa, est réputée pour son café et ses orchidées. Le jardin d'orchidées María Cristina, sur la grand-place, est ouvert tous les jours.

Xico, autre joli village colonial à 8 km au sud de Coatepec, mérite également une visite. Une agréable promenade de 2 km mène à la cascade de Texolo (40 m de haut). Il est possible de se restaurer et de se loger dans ces deux localités.

Des bus partent toutes les 15 minutes de l'Avenida Allende, à environ 1 km à l'ouest du centre de Jalapa.

LA ANTIGUA

C'est dans ce village au bord de la rivière, à 23 km au nord de Veracruz et à 1 km à l'est de la route côtière, que Cortés aurait sabordé ses bateaux. Là, fut notamment implantée Villa Rica, la colonie espagnole antérieure à la création de Veracruz. Vous découvrirez la maison qu'aurait occupée Cortés et la très ancienne église Ermita del Rosario, datant probablement de 1523.

VERACRUZ

• Hab. : 1,2 million • ☎ 29

Souvent appelée Puerto Veracruz, pour la distinguer de l'État dont elle n'est *pas* la capitale, elle jouit d'une ambiance unique, d'un zócalo particulièrement animé le soir, et d'un des plus grands carnavals, après ceux de Rio de Janeiro et de la Nouvelle-Orléans. Ses habitants, appelés Jarochos, sont décontractés et joviaux. Bien que le bord de mer ne soit ni propre ni agréable, les habitants de Mexico y déferlent le week-end et pendant les vacances. A Noël, durant le carnaval (la semaine avant le mercredi des Cendres) et la Semana Santa (la semaine précédant Pâques), la ville et les plages sont surpeuplées. Pour ces dates, réservez logement et transports.

Histoire

Après l'arrivée de Cortés, Veracruz resta longtemps la principale porte de communication du Mexique avec le monde extérieur. Avant l'arrivée des Espagnols, la région était peuplée de Totonaques. Les influences toltèque et aztèque sont visibles à Zempoala, à 42 km au nord (reportez-vous à la section précédente).

Les Espagnols. Cortés débarqua pour la première fois sur une île située à 2 km au large. Ayant découvert des restes de sacrifices humains, il la nomma Isla de los Sacrificios. Après avoir jeté l'ancre au large de l'île San Juan de Ulúa, le Vendredi Saint du 21 avril 1519, Cortés rencontra les émis-

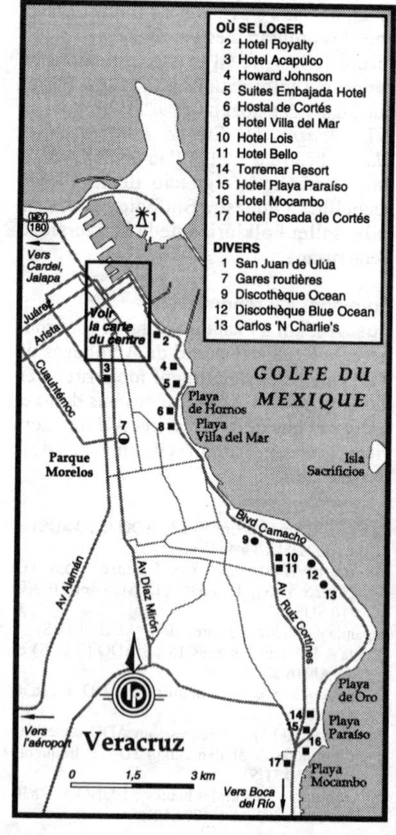

saires de Moctezuma. Le port devint immédiatement le plus important mouillage des navires espagnols. Cependant, il semble que la première colonie établie par Cortés ait été Villa Rica, située à 69 km au nord. Elle aurait ensuite été déplacée à La Antigua, entre Veracruz et Zempoala, en 1525, avant d'être établie à l'emplacement de l'actuelle Veracruz.

Jusqu'en 1760, Veracruz était le seul port autorisé à pratiquer le commerce avec l'Espagne. On improvisait chaque année des villes de tentes lors des foires commerciales organisées à l'arrivée de la flotte espagnole mais, en raison des raids maritimes et des maladies tropicales – la malaria et la fièvre jaune étaient endémiques –, Veracruz ne devint jamais une grande ville.

En 1567, neuf bateaux anglais, sous la gouverne de John Hawkins, accostèrent dans le port de Veracruz avec l'intention de vendre des esclaves noirs, défiant ainsi le monopole du commerce espagnol, mais tombèrent dans un piège tendu par la flotte ibérique. Seuls deux navires en réchappèrent. L'un d'entre eux avait à son bord le célèbre Francis Drake.

L'acte de piraterie la plus violent survint en 1683, lorsque le Français Laurent de Gaff et 600 hommes enfermèrent les 5 000 habitants de la ville dans l'église avec peu d'eau et de nourriture, en menaçant de faire exploser l'édifice si les habitants refusaient de livrer leurs richesses. Ils partirent quelques jours plus tard, beaucoup plus riches.

XIXe siècle. En 1838, le général Antonio López de Santa Anna, s'enfuit de Veracruz en sous-vêtements sous les bombardements d'une flotte française qui entendait obtenir des dédommagements, notamment après que le restaurant d'un pâtissier français eut été mis à sac par des officiers mexicains. Il put cependant, par la suite bouter les envahisseurs hors de la ville.

Lorsque l'armée de 10 000 hommes de Winfield Scott attaqua Veracruz en 1847, au cours de la guerre américano-mexicaine, plus de 1 000 Mexicains furent tués lors d'un bombardement d'une semaine, à l'issue duquel la ville se rendit.

En 1859, pendant la guerre de la Réforme, le gouvernement libéral de Benito Juárez, établi à Veracruz, nationalisa les propriétés de l'Église et laïcisa l'enseignement.

En 1861, lorsque Juárez déclara que le Mexique n'était pas en mesure d'honorer sa dette extérieure, une force franco-hispano-britannique occupa Veracruz.

Les Britanniques et les Espagnols acceptèrent un compromis, tandis que les Français entamaient une longue marche vers l'arrière-pays, prélude à une intervention qui dura cinq longues années.

La première ligne de chemin de fer du Mexique fut construite entre Veracruz et Mexico en 1872. Sous la dictature de Porfirio Díaz, les investissements affluèrent dans la ville.

XXe siècle. En 1914, au cours de la guerre civile qui suivit le départ de Díaz, les troupes américaines occupèrent Veracruz pour empêcher une livraison d'armes allemandes au dictateur conservateur Victoriano Huerta. Les pertes mexicaines subies lors de cette intervention suscitèrent l'hostilité des propres opposants de Huerta. Durant la guerre civile, Veracruz fut la capitale éphémère de la faction réformiste constitu-tionnaliste dirigée par Venustiano Carranza.

Orientation

Le centre névralgique de la ville est la Plaza de Armas, ou zócalo, où se dressent la cathédrale et le Palacio Municipal. Le port se situe à 250 m à l'est, avec le fort de San Juan de Ulúa dans sa partie la plus éloignée. Le Boulevard Camacho suit la côte vers le sud, longeant des navires de guerre et de pêche avant de déboucher sur une série de plages sales. A environ 700 m au sud du zócalo, Calle Independencia, le Parque Zamora est un espace vert au carrefour de nombreuses voies. Le principal marché se tient à proximité. Les gares routières 1re et 2e classes sont installées à 2 km au sud du Parque Zamora, dans Díaz Mirón.

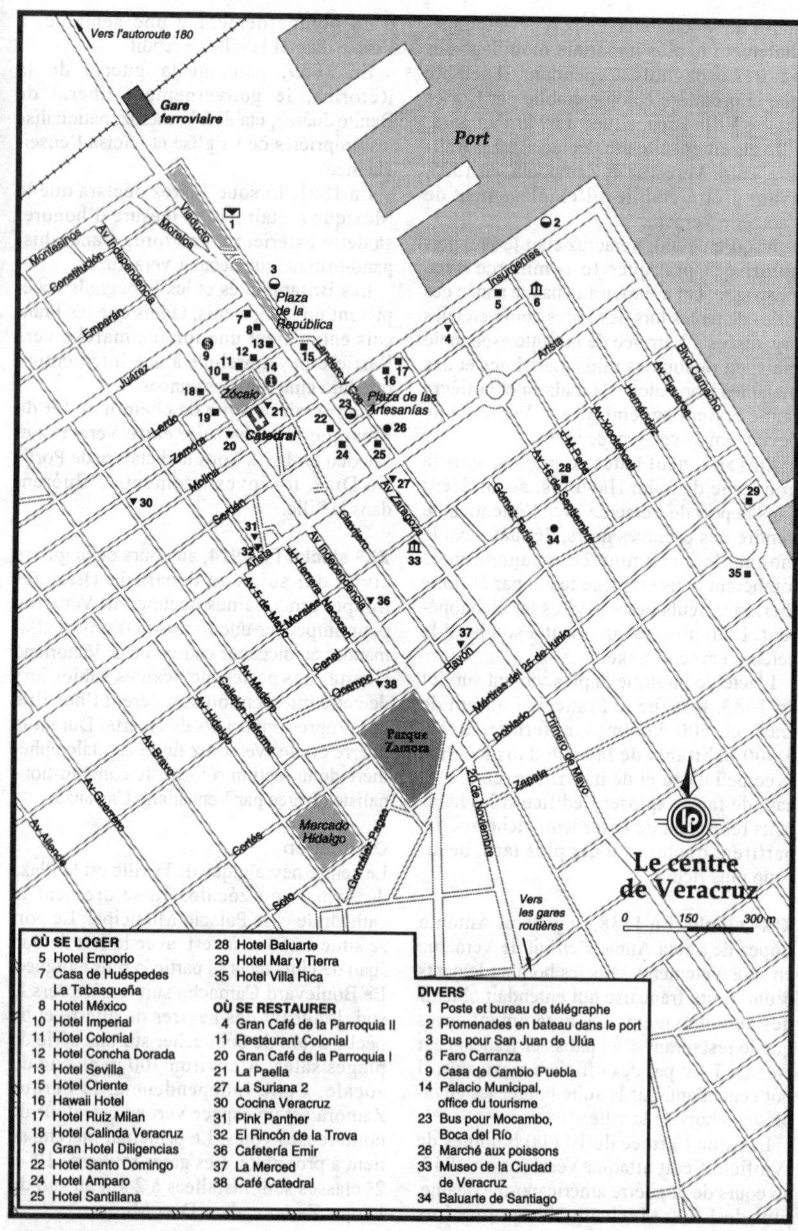
Vers l'autoroute 180
Gare ferroviaire
Port
Viaducto
Morelos
Montesinos
Av. Independencia
Constitución
Plaza de la República
Emperán
Juárez
Zócalo
Catedral
Plaza de las Artesanías
Lerdo
Zamora
Molina
Serdán
Arista
Av. 5 de Mayo
Landero y Coss
Clavijero
Av. Zaragoza
Insurgentes
Arista
Hernández
Av. Xicoténcatl
Av. Figueroa
Blvd Camacho
J. M. Peña
Av. 16 de Septiembre
Gómez Farías
Morales
Mecoszal
Canal
Ocampo
Rayón
Mártires del 25 de Junio
Av. Madero
Calle Reforma
Av. Hidalgo
Av. Bravo
Av. Guerrero
Av. Allende
Parque Zamora
Mercado Hidalgo
Cortés
Gonzalez Pages
Soto
Doblado
Primero de Mayo
20 de Noviembre
Zapata
Vers les gares routières
Le centre de Veracruz
0 150 300 m
OÙ SE LOGER
5 Hotel Emporio
7 Casa de Huéspedes La Tabasqueña
8 Hotel México
10 Hotel Imperial
11 Hotel Colonial
12 Hotel Concha Dorada
13 Hotel Sevilla
15 Hotel Oriente
16 Hawaii Hotel
17 Hotel Ruiz Milan
18 Hotel Calinda Veracruz
19 Gran Hotel Diligencias
22 Hotel Santo Domingo
24 Hotel Amparo
25 Hotel Santillana
28 Hotel Baluarte
29 Hotel Mar y Tierra
35 Hotel Villa Rica
OÙ SE RESTAURER
4 Gran Café de la Parroquia II
11 Restaurant Colonial
20 Gran Café de la Parroquia I
21 La Paella
27 La Suriana 2
30 Cocina Veracruz
31 Pink Panther
32 El Rincón de la Trova
36 Cafetería Emir
37 La Merced
38 Café Catedral
DIVERS
1 Poste et bureau de télégraphe
2 Promenades en bateau dans le port
3 Bus pour San Juan de Ulúa
6 Faro Carranza
9 Casa de Cambio Puebla
14 Palacio Municipal, office du tourisme
23 Bus pour Mocambo, Boca del Río
26 Marché aux poissons
33 Museo de la Ciudad de Veracruz
34 Baluarte de Santiago

Renseignements

Office du tourisme. L'office du tourisme de la ville et de l'État (☎ 32-19-99) se situe au rez-de-chaussée du Palacio Municipal, sur le zócalo ; il est ouvert tous les jours de 9h à 21h. Le personnel est bien informé.

L'Alliance française se trouve Ernesto Dominguez Aguirre 405, Esquina José Marti, Fracc. Reforma (☎ 37-17-39).

Argent. Banamex et Bancomer, toutes deux dans Independencia, à une rue au nord du zócalo, disposent de distributeurs automatiques et, le matin en semaine, changent les chèques de voyage. La Casa de Cambio Puebla, Juárez 112, propose des taux équivalents ou presque et ouvre plus longtemps : de 9h à 18h du lundi au vendredi.

Poste et communications. La poste principale, Plaza de la República 213, à 5 minutes de marche au nord du zócalo, est ouverte du lundi au vendredi de 8h à 20h, le samedi de 9h à 13h. A côté, l'office des telégrafos propose des services de télécopie, de télégramme et de télex, et ouvre en semaine de 9h à 20h, le samedi de 9h à 12h. Des téléphones à pièces sont installés sur le zócalo.

Zócalo

Le zócalo de Veracruz, également appelé Plaza de Armas, Plaza Lerdo et Plaza de la Constitución, est le cœur de la ville. Le Palacio Municipal – du XVIIe siècle – et une cathédrale du XVIIIe siècle donnent sur cette belle place, ombragée de palmiers et ornée d'une fontaine.

Chaque soir, à la fraîche, la foule s'y presse. De l'un des cafés sous les arcades, au nord, vous pourrez regarder les passants, auxquels se mêlent des mariachis, des joueurs de marimba et des vendeurs ambulants. Plus la soirée avance, plus l'animation augmente. Certains soirs, des musiciens ou des danseurs de danzón se produisent sur une scène temporaire.

Prendre un verre sous les portales est un luxe accessible : la bière est à environ 1 $US et les cocktails à 2,25 $US. Du côté est de la plaza, les consommations sont moins chères.

Port

Le port de Veracruz est toujours animé, bien que supplanté aujourd'hui par les ports pétroliers de Tampico et Coatzacoalcos. Promenez-vous le long du Paseo del Malecón (également appelé Insurgentes) pour voir les navires et les grues de chargement. Devant le Faro Carranza, la Marine mexicaine défile suivant un rituel compliqué, tôt le matin. A l'angle de Malecón et de Camacho, des monuments ont été érigés à la gloire des défenseurs de la ville contre les Américains en 1914 et des marins disparus. A proximité, des bateaux quittent le quai toutes les 30 minutes, de 7h à 19h, pour des excursions d'une heure dans le port (3 $US par personne).

San Juan de Ulúa

Cette forteresse, poste de défense du port de Veracruz, se trouvait autrefois sur une île. Elle est aujourd'hui reliée au continent par une chaussée. En 1518, l'Espagnol Juan de Grijalva y accosta au cours d'un voyage d'exploration parti de Cuba. L'année suivante, Cortés arriva et en fit le premier port de débarquement des Espagnols pénétrant au Mexique. La chapelle franciscaine fut probablement construite en 1524 et les premières fortifications, dans les années 1530. Toutefois, les bâtiments que l'on peut voir datent principalement de 1552 à 1779.

La forteresse servait aussi de prison, notamment sous Porfirio Díaz, qui réserva aux prisonniers politiques trois cellules humides et insalubres surnommées El Purgatorio, La Gloria et El Infierno (purgatoire, ciel et enfer), dans la partie centrale du Fuerte San José. Beaucoup de prisonniers moururent de la fièvre jaune et de la tuberculose.

Aujourd'hui, San Juan de Ulúa est une ruine composée de passages, de remparts, de ponts et d'escaliers, ouverte aux promeneurs du mardi au dimanche de 9h à 17h (entrée : 2,25 $US, gratuite le dimanche et les jours fériés). Prenez un bus "San Juan de Ulúa" (0,50 $US) à l'est de la Plaza de la República. Le dernier bus qui retourne en ville part à 18h.

Museo Histórico de la Revolución

Dans Insurgentes, près du front de mer, s'élève le Faro Carranza, un bâtiment jaune abritant un phare, des bureaux de la marine et le Museo Histórico de la Revolución. Ce petit musée est consacré à Venustiano Carranza, un héros révolutionnaire dont le gouvernement en exil s'établit pour un temps à Veracruz. La constitution mexicaine de 1917 y fut rédigée. Le musée est ouvert du mardi au samedi de 9h à 16h (entrée gratuite).

Baluarte de Santiago

Des neuf forts qui dominaient autrefois le mur défensif de Veracruz, le Baluarte de Santiago, à l'angle de Canal et de 16 de Septiembre, construit en 1526, est le seul qui subsiste. A l'intérieur, Las Joyas del Pescador est une petite exposition de bijoux précolombiens en or. Certaines pièces sont magnifiques. L'exposition est ouverte tous les jours de 10h à 16h30 ; l'entrée s'élève à 2 $US. Il est possible de se promener autour du fort.

Museo de la Ciudad de Veracruz

Le musée de la ville de Veracruz, à l'angle de Morales et de Zaragoza, comprend une exposition fascinante sur l'histoire de la ville, et en particulier sur l'esclavage ; les autres expositions concernant les modes de vie contemporains et le carnaval sont beaucoup moins captivantes. Il ouvre du mardi au dimanche de 9h à 16h (entrée : 0,75 $US).

Plages et lagons

Peu de gens s'aventurent dans les eaux sales de la Playa de Hornos ou de la Playa Villa del Mar, au sud du centre-ville. Les plages plus propres se trouvent au sud de la ville, à **Costa de Oro**, à 5 km, ou à **Mocambo**, à 7 km. Si vous voulez vous baigner, mieux vaux payer 2 $US et utiliser la piscine de l'Hotel Mocambo.

Plus au sud, la route mène à **Boca del Río**, jalonnée de plusieurs restaurants de fruits de mer.

Après le pont, la route côtière rejoint **Mandinga**, à 21 km de Veracruz, où vous pourrez louer des bateaux pour explorer les lagons.

Plongée

Si les plages sont peu engageantes, il est agréable de pratiquer la plongée sur les récifs au large, où l'on peut explorer une épave. Une partie de la région a été classée parc naturel sous-marin. Curacao, dans Camacho à Boca del Río, et La Tienda SoBuca à Antón Lizardo, organisent des sorties de plongées.

Tridente Diving School (☎ 31-79-34), Boulevard Camacho 165A, Veracruz, donne des cours de plongée.

Carnaval

Chaque année, une grande fête a lieu durant les neuf jours qui précèdent le mercredi des Cendres (en février ou en mars). Des défilés sillonnent la ville tous les jours, commençant par "la mise à feu de la mauvaise humeur" et s'achevant par "l'enterrement de Juan Carnaval".

Feux d'artifice, musique, danses (salsa et samba), défilés d'enfants, expositions d'artisanat, spectacles folkloriques animent les rues. Il est facile d'obtenir le programme des festivités sur place. L'office du tourisme vous informera.

Où se loger

Lors des périodes chargées, de mi-novembre à mi-janvier, pendant le carnaval, la Semana Santa et de mi-juin à début septembre, les hôtels affichent des prix supérieurs à ceux que nous indiquons ici. Les alentours du zócalo, où se trouvent quelques hôtels bon marché, sont les endroits les plus agréables où séjourner.

Les établissements les moins chers se situent aux alentours des gares routières, tandis que les complexes de luxe sont répartis dans le faubourg balnéaire de Mocambo, à 7 km du centre.

Où se loger – petits budgets
Les hôtels les moins chers ne disposent pas toujours d'eau chaude. Pensez à demander si l'*agua caliente* est disponible avant de vous décider.

Zócalo. A l'angle de Lerdo, à l'est du zócalo mais accessible par Morelos, l'*Hotel Sevilla* (☎ 32-42-46) propose de grandes chambres avec ventilateur, TV et s.d.b. à 9/12 $US en simple/double. Elles sont propres, mais quelquefois bruyantes. Un peu plus haut dans Morelos se trouvent la très rudimentaire *Casa de Huéspedes La Tabasqueña*, où les chambres étouffantes de style cellule valent 15 $US, ainsi que l'*Hotel México* (☎ 32-05-60), dont les nombreuses chambres sombres et calmes, avec TV, coûtent 9/15 $US. L'*Hotel Concha Dorada* (☎ 31-29-96), Lerdo 77, loue des petites chambres propres et chaudes, avec ventilateur et s.d.b., à 11/12 $US, et de plus grandes chambres, avec clim. et balcon donnant sur le zócalo, à 19/21 $US (35 $US avec deux lits).

D'autres hôtels bon marché sont regroupés dans les quelques rues au sud-est du zócalo. L'*Hotel San Domingo* (☎ 31-63-26), Serdán 451, propose des petites chambres avec ventilateur et s.d.b. pour 11/15 $US ; certaines sont d'une propreté douteuse. De l'autre côté de la rue au n°482, l'*Hotel Amparo* (☎ 32-27-38), plus ancien, est un endroit simple mais propre aux sols carrelés et aux murs couleur citron vert. Il offre des petites chambres avec ventilateur et s.d.b. pour 6/7 $US. Tout proche et dans les mêmes coloris, l'*Hotel Santillana* (☎ 32-31-16), Landero y Cos 209, possède des chambres un peu plus grandes mais défraîchies, avec TV et ventilateur et d'une propreté acceptable (9/10 $US).

Front de mer. Si vous souhaitez loger à moindre frais en face de la grande bleue, essayez l'*Hotel Villa Rica* (☎ 32-48-54), Boulevard Camacho 7, où les petites chambres bien tenues avec ventilateur vous reviendront à 10/12 $US.

Quartier de la gare routière. A l'ouest de Díaz Mirón et à neuf rues au nord des arrêts de bus, l'*Hotel Acapulco* (☎ 32-34-92), Uribe 1327, dispose de chambres de bonne taille, très propres, assez claires, avec clim. et TV, à 8/9 $US. C'est un peu loin, à 1 km de la gare routière, mais les prestations justifient le parcours.

Les quelques hôtels installés près de la gare routière sont tous bruyants. En face de l'arrêt des bus 2e classe, l'*Hotel Rosa Mar* (☎ 37-07-47), Lafragua 1100, possède des chambres assez propres, avec ventilateur et s.d.b., à 6/7 $US en simple/double (18 $US avec deux lits).

A un pâté de maisons à l'est de la gare routière 2e classe, l'*Hotel Azteca* (☎ 37-42-41), 22 de Marzo 218, à l'angle d'Orizaba, est un bâtiment vert agrémenté d'une petite cour. Comptez 9/11 $US pour une chambre avec ventilateur et s.d.b.

Où se loger – catégorie moyenne
Zócalo. Sur la place même, vous avez le choix entre quatre hôtels. L'*Hotel Colonial* (☎ 32-01-93), Ledro 117, 180 chambres, est pourvu d'une piscine intérieure et de terrasses carrelées (aux 5e et 6e étages) surplombant le zócalo. Les chambres donnant sur l'intérieur, assez confortables, sont sombres mais calmes, et celles sur l'arrière plus claires. Les chambres avec balcon ouvrant sur la place sont plus bruyantes et plus chères. Toutes sont équipées de la clim. et de la TV, mais offrent un rapport qualité/prix variable (17/26 $US en simple/double). Visitez avant de vous décider.

A l'ouest du zócalo, le *Gran Hotel Diligencias* (☎ 31-22-41), Indepedencia 1115, dispose de 314 chambres modernes, climatisées et assez propres à 18 $US pour une ou deux personnes ; son point fort est sa situation centrale. A côté du zócalo, l'*Hotel Oriente* (☎ 31-24-90), Lerdo 20, possède des chambres petites, propres et climatisées à 16/19 $US. Celles ouvrant sur l'extérieur possèdent un balcon, mais sont plus bruyantes. De loin le meilleur des quatre, l'*Hotel Imperial* (☎ 32-30-31), demande 33 $US pour une simple ou double haute de plafond, avec s.d.b. à sol de marbre et grand lit dans un cadre magnifique (les tarifs doublent pendant le carnaval). Le hall est tout aussi élégant avec son ascenseur ancien, ses hautes colonnes et sa verrière décorée.

Au sud-est du zócalo, dans une rue tranquille faisant face au Baluarte de Santiago, l'*Hotel Baluarte* (☎ 32-52-22), Canal 265, à l'angle de 16 de Septiembre, offre un excellent rapport qualité/prix. Les chambres modernes et bien tenues, avec clim. et TV, reviennent à 19/21 $US.

Front de mer. A six rues du centre-ville, le *Hawaii Hotel* (☎ 31-04-27), dans Insurgentes, dispose de simples/doubles modernes et confortables à 35/40 $US. A côté et moins cher, l'*Hotel Ruiz Milan* (☎ 32-27-72), propose des chambres standard avec clim. et téléphone pour 27/31 $US ; celles des derniers étages jouissent d'une vue agréable sur le port. L'hôtel est doté d'un parking sûr.

Au coin du Boulevard Camacho et de Figueroa, l'*Hotel Mar y Tierra* (☎ 31-38-66), grand et très animé, est constitué d'une partie plus ancienne à l'avant et d'une autre plus récente, et préférable, à l'arrière. Toutes les chambres possèdent clim., moquette et TV, mais certaines étant mieux que d'autres, demandez à visiter avant de vous engager (23 $US pour une ou deux personnes).

L'*Hotel Royalty* (☎ 32-39-88), à l'angle du Boulevard Camacho et d'Abasolo, compte des chambres propres et banales, mais dotées de balcons, à 17/19 $US avec ventilateur et 20/24 $US avec clim. ; la vue est particulièrement belle depuis les derniers étages.

En face de la Playa Villa del Mar et à 2,5 km au sud du zócalo, l'*Hotel Villa del Mar* (☎ 31-33-66), Boulevard Camacho 2707, est équipé d'une piscine en plein air. Les chambres, toutes climatisées, sont réparties dans la partie centrale et dans les bungalows ouvrant sur un jardin. Peu jouissent d'une vue sur la mer, mais toutes profitent de la brise. Essayez de loger à l'écart du bruit de la route. Comptez 40 $US en simple/double. Pour environ deux dollars de plus, le *Howard Johnson* (☎ 31-00-11), Boulevard Camacho 1263, offre un bien meilleur rapport qualité/prix en plus d'un bon restaurant.

Excellente option pour un groupe, le *Suites Embajada Hotel* (☎ 31-18-44), au coin du Boulevard Camacho et d'Altamirano, loue 11 suites face à la mer et joliment décorées, équipées de tout le confort, y compris d'une kitchenette. Les prix s'échelonnent de 80 $US (d'une à quatre personnes) à 92 $US (de cinq à six personnes). Une piscine et un club de remise en forme sont à la disposition des clients.

L'*Hotel Bello* (☎ 28-48-28), Ruiz Cortínes, entre les Calles 5 et 7, est plus récent. Bien qu'il ne soit pas situé directement sur le front de mer, la moitié des chambres (climatisées) ont vue sur l'océan ; l'autre moité donne sur la route qu'emprunte le défilé du carnaval (30 $US en simple/double). Le restaurant de l'hôtel est excellent et à prix raisonnables.

Quartier de la gare routière. A l'est de la gare routière, l'*Hotel Impala* (☎ 37-01-69), Orizaba 650, possède des chambres climatisées avec TV et téléphone à 18 $US (simple ou double). A un demi pâté de maisons au nord de l'arrêt des bus 1re classe, l'*Hotel Central* (☎ 37-22-22), Díaz Mirón 1612, est propre et très recherché pour ses chambres avec ventilateur à 15/17 $US (8 $US de plus pour la clim.).

Mocambo. A courte distance à pied de la plage, le petit *Hotel Posada de Cortés* propose des "junior suites" – comprenez des chambres agréables, propres et climatisées, avec un grand lit – à 24 $US, et des bungalows (chambres plus spacieuses pouvant accueillir quatre personnes) à 30 $US. Un jardin et une piscine occupent la partie centrale. L'hôtel donne sur la Carretera Veracruz-Boca del

Rio, mais l'entrée se trouve dans la première rue à droite, à environ 100 m au sud du rond-point proche de l'Hotel Mocambo

Où se loger – catégorie supérieure

Zócalo et port. Le plus central dans cette catégorie est l'*Hotel Calinda* (☎ 31-22-33), à l'angle d'Independencia et de Lerdo. Entièrement modernisé, il domine la place. Le prix des chambres climatisées, certaines avec balcon, et décorées avec goût démarre à 55/60 $US. La piscine sur le toit offre une vue splendide.

L'*Hotel Emporio* (☎ 32-00-20) surplombe le port à l'angle d'Insurgentes et de Xicoténcatl. Un ascenseur extérieur s'élève au-dessus des trois piscines jusqu'au jardin installé sur le toit. Le premier prix des 200 chambres et suites s'élève à 63/66 $US pour une simple/double standard climatisées.

Front de mer. En face de la Playa de Hornos, l'*Hostal de Cortés* (☎ 32-00-65), au coin du Boulevard Camacho et de Las Casas, est le premier de sa catégorie en allant au sud vers la côte. Cet établissement moderne compte 98 chambres climatisées, certaines avec un balcon donnant sur la mer, et une piscine (simples/doubles à 58 $US, petit déjeuner compris).

Dans le Boulevard Camacho, à l'angle de l'Avenida Ruiz Cortínes, l'*Hotel Lois* (☎ 37-82-90), offrait des simples/doubles au prix promotionnel de 40 $US (prix qui aura probablement grimpé au moment où vous lirez ce guide). Les 108 chambres climatisées, réparties sur neuf étages, sont équipées de TV, téléphone, mini-bar et baignoire ; celles situées au nord donnent sur la route qu'emprunte le défilé du carnaval.

Mocambo. A 7 km au sud du centre-ville, l'*Hotel Mocambo* (☎ 22-02-05), dans la Carretera Veracruz-Mocambo, est un respectable hôtel de luxe, depuis toujours le meilleur de Veracruz, quoique légèrement désuet aujourd'hui. Il comporte des jardins en terrasse, trois belles piscines (dont deux couvertes) et plus de 100 chambres. Toutes décorées différemment, elles sont climatisées et possédent la TV. Comptez 60 $US pour une ou deux personnes. La plage est à une minute à pied du bas des jardins.

L'*Hotel Playa Paraíso* (☎ 21-86-00), Ruiz Cortínes 3500, propose 34 chambres et suites climatisées à partir de 70 $US. Les sept étages du *Torremar Resort* (☎ 21-34-66), Ruiz Cortínes 4300, disposent de nombreuses chambres à 92 $US et de junior suites à 120 $US. Ces deux hôtels offrent en outre piscines, jardins et plage privée.

Où se restaurer

La sauce Veracruzana, qui accompagne le poisson dans tout le Mexique, est préparée à partir d'oignons, d'ail, de tomates, d'olives, de poivrons verts et d'épices. La consommation de fruits de mer crus, ceviche et huîtres comprises, présentant un risque de contracter le choléra, ces produits sont absents de la carte dans la plupart des restaurants spécialisés.

Zócalo. Les cafés aménagés sous les *portales* de la place sont plus conseillés pour prendre un verre et profiter de l'atmosphère que pour se restaurer. Promenez-vous pour trouver celui qui vous inspire le plus. Le *Restaurant Colonial*, à côté de l'hôtel du même nom, offre un assez bon rapport qualité/prix, mais attendez-vous à dépenser un minimum de 10 $US pour un repas. Au Zócalo, la meilleure cuisine au meilleur prix se trouve à *La Paella*, où une viande ou un poisson et une salade vous coûteront aux alentours de 4,50 $US, une paella 5,50 $US et une comida corrida 3 $US en semaine, 4 $US le week-end.

L'un des meilleurs restaurants de Veracruz, le *Gran Café de la Parroquia I*, est situé à côté de la place, Independencia 105. Vaste et convivial, c'est le lieu de rendez-vous le plus populaire de la ville, où résonne le bruit des cuillers que les clients entrechoquent sur les verres pour recommander un délicieux café con leche. La nourriture est bonne, mais pas autant que les serveurs énergiques en veste blanche et noeud papillon pourraient le laisser suggérer. Comptez jusqu'à 8 $US pour une viande ou un poisson (un superbe filet mignon nappé d'une sauce aux champignons et servi avec une pomme de terre au four revient à 7 $US), de 2 à 4 $US pour des enchiladas ou des œufs, et 3 $US pour un hamburger ou un sandwich. La Parroquia est ouverte de 6h à 24h.

Vous trouverez des établissements moins chers à l'ouest du zócalo. *El Jarocho*, au coin d'Emparán et de Madero, ouvre de 8h à 18h30 ; on s'y presse à l'heure du déjeuner pour sa carte à petits prix. Toute proche, la *Cocina Veracruz* propose des plats simples et bon marché : des œufs à 1,50 $US, du poisson à 2 $US et une comida corrida de trois plats à 1,50 $US seulement. Au sud du zócalo et le long d'Arista, sont regroupés des endroits à la mode, tels que le pittoresque *Callejón Héroes de Nacozari* et ses tables tranquilles en terrasse, ou le *Pink Panther* avec un menu à 3 $US.

A quelques pas de ce dernier, *El Rincón de la Trova*, un joyeux bar-restaurant qui accueille des groupes de musiciens les vendredi et samedi soir, offre un large choix de boissons alcoolisées. La carte se limite à des plats simples, tels que tostadas (2,50 $US), empanadas (2 $US) et tamales (1 $US).

La *Cafetería Emir*, Independencia 1520, est très prisée pour ses petits déjeuners de 1,50 à 2,50 $US et ses plats de poulet ou de poisson aux alentours de 4,50 $US.

Quartier du port. En face du port, le *Gran Café de la Parroquia II*, encore plus vaste que son ancêtre du zócalo, Insurgentes 340, offre le même menu et une ambiance tout aussi joviale. C'est un endroit parfait pour faire son courrier ou se détendre en lisant et en sirotant un café. Un serveur de la Parroquia ne demandera jamais à un client de s'en aller, à moins que l'heure de la fermeture soit dépassée depuis longtemps.

L'étage supérieur du marché au poisson municipal, dans Landero y Cos, est rempli de comedores qui servent des filets de poisson ou des crevettes al mojo de ajo pour 3 $US. Ils ferment en début de soirée. Non loin de là, *La Suriana 2*, à l'angle de Zaragoza et d'Arista, baigne dans une joyeuse atmosphère familiale et prépare des fruits de mer excellents et bon marché – cocteles et soupes autour de 3 $US, poissons de 3 à 5 $US.

Quartier du Parque Zamora. *La Merced*, dans Rayón entre Zarazoga et Clavijero, rappelle agréablement l'ambiance des Cafés de la Parroquia. Une comida corrida consistante, composée de soupe de poulet, de riz, de pain, d'un dessert et d'une boisson, revient à 2,50 $US (3,50 $US le dimanche), les plats de poisson et de viande à 3,50 $US et les antojitos à 2,50 $US. Tout proche à l'ouest d'Independencia, le *Café Catedral*, Ocampo 202, est similaire, quoique plus calme, et affiche des prix comparables.

Sur la côte. Les restaurants de la plage de Mocambo sont souvent chers et dépourvus de charme, exception faite pour le café de l'*Hotel Mocambo* qui propose un bon petit déjeuner. Les Mexicains qui visitent Veracruz ne sauraient se passer d'un plat de fruits de mer dégusté dans le village de Boca del Río à l'embouchure de la rivière, à 10 km au sud du centre de Veracruz. *Pardiño's*, Zamora 40, au centre du village, est le restaurant le plus connu.

Mandinga, environ 8 km plus loin sur la côte, est aussi réputé pour ses fruits de mer, surtout les crevettes.

Où sortir

Rien ne vaut un fauteuil dans un café sous les portales du zócalo pour passer un bon moment. Si vous préférez les distractions plus formelles, l'office du tourisme dispose de nombreuses informations sur toutes les manifestations culturelles. Il existe plusieurs cinémas, dont deux dans Arista, ainsi qu'un certain nombre de boîtes de nuit et de discothèques, la plupart sur le front de mer, à quelques pas de l'Hotel Lois. *Carlos 'N Charlie's*, *Ocean*, *Underground*, *Club 21* et *Ocean* n'en sont que quelques-unes. Toutes s'animent à partir de 23h.

Achats

La Plaza de las Artesanías, à l'angle d'Insurgentes et de Landero y Cos, et la rangée d'échoppes de l'autre côté de la rue proposent davantage de bric-à-brac que de l'artisanat authentique. Les Jarochos font leur marché quotidien au Mercado Hidalgo, à une rue au sud-ouest du Parque Zamora, entre Cortés et Soto. Quelques boutiques plus élégantes jalonnent Independencia et les rues à l'ouest.

Comment s'y rendre

Avion. Mexicana (☎ 32-22-42) dessert Mexico quatre fois par jour (45 minutes, 114 $US). Son bureau se trouve 5 de Mayo 1266, à l'angle de Serdán, dans le centre-ville. Aerocaribe (☎ 22-52-05) relie quotidiennement Mérida (2 heures, 113 $US) et continue sur Cancún (3 heures 15, 143 $US). Ses bureaux sont installés Costa Dorada 500, près de la Plaza Mocambo. Aeroméxico (☎ 35-01-42) assure deux vols par jour vers Mexico (45 minutes, 114 $US) et un vol quotidien vers Mérida (113 $US) et Cancún (143 $US), *via* Villahermosa. Son agence est située García Auly 231,

Bus. Veracruz est un important centre de communications, avec une bonne desserte de la côte et de l'arrière-pays par le corridor Puebla-Mexico. Les terminus de 1re et 2e classes sont situées dos à dos entre Díaz Mirón et Lafragua, à 2 km au sud de Parque Zamora et à 2,75 km au sud du zócalo. La gare 1re classe (presque exclusivement occupée par ADO) est installée Calle Díaz de Mirón, à l'angle de Xalapa. La gare 2e classe (bus AU) se situe à l'arrière, par Lafragua. Il existe également plusieurs bus deluxe UNO dont les billets sont vendus à la gare 1re classe.

Sachez que les billets pour les bus ordinarios d'AU se prennent au kiosque installé près des quais de 2e classe. Tâchez d'éviter les bus en mauvais état des Transportes Los Tuxtlas (TLT) pour les longs trajets. Voici quelques destinations :

Acayucan – 250 km, 5 heures ; 15 ADO (8 $US)
Catemaco – 165 km, 3 heures ; 5 ADO avec un premier départ à 9h30 (6 $US), plusieurs AU directo et fréquents TLT
Córdoba – 125 km, 2 heures ; un ADO toutes les 45 minutes à partir de 6h (5 $US), 6 AU directs
Jalapa – 100 km, 2 heures ; fréquents ADO de 1h45 à 23h (4 $US) et 18 AU (3,50 $US)
Mexico (TAPO) – 430 km, 5 heures ; 5 UNO (27 $US), 16 ADO (18 $US) et 6 AU (17 $US)
Oaxaca – 460 km, 7 heures ; ADO à 7h15 et à 22h30 (17 $US), 1 AU directo (15 $US)
Orizaba – 150 km, 2 heures 15 ; un ADO toutes les 45 minutes à partir de 6h (6 $US) et 16 AU directo (5 $US)
Papantla – 230 km, 5 heures ; 1 ADO à 14h30 (9 $US) et 12 AU (7 $US)
Poza Rica – 250 km, 5 heures 30 ; 15 ADO (9 $US)
Puebla – 300 km, 5 heures ; 7 ADO (5 $US) et quelques AU directo (10 $US)
San Andrés Tuxtla – 155 km, 2 heures 45 ; 32 ADO (5 $US) et fréquents TLT (4,50 $US)
Santiago Tuxtla – 140 km, 2 heures 30 ; 11 ADO (4,75 $US) et fréquents TLT (4,25 $US)
Tampico – 490 km, 10 heures ; 1 UNO (31 $US) et 11 ADO (20 $US)
Tuxpan – 300 km, 6 heures ; 8 ADO (12 $US)
Villahermosa – 480 km, 8 heures ; 1 UNO à 23h45 (28 $US) et 12 ADO (17 $US)

Des bus desservent également Campeche, Cancún, Chetumal, Mérida et Salina Cruz.

Train. El Jarocho (train n°54) part pour Córdoba, Fortín de las Flores, Orizaba et Mexico à 21h30, avec possibilté de voyager en coche dormitorio, primera preferente ou secunda clase. Pour de plus amples informations, reportez-vous à la rubrique *Comment s'y rendre* dans le chapitre *Mexico*. Le train n°52 part à 8h et suit le même itinéraire, mais ne comporte que des segunda clase (5,75 $US jusqu'à Mexico) et met théoriquement 11 heures. Le train n°102, qui part aussi le matin, relie Mexico *via* Jalapa.

Les inconditionnels du chemin de fer pourront prendre un train jusqu'à Tapachula, à 885 km de là, près de la frontière Chiapas-Guatemala. Le train de jour, qui ne comporte que des segunda clase, coûte 12 $US, part à 9h, et le trajet dure au minimum 24 heures ; au Chiapas, les employés de la gare disent que ces trains peuvent arriver à n'importe quelle heure du jour ou de la nuit.

La gare de Veracruz est à l'extrémité nord de la Plaza de la República, à cinq minutes à pied du zócalo. Les guichets sont ouverts tous les jours de 6h à 10h et de 17h à 22h.

Voiture et moto. De Veracruz, la 180 part vers le nord et vers le sud. La 140 se dirige vers le nord-ouest et Jalapa, et la 150D dessert le sud, puis l'ouest jusqu'à Córdoba ; toutes deux continuent vers Puebla.

Parmi les agences de location de voitures représentées à l'aéroport de Veracruz, citons : National (☎ 38-71-27), Autos Sobrevales (☎ 34-65-76) et Avis (☎ 34-96-23). D'autres agences possèdent des bureaux dans des hôtels, notamment Hertz (☎ 32-40-21) dans le hall du Howard Johnson, Roca Rental (☎ 89-05-05) au Plaza Continental et Powerfull Auto Rental (☎ 32-85-73) à l'Hostal de Cortés.

Comment circuler

Desserte de l'aéroport. L'aéroport de Veracruz (☎ 34-90-08) se situe à 11 km au sud-ouest de la ville, près de la 140. Aucun bus ne dessert la ville ; vous devrez donc prendre un taxi (8 $US) ou marcher.

Desserte des gares routières. Pour vous rendre au centre-ville, prenez le bus "Díaz Mirón y Madero" (0,40 $US) devant l'Hotel Central, dans Díaz Mirón, à quelques pas au nord de la gare routière 1re classe.

Le bus passe par le Parque Zamora, puis remonte Madero. Pour aller au zócalo, descendez à l'angle de Madero et de Lerdo, puis tournez à droite. Pour revenir aux gares routières, prenez ce même bus dans 5 de Mayo, en direction du sud. Au guichet situé à l'extérieur de la gare routière 1re classe, un ticket de taxi pour le zócalo vous coûtera 2 $US.

Depuis/vers Mocambo, Boca del Río et Mandinga. Les bus "Mocambo – Boca del Río" (0,80 $US) partent toutes les 5 minutes de l'angle de Zaragoza et de Serdán près du zócalo, passent au Parque Zamora puis descendent le Boulevard Camacho en bord de mer, jusqu'à Mocambo (15 minutes ; descendez au parc d'exposition Expover dans Cazalda Mocambo et empruntez la rue à gauche de l'Hotel Mocambo jusqu'à la plage) et Boca del Río (25 minutes).

Les bus AU ordinario "Antón Lizardo" quittent la gare routière 2e classe toutes les 20 minutes jusqu'à 20h45, s'arrêtent à Boca del Río et à Mandinga. Le dernier bus regagne le centre-ville vers 20h. Les bus directo ralliant Antón Lizardo, moins fréquents, ne s'arrêtent qu'à Boca del Río.

CÓRDOBA

• Hab. : 180 000 • Alt. : 924 m • ☎ *271*

A 125 km de Veracruz, Córdoba est située au pied des montagnes centrales du Mexique, au cœur d'un paysage attrayant. Cette agréable cité possède un long passé colonial.

Córdoba fut fondée en 1618, sous le nom de La Ciudad de los Treinta Caballeros (ville des 30 Chevaliers), par trente familles espagnoles afin de mettre un terme aux attaques de voyageurs par des esclaves noirs fugitifs, entre Mexico et la côte. C'est aujourd'hui une cité commerciale et industrielle prospère, grâce à la canne à sucre, au café et au tabac, cultivés dans les montagnes voisines, et à la production de fruits des basses terres.

Orientation

Les sites les plus intéressants sont regroupés dans les quelques rues entourant la Plaza de Armas. La Parroquia de la Inmaculada Concepción s'élève à l'extrémité sud-est de la plaza ; des portales du XVIIIe siècle et une série de cafés animés bordent son côté nord-est. La nouvelle gare routière est à 3 km au sud-est de la plaza. Les axes nord-ouest/sud-est sont les Avenidas, les Calles leur étant perpendiculaires. Le marché est bordé par les Calles 7 et 9 et les Avenidas 8 et 10. Les boutiques bordent les rues situées au sud et à l'est de la Plaza de Armas.

Renseignements

L'office du tourisme (☎ 2-25-81), au nord-ouest du Palacio Municipal, est ouvert du lundi au samedi de 8h30 à 15h et de 17h à 20h. Il publie chaque mois le programme des activités culturelles locales et propose des cartes illisibles. Vous en trouverez de plus claires dans la plupart des papeteries et officines de photocopies de Córdoba (repérez les enseignes *papeleria* et *copia*).

La poste, 3 Avenida n°3, se trouve au nord-ouest de la Plaza de Armas. Les principales banques sont rassemblées autour de la plaza et changent les chèques de voyage le matin. Au sud-est de la plaza, une casa de cambio, dans Avenida 3, ouvre en semaine de 9h à 14h et de 16h à 19h, le samedi de 10h à 13h.

A voir

Au nord-est de la Plaza de Armas, derrière les portales, l'**Ex-Hotel Zevallos**, ancienne demeure des Condes (comtes) de Zevallos, fut construit en 1687.

Dans la cour, des plaques indiquent que Juan O'Donojú, le vice-roi, et Agustín de Iturbide, le chef des forces anti-impériales, s'y rencontrèrent après la messe du 24 août 1821 et s'accordèrent sur les modalités de l'indépendance du Mexique. Contrairement au plan d'Iguala, dans lequel Iturbide et Vicente Guerrero souhaitaient un monarque européen pour gouverner le Mexique indépendant, O'Donojú et Iturbide décidèrent qu'un Mexicain remplirait cette fonction. Iturbide régna brièvement sous le nom d'empereur Agustín I. Le bâtiment historique est fermé au public.

Le **Museo de la Ciudad de Córdoba**, aménagé dans une demeure du XVIIe siècle, 303 Calle 3, comporte une petite collection bien présentée comprenant une *palma* datant du Veracruz classique et des ornements personnels très travaillés.

Plaza de Armas, l'imposante église de la fin du XVIIIe siècle, **La Parroquia de la Inmaculada Concepción**, est connue pour la sonorité de ses cloches.

Manifestations annuelles

Le jour du Vendredi Saint, Córdoba commémore la crucifixion de Jésus par une procession silencieuse, au cours de laquelle des milliers de résidents marchent derrière un autel de la Vierge transporté à travers les rues.

Chaque participant tient un cierge allumé, personne ne dit mot et les cloches des églises restent étrangement muettes. Cette célébration commence traditionnellement à 8h et dure environ 90 minutes.

Où se loger

L'*Hostal de Gorbeña* (☎ 2-07-77), Calle 11, entre les Avenidas 3 et 5, propose 24 simples/doubles, propres, avec téléphone et TV, pour 10/14 $US ; ajoutez 3 $US pour la clim. Il abrite également un restaurant et un parking. Suranné, l'*Hotel Virreynal* (☎ 2-23-77), au coin de l'Avenida 1 et de la Calle 5, n'en est pas moins d'un bon rapport qualité/prix. Il offre des chambres spacieuses et propres, avec ventilateur et s.d.b., pour 13/14 $US.

L'*Hotel Iberia* (☎ 2-13-01), Avenida 2 n°919, possèdent des petites chambres modernes, avec TV et ventilateur, donnant sur une cour intérieure (8/10 $US). A côté, l'*Hotel Trescadó* (☎ 2-23-66), Avenida 2 n°909, rudimentaire et très sobre, ne demande que 5/6 $US (plus 1 $US pour le parking). Ces deux adresses sont assez correctes.

Un cran au-dessus, l'*Hotel Mansur* (☎ 2-60-00), Plaza de Armas et Avenida 1 n°301, est bien tenu et s'orne d'un hall élégant. Le prix des chambres climatisées, avec TV et téléphone, commence à 20/21 $US ; celles du 4e étage surplombant la place sont très agréables.

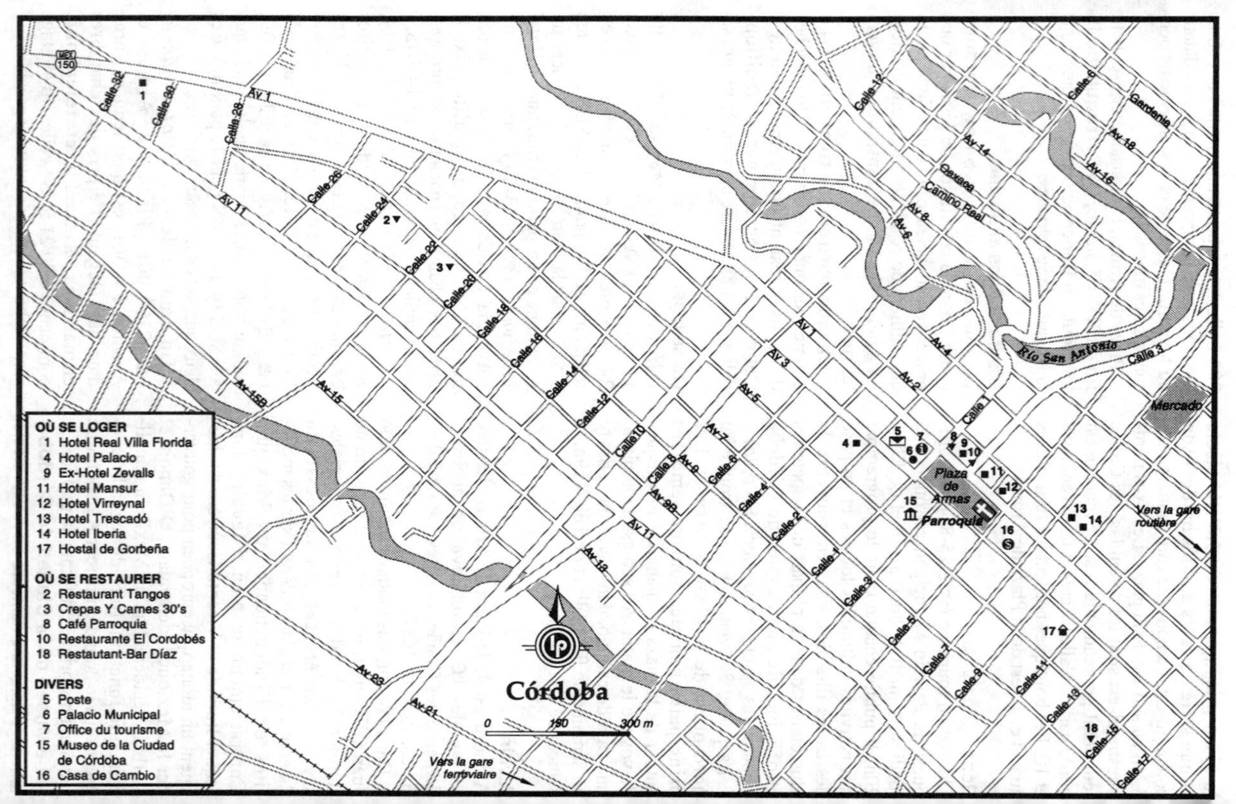
Córdoba
0 150 300 m
Vers la gare routière
Vers la gare ferroviaire
Mercado
Plaza de Armas
Parroquia
Río San Antonio
Camino Real
Oaxaca
Gardenia
OÙ SE LOGER
1 Hotel Real Villa Florida
4 Hotel Palacio
9 Ex-Hotel Zevalls
11 Hotel Mansur
12 Hotel Virreynal
13 Hotel Trescadó
14 Hotel Iberia
17 Hostal de Gorbeña
OÙ SE RESTAURER
2 Restaurant Tangos
3 Crepas Y Carnes 30's
8 Café Parroquia
10 Restaurante El Cordobés
18 Restautant-Bar Díaz
DIVERS
5 Poste
6 Palacio Municipal
7 Office du tourisme
15 Museo de la Ciudad de Córdoba
16 Casa de Cambio

L'*Hotel Palacio* (☎ 2-21-88), à l'angle de l'Avenida 3 et de la Calle 2, loue des grandes chambres climatisées avec TV pour 17/21 $US ; demandez une chambre au dernier étage, en face du Pico de Orizaba, le point culminant du Mexique. A 1,5 km au nord-ouest du centre, l'*Hotel Real Villa Florida* (☎ 4-33-33), Avenida 1 n°3002, entre les Calles 30 et 32, offre de jolis jardins, un restaurant et 82 chambres modernes, climatisées et décorées avec goût (34/36 $US).

Où se restaurer

Les portales de la Plaza de Armas sont bordés de cafés et de restaurants. Les prix semblent plus élevés du côté nord. Le *Café Parroquia* sert des œufs (environ 2,50 $US), des antojitos (4,50 $US), des plats de poisson (6 $US) et de viande (7 $US). Ses célèbres pâtisseries et petits pains valent de 1,25 à 2,75 $US. Un peu plus bas, le *Restaurante El Cordobés* propose une carte variée, très appréciée. Vous pourrez déguster des filets de viande (de 3 à 6 $US), des spaghettis (de 2,50 à 3 $US) et des cocktails de fruits de mer (de 3 $US à 4,50 $US). Les *spaquetti a la marinera* (4 $US), préparés avec des crevettes, des coquilles St-Jacques et des encornets, sont un régal. En bas de la rue, l'*Hotel Virreynal* est renommé pour ses petits déjeuners et son excellente comida corrida.

A côté de la Plaza de Armas, bien éclairé et plutôt élégant, le *Restaurante Los Balcones* de l'Hotel Palacio prépare une cuisine correcte ; comptez de 3 à 7 $US pour des pâtes, 6 $US pour un plat de viande, de 6 à 14 $US pour du poisson ou de la langouste. Le *Restaurant-Bar Díaz*, Calle 15, entre les Avenidas 5 et 7, sert les meilleurs fruits de mer de la région. Vous vous régalerez d'une cassolette d'huîtres au poivre noir (3 $US), d'écrevisses à l'ail dans une sauce au piment mi-doux (9 $US), d'encornets enveloppés de bacon et nappés d'une sauce verte au fromage (4,50 $US), d'un grand cocktail de crevettes (2,75 $US) ou de fruits de mer (4 $US). Cuisses de grenouilles, crabe et bébé requin fumé figurent également au menu.

Le restaurant le plus branché de Córdoba, le *Crepas y Carnes Los 30's*, Avenida 9, entre les Calles 20 et 22, bien qu'un peu excentré, mérite le détour. Comme le suggère son nom, il est spécialisé dans les crêpes et la viande de bœuf. Dans des salles colorées, décorées de grands tableaux de fruits, de perroquets et de fleurs, vous savourerez des crêpes au poulet avec une sauce mole, ou bien à la mangue, à la fraise ou à la pomme. Les 18 plats de viande proposés valent de 3,75 à 7 $US. Deux rues plus haut dans l'Avenida 9, le *Restaurante Tangos* n'offre pas la même ambiance, mais sert une bonne cuisine, en particulier un filet de bœuf à 6 $US et des brochettes à 4 $US.

Comment s'y rendre

Bus. La gare routière, d'où partent les bus deluxe (UNO et ADO GL), 1re classe (ADO et Cristóbal Colón) et 2e classe (AU), se trouve Avenida Privada 4, à 3 km au sud-est de la plaza. Pour vous rendre au centre-ville, prenez un bus local marqué "Centro" ou achetez un ticket de taxi (2 $US). Pour aller à Fortín de las Flores et à Orizaba, mieux vaut prendre un bus local dans l'Avenida 11 plutôt qu'à la gare routière. Voici quelques destinations depuis Córdoba :

Jalapa – 260 km, 3 heures 30 ; 4 ADO (6 $US)

Mexico (TAPO) – 305 km, 4 heures 30 ; 2 UNO (21 $US), 4 ADO GL (14 $US), 14 ADO (12 $US), 10 AU locales (11 $US) et 13 AU de paso (10 $US)

Oaxaca – 317 km, 7 heures ; 2 CC (13 $US) et 1 AU (10 $US)

Puebla – 175 km, 3 heures ; 8 ADO (12 $US), 2 AU locales (6 $US) et 26 AU de paso (7 $US)

Veracruz – 125 km, 2 heures ; 24 ADO (5 $US) et 18 AU (20 $US)

Train. El Jarocho, le train qui relie Mexico et Veracruz, s'arrête à Córdoba. Jusqu'à Veracruz, le prix s'élève à 2,50/1,30 $US en primera preferente/segunda clase. Reportez-vous à la rubrique *Comment s'y* *rendre* du chapitre *Mexico* pour de plus amples informations. La gare est à l'angle de l'Avenida 11 et de la Calle 33 dans la partie sud de la ville.

Voiture et moto. La route à péage 150D contourne Fortín de las Flores et Orizaba. La 150 continue à l'ouest de Córdoba, traverse ces deux villes, puis tourne au sud-ouest vers Tehuacán.

FORTÍN DE LAS FLORES

• Hab. : 25 000 • Alt. : 970 m • ☎ 271

Fortín de las Flores est à 7 km à l'ouest de Córdoba ; en fait, ces deux localités se touchent presque. Des pépinières d'horticulture pour l'exportation représentent l'industrie locale majeure. La floraison se situe entre avril et juin, mais vous ne pourrez l'admirer que dans ces pépinières et dans les jardins privés.

Un festival floral d'une semaine se déroule fin avril-début mai. Fortín possède une grand-place dégagée, le Parque Principal, avec le Palacio Municipal au centre et la cathédrale à l'extrémité sud.

Où se loger

La *Posada El Pueblito* (☎ 3-00-33), Avenida 2 Ote, entre les Calles 9 et 11 Nte, propose 45 chambres charmantes, avec TV et ventilateur, qui donnent sur des bougainvilliers (simples/doubles à 20/23 $US). L'hôtel possède une piscine et des courts de tennis. Son seul défaut éventuel est la proximité d'une brûlerie de café.

Plus bas dans la même avenue, entre les Calles 5 et 7 Nte, l'*Hotel Fortín de las Flores* (☎ 3-00-55) a plus fière allure sur une carte postale qu'en réalité. Sa structure méditerranéenne fait face à une piscine attrayante et à une belle résidence, de l'autre côté de la rue. Cependant, les chambres, avec clim., téléphone et TV, ne sont plus de prime jeunesse et celles que nous avons visitées empestaient le désinfectant (simples/doubles à 32 $US).

Le meilleur hôtel de la ville est l'*Hotel Posada Loma* (☎ 3-03-03), sur la route qui relie Córdoba et Fortín, à 2 km du palais municipal. Il comporte 11 bungalows et 8 chambres spacieuses, avec cheminée, coin salon et tout le confort, répartis sur 32 000 m^2 de jardins. Au centre se trouve une piscine. Comptez 28 $US pour une grande chambre (une ou deux personnes), et 50 $US pour un bungalow, doté d'une jolie cuisine, de deux chambres et de deux s.d.b. (parfait pour quatre personnes). Le propriétaire prend plaisir à faire visiter ses jardins, ornés de centaines d'orchidées et de plus de 40 espèces d'oiseaux. Il est prudent de réserver.

Où se restaurer

Le restaurant de l'*Hotel Posada Loma* est extrêmement recherché pour ses petits déjeuners, surtout lorsque le ciel est limpide et que le Pico de Orizaba semble remplir la fenêtre de la salle à manger. La confiture est faite maison, le plus souvent avec les fruits du jardin. Attendez-vous à payer environ 6 $US et 8 $US pour un repas tout aussi savoureux.

Le restaurant le plus populaire de la ville est aussi le seul et unique restaurant chinois, *Tam*, au coin de la Calle 5 Sur et de l'Avenida Galindo. Les soupes valent de 2 à 6 $US (la won ton est excellente), les viandes et les poissons, 5 $US, et les copieux plats du jour, 8 $US.

Considéré comme le meilleur restaurant de viande de la ville, le *Colorines*, dans la Calle 1, à une rue au nord du Palacio Municipal, n'est pas tout à fait à la hauteur de sa réputation. A la carte figurent des antojitos (de 1 à 3 $US), du bœuf (de 3 à 4,50 $US), des cocktails de fruits de mer (de 3 à 4 $US) et du poisson (de 4 à 35 $US). Les tables du fond, plus tranquilles, donnent sur un joli petit jardin.

Un peu plus haut dans la même rue se trouve le meilleur restaurant de poisson de Fortín, *Lolo*. Un cocktail de fruits de mer vous reviendra à 3/4 $US, une viande ou un poisson à 4/5 $US et les encornets à 4 $US environ. Si Lolo est effectivement correct, il n'est pas aussi fameux que le Restaurant-Bar Díaz de Córdoba, à 7 km de là.

Comment s'y rendre

Bus. A partir de Córdoba, de fréquents bus affichant "Fortín" partent de l'Avenida 11 en direction du nord-ouest (15 minutes, 0,75 $US). Ils arrivent Calle 1 Sur, du côté ouest de la plaza et repartent du même arrêt.

Le bureau ADO (1re classe) se trouve à l'angle de l'Avenida 2 et de la Calle 6, à trois pâtés de maisons à l'ouest de la plaza par l'Avenida 1, puis à un pâté de maisons vers le nord. Tous les jours, quatre bus rallient Mexico (11 $US), sept rejoignent Veracruz (5 $US), quatre desservent Puebla (7 $US) et huit gagnent Jalapa (5 $US). Ce sont tous des bus de paso, mais quelques places peuvent être achetées à l'avance. Deux bus deluxe UNO se rendent quotidiennement à Mexico (21 $US), ainsi qu'un bus ADO GL (13 $US).

Train. Fortín se situe sur la ligne Mexico-Veracruz, à 30 minutes à l'ouest de Córdoba. Le principal train est El Jarocho (voir la rubrique *Comment s'y rendre* du chapitre *Mexico* pour plus de détails). Le trajet jusqu'à Veracruz revient à 2,50 $US en primera preferente ; il n'y a pas de coches dormitorios entre Fortín et Veracruz. Les trains de segunda clase sont censés partir à 15h55 pour Veracruz et à 15h50 pour Mexico (4,50 $US l'une ou l'autre destination). La gare se situe à deux rues au nord de la plaza, juste après le restaurant Lolo.

ORIZABA

• Hab. : 100 000 • Alt. : 1 219 m • ☎ 272

Orizaba, à 16 km à l'ouest de Córdoba, fut fondée par les Espagnols pour défendre la route de Veracruz à Mexico. La ville a conservé quelques bâtiments coloniaux, mais le tremblement de terre de 1973 a détruit bien des vestiges du passé. Devenue un centre industriel à la fin du XIXe siècle, c'est dans ses usines que se produisirent les premières émeutes menant à la destitution du dictateur Porfirio Díaz. Aujourd'hui, Orizaba possède une importante brasserie, ainsi que des industries cimentières, textiles et chimiques. Elle abrite également le musée d'Art de l'État de Veracruz. Lorsque le temps est dégagé, le paysage de montagnes environnant est spectaculaire.

Orientation

La Parroquia de San Miguel est située au nord de la plaza centrale, Parque del Castillo. Madero, qui longe l'ouest de la plaza, et les Avenidas Pte 7 et Ote 6, à quelques pas au sud de la plaza, sont les artères les plus animées.

Renseignements

L'office du tourisme (☎ 6-22-22, poste 134) se trouve dans le Palacio Municipal, Avenida Colón Pte à l'angle de Nte 7 (au 2e étage dans la partie nord-ouest). Il ouvre tous les jours de 8h à 15h et de 17h à 19h30. Des banques sont installées à une rue au sud de la plaza. La poste et le bureau des télécommunications sont situés près du carrefour de Sur 7 et de Ote 2.

A voir

Le **Museo de Arte del Estado**, Avenida Ote 4, entre les Calles 25 et 27, est un pur chef-d'œuvre. Aménagé dans un bâtiment colonial de 1776 superbement restauré, il a abrité tour à tour une église, un hôpital et une caserne. Le musée comporte de nombreuses salles, chacune consacrée à un thème différent. Dans l'une d'elles, de très belles peintures retracent les moments-clés de l'histoire de l'État de Veracruz, une autre rassemble des œuvres d'artistes contemporains de la région et, dans une troisième, sont regroupées 29 œuvres de Diego Rivera qui donnent un aperçu de son travail tout au long de sa vie.

La **Parroquia de San Miguel**, la grande église paroissiale au nord du Parque del Castillo, est construite en grande partie dans le style du XVIIe siècle, avec plusieurs tours et quelques céramiques de type Puebla. Les églises **La Concordia** et **El Carmen** (XVIIIe siècle) arborent des façades churrigueresques.

Entre le Parque del Castillo et le parc Alameda, le **Centro Educativo Obrero** (centre d'éducation des ouvriers), dans Colón, s'orne d'une fresque réalisée en

1926 par le grand muraliste José Clemente Orozco.

Au nord-ouest du Parque del Castillo, l'ancien **Palacio Municipal** de fer et d'acier, délabré, abrita le pavillon belge lors de l'Exposition universelle de Paris à la fin du XIXe siècle. La ville d'Orizaba le racheta 13 800 $US, le fit démonter et l'expédia au Mexique où il fut réassemblé. Lors de la rédaction de ce guide, ses derniers occupants avaient déménagé et l'avenir de ce bâtiment historique semblait des plus incertains.

Randonnées

Il est beaucoup plus agréable d'explorer le canyon proche de l'Hotel Fiesta Cascada que d'escalader le Pico de Orizaba. Un sentier en bordure de forêt part à quelques mètres à l'ouest de l'hôtel et descend au fond du canyon, où il se sépare en deux. Sur la gauche, il longe la rivière sur plusieurs kilomètres. Sur la droite, il traverse un passerelle à proximité d'une petite centrale nucléaire, puis rejoint une piste qui serpente vers le nord-est au milieu d'une forêt et de terres cultivées sur de nombreux kilomètres avant de grimper à flanc de montagne. La plus belle partie de cette randonnée est le point de départ, d'où l'on aperçoit une magnifique cascade émerger de la forêt touffue.

Surplombant le parc Alameda à l'ouest de la ville, le **Cerro del Barrego** offre des panoramas splendides, à condition de monter au sommet de bonne heure, avant que le brouillard se lève.

Si vous prévoyez une ascension du Pico de Orizaba, reportez-vous à la rubrique *Les environs d'Orizaba*.

Où se loger

L'*Hotel Arenas* (☎ 5-23-61), Nte 2 n°169, présente le meilleur rapport qualité/prix.

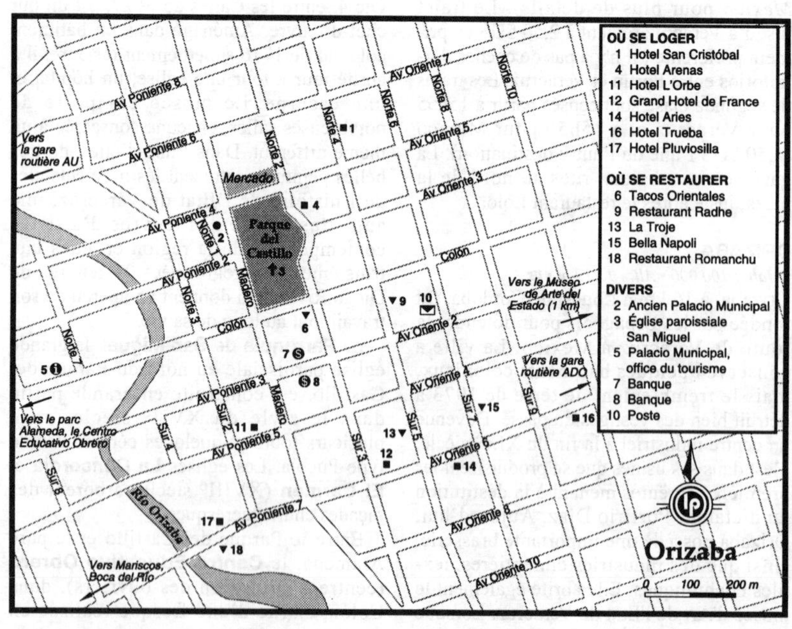

Tenu par une famille accueillante, il possède un ravissant jardin intérieur et des simples/doubles avec s.d.b. à 6/8 $US. En deuxième position, l'*Hotel San Cristóbal* (☎ 5-11-40), Nte 4 n°243, propose les mêmes tarifs. Les chambres avec balcons des derniers étages sont bruyantes toute la nuit. Les s.d.b. ont été récemment modernisées.

Le meilleur établissement de moyenne catégorie, l'*Hotel L'Orbe* (☎ 5-50-33), Pte 5 n°3, offre des chambres entièrement rénovées, avec clim. et TV, à 20/22 $US. L'*Hotel Trueba* (☎ 4-29-30), à l'angle de Ote 6 et de Sur 11, pratique les mêmes prix, mais ses chambres sont moins agréables. Beaucoup mieux, l'*Hotel Aries* (☎ 5-35-20), Ote 6 n°265, dispose de chambres, avec des s.d.b. récemment refaites, à 17/19 $US ; celles du 2e étage ne donnent pas sur la rue. L'*Hotel Pluviosilla* (☎ 5-53-00), Pte 7 n°163, possède un parking et des chambres à 15/16 $US. Le *Grand Hotel de France* (☎ 5-3-11), Ote 6 n°186, a connu des jours meilleurs, mais ses chambres restent correctes pour 9/10 $US (13 $US avec deux lits).

Au Km 27,5 sur la 150D reliant Puebla et Córdoba (là où deux stations-service Pemex se font face), l'*Hotel Fiesta Cascada* (☎ 4-15-96), le plus luxueux de la ville, surplombe un somptueux canyon et comprend des jardins ainsi qu'une parcelle de forêt tropicale. Les chambres, charmantes et spacieuses, avec mini-bar, TV et téléphone, donnent sur une belle piscine (25/32 $US en simple/double).

Où se restaurer

Le *Mariscos Boca del Río*, Pte 7, à une rue environ à l'ouest de l'Hotel Pluviosilla, réputé pour ses fruits de mer, pratique des prix raisonnables ; un grand cocktail de crevettes et de fruits de mer, un filet de poisson ou des encornets vous reviendront à 5 $US environ. Outre une atmosphère plaisante, *La Troje*, Sur 5 n°225, propose une excellente comida corrida de cinq plats à 3 $US en semaine, 6 $US le dimanche. Très fréquenté, le grand *Restaurant Romanchu*, face à l'Hotel Pluviosilla dans Pte 7, est très coloré et particulièrement apprécié pour ses spécialités de bœuf (de 3 à 6 $US), tout comme le restaurant de l'Hotel Trueba (de 5 à 7 $US). Le *Restaurant Radhe*, dans Sur 5, sert une très bonne cuisine végétarienne à prix modérés. Le *Bella Napoli*, Sur 7, entre Ote 4 et 6, prépare les meilleures pizzas de la ville. Le *Tacos Orientales*, à l'angle de Colón et de Sur 3, est très prisé pour ses tacos savoureux et bon marché.

Comment s'y rendre

Bus. Les bus locaux en provenance de Fortín ou de Córdoba s'arrêtent à proximité d'Ote 9 et de Nte 14. La gare AU (2e classe) se trouve au nord-ouest du centre, Zaragoza Pte 425. Pour vous rendre au centre-ville, tournez à gauche en sortant de la gare, traversez le pont, prenez la première fourche à droite et dirigez-vous vers les coupoles d'église. La gare des bus ADO (1re classe) se situe Ote 6 n°577, entre Sur 11 et 13 ; les bus deluxe UNO et ADO GL partent du même endroit. Parmi les destinations longue distance, citons :

Jalapa – 240 km, 4 heures ; 10 ADO (7 $US)
Mexico (TAPO) – 285 km, 4 heures ; 2 UNO (20 $US), 2 ADO GL (13 $US), 17 ADO (11 $US) et 30 AU (10 $US)
Puebla – 160 km, 2 heures 30 ; 12 ADO (7 $US) et 20 AU (6 $US)
Tehuacán – 65 km, 1 heure ; 4 ADO (2,50 $US)
Veracruz – 150 km, 2 heures 15 ; 21 ADO et 21 AU (6 $US pour les deux catégories)

Oaxaca, Tuxpan et Villahermosa sont desservies par des bus de 1re classe.

Train. Orizaba se trouve sur la ligne Veracruz-Mexico. Jusqu'à Veracruz, le trajet dans El Jarocho coûte 2,75/1,70 $US en primera preferente/segunda clase. Pour de plus amples informations, reportez-vous à la rubrique *Comment s'y rendre* du chapitre *Mexico*.

Voiture et moto. L'autopista 150D contourne le centre d'Orizaba en direction de Córdoba à l'est et Puebla à l'ouest

(160 km), *via* une impressionnante montée. La 150 se dirige à l'est vers Córdoba et Veracruz (150 km) et au sud-ouest vers Tehuacán, à 65 km au-dessus des vertigineuses Cumbres de Acultzingo.

LES ENVIRONS D'ORIZABA

Le Pico de Orizaba

Le point culminant du Mexique (5 611 m), se dresse à 25 km au nord-ouest de la ville d'Orizaba. Le volcan endormi possède un petit cratère, couvert de neige pendant trois mois de l'année. Du sommet, par beau temps, on aperçoit le Popocatépetl, Iztaccíhuatl et La Malinche à l'ouest, ainsi que le golfe du Mexique, à 96 km à l'est.

D'Orizaba, des circuits en 4x4, organisés par Turismo Aventura, montent jusqu'à 4 000 m d'altitude. Le départ a lieu du hall de l'hôtel Trueba tous les samedi et dimanche à 9h (20 $US par personne). Pour plus d'informations, contactez l'hôtel (☎/fax 4-29-30), correspondant de Turismo Aventura.

Turismo Aventura propose également l'escalade du Pico depuis Orizaba (150 $US par personne) ; ce prix comprend le transport depuis le Trueba jusqu'à un refuge en altitude ainsi que les services d'un guide. Le programme se déroule comme suit : deux jours à Orizaba (1 219 m), deux jours dans un refuge (4 440 m), puis une journée pour l'ascension du sommet et la descente. Ces expéditions doivent être prévues assez longtemps à l'avance.

Si vous souhaitez escalader le Pico depuis Mexico, Mario Andrade (☎ 5-875-01-05) est *la* personne à contacter. Il dirige les Coordinadores de Guías de Montaña (☎/fax 5-584-46-95), un groupe de professionnels qui fournit les services de guides qualifiés pour escalader la plupart des sommets mexicains. Il demande 500 $US pour une excursion avec une ou deux personnes, tarif comprenant ses honoraires, le transport de votre hôtel à Mexico jusqu'au Pico et retour, deux repas en montagne, l'équipement autre que personnel (radio, cordes), l'hébergement et le montant de l'admission dans le parc national. L'adresse postale de Mario Andrade est PO Box M-10380, México DF, Mexique. La période la plus demandée pour cette escalade se situe de décembre à janvier, mais le meilleur moment est le mois d'octobre, lorsqu'il y a beaucoup de neige et que le ciel est clair.

Zongolica

Une route conduit à 38 km au sud d'Orizaba dans ce village de montagne, où des groupes d'Indiens isolés fabriquent des *sarapes* d'une facture unique. Des bus partent d'Ote 3, entre Nte 12 et 14, toutes les 15 minutes.

Le sud de l'État de Veracruz

Le sud-est du port de Veracruz est une région plate, chaude et humide, parcourue de nombreux cours d'eau. Seule la région de Los Tuxtlas, comprenant les villes de Santiago Tuxtla et San Andrés Tuxtla, détonne par sa côte paisible et son paysage vallonné, ponctué de lacs et de cascades. La région de Los Tuxtlas est l'une des plus agréables, du point de vue climatique, de l'État de Veracruz. Les Mexicains vont souvent passer leurs vacances à Catemaco, une petite station au bord d'un lac.

Los Tuxtlas se trouve à la lisière occidentale de l'ancien arrière-pays olmèque. Santiago Tuxtla et Tres Zapotes abritent d'intéressants musées olmèques.

Le basalte, nécessaire à la confection des immenses têtes olmèques, était extrait du Cerro Cintepec, dans l'est de la Sierra de Los Tuxtlas, puis acheminé, sans doute par chariot et par radeau, jusqu'à San Lorenzo, à 60 km au sud.

ALVARADO

• Hab. : 75 000 • ☎ 297

La ville de pêcheurs d'Alvarado, à 67 km de Veracruz par la 180, se trouve sur la

TONY WHEELER

ALLAN A PHILIBA

TONY WHEELER

TONY WHEELER

En haut à gauche : temple des Guerriers, Chichén Itzá
En haut à droite : détail, Chichén Itzá
Au milieu à gauche : Chac-Mool et pyramide de Kukulcán, Chichén Itzá
En bas : Tzompantli, temple des crânes, Chichén Itzá

En haut : Playa del Carmen, Quintana Roo
En bas à gauche : sourire bienveillant, Mérida
En bas à droite : plongée entre les rochers, Quintana Roo

BONNIE KAMIN

bande de terre qui sépare le golfe du Mexique de la Laguna d'Alvarado, point de convergence de plusieurs rivières, notamment la Papaloapan.

A l'est de la ville, un long pont à péage (2 $US par voiture) traverse le canal reliant la lagune à la mer.

Alvarado possède quelques hôtels et restaurants ainsi qu'une poste. Son carnaval débute immédiatement après celui de Veracruz. Vous pouvez louer des bateaux pour vous promener sur la lagune ou remonter la rivière jusqu'à Tlacotalpan (environ 2 heures).

TLACOTALPAN

• Hab. : 20 000 • Alt. : 155 m • ☎ 288

Ville ancienne et paisible, sise à côté du large Río Papaloapan, à 10 km au sud de la 180, Tlacotalpan possède de très jolies rues, églises et places.

Le **Museo Salvador Ferrando**, ouvert tous les jours sauf le lundi (1,50 $US), est principalement consacré aux objets et au mobilier du XIXe siècle. Lors de la fête de la Candelaria, fin janvier-début février, des taureaux sont lâchés dans les rues et une statue de la Vierge descend la rivière, escortée d'une flottille de petits bateaux.

La ville possède deux petits hôtels, la *Posada Doña Lala* (☎ 4-25-80), qui loue d'agréables chambres à partir de 23/17 $US, et l'*Hotel Reforma* (chambres à partir de 19 $US). Quelques restaurants bordent le front de mer et les alentours des plazas.

La 175 part de Tlacotalpan et remonte la vallée de Papaloapan jusqu'à Tuxtepec, puis serpente dans les montagnes jusqu'à Oaxaca (à 320 km de Tlacotalpan).

SANTIAGO TUXTLA

• Hab. : 19 000 • Alt. : 285 m • ☎ 272

Fondée en 1525, Santiago est une jolie ville sise dans une vallée entourée des contreforts verdoyants de la volcanique Sierra de Los Tuxtlas. Elle mérite une visite, ne serait-ce que pour les vestiges olmèques, son musée et celui de Tres Zapotes, à 23 km de là.

Orientation et renseignements

En arrivant à Santiago, les bus ADO vous déposent à la sortie de la nationale, dans la Calle Morelos. Suivez cette rue vers le sud pour arriver au bureau des Transportes Los Tuxtlas, à gauche. En prenant la Calle Ayuntamiento, à droite (vers l'ouest), vous parviendrez au Museo Arqueológico, au sud du zócalo.

La poste est également située sur le zócalo, tout comme la banque Comermex, qui change les chèques de voyage.

A voir

La **tête olmèque** qui se dresse sur le zócalo est appelée tête de Cobata, du nom de la propriété sur laquelle elle fut exhumée, à l'ouest de Santiago.

Il semble que cette œuvre soit très tardive, voire post-olmèque, mais c'est la plus grosse découverte à ce jour, et d'une facture unique (elle a les yeux fermés). Le **Museo Arqueológico** présente des sculptures sur pierre olmèques, parmi lesquelles figurent une tête colossale de Nestepec, situé à l'ouest de Santiago, une tête de lapin du Cerro de Vigía et une copie du monument F, ou "El Negro" de Tres Zapotes, composé d'un autel ou d'un trône rehaussé d'une silhouette humaine sculptée à l'intérieur. Le musée est ouvert du lundi au samedi de 9h à 18h (2 $US), le dimanche de 9h à 15h (gratuit).

Manifestations annuelles

Santiago célèbre les fêtes de San Juan (Saint-Jean, 24 juin) et de Santiago Apóstol (Saint-Jacques, 25 juillet) par des processions et des danses, dont le Liseres au cours de laquelle les participants revêtent des costumes de jaguar.

Où se loger et se restaurer

L'*Hotel Morelos*, Calle Morelos 12 (entrée dans la Calle Obregón, presque en face de la gare routière Transportes Los Tuxtlas), propose des petites chambres avec ventilateur, s.d.b. et eau chaude (12/14 $US).

Situé dans un bâtiment circulaire au nord du zócalo, L'*Hotel Castellanos* (☎ 7-02-

00), est d'une qualité surprenante pour une si petite ville. Moderne, il est doté d'une belle piscine et compte 48 chambres propres et climatisées, de taille variable (22 $US en simple/double). Certaines jouissent d'une belle vue. Son sympathique restaurant est d'un bon rapport qualité/prix, avec des plats de 1,50 à 3 $US, un peu plus cher pour les fruits de mer.

Des échoppes bon marché bordent le sud du zócalo.

Comment s'y rendre

Si les liaisons de bus ne sont pas pratiques, allez à San Andrés Tuxtla, soit en empruntant un des fréquents bus (sans amortisseurs) de Transportes Los Tuxtlas (O,75 $US), soit en taxi (4 $US).

De Santiago, ADO affrète chaque jour 8 bus de paso pour Veracruz (2 heures 30, 5 $US), 9 pour San Andrés Tuxtla (20 minutes, 0,75 $US) et 7 pour Acayucan (2 heures, 3,50 $US). Il assure une liaison quotidienne avec Jalapa (3 heures 30, 9 $US), Puebla (7 heures, 18 $US) et Mexico (TAPO ; 8 heures 30, 23 $US).

En outre, Cuenca, une compagnie locale qui partage ses bureaux avec AU dans la partie nord de la ville, dessert San Andrés (8 bus par jour, 0,75 $US) et Tlacotalpan (8 bus, 2 $US).

Des bus Transportes Los Tuxtlas partent toutes les 10 minutes pour San Andrés Tuxtla (0,75 $US) Catemaco (1 $US), Veracruz (4,25 $US), et toutes les heures pour Acayucan (3 $US).

TRES ZAPOTES

Ce qui fut un important foyer de la culture olmèque se réduit aujourd'hui à une série de monticules disséminés dans des champs de maïs mais quantité d'objets intéressants sont présentés au musée du village, à 23 km à l'ouest de Santiago Tuxtla.

Histoire

Tres Zapotes fut probablement occupé pour la première fois à l'apogée du grand centre olmèque de La Venta, dans l'État du Tabasco. Il subsista après la destruction de La Venta, vers 600 av. J.-C., et aborda ce que les archéologues appellent une phase "épi-olmèque", qui marqua le déclin de cette culture et l'émergence d'autres civilisations, izapa notamment. La plupart des découvertes datent de cette période tardive.

En 1939, Matthew Stirling exhuma de Tres Zapotes un bloc de basalte cassé portant, sur une face, une sculpture épi-olmèque de jaguar et, sur l'autre, une série de traits et de points indiquant partiellement une date établie, en toute probabilité, selon le système maya du "compte long".

Stirling démontra qu'elle correspondait au 3 septembre 32 av. J. C., ce qui signifiait que les Olmèques auraient précédé les Mayas, considérés jusqu'alors comme la plus ancienne civilisation du Mexique. Cette révélation donna lieu à plusieurs controverses mais des découvertes postérieures étayèrent la thèse de Stirling. En 1969, un agriculteur déterra par hasard le reste du bloc de pierre, aujourd'hui appelé stèle C, sur laquelle est inscrite la fraction manquante de la date.

Musée

Au musée de Tres Zapotes, les objets sont disposés sur une plate-forme en croix. Tout au fond, se dresse la tête de Tres Zapotes, datant d'environ 100 av. J.-C., première tête olmèque découverte à l'époque moderne. Elle fut exhumée par un ouvrier agricole en 1858.

En face, est exposée la stèle A, la pièce la plus importante, qui figure trois personnages humains dans la gueule d'un jaguar. A droite de la stèle A, on peut admirer une sculpture d'un captif, les mains liées dans le dos et une seconde sculpture ornée d'un crapaud sur une face et d'un crâne sur l'autre.

Au-delà de la stèle A, s'élève un autel ou trône sur lequel est gravé un visage de femme renversé et, plus loin dans l'angle, la partie la moins intéressante de la célèbre stèle C. Celle sur laquelle est inscrite la date est conservée au Museo Nacional de Antropología ; vous n'en verrez sur place qu'une photo. Le musée ouvre tous les jours de 9h à 17h (entrée : 1,50 $US, gratuite le dimanche et les jours fériés).

Le site d'où proviennent ces objets est situé à environ 1 km de là, mais il y a fort peu de choses à voir. Dépassez la station de taxi Sitio Olmeca, tournez à gauche au bout de la rue après la place du village, traversez le pont et continuez tout droit.

Comment s'y rendre

De Santiago Tuxtla, une route quitte la 180 vers Tres Zapotes, en direction du sud-ouest (un panneau Zona Arqueológica indique l'embranchement). 8 km plus loin, un chemin de terre praticable de 15 km mène au village de Tres Zapotes. Le chemin débouche sur une intersection en T près de la station de taxi Sitio Olmeca. De là, tournez à gauche deux fois pour rejoindre le musée.

Au moment de notre passage, le service de bus avait été suspendu et il n'était pas prévu de le rétablir. A moins d'un changement, la seule façon sûre de se rendre à Tres Zapotes est de prendre un taxi vert et blanc depuis Santiago Tuxtla (1,25 $US en *colectivo*, 6 $US si vous le prenez seul). Les taxis partent du Sitio Puente Real, à l'extrémité du pont piétonnier, au début de Zaragoza, la rue descendant la colline à côté du musée de Santiago Tuxtla.

SAN ANDRÉS TUXTLA

• Hab. : 100 000 • Alt. : 365 m • ☎ 294

San Andrés occupe le centre de la région de Los Tuxtlas. La ville est entourée d'une belle campagne vouée à l'élevage et à la production de maïs, de bananes, de haricots et de canne à sucre, ainsi qu'à la culture du tabac, transformé en cigares (*puros*) à San Andrés même. Vous pourrez visiter quelques sites naturels intéressants à proximité, dont le volcan San Martín, haut de 1 748 m.

Orientation et renseignements

Les bus deluxe ADO et AU 1re classe partagent un dépôt à 1 km au nord-ouest de la plaza dans Juárez, la rue qui descend vers le centre. La cathédrale se trouve du côté nord de la place, le Palacio Municipal à l'ouest, et un Banamex au sud. La majorité des hôtels et des restaurants entourent la plaza. Le marché se tient à trois rues vers l'ouest.

La poste est située dans Lafragua : prenez la rue 20 de Noviembre qui part de la plaza, en face du Palacio Municipal, et suivez-la vers la gauche.

A voir

La **Laguna Encantada** (lagune enchantée), un lac dont le niveau s'élève en saison sèche et baisse pendant les pluies, occupe un petit cratère volcanique à 3 km au nord-est de San Andrés. Une piste y mène, mais il n'y a pas de bus. A 12 km de San Andrés, un escalier de 242 marches descend jusqu'à la cascade **Salto de Eyipantla**, de 50 m de haut et 40 m de large. Les bus Transportes Los Tuxtlas (1 $US) se rendent environ toutes les 40 minutes à Eyipantla. Ils empruntent la 180 vers l'est sur 4 km jusqu'à Sihuapan, puis tournent à droite et descendent une piste.

Une pyramide de style Teotihuacán (300-600) se dresse à Cerro del Gallo, près de **Matacapan**, à l'est de Sihuapan. Elle se trouvait probablement sur la route de Kaminaljuyú au Guatemala, le plus éloigné des avant-postes de Teotihuacán.

Où se loger

Pour trouver les hôtels les moins chers, tournez à gauche sur la plaza en venant de Juárez, puis prenez la deuxième rue à droite. L'*Hotel Figueroa* (☎ 2-02-57), à l'angle de Suárez et de Domínguez, offre des chambres propres et charmantes, avec eau chaude et ventilateur, à 6/8 $US ; la 34 et la 42 jouissent d'une belle vue. Au même carrefour, l'*Hotel Colonial* (☎ 2-05-52), tout aussi intéressant, propose des chambres propres et aérées, avec des lits corrects et l'eau chaude, pour 6 $US en simple/double (ajoutez 2 $US pour un second lit). La 40 et la 42 sont les plus agréables, bien que le bruit de la rue soit un peu gênant le matin.

Plus loin dans Domínguez, les 30 simples/doubles de l'*Hotel Posada San José* (☎ 2-10-10) ouvre sur une cour intérieure. Tout à fait convenables, avec TV, ventilateur, eau chaude et lits corrects, elles se louent 9/10 $US (ajoutez 3 $US pour la clim.). Tout proche, l'*Hotel Catedral* (☎ 2-02-37), au coin de Suárez et de Bocanegra, dispose de chambres propres avec ventilateur, s.d.b. et eau chaude à 5/6 $US (7 $US avec deux lits).

L'*Hotel San Andrés* (☎ 2-04-22), Madero 6 (tournez à droite lorsque vous arrivez sur le zócalo en venant de Juárez), possède des chambres propres mais défraîchies, avec TV et s.d.b. et certaines avec balcon. Prévoyez 11/13 $US avec ventilateur et 14/17 $US avec la clim. L'*Hotel Isabel* (☎ 2-16-17), Madero 13, demande 11/13 $US pour des chambres correctes (plus 3 $US pour la clim.). En face, l'*Hotel Zamfer* est à éviter à tout prix.

Les deux établissements haut de gamme de la ville sont l'*Hotel Del Parque* (☎ 2-01-98), Madero 5, sur le zócalo, et l'*Hotel De Los Pérez* (☎ 2-07-77), Rascón 2, plus bas dans la rue qui jouxte le Del Parque. Le second, plus récent, possède des chambres modernes, propres et assez spacieuses avec clim. et TV (à partir de 17/19 $US). Les chambres du Del Parque, également climatisées et avec TV couleurs, sont plus claires mais passablement défraîchies (18/22 $US).

Où se restaurer

Le *Café Winni's*, en bas de Madero en venant de la plaza, prépare des soupes à 1 $US, des œufs à 1,50 $US, des antojitos à 2,50 $US et des plats copieux à 3/4 $US. Les deux *Mariscos Chazaro*, Madero 12, près de l'Hotel San Andrés, et dans la petite rue derrière l'Hotel De Los Pérez, servent d'excellents fruits de mer, de la *sopa de mariscos* et des cocktails de fruits de mer de 3 à 5 $US.

Très fréquenté, le restaurant de l'*Hotel Del Parque* dispose d'une terrasse sur la plaza, idéale pour observer les passants. Vous vous régalerez de bons poissons (4/5 $US) et d'antjitos (de 1 à 2,50 $US). Si vous souhaitez une cuisine vaguement américanisée, essayez la *Cafetería California*, Rascon 2, derrière l'Hotel De Los Pérez ; les prix sont un peu élevés, mais vous pourrez déguster un gros hamburger pour moins de 3 $US et un jus de carotte ou de fruits pour 1 $US environ.

Achats

La fabrique de cigares Santa Lucia, 5 de Febrero 10, à 200 m du haut de Juárez, vend des cigares longs, courts, gros ou fins à prix d'usine. Vous pourrez voir la fabrication et humer l'arôme de ces cigares, parmi les meilleurs du Mexique.

Comment s'y rendre

Bus. San Andrés, centre des transports de la région de Los Tuxtlas, possède de bons services de bus dans toutes les directions. ADO propose un service deluxe depuis San Andrés, AU offre des bus de 1re classe. Les bus Transportes Los Tuxtlas – vieux et sans suspension – constituent toutefois le moyen le plus rapide de rallier les localités voisines. Ils partent de l'angle de Cabada et de Rafael Solana Nte, à quelques dizaines de mètres du marché. Ils contournent la partie nord de la ville par le Boulevard 5 de Febrero (nationale 180) ; vous pouvez monter et descendre à la plupart des croisements. Parmi les départs de la gare routière de San Andrés, citons :

Acayucan – 95 km, 1 heure 30 ; 18 ADO (29 $US), 1 TLT toutes les 10 minutes (2,50 $US)
Campeche – 785 km, 12 heures 30 ; 1 seul ADO à 22h30 (25 $US)
Catemaco – 12 km, 20 minutes ; TLT toutes les 10 minutes (0,75 $US).
Mérida – 965 km, 15 heures ; 1 seul ADO à 22h30 (30 $US)
Mexico (TAPO) – 550 km, 9 heures ; 1 ADO à 23h (27 $US) et 3 AU à 12h, 21h et 21h35 (21 $US)
Puebla – 420 km, 7 heures ; 1 ADO à 23h35 (18 $US) et 1 AU à 21h50 (17 $US)
Santiago Tuxtla – 14 km, 20 minutes ; 9 ADO (0,75 $US) et 1 TLT toutes les 10 minutes (O,75 $US)
Veracruz – 155 km, 2 heures 45 ; 28 ADO (5,50 $US), 1 AU à 21h50 (5 $US) et 1 TLT toutes les 10 minutes (4,50 $US)
Villahermosa – 320 km, 6 heures ; 13 ADO (7,50 $US)

Taxi. Comptez environ 5 $US pour un taxi depuis/vers Catemaco ou Santiago Tuxtla.

CATEMACO

• Hab. : 30 000 • Alt. : 370 m • ☎ 294

Cette ville, située sur la rive ouest de la magnifique Laguna Catemaco, vit principalement de la pêche et des touristes mexicains qui affluent en juillet, en août et surtout à Noël, au Nouvel An et pendant la Semana Santa. Le reste de l'année, c'est une ville calme et relativement abordable.

La réunion annuelle de *brujos* (sorciers-guérisseurs), qui se tient le premier vendredi de mars sur le Cerro Mono Blanco (colline du singe blanc) au nord de Catemaco, est devenue une attraction touristique.

Orientation et renseignements

Catemaco descend en pente douce jusqu'au lac. La poste se trouve dans Mantilla, au sud de l'Hotel Los Arcos. Le Multibanco Comermex, sur le zócalo, change des espèces et des chèques de voyages en semaine jusqu'à 11h30. Un peu plus loin, l'Hotel Los Arcos change à taux moins intéressants mais les horaires sont plus souples.

Laguna Catemaco

Le lac, entouré de montagnes volcaniques, forme un ovale de 16 km de long. Les cours d'eau qui s'y déversent alimentent en eau minérale Catemaco et Coyame. **El Tegal** est une grotte surmontée d'une croix bleue où la Vierge serait apparue au XIXe siècle.

Plus loin, s'étend la **Playa Hermosa**, étroite bande de sable gris où l'eau est un peu trouble et la **Playa Azul**, flanquée d'un hôtel de luxe. Vous pouvez vous y rendre à pied, en marchant vers l'est à partir de Catemaco.

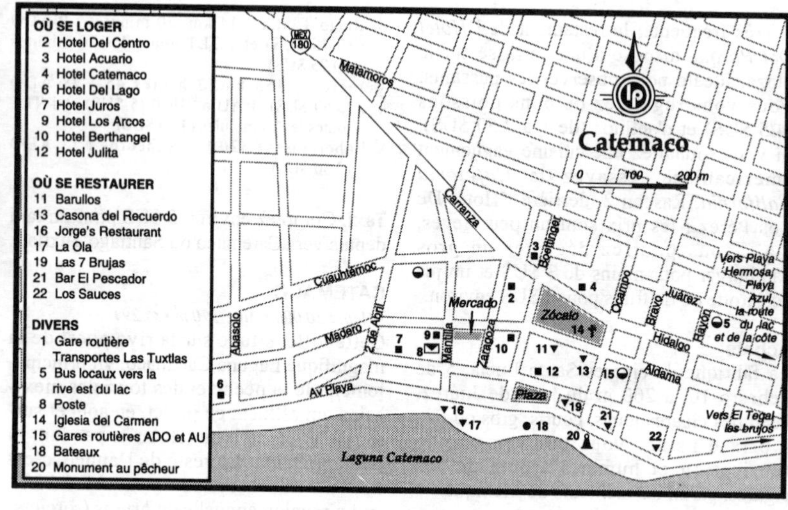

Le lac est ponctué de plusieurs îles. Une sculpture olmèque fut découverte sur la plus grande, Tenaspi. A l'**Isla de los Monos**, ou Isla de los Changos (île aux Singes), vit une soixantaine de singes *Macaca arctoides* à joues rouges, originaires de Thaïlande. Ils appartiennent à l'Université de Veracruz qui les utilise pour la recherche.

Plus loin sur la rive nord, se trouve le **Parque Ecológico**, qui renferme une petite parcelle protégée de forêt tropicale. La visite guidée à pied et en espagnol (2 $US) vous donnera l'occasion de goûter l'eau minérale et d'observer les bienfaits d'un masque de boue noire sur le visage. La faune, soi-disant sauvage, comprend des toucans, des singes, des tortues, des pécaris et des ratons laveurs. La promenade ne manque pas d'intérêt quoique l'on ait parfois la sensation d'être sur un plateau de cinéma. On peut rallier le parc par la route ou en bateau.

Où se loger

Catemaco offre des logements de toutes catégories. Comptez de 30% à 50% de plus en haute saison.

Où se loger – petits budgets

Camping. A 1,5 km à l'est de la ville sur la route qui contourne le lac, le *Restaurant Solotepec*, Playa Hermosa, dispose d'un petit terrain de camping/caravaning au bord de l'eau.

Hôtels. Le moins cher de la ville, l'*Hotel Julita* (☎ 3-00-08), Avenida Playa 10, près du lac et du zócalo, dispose de quelques simples/doubles rudimentaires mais correctes, avec ventilateur, s.d.b. et eau chaude, à 4,50/9 $US. L'*Hotel Acuario* (☎ 3-04-18), sur le zócalo, à l'angle de Carranza et de Boettinger, offre un bon rapport qualité/prix. Ses chambres confortables, avec s.d.b., valent 7/9 $US, ou 12 $US pour trois ou quatre personnes. Certaines sont meilleures que d'autres ; visitez avant de vous décider.

Où se loger – catégorie moyenne

A l'angle de Mantilla, l'*Hotel Los Arcos* (☎ 3-00-03), Madero 7, possède un personnel efficace, une piscine et des chambres propres et claires avec ventilateur, s.d.b. et grand balcon (20 $US en simple/double, 26 $US avec deux lits et clim.). L'*Hotel Juros* (☎ 3-00-84) compte

23 chambres nettes et spacieuses, avec TV, clim. et lits confortables, à 24 $US en simple/double ; les suites élégantes avec spa, pouvant accueillir six personnes, se louent 50 $US.

L'*Hotel Catemaco* (☎ 3-00-45), au nord du zócalo, agrémenté d'un restaurant, d'un vidéo-bar et d'une très belle piscine, demande 24/26 $US pour ses chambres avec clim. et TV (28/31 $US avec deux lits). Au bord du lac, l'*Hotel Del Lago* (☎ 3-01-60), Avenida del Playa à l'angle d'Abasolo, offre un restaurant, une petite piscine et des chambres propres et plaisantes, avec clim. et TV, pour 18/25 $US. Un peu terne, l'*Hotel Berthangel* (☎ 3-00-07), dresse ses deux étages en bas du zócalo et comporte 122 chambres à 17/19 $US.

A 2,5 km à l'est de la ville en suivant le lac, l'*Hotel PLaya Azul* (☎ 3-00-01), compte 80 chambres pimpantes et modernes, réparties dans des bâtiments d'un étage encadrant le jardin. La moitié d'entre elles sont climatisées (simples/doubles à 27 $US). L'hôtel offre en outre un restaurant, un terrain de volley, des bateaux de location et une discothèque. Le trajet en taxi depuis le centre-ville revient à 3 $US.

L'*Hotel Del Centro*, dans Zaragoza, au sud de Carranza, était en construction lors de notre passage. Ce qui était alors visible semblait charmant.

Où se loger – catégorie supérieure

A 2 km de la ville sur la route d'Acayucan, l'*Hotel La Finca* (☎ 3-03-22), au bord du lac, comprend 36 chambres climatisées avec balcon et vue sur le lac à 60 $US en simple/double. Comptez 3 $US pour rejoindre le centre-ville en taxi.

Où se restaurer

Les spécialités locales proviennent du lac, notamment le *tegogolo*, un escargot réputé aphrodisiaque (mis en valeur par une sauce à base de piment, de tomate, d'oignon et de citron), le *chipalchole*, une soupe avec des crevettes ou des pinces de crabe, la *mojarra*, une sorte de perche, et les *anguilas* (anguilles), servies avec des raisins et du piment fort. Le *tachogobi* est une sauce relevée, parfois servie sur la mojarra. Hors saison, de nombreux établissements, déserts, ferment tôt.

Deux des restaurants les plus agréables et les plus prisés bordent le lac et disposent d'une terrasse : le *Jorge's Restaurant*, à l'ouest du zócalo, et son voisin, meilleur encore, *La Ola*. Jorge sert des petits déjeuners corrects de 1,50 à 3 $US, des poissons succulents, du bœuf ou du poulet à 4 $US environ. Un ravissant petit jardin jouxte le restaurant. La Ola, très appréciée, prépare une cuisine légèrement plus rafffinée et un peu plus chère.

Près de la plaza, le restaurant-café et vidéo-bar *Barullos* propose une bonne cuisine dans une tout aussi bonne ambiance. La spécialité de la maison est un plat de bœuf préparé avec des oignons, des piments et de la noix de coco (5 $US). Les poissons coûtent au plus 7 $US, le poulet, 5 $US. Le propriétaire, David Hernández Briszuela, assure que l'eau servie chez lui (y compris les glaçons) est minérale. A quelques pas à l'ouest, la *Casona del Recuerdo* compte quelques tables très agréables sur un balcon, où vous dégusterez d'excellents fruits de mer (de 4 à 6 $US). La comida corrida revient à environ 3 $US.

Également près de la plaza, l'*Hotel Catemaco* mitonne une bonne cuisine à prix raisonnables, spaghettis (4 $US), poulet ou viande (de 5 à 7 $US), filets de sole (5 $US). Le restaurant de l'*Hotel Julita* pratique des tarifs modérés (soupes consistantes et plats de viande ou de poisson de 3,50 à 6 $US). Légèrement au sud-ouest, *Las 7 Brujas* est situé dans un curieux bâtiment rond et reste ouvert très tard. Le *Bar El Pescador*, face au lac, et *Los Sauces*, moins cher, sont également fort appréciés.

Comment s'y rendre

Peu de bus longue distance desservent Catemaco. Il est souvent plus simple de passer par San Andrés Tuxtla, à 12 km à l'ouest sur la 180, ou par Acayucan, à 80 km au sud, puis de prendre les bus plus fréquents, mais moins confortables, desservant Catemaco. Les bus de 1re classe ADO et les bus de 2e classe AU partent de l'angle d'Aldama et de Bravo. Transportes Los Tuxtlas (TLT) se trouve dans Cuauhtémoc, presque à l'angle de 2 de Abril. Parmi les destinations au départ de Catemaco, citons :

Acayucan – 80 km, 1 heure 15 ; 4 ADO (3 $US), 2 AU (2,75 $US) et un TLT toutes les demi-heures (2,25 $US)
Mexico (TAPO) – 565 km, 9 heures ; 2 ADO à 21h30 et à 22h (23 $US) et 3 AU à 11h30, 20h20 et 21h (21 $US)
San Andrés Tuxtla – 12 km, 20 minutes ; 3 ADO (0,75 $US), 3 AU (0,60 $US) et 1 TLT toutes les 20 minutes (0,80 $US)
Santiago Tuxtla – 25 km, 40 minutes ; 1 TLT toutes les 10 minutes (1 $US)
Veracruz – 165 km, 3 heures ; 4 ADO (6 $US), 2 AU (5,50 $US) et fréquents TLT (4,75 $US)
Villahermosa – 310 km, 5 heures 30 ; 1 ADO uniquement, à 12h30 (10 $US)

Comment circuler

Bus. Pour découvrir les villages et la campagne à l'est du lac, vers le mont Santa Marta, prenez un bus local à destination de Las Margaritas. Ils partent toutes les heures ou toutes les deux heures de l'angle de Juárez et de Rayón.

Bateau. Des bateaux effectuent des promenades sur le lac et partent en contrebas du zócalo. Le prix affiché pour le tour des principaux sites du lac est de 23 $US pour 6 personnes maximum, ou 5 $US par personne.

LA CÔTE PRÈS DE CATEMACO

A environ 4 km à l'est de Catemaco, la route se sépare en deux : la branche droite contourne le lac par Coyame ; celle de gauche part à l'assaut des montagnes et traverse de beaux paysages jusqu'à **Sontecomapan**, à 15 km de Catemaco. Vous y trouverez un hôtel et quelques restaurants, ainsi que des bateaux de location pour parcourir la lagune. Après Sontecomapan, la route devient plus difficile et parcourt une partie très peu visitée de la côte du Golfe. Ici dominent les ranchs et des collines dévalant jusqu'aux rivages.

A environ 8 km de Sontecomapan, près de La Palma, une route encore plus rude se dirige tout droit vers El Real et La Barra, près de l'embouchure de la lagune. Ces deux villages sont dotés de quelques plages isolées mais dépourvus de structures d'accueil. A 5 km environ après La Palma, un panneau indique une autre route accidentée rejoignant Playa Escondida. Vous longerez alors la longue plage de sable gris de **Jicacal**, bordée d'un petit village de pêcheurs comportant un restaurant, puis aborderez un promontoire arboré où se dresse l'*Hotel Playa Escondida*, à 2 ou 3 km de la "route" principale. Ce modeste établissement possède des chambres au confort rudimentaire (avec douche mais sans eau chaude) à 8/9 $US. La vue est magnifique et il est pourvu d'un petit restaurant. **Playa Escondida** se trouve à 1 km de là, au bas d'un sentier escarpé partant de l'hôtel.

De retour sur la "route", vous passez devant un centre de recherche biologique à côté de l'une des rares parcelles de forêt tropicale humide vierge de la côte du Golfe. De là, une route mène à la jolie Laguna Escondida, nichée dans les montagnes. La route s'achève à **Montepío**, qui offre une plage, quelques restaurants et la *Posada San José*, dont les six chambres confortables se louent 12/15 $US.

Comment s'y rendre

Toutes les demi-heures ou presque, entre 6h et 15h, des *camionetas* (camionnettes équipées de bancs à l'arrière) font la navette entre Catemaco et Montepío. Le trajet de 35 km, ponctué d'innombrables arrêts, dure 1 heure 30 et coûte 2 $US.

Les camionetas partent de l'angle de Revolución et de la route menant à la Playa Azul : du nord-est de la plaza, parcourez cinq pâtés de maisons vers l'est et six vers le nord. Vous verrez alors un attroupement de véhicules.

ACAYUCAN

• Hab. : 100 000 • Alt. : 150 m • ☎ 924

Acayucan est le point de rencontre des nationales 180 (entre Veracruz et Villahermosa) et 185 (qui se dirige vers le sud à travers l'isthme de Tehuantepec pour rejoindre la côte Pacifique). Essayez d'éviter un changement de bus dans cette ville : la plupart sont de paso. De surcroît, la gare 1re classe n'est pas très bien organisée (pas de consigne) et les bus 2e classe partent de différents endroits éparpillés dans les rues avoisinantes. La ville en elle-même présente peu d'intérêt mais les passionnés d'archéologie pourront explorer le site olmèque de San Lorenzo, à 35 km.

Orientation et renseignements

Les gares routières se trouvent dans la partie est de la ville. Pour rejoindre la plaza centrale, remontez la colline en passant par le marché jusqu'à l'Avenida Miguel Hidalgo, prenez à gauche et parcourez six pâtés de maisons. La plaza comporte une église moderne à l'est et l'hôtel de ville à l'ouest. La Bancomer et la Banamex, toutes deux près de la plaza, disposent de distributeurs automatiques et changent les chèques de voyage.

Où se loger et se restaurer

L'*Hotel Ancira* (☎ 5-00-48), dans Bravo, à quelques pas au sud-ouest de la place, offre des simples/doubles avec ventilateur, téléphone, s.d.b. et eau chaude, pour 5 $US. Certains lits sont plutôt effondrés ; visitez la chambre avant de vous décider. Au sud de la plaza, l'*Hotel Joalicia* (☎ 5-08-77) est d'un bon rapport qualité/prix avec des chambres propres et spacieuses à 7/9 $US (ajoutez 3 $US pour la clim.). Le restaurant de l'hôtel est tout à fait correct. Le meilleur établissement est l'*Hotel Kinaku* (☎ 5-04-10), Ocampo Sur 7, à une rue à l'est de la plaza, où les chambres spacieuses et confortables, avec clim. et TV, valent 22/26 $US ; certaines sont mieux que d'autres.

Le restaurant du Kinaku, ouvert 24h/24, est le plus chic d'Acayucan. Il sert des œufs de 1,50 à 3 $US, des plats de bœuf de 5 à 7 $US et des spaghettis (huit accomodements différents) de 2,75 à 3,50 $US. Le restaurant *La Parilla*, au nord de la place, prépare des plats de poisson à 6 $US, de viande à 5 $US et des œufs à 3 $US. *Los Tucanes Cafetería*, dans la rue piétonne à quelques pas à l'ouest de la place, est très apprécié pour ses petits déjeuners à 4 $US ou moins, ses plats régionaux de 2,50 à 5 $US et ses assiettes de bœuf de 3 à 7 $US ; il est ouvert 24h/24.

Comment s'y rendre

La plupart des bus 1re classe (ADO et Cristóbal Cólon) sont de paso, si bien que vous devez généralement attendre qu'un bus arrive pour pouvoir obtenir un billet. Les compagnies AU, Sur et Transportes Los Tuxtlas possèdent des bus 2e classe. UNO assure quelques liaisons en bus deluxe. Parmi les destinations, citons :

Catemaco – 80 km, 1 heure 15 ; 7 AU (2,25 $US) et fréquents TLT (2 $US)

Juchitán – 195 km, 3 heures ; 8 ADO (7 $US) et bus Sur toutes les 30 minutes (6 $US)

Mexico (TAPO) – 650 km, 11 heures ; 12 UNO (41 $US), 1 ADO deluxe (31 $US), 6 ADO (25 $US) et 6 AU (23 $US)

San Andrès Tuxtla – 95 km, 1 heure 30 : 13 ADO (22 $US), 2 AU (2,75 $US) et fréquents TLT (2 $US)

Santiago Tuxtla – 110 km, 2 heures ; 1 ADO à 7h (4 $US) et 1 TLT par heure (2,75 $US)

Tapachula – 580 km, 9 heures ; 4 Cristóbal Colón le soir (19 $US) et nombreux bus Sur (17 $US)

Tuxtla Guttiérez – 440 km, 8 heures ; 1 ADO à 22h45 (14 $US) et 1 Cristóbal Colón à 23h (14 $US)

Veracruz – 250 km, 5 heures ; 1 UNO à 18h30 (19 $US), 1 ADO deluxe à 18h (10 $US), 18 ADO (8 $US) et 1 AU (7 $US)

Villahermosa – 225 km, 3 heures 30 ; 8 ADO (9 $US) et 3 AU (8 $US)

SAN LORENZO

Le premier des deux grands centres de cérémonie olmèques, qui connurent leur apogée entre 1200 et 900 av. J.-C., se trouve à 35 km environ au sud-est d'Acayucan. L'extraordinaire structure principale est constituée d'une plate-forme d'environ 50 m de haut sur 1,25 km de long et 700 m de large. Huit têtes olmèques y furent découvertes et d'autres objets en pierre d'une taille colossale sont encore sous terre. La plupart des découvertes sont disséminées dans les collections des divers musées du pays. De lourds trônes de pierre sur lesquels sont sculptés des visages de chefs olmèques furent également mis au jour.

Les outils fabriqués à partir de l'obsidienne – du verre volcanique noir – furent importés du Guatemala ou des hauts plateaux du Mexique et le basalte, matériau des têtes et des trônes, fut acheminé de la Sierra de los Tuxtlas. Des relations si étendues, ainsi que l'organisation néces-saire à la construction du site, sont révéla-trices de la puissance des dirigeants de San Lorenzo. Des fouilles ont également révélé l'existence d'un système très élaboré de drainage par conduits de pierre et des traces évidentes de cannibalisme. Lors de la destruction du centre, vers 900 av. J.-C., la plupart des grosses sculptures furent mutilées, traînées jusqu'aux corniches et recouvertes de terre.

Comment s'y rendre

Depuis Acayucan, prenez un bus pour Texistepec (au sud de la route de Minatitlán), puis changez pour San Lorenzo. Le trajet total dure 2 heures. San Lorenzo est à 3 km au sud-ouest du village de Tenochtitlán. Des découvertes furent également faites à Tenochtitlán et à Potrero Nuevo, à 3 km au sud-est de San Lorenzo.

MINATITLÁN ET COATZACOALCOS

Ces deux villes, situées respectivement à 50 et 70 km à l'est d'Acayucan, sont contournées par la 180D. Elles sont devenues des centres de raffinage, avec près d'un demi-million d'habitants chacune, en raison du boom pétrolier de la fin des années 70. La région est une véritable jungle industrielle.

Coatzacoalcos a conservé sa plaisante place principale et a été gratifié d'un impressionnant pont sur le Río Coatzacoalcos. Les hôtels abondent mais rien n'encourage le voyageur à prolonger son séjour.

Tabasco et Chiapas

Les États du Tabasco et du Chiapas s'étendent à l'est de l'isthme de Tehuantepec. Pour les définir, il suffit de souligner leurs différences : la pauvreté du Chiapas constitue sa réalité quotidienne, tandis que le Tabasco connaît un essor rapide grâce au pétrole.

A NE PAS MANQUER

- La ville coloniale de San Cristóbal de Las Casas, et les villages mayas alentours
- Palenque, romantique cité maya tapie au cœur de la jungle
- Le Museo La Venta à Villahermosa, réputé pour son zoo, son musée archéologique et son jardin botanique

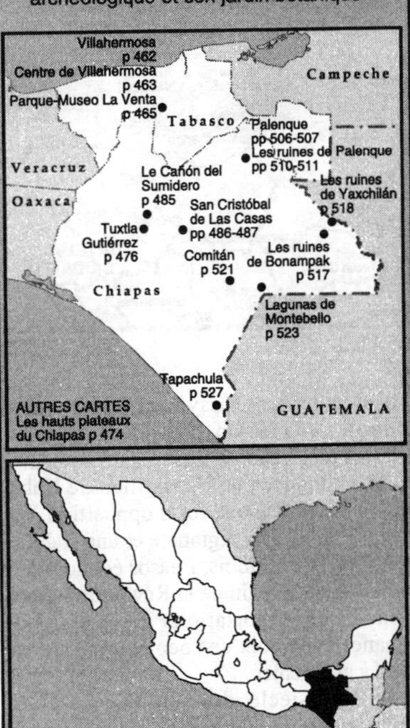

Le Chiapas est un pays de montagnes volcaniques, couvertes de forêts de chênes et de pins (entrecoupées de quelques plaines) ; le Tabasco est une terre basse, bien arrosée et humide, couverte principalement de forêts équatoriales. Autrefois, le Chiapas fut occupé par les Mayas, le Tabasco par les Olmèques et les Totonaques.

A l'écart des centres cosmopolites que sont Mexico au nord-ouest et Mérida au nord-est, Villahermosa, la capitale du Tabasco, et Tuxtla Gutiérrez, celle du Chiapas, sont les creusets d'une société propre à cette région isthmique. Traversés l'un et l'autre par le puissant Río Usumacinta et bordés tous deux par le Guatemala, ils partagent une histoire faite de conquêtes et d'échanges culturels transfrontaliers.

Tabasco

Le Tabasco est une région côtière, fertilisée par d'énormes rivières qui traversent l'État pour aller se jeter dans le Golfe du Mexique. C'est dans cette contrée que les Olmèques développèrent la première grande civilisation méso-américaine.

Outre sa richesse culturelle, le Tabasco est connu pour ses ressources minérales, en particulier pétrolières, qui lui ont apporté une grande prospérité ces dernières années.

HISTOIRE

L'État de Tabasco fut autrefois le foyer des Olmèques (1200-600 av. J.-C.), dont la religion, l'art, l'astronomie et l'architecture influencèrent profondément les civilisations ultérieures. La Venta, deuxième grande cité olmèque (après San Lorenzo dans l'État de Veracruz) était située à l'ouest de l'État. Les Mayas Chontales qui suivirent les Olmèques édifièrent une importante ville religieuse appelée Comalcalco, près de l'actuelle Villahermosa.

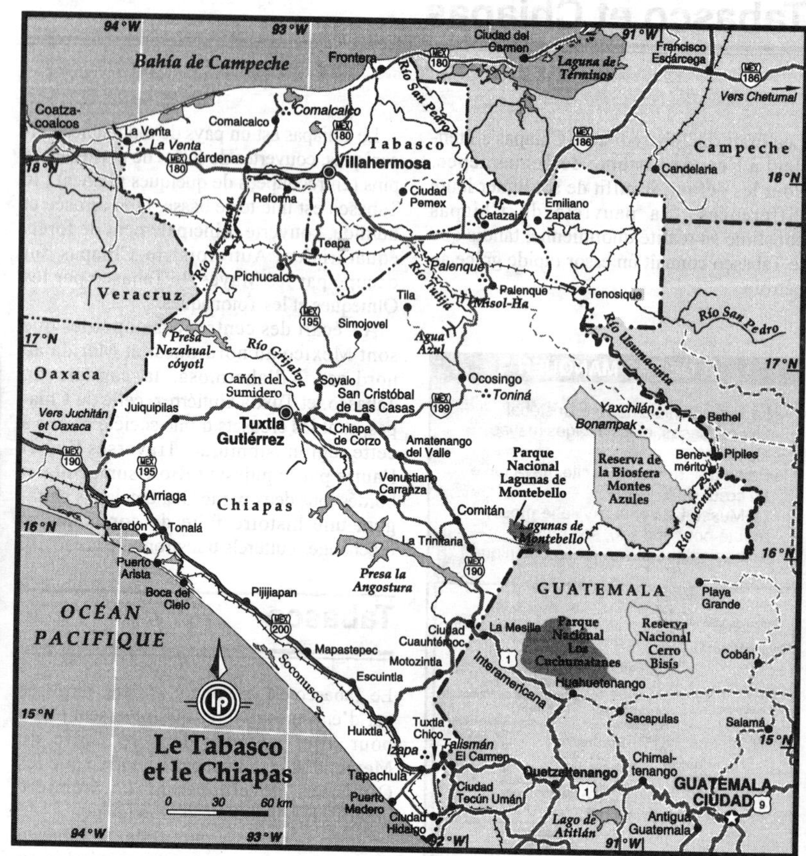

Cortés débarqua en 1519 sur la côte du Golfe près de l'actuelle Villahermosa, vainquit les Mayas et fonda une colonie qu'il nomma Santa María de la Victoria. Les Mayas se regroupèrent et opposèrent une farouche résistance aux Espagnols, jusqu'à leur défaite par Francisco de Montejo, qui avait achevé la "pacification" de la région en 1540. Cette trêve fut de courte durée, car les ravages causés par des pirates contraignirent la colonie à se déplacer vers l'arrière-pays. Ils baptisèrent la nouvelle localité Villahermosa de San Juan Bautista. Après l'indépendance, divers grands propriétaires terriens essayèrent de prendre le contrôle de la région, provoquant de nombreuses dissensions. L'intrusion française de 1863, menée par Maximilien de Habsbourg, rencontra une forte opposition, qui créa une solidarité régionale et une stabilité politique. Néanmoins, l'essor économique stagna jusqu'à la fin de la Révolution mexicaine. Les exportations de cacao, de bananes et de noix de coco commencèrent alors à augmenter.

Au XXe siècle, des compagnies nord-américaines et britanniques découvrirent du pétrole. Pendant les années 70, Villahermosa profita amplement du boom pétrolier, et les bénéfices dus aux exportations de divers produits agricoles renforcèrent la prospérité de l'État.

Géographie et climat

La topographie du Tabasco est très variée : plaines en bordure de la mer et collines à proximité du Chiapas. Les pluies abondantes – environ 150 cm par an –, ont créé des terrains marécageux à la végétation luxuriante. La saison fortement pluvieuse dure de mai à octobre. Excepté à Villahermosa, les insectes sont nombreux (surtout près des rivières) ; protégez-vous avec un produit efficace.

En dehors de Villahermosa, l'État est assez peu peuplé, avec un peu plus d'un million d'habitants sur 25 000 km^2.

VILLAHERMOSA

• Hab. : 250 000 • ☎ 93

Villahermosa, qui n'était autrefois qu'une étape sur la longue et chaude route entre le centre du Mexique et les savanes du Yucatán, n'avait rien d'une "belle ville", comme son nom semble pourtant le suggérer. Sa situation sur les rives du Río Grijalva est agréable, mais sa basse altitude la soumet à la chaleur tropicale et à l'humidité tous les jours de l'année.

Aujourd'hui, grâce au boom pétrolier, Villahermosa est devenue une ville resplendissante, avec de larges avenues ombragées, des parcs, des hôtels luxueux et d'excellentes institutions culturelles. Si vous souhaitez tout visiter, vous devrez y dormir au moins une nuit. Le musée archéologique olmèque en plein air, le Parque-Museo La Venta, est l'un des plus grands musées archéologiques du Mexique et sa visite vous occupera une bonne matinée.

L'excellent Museo Regional de Antropología mérite qu'on lui consacre une heure ou deux. Un court trajet en bus vous mènera aux ruines de Comalcalco.

Orientation

Villahermosa est une ville tentaculaire et, à moins d'être motorisé, vous devrez couvrir de grandes distances à pied – dans la chaleur moite – et prendre minibus (combi) ou taxis.

Les hôtels et restaurants pour petits budgets et de catégorie moyenne sont principalement disséminés dans l'ancien centre commerçant de la ville, entre la Plaza de Armas (entre Independencia et Guerrero) et le Parque Juárez, bordé par les rues Zaragoza, Madero et Juárez. Ce quartier a été récemment restauré. D'où son nom de Zona Remodelada ou, plus poétiquement, de Zona Luz. C'est un quartier vivant, où les gens viennent faire des emplettes. Les hôtels de catégorie supérieure sont rassemblés sur la principale artère qui traverse la ville, l'Avenida Ruiz Cortines. Le Parque-Museo La Venta se trouve également Avenida Ruiz Cortines, à 500 m au nord-ouest de l'intersection avec le Paseo Tabasco.

La Central Camionera de Primera Clase (gare des bus 1re classe), parfois appelée terminal ADO (☎ 12-89-00) est installée dans Javier Mina, trois longs pâtés de maisons au sud de l'Avenida Ruiz Cortines et douze rues au nord du centre-ville. La Central de Autobuses de Tabasco (gare routière 2e classe) se trouve dans l'Avenida Ruiz Cortines, près d'un rond-point où se dresse une statue de pêcheur ; cette gare est installée une rue à l'est de Javier Mina, à cinq longs pâtés de maisons au nord de la gare 1re classe, et à dix-sept rues du centre.

L'aéroport Rovirosa de Villahermosa (☎ 12-75-55) est situé à 13 km à l'est du centre, sur la 186.

Renseignements

Offices du tourisme. Un petit office du tourisme jouxte la billetterie du Parque-Museo La Venta. Il n'y a généralement aucun employé. Un autre, plus efficace, est installé à l'aéroport Rovirosa.

Le personnel de l'office du tourisme de l'État du Tabasco (☎ 16-28-89 ; fax 16-28-90), Paseo Tabasco 1504, dans Tabasco 2000, à 500 m au nord-ouest de l'Avenida Ruiz Cortines, est particulièrement serviable. Il est ouvert du lundi au vendredi de 8h30 à 16h. Depuis Ruiz Cortines, prenez Paseo Tabasco en direction du nord-ouest jusqu'au premier grand bâtiment sur la droite. Empruntez le couloir central et descendez les escaliers. L'office du tourisme est à votre droite.

Argent. Au moins huit banques sont installées à l'intérieur du périmètre de la Zona Luz (consultez la carte *Le centre de Villahermosa*). Elles sont en principe ouvertes du lundi au vendredi de 9h à 13h30. La Banamex (☎ 12-89-94), à l'angle de Madero et de Reforma, et la Bancomer (☎ 12-37-00), à l'angle de Zaragoza et de Juárez, disposent d'un distributeur de billets.

Poste et communications. La poste principale (☎ 12-10-40) est installée dans la Zona Luz, Saenz 131, à l'angle de Lerdo de Tejada. Elle ouvre du lundi au vendredi de 8h à 17h30, le samedi de 9h à 12h.

Agences de voyages. Viajes Villahermosa Travel Agency (☎ 12-54-56 ; fax 14-37-21), représentée 27 de Febrero 207 ou Madero 422, vend des billets d'avion pour les lignes intérieures ou internationales. Des excursions sont également organisées. Ouvert du lundi au vendredi de 9h à 19h, et le samedi de 9h à 13h.

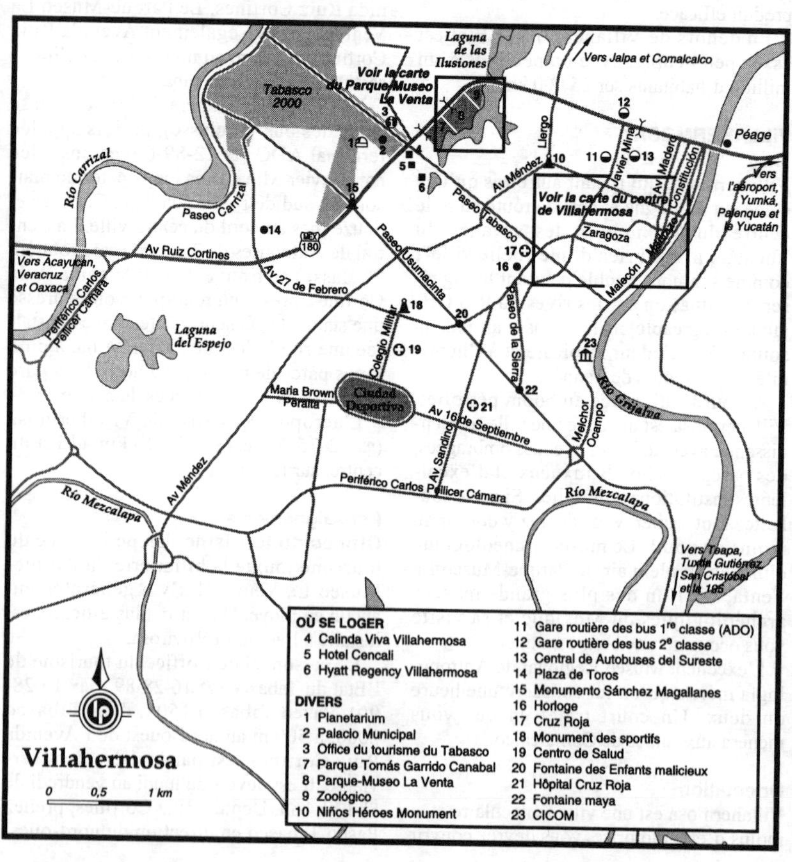

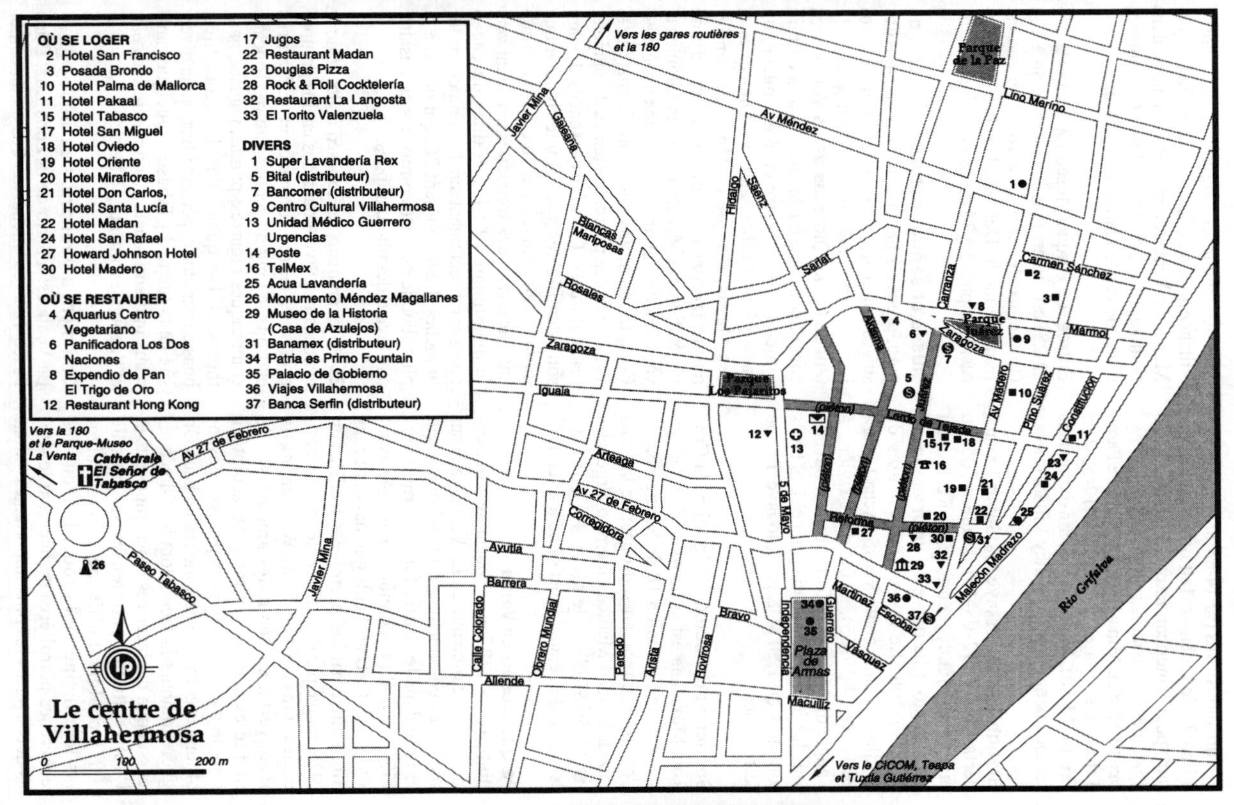

TABASCO ET CHIAPAS

Turismo Nieves (☎ 14-88-88), Sarlat 202, à l'angle de Fidencia, fait office de mandataire pour American Express. Mentionnons également Turismo Creativo (☎ 12-79-73 ; fax 12-85-82), Mina 1011, à l'angle de Paseo Tabasco, et Viajes Tabasco (☎ 12-53-18 ; fax 14-27-80), Madero 718, ainsi que dans les locaux du Hyatt Regency Villahermosa.

Blanchissage. Essayez la Super Lavandería Rex (☎ 12-08-15), Madero 705, au niveau de Méndez, en face du Restaurant Mexicanito. Elle ouvre du lundi au samedi de 8h à 20h. Le lavage en 3 heures de 3 kilos de linge coûte 8 $US. Acua Lavandería (☎ 14-37-65), à côté de la rivière, à l'angle de Madero et Reforma, est ouverte tous les jours, sauf le dimanche. Les tarifs sont de 1 ou 1,50 $US par kilo lavé. Pas de self-service.

Services médicaux. L'hôpital de la Cruz Roja Mexicana est situé Avenida Sandino, au nord de l'Avenida 16 de Septiembre, à Colonia Primera, au sud-ouest de la Zona Luz. L'Unidad Médico Guerrero Urgencias (☎ 14-56-97/8), 5 de Mayo 44, à hauteur de Lerdo de Tejada, fonctionne jour et nuit.

Parque-Museo La Venta

Histoire. A 129 km à l'ouest de Villahermosa, la cité olmèque de La Venta, bâtie sur une île à l'embouchure du Río Tonalá, qui se jette dans le Golfe, fut construite vers 1500 av. J.-C., et connut son apogée avant 600 av. J.-C. L'archéologue danois Frans Blom entreprit les premières fouilles en 1925, relayé par des universités nord-américaines. On attribue à M. W. Sterling la découverte, au début des années 40, de cinq têtes massives olmèques, sculptées dans le basalte. Les plus grosses pèsent 24 tonnes et mesurent 2 mètres de haut. On ignore toujours la façon dont les Olmèques réussirent à déplacer ces blocs imposants et d'autres statues religieuses sur plus de 100 km alors qu'ils ne connaissaient pas le principe de la roue. Lorsque les recherches pétrolières menacèrent le site, les découvertes les plus importantes – dont trois des cinq têtes – furent mises à l'abri à Villahermosa où elles constituent le Parque-Museo La Venta, un musée sans murs, dans un magnifique cadre verdoyant agrémenté d'un zoo et d'un jardin de sculptures.

Entrée. Le Parque-Museo La Venta (☎ 15-22-28) est ouvert tous les jours de 8h à 17h (fermeture des caisses à 16h). Le zoo est fermé le lundi. Des stands servent des en-cas. Comptez 2 à 3 heures de visite.

Musée et sentier nature. A l'entrée du parc, prenez à gauche jusqu'à la cage des singes-araignées, puis suivez les dalles violettes et traversez le zoo pour gagner le **Museo de las Olmecas de La Venta**, bien conçu, consacré à l'histoire et à la culture olmèques. De l'autre côté du musée, un ceiba géant, l'arbre sacré des Olmèques et des Mayas, marque le départ du sentier nature (*recorrido*) qui, au milieu d'une végétation exubérante et sur un kilomètre, vous fera découvrir 33 sculptures olmèques. Comptez au moins une heure de marche si vous souhaitez prendre le temps d'apprécier les sculptures. Certaines essences d'arbre sont identifiables grâce à une signalétique *ad hoc*. Jetez un œil sur le cacaoyer situé après le bassin des crocodiles, en allant vers le monument 19 : les graines de cacao poussent directement sur le tronc et sur les branches. Le monument 26, qui désigne la plus aboutie des têtes olmèques en basalte, a la faveur des photographes.

Zoo. Les animaux du Tabasco et des régions avoisinantes vivent dans des enclos groupés près de l'entrée du parc, et à d'autres endroits le long du sentier nature. Toucans et macaques bigarrés, pumas, jaguars, panthères, cerfs à queue blanche, crocodiles, boas constrictor et pécaris illustrent la diversité de la faune du Tabasco. Quelques animaux inoffensifs pour l'homme, tels le coati et l'agouti, évoluent en liberté.

Comment s'y rendre. Le Parque-Museo La Venta est à 3 km de la Zona Luz. Dans Paseo Tabasco, prenez un bus ou un combi

en direction du nord-ouest et descendez avant le carrefour avec l'Avenida Ruiz Cortines. Traversez vers le nord-est l'immense Parque Tomás Garrido Canabal, qui entoure le Parque-Museo La Venta. Une course en taxi depuis la Zona Luz revient à 1,50 $US.

CICOM et Museo Regional de Antropología

Le centre d'investigation sur les cultures olmèque et maya (CICOM) est un ensemble de bâtiments au bord du Río Grijalva, 1 km au sud de la Zona Luz. La pièce maîtresse en est le Museo Regional de Antropología Carlos Pellicer Cámara, consacré au poète et universitaire, auquel on doit la conservation des vestiges olmèques au Parque-Museo La Venta.

En plus du musée, le complexe comporte, entre autres, un théâtre, un centre de recherche, et un centre artistique.

Le musée d'Anthropologie (☎ 12 32 02) est ouvert tous les jours, sauf le lundi, de 10h à 15h30. L'entrée coûte 1,75 $US. Juste après la porte principale est présentée une tête olmèque massive, l'une des merveilles de La Venta. La meilleure façon d'organiser votre visite est de prendre l'ascenseur, à gauche, jusqu'au dernier étage, puis de redescendre.

Toutes les explications sont en espagnol, mais elles sont souvent accompagnées de photos et de schémas. Le dernier étage est réservé à la présentation de civilisations méso-américaines.

Après ce tour d'ensemble, redescendez au 1er étage, consacré aux cultures olmèque et maya. La partie qui présente Comalcalco, la ville maya en ruine proche de Villahermosa, est particulièrement intéressante. Le rez-de-chaussée abrite diverses expositions temporaires.

La maison de Carlos Pellicer Cámara, aménagée en **Casa Museo Carlos Pellicer**, Saenz 203, dans la Zona Luz, est ouverte tous les jours de 9h à 18h (entrée gratuite).

Comment s'y rendre. Le CICOM se trouve à 1 km au sud de la Zona Luz, ou encore à 600 m au sud de l'intersection du Malecón Madrazo et du Paseo Tabasco. A pied comptez une quinzaine de minutes, mais vous pouvez prendre un bus ou un colectivo ("CICOM" ou "n°1") qui se rend vers le sud à Madrazo.

Demandez simplement "a CICOM ?" avant de monter.

Tabasco 2000 et Parque La Choca

Le complexe Tabasco 2000, avec son Palacio Municipal moderne, ses boutiques élégantes dans une galerie commerçante étincelante et ses jolies fontaines, témoigne de la prospérité apportée à Villahermosa par le boom pétrolier. Si vous venez de la Zona Luz, prenez un bus "Tabasco 2000" sur le Paseo Tabasco.

Au Parque La Choca, 600 m au nord-ouest de Tabasco 2000, se déroule, chaque année, fin avril, une foire aux bovins et une exposition artisanale. C'est aussi un endroit agréable pour pique-niquer, avec une piscine, ouvert du lundi au samedi de 7h à 21h.

Yumká

Yumká (☎/fax 13-23-90), à 18 km à l'est de la ville (nord-est de l'aéroport), est une timide tentative de développement du tourisme vert. Ce parc animalier d'1 km^2 est peuplé de singes-araignées, d'antilopes, de gnous, de zèbres, de girafes, d'éléphants, de rhinocéros blancs, de buffles d'eau, d'autruches, de chameaux, de jaguars en cage et peut-être d'un crocodile. Les animaux sont, dans l'ensemble, libres de leurs mouvements.

Baptisé du nom du lutin légendaire qui veille sur la jungle, la réserve de Yumká est divisée en trois secteurs : la visite commence par une promenade d'une demi-heure dans la forêt, suivie par un tour de savane asiatique et africaine dans un trolley tiré par un tracteur ; elle se termine en bateau sur la grande lagune. La visite guidée obligatoire dure 1 heure 30 à 2 heures. Rien de comparable avec les circuits kényans, mais si la nature et le règne animal vous tentent, vous serez comblé. Yumká est ouvert tous les jours de 9h à 17h30. L'entrée coûte 5 $US. Boissons et en-cas sont en vente à l'entrée.

Comment s'y rendre. Le week-end, des navettes effectuent l'aller-retour entre le parking du Parque-Museo La Venta et Yumká, toutes les demi-heures, de 10h à 16h. En semaine, il existerait des combis partant du Parque La Paz dans Madero. Néanmoins, nous n'avons trouvé que des taxis prenant 13 $US pour se rendre à Yumká.

Où se loger – petits budgets

Auberge de jeunesse et camping. Une *albergue de la juventud* est installée dans la Ciudad Deportiva, au sud de la ville. Malheureusement, elle est décrépite, peu pratique et assez chère. Mieux vaut descendre dans un hôtel bon marché de la Zona Luz. Vous pourrez installer votre tente, une caravane ou un camping-car à la Ciudad Deportiva. Adressez-vous au vestiaire à côté du stade olympique dans la journée. Les bus Tamolte vont jusque-là.

TABASCO ET CHIAPAS

Zona Luz. La plupart des hôtels bon marché sont regroupés ici. Tenez compte du bruit au moment de choisir votre hébergement.

Trois petits hôtels, simples et économiques, se font suite dans Lerdo de Tejada, entre Juárez et Madero. L'*Hotel San Miguel* (☎ 12-15-00), Lerdo 315, est sans doute le meilleur du lot, avec des simples/doubles/triples à 7/9/11 $US, ou 15 $US la double avec clim. L'*Hotel Oviedo* (☎ 12-14-55), Lerdo 303, pratique les mêmes tarifs. L'*Hotel Tabasco* (☎ 12-00-77), Lerdo 317, est un cran en-dessous mais les tarifs sont encore moins élevés. L'*Hotel Oriente* (☎ 12-01-21), Madero 425, près de Lerdo, possède un petit plus, bien que les chambres de devant soient plus bruyantes.

L'*Hotel San Francisco* (☎ 12-31-98), Madero 604, entre Zaragoza et Carmen Sánchez, présente un rapport qualité/prix qui plaide en sa faveur. Les chambres à l'étage sont accessibles par ascenseur. Certaines possèdent un ventilateur, d'autres la clim. Comptez environ 2 $US.

L'*Hotel Madero* (☎ 12-05-16), Madero 301, entre Reforma et 27 de Febrero, occupe un vieil immeuble non dépourvu de caractère. A 8/10/12 $US la simple/double/triple avec ventil. et douche, vous ne ferez pas une mauvaise affaire (ajoutez 2,50 $US pour la clim.). L'*Hotel Palma de Mallorca* (☎ 12-01-44/5), Madero 516, entre Lerdo de Tejada et Zaragoza, pratique des tarifs similaires, mais ne peut se targuer du même confort.

Moins cher encore, l'*Hotel San Rafael* (☎ 12-01-66) se tient Constitución 240, près de Lerdo de Tejada. La double, avec douche et ventil., ne coûte que 7 $US, mais beaucoup de chambres sont bruyantes. L'*Hotel Santa Lucia* (☎ 12-24-99), dans Madero, à côté de l'Hotel Don Carlos, est un peu plus cher.

La *Posada Brondo* (☎ 12-59-61), Pino Suárez 411, entre Carmen Sánchez et Mármol, dispose de doubles propres et aérées, avec TV et douche, facturées 10 $US. Moyennant 14 $US, vous aurez droit à une chambre agrémentée d'un petit canapé, d'un réfrigérateur, voire d'un balcon.

Quartier de la gare routière ADO. L'*Hotel Palomino Palace* (☎ 12-84-31), Mina, à hauteur de Fuentes, fait face à l'entrée de la gare routière ADO (1re classe). Cet atout a un prix : 16 $US la chambre sommaire (avec ventil. et douche). Tenez compte du bruit, ainsi que de l'étage, car il n'y a pas d'ascenseur. Les hôtels de la Zona Luz reviennent moins cher, même si l'on inclut la course en taxi depuis la gare routière.

Où se loger – catégorie moyenne

Les hôtels de cette catégorie sont également installés dans la Zona Luz. L'*Hotel Miraflores* (☎ 12-00-22 ; fax 12-04-86), Reforma 304, à l'ouest de Madero, est idéalement situé. Plutôt calme, il offre des chambres agencées avec goût et équipées d'une baignoire, tarifées 27/29/32 $US la simple/double/triple.

L'*Hotel Madan* (☎ 12-16-50), Madero 408, possède 20 chambres climatisées avec s.d.b. à 23 $US la simple ou la double. L'*Hotel Pakaal* (☎ 12-45-01 ; fax 14-46-48), Lerdo de Tejada 106, à hauteur de Constitución, est encore plus récent, mais les chambres avec clim., s.d.b. et TV, sont meilleur marché. Vous paierez plus cher à l'*Hotel Don Carlos* (☎ 12-24-99 ; fax 12-46-22), Madero 422, entre Reforma et Lerdo, pour des chambres plus anciennes avec la clim.

De construction récente, l'*Howard Johnson Hotel* (☎/fax 14-46-45 ; hotel@Mail.Inforedmx.com.mx), Aldama 404, à hauteur de Reforma, au cœur du secteur piétonnier de la Zona Luz, comporte des simples ou des doubles avec un grand lit à 34 $US (38 $US avec deux lits jumeaux).

Où se loger – catégorie supérieure

Villahermosa ne manque pas de structures hôtelières de luxe. Trois des meilleurs hôtels sont situés près de l'intersection du Paseo Tabasco et de l'Avenida Ruiz Cortines (autoroute 180), à environ 10 minutes de marche du Parque-Museo La Venta.

Le plus cossu est le *Hyatt Regency Villahermosa* (☎ 15-12-34 ; fax 15-58-08 ; numéro de fax gratuit 800-23234), Calle

Juárez – à ne pas confondre avec son homonyme dans la Zona Luz, à trois kilomètres de là –, Colonia Lindavista, à proximité du carrefour entre l'Avenida Ruiz Cortines et du Paseo Tabasco, s'enorgueillit d'infrastructures de premier ordre, et notamment d'une piscine et de courts de tennis. Il vous en coûtera 85 $US la simple ou la double. Les restaurants de l'établissement ont bonne réputation.

Autre bonne adresse, l'*Hotel Cencali* (☎ 15-19-99 ; fax 15-66-00), Calle Juárez, Colonia Lindavista, non loin du Paseo Tabasco attenant au Hyatt. Le cadre vaut son pesant d'or : à l'écart de la circulation, l'hôtel est égayé de plantes tropicales et d'une piscine. Comptez 60 $US pour une simple ou une double moderne, avec clim.

Le *Calinda Villahermosa Viva* (☎ 15-00-00 ; fax 15-30-73), voisin des deux établissements précédents, est un bâtiment de stuc blanc à deux étages, de style motel, qu'entoure une grande piscine. Les chambres, confortables, se monnaient 65 $US.

Où se restaurer

Petits budgets. L'Avenida Madero et les rues piétonnières de la Zona Luz (Lerdo, Juárez, Reforma, Aldama) fourmillent en fast-food et boutiques d'en-cas. Que les amateurs de café prennent garde ! Les endroits bon marché se contentent généralement de servir une tasse d'eau tiède avec un pot de café instantané (parfois décaféiné). Pour boire un café correct, en particulier au petit déjeuner, essayez le *KFC*, Juárez 420, près de Reforma.

El Torito Valenzuela, 27 de Febrero 202, à l'angle de Madero, à côté de l'Hotel Madero, ouvert de 8h à 24h, est la plus populaire des taquerías. Les tacos farcis d'ingrédients variés coûtent de 0,30 à 0,60 $US la pièce. Des plats plus substantiels vont de 3,75 à 6 $US, et la comida corrida quotidienne coûte moins de 3,50 $US pour quatre plats.

Son voisin, le *Restaurant La Langosta*, sert des poulets rôtis (qui l'eût dit, avec une telle enseigne ?). Comptez 2 $US pour un demi-poulet. Les autres plats sont savoureux et bon marché.

Douglas Pizza, Lerdo de Tejada 107, à hauteur de Constitución, en face de l'Hotel Pakaal, propose un large assortiment de pizzas pour deux personnes entre 4 et 5,50 $US (6 à 7,50 $US les *grandes*).

Près du Parque Juárez, L'*Aquarius Centro Vegetariano*, Zaragoza 513, entre Aldama et Juárez, est ouvert tous les jours, sauf le dimanche, de 9h à 21h. Muësli, yaourts au miel (1 $US), burgers de soja (1 $US) ou sandwich spécial (alfalfa, tomate, oignons, avocat, fromage et haricots sur du pain aux céréales, à 1,50 $US) sont à consommer au comptoir ou dans la cour. On y vend également des produits au blé complet et des vitamines.

Toujours bondée en fin d'après-midi, la *Rock and Roll Cocktelería*, dans Reforma, à l'est de Juárez, propose un cocktail de fruits de mer (poisson, sauce tomate, laitue, oignons arrosé d'un filet de jus de citron), accompagné de crackers, pour 4 $US.

Au Parque Los Pajaritos (parc des petits oiseaux), à l'angle de Zaragoza et 5 de Mayo, deux échoppes d'antojitos servent des tacos à 0,20 $US et des tortas à moins de 0,60 $US. La nourriture est correcte, mais l'ombre des grands arbres et l'immense cage d'oiseaux multicolores sont les principaux attraits de cette halte. Un vent léger rafraîchit les promeneurs et les bruits de la ville s'effacent derrière le murmure apaisant de la fontaine.

Pour boire ou manger rapidement, essayez les licuados ou les grosses assiettes de fruits à 0,70 $US de chez *Jugos*, à côté de l'Hotel San Miguel dans Lerdo, ou encore l'Expendio de Pan El Trigo de Oro, dans Mármol, en face du Parque Juárez, qui confectionne du pain, des viennoiseries et des pâtisseries. Une autre boulangerie pratique est la *Panificadora Los Dos Naciones*, à l'angle de Juárez et Zaragoza.

Catégorie moyenne. Le choix est plutôt restreint dans la Zona Luz. Le *Restaurant Madan*, dans Madero, au nord de Reforma, est un établissement clair, moderne et climatisé, équipé d'une véritable machine à expresso. Pour l'essentiel, la clientèle vient discuter autour d'un café. Ne vous attendez donc pas à des prouesses culinaires.

Le *Restaurant Hong Kong*, 5 de Mayo 433, à deux pas du Parque Los Pajaritos, est un restaurant chinois en étage dont la carte ne comporte pas moins de 6 pages. Un repas complet, avec soupe won ton, canard à la vapeur et gâteau, coûte entre 6 et 11 $US.

Tenaillé par la faim lors de la visite du Museo Regional de Antropología ? Poussez la porte du *Restaurant Los Tulipanes*, dans le complexe CICOM, ouvert tous les jours de 12h à 20h. Les fruits de mer et les steaks, spécialités du lieu, coûtent entre 6,50 et 11 $US. Un pianiste joue tous les après-midi. Le dimanche, buffet à 12 $US.

Distractions

Le *Teatro Esperanza Iris*, dans le complexe CICOM, est régulièrement l'hôte de spectacles de danse folklorique, de théâtre, de comédie et de musique. Renseignez-vous auprès de l'Instituto de la Cultura (☎ 12-75-30), de l'office de tourisme ou dans votre hôtel.

Le *Centro Cultural Villahermosa*, dans Madero, entre Mármol et Zaragoza, à l'est de Parque Juárez, présente des films, des concerts ainsi que des expositions variées. Ouvert de 10h à 21h (entrée gratuite).

Si vous aimez la musique live, rendez-vous dans les bars des hôtels de luxe – notamment le Calinda Viva, le Hyatt et le Cencali –, ouverts tous les soirs sauf les dimanche et lundi à partir de 22h. Le *"Ku" Disco*, près du carrefour entre Sandino et Ruiz Cortines, jouit d'une bonne réputation. Comptez 7 $US l'entrée.

Comment s'y rendre

Avion. Il existe des vols directs ou avec une escale entre Villahermosa et les villes suivantes :

Chetumal – Aviacsa, vol quotidien (sauf dimanche)
Ciudad del Carmen – Aerocaribe, quatre vols par semaine
Mérida – Aerocaribe, Aeroméxico, Aviacsa : vol quotidien
Mexico – Aerocaribe, Aeroméxico, Aviacsa : vol quotidien
Oaxaca – Aerocaribe, trois vols hebdomadaires (quotidiens avec une escale) ; Aeroméxico, vol quotidien
Palenque – Aerocaribe, trois vols hebdomadaires
Tuxtla Gutiérrez – Aerocaribe, deux vols quotidiens ; Aeroméxico, vol quotidien
Veracruz – Aeroméxico, vol quotidien

La billetterie d'Aerocaribe (☎ 16-50-46 ; fax 16-50-47), une compagnie gérée par Mexicana, est installée dans le Centro Comercial Plaza de Atocha, Avenida Vía 3, n°20, Tabasco 2000.

Aeroméxico (☎ 12-15-28) est représentée Periférico Carlos Pellicer 511-2, dans le complexe CICOM.

Aviacsa (☎ 14-57-70 ; fax 12-57-74) se trouve Mina 1025D.

Bus 1re classe. La gare des bus 1re classe (ADO), Mina 297, possède une consigne (0,20 $US de l'heure) et plusieurs petits restaurants.

Les deux principales compagnies de bus 1re classe sont ADO et Cristóbal Colón. UNO, la compagnie des bus de luxe, assure plusieurs liaisons avec le centre du Mexique. Villahermosa est un important carrefour routier, mais beaucoup de bus sont *de paso*. Achetez votre billet à l'avance.

Toutes les liaisons énumérées ci-dessous sont quotidiennes et concernent les bus 1re classe ou deluxe qui partent de Villahermosa. Les prix indiqués sont ceux des bus 1re classe. Majorez les tarifs de 15% pour les quelques bus deluxe ADO GL et Maya de Oro :

Campeche – 450 km, 6 heures ; 12 bus ADO (entre 14 et 17 $US).
Cancún – 915 km, 11 heures ; 3 bus ADO de nuit (28 $US).
Catazajá – 116 km, 2 heures ; 10 bus ADO (4 $US)
Chetumal – 575 km, 8 heures ; 8 bus ADO (18 $US).
Comalcalco – 55 km, 1 heure ; 3 bus ADO (2,75 $US), à partir de 12h30.
Mérida – 700 km, 9 heures ; 10 bus ADO (20 $US) et 1 bus UNO de nuit (32 $US), quelques bus Autotransportes del Sur (ATS), à 16 $US.

Mexico (TAPO) – 820 km, 14 heures ; 11 bus ADO (30 $US) ; 3 bus UNO de nuit (43 $US).
Oaxaca – 700 km, 13 heures ; 3 bus ADO (23 $US).
Palenque – 150 km, 2 heures 30 ; 10 bus ADO (5 $US), un bus Colón (5 $US).
Playa del Carmen – 848 km, 14 heures ; 2 bus ADO de nuit (26 $US)
San Cristóbal de Las Casas – 300 km, 8 heures ; 1 bus Colón (10 $US) ; ou passez par Tuxtla Gutiérrez
Tapachula – 735 km, 13 heures ; 1 bus Colón (24 $US)
Teapa – 60 km, une heure ; 5 bus Colón (2 $US)
Tenosique – 290 km, 4 heures ; 9 bus ADO (6 $US).
Tuxtla Gutiérrez – 294 km, 6 heures ; 10 bus Colón (9 $US) et 3 bus Autotransportes Tuxtla Gutiérrez (ATG) à 6,50 $US.
Veracruz – 480 km, 8 heures ; 10 bus ADO (17 $US) et 1 bus UNO de nuit (28 $US).

Bus 2e classe. La Central de Autobuses de Tabasco est au nord de l'Avenida Ruiz Cortines (autoroute 180) et à l'est de l'intersection avec Mina, soit à 500 mètres environ au nord de la gare des bus 1re classe. Empruntez l'une des passerelles destinées aux piétons pour traverser l'autoroute.

Un certain nombre de petits transporteurs desservent des localités à l'intérieur du Tabasco.

Voiture et moto. La plupart des sociétés de location sont représentées à l'aéroport de Rovirosa. Voici leurs coordonnées en ville :

Avis – à l'aéroport uniquement (☎ 12-92-14)
Budget – Malecón Madrazo 761 (☎/fax 14-37-90)
Dollar – Paseo Tabasco 600, à côté de la cathédrale (☎ 13-68-35 ; fax 13-35-84)
Hertz – dans l'Hotel Casa Real, Paseo Tabasco Prolongación 1407, Tabasco 2000 (☎ 16-44-00)
National – dans le Hyatt Regency Villahermosa, Reforma 304 (☎ 15-12-34)

Comment circuler

Desserte de l'aéroport. Les minibus Transporte Terrestre prennent 3 $US par personne pour aller en ville. Un taxi coûte 8 $US. Le trajet de 13 km dure environ 20 minutes jusqu'à la Zona Luz et 25 minutes jusqu'aux hôtels de catégorie supérieure. Retirez votre billet à un comptoir de l'aéroport.

En sens inverse, le taxi est la seule solution (8 $US).

Desserte des gares routières. Comptez 15 à 20 minutes de marche entre la gare routière ADO (bus 1re classe) et la Zona Luz. Les taxis colectivos partent de l'entrée principale de la Zona Luz (0,40 $US). Avec les taxis classiques, la course coûte entre 1,30 et 2 $US pour n'importe quel endroit de la ville.

Pour les bus et les minibus, sortez de la gare routière ADO par la porte principale (à l'est), prenez à gauche et marchez 200 mètres environ vers le nord, jusqu'au carrefour entre Mina et Zozaya, où font halte les minibus et les combis allant vers la Zona Luz et Madero, l'artère principale de l'agglomération. Montez à bord d'un véhicule indiquant "Centro".

A pied, sortez par la porte secondaire (au sud) de la gare ADO, tournez à gauche pour emprunter Lino Merino, et marchez 500 mètres jusqu'au Parque de la Paz, puis tournez à droite dans Madero.

Bus et minibus. Une dizaine de lignes de bus municipales relient la Zona Luz à la périphérie. Les minibus combi VW font également l'affaire. Vous ne débourserez que 0,20 $US.

Ces minibus empruntent des itinéraires tortueux et leur destination figure sur le pare-brise, en des termes pas toujours compréhensibles. Voici quelques éléments pour les déchiffrer :

2000 : complexe gouvernemental Tabasco 2000
Centro : Zona Luz
Chedraui : grand magasin situé à proximité de la gare routière ADO
CICOM : musée d'Anthropologie
Deportes : Ciudad Deportiva
Palacio Mpal : Palacio Municipal, dans le complexe Tabasco 2000
Reloj : horloge à l'angle de 27 de Febrero et de Calle 1, au sud-ouest de Paseo Tabasco
Tabasco : Paseo Tabasco
Terminal : gare routière ADO
X 27 : via Calle 27 de Febrero

RUINES DE COMALCALCO

L'apogée de Comalcalco, à la fin de l'Empire maya ancien, entre 500 et 900 de notre ère, coïncida avec l'accroissement de la population résultant des progrès de la productivité agricole. Des paysans indiens de Palenque vinrent s'installer dans la région pour y cultiver le cacao que les Comalcalques échangeaient avec d'autres communautés mayas. Le cacao est toujours la culture d'exportation dominante.

Proche de Palenque du point de vue de l'architecture et de la statuaire, Comalcalco est unique car il est construit en briques à base d'argile, de sable et, suprême ingéniosité, de coquilles d'huîtres. Le mortier était à base de chaux provenant de ces mêmes coquilles. En entrant dans les ruines, l'imposante structure à gauche surprend par l'aspect étonnamment contemporain des briques utilisées. A droite sont regroupés des restes de sculptures décoratives en stuc qui recouvraient la pyramide. De beaux reliefs en stuc sont conservés dans le secteur nord de l'Acropole.

Le côté ouest de l'Acropole contenait une crypte comparable à celle de Pakal, à Palenque, mais la tombe a été dévalisée il y a longtemps et le sarcophage a été volé. Remontez la colline jusqu'à la ruine appelée le Palais. De cette hauteur, vous pouvez profiter de la brise en regardant les tertres non dégagés.

Le site est ouvert tous les jours de 9h à 17h. L'entrée coûte 1,75 $US.

Comment s'y rendre

Le trajet de 55 km depuis Villahermosa dure environ une heure. Des bus ADO partent tous les jours à 12h30, 16h45 et 20h30 (2,75 $US). Demandez au conducteur de vous déposer à "*las ruinas*".

Si vous voulez partir plus tôt, allez à la station des taxis colectivos au nord de la gare routière ADO. Les colectivos pour Comalcalco partent quand ils sont complets (4 $US). En taxi privé, une course aller-retour pour Comalcalco vous reviendra à 24 $US (avec une heure de battement sur place).

RÍO USUMACINTA

Le puissant Río Usumacinta serpente vers le nord-ouest le long de la frontière entre le Mexique et le Guatemala. En longeant ses rives, vous découvrirez une forêt tropicale humide dense, remplie d'oiseaux et d'animaux sauvages, et des villes en ruines telles que Bonampak et Yaxchilán (voir la section *Chiapas*).

Vous pouvez aussi emprunter un affluent de l'Usumacinta pour accéder au Petén, une vaste province couverte de jungle au Guatemala, et aux fascinantes ruines de Tikal. Trois itinéraires à travers cette jungle permettent de rejoindre Flores – la ville la plus proche du site de Tikal – depuis le Mexique (voir les rubriques suivantes *Palenque* et *Yaxchilán*).

Chiapas

L'État le plus méridional du Mexique est d'une extrême diversité. Au centre du Chiapas se trouve San Cristóbal de Las Casas, ville coloniale montagneuse, fraîche et tranquille, entourée de mystérieux villages indiens, très traditionnels. Deux heures à l'ouest – et près de 1 600 m plus bas – la capitale de l'État, Tuxtla Gutiérrez, étonnamment moderne, possède probablement le meilleur zoo du Mexique, consacré à la faune très variée du Chiapas. À quelques kilomètres seulement de Tuxtla se profile le canyon del Sumidero, de 1 000 m de profondeur, franchissable en une impressionnante traversée en bateau.

La jolie région des lacs de Montebello se dessine à trois heures au sud-est de San Cristóbal, près de la frontière du Guatemala, avec lequel le Chiapas a toujours eu tant de points communs. Le Chiapas possède aussi une côte Pacifique, sur laquelle est située Puerto Arista, près de Tonalá, une plage très isolée.

À environ 4 heures au nord de San Cristóbal, les cascades d'Agua Azul figurent parmi les plus spectaculaires du Mexique. Les ruines de Palenque, un peu plus loin, constituent l'un des plus beaux sites mayas. Plus à l'est, deux autres sites mayas du Chiapas, Yaxchilán et Bonampak, se cachent dans la selva lacandona, l'une des plus vastes étendues de forêt tropicale humide du Mexique. On peut même se rendre de Palenque à Flores et Tikal, dans le Petén guatémaltèque.

Histoire

Les civilisations précolombiennes étaient établies de part et d'autre de la frontière Chiapas-Guatémala. Pendant la majeure partie de l'époque coloniale, le Chiapas fut gouverné par le Guatemala.

Période précolombienne. Le Chiapas central et côtier subit l'influence des Olmèques, qui prospérèrent sur la côte du Golfe entre 1300 et 400 av. J.-C. environ. Izapa, à l'extrême sud du Chiapas, près de Tapachula, était le centre d'une culture qui connut son apogée entre 200 av. J.-C. et 200 ap. J.-C. Elle servit probablement de lien entre les civilisations olmèque et maya.

Durant la période classique (approximativement entre 300 et 900 de notre ère), le Chiapas central et côtier resta relativement isolé, mais le Chiapas oriental, de basse altitude et recouvert par la jungle, vit naître deux importantes cités-États mayas, Palenque et Yaxchilán, qui s'épanouirent toutes deux aux VIIe et VIIIe siècles. Toniná et Chinkultic étaient des centres mayas moins importants.

Après la chute des Mayas classiques, les hautes terres du Chiapas et du Guatemala furent divisées en un certain nombre d'empires souvent en guerre. Beaucoup jouissaient d'une culture issue des Mayas mais certains chefs se réclamaient d'ancêtres toltèques originaires du centre.

Le Chiapas côtier, riche producteur de cacao, fut conquis par les Aztèques à la fin du XVe siècle et devint leur province la plus éloignée, sous le nom de Xonochco (d'où son nom actuel, Soconusco).

Époque coloniale. Le centre du Chiapas ne passa sous le contrôle effectif de l'Espagne qu'après l'expédition de Diego de Mazariegos en 1528 et sa victoire sur les Indiens Chiapanèques. Dans les années 1530 et 1540, les régions périphériques furent soumises, bien que les Espagnols ne purent jamais contrôler la forêt lacandone, qui servait de refuge aux Mayas.

Soconusco et l'intérieur du Chiapas furent administrés séparément, depuis le Guatemala, pendant la majeure partie de l'époque espagnole. Ainsi, ces provinces furent laissées sans surveillance pendant de longues périodes et le contrôle exercé sur les exactions des colons à l'encontre des Indiens était pratiquement inexistant. Les Espagnols ayant apporté de nouvelles maladies. Une épidémie décima en 1544 près de la moitié des Indiens du Chiapas.

La seule lueur d'espoir dans la vie des Indiens leur fut apportée par quelques personnages de l'église espagnole, notamment des dominicains et, plus particulièrement, Bartolomé de Las Casas (1474-1566), premier évêque du Chiapas en 1545.

Débarqué aux Caraïbes comme colon, Las Casas entra chez les dominicains en 1510 et passa le reste de son existence à

Bartolomé de Las Casas

lutter pour les droits des Indiens dans les nouvelles colonies espagnoles. Ses réalisations, parmi lesquelles figurent des lois, partiellement observées, réduisant le travail obligatoire (1542) et l'interdiction de l'esclavage des Indiens (mais pas celui des Noirs) en 1550, lui valurent l'hostilité des colons et le respect des Indiens.

XIXe et XXe siècles. En 1821, avec la fin de la domination espagnole sur le Mexique et l'Amérique centrale, le nouveau souverain du Mexique, Agustín Iturbide, invita les anciennes Provinces espagnoles d'Amérique centrale (dont faisait partie le Chiapas) à s'unir au Mexique. Iturbide devait bientôt être renversé et, après la dissolution du parlement mexicain en 1823, les Provinces Unies d'Amérique Centrale proclamèrent leur indépendance.

Une petite armée, sous les ordres du général Vicente Filísola, qu'Iturbide avait envoyée rétablir l'ordre à Guatemala Ciudad rentra à Mexico en passant par le Chiapas. Filísola usa de son pouvoir pour ramener le Chiapas dans le giron mexicain auquel il décida de s'unir après un référendum en 1824.

L'union scellée avec le Mexique n'a pas résolu pour autant les problèmes du Chiapas. En dépit de ses richesses naturelles et de son potentiel économique, une succession de gouverneurs mandatés par Mexico, ainsi que l'emprise des propriétaires terriens, ont maintenu un pouvoir quasi-féodal sur l'État – surtout sur les hauts plateaux. A plusieurs reprises, la population indienne s'insurgea contre cette administration injuste. Toutefois l'opinion publique mondiale n'en fut informée qu'après l'action entreprise, en 1994, par l'Ejército Zapatista de Liberación Nacional (EZLN, Armée zapatiste de libération nationale) qui s'empara militairement de San Cristóbal de Las Casas et des villes voisines.

L'attention du monde se portant sur le Chiapas, le gouvernement mexicain fut contraint de prendre des mesures pour rétablir l'ordre et satisfaire certaines demandes des rebelles. Reste à savoir si l'insurrection zapatiste aura des effets bénéfiques pour le Chiapas, ou si elle ne sera que la énième rébellion de l'État.

Géographie et climat

Les 74 000 km^2 du Chiapas se répartissent en cinq bandes de terre qui s'étendent toutes plus ou moins parallèlement à la côte du Pacifique. La saison pluvieuse dure de mai à octobre.

Le Soconusco, plaine côtière, chaude et fertile, de 15 à 35 km de large, reçoit des chutes de pluies importantes de juin à octobre, surtout en juillet et en août.

La Sierra Madre de Chiapas, entre 1 000 et 2 500 m d'altitude, est plus élevée vers le sud. Le volcan Tacaná, à la frontière guatémaltèque, atteint 4 092 m. La Sierra Madre surplombe également le Guatemala, avec plusieurs autres volcans.

Derrière la Sierra Madre, la vallée du Río Grijalva, dépression centrale du Chiapas est vaste, chaude, relativement sèche, et s'élève de 500 et 1 000 m.

La capitale de l'État, Tuxtla Gutiérrez, se dresse à l'ouest de cette vallée. S'étendent ensuite les hautes terres du Chiapas, appelées localement Los Altos, qui atteignent de 2 000 à 3 000 m d'altitude et rejoignent le Guatemala. San Cristóbal de Las Casas, nichée dans la petite vallée Jovel au milieu de ces hautes terres, connaît un climat plus frais, compris toute l'année entre un peu moins de 10°C et un peu plus de 20°C. Les précipitations à San Cristóbal sont négligeables de novembre à avril mais il tombe environ 110 cm de pluie l'autre moitié de l'année. Le volcan Chichonal, à l'extrémité nord-ouest de ces hautes terres, est entré en éruption en 1981.

Le nord et l'est de l'État comprennent une des dernières étendues de forêt tropicale. Elle est en train de se réduire mais elle couvre encore 10 000 km^2. La partie orientale, appelée Selva Lacandona (forêt lacandone), est passée de 13 000 km^2 en 1940 à moins de 3 000 km^2 aujourd'hui. La sylviculture, l'élevage et l'installation de paysans sans terre venus des plateaux chiapanèques sont responsables de ce phénomène.

Économie

Le Chiapas possède peu d'industries, mais c'est le deuxième État agricole du Mexique, après celui de Veracruz. Il produit plus de café et de bananes que tous les autres États. La région fertile de Soconusco et les versants adjacents sont les plus riches du Chiapas. Tapachula en est le pivot commercial.

On a également découvert du pétrole dans le nord-ouest durant les années 70. Le Río Grijalva, qui traverse le centre de l'État, produit plus d'électricité que n'importe quel autre fleuve au Mexique, grâce aux gigantesques barrages de La Angostura, Chicoasén et Nezahualcóyotl. La majorité de la population, néanmoins, est très pauvre, la richesse étant concentrée entre les mains d'une oligarchie. Dans cet État, grand producteur d'électricité, moins de la moitié des foyers sont électrifiés.

Population et ethnies

Sur les quelque 3,6 millions d'habitants du Chiapas, environ 900 000 sont Indiens notamment issus de groupes mayas isolés. Les Indiens sont considérés comme des citoyens de second ordre, du point de vue politique et économique, et possèdent les terres les moins productives de l'État. Certains ont émigré vers la jungle à l'est pour y défricher de nouvelles terres, ou vers des villes plus lointaines à la recherche d'un emploi. La précarité de leurs conditions de vie est à l'origine de l'insurrection zapatiste de 1994.

Malgré ces problèmes, les fêtes traditionnelles, les costumes, l'artisanat, la pratique religieuse et les diverses langues aident les Indiens à conserver leur dignité. Méfiants à l'égard des étrangers, ils leur en veulent de leurs intrusions, surtout concernant leur pratique religieuse. Beaucoup détestent qu'on les prenne en photo. L'espagnol ne constitue pour eux qu'une deuxième langue.

TUXTLA GUTIÉRREZ

• Hab. : 300 000 • Alt. : 532 m • ☎ 961

De nombreux voyageurs ne font que changer de bus dans la capitale de l'État du Chiapas, sur leur chemin vers San Cristóbal de Las Casas. Mais si vous n'êtes pas pressé, cette ville étonnamment animée et prospère, mérite une visite – notamment pour son zoo consacré à la faune du Chiapas, l'un des plus beaux du Mexique, et pour ses magnifiques promenades en bateau dans le canyon Sumidero de 1 000 m de profondeur –, bien que ces deux activités puissent aussi se faire en une longue journée au départ de San Cristóbal de Las Casas. Tuxtla Gutiérrez s'étend à l'ouest de la vallée centrale chaude et très humide du Chiapas. Son nom lui vient du nahuatl *tuchtlan* "là où les lapins abondent" et de Joaquín Miguel Gutiérrez, éminent personnage de la campagne du Chiapas au XIXe siècle, qui lutta pour que l'État ne soit pas rattaché au Guatemala. La ville était peu importante avant de devenir capitale de l'État en 1892.

Orientation

Le centre-ville est la vaste Plaza Cívica, bordée au sud par la cathédrale.

La principale artère est-ouest, appelée Avenida Central au niveau du zócalo, passe devant la cathédrale. En entrant dans la ville par l'ouest, la rue s'appelle le Boulevard Dr Belisario Domínguez ; à l'est, elle devient le Boulevard Ángel Albino Corzo.

Les rues changent de nom à l'angle de l'Avenida Central et de la Calle Central, à côté de la cathédrale. Les axes est-ouest sont des Avenidas : 1 Sur, 2 Sur, etc., au fur et à mesure que l'on s'éloigne de l'Avenida Central vers le sud, et 1 Norte, 2 Norte, etc., en direction du nord. Les artères nord-sud sont des Calles : 1 Pte, 2 Pte, etc. à l'ouest de la Calle Central, et 1 Ote, 2 Ote, etc., à l'est. Tout se complique avec l'apparition (non systématique) de noms secondaires : chaque Avenida est divisée en partie Pte (à l'ouest de la Calle Central) et Ote (à l'est de celle-ci) ; ainsi, 1 Sur Ote est la moitié est de l'Avenida 1 Sur. De même, les Calles ont des parties Norte et Sur : 1 Pte Norte est la moitié nord de la Calle 1 Pte.

Renseignements

Offices du tourisme. L'Oficina Municipal de Turismo se tient à l'angle de la Calle Central Nte et de l'Avenida 2 Nte Pte, dans le tunnel qui passe sous le Palacio Municipal, à l'extrémité nord de la Plaza Cívica. L'office du tourisme de l'État du Chiapas (☎ 2-55-09, 3-30-28 ; fax 2-45-35), Boulevard Domínguez 950, est installé à 2 km à l'ouest de la place principale, au rez-de-chaussée de l'Edificio Plaza de las Instituciones, à côté de la Bancomer. Ouvert tous les jours de 9h à 20h.

Argent. Bancomer, à l'angle de l'Avenida Central Pte et de 2 Pte, effectue des opérations de change du lundi au vendredi de 10h à 12h. Bital, dans la Calle Central Norte, à l'ouest de la Plaza Cívica, pratique également le change, mais vous devrez prendre votre mal en patience. Dans le centre-ville, bon nombre de banques possèdent un distributeur de billets.

Poste et communications. La poste, dans un secteur piétonnier de 1 Norte Ote, immédiatement à l'est de la place principale, est ouverte du lundi au samedi de 8h à 18h (toutes opérations), et de 9h à 13h le

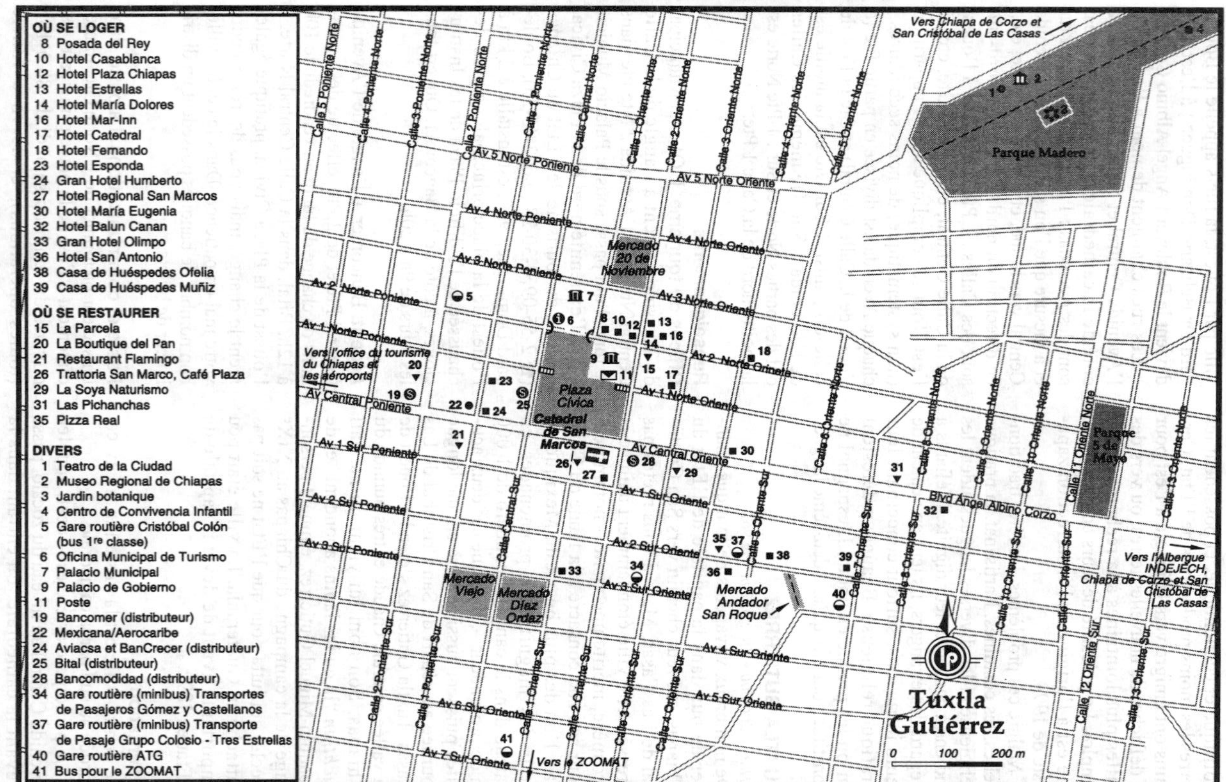
OÙ SE LOGER
8 Posada del Rey
10 Hotel Casablanca
12 Hotel Plaza Chiapas
13 Hotel Estrellas
14 Hotel María Dolores
16 Hotel Mar-Inn
17 Hotel Catedral
18 Hotel Fernando
23 Hotel Esponda
24 Gran Hotel Humberto
27 Hotel Regional San Marcos
30 Hotel María Eugenia
32 Hotel Balun Canan
33 Gran Hotel Olimpo
36 Hotel San Antonio
38 Casa de Huéspedes Ofelia
39 Casa de Huéspedes Muñiz
OÙ SE RESTAURER
15 La Parcela
20 La Boutique del Pan
21 Restaurant Flamingo
26 Trattoria San Marco, Café Plaza
29 La Soya Naturismo
31 Las Pichanchas
35 Pizza Real
DIVERS
1 Teatro de la Ciudad
2 Museo Regional de Chiapas
3 Jardin botanique
4 Centro de Convivencia Infantil
5 Gare routière Cristóbal Colón (bus 1re classe)
6 Oficina Municipal de Turismo
7 Palacio Municipal
9 Palacio de Gobierno
11 Poste
19 Bancomer (distributeur)
22 Mexicana/Aerocaribe
24 Aviacsa et BanCrecer (distributeur)
25 Bital (distributeur)
28 Bancomodidad (distributeur)
34 Gare routière (minibus) Transportes de Pasajeros Gómez y Castellanos
37 Gare routière (minibus) Transporte de Pasaje Grupo Colosio - Tres Estrellas
40 Gare routière ATG
41 Bus pour le ZOOMAT
Vers Chiapa de Corzo et San Cristóbal de Las Casas
Parque Madero
Mercado 20 de Noviembre
Plaza Cívica
Catedral de San Marcos
Vers l'office du tourisme du Chiapas et les aéroports
Mercado Viejo
Mercado Díaz Ordaz
Mercado Andador San Roque
Parque 5 de Mayo
Blvd Ángel Albino Corzo
Vers l'Albergue INDEJECH, Chiapa de Corzo et San Cristóbal de Las Casas
Vers le ZOOMAT
Av 5 Norte Poniente
Av 5 Norte Oriente
Av 4 Norte Poniente
Av 4 Norte Oriente
Av 3 Norte Poniente
Av 3 Norte Oriente
Av 2 Norte Poniente
Av 2 Norte Orinete
Av 1 Norte Poniente
Av 1 Norte Oriente
Av Central Poniente
Av Central Oriente
Av 1 Sur Poniente
Av 1 Sur Oriente
Av 2 Sur Poniente
Av 2 Sur Oriente
Av 3 Sur Poniente
Av 3 Sur Oriente
Av 4 Sur Oriente
Av 5 Sur Oriente
Av 6 Sur Oriente
Av 7 Sur Oriente
Calle Central Norte
Calle Central Sur
Tuxtla Gutiérrez
0
100
200 m

Les peuples du Chiapas

Pas moins de neuf langues sont en usage au Chiapas. L'espagnol est utilisé dans les affaires, l'enseignement et l'administration urbaine. Dans les campagnes, vous entendrez parler le chol, le chuj, le lacandón, le mam, le tojolabal, le tzeltal, le tzotzil et le zoque, selon les endroits. Les locuteurs de ces différents dialectes ne peuvent se comprendre, même si la souche linguistique est commune (l'ancien maya). Pour communiquer, les habitants de ces régions utilisent l'espagnol ou le tzeltal.

Les voyageurs rencontrent le plus souvent des représentants des quelques 310 000 Tzotziles qui vivent autour de San Cristóbal de Las Casas. Les textiles tzotziles figurent parmi les plus variés, les plus colorés et les plus élaborés du Mexique. Vous pourrez aussi rencontrer des Tzeltales, autre groupe indien, fort d'une population de 334 000 personnes, qui habite la région juste à l'est de San Cristóbal.

Les autres Indiens chiapanèques regroupent les 150 000 Choles, au nord des hautes terres du Chiapas et des basses terres, à l'est et à l'ouest de Palenque ; les quelque 20 000 Mames près de la frontière guatemaltèque entre Tapachula et Ciudad Cuauhtémoc et sur les versants du Tacaná (les Mames du Guatemala sont au nombre de 300 000) ; les Zoques, dont 25 000 individus habitaient l'ouest du Chiapas.

Il ne reste que quelques centaines de Lacandóns, derniers héritiers des traditions mayas antiques, dans la forêt tropicale humide de l'est du Chiapas. Leur langue présente des caractéristiques communes avec le maya du Yucatán, qu'ils appellent eux-mêmes "maya". Les quarante dernières années ont apporté plus de changements dans la vie des Lacandóns que les quatre siècles précédents : 100 000 colons avides de terres sont arrivés dans la forêt, et les missionnaires nord-américains sont parvenus à convertir certains Lacandóns au christianisme. ■

dimanche (affranchissement seulement). Des cabines téléphoniques sont installées sur la place.

Blanchissage. Gaily II Central de Lavado, 1 Sur Pte 575, entre 4 et 5 Pte Sur, facture 2 $US pour 4 kilos de linge en self-service, 4 $US si vous le leur confiez. Elle ouvre tous les jours sauf le dimanche, de 8h à 14h et de 16h à 20h.

Plaza Cívica

Le zócalo animé de Tuxtla occupe deux pâtés de maisons. La cathédrale moderne San Marcos lui fait face de l'autre côté de l'Avenida Central, au sud. Toutes les heures, le clocher de la cathédrale joue un air pour accompagner un défilé de saints sur l'un de ses niveaux supérieurs. Des musiciens se produisent sur le zócalo, le dimanche soir.

Zoológico Miguel Alvárez del Toro (ZOOMAT)

Le Chiapas possède, semble-t-il, la plus importante réunion d'espèces animales de l'Amérique du Nord, parmi lesquelles figurent plusieurs variétés de félins, 1 200 variétés de papillons et 641 espèces d'oiseaux.

On peut en voir bon nombre au zoo de Tuxtla, où ils bénéficient d'enclos relativement spacieux, dans une zone boisée, au sud de la ville.

Vous y verrez notamment des ocelots, des jaguars, des pumas, des tapirs, des aras rouges, des boas constrictor, un aigle-harpie mangeur de singes (*aguila arpia*), des scorpions et des araignées. Le zoo est ouvert tous les jours, sauf le lundi, de 8h à 17h30. L'entrée est gratuite.

Pour y aller, prenez un bus "Cerro Hueco" (0,20 $US) à l'angle de 1 Ote Sur et 7 Sur Ote, qui part à peu près toutes les 20 mn et effectue le trajet en 20 mn. Un taxi – facile à trouver dans les deux directions – coûte 1 $US.

Complexe du Parque Madero

Ce complexe réunit un musée, un théâtre et un parc, à 1,25 km environ au nord-est du centre-ville. Si vous ne voulez pas marcher, prenez un colectivo sur l'Avenida Central pour le Parque 5 de Mayo à l'angle de 11 Ote, puis un autre vers le nord dans 11 Ote.

Le **Museo Regional de Chiapas** présente de belles expositions sur l'archéologie et l'histoire coloniale et des collections de costumes et d'artisanat, toutes originaires du Chiapas. Il est ouvert tous les jours, sauf le lundi de 9h à 16h. Le **Teatro de la Ciudad**, d'une capacité de 1 200 places, se trouve à côté. Non loin de là, un **jardin botanique** ombragé présente des nombreuses espèces étiquetées. Ouvert tous les jours sauf le lundi de 9h à 18h (entrée gratuite).

Toujours dans le Parque Madero vous attendent une piscine publique (1 peso) et un parc pour enfants en plein air, le **Centro de Convivencia Infantil**. Il présente des maquettes, des expositions sur l'histoire et la préhistoire et propose des tours en chemin de fer miniature, à dos de poney ou en bateau. Il possède aussi un mini-golf.

Où se loger – petits budgets

Camping. La *Hacienda Hotel & Trailer Park* (☎ 2-79-86), Boulevard Domínguez 1197, à l'est de la ville, à côté d'un rond-point, est équipée d'une piscine, d'une cafétéria et de tous les branchements utiles. La double se monte à 6 $US. L'*Hotel Bonampak* (☎ 8-16-21 ; fax 8-16-22), sur la route principale à l'ouest de l'agglomération, dispose également d'un terrain aménagé pour les camping-cars.

Hôtels. L'eau du robinet dans les hôtels les moins chers est "*al tiempo*" (à la température ambiante) mais, comme la ville est passablement chaude, l'eau n'est jamais fraîche.

La *Villa Juvenil – Albergue INDEJECH* (☎ 3-34-05), boulevard Albino Corzo 1800, à environ 2 km à l'est de la place principale, est l'auberge de jeunesse de Tuxtla. Cependant, aucune carte d'affiliation n'est exigée. Pour un lit dans l'un des

Les Zapatistes

Le 1er janvier 1994, un groupe de paysans armés – l'Armée zapatiste de libération nationale (Ejército Zapatista de Liberación Nacional, ou EZLN) – attaqua les bureaux gouvernementaux de San Cristóbal, d'Ocosingo et de quelques petites villes de la région. L'armée mexicaine rétablit l'ordre en quelques jours, faisant au total 150 victimes. Les rebelles se replièrent dans la forêt lacandone, mais ils avaient réussi à attirer l'attention mondiale sur la situation du Chiapas. Ils restèrent pendant une année dans une base isolée que l'armée avait encerclée sans donner l'assaut.

L'objectif de l'EZLN était de briser la mainmise d'une minorité de nantis sur la terre, les ressources et le pouvoir de l'État au détriment des Indiens et autres paysans pauvres auxquels étaient refusés les droits élémentaire à une vie décente. Quoique largement dominés sur le plan militaire, les zapatistes ont bénéficié du soutien moral et de la sympathie de nombreux Mexicains, et leur chef, un personnage masqué connu sous son titre de Subcomandante Marcos, est devenu la référence de tous ceux qui souffrent de la stagnation politique du pays.

Au Chiapas, la rébellion provoqua également un soulèvement social. Durant l'année 1994, des paysans s'emparèrent de centaines de fermes et de ranches. Les propriétaires spoliés se retournèrent contre Samuel Ruiz García, l'évêque de San Cristóbal qui n'avait pas hésité à petits dortoirs non mixtes, vous payerez 4 $US (plus une caution de 2 $US pour les draps), soit guère moins qu'une chambre d'hôtel ou une pension. Depuis la place principale, prenez un colectivo Ruta 1 vers l'est dans l'Avenida Central. Descendez à hauteur de la statue d'Albino Corzo, sous une passerelle piétonnière jaune.

La plus proche de la gare routière est la *Casa de Huéspedes Muñiz*, 2 Sur Ote 733, en face de l'extrémité nord de l'esplanade des bus. Les chambres sont supportables et les s.d.b. communes : 5,50/8 $US en simple/double avec ventil.

La *Casa de Huéspedes Ofelia*, (☎ 2-73-46) dans le même pâté de maisons, 2 Sur Ote 643, n'a pas d'enseigne, mais en cherchant bien, on distingue le "643" sur la façade en pierre noire. Les chambres, sans ventil. mais propres, coûtent 5,50/8 $US en simple/double. Señora Ofelia se couche vers 22h, vous devez donc être rentré avant cette heure.

Plus près de la Plaza Cívica, les hôtels de la rue 2 Norte Ote, près de l'angle nord-est du zócalo, sont un peu plus chers. L'*Hotel Casablanca* (☎ 1-03-05), à un demi-pâté de maisons du zócalo, 2 Norte Ote 251, est sommaire mais vraiment impeccable. Les chambres avec ventil. et douche sont à 7,50/10/15 $US en simple/double/triple ; les doubles avec deux petits lits jumeaux, TV et clim. reviennent à 18 $US ; les mêmes avec deux lits doubles coûtent 28 $US.

L'*Hotel Plaza Chiapas* (☎ 3-83-65), 2 Norte Ote 229, au croisement avec 2 Ote Norte, possède un couloir agrémenté de multiples miroirs qui font forte impression. En revanche, les chambres n'ont rien d'exceptionnel, et les prix sont même légèrement inférieurs à ceux des autres établissements du quartier.

En face, l'*Hotel María Dolores* et l'*Hotel Estrellas*, 2 Ote Norte 304 et 322, possèdent des chambres banales. En revanche, l'*Hotel Fernando* (☎ 3-17-40), à

s'engager au côté des pauvres. Ses ennemis le surnommèrent El Obispo Rojo (l'évêque rouge).

Aux élections de 1994 pour le poste de gouverneur de l'État, le candidat du parti au pouvoir (le PRI) fut déclaré vainqueur mais son rival du parti de gauche PRD (Paritido de la Revolución Democrática), Amado Amandano, l'accusa de fraude. Il se proclama chef d'un gouvernement parallèle et favorable aux villageois.

En février 1995, période pendant laquelle le pays fut ébranlé par la crise du peso, l'armée reçut l'ordre de "neutraliser" Marcos et les chefs de l'EZLN. Marcos et ses partisans réussirent à s'enfuir dans des régions encore plus isolées, suivis par des milliers de paysans. Il refit surface en octobre 1995 et relança des négociations avec le gouvernement. En février 1996, à San Andrés Larraínzar, un accord fut signé entre l'EZLN et les représentants du gouvernement. Il prévoyait une autonomie restreinte pour les populations indiennes, le redécoupage des circonscriptions électorales, la reconnaissance officielle des langues indiennes et l'enseignement bilingue. Pourtant, le gouvernement mexicain renâcla à soumettre cet accord au parlement. Le président Zedillo souhaitait une modification de l'accord, arguant du fait que l'autonomie territoriale réclamée par l'EZLN pouvait porter atteinte à la souveraineté nationale. Les zapatistes campèrent sur leurs positions et l'affaire s'enlisa une fois de plus.

Depuis 1995, une trêve a été observée entre les zapatistes, cantonnés près de la frontière avec le Guatemala, et l'armée. Marcos et les siens se sont lancés dans la bataille de la communication, se servant d'Internet, convoquant des conférences de presse internationale ou accueillant des personnalités telles qu'Oliver Stone, Régis Debray ou Danielle Mitterrand. Ces deux derniers se sont particulièrement impliqués dans l'histoire de l'Amérique latine révolutionnaire.

Quoi qu'il en soit, les zapatistes ont pesé dans l'évolution politique du pays. La démocratie avance à petits pas sous le mandat de Zedillo. Mais encore trop lentement aux yeux des zapatistes, qui perturbèrent les élections au Chiapas en 1997. ■

deux pâtés de maisons à l'est, 2 Norte Ote 515, se prévaut de chambres confortables et spacieuses, dotées de grandes fenêtres, louées 8 $US. C'est certainement le meilleur rapport qualité/prix de la rue.

Le sympathique *Hotel San Antonio* (☎ 2-27-13), 2 Sur Ote 540, est un bâtiment moderne, doté d'une petite cour et de chambres propres à 5,50/8 $US. Curieusement le *Gran Hotel Olimpo* (☎ 2-02-95), 3 Sur Ote 215, demande le même prix pour de petites chambres qui sentent le renfermé, mais propres, avec s.d.b.

Si vous êtes quatre, rendez-vous à l'*Hotel Catedral* (☎ 3-08-24), 1 Norte Ote 367, entre 3 Ote Sur et la poste. Il propose d'immenses quadruples composées de 2 immenses chambres à un grand lit chacune séparées par une entrée. Ventilateur, s.d.b., eau chaude et propreté sont inclus dans les prix : 9/10/13/16 $US pour une simple/double/triple/quadruple.

L'*Hotel Mar-Inn* (☎ 2-10-54 ; fax 2-49-09), 2 Norte Ote 347, doté de vastes couloirs égayés de plantes vertes et d'une toiture quelque peu humide, offre 60 chambres louées 12 $US la double.

Où se loger – catégorie moyenne

L'*Hotel Regional San Marcos* (☎ 3-19-40 ; fax 3-18-87), 2 Ote Sur 176, au croisement de l'Avenida 1 Sur, à deux pas de la place principale, pratique le meilleur rapport qualité/prix dans cette gamme : comptez 18/22/25 $US pour des chambres carrelées, de taille moyenne.

L'*Hotel Balun Canan* (☎ 2-30-48 ; fax 2-82-49), Avenida Central Ote 944, propose des tarifs avantageux (18/23/25/28 $US la simple/double/triple/ quadruple), mais retenez une chambre donnant à l'arrière pour ne pas subir le bruit de la rue.

L'*Hotel Esponda* (☎ 2-00-80 ; fax 2-97-71), 1 Pte Nte 142, à un pâté de maisons à l'ouest de la place principale, loue des chambres de dimension moyenne, avec ventil., équipées de grandes s.d.b., facturées 14/17/21 $US.

Le *Gran Hotel Humberto* (☎ 2-25-04 ; fax 2-97-71), Avenida Central Pte 180, au croisement de 1 Pte Nte, à l'ouest du zócalo, n'est plus de première jeunesse mais les 105 chambres sont propres et possèdent la clim., la TV, le téléphone et de grandes douches. Les tarifs sont plus élevés (un peu trop, d'ailleurs) que dans l'établissement précédent.

Le meilleur hôtel du centre est l'*Hotel María Eugenia* (☎ 3-37-67 ; fax 3-28-60), Avenida Central Ote 507, au croisement de 4 Ote, trois pâtés de maisons à l'est de la place principale. Les chambres avec TV, clim. et s.d.b. ne manquent pas d'attrait (32/37/40/44 $US). Il comporte également un bon restaurant.

Où se loger – catégorie supérieure

Fleuron de l'hôtellerie de luxe de Tuxtla, le *Camino Real Hotel Tuxtla* (☎ 7-77-77 ; fax 7-77-71), Boulevard Domínguez 1195, à 4 km à l'ouest de la place principale, affiche une capacité de 210 chambres, particulièrement confortables, louées entre 65 et 85 $US la simple ou la double. Mentionnons également l'*Arecas* (☎ 5-11-22 ; fax 5-11-21) et le *Flamboyant* (☎ 5-09-99 ; fax 5-00-87), tout proches.

Où se restaurer

Plusieurs points de vente sont installés dans le Mercado Andador San Roque, une voie piétonne à l'ouest de la gare routière ATG. Comptez 0,30 $US le taco. D'autres établissements de ce type se tiennent au voisinage du marché, à l'angle de 3 Sur Pte et de 1 Ote Sur.

La Boutique del Pan, 2 Pte Nte 173, au coin de la rue, à deux pâtés de maisons à l'ouest de la place principale, figure parmi les boulangeries les plus en vue de la ville.

Pour satisfaire une envie de muësli, poussez la porte de *La Soya Naturismo*, 3 Ote Sur 132, à deux pas de l'Avenida Central. Vous pourrez vous approvisionner en aliments énergétiques et autres produits bio.

Plusieurs restaurants se succèdent à l'est de la cathédrale, le long de Callejon Ote Sur, dans l'Edificio Plaza. Quant à la *Trattoria San Marco* (☎ 2-69-74), elle saura vous séduire avec ses 20 pizzas différentes (de 2 à 7 $US), des sandwiches baguette (de 1,50 à 3 $US), des salades et des *papas relleñas* (patates farcies), ainsi que de succulentes *crepas*. Ouvert de 7h à 24h. Le *Cafe Plaza*, attenant, propose une carte plus succincte, mais vaut le détour pour ses petits déjeuners (yaourt, fruits, céréales et café) à 2 $US.

Si vous comptez faire un copieux repas à petit prix, essayez *Pizza Real*, 2 Sur Ote 557, en face de l'Hotel San Antonio. La comida corrida ne vaut que 1,75 $US. *La Parcela*, 2 Ote Norte, derrière la poste, sert des crêpes épaisses, des œufs et 7 tacos pour moins de 2 $US, ou une comida corrida de 4 plats à 1,75 $US.

Vous ne regretterez pas d'avoir marché un peu plus de 500 mètres à l'est du zócalo, jusqu'à *Las Pichanchas* (☎ 2-53-51), Avenida Central Ote 857. Dans une cour fleurie, vous pourrez déguster de multiples spécialités locales comme le chipilín, une soupe de fromage à la crème sur un fond de maïs et, au dessert, des chimbos à base de jaunes d'œuf et de cannelle. Comme plat de résistance, choisissez l'un des 6 types de tamales, des salades végétariennes (betteraves et carottes) ou un carne asada. Un repas complet coûte entre 5 et 10 $US. Un orchestre se produit en soirée (sauf le lundi).

Le *Restaurant Flamingo*, au fond d'un passage, 1 Pte Sur 17, est un endroit tranquille, un peu plus chic et climatisé. Un petit déjeuner complet, des tacos ou des enchiladas reviennent à 2,50 $US. Pour un plat de poisson et de viande, comptez entre 3,50 et 7 $US.

La meilleure comida corrida (5 $US) est servie au restaurant de l'*Hotel María Eugenia* (reportez-vous au paragraphe *Où se loger*).

Distractions

Le dimanche soir, des groupes se produisent en *live* sur la Plaza Cívica.

Cinemas Gemelos, attenant à la Trattoria San Marco, à l'est de la cathédrale, propose des films en exclusivité.

La meilleure discothèque de Tuxtla, le *Colors*, à l'Hotel Arecas, est situé Boulevard Domínguez 1080, à l'ouest de l'Hotel Flamboyant. L'entrée coûte 5 $US environ, les boissons 1 $US. Il paraît que l'on s'amuse bien à la *Disco Sheik* de l'Hotel Flamboyant, de même qu'au bar de l'*Hotel Bonampak*. Les jeunes se retrouvent plutôt au *Tropicana Salon*, 2 Ote Sur, au sud de l'Avenida Central Ote, presque en face de l'Hotel Regional San Marcos.

Comment s'y rendre

Avion. Tuxtla dispose de deux aéroports. L'Aeropuerto Llano San Juan, à 28 km à l'ouest de la ville, accueille les gros porteurs. L'Aeropuerto Francisco Sarabia – également appelé Aeropuerto Terán – (☎ 2-29-20), à 2 km au sud de l'autoroute 190 à partir d'une bifurcation, et à 5 km à l'ouest de la place centrale, est desservi par des avions de moindre capacité. En hiver, le trafic est parfois interrompu au Llano San Juan, en raison du brouillard, auquel cas les avions sont déroutés sur Terán.

Aviacsa relie Tuxtla à Mexico (110 $US) et à Tapachula, sans escale. Aerocaribe/Mexicana assure des liaisons directes à destination de Mexico, d'Oaxaca, de Palenque et de Villahermosa.

Aviacsa (☎ 2-80-81, 2-49-99 ; fax 3-50-29, 2-88-84) se tient dans l'Avenida Central Pte 160, à un pâté de maisons à l'ouest de la Plaza Cívica, sous le Gran Hotel Humberto. Mexicana/Aerocaribe (☎ 2-20-53 ; fax 1-17-61), Avenida Central Pte 206, est à un pâté de maisons à l'ouest de la place principale.

Bus. La gare des bus Cristóbal Colón, à l'angle de 2 Norte Ote et 2 Pte Norte, deux rues au nord-ouest de la place principale, est la gare routière des bus 1re classe. ADO y est également représentée. Vous ne trouverez pas de consigne à bagages ici, mais vous pourrez vous adresser à des sociétés privées à l'extérieur. Prenez la sortie donnant sur 2 Norte Pte et cherchez le panneau "We Keep Your Objet".

Bon nombre de compagnies de bus 2e classe sont représentées dans 3 Sur Ote, à l'ouest de 7 Oriente Sur. Mentionnons Autotransportes Tuxtla Gutiérrez (ATG), 3 Sur Ote 712, immédiatement à l'ouest de 7 Ote Sur. Depuis l'angle sud-est de la place principale, comptez quatre pâtés de maisons vers l'est, un vers le sud, un vers l'est, puis un vers le sud. Le dernier pâté de maisons est piétonnier et traverse un petit marché.

Autres sociétés représentées dans cette rue : Autotransportes Rápidos de San Cristóbal et Oriente de Chiapas.

Transporte de Pasaje Grupo Colosio-Tres Estrellas, dont le terminus est situé 2 Sur Ote, en face de l'Hotel San Antonio, exploite des minibus pour San Cristóbal de Las Casas.

Transportes de Pasajeros Gómez y Castellanos (abrégé en Gómez ci-dessous) relie Cahuare et Chiapa de Corzo toutes les 20 à 25 minutes entre 5h et 22h moyennant 0,50 $US. Le terminus est installé 3 Ote Sur 380.

Cancún – 1 100 km, 16 heures ; un bus 1re classe Cristóbal Colón (35 $US)

Chiapa de Corzo – 12 km, 20 mn ; minibus Chiapa-Tuxtla et Gómez fréquents (0,50 $US), avec un arrêt à Cahuare

Ciudad Cuauhtémoc (frontière guatémaltèque) – 255 km, 4 heures ; 2 bus par Cristóbal Colón (6 $US), un par ATG (5,50 $US).

Comitán – 168 km, 3 heures 30 ; 5 bus Cristóbal Colón (5 $US), bus toutes les heures par ATG (2,75 $US).

Mérida – 995 km, 14 heures ; 3 bus Cristóbal Colón Plus (25 $US).

Mexico (TAPO) – 1 000 km, 17 heures ; 3 bus Cristóbal Colón Plus l'après-midi (37 $US) ; 8 bus 1re classe Cristóbal Colón et 5 bus ADO (140 pesos).

Oaxaca – 550 km, 10 heures ; 1 bus 1re classe Cristóbal Colón le matin (75 pesos) ; 2 bus ADO de nuit (37 $US).

Palenque – 275 km, 6 heures ; 6 bus Cristóbal Colón (9 $US) ; plusieurs bus ATG (7 $US) et Oriente de Chiapas (6 $US).

San Cristóbal de Las Casas – 85 km, 2 heures ; bus Cristóbal Colón (2,50 $US), ATG (1,50 $US) et Oriente de Chiapas (6 $US) ; départ toutes les heures. Nombreux taxis collectifs (entre 3,75 et 4,50 $US par personne) avec Autotransportes Rápidos de San Cristóbal

Tapachula – 400 km, 7 heures ; 5 bus Cristóbal Colón (12 $US), 6 bus ATG (10 $US).

Villahermosa – 294 km, 6 heures ; 6 bus Cristóbal Colón (8,75 $US) ; 3 bus ATG (6,50 $US).

Voiture. Les sociétés de location de voitures représentées à Tuxtla sont les suivantes :

Budget – Boulevard Domínguez 2510 (☎ 5-06-72 ; fax 5-09-71)

Dollar – Avenida 5 Norte Pte 2260 (☎ 2-52-61 ; fax 2-89-32)

Gabriel Rent-a-Car – Boulevard Domínguez 780 (☎ 2-07-57 ; fax 2-24-51).

Comment circuler

Desserte des aéroports. Transporte Terrestre (☎ 2-15-54) assure la liaison en taxi (10 $US) et en minibus (5 $US) entre le centre-ville et l'Aeropuerto Llano San Juan. Pour les minibus, le départ s'effectue devant les bureaux des compagnies aériennes représentées à l'Aeropuerto Llano San Juan, deux heures avant chaque vol.

Pour l'aéroport Terán, prenez un taxi (2 $US).

Transports locaux. Tous les colectivo (0,30 $US) circulant boulevard Belisario Domínguez-Avenida Central-Boulevard Albino Corzo se rendent au moins jusqu'à l'office du tourisme et l'Hotel Bonampak à l'ouest et jusqu'à 11 Ote à l'est. Leurs arrêts officiels sont indiqués par des panneaux bleus "Ascenso"/"Descenso" mais ils acceptent parfois de s'arrêter ailleurs. Les taxis sont nombreux et une course en ville coûte environ 1 $US.

DE TUXTLA GUTIÉRREZ A VILLAHERMOSA

A 30 km de Tuxtla Gutiérrez, sur la 190 (au-delà de Chiapa de Corzo, voir la rubrique suivante), vous arriverez à la jonction avec la 195. Continuez tout droit vers San Cristóbal de Las Casas (55 km) ou tournez à gauche (au nord) vers Villahermosa, sur la 195 (264 km).

Le village de **Bochil** (13 000 habitants), à 94 km de Tuxtla Gutiérrez et 1 272 m d'altitude, est habité par les Mayas Tzotziles. Il compte deux hôtels : l'*Hotel Juárez*, bien tenu, sur la route principale, et l'*Hotel María Isabel*, plus modeste, un peu en retrait de la route. Il y a aussi une station service Pemex, la seule avant de nombreux kilomètres.

Le **Balneario El Azufre** (bains soufrés 5 km se trouve avant le tournant de Teapa, sur la droite. En descendant dans la vallée, l'origine de cette appellation devient immédiatement perceptible au passage d'un cours d'eau d'où émane une pénétrante odeur de soufre. La route contourne Teapa par l'ouest, à 60 km de Villahermosa.

CHIAPA DE CORZO

• *Hab. : 50 000* • *Alt. : 500 m*

Chiapa de Corzo est une petite ville coloniale sise sur le Río Grijalva, à 12 km à l'est de Tuxtla Gutiérrez. C'est le point de départ d'excursions vers le canyon du Sumidero.

Histoire

Chiapa de Corzo est occupée presque sans interruption depuis environ 1500 av. J.-C. L'enchaînement de cultures très diverses que cette ville a connu – influence des Indiens olmèques, mayas, de Monte Albán et de Teotihuacán, lui confère une valeur inestimable aux yeux des archéologues qui cherchent à reconstituer l'évolution de la culture précolombienne.

Au cours des deux siècles qui précédèrent l'arrivée des Espagnols, Nandalumí, la capitale des Indiens Chiapas, qui dominaient l'ouest du Chiapas à l'époque, était située à 2 km en aval de Chiapa de Corzo, sur l'autre rive de la rivière près de l'embouchure du canyon. Lorsque les Espagnols menés par Diego de Mazariegos arrivèrent en 1528 pour occuper la région, les Chiapas, comprenant que leur défaite était inéluctable, se jetèrent par centaines – hommes, femmes et enfants – dans le canyon plutôt que de se rendre.

Mazariegos fonda ensuite Chiapa de Corzo qu'il appela d'abord Chiapa de los Indios mais, un mois plus tard, il déménagea vers une nouvelle ville, Villa Real de Chiapa (aujourd'hui San Cristóbal de Las Casas), où le climat et les Indiens étaient moins hostiles.

En 1863, Chiapa fut le théâtre d'une bataille décisive entre les libéraux qui soutenaient le président Benito Juárez, et les conservateurs favorables à l'Église qui appuyaient l'invasion du Mexique par les Français. Les conservateurs, dirigés par Juan Ortega, prirent San Cristóbal de Las Casas, mais furent vaincus par des forces de Chiapa et de Tuxtla Gutiérrez réunies par le gouverneur libéral de l'État Ángel Albino Corzo et menées par Salvador Urbina. Le nom de Corzo, qui naquit et mourut ici, fut adjoint à celui de la ville en 1888, pour devenir Chiapa de Corzo.

Orientation et renseignements

Les minibus en provenance de Tuxtla font halte dans la Calle 21 de Octubre, au nord de la plaza.

L'embarcadère pour les croisières dans le Cañón del Sumidero est à deux rues au sud de la plaza, dans la Calle 5 de Febrero, la rue qui longe la partie ouest du parc. Bital, à l'angle de 21 de Octubre et de 5 de Febrero, possède un distributeur de billets.

A voir

D'impressionnantes **arcades** bordent la place sur trois côtés. A l'ouest se dresse une statue du Général Corzo. A l'angle sud-est, une **fontaine** ouvragée, en briques, évoque, dit-on, la couronne espagnole. L'ancienne église de la ville, le **Templo Santo Domingo de Guzmán**, à une rue au sud de la plaza, a été édifiée en 1572 par les dominicains. Le couvent attenant est aujourd'hui occupé par le Centro Cultural, qui héberge le **Museo de la Laca** (fermé le lundi). Des objets en laque, spécialités de la région, sont exposées.

Manifestations annuelles

Les fêtes organisées à Chiapa de Corzo en janvier, ou Fiesta de Enero, figurent parmi les plus animées et colorées du Mexique.

A partir du 9 janvier, de jeunes hommes travestis, appelés Las Chuntás, dansent chaque soir dans les rues. Cette coutume aurait pour origine la distribution de nourriture faite aux pauvres par les bonnes d'une riche femme de l'époque coloniale, Doña María de Angulo.

Des processions et des danses exécutées par les Parachicos – des hommes portant des masques de bois et des perruques en ixtle, représentant des conquistadores espagnols – se déroulent dans la journée le 15, le 17 et le 20 janvier.

Le 19 janvier a lieu un défilé musical, puis, dans la nuit du 21 janvier, est reconstitué le Combate Naval – simulation d'une bataille d'une heure sur la rivière, en canoë, accompagnée de spectaculaires feux d'artifice.

Où se loger

Il est préférable de se loger à Tuxtla Gutiérrez, bien pourvu en hébergements (voir plus haut).

Où se restaurer

Huit restaurants sont installés près de l'embarcadero. Leurs menus sont presque identiques et ils distillent une musique assourdissante. Les tarifs sont surévalués, mais la vue sur le fleuve n'est pas dénuée de charme.

Plusieurs gargotes bon marché sont rassemblées près du marché municipal, dans Calle Coronel Urbina, en face du Museo de la Laca.

Le *Restaurant Jardines de Chiapa*, dans un jardin à proximité de Madero, à une rue à l'ouest de la plaza, se distingue par son cadre agréable et son accueil convivial.

Le *Ristorante Italiano*, à l'ouest de la plaza, sert des pizzas bon marché et des spécialités italiennes plus raffinées, à des tarifs modiques.

Le *Restaurant Los Corredores*, dans Madero, à hauteur de 5 de Febrero, prépare un petit déjeuner digne de ce nom et des plats de poisson sont proposés au déjeuner ou au dîner à des prix raisonnables.

Comment s'y rendre

Transportes de Pasajeros Gómez y Castellanos exploite des minibus qui circulent entre Tuxtla (gare routière située 3 Ote Sur 380), Cahuare et Chiapa de Corzo. Départ toutes les 20 à 25 minutes entre 5h et 22h (0,50 $US).

Depuis/vers San Cristóbal de las Casas. Les bus Cristóbal Colón et Autotransportes Tuxtla Gutiérrez circulant entre Tuxtla et San Cristóbal s'arrêtent généralement devant les bureaux des compagnies, dans 21 de Octubre. Le bâtiment blanc abritant Cristóbal Colón est situé à une rue du zócalo, tandis que celui d'ATG est installé au n°284, du côté opposé. L'arrivée à Chiapa de Corzo n'est pas toujours annoncée par les conducteurs.

CAÑÓN DEL SUMIDERO

Le Cañón del Sumidero dessine une faille impressionnante dans le paysage, quelques kilomètres à l'est de Tuxtla Gutiérrez, traversé au nord par le Río Grijalva, ou Río Grande de Chiapas. Avec l'achèvement du barrage de Chicoasén, au nord, en 1981, le canyon se transforma en un long réservoir encaissé.

Des embarcations rapides remontent le Cañón del Sumidero entre d'impressionnantes falaises s'élevant à 1 200 m. La location d'un bateau entier (7 personnes) coûte entre 55 et 60 $US pour une excursion de 2 à 3 heures. Un bateau colectivo (8 à 12 personnes) revient à 7 ou 8 $US.

La 190, qui part vers l'est depuis Tuxtla Gutiérrez, traverse l'embouchure du canyon à Cahuare, à environ 10 km du centre de Tuxtla. L'embarcadero de Cahuare est à l'est du pont et à environ 500 mètres de la 190. Vous pouvez monter à bord de l'une des vedettes en fibre de verre à cet endroit, ou à l'embarcadero de Chiapa de Corzo entre 8h et 16h. Si vous manquez de compagnons de voyage, attendez l'arrivée d'autres voyageurs pour partager un bateau avec eux. Vous ne patienterez guère plus d'une demi-heure. Présentez-vous plutôt vers midi. Prévoyez un ou deux vêtements chauds et une protection contre le soleil.

Le barrage est à environ 35 km de Chiapa de Corzo. Une fois passé sous l'autoroute

TABASCO ET CHIAPAS

190, les falaises du canyon dominent d'au moins 1 000 m le niveau de l'eau. Sur le trajet, vous apercevrez diverses espèces d'oiseaux – hérons, aigrettes, cormorans, vautours, martins-pêcheurs – et probablement un ou deux crocodiles. Le conducteur du bateau vous indiquera les formations rocheuses ou végétales étranges, notamment une falaise couverte d'une épaisse mousse grimpante qui la fait ressembler à un gigantesque arbre de Noël. Au bout du canyon, la rivière rapide et brune s'élargit derrière le barrage. A cet endroit, l'eau atteint 260 m de profondeur.

Points de vue sur le cañón

Si vous voulez admirer le Sumidero depuis le sommet, Transportes Cañón del Sumidero (☎ 961-2-06-49), 1 Norte Ote 1121, à huit pâtés de maisons à l'est de la Plaza Cívica à Tuxtla, peut prendre jusqu'à 6 personnes dans un minibus pour faire le tour des points de vue au bord du canyon (10 $US).

SAN CRISTÓBAL DE LAS CASAS

• Hab. : 90 000 • Alt. : 2 100 m • ☎ 967

La route venant de Tuxtla paraît grimper indéfiniment dans les nuages avant de redescendre vers la jolie ville coloniale de San Cristóbal, nichée la petite vallée de Jovel, couverte de pins et qui jouit d'un climat tempéré.

Durant les premières semaines de janvier 1994, San Cristóbal fit la une de l'actualité mondiale après l'attaque de l'EZLN visant à défendre les Indiens opprimés du Mexique (et surtout du Chiapas). Le soulèvement fut réprimé en quelques semaines, mais il provoqua un choc dans le pays. A l'heure actuelle, une paix précaire est revenue dans la région. Le gouvernement a promis de réparer ses torts et les Zapatistes, comme les Indiens de la région, attendent avec impatience qu'il tienne ses promesses.

Histoire

Les ancêtres mayas des Tzotziles et des Tzeltales ont élu domicile dans ces hautes terres après le déclin de la civilisation maya des basses terres. Les Espagnols arrivèrent en 1524, et Diego de Mazariegos fonda San Cristóbal quatre années plus tard pour en faire leur quartier général.

Pendant la majeure partie de l'époque coloniale, les citoyens espagnols de San Cristóbal firent fortune aux dépens des Indiens, qui perdirent leurs terres et durent supporter impôt, travail forcé et maladies. Assez tôt, l'Église assura une certaine protection aux Indiens contre les excès des colons. Des religieux dominicains s'installèrent au Chiapas en 1545, en particulier à San Cristóbal, qui devint leur centre religieux. Le souvenir de Bartolomé de Las Casas (la ville porte aujourd'hui son nom), nommé évêque du Chiapas cette année-là, et de Juan de Zapata y Sandoval, évêque de 1613 à 1621, est encore très vif.

San Cristóbal devint la capitale de l'État entre 1824, lorsque le Chiapas fut rattaché au Mexique, et 1892, lorsque Tuxtla Gutiérrez la supplanta. La route provenant de Tuxtla Gutiérrez ne fut pas goudronnée avant les années 40.

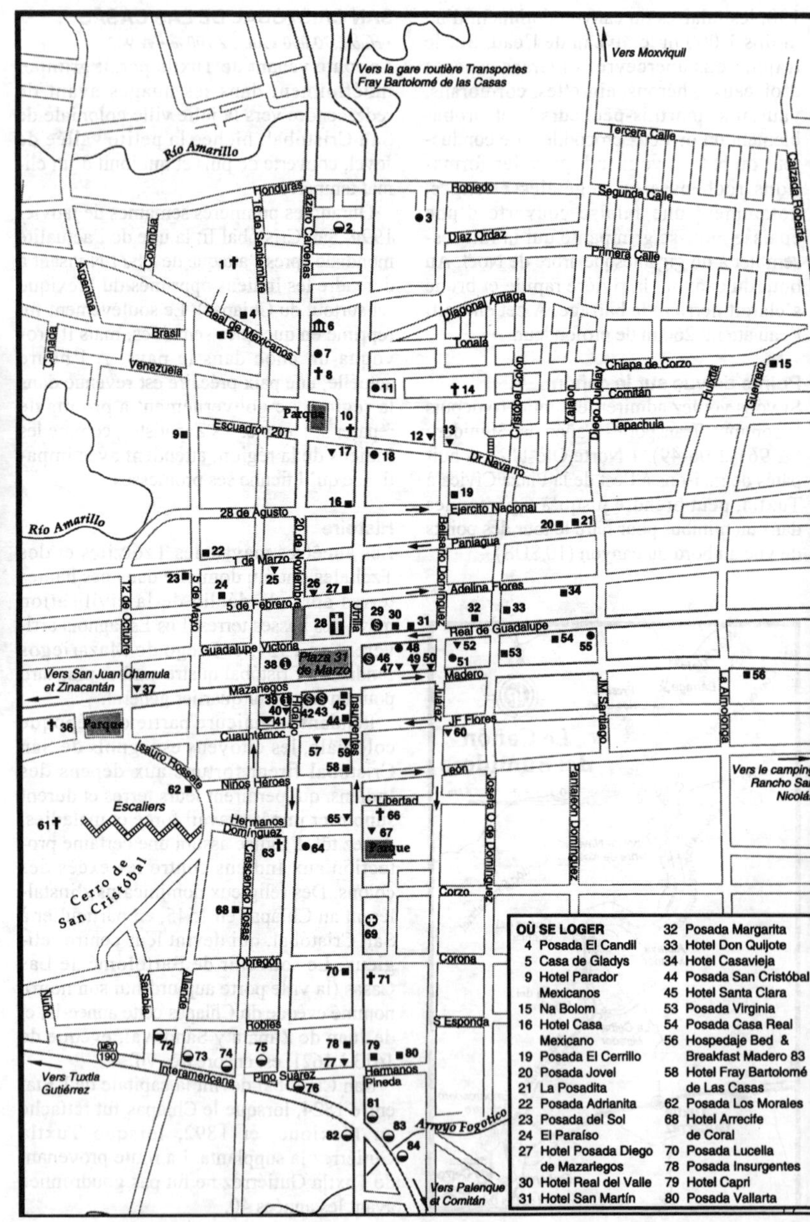
Vers Moxviquil
Vers la gare routière Transportes Fray Bartolomé de las Casas
Río Amarillo
Tercera Calle
Segunda Calle
Primera Calle
Calzada Roberta
Honduras
Robledo
Díaz Ordaz
16 de Septiembre
Lázaro Cárdenas
Colombia
Argentina
Canada
Brasil
Venezuela
Real de Mexicanos
Diagonal Arriaga
Tonalá
Chiapa de Corzo
Comitán
Tapachula
Cristóbal Colón
Tajalo
Diego Dujelay
Huixtla
Guerrero
Parque
Escuadrón 201
Dr Navarro
Ejercito Nacional
Belisario Domínguez
Paniagua
28 de Agosto
20 de Noviembre
1 de Marzo
5 de Febrero
12 de Octubre
5 de Mayo
Adelina Flores
Real de Guadalupe
Utrilla
Guadalupe Victoria
Plaza 31 de Marzo
Madero
Vers San Juan Chamula et Zinacantán
Mazariegos
Hidalgo
Insurgentes
Juárez
JM Santiago
La Almolonga
Cuauhtémoc
JF Flores
Isauro Rossete
Niños Héroes
León
Vers le camping Rancho San Nicolás
Escaliers
C Libertad
Hermanos Domínguez
Josefa O. de Domínguez
Pantaleón Domínguez
Cerro de San Cristóbal
Crescencio Rosas
Corzo
Corona
Obregón
Allende
Sarabia
Nuño
Robles
S Esponda
Interamericana
Pino Suárez
Hermanos Pineda
Vers Tuxtla Gutiérrez
Arroyo Fogotico
Vers Palenque et Comitán
OÙ SE LOGER
4 Posada El Candil
5 Casa de Gladys
9 Hotel Parador Mexicanos
15 Na Bolom
16 Hotel Casa Mexicano
19 Posada El Cerrillo
20 Posada Jovel
21 La Posadita
22 Posada Adrianita
23 Posada del Sol
24 El Paraíso
27 Hotel Posada Diego de Mazariegos
30 Hotel Real del Valle
31 Hotel San Martín
32 Posada Margarita
33 Hotel Don Quijote
34 Hotel Casavieja
44 Posada San Cristóbal
45 Hotel Santa Clara
53 Posada Virginia
54 Posada Casa Real
56 Hospedaje Bed & Breakfast Madero 83
58 Hotel Fray Bartolomé de Las Casas
62 Posada Los Morales
68 Hotel Arrecife de Coral
70 Posada Lucella
78 Posada Insurgentes
79 Hotel Capri
80 Posada Vallarta

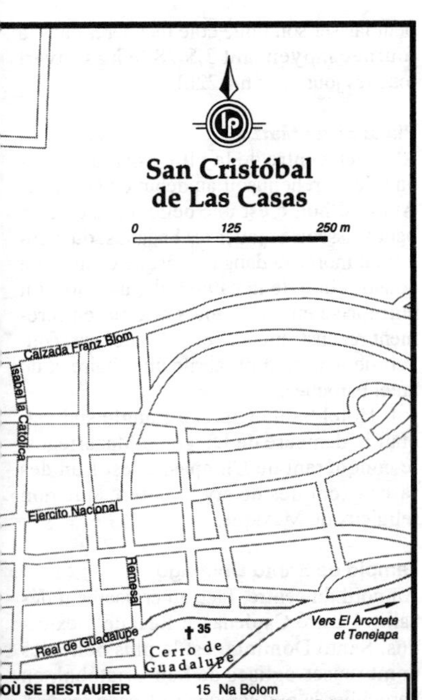

OÙ SE RESTAURER
12 La Parrilla
13 La Casa del Pan
15 Na Bolom
17 Las Estrellas
25 Café-Restaurant El Teatro
26 Taquería La Salsa Verde
37 El Taquito
40 La Galería
47 Restaurant Fulano's
49 Restaurant París México
50 Restaurant Flamingo
52 Cafetería del Centro
57 Cafetería San Cristóbal
59 Restaurant Tuluc
60 Restaurant Normita
65 Madre Tierra
67 Los Merenderos Cookshops
77 Restaurant Tikal

DIVERS
1 Église
2 Combis pour San Juan Chamula, Tenejapa et Zinacantán
3 Mercado Municipal
6 Museo de Arqueología, Etnografía, Historia y Arte
7 Sna Jolobil
8 Templo de Santo Domingo
10 Templo de La Caridad
11 J'pas Joloviletik
14 Église
15 Na Bolom
18 Librería Chilam Balam
28 Cathédrale
29 Casa de Cambio Lacantún
35 Église de Guadalupe
36 Église de La Merced
38 Office du tourisme et Palacio Municipal
39 Office du tourisme SEDETUR
41 Poste
42 Banca Serfin
43 Bancomer (distributeur)
46 Banamex (distributeur)
48 Aviacsa
51 Lavandería Orve
55 Centro Cultural El Puente
61 Église de San Cristóbal
63 Templo del Carmen
64 Casa de Cultura/Bellas Artes
66 Templo de San Francisco
69 Hôpital
71 Église Santa Lucía
72 Gare routière ATG
73 Colectivos (taxis collectifs) pour Tuxtla Gutiérrez
74 Minibus pour Ocosingo
75 Gare routière Transportes Lacandonia
76 Gare routière Autotransportes Andres Caso
81 Gare routière Cristóbal Colón
82 Gare routière Rudolfo Figueroa
83 Gare routière Autotransportes Rápidos de San Cristóbal
84 Gare routière Sociedad Cooperativa Altos de Chiapas

Orientation

San Cristóbal est facile à découvrir à pied, avec ses rues rectilignes qui montent et descendent de petites collines. L'autoroute panaméricaine (la 190) traverse le sud de la ville. Nommée officiellement Boulevard Juan Sabines Gutiérrez, on l'appelle plus souvent "El Bulevar".

En marchant vers le nord depuis les gares routières sur la 190, on atteint la Plaza 31 de Marzo, bordée au nord par la cathédrale. Depuis la gare routière Cristóbal Colón, il faut remonter Insurgentes sur six pâtés de maisons jusqu'à cette place principale. Depuis la gare routière ATG, on y parvient en remontant Allende sur cinq pâtés de maisons, puis en longeant Mazariegos sur deux pâtés de maisons à droite (est).

Les hôtels et restaurants sont éparpillés dans toute la ville mais vous en trouverez une plus grande concentration dans Insurgentes, ainsi que dans Real de Guadalupe et Madero.

Renseignements

Office du tourisme. L'office du tourisme (☎ 8-04-14) est situé à l'extrémité nord du Palacio Municipal, sur la place principale, côté ouest. Il ouvre de 8h à 20h du lundi au samedi, de 9h à 14h le dimanche. Le tableau d'affichage est couvert d'annonces de spectacles. A l'intérieur, un panneau est réservé aux messages et l'office peut recevoir du courrier à votre nom.

Le Secretaría de Desarollo Turístico (Sedetur ; ☎/fax 8-65-70) possède un guichet d'information sis Hidalgo 2, à hauteur de Mazariegos, au nord de La Galería.

Un petit kiosque d'information touristique vous attend en face de la gare routière Cristóbal Colón. Il n'ouvre, semble-t-il, que les jours où il fait beau.

Argent. Banamex, sur la place principale, est l'établissement le plus indiqué en matière de change. Reste qu'il est encore plus simple d'utiliser les distributeurs de billets (voir la carte), ou de changer des espèces ou des chèques de voyage dans les casas de cambio. La Casa de Cambio Lacantún (☎ 8-25-87), Real de Guadalupe 12A, à une cinquantaine de mètres de la plaza, propose des taux comparables à ceux des banques (ouvert du lundi au samedi de 8h30 à 14h et de 16h à 20h, et le dimanche de 9h à 13h).

Faites jouer la concurrence en allant voir d'autres établissements de ce type. La Posada Margarita (voir la carte) pratique des taux intéressants et ne facture pas de commission.

Poste et communications. La poste (☎ 8-07-65) est installée à l'angle de Cuauhtémoc et Crescencio Rosas, une rue à l'ouest et au sud de la place principale. Elle est ouverte du lundi au vendredi de 8h à 19h, le samedi, le dimanche et les jours fériés de 9h à 13h.

Vous trouverez des téléphones du côté ouest du zócalo, dans les gares routières Cristóbal Colón et ATG.

Librairies et bibliothèques. La Pared, près du Centro Cultural El Puente, Real de Guadalupe, est bien fournie en livres d'occasion en espagnol et en anglais.

La Librería Chilam Balam abonde en livres d'histoire et d'anthropologie, mais aussi en romans et guides en français. La boutique la plus grande est située Utrilla 33, au niveau de Navarro (dans la diagonale du Templo de la Caridad) ; un magasin plus petit est installé Insurgentes 18 au niveau de León.

Les 14 000 livres de Na Bolom comportent l'un des fonds les plus étendus sur les Mayas. Si vous êtes intéressé, la bibliothèque est ouverte de 9h à 13h du mardi au samedi.

Blanchissage/nettoyage. La Lavandería Orve (☎ 8-18-02), Belisario Domínguez 5, à hauteur de Real de Guadalupe, gérée par la Posada Margarita, assure un service de lavage dans la même journée (ouvert de 8h à 20h).

Chez Lavasor, Real de Guadalupe 26, entre Utrilla et Belisario Domínguez, on peut laisser son linge et le récupérer dans la journée moyennant 3 $US le kg (ouvert tous les jours de 8h à 22h).

Plaza 31 de Marzo

L'ancien centre de la ville espagnole servait de marché jusqu'au début de ce siècle. Aujourd'hui, c'est une belle place où l'on peut s'asseoir et jouer les badauds, ou manger un morceau dans le kiosque central. La construction de la cathédrale, au nord, fut entreprise en 1528, mais elle fut entièrement reconstruite en 1693. L'intérieur, couvert de feuilles d'or, abrite une chaire et un autel baroques.

L'Hotel Santa Clara, à l'angle sud-est, était la demeure de Diego de Mazariegos, le conquérant du Chiapas. C'est l'un des rares exemples de style plateresque non religieux du Mexique.

Templo de Santo Domingo

Au nord du centre, face au croisement des calles Lázaro Cárdenas et Real de Mexicanos, Santo Domingo est la plus belle des nombreuses églises de San Cristóbal, en particulier la nuit lorsque sa façade rose est illuminée. Avec le couvent voisin, elle fut construite entre 1547 et 1560.

La façade baroque de l'église fut ajoutée au XVIIe siècle. A l'intérieur, les dorures abondent. Les femmes de Chamula organisent un marché quotidien autour de Santo Domingo et de l'église La Caridad (1712), au sud.

Coopératives de tisserandes

Chaque village des hautes terres du Chiapas possède son propre costume, tissé ou brodé (voir encadré).

Ces coopératives ont pour mission de promouvoir cet art populaire, source de revenus, et de préserver l'identité et les traditions indiennes. Les tisserandes visent notamment à faire revivre des techniques et des motifs décoratifs oubliés, et à développer l'utilisation de teintures naturelles.

Sna Jolobil (un nom tzotzile signifiant maison des tisserandes ; ☎/fax 8-26-46), Cárdenas 42, à côté de l'église Santo

MARIO GALLOTTA

Templo de Santo Domingo

Domingo, compte 800 femmes artisans. Sna Jolobil est ouverte tous les jours, sauf le dimanche, de 9h à 14h et de 16h à 18h. On y trouve des châles, des ceintures, des ponchos, des chapeaux. Les prix varient de quelques dollars pour les plus petites pièces à 500 $US pour les plus beaux huipiles et vêtements de cérémonie.

J'pas Joloviletik, Utrilla 43, juste après l'église de La Caridad, rassemble 850 tisserandes originaires de 20 villages tzotziles et tzeltales. Ouvert de 9h à 13h et de 16h à 19h du lundi au samedi, et le dimanche de 9h à 13h.

Museo de Arqueología, Etnografía, Historia y Arte

Ce musée, à côté du Templo de Santo Domingo, s'intéresse principalement à l'histoire de San Cristóbal. Tous les panneaux explicatifs sont en espagnol. Il est ouvert de 10h à 17h (fermé le lundi). L'entrée est de 2 $US.

Templo del Carmen et Bellas Artes

L'église El Carmen, à l'angle de Hidalgo et de Hermanos Domínguez, faisait autrefois partie d'un couvent de religieuses édifié en 1597. Elle est dotée d'une tour datant de 1680 qui repose sur une arcade, et qui fut érigée en remplacement de l'originale, détruite par des inondations 28 ans auparavant. La Casa de Cultura, qui contient une galerie d'art, une bibliothèque et l'auditorium Bellas Artes, est juste à côté.

Centro Cultural El Puente

El Puente (☎/fax 8-22-50), Real de Guadalupe 55, est un centre culturel où passent une foule de visiteurs originaires de la région et d'artistes. Des expositions temporaires sont organisées, et des activités en tous genres (films, conférences, musique ou théâtre en anglais et en espagnol) sont programmés tous les soirs. Il est ouvert tous les jours, sauf le dimanche, de 8h à 22h. Le Café El Puente sert des repas végétariens ou non.

Mercado Municipal

On retrouve la saveur des villages indiens voisins au marché municipal particulièrement animé de San Cristóbal, entre Utrilla et Belisario Domínguez, huit pâtés de maisons au nord de la place principale. Il est ouvert tard dans l'après-midi, excepté le dimanche. Nombre de commerçants et de clients sont des villageois indiens – dont c'est la principale raison de venir en ville. Résultat de siècles d'exploitation, les Indiens se tiennent généralement à distance de la population mestizo. Ils peuvent cependant se montrer amicaux et pleins d'humour – voire des commerçants redoutables !

San Cristóbal et les collines de Guadalupe

Les plus hautes des collines sur lesquelles est bâtie San Cristóbal sont le Cerro (colline) de San Cristóbal, dans le quart sud-ouest de la ville, accessible en grimpant des escaliers depuis Allende, et le Cerro de Guadalupe, sept rues à l'est de la place principale par la Calle Real de Guadalupe. Les deux sont surmontées d'une église, d'où la vue est superbe. Attention cependant, on nous a rapporté plusieurs tentatives de viol.

Grutas de San Cristóbal

Les grottes constituent, en réalité, une seule et même longue caverne située à 9 km au sud-est de San Cristóbal, dans une belle pinède, à quelques minutes de marche au sud de l'autoroute panaméricaine, au milieu d'un important campement militaire établi à la suite de la rébellion de l'EZLN en 1994.

Les 350 premiers mètres de la grotte sont éclairés et équipés d'une passerelle de bois. Vous pouvez entrer, moyennant 0,50 $US, tous les jours de 7h à 17h. Pour y accéder, prenez un minibus vers l'est le long de la panaméricaine et demandez "Las Grutas" (0,30 $US). Le camping est autorisé et l'on peut louer des chevaux.

Reserva Ecológica Huitepec et Pro-Natura

Située à 3,5 km de San Cristóbal sur la route de Chamula, la réserve écologique de Huitepec est un sentier nature de 2 km qui serpente sur les versants du Cerro Huitepec. Après avoir traversé divers types de végétation on atteint une forêt perchée dans les nuages. L'ascension dure environ 45 mn. Elle est ouverte tous les jours, sauf le lundi de 9h à 16h.

Pro-Natura, organisation indépendante animée par des volontaires et financée par des dons privés, propose des excursions pour 2 $US. Elle occupe un bureau au Maria Adelina Flores 2 (☎ 8-40-69).

Promenades à cheval

Plusieurs établissements organisent des balades vers les villages et les grottes des environs. Renseignez-vous sur les montures proposées avant de vous engager.

La Posada Margarita, la Posada Jovel et la Posada Del Sol, font payer 10 $US la promenade de 3 à 5 heures. José Hernández (☎ 8-10-65), Elías Calles 10 (deux rues au nord-ouest de Na Bolom) donnant dans Huixtla au nord de Chiapa de Corzo, loue des chevaux moins chers à 7 $US. Le camping Rancho San Nicolás (☎ 8-18-73) fournit également des montures.

Costume montagnard traditionnel

Chaque village des montagnes du Chiapas possède son costume particulier. A San Juan Chamula, les hommes portent de larges tuniques de laine blanche de fabrication artisanale. Les porteurs – ceux qui ont d'importantes fonctions religieuses ou cérémonielles – revêtent des tuniques noires. Les hommes de Zinacantan portent des tuniques très reconnaissables à bandes rouges et blanches (d'apparence rose) et des chapeaux en palme, ronds et plats, à rubans. Pour les hommes non mariés, les rubans sont plus longs et plus larges.

Le costume féminin est plus orné que celui des hommes. Les motifs apparemment abstraits sont, en réalité, des formes figuratives stylisées : serpents, grenouilles, papillons, oiseaux, saints et êtres naturels et surnaturels divers. Certains ont une fonction magico-religieuse : le scorpion, par exemple, est un appel symbolique à la pluie, car les scorpions ont la réputation d'attirer la foudre.

Certains motifs ont une origine précolombienne : la forme de losange que l'on trouve sur des huipiles de San Andrés Larraínzar apparaît également sur les vêtements du linteau 24 de Yaxchilán. Elle représente l'univers selon les anciens Mayas, pour lesquels la terre avait la forme d'un cube et le ciel était pourvu de quatre angles.

D'autres costumes sont d'origine plus récente : l'ensemble typique des hommes de Chamula – chemise à manches longues, tunique de laine, ceinture et longs pantalons – vient des Espagnols, qui s'opposaient à la relative nudité autorisée par les pagnes et les capes portés par les hommes de Chamula.

Signe du caractère sacré du costume traditionnel, les statues de saints, lors des fêtes, sont habillées de vêtements anciens et vénérés. ■

TABASCO ET CHIAPAS

Cours de langue

Le Centro Bilingüe (☎ 8-41-57 ; fax 8-37-23) possède deux bureaux. Les cours d'espagnol se déroulent au Centro Cultural El Puente (☎/fax 8-22-50) Real de Guadalupe 55.

Les cours particuliers coûtent 6 $US l'heure. Les cours à 3 élèves reviennent à 4 $US de l'heure et par personne.

Les programmes, avec séjour dans une famille mexicaine, comportent 15 heures de cours (3 heures par jour, 5 jours par semaine), avec au moins 3 heures de devoirs à la maison, le séjour en famille pour une semaine (7 jours, 2 personnes par chambre) et la pension complète (sauf le dimanche).

En cours particulier, ce programme revient à 150 $US par semaine ; en cours de 3 élèves, à 125 $US ; un peu moins cher si vous restez plus d'une semaine. Pour 100 $US, vous pouvez vous offrir le "petit déjeuner/déjeuner avec espagnol", un programme de 5 jours comprenant un repas et 3 heures de cours quotidiens.

Circuits organisés

Depuis de nombreuses années, Mercedes Hernández Gómez, qui a grandi à San Juan Chamula, propose de remarquables visites guidées dans les villages. Vous pouvez la rencontrer à 9h près du kiosque sur la place principale, abritée sous une ombrelle colorée. Le circuit de 5 à 6 heures, en minibus ou à pied, coûte environ 8 $US.

Nous avons eu aussi de bons échos des visites guidées qu'organisent Alex et Raúl (☎ 8-37-41), que vous trouverez tous les jours à 9h30 devant la grande cathédrale sur la place principale. Ils offrent les mêmes visites aux mêmes prix et proposent également des circuits pour découvrir la ville.

Les agences de voyages de San Cristóbal proposent des excursions plus lointaines pour la journée. En moyenne, par personne (4 participants minimum), comptez 12 $US pour les villages indiens (5 heures), 22 $US pour le Cañón del Sumidero (8 heures), 20 $US pour le circuit Lagunas de Montebello-ruines de Chincultik-Amatenango Del Valle (9 heures), 26 $US pour les ruines de Palenque-Agua Azul-Misol-Ha (13 heures) et 18 $US pour Toniná (6 heures).

Voici les coordonnées de plusieurs agences de voyages :

Viajes Kanan-Ku (☎/fax 8-41-57), Real de Guadalupe 55, à deux pâtés de maisons et demi à l'est de la place principale, dans le Centro Cultural El Puente – agence spécialisée dans les circuits écologiques : visites de fermes bio, d'herbolaria, de centre d'élevage de papillons et découverte de la jungle

Viajes Chinkultic (☎/fax 8-09-57), Real de Guadalupe 34, dans la Posada Margarita – randonnée équestre, circuits en voiture, en bus ou en avion

Viajes Pakal (☎/fax 8-28-19) – Cuauhtémoc 6, à l'angle de Hidalgo

Manifestations annuelles

La Semana Santa (avant Pâques), marquée par des processions le Vendredi Saint et la mise à feu de "Judas" le Samedi suivant, est suivie par la Feria de la Primavera y de la Paz (foire du Printemps et de la Paix) qui donne lieu à d'autres défilés et corridas. Parfois, l'anniversaire de la fondation de la ville (31 mars) vient s'ajouter à toutes ces festivités !

Les autres fêtes sont celles de San Cristóbal (17-25 juillet), l'anniversaire du rattachement du Chiapas au Mexique en 1824 (14 septembre), la fête de l'Indépendance (15 et 16 septembre), le jour des Morts (2 novembre), la fête de la Vierge de Guadalupe (10-12 décembre) et les préparatifs de Noël (16-24 décembre).

Où se loger – petits budgets

Camping. Le terrain de camping et de caravaning *Rancho San Nicolás* (☎ 8-00-57) est situé à 2 km à l'est de la place principale : continuez sur la piste qui prolonge León sur 1 km. C'est un endroit accueillant avec une pelouse, des pommiers, des chevaux en pâture et des douches chaudes. Le prix est de 2 $US par personne dans une tente, 5 $US dans une cabane, 4 à 6 $US par personne dans une caravane ou un camping-car avec branchements complets.

Hôtels et casas de huéspedes. Plusieurs hôtels bon marché sont regroupés dans Insurgentes, la rue qui mène de la gare routière Cristóbal Colón à la place principale.

Les casas de huéspedes (pensions) n'affichent pas leurs prix. Par conséquent, n'hésitez pas à négocier.

Insurgentes. Une rue environ en amont de la gare routière Cristóbal Colón, l'*Hotel Capri* (☎ 8-30-13 ; fax 8-00-15), Insurgentes 54, dispose de simples/doubles modernes, propres et calmes, autour d'une étroite cour fleurie, à 11/13 $US. En face, la *Posada Insurgentes* (☎ 8-24-35), au n°73, est récente et pratique des tarifs analogues.

La *Posada Lucella* (☎ 8-09-56), Insurgentes 55, en face de l'église Santa Lucia, possède des doubles correctes à 9 $US (12 $US avec s.d.b.).

La *Posada Vallarta* (☎ 8-04-65), Hermanos Pineda 10 (à un demi-pâté de maisons à l'est d'Insurgentes) est dotée de chambres nettes et modernes, avec s.d.b. et balcon. A 11/12/14 $US, c'est une bonne affaire.

Real de Guadalupe. La *Posada Margarita* (☎ 8-09-57), Real de Guadalupe 34, à un pâté de maisons et demi à l'est de la place principale, a longtemps été le point de ralliement des voyageurs à petit budget. Un lit en dormitorio revient à 5 $US, une double propre, sans s.d.b., à 10 $US. Des triples et des chambres de quatre sont également disponibles, mais elle sont exiguës et mal aérées. Cet établissement comporte un restaurant bon et peu cher, une agence de voyages, une laverie et des bicyclettes en location. Les propriétaires peuvent garder votre courrier.

La *Posada Virginia* (☎ 8-11-16), Cristóbal Colón 1, entre Real de Guadalupe et Madero, est bien tenue par une señora efficace et accueillante. Quelques places de parking sont disponibles. Les doubles avec douche coûtent 13 $US.

Vous ne paierez que 4 $US le lit à la *Posada Casa Real*, dans Real de Guadalupe, à côté du Centro Cultural El Puente.

L'*Hotel Real del Valle* (☎ 8-06-80 ; fax 8-39-55), Real de Guadalupe 14, est impeccable et central, avec une belle cour. Les 36 chambres s'élèvent à 12/15/19 $US.

A proximité, l'*Hotel San Martin* (☎/fax 8-05-33), Real de Guadalupe 16, est aussi agréable et s'inscrit dans la même gamme de prix.

Autres quartiers. Le meilleur choix de la ville est sans aucun doute l'*Hospedaje Bed and Breakfast Madero 83* (☎ 8-04-40), Madero 83, cinq rues à l'est de la place principale. Un lit (propre) en dortoir vaut 3,25 $US, une simple 4,50 $US, et des chambres avec s.d.b. entre 7,50 et 11 $US. Ces prix comprennent le petit déjeuner, composé d'œufs, de haricots, de tortilla et de café. Pour quelques pesos, on a accès à la cuisine. Cet établissement affiche souvent complet.

L'atmosphère chaleureuse et les prix pratiqués par la *Posada Jovel* (☎ 8-17-34), Paniagua 28, entre Cristóbal Colón et Santiago, attirent les voyageurs à petit budget : 6,75/10 $US la simple/double avec s.d.b. commune, 8,50/12,50 $US avec s.d.b. privée. Des bicyclettes sont proposées en location. Si le Jovel est complet, tentez votre chance à l'établissement voisin, *La Posadita*, Paniagua 30.

La *Posada del Sol* (☎ 8-04-95), Primero (1) de Marzo 22, à hauteur de 5 de Mayo, à trois pâtés de maisons à l'ouest de la place principale, se distingue par ses oiseaux en cage, son décor années 70 et ses tarifs très compétitifs : 8/10/14/15 $US avec s.d.b. commune, un peu plus avec s.d.b.

Nostalgique des années 60 ? Poussez la porte de la *Casa de Gladys*, Real de Mexicanos 16, une maison coloniale agrémentée d'une cour, de hamacs et de posters pacifistes aux murs. Comptez 10 $US la double (sans eau). Le café et l'eau purifiée sont gratuits. A une encablure, la *Posada El Candil* (☎ 8-27-55), Real de Mexicanos 7, propose des chambres sans prétention, propres et aérées à 7/11 $US (sans eau).

La *Posada El Cerrillo*, Belisario Domínguez 27, au nord d'Ejército Nacional, se prévaut d'une cour fleurie et de chambres spacieuses à 15 $US la double avec douche. Les prestations sont identiques à la *Posada Adrianita* (☎ 8-12-83), Primero de Marzo 29, à hauteur de 5 de Mayo.

Où se loger – catégorie moyenne

La *Posada San Cristóbal* (☎ 8-68-81), Insurgentes 3, à proximité de la place principale, ne manque pas de charme. Les chambres, aérées et rehaussées de couleurs, sont disposées autour d'une cour. La simple/double/triple se monnaie 15/19/23 $US.

De style colonial, l'*Hotel Fray Bartolomé de Las Casas* (☎ 8-09-32), Niños Héroes 2, à hauteur d'Insurgentes, à deux pâtés de maisons au sud de la place principale, est propre et possède plusieurs chambres de caractère louées 15/18/22 $US.

Vous pouvez séjourner à *Na Bolom* (☎ 8-14-18 ; fax 8-55-86), Guerrero 33, moyennant 27/30/35 $US. Des réductions sont parfois consenties lorsque la fréquentation est faible. Reportez-vous à l'encadré consacré à Na Bolom.

Plongez-vous dans l'atmosphère XVIe siècle de l'*Hotel Santa Clara* (☎ 8-08-71 ; fax 8-10-41), Avenida Insurgentes 1 (à l'angle sud-est de la place principale), que fréquenta Diego de Mazariegos, le conquistador espagnol du Chiapas. A votre disposition : des chambres spacieuses et confortables, une cour avenante où s'égaillent des aras rouges, un restaurant, un bar-salon et une piscine chauffée. Les simples/doubles/triples/quadruples se négocient 20/22/26/30 $US.

El Paraíso (☎ 8-00-85 ; fax 8-51-68), 5 de Febrero 19, à trois pâtés de maisons à l'ouest de la place principale, dispose d'une cour où dominent des éléments floraux et où sont installés des fauteuils en cuir. Le personnel, très accueillant, vous proposera des chambres confortables à 25/29/34 $US. Le restaurant sert des spécialités suisses et mexicaines.

Vous ferez un choix judicieux en élisant domicile à l'*Hotel Parador Mexicanos* (☎ 8-00-55), 5 de Mayo 38, au sud d'Escuadrón 201, dont les grandes chambres confortables bordent une avenue-jardin conduisant à un court de tennis. Un bar, un restaurant et d'agréables vérandas complètent les prestations. Il vous en coûtera 15/23/28 $US.

La *Posada Los Morales* (☎ 8-14-72), Allende 17, dispose d'une dizaine de bungalows blanchis à la chaux, d'une capacité de deux personnes, installés dans un jardin en pente à cinq pâtés de maisons au sud-

Na Bolom

Une visite à Na Bolom, Guerrero 33, à l'angle de Chiapa de Corzo, six rues au nord de Real de Guadalupe, est l'une des expériences les plus extraordinaires que l'on puisse faire. Pendant plusieurs décennies, ce fut le domicile de l'anthropologue et photographe suisse Gertrude (Trudy) Duby-Blom, morte en décembre 1993, à l'âge de 92 ans, et de son époux, l'archéologue danois Frans Blom (décédé en 1963).

Le couple éprouvait une passion commune pour le Chiapas et surtout pour les Indiens. Tandis que Frans explorait et fouillait les sites mayas antiques, notamment Toniná, Chinkultic et Moxviquil, Trudy consacra une grande partie de sa vie à étudier la population des Indiens lacandóns de l'est du Chiapas. Elle œuvra aussi pour le bien des Lacandóns, mais certains lui reprochèrent de les préserver du changement avec trop de zèle. La maison, dont le nom signifie maison du jaguar en tzotzil et qui forme un jeu de mots avec le nom de ses propriétaires, fourmille de photos, de souvenirs archéologiques et anthropologiques et de livres. C'est un véritable trésor pour quiconque s'intéresse au Chiapas. On ne peut y pénétrer que lors de visites guidées informelles, commentée en espagnol à 11h30, et en anglais et en espagnol, du mardi au dimanche, à 16h30, pour 2,50 $US (pas de visite le lundi). A l'issue de la visite, un long film expose le travail de Trudy Blom avec les Lacandóns.

Les visiteurs peuvent louer des chambres (voir *Où se loger*). ■

TABASCO ET CHIAPAS

ouest de la plaza. Chaque unité, louée 20 $US, comprend une cheminée, une s.d.b. et un four au gaz. Demandez à voir plusieurs bungalows, car certains sont plus propres que d'autres.

L'*Hotel Don Quijote* (☎ 8-09-20 ; fax 8-03-46), Colón 7, entre Real de Guadalupe et Adelina Flores, est l'un des plus récents du quartier. Des cartes colorées et des costumes traditionnels tapissent les murs. Les chambres et le restaurant à l'étage sont agréables. La clientèle dispose d'un service de blanchisserie, d'une agence de voyages, et le café du matin est gratuit. Le tout pour 15/18/22/25 $US.

L'*Hotel Arrecife de Coral* (☎ 8-21-25 ; fax 8-20-98), Crescencio Rosas 29, entre Hermanos Domínguez et Obregón, rappelle les motels nord-américains avec ses bâtiments éparpillés sur une pelouse. Les 50 chambres modernes, sur 2 niveaux, sont équipées d'une s.d.b., de la TV, du téléphone et coûtent 23/28/32/36 $US.

L'*Hotel Casavieja* (☎ 8-03-85 ; fax 8-52-23), Adelina Flores 27, entre Colón et Dujelay, est récent (mais garde sa touche coloniale), séduisant et confortable. Les chambres entourent des cours fleuries, et le restaurant est bien tenu. Vous débourserez 30/38/42 $US.

Où se loger – catégorie supérieure

Avec son style colonial, l'*Hotel Casa Mexicano* (☎ 8-06-98 ; fax 8-26-27), 28 de Agosto 1, à hauteur d'Utrilla, dégage un charme indéniable. Son jardin, ses plantes, sa fontaine sous le ciel étoilé, ses sculptures et son art traditionnel, composent un cadre fort attrayant. Les simples/doubles /triples, avenantes, avec vue sur la cour, coûtent 38/42/47 $US. Les suites avec jacuzzi sont à 65 $US.

L'*Hotel Posada Diego de Mazariegos* (☎ 8-18-25 ; fax 8-08-27), 5 de Febrero 1, occupe deux beaux immeubles dans Utrilla, une rue au nord de la place principale. Les chambres (38/45/54 $US) sont meublées avec goût et la plupart possèdent une cheminée et la TV. Un restaurant et une discothèque font partie des prestations.

Où se restaurer

Les repas les moins chers sont servis par les *cookshops* d'un complexe appelé Los Merenderos, au sud du Templo de San Francisco, dans Insurgentes. Un repas complet revient à un peu plus de 1,50 $US.

Jouissant d'une popularité éternelle, le *Restaurant Tuluc*, Insurgentes 5, un pâté de maisons et demi au sud de la place principale, est à recommander pour son horaire matinal (ouverture à 6h15), son service efficace, sa bonne cuisine et ses prix intéressants La plupart des plats coûtent entre 2,50 et 4,50 $US.

Le *Madre Tierra* (la Terre Mère), Insurgentes 19 près de Hermanos Domínguez, est une oasis végétarienne au pays des "carnes" et autres "aves". De la carte variée et appétissante, on retiendra les soupes nourrissantes, les sandwiches au pain complet, les plats de riz brun, les pâtes, les pizzas et les salades. Les prix oscillent entre 1,80 et 4 $US. Le menú del dia coûte 6 $US, café ou thé compris. Tous les repas sont accompagnés d'un excellent pain au blé complet.

A la *Panadería Madre Tierra* voisine, vous vous approvisionnerez en pains complets, muffins, cookies, gâteaux, quiches, pizzas et yaourts glacés.

La Casa del Pan, Dr Navarro 10, près de Belisario Domínguez, sert un petit déjeuner bio reconstituant composé de fruits, de céréales, de yaourt, de muffins et de café (4 $US), et une comida corrida végétarienne comprenant soupe, riz, haricots, quesadilla, boisson et dessert à 4 $US. Déjeuner et dîner sont également proposés. On peut s'installer dans la cour ou dans la salle à manger. De bons pains aux céréales, des bagels, des brownies et des cookies sont en vente. Ouvert tous les jours, sauf le lundi, de 7h à 22h.

La petite *Cafetería San Cristóbal*, dans Cuauhtémoc, à deux pas d'Insurgentes, passe pour préparer le meilleur café de la ville. La clientèle se compose essentiellement d'hommes qui viennent jouer aux échecs et lire le journal.

Les murs du restaurant *Las Estrellas*, Escuadrón 201 6B, en face du parc de La

Caridad, couverts de remarquables batiks (en vente), attireront votre attention. Au menu figurent des plats au pistou, des quiches végétariennes et des plats de riz à 2 $US, ainsi que des pâtes avec pain à l'ail ou des pizzas à 2,75 $US. Le service est cordial et rapide.

Le *Restaurant París México*, Madero 20, à un pâté de maisons à l'est de la place principale, est un petit café branché où l'on peut déguster des spécialités françaises et mexicaines à 4 $US, des crepas à 2 $US et siroter un délicieux café. Ouvert tous les jours.

Si vous souhaitez goûter la cuisine locale, jetez votre dévolu sur le *Restaurant Normita*, JF Flores, à hauteur de Juárez. Un grand bol de pozole, une soupe de maïs avec des légumes, du porc, des radis et des oignons, revient à 2 $US. Le plato típico Coleto, composé de grillade à base de saucisse de porc, de côtelettes, de frijoles et de guacamole, se monte à 4 $US. Il existe d'autres plats, plus simples et moins onéreux.

La *Cafetería del Centro*, Real de Guadalupe 15, concocte des petits déjeuners pour la modique somme de 2 $US, avec des œufs, des toasts, du beurre, de la confiture, des jus de fruit et du café. A l'étage, Hidalgo 3, *La Galería* sert des pizzas à des tarifs compétitifs.

El Taquito, à l'angle de Mazariegos et de 12 de Octubre, ne paie pas de mine, mais le prix des tacos défie toute concurrence. Vous pouvez également vous laisser tenter par le filete al queso a la parrilla (filet de viande grillée accompagné d'une garniture de fromage), ou le cocktail de fruits avec des céréales et du miel.

Mentionnons également la *Taquería La Salsa Verde*, 20 de Noviembre. Vous apercevrez des señoras en train de confectionner des tacos à la main. Ils sont bons et ne coûtent que 1,50 $US

La Parrilla, à l'angle de Belisario Domínguez et de Dr Navarro, est ouverte de 18h30 à 24h du dimanche au vendredi. Vous pourrez commander d'excellentes carnes et quesos al carbón (viandes et fromages grillés au charbon de bois). Un plat de résistance, un dessert et une boisson vous coûteront 7 $US environ.

Le *Tikal Restaurant*, à une centaine de mètres au nord de la gare routière Cristóbal Colón, dans Insurgentes, sert de copieuses assiettes à base de spaghettis (dont Genovesa au fromage, noix de muscade et épinards) et un bon guacamole avec totopos à 2,50 $US. Les plats de viande et les burgers sont un peu plus chers.

Le *Café-Restaurant El Teatro*, à l'étage du Primero de Marzo 8, près de 16 de Septiembre, est l'un des rares restaurants gastronomiques de la ville. La cuisine est surtout française et italienne (Chateaubriand, crêpes, pâtes fraîches, pizzas et desserts). Comptez entre 6 et 12 $US pour un dîner complet.

Les *Restaurant Flamingo* et *Restaurant Fulano's* se tiennent dans Madero. Les cartes et les prix de ces deux établissements, corrects, sont similaires : spaghettis et salades aux alentours de 2 $US, pizzas et plats de résistance à 4 $US.

Réservez au moins deux heures à l'avance si vous comptez vous attabler au *Na Bolom* pour le déjeuner (13h30) ou le dîner (19h). Le petit déjeuner est servi à la demande entre 7h30 et 10h. Les repas sont onéreux, mais l'ambiance vaut son pesant d'or.

Où sortir

San Cristóbal est une ville où l'on se couche relativement tôt. Les conversations dans les cafés, les restaurants ou les chambres occupent la plupart des soirées.

Vous pourrez néanmoins aller au cinéma, au concert ou écouter de la musique dans des endroits à la mode. Consultez les panneaux d'affichage devant l'office du tourisme et à El Puente pour connaître les programmes.

Le *Centro Cultural El Puente*, Real de Guadalupe 55, propose tous les soirs des films, des concerts ou des conférences.

Des soirées théâtrales et musicales sont régulièrement organisées à la *Casa de Cultura/Bellas Artes*, à l'angle de Hidalgo et de Hermanos Domínguez.

Achats

L'artisanat indien du Chiapas jouit d'une réputation méritée. Les boutiques sont nombreuses, notamment dans Real de Guadalupe (les prix baissent à mesure que l'on s'éloigne du zócalo) et Utrilla (vers le bout du marché). La Galería, Hidalgo 3, vend de beaux objets mais à des prix élevés.

Les textiles (huipiles, rebozos, couvertures) sont les articles les plus remarquables ; en effet, les tisserandes tzotziles sont réputées dans tout le Mexique pour leur adresse et leur créativité (voir plus haut la rubrique *Coopératives de tisserandes*). Des Indiennes vendent directement leurs tissages dans le parc entourant Santo Domingo.

A San Cristóbal, on trouvera également des textiles indiens guatémaltèques et quantité de poteries, belles et bon marché, provenant d'Amatenango del Valle (animaux, pots, cruches, etc.). Le cuir est une autre des spécialités locales.

Marchandez systématiquement si les prix ne sont pas indiqués – on ne vous en voudra d'ailleurs pas d'essayer même s'ils le sont.

Comment s'y rendre

Avion. Les avions réguliers ne dépassent pas Tuxtla Gutiérrez. Vous trouverez un bureau Aviacsa (☎ 8-44-41 ; fax 8-43-84) Real de Guadalupe 7, Pasaje Mazariegos 16. Les agences de voyages peuvent s'occuper de réservations pour les autres compagnies aériennes.

Des vans Chevrolet Suburban font la navette entre l'Aeropuerto Llano San Juan de Tuxtla Gutiérrez et San Cristóbal pour 7 $US par personne. Achetez votre ticket au guichet Aviacsa.

Bus. Une nouvelle Central de Autobuses devrait être construite au sud de la ville mais, pour l'instant, chaque compagnie possède son propre terminus. Chacune des compagnies desservant San Cristóbal offre diverses classes qu'elle désigne comme 2e, 1re ou de luxe, ou par des marques déposées. En général, le prix est un indicateur plus fiable du confort et de la vitesse que la classe. Plus vous payez cher, plus le service est performant.

Cristóbal Colón est installé au croisement de Insurgentes et de la Panaméricaine, et partage la gare routière 1re classe avec Autobuses del Sur. Il n'y a pas d'endroit où déposer ses bagages, mais les commerçants de Insurgentes s'en chargeront contre une petite rétribution. Cherchez les panneaux indiquant "Se Reciben Equipaje" ou l'équivalent.

Autotransportes Tuxtla Gutiérrez (ATG) est installé dans Allende, à proximité de la Panaméricaine, au nord. Le terminus n'est pas visible de la route : remontez la rue en face du concessionnaire Chevrolet, au nord-ouest du Supermercado Jovel, au sud-est de la Policia Federal de Caminos.

Andrés Caso est installé sur la Panaméricaine entre Hidalgo et Crescencio Rosas (une rue environ à l'ouest de Cristóbal Colón) ; Autotransportes de Rápidos de San Cristóbal, sur la Panaméricaine, à un pâté de maisons à l'est de Cristóbal Colón ; et Transportes Fray Bartolomé de Las Casas, sur l'Avenida Salomon González Blanco, dans le prolongement d'Utrilla, à 300 m au nord du marché.

La Sociedad Cooperativa Altos de Chiapas exploite des lignes de minibus le long de la Panaméricaine.

Depuis San Cristóbal, on peut se rendre à :

Chetumal – 700 km, 11 heures ; bus Colón Maya de Oro (deluxe) à 9h30 et 16h35 (24 $US), qui continuent sur Cancún (33 $US depuis San Cristóbal) ; bus Colón (21 $US) à 14h30 et Sur (18 $US) à 12h30.

Chiapa de Corzo – 70 km, 1 heure 30 ; bus ATG (1,50 $US) toutes les demi-heures, avec arrêt éventuel à Chiapa ; prenez plutôt un minibus Altos de Chiapas ou un taxi colectivo (reportez-vous à la carte)

Ciudad Cuauhtémoc (frontière du Guatemala) – 165 km, 3 heures ; 7 bus Colón (3,75 $US) ; 9 bus ATG (3 $US) et plusieurs bus Andrés Caso et Altos de Chiapas. Prenez un bus tôt le matin si vous voulez entrer au Guatemala dans la même journée.

Comitán – 83 km, 1 heure 30 ; 7 bus Colón (1,75 $US) de 7h à 22h ; nombreux bus avec d'autres transporteurs.

Mérida – 770 km, 15 heures ; 1 bus Colón deluxe de nuit (26 $US) et 1 bus normal à 17h30 (22 $US) ; 1 bus ATG Plus (deluxe ; 21 $US) à 18h.
Mexico (TAPO) – 1 085 km, 19 heures ; 5 bus Colón (38 à 44 $US) ; plusieurs bus ATG.
Oaxaca – 630 km, 12 heures ; 2 bus Colón (de 18 à 22 $US).
Ocosingo – 92 km, 1 heure 30 ; 8 bus Colón (2,50 $US) ; plusieurs bus d'autres compagnies, et minibus (consultez la carte pour l'endroit des départs).
Palenque – 215 km, 4 heures ; 8 bus Colón (6 $US) ; 7 bus Figueroa (5 $US), et bus ATG, ATS et Lacandonia (5 $US).
Tapachula – 350 km, 8 heures ; 5 bus Colón (11 $US) ; plusieurs bus ATG et Andrés Caso (6 $US).
Tuxtla Gutiérrez – 85 km, 2 heures ; bus Colón (2,50 $US), ATG (1,50 $US) et Oriente de Chiapas (1,50 $US) toutes les heures ; nombreux taxis collectifs (de 3,75 à 4,50 $US par personne) avec Autotransportes Rápidos de San Cristóbal (consultez la carte pour l'endroit des départs).
Villahermosa – 300 km, 8 heures ; 1 bus Colón (10 $US), ou passez par Tuxtla Gutiérrez.

Comment circuler

Pour vous rendre en bus dans les villages indiens près de San Cristóbal, reportez-vous à la rubrique *Les environs de San Cristóbal* ci-après. De nombreux taxis circulent. Une station est située au nord de la place principale. Une course en ville se négocie aux alentours de 1 $US.

Voiture. L'adresse de Budget (☎ 8 18 71) est Auto Rentas Yaxchilán, Diego de Mazariegos 36, à deux pâtés de maisons et demi de la place principale. Elle est ouverte du lundi au samedi de 8h à 14h et de 15h à 20h, le dimanche de 8h à 12h et de 15h à 19h. En saison, il est parfois nécessaire de réserver plusieurs jours à l'avance. La voiture la moins chère, une berline Volkswagen, coûte environ 40 $US la journée, taxes comprises.

Bicyclette. Los Pinguinos (☎ 8-02-02 ; fax 8-66-38), Avenida 5 de Mayo 10B, loue des bicyclettes moyennant 1 $US de l'heure, ou 7,50 $US la journée, cadenas, carte et bidon d'eau compris. Des excursions à vélo – moyen idéal pour découvrir la ville et ses environs – sont également organisées. Comptez de 7 à 11 $US la demi-journée, 12,50 $US la journée complète.

Passez également chez Bicirent, Belisario Domínguez 5B, qui propose des prestations équivalentes. Ouvert tous les jours de 9h à 20h.

LES ENVIRONS DE SAN CRISTÓBAL

La visite des villages indiens aux alentours de San Cristóbal est l'un des attraits de cette région.

Attention

Vol. Les voleurs armés se sont rendus compte qu'il était plus facile de s'attaquer aux touristes lorsqu'ils se rendaient à pied d'un village à l'autre. Aussi mieux vaut circuler à cheval, en bus ou en voiture.

Photographie. Dans certains villages, surtout les plus proches de San Cristóbal, vous risquez d'être accueilli avec méfiance, témoignage de siècles d'oppression et du désir des Indiens de préserver leurs traditions. Les appareils photographiques ne sont pas toujours tolérés. Il est interdit de prendre des photos à Chamula dans l'église et lors des fêtes, et totalement interdit, quel que soit l'endroit ou le moment, à Zinacantán.

Population et ethnies

Les Tzotziles et les Tzeltales des hautes terres du Chiapas – descendants des Mayas – figurent parmi les Indiens les plus traditionnels du Mexique. Leur catholicisme présente des survivances manifestement précolombiennes. Leur costume les désigne également comme les héritiers des antiques traditions mayas.

Quelque 150 000 Tzotziles occupent un territoire d'environ 50 km d'est en ouest et 100 km du nord au sud, avec San Cristóbal au centre. Le territoire tzeltal, de taille et de forme semblables, se trouve à l'est de celui des Tzotziles. La plupart des Indiens vivent dans les montagnes hors des villages, qui sont surtout de centres de marché et de cérémonie.

La plupart de ces Indiens sont pauvres. Beaucoup d'hommes de San Juan Chamula et Mitontic, notamment, doivent passer la moitié de l'année loin de chez eux à travailler dans les plantations de café de la région de Soconusco.

Des Tzotziles sont partis dans la forêt lacandone chercher des terres. Malgré une incessante répression, le taux de population relativement important des Tzotziles et des Tzeltales leur a permis de conserver leur fierté et les traditions de leur clan qu'ils préservent farouchement. Ces deux peuples ont joué un rôle majeur dans la rébellion zapatiste de janvier 1994.

Marchés et manifestations annuelles

Les marchés hebdomadaires des villages ont presque toujours lieu le dimanche. Ils commencent très tôt et finissent à l'heure du déjeuner.

Les très nombreuses fêtes permettent souvent de découvrir les aspects les plus intéressants de la vie des Indiens. En dehors des fêtes données pour le saint patron d'un village ou d'autres saints, le carnaval (pour lequel Chamula est célèbre), la Semana Santa, le jour des Morts (2 novembre) et la fête de la Vierge de Guadalupe (12 décembre) sont célébrés presque partout.

San Juan Chamula

Les Indiens de Chamula opposèrent une forte résistance aux Espagnols en 1524 et furent à l'origine d'une rébellion célèbre, en 1869. Aujourd'hui, ils forment l'un des groupes de Tzotziles les plus nombreux – 40 000 personnes –, et leur village, 10 km au nord-ouest de San Cristóbal, est le centre de pratiques religieuses uniques. Un grand panneau à l'entrée du village indique qu'il est strictement interdit de prendre des photos dans l'église où à quelque endroit que ce soit pendant les cérémonies.

Le dimanche, dès l'aube, les gens convergent des collines vers la ville, pour le marché hebdomadaire. L'église se cache tout au fond d'une grande place. Un panneau sur la porte demande aux visiteurs de retirer des billets (1 $US) à "l'office du tourisme", sur la place, pour pouvoir entrer. L'atmosphère à l'intérieur est extraordinaire. Les rangées de cierges allumés, les épais nuages d'encens, les fidèles chantant à genoux, la face contre le sol couvert d'épines de pin, sont très émouvants. Les statues de saints sont entourées de miroirs et habillées de vêtements sacrés.

Attenant à l'église, le Museo de Chamula (ouvert de 9h à 18h, 1 $US) présente des objets artisanaux traditionnels et des constructions à base de clayonnages en torchis.

Les habitants de Chamula croient que le Christ s'est relevé de la croix pour devenir le soleil. Les fêtes chrétiennes sont entremêlées de traditions plus anciennes : le carnaval du début du Carême, qui figure parmi les fêtes les plus importantes et dure plusieurs jours en février ou en mars, marque aussi les cinq jours "perdus" de l'ancien calendrier au Long Compte maya, qui comportait des mois de 20 jours (il y en avait 18, soit 360 jours, plus cinq jours pour obtenir une année complète). Parmi les autres fêtes, citons les cérémonies en l'honneur de San Sebastián (entre la mi-janvier et la fin janvier), la Semana Santa, la San Juan, fête du saint patron du village (du 22 au 25 juin) et le changement de *cargos* annuel (30 décembre-1er janvier).

A ces occasions, on boit une boisson alcoolisée très forte, appelée *posh* ; des groupes d'hommes en costume de cérémonie portent des bannières et tournent lentement en rond, en chantant. Pendant le carnaval, des troupes de chanteurs, ou *mash*, parcourent les routes en jouant de la guitare ; ils portent des lunettes de soleil (même s'il pleut) et de hauts chapeaux pointus. Les porteurs de cargo sont vêtus de tuniques noires au lieu des tuniques blanches habituelles.

Zinacantán

• *Hab. : 15 000*

Ce village tzotzil est situé à 11 km au nord-ouest de San Cristóbal. La route qui y mène part de la route de Chamula sur la gauche, puis débouche dans une vallée. Les photos sont interdites.

Les hommes sont vêtus de tuniques à rayures rouges et blanches, et de chapeaux plats en palme, ronds, avec des rubans. Les chapeaux des hommes non mariés sont ornés de rubans plus longs et plus larges. Un marché s'y déroule seulement les jours de fête. La cérémonie la plus importante est donnée en l'honneur du saint patron de la ville, San Lorenzo, entre le 8 et le 11 août, et pour San Sebastián (en janvier).

Les Zinacantecos vénèrent le géranium qui, en même temps que des branches de pin, est offert lors de rituels aux dieux pour obtenir divers bénéfices. Zinacantán possède deux églises. Les croix plantées dans toute la campagne environnante marquent pour la plupart l'entrée des demeures des importants dieux des ancêtres ou du Señor de la Tierra, auxquels il faut faire des offrandes aux périodes appropriées.

Quelques centaines de mètres plus loin, après l'église San Lorenzo, vous apercevrez le **Museo Ik'al Ojov**, une divinité consacrée au seigneur de la Terre. Les bâtiments en torchis abritent des expositions consacrées au mode de vie traditionnel de Zinacantán.

Les confréries religieuses

Les confréries religieuses traditionnelles existent toujours dans les villages indiens des hautes terres du Chiapas. Autrefois, ces organisations constituaient les corps gouvernementaux de la société maya et même si, encore aujourd'hui, elles exercent certains pouvoirs civils dans quelques villes et villages des hauts plateaux du Guatemala, au Chiapas leurs fonctions sont essentiellement religieuses.

Les membres de ces confréries – tous des hommes – se chargent à tour de rôle des *cargos* (obligations). Ce poste temporaire, qui dure généralement un an, implique de veiller sur les statues des saints dans les églises, sur les masques et les costumes utilisés lors des cérémonies religieuses. D'autres cargos consistent à organiser ou payer les cérémonies, les célébrations et les festivités qui marquent les nombreuses fêtes des saints pendant une année.

Le cargo constitue un honneur et un fardeau. Seuls les villageois les plus riches peuvent se permettre de telles dépenses ; par leur sacrifice, le village est assuré que leur réussite financière profitera à tous ses habitants.

Les plus vieux détenteurs de cargo chez les Tzotziles, appelés *mayordomos*, sont responsables du soin des statues des saints dans les églises. Le cargo d'un *alférez* implique l'organisation et le financement de ces fêtes. Le rôle des *capitanes* est de danser et de monter à cheval lors des fiestas. Les *principales* sont des hommes qui ont tenu d'importants cargos et ont accédé au rang d'"aînés du village".

Le rôle des femmes se limite généralement aux travaux domestiques et, notamment, au tissage. ■

Tenejapa

Tenejapa est un village tzeltal à 28 km au nord-est de San Cristóbal, dans une jolie vallée traversée par une rivière. Environ 20 000 Tenejapanecos résident dans les environs. Un marché assez animé remplit la grand-rue (derrière l'église) le dimanche matin. Les détenteurs de cargo sont coiffés de larges chapeaux aux rubans colorés et portent des chaînes de pièces d'argent autour du cou. Les femmes sont vêtues de huipiles brochés ou brodés.

Tenejapa possède quelques comedores dans la grand-rue et une posada très simple, l'*Hotel Molina*, mais elle n'est pas toujours ouverte. La principale fête locale est celle du saint patron du village, San Ildefonso, le 23 janvier.

Amatenango del Valle

Les femmes de ce village tzeltal, près de la Panaméricaine, à 37 km au sud-est de San Cristóbal, sont des potières réputées. La poterie d'Amantenango est toujours cuite suivant une méthode pré-colombienne consistant à entretenir un feu de bois autour des pièces, plutôt que de les mettre dans un four. En plus des pots, bols, urnes, jarres et assiettes que le village produit depuis des générations, les jeunes filles ont, depuis une quinzaine d'années, fabriqué des animalitos (petits animaux) achetés par les touristes. Ils sont petits, attrayants et bon marché, mais fragiles. Les femmes portent des huipiles blancs brodés de rouge et de jaune, des ceintures rouges et des jupes bleues. Le saint patron d'Amatenango, San Francisco, est fêté le 4 octobre.

Autres villages

Les passionnés de civilisation maya souhaiteront sans doute visiter d'autres villages plus isolés. Au sommet d'une colline, **San Andrés Larraínzar**, village tzotzil et mestizo, est à 28 km au nord-ouest de San Cristóbal. Un embranchement en haut de la colline sur la gauche, 10 km après San Juan Chamula, mène à travers un paysage spectaculaire jusqu'à San Andrés. Cette localité a servi de cadre aux négociations entre les rebelles de l'EZLN et les autorités gouvernementales en 1996. Un marché hebdomadaire se déroule le dimanche et les habitants se montrent moins réservés à l'égard des étrangers que ceux des autres villages. Les habitants de Santa Magdalena, autre village tzotzil quelques kilomètres au nord, se rendent au marché de San Andrés. Leurs huipiles de cérémonie figurent parmi les plus beaux vêtements confectionnés par les Indiens du Chiapas. La fête du saint patron a lieu le 30 novembre.

Sur la place de **Mitontic**, petit village tzotzil à quelques mètres sur la gauche de la route de Chenalhó, 23 km au-delà de San Juan Chamula, se dressent une église du XVIe siècle, pittoresque mais en ruines, et une autre, plus récente, en service. Le saint patron, San Miguel, est honoré du 5 au 8 mai.

San Pedro Chenalhó est un village tzotzil niché dans une vallée traversée par un cours d'eau, à 1 500 m d'altitude, 27 km au-delà de San Juan Chamula. Il est le centre d'un groupe de 14 000 Indiens environ. Le marché hebdomadaire se déroule le dimanche. Les principales fêtes sont organisées en l'honneur de San Pedro (27-30 juin), San Sebastián (16-22 janvier) et durant le carnaval.

Huixtán, à 32 km de San Cristóbal, compte environ 12 000 habitants tzotziles. C'était l'un des principaux centres tzotziles préhispaniques. Il possède aussi une église du XVIe siècle.

Oxchuc, 20 km au-delà de Huixtán, est une petite ville tzeltal et mestizo dominée par la vaste église coloniale de Santo Tomás.

Comment s'y rendre

Ne circulez pas à pied entre les villages à cause des risques de vol. Déplacez-vous en voiture. Les routes sont goudronnées jusqu'à San Juan Chamula, Zinacantán, Amatenango del Valle et sur une partie du chemin de Tenejapa. Pour les autres villages cités, il faut emprunter de longs tronçons de piste assez cahoteuse, mais puisque les bus s'en accommodent, une Volkswagen le peut aussi (lentement).

Les horaires des bus et colectivos sont conçus pour amener les villageois en ville tôt le matin et les ramener chez eux dans la soirée.

Les combis qui desservent les villages les plus proches de San Cristóbal partent de l'angle nord-ouest du marché de San Cristóbal, entre Utrilla et Cárdenas. Les départs pour San Juan Chamula et Zinacantán ont lieu toutes les 20 minutes jusqu'à 17h (0,80 $US). Pour Tenejapa, ils partent à intervalles de 30 minutes, font le trajet en une heure et coûtent 1 $US. Le retour de Tenejapa commence à être difficile à partir de 12h.

Pour Amatenango del Valle, prenez un bus pour Comitán (voir *San Cristóbal de Las Casas*). Le tarif est de 1 $US.

Les Transportes Fray Bartolomé de las Casas (voir également *San Cristóbal de Las Casas – Comment s'y rendre*) partent pour Chenalhó (1,50 $US, 2 heures 30) quatre fois par jour, et San Andrés Larráinzar (1,30 $US, 2 heures 30) à 14h. Au retour, le bus part de San Andrés à 7h.

DE SAN CRISTÓBAL A PALENQUE

Ce voyage de 210 km – 12 km vers le sud-est sur la Panaméricaine, puis vers le nord sur l'autoroute 199 – vous fait passer des hautes terres fraîches et brumeuses aux basses terres étouffantes et humides, mais il est parsemé de haltes intéressantes. Ocosingo, à 92 km de San Cristóbal, est le point de départ pour la visite des ruines mayas peu connues de Toniná.

Le tournant pour rejoindre les superbes cascades d'Agua Azul se trouve à 50 km après Ocosingo. Misol-Ha, autre cascade magnifique dotée d'un bassin où l'on peut se baigner, est située à 2 km de la route après le tournant d'Agua Azul. A savoir : des lecteurs ont rapporté avoir été dévalisés sur la route Palenque-San Cristóbal, non loin d'Ocosingo. Des bandes arrêtent les bus, les voitures et les cyclistes et dépouillent les voyageurs de leurs objets de valeur.

OCOSINGO

• Hab. : 20 000 • ☎ 967

Ocosingo est une petite ville dans la vallée, à la population mestizo et tzeltal, située sur la route San Cristóbal-Palenque. A 14 km à l'est de la ville se dressent les ruines de la cité maya de Toniná.

Orientation et renseignements. La ville s'étale vers le bas de la colline à l'est de la route principale. L'Avenida Central descend tout droit de la route principale jusqu'au zócalo. La plupart des gares routières sont installées sur l'Avenida 1 Norte, parallèle à l'Avenida Central une rue plus au nord. Pour vous orienter sur le zócalo, rappelez-vous que l'église se dresse à l'est et l'Hotel Central au nord. Le grand marché – lieu de sanglants affrontements lors de la rébellion zapatiste de 1994 – se tient trois rues à l'est de l'église, sur l'Avenida 1 Sur Ote.

Aucune des banques de la ville ne change liquide ou chèques de voyage. Cette situation risque de changer car Ocosingo commence à apparaître sur les circuits touristiques.

Où se loger. L'*Hotel Central* (☎ 3-00-39), Avenida Central 1, sur le zócalo côté nord, dispose de chambres simples et propres avec ventilateur et s.d.b., à 8/12/15 $US en simple/double/triple.

L'*Hotel Margarita* (☎ 3-02-80) Calle 1 Pte Norte, une rue au nord-ouest de l'Hotel Central, demande 20 $US pour une double. Pas spécialement raffiné, le cadre est néanmoins plus joli qu'ailleurs. Les chambres sont équipées de ventilateur et de s.d.b. Une salle confortable occupe le bas et un restaurant le haut.

La *Posada Agua Azul*, 1 Ote Sur 127, deux rues au sud de l'église, offre des chambres passables de taille moyenne, autour d'une cour où s'ébattent fourmiliers, faucons et aras, derrière les barreaux d'une cage hermétiquement close. Le prix est de 9/13 $US en simple/double.

Tout au bas de la gamme, l'*Hospedaje La Palma*, à l'angle de la Calle 2 Pte et de l'Avenida 1 Norte Pte, en aval de la gare routière ATG, est une auberge propre et familiale où les simples/doubles sont à 4/8 $US avec s.d.b. commune. L'*Hotel San Jacinto*, Avenida Central 13, près de l'église, demande 4/9 $US pour des chambres minimalistes avec s.d.b. commune.

L'*Hospedaje San José* (☎ 3-00-39), Calle 1 Ote 6, à proximité de l'angle nord-est du zócalo, loue des chambres impeccables mais sombres à 6/10 $US en simple/double.

Où se restaurer. Ocosingo est connue pour son queso amarillo (fromage jaune), superposé en trois couches et vendu par paquets d'1 kg. Les deux couches extérieures ressemblent à du gruyère moelleux.

Le *Restaurant La Montura* est situé au nord du zócalo et dispose de tables sur la véranda de l'Hotel Central. C'est une bonne adresse pour le petit déjeuner (fruits, œufs, pain et café pour 2,50 $US), le déjeuner ou le dîner (comida corrida pour 5 $US ou une assiette de tacos pour 2 $US). On vous préparera des sandwiches si vous voulez emporter un pique-nique aux ruines de Toniná.

Le *Restaurant Los Portales*, Avenida Central 19, en face de l'angle nord-est du zócalo, est un endroit intime au charme vieillot. Vous serez dorloté par des señoras qui vous serviront des plats traditionnels entre 2 et 5 $US. En comparaison, l'établissement voisin, le *Restaurant Los Arcos*, est plus moderne mais nettement moins agréable. De l'autre côté du zócalo, le *Restaurant y Pizzería Troje* sert le fameux queso amarillo. Les quesadillas sont bon marché (1,25 $US) et la gamme des pizzas s'échelonne de 2,50 à 7 $US.

Le *Restaurant Maya*, deux rues à l'ouest du zócalo, sur l'Avenida Central, est un petit établissement net et pimpant préparant des platos fuertes (assiettes de déjeuner ou de dîner) à 2,50 $US. Salades de fruit et antojitos sont moins chers.

Le *Restaurant San Cristóbal*, Avenida Central 22, près de la mairie, est une lonchería très simple où rien n'excède 3 $US.

La *Pesebres Steak House*, dans la Calle 1 Pte Norte au-dessus de l'Hotel Margarita, réunit une brise agréable, des vues superbes et de bons plats. La côte premier choix ou le filet mignon coûtent 6,50 $US ; les plats et salades mexicains reviennent à moins de 3 $US.

Comment s'y rendre. La gare routière d'Autotransportes Tuxtla Gutiérrez (ATG) se trouve sur l'Avenida 1 Norte, à une rue de la route Palenque-San Cristóbal. Transportes Lacondonia se trouve un peu plus haut dans la même rue.

Autotransportes Fray Bartolomé de Las Casas – entre les deux précédentes compagnies quant au prix et au confort – est installé de l'autre côté de la grande route en haut de l'Avenida 1 Norte. Des microbus modernes voisinent avec de gros bus délabrés.

Autotransportes Ocosingo occupe l'angle de l'Avenida Central et de la grande route. Les plus rapides sont les combis faisant la navette entre Ocosingo et Palenque ou San Cristóbal. Ils partent quand ils sont pleins en haut de l'Avenida Central, et coûtent 2,50 $US.

Palenque – 123 km, 2 heures 30 ; 5 bus ATG (2,80 $US) ; 2 bus Autotransportes Fray Bartolomé de Las Casas (3 $US).

San Cristóbal de Las Casas – 92 km, 1 heure 30 ; 6 bus ATG (2 $US) ; 6 bus Lacandonia (1,75 $US) ; 5 bus Autotransportes Fray Bartolomé de Las Casas (2,30 $US).

Tuxtla Gutiérrez – 193 km, 4 heures 30 ; 7 bus ATG (4 $US) ; 2 bus Autotransportes Lacandonia (3 $US), le matin ; 5 bus Autotransportes Ocosingo (2 $US).

Villahermosa – 232 km, 6 heures ; 2 bus Autotransportes Lancandonia le matin (3 $US).

Toniná

Les ruines mayas de Toniná, 14 km à l'est d'Ocosingo, sont relativement difficiles d'accès et n'égalent pas en beauté et en importance archéologique celles de Palenque. Elles forment toutefois un site vaste, intéressant, qui réunit quelques grandes structures sur des terrasses taillées à flanc de colline. Les fouilles récentes ont fait disparaître le romantisme d'un site "perdu dans la jungle" mais les vestiges sont aujourd'hui beaucoup plus explicites. Le site est ouvert tous les jours de 9h à 16h (2,50 $US).

Toniná était probablement une cité-État indépendante de Palenque et de Yaxchilán, bien qu'elle ait décliné en même temps que ces dernières, vers 800 ap. J.-C. Les dates découvertes sur le site s'échelonnent de 500 à 800 et, comme à Palenque et Yaxchilán, ce site connut son apogée durant le dernier siècle de cette période.

Le gardien pourra peut-être vous vous faire visiter les lieux. De nombreuses façades de pierre et les murs intérieurs étaient couverts de peintures ou de fresques colorées.

Le chemin longe le musée qui contient un certain nombre de statues, bas-reliefs, autels et calendriers de pierre, puis traverse un cours d'eau et aboutit à une surface plane d'où part la colline en terrasse qui supporte les principaux édifices. Lorsque vous faites face à la colline, se dressent derrière vous, dans un champ, une pyramide envahie d'herbes et le principal jeu de balle. La zone plate comporte un petit jeu de balle et des fragments de sculptures sur calcaire. Certaines semblent montrer des prisonniers portant des offrandes, avec des glyphes sur l'envers.

La partie la plus intéressante de la colline en terrasse est l'extrémité à droite, aux troisième et quatrième niveaux. Le revêtement de pierre du mur qui les relie est orné d'un motif en zig-zag ou en "x" qui pourrait représenter Quetzalcóatl, et qui forme aussi un escalier.

A droite de la base se trouvent les restes d'une tombe, avec des marches menant à un autel. Derrière et au-dessus de la tombe et de l'autel, un labyrinthe de chambres, de passages et d'escaliers indique peut-être l'emplacement du centre administratif de Toniná.

Au milieu de la colline, on aperçoit les restes de l'escalier central. Un niveau au-dessus du mur orné du dessin en zig-zag, se trouve une tombe couverte d'un panneau en fer blanc, que l'on peut soulever et qui abrite un cercueil de pierre. C'est là que l'on a découvert les corps d'un chef et de deux autres personnes. A gauche, toujours au même niveau, un autel est dédié à Chac, le dieu de la Pluie.

A droite au pied d'un temple en ruine, on distingue une sculpture du dieu de la terre, appelée *monstruo de la tierra*. Plus haut, sur la gauche, se dressent deux autres monticules. Celui de gauche, pyramide de la vie et de la mort, supportait peut-être les appartements du chef. Deux autres pyramides-temples s'élèvent au sommet de la colline.

Comment s'y rendre

Depuis Ocosingo, le chemin n'est qu'une piste (14 km), parfois cahoteuse, mais elle traverse des plateaux, égayés par les oiseaux colorés.

Si vous êtes motorisé, suivez la Calle 1 Ote vers le sud depuis l'église d'Ocosingo. Très vite, elle s'incurve sur la gauche et vous apercevrez un cimetière sur la droite. A la fourche, environ 1 km plus loin, prenez à gauche. A la fourche suivante, un panneau indique le site sur la droite. Puis, un autre panneau indique la route de Toniná, au Rancho Guadalupe sur la gauche. De là, il reste 1 km à parcourir jusqu'au site.

Si vous n'avez pas de véhicule, vous pouvez prendre un taxi (20 $US environ pour l'aller et retour avec une heure sur place), faire du stop (environ 6 véhicules par heure), ou monter dans un camion de passagers depuis le marché d'Ocosingo (plusieurs par jour, plus fréquents à partir de la fin de la matinée, environ 1 $US) ou un bus Carga Mixta Ocosingo, depuis l'esplanade proche du marché. Il semble qu'il y ait 2 ou 3 bus pour Guadalupe (près des ruines) chaque jour. Le trajet coûte 1 $US et dure environ 45 mn. Le Rancho Guadalupe accueille parfois des gens pour la nuit ou les autorise à camper.

Les agences de voyages de San Cristóbal et de Palenque proposent des excursions d'une journée en minibus, avec un guide anglophone.

Cascadas Agua Azul

A 66 km au sud de Palenque et 4,5 km de l'autoroute, des tonnes d'eau transparentes se déversent dans des bassins turquoise entourés par la jungle. Les cascades d'Agua Azul figurent parmi les nombreuses merveilles du Mexique.

Pendant les vacances, le site est envahi par la population locale. Mais en dehors de ces périodes, il est plutôt désert. L'entrée coûte 1,50 $US par voiture, la moitié pour les piétons. La belle couleur qui a donné son nom au lieu n'est réellement bleu azur qu'en avril et en mai. Le reste du temps, les eaux sont troublées par la vase et deviennent boueuses au plus fort de la saison des pluies.

La tentation de s'y baigner est grande, mais montrez-vous extrêmement prudent : le courant est rapide et sous l'eau se cachent de nombreux rochers et des arbres morts. Essayez de localiser les zones les plus calmes et les plus sûres. Les noyades sont très nombreuses, comme le montrent les plaques commémoratives.

Un chemin tracé par des véhicules descend de l'autoroute 199 vers la partie des cascades dotée d'un parking et d'une série de comedores aux prix raisonnables, non loin d'un petit village. En amont, un chemin mène dans la jungle par des passerelles très peu stables.

Où se loger et se restaurer. Vous pourrez tendre votre hamac ou planter votre tente à plusieurs endroits mais pour dormir dans un lit, il faut revenir à Palenque. Le *Camping Agua Azul*, près de l'entrée, et le *Restaurant Agua Azul*, près du parking, louent des hamacs et des emplacements où les tendre, pour quelques dollars.

Vous pourrez laisser votre sac à dos au Restaurant Agua Azul, moyennant 1 $US par jour. Vous serez mieux loti, dans un paysage plus beau, si vous allez camper en amont. Suivez simplement le sentier qui longe la rive gauche.

Il vous faudra 5 ou 10 minutes pour parvenir au *Camping Casablanca*. L'endroit est particulièrement sommaire, mais dans la grange, vous pourrez tendre votre hamac pour 2 $US ou en louer un pour 3 $US. Jerónimo, le patron, guide des promenades de 3 heures (5 km) vers les cascades pour 5 $US par personne.

Encore 5 minutes de marche, et vous serez accueilli au camping plus agréable de *José Antonio's*, la maison jaune au mobilier blanc avec une enseigne Coca-Cola, à deux pas de la rivière. Une pelouse peut recevoir les tentes, un palapa pour les hamacs, des palmiers agrémentent le décor et l'on peut se baigner en sécurité à proximité. La nuit revient à 2 $US.

Des restaurants et points de vente de nourriture bordent le parking mais les prestations sont chères et de qualité moyenne.

Comment s'y rendre. Le croisement, ou *crucero* d'Agua Azul, sur la 199, se trouve à environ 57 km au nord d'Ocosingo, à 66 km au sud de Palenque et à 149 km au nord-ouest de San Cristóbal. Le chemin de 4,5 km qui mène aux chutes est continuellement en pente. Avec la chaleur et l'humidité ambiante, la remontée s'avère donc très pénible. Il est possible de faire du stop, mais mieux vaut ne pas compter dessus.

On peut facilement visiter Agua Azul et Misol-Ha au départ de Palenque, avec un circuit organisé. Plusieurs agences de voyages proposent ce genre d'excursions. Les départs se font à 9h pour un retour à 16h, avec en moyenne 3 heures passées aux cascades et une demi-heure à Misol-Ha. Comptez entre 6 et 8 $US par personne, entrée aux sites comprise. A Palenque, les colectivos Chambalu et les colectivos Palenque, à Palenque, font payer 6 $US (pour avoir la liste des agences de voyages de Palenque, voir le paragraphe *Circuits organisés* de *Palenque*).

L'option visite guidée est certes plus onéreuse qu'un trajet en bus mais vous évitera d'être debout dans des bus bondés et de marcher, alourdi de vos bagages, sur 1,5 km jusqu'à Misol-Ha puis 4,5 km en descente jusqu'à Agua Azul (sans compter le trajet retour).

Vous pouvez aussi prendre un bus 2e classe jusqu'au crucero, puis marcher. Tous les bus 2e classe reliant Palenque à San Cristóbal ou Ocosingo vous déposeront au crucero (en revanche, ce n'est pas toujours le cas des bus 1re classe). Jusqu'au crucero, comptez 3 heures de trajet depuis San Cristóbal (4 $US), une heure depuis Ocosingo (1 $US) et entre 1 heure et 1 heure 30 depuis Palenque (1,60 $US). Si vous voulez voyager assis, pensez à réserver votre place. Au retour, vous serez vraisemblablement contraint de voyager debout, du moins au début du voyage. Le stop est certes possible, mais ne vous faites pas d'illusions.

Cascada Misol-Ha

A environ 25 km de Palenque, une cascade se jette de près de 35 m dans un magnifique bassin où l'on peut se baigner sans danger. La cascade de Misol-Ha, et la jungle qui l'entoure, quoique moins visitées qu'Agua Azul, sont spectaculaires.

La cascade est à 1,5 km à l'ouest de la 199 par une piste. La bifurcation est indiquée par un panneau. L'entrée coûte 1 $US par visiteur.

Où se loger et se restaurer. Vous pouvez planter votre tente ou étendre votre hamac

TABASCO ET CHIAPAS

près des chutes moyennant 5 $US, ou descendre dans l'un des huit bungalows rénovés. Ceux-ci sont propres et confortables et s'enorgueillissent de boiseries sombres, de grandes s.d.b., d'eau chaude et de kitchenettes équipées. Il vous en coûtera entre 16 et 30 $US le bungalow avec lit double, 30 à 48 $US avec deux lits. Les tarifs varient selon la saison.

Un petit café est installé près de l'entrée, mais vous avez plutôt intérêt à faire des provisions à Palenque.

PALENQUE

• Hab. : 20 000 • Alt. : 80 m • ☎ 934

Entourées d'une jungle vert émeraude, l'architecture et la décoration mayas de Palenque bénéficient d'une situation magnifique.

Histoire

Palenque signifie palissade en espagnol. Ce nom n'a aucun rapport avec celui de la ville antique, dont on ne connaît pas avec certitude la véritable appellation. Ce fut peut-être Nachan (cité des serpents), Chocan (serpent sculpté), Culhuacán, Huehuetlapalla, Xhembobel Moyos, Otolum. Nul ne sait. Des fragments de poterie attestent que Palenque fut occupée pour la première fois il y a plus de 1 500 ans. Elle prospéra entre 600 et 800 et connut une période très glorieuse. La ville prit d'abord de l'importance sous Pakal, roi au pied bot qui régna entre 615 et 683 de notre ère. Des archéologues ont montré que Pakal est représenté par les hiéroglyphes du soleil et du bouclier.

Il vécut très vieux, peut-être jusqu'à 80 ou 100 ans. Sous son règne, de nombreux édifices et places et, notamment, le fantastique temple des Inscriptions, furent construits sur les 20 km² de la ville. Les bâtiments étaient caractérisés par des toits mansardés et de très beaux bas-reliefs de stuc. Des textes hiéroglyphiques indiquent que le règne de Pakal avait été prédit bien avant son accession au pouvoir et qu'il continuerait à être célébré très longtemps après sa disparition.

Chan-Balum, fils de Pakal, lui succéda sur le trône. Il est symbolisé par les hiéroglyphes du serpent et du jaguar. Chan-Balum poursuivit l'expansion politique et économique de Palenque, ainsi que son développement artistique et architectural. Il acheva la crypte de son père dans le temple des Inscriptions et supervisa la construction des temples de la place du Soleil, dans lesquels il fit placer de monumentales stèles de pierre. On peut se rendre compte de l'influence de l'architecture de Palenque lorsque l'on visite les ruines de la ville maya de Tikal, dans le Petén guatémaltèque, et les pyramides de Comalcalco près de Villahermosa. Peu après la mort de Chan-Balum, Palenque amorça un rapide déclin. Quelle qu'en soit la raison – catastrophe écologique, guerre civile ou invasion – Palenque fut pratiquement abandonnée après le Xe siècle. Situées dans la région qui reçoit les plus fortes pluies du Mexique, ses ruines furent envahies par la végétation et ne furent redécouvertes qu'à la fin du XVIIIe siècle.

Orientation

Il existe deux Palenque : la ville et la zone archéologique, distantes de 6,5 km.

En faisant route vers le sud, depuis le carrefour de Catazajá sur la route 186, le village de Pakal-Na où s'arrêtent les trains de Palenque est à 20 km ; la ville se trouve plusieurs kilomètres au sud. Le matin et l'après-midi, des bus et des minibus font fréquemment la route Catazajá-Palenque. Un taxi coûte 7,50 $US depuis Catazajá.

En faisant route vers le nord-est, depuis Tuxtla Gutiérrez, San Cristóbal et Agua Azul, vous passez devant le Calinda Hotel Nututum avant de rejoindre la route reliant la ville et les ruines. Tournez à droite pour aller à la ville. En approchant de Palenque, on arrive à une bifurcation marquée par une imposante tête d'un chef maya (le roi Pakal ?). A l'est de la statue, la zone s'appelle La Cañada. Continuez vers l'est après la statue sur 1 km pour arriver à Palenque-ville, ou vers l'ouest (5,5 km) pour atteindre les ruines à l'intérieur du parc national.

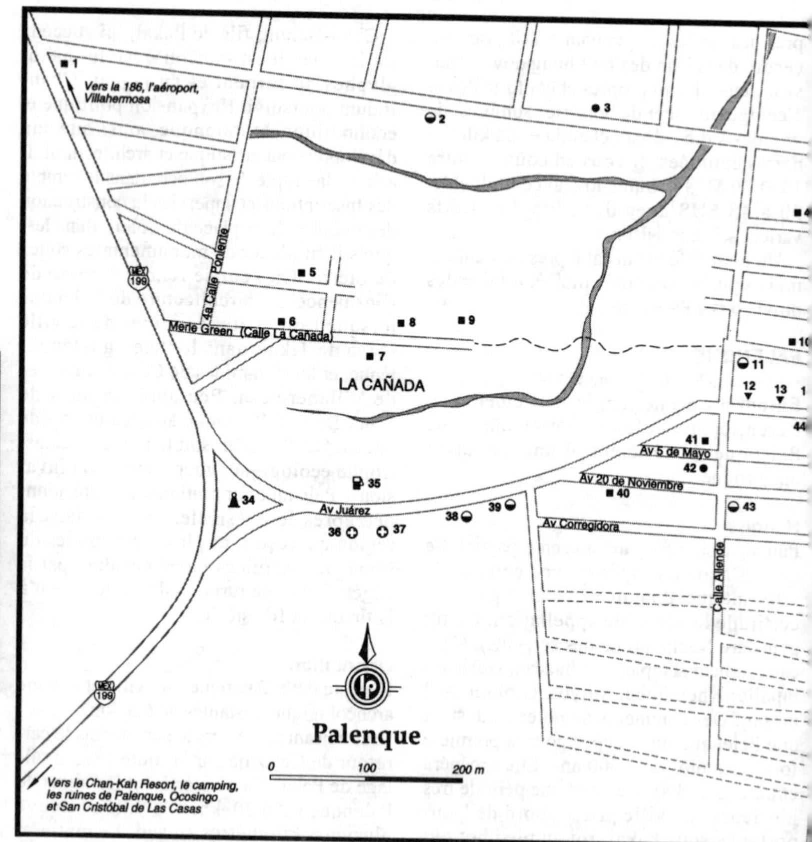

La plupart des hôtels et des restaurants sont regroupés dans le centre-ville. Les terrains de camping et plusieurs hôtels de catégorie supérieure sont installés sur la route qui mène aux ruines. Il y a aussi quelques hôtels et restaurants à La Cañada.

La ville, relativement petite, est très étalée. Elle fait environ 2 km d'ouest en est, de la statue maya à l'Hotel Misión Palenque. L'essentiel des bureaux des compagnies de transport sont regroupés sur quelques centaines de mètres à l'est de la statue maya, après la station-service Pemex lorsque l'on se dirige vers la ville ; vous n'aurez guère plus de 800 m à parcourir à pied jusqu'à la plupart des hôtels. La principale artère qui part de la statue maya vers la ville est l'Avenida Juárez, qui aboutit sur la grand-place, appelée El Parque. Juárez est aussi le centre du quartier commerçant. Le climat est souvent oppressant à Palenque et la brise rare.

Renseignements

Office du tourisme. Situé dans l'immeuble du Mercado de Artesanías dans Juárez, l'office du tourisme (☎ 5-08-28) est bien informé sur la ville et les moyens

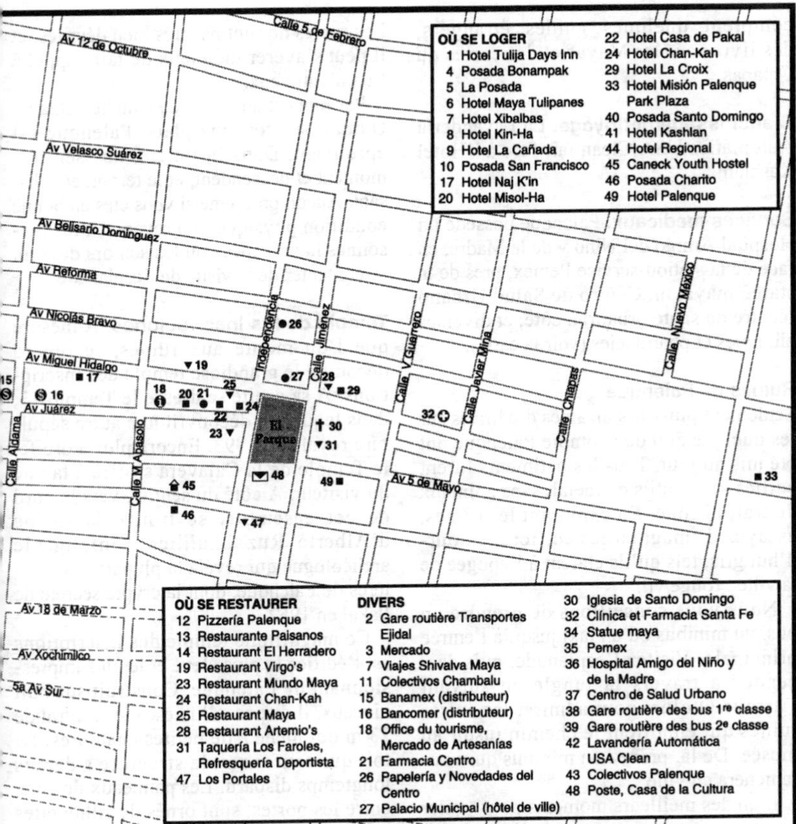

de transport. Il dispose de quelques cartes et ouvre tous les jours de 8h30 à 20h30.

Argent. La Bancomer, un pâté de maisons et demi à l'ouest du parc sur l'Avenida Juárez, pratique le change de 10h à 11h30, du lundi au vendredi. La Banamex, deux rues à l'ouest du parc, opère de 10h30 à 12h, du lundi au vendredi.

Les deux banques sont équipées de distributeurs de billets.

Les taux proposés par certains hôtels, restaurants, agences de voyages et boutiques sont moins intéressants.

Poste et communications. La poste se trouve dans la Casa de la Cultura au sud du parc. Elle est ouverte du lundi au vendredi de 9h à 13h et de 15h à 18h, le samedi de 9h à 13h.

Vous pouvez passer des coups de téléphone longue distance depuis la gare routière ADO. Des casetas Lada se trouvent à proximité des banques dans Juárez.

Librairies. La Papelería y Novedades del Centro (☎ 5-07-77), Independencia 18 près de Nicolás, est une petite librairie-papeterie attenante à un café. Les rayons, comptent quelques guides étrangers, des livres sur les Mayas et des cartes du Chiapas.

Blanchissage/nettoyage. La Lavandería Automática USA Clean fait face à l'Hotel Kashlam.

Services médicaux. Palenque possède un Hospital Amigo del Niño y de la Madre, en face de la station-service Pemex, près de la statue maya, un Centro de Salud Urbano (centre de santé urbain) à côté, et diverses cliniques et pharmacies (voir la carte).

Ruines de Palenque

Seulement plusieurs dizaines d'édifices sur les quelque 500 que compte Palenque ont été mis au jour. Tous les bâtiments furent édifiés sans outils en métal, sans animaux de trait ni roue. En explorant les ruines, essayez d'imaginer les édifices, aujourd'hui gris, tels qu'ils étaient à l'apogée de la ville : rouge vif.

Nous vous conseillons de prendre un bus, un minibus ou un taxi jusqu'à l'entrée principale. Visitez l'esplanade, puis descendez à travers la jungle en suivant l'arroyo Otolum pour admirer les autres ruines qui émaillent le chemin jusqu'au musée. De là, prenez un minibus qui vous ramènera en ville.

L'un des meilleurs moments pour visiter les ruines se situe juste après l'ouverture, lorsqu'une légère brume se lève et enveloppe les temples de brouillard. L'effet est particulièrement beau en hiver. De mai à octobre, pensez à vous munir d'un produit anti-moustiques.

Le site archéologique est ouvert tous les jours de 8h à 16h45. La crypte du Templo de los Inscripciones – à ne pas manquer –, de 10h à 16h seulement. L'accès au site coûte 3 $US, le stationnement dans le parking près du portail 0,50 $US. Aucun supplément n'est exigé pour accéder à la crypte ou au musée. Des boissons, des en-cas et des souvenirs sont en vente près du parking et au musée. A l'entrée, des guides proposent leurs services (tarifs à négocier). Les ruines ne sont pas très bien décrites, et il peut s'avérer judicieux de faire appel à l'un d'entre eux.

Par rapport aux sites de Chichén-Itzá ou Uxmal, sur terrains plats, Palenque est éprouvant. Dans la jungle, des sentiers montent et descendent, et le terrain est glissant. Aucun problème si vous êtes en bonne condition physique ; en revanche, les personnes handicapées ou les seniors devront se contenter de la visite de l'esplanade.

Templo de los Inscripciones. A mesure que l'on monte aux ruines, le regard découvre le grandiose temple des Inscriptions. A sa droite se dresse le Templo 13, dans lequel on découvrit une autre sépulture royale en 1993. Encore plus à droite, le Templo de la Calavera s'offre à la vue du visiteur. A côté du sentier, vers le nord de cet ensemble, se trouve la tombe d'Alberto Ruz Lhuillier, l'infatigable archéologue qui révéla la plupart des mystères de Palenque, dont la crypte secrète de Pakal en 1952.

Ce magnifique temple des Inscriptions est l'édifice le plus élevé et le plus impressionnant de Palenque. Construit sur huit niveaux, il dispose d'un escalier central de 23 m qui mène à de petites chambres. Le toit qui couronnait la structure a depuis longtemps disparu. Les panneaux de stuc, entre les portes, sont ornés de silhouettes d'aristocrates.

Sur le mur arrière du temple, trois panneaux portent une longue inscription en hiéroglyphes mayas (d'où le nom du temple), exécutée en 692, qui raconte l'histoire de Palenque et du temple.

Escaladez les 69 hautes marches jusqu'au sommet, d'où vous trouverez les escaliers qui descendent vers la tombe de Pakal (ouverte de 10h à 16h). Si vous ne pouvez pas monter les escaliers, prenez le sentier qui passe à côté du temple et qui s'enfonce dans la jungle, avant de ressortir à l'arrière du temple. Le passage arrière présente moins de difficultés que les escaliers de devant. Attention aux marches glissantes qui mènent à la crypte.

Le squelette de Pakal, couvert de joyaux, et son masque mortuaire en mosaïque de jade ont été emportés à Mexico. Sa tombe a été reconstituée dans le Museo Nacional de Antropología, mais le couvercle du sarcophage de pierre est resté sur place (l'inestimable masque mortuaire a été volé au musée de Mexico en 1985). Le bloc de pierre sculpté qui protégeait le sarcophage représente Pakal entouré de serpents et de monstres mythiques, le dieu du soleil et des glyphes qui racontent le règne du souverain. Les neuf seigneurs du monde souterrain sont représentés par des bas-reliefs sur le mur. Entre la crypte et l'escalier, un tube d'aération ressemblant à un serpent reliait Pakal au royaume des vivants.

El Palacio. Diagonalement opposé au Templo de los Inscriptiones, le Palais est un important édifice insolite contenant un dédale de cours, couloirs et salles. La tour, restaurée en 1955, recèle de beaux reliefs en stuc sur ses murs, mais n'est plus accessible au public.

Les archéologues et les astronomes pensent que la tour fut construite afin que les rois et les prêtres mayas puissent observer le soleil lorsqu'il donnait directement dans le temple des Inscriptions pendant le solstice d'hiver, le 22 décembre.

Templo del Jaguar. A l'est du Templo de los Inscripciones, un sentier en pente raide se dirige vers le sud dans la jungle et débouche sur le petit temple du Jaguar, en ruines. Dégagé en partie de la végétation, accroché au flanc d'une colline à côté d'un grand ceiba, ce temple présente une façade qui s'est effondrée vers l'arroyo Otolum, laissant ainsi apparaître l'intérieur où subsistent des traces de fresques colorées, piquées de moisissures. La grande pyramide derrière le Templo del Jaguar se limite à un monticule de pierres enfoui dans la jungle.

Grupo de la Cruz. Chan-Balum fit construire 4 bâtiments en l'honneur, de son père Pakal, appelés aujourd'hui Groupe de la Croix.

Les décorations du Templo del Sol (temple du Soleil) comprennent des inscriptions narratives datant de 642, des scènes d'offrandes à Pakal, symbolisé par un soleil et un bouclier. Le toit du temple du Soleil est celui qui est le mieux conservé.

Le Templo 14, plus petit et moins bien préservé, est également orné de dalles représentant des offrandes rituelles – une thématique récurrente à Palenque.

Le Templo de la Cruz, le plus grand du groupe, a été restauré en 1990 et possède également des pierres sur lesquelles sont gravées des scènes.

Les arcades du Templo de la Cruz Foliada (temple de la Croix feuillue) sont complètement visibles et permettent d'apprécier la composition architecturale. Sur une plaque gravée, très bien conservée, on distingue un roi avec un bouclier en forme de soleil (sans doute Pakal) sur la poitrine, du maïs poussant sur ses épaules et un quetzal, oiseau sacré perché sur sa tête.

Grupo Norte. Sur le côté nord du Palais, se dresse le Groupe Nord, qui n'a pas été restauré, ainsi que les ruines d'un court de jeu de balle. Le comte de Waldeck vécut dans l'un des temples de ce groupe, d'où son nom de Templo del Conde, édifié en 647, sous Pakal.

Arroyo Otolum. En continuant vers l'est, vous passerez devant le Groupe Nord et d'autres bâtiments de service, puis déboucherez sur l'arroyo Otolum (ruisseau Otolum). Traversez le ruisseau, prenez à gauche (vers le nord) et enfoncez-vous dans la jungle. Vous avez plus de chance d'apercevoir des animaux sauvages, dont des singes hurleurs, qu'autour de la place principale.

Des escaliers (raides), près de la Cascada Motiepa, vous conduiront au **Complejo Murciélagos** et au **Puente Chiapas**. Les ruines ne présentent pas un intérêt exceptionnel, mais le cadre – la jungle et les chutes (dont la Baño de la Reina) – vaut son pesant d'or.

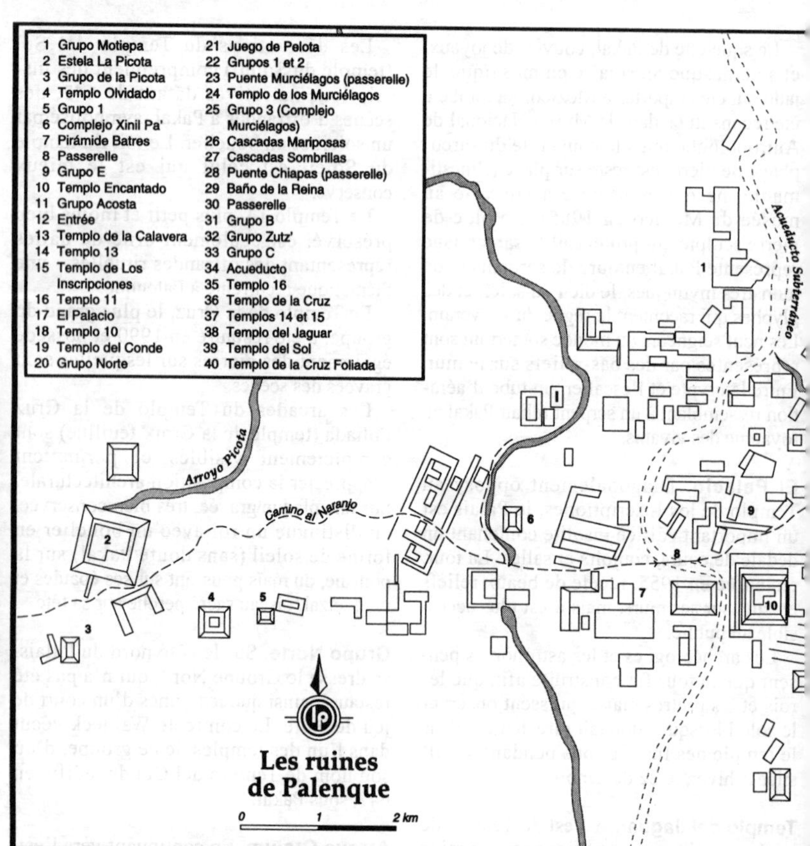

Le **Grupo B** forme une plaza entourée par cinq bâtiments allongés qui s'élèvent depuis des terrasses construites entre les arroyos Otolum et Murciélago. Ces bâtiments auraient servi de lieux d'habitation entre 770 et 850. Des tombes ont été découvertes sous ces bâtiments.

Suivez le cours du ruisseau jusqu'au **Grupo de los Murciélagos** (groupe des chauves-souris), une autre zone résidentielle. Descendez l'escalier jusqu'au **Puente Murciélago** (pont des chauves-souris), un petit pont suspendu au-dessus de l'Otolum, d'où vous embrasserez une superbe vue sur les chutes. L'endroit invite à la baignade mais faites preuve de discrétion, car elle n'est en principe pas autorisée.

Après avoir traversé le pont, en aval, un sentier part vers l'ouest et conduit aux **Grupos I et II**, à une courte distance à pied en montant. Ces vestiges, dont une partie seulement a été dégagée et restaurée, sont nichés dans un décor sylvestre luxuriant, du plus bel effet.

En redescendant vers la rivière et le pont, le sentier principal continue vers le nord et suit la berge ouest du cours d'eau, jusqu'au musée et au centre d'accueil des visiteurs.

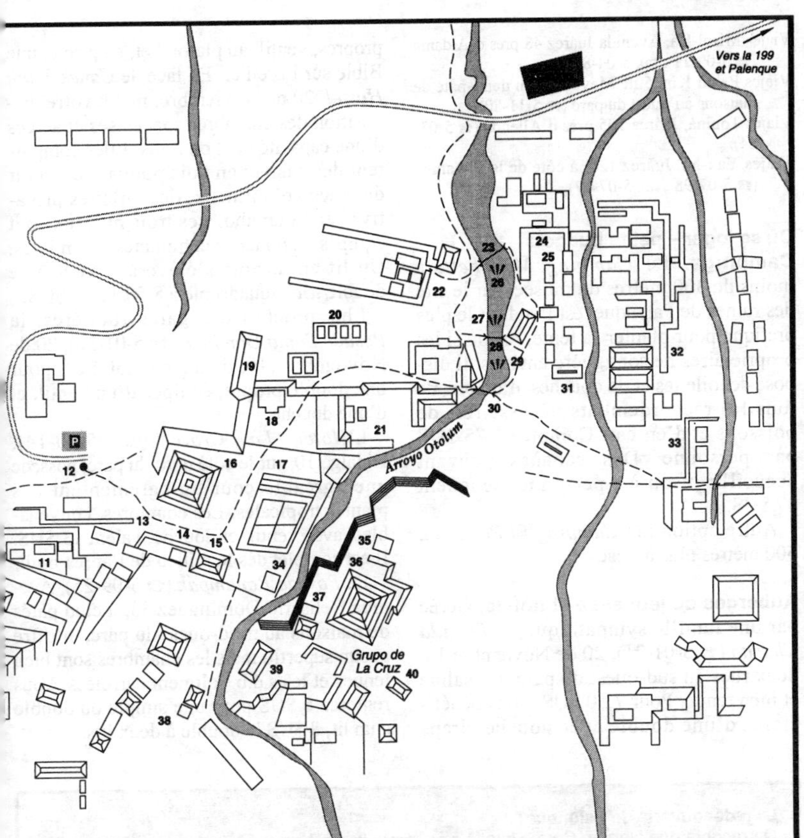

Comment s'y rendre. Un sentier asphalté, dont certaines portions sont ombragées, part vers la droite, à côté de la route près de la statue maya, et rejoint le musée, à 6 km de là.

Plusieurs transporteurs, dont Colectivos Chambalu et Colectivos Palenque, assurent un service de combis entre la ville et les ruines. Un départ est prévu tous les quarts d'heure (ou quand toutes les places sont vendues) de 6h à 18h. Les minibus s'arrêteront pour vous prendre sur la route, ce qui est extrêmement utile pour les campeurs. Le prix est de 0,50 $US.

Circuits organisés

Plusieurs sociétés de la ville de Palenque proposent acheminements et visites des ruines de Palenque, d'Agua Azul et Misol-Ha, de Bonampak et Yaxchilán et de La Palma (pour le Guatemala). Leurs prestations et leurs prix sont généralement semblables. Les agences sont les suivantes :

Colectivos Chambalu, à l'angle de Hidalgo et de Allende (☎ 5-08-67).

Colectivos Palenque, à l'angle de Allende et de 20 de Noviembre.

Viajes Shivalva Maya, Merle Green 9, La Cañada (☎ 5-04-11 ; fax 5-03-92).

Viajes Misol-Ha, Avenida Juárez 48 près d'Aldama (☎ 5-09-11 ; fax 5-04-88).
Viajes Pakal-Kin, 5 de Mayo 7, à un demi-pâté de maisons à l'ouest du parc (☎ 5-11-80).
Viajes Toniná, Juárez 105 près d'Allende (☎ 5-03-84).
Viajes Yax-ha, Juárez 123, à côté de la Banamex (☎ 5-07-98 ; fax 5-07-67).

Où se loger – petits budgets

Campings. Le *Camping Mayabell*, à moins de 300 mètres du musée, sur le site des ruines de Palenque, est l'endroit le plus pratique pour planter sa tente, même si les propriétaires ne sont guère amènes. Il dispose de toilettes et de douches, d'ombre, de tous les raccordements nécessaires, de boissons et d'en-cas. Comptez 1,75 $US par personne. Des cabañas pouvant accueillir jusqu'à 3 personnes se louent 17 $US.

Autre option : le *Camping El Panchan*, 500 mètres plus à l'est.

Auberges de jeunesse et hôtels. Gérée par une famille sympathique, la *Posada Charito* (☎ 5-01-21), 20 de Noviembre 15, deux rues au sud-ouest du parc, est calme et bien tenue. Pour 7,50 $US, vous bénéficierez d'une double avec douche, draps propres, ventil. au plafond et, en prime, une Bible sur l'oreiller. En face, le *Canek Youth Hostel*, 20 de Noviembre, met à votre disposition des chambres spacieuses et aérées d'une capacité de 2 ou 3 lits. Elles comportent des casiers en bois pouvant contenir des sacs volumineux, des toilettes privatives et un lavabo. Les trois niveaux sont équipés de douches communes non mixtes. Un lit en dortoir s'élève à 3 $US, une double/triple/quadruple à 8,50/11/14 $US.

Plus proches des gares routières, la *Posada Santo Domingo* (☎ 5-01-36), 20 de Noviembre 119, demande 8,50 $US pour une double propre, équipée d'un ventil. et d'une douche.

L'*Hotel La Croix* (☎ 5-00-14), Hidalgo 10, sur le côté nord du parc, possède une agréable cour qu'agrémentent des plantes tropicales. Les chambres, convenables, avec ventil. et douche, valent 13 $US. Il est complet dès le milieu de l'après-midi.

La *Posada Bonampak* (☎ 5-09-25), Avenida Belisario Domínguez 33, à cinq pâtés de maisons au nord-ouest du parc, n'offre aucun superflu mais les chambres sont bien tenues et les s.d.b. joliment carrelées. Vous réglerez 6 $US pour une simple ou double à un lit, 8 $US la double à deux lits.

La redécouverte de Palenque

On raconte que Hernán Cortés passa à quarante kilomètres des ruines sans le savoir. En 1773, des chasseurs mayas rapportèrent à un prêtre espagnol que des palais de pierre se dressaient dans la jungle. Le père Ordoñez y Aguilar prit la tête d'une expédition vers Palenque dont il rapporta les détails dans un livre où il affirmait que la ville était la capitale d'une sorte d'Atlantide.

Une expédition, conduite par le capitaine Antonio del Río, explora Palenque en 1787, mais son rapport resta enfoui dans les archives guatémaltèques jusqu'à ce qu'un résident britannique le fasse traduire et publier en Angleterre en 1822. Une foule d'aventuriers, bravant le paludisme, partit alors à la recherche de la cité perdue.

L'une des aventures les plus pittoresques fut celle du comte de Waldeck, une personnalité excentrique qui, la soixantaine passée, séjourna deux années au sommet de l'une des pyramides (1831-1833). Il écrivit un livre, illustré de dessins mensongers, qui faisait passer la ville pour un avatar des grandes civilisations méditerranéennes, attirant ainsi l'attention des archéologues sur Palenque. Sa renommée s'étendit jusqu'en Europe, où elle fut considérée comme une Atlantide perdue ou une émanation de l'Égypte ancienne.

Finalement, en 1837, John L. Stephens visita Palenque avec l'artiste Frederick Catherwood. Il décrivit avec perspicacité les six pyramides qu'il commença à fouiller et le système d'aqueduc de la ville. Le site était enfin l'objet d'une observation véritablement scientifique sur laquelle s'appuyèrent les recherches ultérieures. ■

D'autres établissements bon marché sont regroupés dans Hidalgo, à l'ouest du parc. Citons la *Posada San Francisco*, très sommaire, dont les doubles se louent entre 6 et 8 $US. En face, la *Posada San Vicente* est du même acabit. Un cran au-dessus, et un petit peu plus cher, l'*Hotel Naj K'in*, Hidalgo 72, est un établissement familial récemment rénové, avec des chambres de taille moyenne, de belles s.d.b., de l'eau chaude et des ventil., le tout pour 8,50/12/15/18 $US.

L'*Hotel Kashlan* (☎ 5-02-97 ; fax 5-03-09), Avenida 5 de Mayo 105, à hauteur d'Allende, est idéalement situé. Les chambres, correctes, possèdent une s.d.b. et valent 16/20 $US la simple/double avec ventil., 10 $US de plus avec la clim.

L'*Hotel Regional* (☎ 5-01-83), dans Juárez près d'Aldama, dispose de chambres acceptables avec douche et ventil. entourant une petite cour pleine de plantes vertes, à 10/14/18 $US. L'*Hotel Misol-Ha* (☎ 5-00-92) se situe dans la même gamme tarifaire.

La Posada (☎ 5-04-37), derrière l'Hotel Maya Tulipanes, à La Cañada, est le point de ralliement des voyageurs à petit budget. Une cour avec pelouse, une table de ping-pong et un hall d'accueil couvert de messages de paix, d'amour et de voyage vous donnent une idée de l'ambiance qui règne dans cet endroit. Des chambres correctes avec s.d.b. coûtent 10/13 $US.

Où se loger – catégorie moyenne

L'*Hotel Palenque* (☎ 5-01-88 ; fax 5-00-39), Avenida 5 de Mayo 15, est le plus vieil établissement de la ville. Après avoir subi une cure de jouvence, il pratique désormais un rapport qualité/prix favorable. Les chambres, facturées 17/18/20 $US la simple/double/triple avec s.d.b. privée et ventil., sont disposées autour d'une charmante cour jardin, où trône une petite piscine dont la propreté n'est pas systématiquement garantie. Ajoutez 10 $US pour une chambre avec clim.

L'*Hotel Chan-Kah* (☎ 5-03-18 ; fax 5-04-89), au-dessus du restaurant du même

Seigneur maya

nom, occupe l'angle de Juárez et d'Independencia, et donne sur le parc. Les prestations sont de qualité : ascenseur, moustiquaires, 2 grands lits et TV dans chaque chambre, petits balcons et clim. Les doubles sont à 30 $US.

Dans Juárez, près du parc, l'*Hotel Casa de Pakal* dispose de 14 petites chambres climatisées avec s.d.b., louées 22 $US.

Dans le secteur de la Cañada, marchez vers l'est depuis la statue représentant une tête maya jusqu'à l'*Hotel Maya Tulipanes* (☎ 5-02-01 ; fax 5-10-04), Calle Cañada 6, hébergement le plus confortable de cette rue. Les chambres avec clim. se monnaient 35/42 $US. L'établissement dispose en outre d'une petite piscine et d'un bon restaurant.

Un peu plus loin, dans la même rue, l'*Hotel Kin-Ha* (☎ 5-04-46) appartient aux mêmes propriétaires que le Maya Tulipanes. De grandes chambres avec la clim. coûtent 23/29 $US.

En face, l'*Hotel Xibalbas* (☎ 5-04-11 ; fax 5-03-92) offre des chambres attrayantes avec la clim., au-dessus de l'agence de voyages Shivalva et dans le bâtiment moderne voisin. Vous débourserez 20/23 $US.

L'*Hotel La Cañada* (☎ 5-01-02), à l'extrémité est de la rue, forme un groupe de maisonnettes équipées de grandes baignoires en céramique. L'établissement eut jadis la faveur des archéologues. Vous dépenserez 20/23 $US pour une chambre avec ventil. (un peu plus avec la clim.).

Sur la route menant aux ruines, les *Villas Solymar Kin-Ha* louent des cabañas entre 25 et 29 $US avec ventil. Ajoutez 10 $US pour la clim.

Où se loger – catégorie supérieure

Le *Chan-Kah Resort Village* (☎ 5-03-18 ; fax 5-04-89), à 3 km à l'ouest de la ville et à 2 km à l'est des ruines, est la plus remarquable structure hôtelière de Palenque. De belles maisonnettes en bois et en pierre évoquent le style maya. Le restaurant couvert de palapa, l'immense piscine à rebord en pierre, les jardins luxuriants, divers équipements de luxe, des chambres avec s.d.b. privée, ventil. au plafond et clim. sont à votre disposition moyennant 60 $US la double.

Au sud de la ville, à 3,5 km sur la route de San Cristóbal, le *Calinda Nututum Palenque* (☎ 5-01-00 ; fax 5-01-61) se compose de bâtiments modernes disposés dans des jardins spacieux que dominent des palmiers. Les grandes chambres climatisées avec s.d.b. coûtent 60 $US la double.

L'*Hotel Misión Palenque Park Plaza* (☎ 5-02-41 ; fax 5-03-00), à l'extrémité est de la ville dans Hidalgo, se prévaut de jardins, d'une piscine, d'un restaurant et d'un bar. Il est cependant mal situé et le prix des doubles (75 $US), pas toutes équipées de la clim., ne plaide pas en sa faveur.

D'autres infrastructures se trouvent au nord de la statue maya, mais leur emplacement ou leurs prestations ne conviendront guère au voyageur.

L'*Hotel Tulija Days Inn* (☎ 5-01-04 ; fax 5-01-63) est le plus proche de la statue (62 $US la double). Vous débourserez la même somme au *Best Western Plaza Palenque* (☎ 5-05-55 ; fax 5-03-95), à 500 m plus au nord. Les 100 chambres sont aménagées autour d'un jardin et d'une piscine. Une discothèque, un bar et un restaurant complètent les prestations. Encore plus au nord, l'*Hotel Ciudad Real Palenque* (☎/fax 5-12-85, 5-13-15) se caractérise par ses bâtiments de style motel. Piscine et restaurant-bar sont à votre disposition.

Où se restaurer

Pour vous restaurer à moindres frais, les taquerías à l'est du parc, en face de l'église, feront l'affaire. Essayez *Los Faroles* ou *Refresquería Deportista* pour une assiette de tacos (2 à 3 $US).

Depuis 1958, le succès ne s'est jamais démenti au *Restaurant Maya*, à l'angle d'Independencia et de Hidalgo, au nord-ouest du parc. La cuisine est típica et les horaires prolongés (de 7h à 23h). Les prix s'échelonnent entre 3 et 7 $US pour un repas complet. La comida corrida est à 3,50 $US.

Los Portales, à l'angle de 20 de Noviembre et d'Independencia, a également bonne presse. Les petits déjeuners valent entre 1,75 et 2,50 $US, les formules entre 3 et 3,75 $US. Certains soirs, deux boissons sont proposées pour le prix d'une.

A un pâté de maisons à l'ouest du parc, le *Restaurant Virgo's* (☎ 5-08-83), Hidalgo 5, dispose de tables en plein air, à l'étage. Le cadre se compose de colonnes blanches, d'un toit de tuiles rouges et de plantes vertes. Des orchestres de musique marimba se produisent à l'occasion. Goûtez aux burritas al aguacate (2,25 $US) ou à l'une des assiettes de pâtes. Pour un plat à base de viande, comptez 4 $US.

Autre bonne adresse : le *Restaurant Mundo Maya*, dans Juárez, à une cinquantaine de mètres à l'ouest du parc. Dans un décor rustique, vous aurez le choix entre plusieurs formules. Le *Restaurant Artemio's*, tenu par une famille, fait face au parque. Les prix oscillent entre 2,25 et 4,50 $US, que vous commandiez du filete, du poulet ou des antojitos.

Plusieurs restaurants bon marché flanquent l'Avenida Juárez, à l'ouest du parc.

TONY WHEELER

Templo del Sol, Palenque

Au *Restaurant Paisanos*, une cantine ouvrière bien tenue, la note ne dépasse pas 2,25 $US. A proximité, le *Restaurant El Herradero* est similaire.

La *Pizzería Palenque*, dans Juárez, près d'Allende, mitonne de succulentes pizzas, dont les tarifs varient entre 3,25 $US (petite, au fromage) et 9 $US la grande.

Le *Restaurant Chan-Kah*, face au parque, à l'angle d'Independencia et de Juárez, propose un éventail d'antojitos à 4 $US. Parfois, des orchestres se produisent à l'étage.

Comment s'y rendre

Avion. L'aérogare de Palenque est minuscule. Aerocaribe (☎ 5-06-18, 5-06-19) assure des vols quotidiens (sauf jeudi) entre Palenque et Villahermosa (50 $US), Tuxtla Gutiérrez (tous les jours sauf le lundi, 45 $US), Cancún (lundi, mercredi et vendredi, 135 $US), Flores au Guatemala (pour Tikal ; lundi, mercredi et vendredi, 85 $US).

Aerolínas Bonanza (☎ 800-03062) assure des liaisons entre Palenque et Tuxtla Gutiérrez, Mérida et Cancún les lundi, mercredi et vendredi.

Bus. Certains passagers se sont fait voler leurs affaires dans des bus à destination ou en provenance de Palenque. Ne laissez aucun objet de valeur dans le filet à bagages. Vos sacs seront certainement plus en sécurité dans la soute, mais surveillez le chargement et le déchargement des bagages.

Autobuses de Oriente (ADO), Cristóbal Colón et Autotransportes del Sur (ATS) sont regroupés dans la même gare des bus 1re classe. Celles des bus 2e classe Autotransportes Tuxtla Gutiérrez (ATG), Figueroa et Transportes Lacandonia sont proches, dans Juárez. La gare des bus 1re classe est équipé d'une consigne (1 $US par bagage et par jour). Achetez, si possible, votre billet à Palenque un jour à l'avance. Voici quelques indications de distances, d'horaires et de prix :

Agua Azul Crucero – 66 km, 1 heure 30 ; nombreux bus 2e classe (1,60 $US) avc ATG, Figueroa et Lacandonia. Ces bus continuent sur Ocosingo, San Cristóbal et Tuxtla Gutiérrez ; les places sont vendues en priorité pour ces destinations. Les billets pour Agua Azul sont en vente une demi-heure avant le départ et, si toutes les places sont vendues, vous devrez rester debout jusqu'au carrefour d'Agua Azul. Il est plus commode de passer par l'intermédiaire d'une agence de voyages pour faire une excursion à la journée (voir la rubrique *Agua Azul* et *Circuits organisées* de *Palenque*).

Bonampak – 152 km, 3 heures ; bus Autobuses Lagos de Montebello (5 $US) à 3h, 9h, 18h et 20h.

Campeche – 362 km, 5 heures ; bus ADO (12 $US) à 8h ; bus Colón (12 $US) à 13h45 et 21h ; 2 bus ATS (10 $US).

Cancún – 869 km, 13 heures ; bus ADO (26 $US) à 20h ; bus Colón (28 $US) à 18h50 et à 22h30

Catazajá – 27 km, 30 minutes ; 6 bus ADO (1 $US) ; nombreux bus locaux également.

Chetumal – 425 km, 7 heures ; 1 bus ADO (15 $US) à 20h00 ; un bus Colón (15 $US) à 18h50 et à 22h30 ; 1 bus ATS (12 $US).

Flores (Guatemala) – trois itinéraires Palenque-Flores, en une journée ou en une nuit (reportez-vous à la rubrique *Vers El Petén*).

Mérida – 556 km, 9 à 10 heures ; bus ADO (18 $US) à 8h, bus Colón à 13h45 et 21h (18 $US), et plusieurs bus ATS.

Mexico (TAPO) – 1 020 km, 16 heures ; bus ADO (35 $US) à 18h.

Misol-Ha – 25 km, 40 minutes ; voir ci-dessus Agua Azul Crucero, et les rubriques *Palenque – Circuits organisées* et *Agua Azul*.

Oaxaca – 850 km, 15 heures ; bus ADO (27 $US) à 17h30.

Ocosingo – 123 km, 2 heures 30 ; une bonne douzaine de bus par jour ; 4 bus Colón (3,75 $US) ; autres bus avec Figueroa et Lacandonia (entre 2,25 et 3,75 $US).

Playa del Carmen – 800 km, 12 heures ; bus ADO (27 $US) à 20h ; bus Colón (25 $US) à 18h50 et à 22h30 ; bus ATS (20 $US).

San Cristóbal de Las Casas – 215 km, 4 heures 30 ; 8 bus Colón (6 $US) ; 7 bus Figueroa (8 $US) et plusieurs bus ATG et Oriente de Chiapas.

Tulum – 738 km, 11 heures ; bus Colón (20 $US) à 18h50 et 22h30.

Tuxtla Gutiérrez – 275 km, 6 heures ; une bonne douzaine de bus ; 6 bus Colón (9 $US) ; 7 bus Figueroa (8 $US) ; plusieurs bus ATG et Oriente de Chiapas.

Villahermosa – 150 km, 2 heures 30 ; 10 bus ADO (5 $US) ; 1 bus Colón (5 $US) à 23h10.

Comment circuler

L'aéroport est à moins d'un kilomètre au nord de la statue maya, sur la route menant à Catazajá. Les taxis stationnent devant le parc et les gares routières. Des minibus font la navette entre Palenque et les ruines toutes les 15 minutes jusqu'à 18h. La gare ferroviaire est à Pakal-Na, à 6 km au nord de Palenque. Évitez cependant les transports en train.

BONAMPAK ET YAXCHILÁN

Les ruines de Bonampak – célèbres pour leurs fresques – et la grande cité ancienne de Yaxchilán sont accessibles depuis Palenque en bus, en excursion organisée, ou en louant un petit avion.

Vous ne trouverez ni nourriture ni boisson à Bonampak et Yaxchilán. Faites des provisions au préalable. N'oubliez pas un produit anti-moustiques et une lampe-torche. Ne laissez pas vos affaires sans surveillance, des vols ont été signalés.

Bonampak

A environ 155 km au sud-est de Palenque, près de la frontière guatémaltèque, Bonampak est restée cachée du monde extérieur dans la jungle jusqu'en 1946. Lors de la Deuxième Guerre mondiale, Charles Frey, un jeune Américain, atterrit dans la forêt tropicale humide lacandone. Les Indiens qui lui montrèrent le site sacré de leurs ancêtres. Impressionné, Frey révéla ses découvertes aux fonctionnaires mexicains et des expéditions archéologiques furent organisées.

Les ruines de Bonampak sont disposées autour d'une place rectangulaire. Seuls les édifices au sud de la place ont été préservés. Ce sont les fresques d'un temple du groupe sud qui enthousiasmèrent surtout Frey et les archéologues. Ils découvrirent là trois salles couvertes de peintures représentant les coutumes des Mayas. Des guerriers parés de plumes de quetzal, des rois et des familles royales, des prêtres, des chamans, des danseurs, des musiciens et des prisonniers de guerre y sont représentés de profil. Le détail des costumes est très révélateur de la vie des Mayas. Les fresques sont annotées de glyphes.

Malheureusement, douze siècles d'érosion naturelle furent accélérés par la tentative de nettoyage des fresques au kérosène, entreprise lors de la première expédition. En revanche, leur restauration, est en cours et des reproductions sont exposées. En règle générale, les fresques sont très difficiles à déchiffrer et il est souvent impossible d'en comprendre le sens.

Yaxchilán

Au-dessus des rives de l'Usumacinta, envahies par une jungle épaisse, Yaxchilán fut habitée pour la première fois vers 200, bien que les hiéroglyphes les plus anciens que l'on ait découverts sont datés entre 514 et 807. Les ruines, quoique moins bien restaurées que celles de Palenque, couvrent une plus grande surface, et d'autres fouilles pourraient donner lieu à des découvertes encore plus importantes.

Yaxchilán atteignit son apogée au VIIIe siècle sous un roi dont le nom en hiéroglyphes a été traduit en espagnol par Bouclier Jaguar. Ses symboles du bouclier

et du jaguar apparaissent sur de nombreux bâtiments et stèles du site. La puissance de la cité s'étendit sous le règle du fils de Bouclier Jaguar, Perroquet Jaguar (752-770). Le hiéroglyphe qui le représente est formé d'un petit félin de la jungle avec des plumes sur le dos et un oiseau au-dessus de la tête. L'édifice 33, sur le côté sud-ouest de la place, porte de belles sculptures sacrées surplombant des portes septentrionales, et un toit qui a conservé une grande partie de sa beauté originale.

La place centrale est ornée de statues de crocodiles et de jaguars. Un linteau de l'édifice 20 montre l'esprit d'un défunt sortant de la bouche d'un homme qui parle de lui et des stèles figurent des Mayas faisant des offrandes aux dieux.

Faites l'effort d'aller jusqu'aux temples les plus élevés de Yaxchilán qui sont cachés par la végétation et invisibles depuis la place. L'édifice 41 est le plus haut et la vue du sommet est réellement spectaculaire. Si les guides refusent de vous accompagner jusqu'à l'édifice 41. Insistez !

Comment s'y rendre

Des travaux de réfection de la route Palenque-Bonampak sont en cours, ce qui facilitera l'accès au site. Au moment de la rédaction de cet ouvrage, les agences de voyages de Palenque organisaient des excursions de deux jours à destination de Bonampak et Yaxchilán (reportez-vous à la rubrique *Palenque – Circuits organisés*). Un minivan vous dépose à 7 km de Bonampak, que vous rallierez en marchant. Lors de votre venue, les travaux auront progressé et vous aurez moins de distance à parcourir à pied. Les tentes sont fournies. Le lendemain matin, on vous conduira en voiture au Río Usumacinta, d'où vous rejoindrez Yaxchilán en bateau à moteur à travers la jungle. Comptez de 80 à 100 $US par personne pour ce périple de deux jours, transports et repas compris.

Des excursions à la journée sont également proposées pour Bonampak et Yaxchilán (entre 50 et 70 $US).

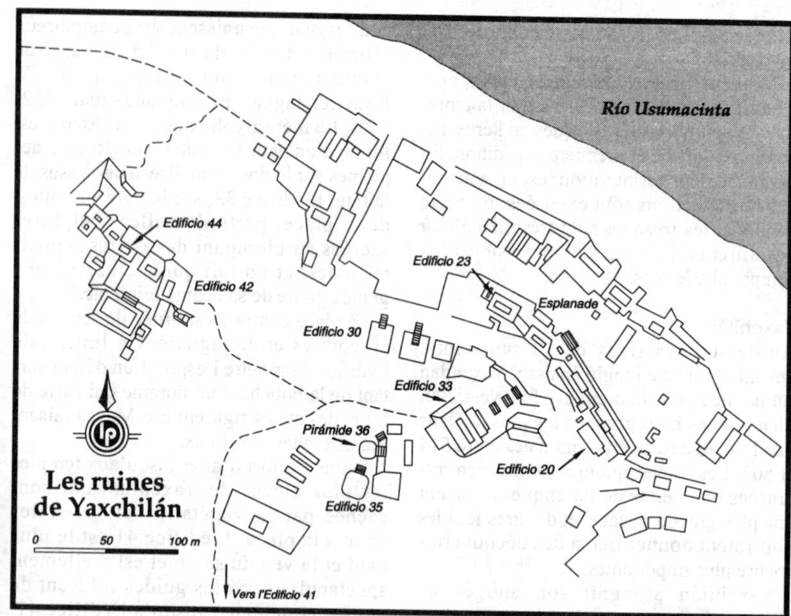

Ne vous souciez pas trop du choix de l'agence de voyages ; vous serez certainement regroupés avec des clients d'autres agences dans le même véhicule.

Si vous disposez de matériel de camping et souhaitez dépenser peu, vous pouvez effectuer cet itinéraire par vos propres moyens en utilisant les bus de jungle, ce qui vous coûtera deux fois moins cher. Prenez un Autobuses Lagos de Montebello jusqu'à Frontera Corozal (environ 4 heures 30). Inscrivez-vous au bureau Migración à Frontera Corozal, où il est parfois possible de passer la nuit. La location d'un bateau pour descendre l'Usumacinta jusqu'à Yaxchilán ne pose pas de difficulté. Comptez 60 $US, mais 10 $US seulement si vous vous joignez à un groupe déjà constitué. Les bus entre Frontera et Palenque partent en début de matinée. Vous pouvez faire les 7 km à pied jusqu'à Bonampak depuis la bifurcation si le cœur vous en dit.

VERS EL PETÉN (GUATEMALA)

Il existe à l'heure actuelle trois itinéraires entre Palenque et Flores ou El Petén (Guatemala), d'où l'on peut ensuite rejoindre les admirables ruines de Tikal. Quel que soit celui que vous retiendrez, veillez à effectuer toutes les formalités douanières et faites apposer sur votre passeport les tampons de sortie et d'entrée. Pour plus de détails sur le Guatemala, consultez le guide Lonely Planet *Guatemala et Belize.*

Via La Palma et El Naranjo

L'itinéraire classique pour rallier El Petén consiste à prendre un bus pour Tenosique et La Palma, puis un bateau qui, sur le Río San Pedro, vous conduira à El Naranjo. De là, un bus vous déposera à Flores.

Les agences de voyages de Palenque proposent de vous acheminer en minibus entre Palenque et La Palma, à temps pour prendre le bateau pour El Naranjo, qui part entre 8h et 9h. Ensuite, vous prenez le bus qui, au bout de 5 heures d'un pénible trajet, vous conduit à Flores (arrivée prévue vers 19h). Cette solution vous coûtera 55 $US. Sachez cependant que vous pouvez vous passer des agences en prenant le bus de 4h30 pour Tenosique à la gare routière ADO à Palenque, puis un taxi (10 $US) pour La Palma, où vous monterez à bord du bateau qui part vers 8h. Si vous prenez un bus qui part plus tard, il existe des hôtels bon marché (mais simples) à Tenosique, à moins que vous n'optiez pour une solution à la dure de type hamac à La Palma. Vous gagnerez ensuite El Naranjo en bateau, un hameau comprenant plusieurs huttes en torchis, des casernes militaires, un bureau d'immigration et quelques hébergements rudimentaires. De là, des bus desservent Flores.

Dans la direction inverse, les bus Transportes Pinita à destination d'El Naranjo (sur le Río San Pedro) partent de l'Hotel San Juan à Santa Elena, à côté de Flores, tous les jours à 5h, 8h, 11h, 13h et 14h (3 $US, 5 heures – 125 km de trajet dans des conditions difficiles). Les bus Rosío effectuent le même parcours à 4h45, 8h, 10h30 et 13h30.

Via Frontera Corozal et Bethel

Depuis Palenque, vous pouvez rejoindre Frontera Corozal en bus (3 heures, 5 $US), remonter le Río Usamacinta (25 minutes jusqu'à la Posada Maya, 35 minutes jusqu'au village de Bethel), et passer la nuit à la Posada Maya ou continuer en bus jusqu'à Flores. De Frontera Corozal, vous atteindrez sans difficulté les sites de Bonampak et de Yaxchilán (voir la rubrique précédente).

Des bateaux font régulièrement le trajet entre Frontera Corozal et Bethel (Guatemala), en une heure. Comptez entre 4 et 12 $US, selon vos talents de négociateur.

A Palenque, les agences de voyages chercheront probablement à vous convaincre de ne pas faire ce trajet par vos propres moyens et de passer par leur intermédiaire (30 $US), et vous affirmeront qu'il n'y a aucune possibilité d'hébergement à la frontière. N'en croyez rien ! Ces voyages organisés sont certes plus pratiques, mais vous paierez deux fois moins cher en vous débrouillant seul. Unique contrainte : partir très tôt le matin.

Depuis Bethel, des bus vont jusqu'à Flores en passant par le carrefour El Subín et La Libertad (4 heures, 3 $US).

Via Benemerito, Pipiles et Sayaxché

Des bus circulent entre Palenque et Benemerito (10 heures, 12 $US), d'où vous pourrez gagner Pipiles au Guatemala puis prendre un cargo qui remonte le Río de la Pasión jusqu'à Sayaxché (10 heures, 8 $US). De là, des bus vont jusqu'à Flores. Ne privilégiez cet itinéraire que si vous avez l'intention de visiter les ruines maya de Sayaxché.

COMITÁN

• Hab. : 84 000 • Alt. : 1 630 m • ☎ 963

Comitán, ville attrayante, est le point de départ des excursions aux Lagunas de Montebello. C'est aussi la dernière agglomération de quelque importance avant la Ciudad Cuauhtémoc, à la frontière guatémaltèque. La première localité espagnole sise ici, San Cristóbal de los Llanos, fut fondée en 1527. Aujourd'hui, la ville s'appelle officiellement Comitán de Domínguez, en souvenir de Belisario Domínguez, médecin local qui fut aussi sénateur sous la présidence de Huerta. Domínguez eut le courage de prendre la parole au Sénat en 1913 et, pour avoir contredit le rapport de Huerta sur les assassinats politiques, fut lui-même tué.

Orientation

Comitán se love au milieu de collines. Aussi, devrez-vous vous résoudre à affronter des rues en pente.

La place principale ne manque pas de charme. Elle est bordée par l'Avenida Central à l'ouest et la Calle 1 Sur Ote au sud. La numérotation des rues est déroutante.

La gare des bus 1re classe Cristóbal Colón se dresse sur la Panaméricaine, appelée à cet endroit Boulevard Belisario

TABASCO ET CHIAPAS

Domínguez (ou "El Bulevar"). Elle traverse l'ouest de la ville, à 20 mn de marche du centre. Devant la gare routière, les taxis facturent la course 1 $US jusqu'à la place principale. Autre option : traversez El Bulevar et prenez un minibus indiquant "Centro". A pied, prenez à gauche en sortant de la gare routière, puis la première à droite jusqu'à 4 Sur Pte (non signalée), suivez-la sur six pâtés de maisons (attendez-vous à des montées et à des descentes), puis tournez à gauche sur l'Avenida Central Sur que vous longerez sur trois pâtés de maisons.

La gare des bus 2e classe Autotransportes Tuxtla Gutiérrez (ATG) est à plusieurs pâtés de maisons au nord de la gare Cristóbal Colón. Pour gagner le centre-ville, prenez à gauche en sortant de la gare routière, puis tournez une nouvelle fois à gauche (vers l'est) dans Calle 2 Sur Poniente et comptez 6 pâtés de maisons jusqu'à l'Avenida Central ; engagez-vous ensuite à gauche (vers le nord). La place principale est située un pâté de maisons plus loin.

Les bus Línea Comitán-Montebello desservant Lagunas de Montebello partent de l'Avenida 2 Pte Sur 17B, entre les Calles 2 et 3 Sur Pte, à deux pâtés de maisons à l'ouest et à un pâté de maisons au sud de la place principale.

TABASCO ET CHIAPAS

Renseignements

Office du tourisme. Un bureau d'information touristique efficace (☎ 2-40-47) vous attend dans le Palacio Municipal, du côté nord du zócalo, ouvert de 9h à 20h du lundi au samedi, de 9h à 14h le dimanche. Si les hautes grilles en fer du Palacio sont fermées, demandez au garde de vous ouvrir. Prenez à gauche en entrant.

Consulat. Le consulat du Guatemala (☎ 2-26-69) est à l'angle de Avenida 2 Pte Sur et de Calle 1 Sur Pte. Il est ouvert du lundi au vendredi de 8h à 13h et de 14h30 à 16h30.

Argent. La carte mentionne les distributeurs de billets et les banques.

Poste et communications. Le bureau de poste (ouvert du lundi au vendredi de 8h à 19h, le samedi de 8h à 13h) se trouve sur l'Avenida Central Sur, entre 2 et 3 Sur, à un rue environ au sud de la place principale. Il y a un téléphone à l'angle sud-ouest de la place principale, et une caseta sur 2 Sur Pte, à l'ouest de l'Avenida Central Sur.

A voir

Située sur le côté est de la place principale, la **Iglesia de Santo Domingo** date du XVIe siècle. La **Casa de la Cultura**, à côté à l'angle sud-est de la place principale, comprend une salle d'exposition, un auditorium et un musée. Un petit Musée archéologique la jouxte à l'est.

La **Casa Museo Dr Belisario Domínguez**, la maison familiale du héros et martyr Belisario Domínguez, Avenida Central Sur 29, un demi-bloc au sud de la place principale, a été transformée en un **musée** qui présente d'intéressants aspects des pratiques médicales et de la vie des membres des professions libérales de la Comitán du début du siècle. Il est ouvert du mardi au samedi de 10h à 18h45, le dimanche de 9h à 12h45 (1 peso).

Où se loger

Comitán dispose de plusieurs posadas bon marché, aux petites chambres souvent ascétiques, mais supportables pour une nuit. La *Posada Primavera*, Calle Central Pte 4, à deux pas à l'ouest de la place principale, demande 3,25 $US pour un lit dans une chambre avec lavabo, sans s.d.b. ni fenêtre. A l'*Hospedaje Montebello* (☎ 2-17-70) une rue plus loin, Calle 1 Norte Pte 10, les chambres, tout aussi rudimentaires, autour d'une cour, sont à 4 $US par personne. La *Posada Panamericana*, à l'angle de la Calle Central Pte et de l'Avenida 1 Pte Nte, loue, en bas, des alcôves sombres à 3 $US, et, en haut, des chambres plus claires et plus aérées à 6,50 $US.

La *Posada Las Flores* (☎ 2-33-34), 1 Pte Note 15, un demi-pâté de maisons au nord de la Calle 2 Nte, offre de meilleures chambres autour d'une cour tranquille. Les

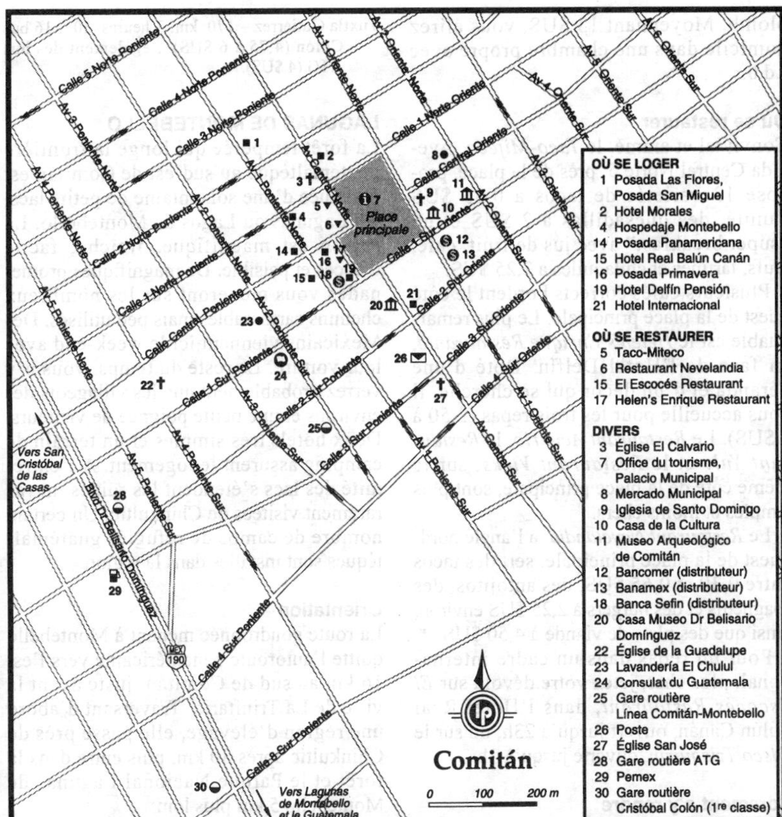

doubles sont louées 5 $US. A côté, la *Posada San Miguel*, est moins confortable.

L'*Hotel Internacional* (☎ 2-01-10), une rue au sud de la place, Avenida Central Sur 16, près de Calle 2 Sur, propose des simples/doubles/triples non rénovées à 14/16/19 $US. Les prix passent à 18/22/26 $US pour des chambres refaites.

L'établissement le plus cossu de Comitán est l'*Hotel Real Balún Canán* (☎ 2-10-94), à un pâté de maisons à l'ouest de la place principale, Avenida 1 Pte Sur 7. Des gravures, tirées des dessins des ruines mayas exécutés par Frederick Catherwood en 1844, ornent l'escalier. Les chambres sont confortables, avec TV et téléphone, et valent 18/22/25 $US.

L'*Hotel Delfín Pensión* (☎ 2-00-13), Avenida Central, à l'ouest de la place principale, offre des chambres spacieuses avec s.d.b. louées 12/15 $US. A l'arrière, les chambres sont modernes et donnent sur une cour verdoyante.

L'*Hotel Morales* (☎ 2-04-36), Avenida Central Norte 8, à un pâté de maisons et demi au nord de la place principale, ressemble à un hangar d'avion avec de petites chambres ouvrant sur un couloir en surplomb. Moyennant 13 $US, vous élirez domicile dans une chambre propre avec s.d.b.

Où se restaurer

Convivial et animé, le *Taco-Miteco*, Avenida Central Norte 5, près de la place, propose 13 variétés de tacos à 0,35 $US l'unité, des quesadillas à 2 $US et un "super breakfast" avec jus de fruit, café, œufs, tartines et chilaquiles à 2,25 $US.

Plusieurs cafés corrects bordent le côté ouest de la place principale. Le plus remarquable est le *Helen's Enrique Restaurante*, en face de l'Hotel Delfín. Doté d'une véranda et d'un décor qui se cherche, il vous accueille pour les trois repas (2,50 à 6 $US). Le *Restaurant Acuario*, le *Restaurant Yuly* et le *Restaurant Vicks*, sur le même côté de la place principale, sont plus simples et moins chers.

Le *Restaurant Nevelandia*, à l'angle nord-ouest de la place principale, sert des tacos entre 0,30 et 0,65 $US, des antojitos, des spaghettis et des burgers à 2,25 $US environ, ainsi que des plats de viande à 4,50 $US.

Pour un repas dans un cadre international, plus cher, jetez votre dévolu sur *El Escocés Restaurant*, dans l'Hotel Real Balún Canán, ouvert jusqu'à 23h, ou sur le *Disco Tzisquirin*, ouverte jusqu'à 1h.

Comment s'y rendre

Comitán est situé à 85 km au sud-est de San Cristóbal, sur la Panaméricaine et à 80 km au nord de Ciudad Cuauhtémoc. Au nord et au sud de Comitán, les bus sont régulièrement arrêtés par les agents de l'immigration et les militaires. Gardez toujours vos papiers à portée de la main.

Les bus desservent notamment :

Ciudad Cuauhtémoc (frontière du Guatemala) – 80 km, 1 heure 30 ; 7 bus Colón (2,50 $US) ; 6 bus ATG (1,75 $US).

Mexico (TAPO) – 1 168 km, 20 heures ; 2 bus (40 à 46 $US).

San Cristóbal de Las Casas – 85 km, 1 heure 30 ; plus de 20 bus (1,25 à 1,75 $US).

Tapachula – 260 km, 7 heures (*via* Motozintla) ; 7 bus Colón (8 $US), plus avec ATG (6,50 $US).

Tuxtla Gutiérrez – 170 km, 3 heures 30 ; 16 bus Colón (4,75 à 6 $US) ; également des bus ATG (4 $US).

LAGUNAS DE MONTEBELLO

La forêt tempérée qui longe la frontière guatémaltèque au sud-est de Comitán est ponctuée d'une soixantaine de petits lacs, les Lagunas ou Lagos de Montebello. La région est magnifique, fraîche, facile d'accès et paisible. De magnifiques promenades vous mèneront sur les nombreux chemins carrossables mais peu utilisés. Des Mexicains viennent ici le week-end avec leur voiture. Le reste du temps, vous n'y verrez probablement que les villageois des environs et une petite poignée de visiteurs. Deux hôtels très simples et un terrain de camping assurent le logement. A l'extrémité des lacs s'étendent les ruines mayas rarement visitées de Chinkultic. Un certain nombre de camps de réfugiés guatémaltèques sont installés dans la région.

Orientation

La route goudronnée menant à Montebello quitte l'autoroute panaméricaine vers l'est 16 km au sud de Comitán, juste avant la ville de La Trinitaria. Traversant d'abord une région d'élevage, elle passe près de Chinkultic après 30 km, puis entre dans la forêt et le Parque Nacional Lagunas de Montebello 5 km plus loin.

A l'entrée du parc (gratuit), la route se divise en deux. La partie goudronnée continue sur 3 km vers le nord et les Lagunas de Colores où elle s'achève près de deux petites maisons à 50 m de la Laguna Bosque Azul. A l'est de l'entrée du parc, une piste mène à des bifurcations desservant d'autres lacs, ainsi que le village et le lac de Tziscao (9 km).

Chinkultic

Ces ruines, nichées dans un site extraordinaire, longent 2 km de piste au nord de la route qui relie La Trinitaria à Montebello, à 30 km de l'autoroute panaméricaine. Un panneau "Chinkultic 3" indique le tournant.

Doña María, au restaurant La Orquidea, 1 km plus loin sur cette route, possède une carte et un livre sur le site.

Les dates gravées sur les pierres de Chinkultic vont de 591 à 897, soit près d'un siècle après les dernières relevées à Palenque, Yaxchilán et Toniná. Ces années marquent sans doute l'apogée de Chinkultic, mais on pense que la ville fut occupée dès 200, et qu'elle le resta après 900. Seuls quelques-uns des 200 monticules répartis sur une large surface ont été dégagés, mais ils méritent une visite. Le chemin vous mènera d'abord à un portail, avec une hutte sur la gauche. De là, prenez un sentier sur la gauche, qui s'incurve vers la droite. Sur la colline envahie de verdure, à droite de ce sentier, s'élève l'un des principaux édifices de Chinkultic, E23.

Le chemin aboutit à un long jeu de balle orné, sur les côtés, de plusieurs stèles – dont certaines portent des bas-reliefs représentant des silhouettes humaines – et d'autres se cachent sous des abris de chaume.

Revenez par le même chemin jusqu'à la hutte, tournez à gauche et dépassez le parking. Vous pourrez alors distinguer quelques monticules de pierre, dans le sous-bois sur la droite. Sur le versant de la colline, qu'on aperçoit bientôt dans sa totalité, se dresse le temple partiellement restauré, appelé El Mirador. Le sentier traverse un ruisseau et grimpe jusqu'à El Mirador, d'où l'on a une belle vue sur les lacs et sur le cenote de 50 m de profondeur.

Les lacs

Lagunas de Colores. La route goudronnée située devant l'entrée du parc traverse la zone des Lagunas de Colores, ainsi appelées en raison de leur couleur qui oscille du turquoise au vert profond. La première, située sur la droite après 2 km, est la Laguna Agua Tinta. Puis, sur la gauche, on arrive à la Laguna Esmeralda, suivie par la Laguna Encantada, en face de laquelle se trouve la Laguna Ensueño, sur la droite. La cinquième et la plus grande est la Laguna Bosque Azul, sur la gauche au bout de la route.

Deux sentiers prolongent cette route. Tout droit, on arrive après 800 m à la *gruta* (grotte), lieu de pèlerinage et d'offrandes (prévoyez une lampe-torche). A gauche, on atteint après 300 m le Paso de Soldado, une aire de pique-nique au bord d'une rivière.

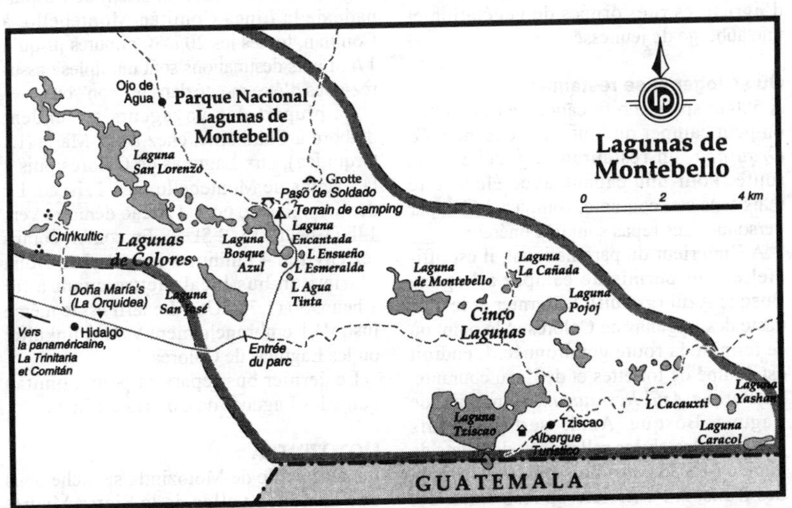

Laguna de Montebello. A 3 km par la piste qui rejoint l'entrée du parc à Tziscao, un chemin part 200 m à gauche jusqu'à la Laguna de Montebello, l'un des plus grands lacs, et aboutit à une rive plate et découverte. La zone caillouteuse, environ 150 m sur la gauche, est plus appropriée à la baignade que les rives vaseuses.

Cinco Lagunas. Trois km plus loin sur la route de Tziscao, un autre chemin part sur la gauche vers les "cinq lacs". Quatre d'entre eux seulement sont visibles depuis la route. Le second, La Cañada, sur la droite, à environ 1,5 km, est probablement le plus beau de tous les lacs de Montebello, divisé par deux excroissances rocheuses. Le chemin, qui aboutit au village de San Antonio se trouve, curieusement, sur le parcours d'un bus.

Un kilomètre après le chemin des Cinco Lagunas, sur la route de Tziscao, un autre chemin mène à la Laguna Pojoj, située 1 km au nord.

Laguna Tziscao. On l'aperçoit sur la droite, 1 km plus loin, sur la route. La bifurcation pour le village de Tziscao se situe sur la droite. Le village possède d'agréables rues ornées de végétation et une auberge de jeunesse.

Où se loger et se restaurer

A 500 m après la bifurcation de Chinkultic, on peut camper ou louer une cabane à *La Orquidea*, un restaurant à gauche de la route. Pour une cabane avec électricité mais sans eau courante, comptez 3 $US par personne. Les repas sont peu onéreux.

A l'intérieur du parc national, il est officiellement permis de camper à Laguna Bosque Azul (gratuit), le dernier et le plus vaste des Lagunas de Colores et le point où se termine la route goudronnée. L'endroit est équipé de toilettes et de l'eau courante. Le *Bosque Azul Restaurant*, au parking de Laguna Bosque Azul, sert des œufs (2 $US), des chiles rellenos et des plats de viande (4 $US), des boissons, des frites et des fruits. A l'extérieur du restaurant, des rancheros attendent pour vous conduire à cheval jusqu'aux grottes (3 $US).

Le village de Tziscao possède une auberge – l'*Albergue Turístico* – qui loue 3 $US une couchette dans un dortoir ou une cabaña de bois ou demande 1 $US pour camper. L'auberge est installée au bord de l'un des plus beaux lacs – vous pouvez louer une barque. Le Guatemala est à quelques centaines de mètres seulement. En entrant dans le village, tournez à droite à côté d'un magasin après être arrivé à la petite église sise sur la colline et suivez le chemin qui descend vers le lac, puis prenez à gauche. La señora vous préparera des œufs, des frijoles et des tortillas, pour 2 $US. Le réfrigérateur est rempli de refrescos. Les toilettes semblent attendre qu'on les nettoie.

Comment s'y rendre

Il est possible de faire une excursion-éclair à Chinkultic et aux lacs en une journée au départ de San Cristóbal – soit par les transports publics, soit avec un circuit. Si vous préférez profiter un peu du paysage, mieux vaut loger près des lacs ou à Comitán.

Les bus et les minibus à destination des Lagunas de Montebello partent de l'esplanade de la Linea Comitán-Montebello, à Comitán, toutes les 20 à 30 minutes jusqu'à 17h. Leurs destinations sont multiples : assurez-vous d'être monté dans le "bon" bus.

La plupart des voyageurs se rendent d'abord à Chinkultic, chez Doña María (La Orquidea), aux Lagunas de Colores puis à la Laguna de Montebello ou à Tziscao. Le dernier véhicule pour Tziscao démarre vers 14h (1 heure 15, 2 $US). En combi, comptez environ 45 minutes jusque chez Doña María ; un bus local mettra quant à lui 1 heure 30 (1,75 $US). Le tarif est le même jusqu'à l'embranchement vers Chinkultic ou les Lagunas de Colores.

Le dernier bus repartant pour Comitán quitte les Lagunas de Colores à 16h30.

MOTOZINTLA

La petite ville de Motozintla se niche dans une profonde vallée de la Sierra Madre,

70 km au sud-est de Ciudad Cuauhtémoc. Une route convenable la relie à l'autoroute panaméricaine, quelques kilomètres au nord de Ciudad Cuauhtémoc, puis descend jusqu'à Huixtla près de la côte du Chiapas à proximité de Tapachula. C'est un voyage impressionnant et insolite. Ayez votre passeport à portée de main pour les contrôles.

CIUDAD CUAUHTÉMOC

Cette "ville" ne dispose que de quelques maisons et d'un ou deux comedores, mais c'est, simultanément, la première et la dernière localité du Mexique, sise sur la Panaméricaine (la 190). Comitán se trouve à 80 km au nord, San Cristóbal à 165 km au nord. Ciudad Cuauhtémoc est le poste-frontière mexicain. Son équivalent guatémaltèque est situé 3 km au sud, à La Mesilla. Des taxis (2 $US), des minibus et des camions (0,50 $US) effectuent le trajet entre les deux postes.

Selon votre nationalité, vous devrez être en possession d'une carte de tourisme ou d'un visa pour pouvoir entrer au Guatemala. La carte touristique peut être délivrée à la frontière. En revanche, pour le visa, vous devrez vous adresser au consulat du Guatemala à Comitán.

Il n'y a pas de banque. Des changeurs proposent leurs services à un taux peu avantageux.

Comment s'y rendre

De nombreux bus circulent entre Ciudad Cuauhtémoc, Comitán et San Cristóbal, toute la journée. Reportez-vous à la rubrique concernant ces deux dernières villes pour plus de renseignements.

Les bus guatémaltèques partent toutes les demi-heures entre 8h et 20h de La Mesilla pour les villes importantes au Guatemala, telles que Huehuetenango (84 km, 1 heure 30 à 2 heures, 1 $US), Quezaltenango (Xela ; 170 km, 3 heures 30, 3,35 $US) et Guatemala Ciudad (380 km, 7 heures, 4,50 $US). Le lac Atitlán (245 km ; 5 heures) et Chichicastenango (244 km ; 5 heures) se trouvent à quelques kilomètres de la Panaméricaine.

Avant de monter dans le bus à La_Mesilla, renseignez-vous sur les heures de départ et d'arrivée. Vous ferez ainsi l'économie de plusieurs heures d'attente inutile.

Pour toute information concernant les voyages au Guatemala, procurez-vous le guide Lonely Planet *Guatemala et Belize*.

LE SOCONUSCO

Le Soconusco est la chaude et fertile plaine côtière du Chiapas, d'une largeur de 15 à 35 km. Son climat est chaud et humide toute l'année, avec d'abondantes précipitations de juin à octobre.

Les versants escarpés de la Sierra Madre de Chiapas, s'élevant depuis la côte, forment un climat idéal pour la culture du café et des bananes, entre autres. Quoique moins intéressant que d'autres parties du Chiapas, le Soconusco n'est pas totalement dénué d'attraits que vous découvrirez en vous rendant au Guatemala, ou au retour.

ARRIAGA

• Hab. : 40 000 • Alt. : 40 m

Arriaga, sise à la jonction des routes Juchitán-Tapachula et Tuxtla Gutiérrez-Tapachula, possède quelques hébergements et restaurants passables. Rien, toutefois, qui puisse justifier d'y faire une halte.

De nombreux bus terminent leur course à Arriaga et un nombre égal en repart dans d'autres directions. Le nouveau Central de Autobuses reçoit tous les bus 1re et 2e classe rejoignant Arriaga. Les bus desservent notamment :

Juchitán – 135 km, 2 heures ; 3 bus Colón (3,30 $US), nombreux bus avec Sur et Fletes y Pasajes/Transportes Oaxaca-Istmo.

Mexico (TAPO) – 900 km, 16 heures ; 1 bus Colón l'après-midi (34 $US) ; 1 bus Plus à 18h30 (43 $US) ; plusieurs bus 2e classe avec Fletes y Pasajes/Transportes Oaxaca-Istmo.

Oaxaca – 400 km, 7 heures ; 1 bus Cristóbal Colón (13 $US) à 22h ; quelques bus 2e classe Sur et Fletes y Pasajes/ Transportes Oaxaca-Istmo.

Salina Cruz – 175 km, 3 heures ; plusieurs bus Cristóbal Colón (6.25 $US) et Sur.

San Cristóbal de Las Casas – 240 km, 5 heures ; bus Cristóbal Colón (6.50 $US) toutes les 30 minutes (*via* Tuxtla) ; plusieurs bus ATG (6 $US).

Tapachula – 245 km, 3 heures 30 ; 7 bus Colón (8 $US), plusieurs autres avec Sur et ATG.
Tonalá – 23 km, 30 mn ; minibus Transportes Arriaga-Tonalá à quelques minutes d'intervalle (0,75 $US).
Tuxtla Gutiérrez – 155 km, 3 heures ; bus Colón (4,50 $US) toutes les heures ; d'autres avec ATG.

Tonalá

Située à 23 km au sud-est d'Arriaga par la 200, Tonalá ne présente guère de charme mais c'est le point de départ pour la plage isolée de Puerto Arista. Une haute stèle précolombienne, sur la place principal de Tonalá, semble représenter Tláloc, le dieu de la Pluie du Mexique central.

Un musée régional, Hidalgo 77, expose des pièces archéologiques découvertes dans la région.

L'office du tourisme (☎ (966) 3-01-01), est installé au rez-de-chaussée du Palacio Municipal (reconnaissable à son horloge), dans Hidalgo au niveau de la place principale. Il est ouvert du lundi au vendredi de 9h à 15h et de 18h à 20h, le samedi de 9h à 14h.

Tonalá est assez mal équipée en matière de logement. Si vous êtes en route pour Puerto Arista, essayez de vous y rendre directement.

Puerto Arista

Puerto Arista, 18 km au sud-ouest de Tonalá, est un alignement de huttes en palmes et de quelques bâtiments plus solides au milieu d'une plage de sable gris longue de 30 km, où la principale distraction se résume à manger, surtout du poisson, à boire beaucoup de refrescos et à observer l'incessant ressac des vagues du Pacifique... jusqu'au week-end – ou à l'occasion de la Semana Santa ou de Noël –, avec l'arrivée de quelques centaines de Chiapanecos.

Seuls les moustiques et les mouches des sables viendront vous troubler. Si vous vous éloignez de plus de quelques mètres de la plage, la température est étouffante et, l'été, l'humidité est souvent insupportable.

La mer est propre mais ne vous aventurez pas plus loin qu'à hauteur de genou : le ressac est très violent et des courants appelés *canales* vous entraîneraient rapidement en pleine mer.

TAPACHULA

• Hab. : 250 000 • ☎ 962

La plupart des voyageurs ne viennent dans la ville la plus méridionale du Mexique que pour se rendre au Guatemala. Pour les passionnés cependant, les ruines d'Izapa, 11 km à l'est, méritent une visite.

Tapachula est le chef-lieu de la région de Soconusco, et un carrefour commercial animé, dominé au nord-est par le volcan Tacaná, haut de 4 092 m, le premier d'une chaîne de volcans qui s'étend jusqu'au Guatemala. Le village d'Unión Juárez, à 40 km de Tapachula, offrirait d'après nos informations un beau panorama sur le volcan, et la campagne environnante des possibilités de randonnée.

Orientation

Le Parque Hidalgo, ou Parque Central, forme la place principale. Il abrite l'office du tourisme Sedetur, les banques et la Casa de la Cultura (anciennement Palacio Municipal).

Renseignements

Office du tourisme. Il est installé Avenida 4 Nte 35, quelques maisons au nord de l'Hospedaje Colonial (☎ 6-54-70 ; fax 6-55-22). L'office du tourisme Sedetur (☎ 6-87-55 ; fax 6-35-02) est sis Avenida 8 Norte, à hauteur de Calle 3 Pte, sur la place principale.

Consulat. Le consulat du Guatemala (☎ 6-12-52) se trouve Avenida 9 Norte, au sud de Calle Central Oriente. Il est ouvert du lundi au vendredi de 8h à 16h.

Argent. Vous trouverez des banques et des distributeurs de billets autour de la place principale, parmi lesquelles la Banamex à l'est et la BanCrecer à l'ouest. La Casa de Cambio Tapachula, à l'angle de Calle 3 Pte et Avenida 4 Norte, reste ouverte plus longtemps : de 7h30 à 19h30 du lundi au samedi, et de 7h à 14h le dimanche.

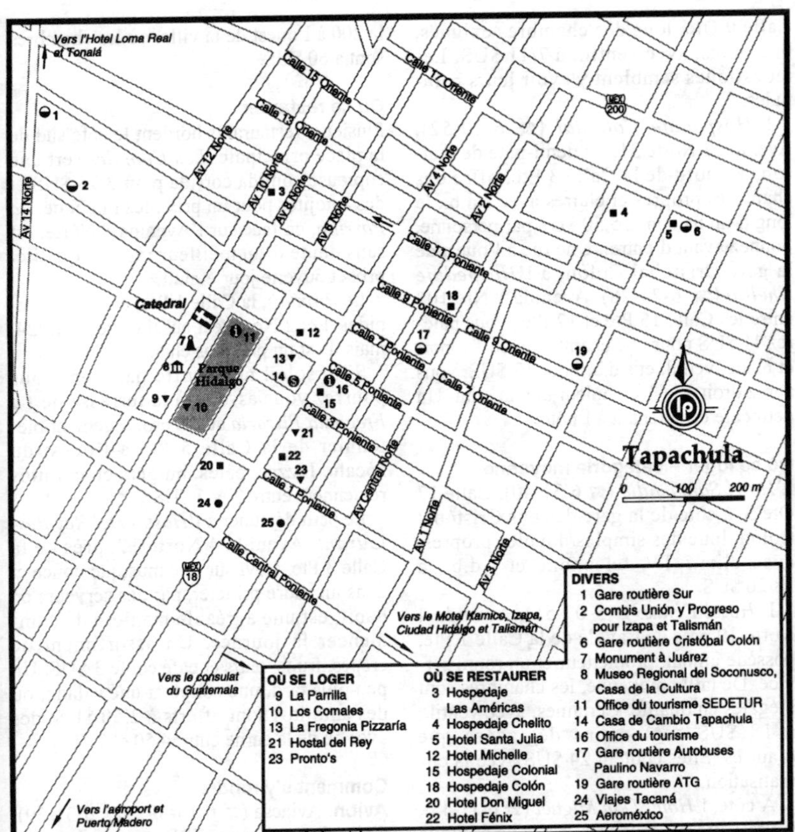

Poste et communications. La poste est installée à plusieurs pâtés de maisons du centre, à l'angle de Calle 1 Ote et d'Avenida 7 Norte (ouverte du lundi au vendredi de 8h à 18h, samedi de 8h à 12h).

Des casetas sont installées dans la Calle 17 Ote, à l'ouest de la gare routière Cristóbal Colón, ainsi que dans la Farmacia Monaco, à côté de l'Hotel Don Miguel, Calle 1 Pte.

Agence de voyages. Viajes Tacaná (☎ 6-87-95 ; fax 6-35-02), Avenida 4 Nte 8, entre la Calle 1 et la Calle Central, vend des billets Aviacsa, Aeroméxico et Mexicana.

Musée régional du Soconusco

Ce musée, sur le côté ouest du Parque Hidalgo, présente des expositions archéologiques et folkloriques, ainsi que certaines découvertes faites à Izapa. L'entrée coûte 2 $US.

Où se loger – petits budgets

L'*Hospedaje Las Américas* (☎ 6-27-57), Avenida 10 Nte 47 au nord de la place principale, dispose de chambres avec ventilateur et s.d.b. à 4,50/7 $US en simple/double. La *Hospedaje Colón* (☎ 6-91-78), Avenida Central Nte 72, à deux pas de

Calle 9 Ote, loue des chambres exiguës, bruyantes, avec ventil., à 7/11 $US. Les moustiques semblent y avoir leurs habitudes.

L'*Hospedaje Colonial* (☎ 6-20-52), Avenida 4 Norte 31, un demi-pâté de maisons au nord de la Calle 3 Pte, offre des chambres propres et claires avec s.d.b., le long d'un balcon, à 5,50 $US par personne. Sonnez avant d'entrer. Une rue à l'ouest de la gare Cristóbal Colón, à l'*Hospedaje Chelito* (☎ 6-24-28), Avenida 1 Nte 107 entre les Calle 15 Pte et 17 Pte. Vous paierez 11 $US pour une chambre avec TV noir et blanc, ventil. et s.d.b. Pour 17 $US, vous aurez droit à la TV couleur et à la clim. Un petit café est attenant à l'hôtel.

Où se loger – catégorie moyenne

L'*Hotel Santa Julia* (☎ 6-31-40), Calle 17 Ote 5, à côté de la gare des bus Cristóbal Colón, loue des simples/doubles propres, avec clim., TV, téléphone et s.d.b., à 18/26 $US.

L'*Hotel Fénix* (☎ 5-07-55), Avenida 4 Norte 19 près de l'angle de la Calle 1 Pte, possède un hall prometteur et un room service. De taille moyenne, les chambres sont inégales en qualité. Certaines, avec ventil., à 18 $US sont moins dégradées que d'autres. Elles coûtent 24 $US avec la climatisation.

A côté, l'*Hotel Don Miguel* (☎ 6-11-43), Calle 1 Pte 18, moderne, est sans doute le meilleur du centre-ville. Il loue des chambres propres, claires, avec clim. et TV, pour 28/38 $US. Il possède aussi un bon petit restaurant.

A proximité de la place principale, Calle 5 Pte 23, l'*Hotel Michelle* (☎ 6-88-74, 5-26-40) offre de charmantes chambres avec clim., TV, armoire et bureau, à 24/32 $US en simple/double.

Où se loger – catégorie supérieure

Les deux meilleurs hôtels, avec chambres climatisées et piscine, sont le *Motel Kamico* (☎ 6-26-40), sur la 200 à l'est de la ville (simples/doubles à 45/57 $US) et l'*Hotel Loma Real* (☎ 6-14-40), au bord de la 200 à l'ouest de la ville, où les chambres sont à 60 $US.

Où se restaurer

Plusieurs restaurants bordent le côté sud de la place principale. *Los Comales* sert une copieuse comida corrida pour 3,75 $US et des antojitos pour un prix plus modique. *La Parrilla*, en face sur l'Avenida 8 Norte, est sans doute d'un meilleur rapport qualité/prix et ouverte jour et nuit.

Le *Pronto's*, la Calle 1 Pte, entre les Avenidas 4 et 2 Norte est aussi ouvert 24h/24, mais il est un peu plus cher.

Si le soleil ne chauffe pas trop, vous pourrez vous asseoir à la terrasse de *La Fregonia Pizzaría* sur le prolongement piétonnier de la Calle 5 Pte à l'ouest du zócalo. Pizzas, pâtes, burgers et antojitos reviennent entre 2 et 5 $US.

Le petit déjeuner à l'*Hostal Del Rey Restaurant*, Avenida 4 Norte 17, près de la Calle 3 Pte, servi sur une musique douce et dans un cadre princier, par des serveurs en habit, est une agréable manière de commencer la journée. Un assortiment de crêpes, fruits, œufs et café coûte 3 $US. Un peu plus tard, une soupe et une salade, ou des antojitos sont offerts à 2,50 $US, des aves ou de la carne entre 4,50 et 7 $US.

Comment s'y rendre

Avion. Aviacsa (☎ 6-14-39 ; fax 6-31-59), Calle Central Norte 52B, assure des vols quotidiens directs entre Tapachula et Tuxtla Gutiérrez. Pour Mexico, il existe deux liaisons par jour.

Aeroméxico (☎ 6-20-50), Avenida 2 Norte 6, relie tous les jours Tapachula à Mexico (vol direct).

Bus. La compagnie Cristóbal Colón fait l'angle de la Calle 17 Ote et de l'Avenida 3 Norte, cinq rues à l'est puis six au nord de la place principale. Pour aller à la place principale, prenez 17 Ote vers l'ouest (gauche) sur deux pâtés de maisons, puis l'Avenida Central Norte à gauche sur six pâtés de maisons, et la Calle 5 Pte à droite sur trois pâtés de maisons.

Les gares des bus 2e classe sont Sur, Calle 9 Pte 63, une rue à l'ouest de l'Avenida 12 Norte, Autotransportes Tuxtla Gutiérrez (ATG), à l'angle de la Calle 9 Ote et de l'Avenida 3 Norte, et Autobuses Paulino Navarro, Calle 7 Pte 5, à l'ouest de l'Avenida Central Norte.

Les bus qui desservent la frontière guatémaltèque sont évoqués à la rubrique Talismán et Ciudad Hidalgo. Les autres lignes desservent :

Arriaga – 245 km, 3 heures 30 ; 8 bus Cristóbal Colón (9 $US) ; 3 bus ATG dans l'après-midi (6 $US) ; bus Autobuses Paulino Navarro toutes les demi-heures (6 $US).

Comitán – 260 km, 7 heures (*via* Motozintla) ; 3 bus ATG (12 $US) ; plusieurs Paulino Navarro (13 $US).

Juchitán – 380 km, 6 heures ; 3 bus ATG (12 $US) ; plusieurs bus Sur quotidiens.

Mexico (TAPO) - 1 150 km, 20 heures ; 6 bus Cristóbal Colón (43 $US) ; 2 bus Plus dans l'après-midi (53 $US).

Oaxaca – 650 km, 11 heures ; 2 bus Cristóbal Colón (23 $US) ; dans la soirée, 1 bus Sur 2e classe.

Salina Cruz – 420 km, 7 heures ; 2 bus ATG quotidiens (14 $US).

San Cristóbal de Las Casas – 350 km, 8 heures ; 5 bus Cristóbal Colón (via Tuxtla) (11 $US); plusieurs bus ATG et Andrés Caso (6 $US).

Tonalá – 220 km, 3 heures ; 8 bus Cristóbal Colón (7 $US) ; 3 ATG (5,50 $US) ; plusieurs Sur.

Tuxtla Gutiérrez – 400 km, 7 heures ; 5 bus Cristóbal Colón (12 $US) ; 6 ATG (10 $US).

Train. La gare de Tapachula est installée au sud de l'intersection de l'Avenida Central Sur avec la Calle 14. Mais seuls les masochistes et les vrais intrépides prennent le train.

Comment circuler

L'aéroport de Tapachula est installé à 20 km au sud de la ville, près de la route de Puerto Madero. La compagnie Transporte Terrestre (☎ 6-12-87), Avenida 2 Sur 40A, demande 3,25 $US pour vous emmener à l'aéroport et ira vous chercher à n'importe quel hôtel de Tapachula. Un taxi coûte 7 $US.

IZAPA

Si le site se trouvait dans une région plus visitée du Mexique, il y passerait un flot constant de visiteurs. D'une grande importance pour les archéologues, puisqu'il représente un trait d'union entre les civilisations olmèque et maya ancienne, il constitue également un lieu de promenade attrayant. Son apogée se situe entre 200 av. J.-C. et 200 ap. J.-C.

Le style de sculpture d'Izapa – que l'on peut voir sur des stèles, avec des autels devant – provient du style olmèque. La plupart des dieux représentés descendent de divinités olmèques et ont la lèvre supérieure exagérément allongée. Des monuments mayas de l'époque archaïque, retrouvées au nord du Guatemala, présentent des caractéristiques similaires.

Zone nord

L'essentiel de cette partie du site a été mis au jour, et a bénéficié de quelques travaux de restauration. Elle comporte un certain nombre de plates-formes, un jeu de balle, probablement construits après l'apogée d'Izapa, et plusieurs stèles et autels sculptés.

Zone sud

Elle est moins visitée que la zone nord. Revenez vers Tapachula, sur 1,75 km environ, et empruntez la piste sur la gauche. Au bout de la voie carrossable, un chemin part sur la droite. Les trois sites intéressants sont séparés par des sentiers à peine visibles. Vous devrez peut-être demander au gardien de vous les indiquer. Le premier est une place ornée de plusieurs stèles sous des toits de chaume. Le second, une autre place plus petite, avec d'autres stèles et trois piliers surmontés de curieuses boules de pierre. Le troisième est une simple sculpture de mâchoires de jaguar retenant une silhouette d'apparence humaine.

Comment s'y rendre

Izapa est situé à 11 km à l'est de Tapachula sur la route de Talismán. On peut l'atteindre en prenant les minibus Unión y Progreso, qui partent de Calle 5 Pte, à l'ouest de l'Avenida 12 Norte à Tapachula. La principale partie du site (nord) est indiquée sur la gauche de la route. L'autre partie (sud) se trouve à moins d'1 km en revenant vers Tapachula, de l'autre côté de la route.

TALISMÁN ET CIUDAD HIDALGO

La route de Tapachula au Guatemala part 20 km à l'est après les ruines d'Izapa, vers la frontière au pont de Talismán, en face d'El Carmen, au Guatemala. Une bifurcation au sud de cette route mène à un autre poste-frontière, à Ciudad Hidalgo (à 38 km de Tapachula), en face de Ciudad Tecún Umán. Les deux postes-frontières sont ouverts 24h/24.

Au moment de la rédaction de cet ouvrage, il était possible d'obtenir des visas pour le Guatemala et des cartes de tourisme à la frontière. Vérifiez si c'est toujours le cas. Cette possibilité peut dépendre de votre nationalité. Il existe un consulat du Guatemala Central Ote 10 à Ciudad Hidalgo, et un autre à Tapachula. Les employés des postes-frontières guatémaltèques peuvent prélever diverses taxes au passage et insister pour être payés en dollars ou en quetzals.

Comment s'y rendre

Les minibus Unión y Progreso font la navette entre Tapachula et Talismán à quelques minutes d'intervalle (0,75 $US). Un taxi de Tapachula à Talismán effectue le trajet en 20 mn et coûte 3 $US.

Les Autobuses Paulino Navarro relient Tapachula à Ciudad Hidalgo, en 45 minutes (1 $US), toutes les heures. Il existe deux liaisons par bus 1re classe Cristóbal Colón par jour entre Talismán et Mexico (43 $US).

Nombre de bus assurant des liaisons plus longues à partir du côté guatémaltèque de la frontière rallient Ciudad Guatemala (environ 5 heures) par la route côtière passant par Retalhuleu et Escuintla.

Si vous voulez vous rendre au lac Atitlán ou à Chichicastenango, vous devrez d'abord aller à Quezaltenango (Xela), en changeant de bus à Retalhuleu ou Malacatán sur la route Talismán-San Marcos-Quezaltenango. Pour tout ce qui concerne le Guatemala, consultez le guide Lonely Planet *Guatemala et Belize*.

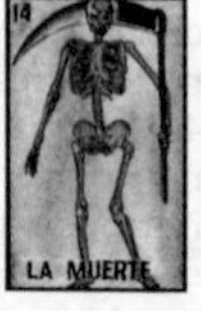

La péninsule du Yucatán

En franchissant le Río Usumacinta en direction de la péninsule du Yucatán, vous pénétrez dans le royaume des Mayas. Le paysage change, tout comme les habitations et la population.

Héritiers d'une histoire glorieuse et souvent violente, les Mayas vivent aujourd'hui à l'endroit même où séjournaient leurs ancêtres et considèrent le Mayab (les terres des Mayas) comme leur véritable patrie. La péninsule du Yucatán présente une diversité surprenante, avec de nombreux sites archéologiques, plusieurs belles villes coloniales, la station balnéaire la plus populaire du Mexique et des rivages tranquilles, peuplées d'oiseaux exotiques.

Pendant la saison des pluies, de mi-août à mi-octobre, les averses sont fréquentes l'après-midi. La période idéale pour visiter cette région s'étale de novembre au début décembre, quand la fréquentation des touristes et les prix diminuent.

A NE PAS MANQUER

- Mérida, la "Ville Blanche", capitale traditionnelle des Mayas du Yucatán.
- Chichén Itzá, grandiose centre de cérémonie des Mayas et des Toltèques.
- Uxmal, gracieuse cité de la région puuc.
- Les plages de sable de la côte caribéenne, leurs récifs de corail et leur art de vivre décontracté.

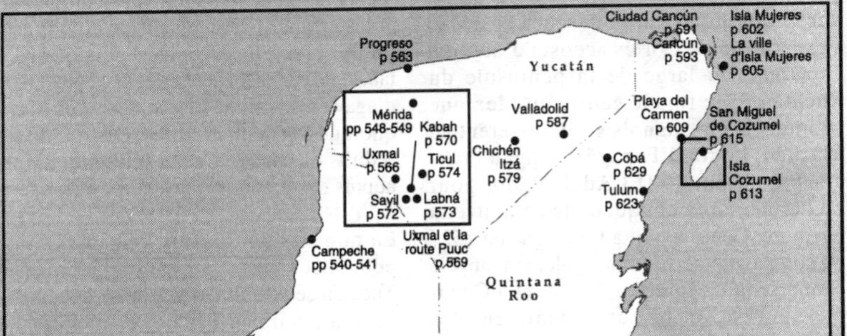

Histoire

Les Mayas. A l'apogée de la culture maya, qui se situe à la fin de la période classique (de 600 à 900), les terres mayas étaient organisées en une série de cités-États à la fois indépendantes et interdépendantes. Chacune était dirigée par un roi qui détenait le pouvoir social, politique et religieux.

Vers la fin de la période classique, le centre de cette civilisation se déplaça du Guatemala et du Belize vers le nord de la péninsule du Yucatán, et prit un nouvel essor à Chichén Itzá, Uxmal et Labná.

Aux IXe et Xe siècles, la civilisation maya classique s'effondra. Affaiblis, les Mayas furent la proie d'envahisseurs venus du centre du Mexique. Il semblerait que les Toltèques de Tula (près de l'actuelle Mexico) s'acheminèrent en bateau vers l'est, jusqu'à la péninsule du Yucatán, conduits par un roi barbu à cheveux clairs, du nom de Kukulcán ou Quetzalcóatl ; celui-ci s'établit à Uucil-abnal (Chichén Itzá). La culture d'Uucil-abnal s'épanouit bien après la fin du Xe siècle, époque à laquelle furent érigés tous les grands édifices. Cependant, la ville fut abandonnée vers 1400.

Les Espagnols. Partie de Cuba en 1519, l'expédition de Cortés accosta d'abord à Cozumel, au large de la péninsule du Yucatán. Une fois le centre du Mexique conquis, les Espagnols s'intéressèrent au Yucatán. Le roi d'Espagne désigna Francisco de Montejo (El Adelantado) pour mener à bien la conquête de ce nouveau territoire. Celui-ci quitta l'Espagne en 1527 en compagnie de son fils, également appelé Francisco de Montejo. Abordant à Cozumel, puis à Xel-ha sur le continent, les Montejo découvrirent que les habitants refusaient tout contact avec eux.

Les Montejo contournèrent la péninsule, conquirent le Tabasco (1530) et établirent leur base près de Campeche, qui pouvait facilement être approvisionnée en produits de première nécessité, en armes et en troupes fraîches en provenance de la Nouvelle-Espagne (centre du Mexique). Ils s'enfoncèrent dans l'arrière-pays mais, après quatre longues et difficiles années, furent obligés de rebrousser chemin et de rentrer à Mexico. Le jeune Montejo (El Mozo) entreprit une seconde expédition et, en 1540, retourna à Campeche avec son cousin qui, lui aussi, s'appelait… Francisco de Montejo. Les deux hommes pénétrèrent rapidement dans l'arrière-pays, remportèrent quelques victoires en s'alliant avec les Mayas Xiús contre les Mayas Cocomes, vainquirent les Cocomes et convertirent les Xiús au christianisme. Les Montejo fondèrent Mérida en 1542 et, en quatre ans, soumirent pratiquement tout le Yucatán à la férule espagnole.

Période de l'Indépendance. Lorsque le Mexique obtint finalement son indépendance en 1821, le nouveau gouvernement mexicain pressa les populations du Yucatán, du Chiapas et d'Amérique centrale de le rejoindre pour former un nouvel État. L'Amérique centrale fit la sourde oreille, mais la péninsule du Yucatán et le Chiapas, après un flirt avec le Guatemala, rejoignirent le Mexique.

Les revendications des Mayas visant la récupération de leurs terres furent ignorées, et les *criollos* (descendants de colons espagnols) créèrent de vastes plantations de tabac, de canne à sucre et de henequén (sorte d'agave dont on fait des cordes). Les Mayas, quoique légalement libres, étaient, de fait, réduits en esclavage par leur endettement auprès des grands propriétaires terriens.

La guerre des Castes. Peu après l'indépendance, les classes dirigeantes du Yucatán se mirent à rêver de se détacher du Mexique et d'une éventuelle union avec les États-Unis. Dans cette perspective, les *hacendados* commirent l'erreur d'armer et d'entraîner leurs péons mayas en milices locales, en prévision d'une possible invasion du centre du Mexique. Entraînés à l'usage d'armes modernes, les Mayas se rebellèrent contre leurs maîtres.

La guerre des Castes s'amorça en 1847 à Valladolid, ville connue pour ses lois

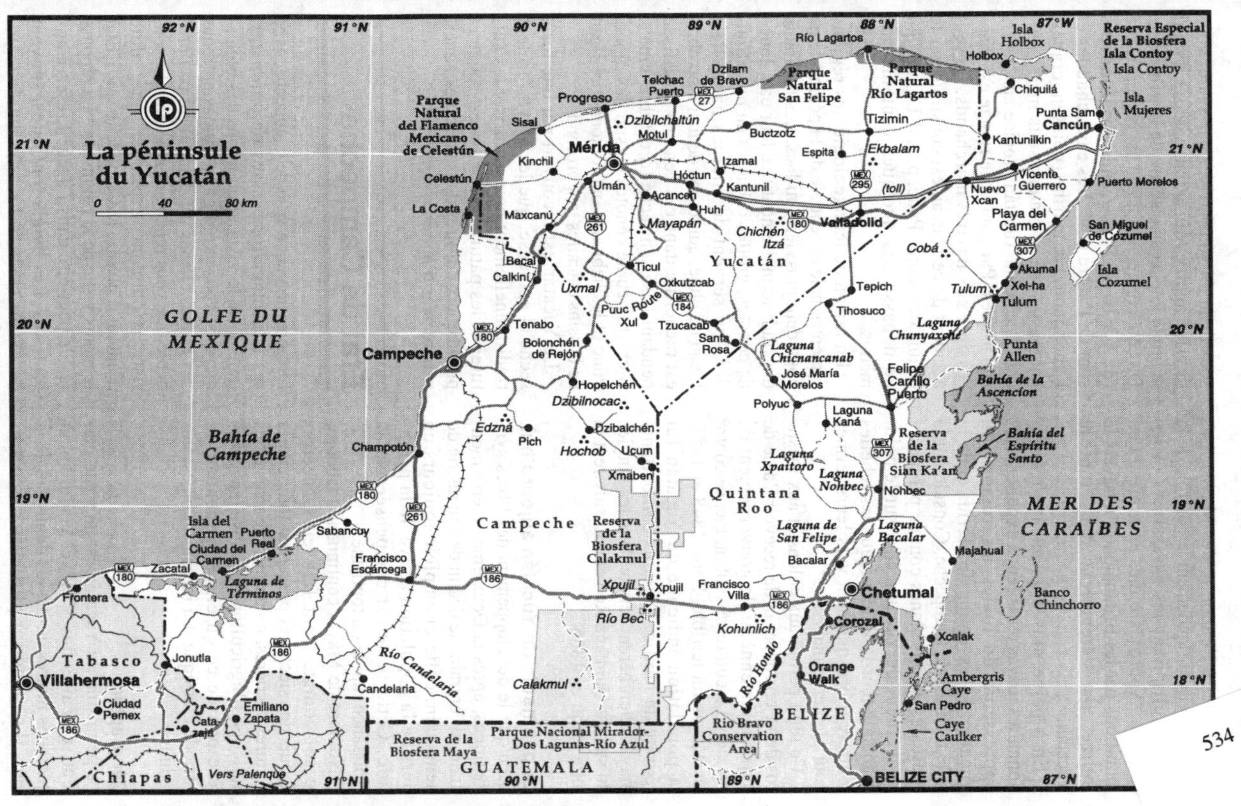
La péninsule du Yucatán
0
40
80 km
GOLFE DU MEXIQUE
Bahía de Campeche
MER DES CARAÏBES
Yucatán
Campeche
Quintana Roo
Tabasco
Chiapas
BELIZE
GUATEMALA
Mérida
Campeche
Cancún
Chetumal
Villahermosa
BELIZE CITY
Progreso
Sisal
Celestún
La Costa
Kinchil
Maxcanú
Umán
Becal
Calkiní
Tenabo
Bolonchén de Rejón
Hopelchén
Uxmal
Puuc Route
Xul
Ticul
Oxkutzcab
Tzucacab
Santa Rosa
Acanceh
Mayapán
Hóctun
Huhí
Motul
Dzibilchaltún
Telchac Puerto
Izamal
Kantunil
Chichén Itzá
Buctzotz
Dzilam de Bravo
Espita
Tizimín
Ekbalam
Valladolid
(toll)
Río Lagartos
Parque Natural San Felipe
Parque Natural Río Lagartos
Holbox
Isla Holbox
Chiquilá
Kantunilkín
Punta Sam
Isla Mujeres
Reserva Especial de la Biosfera Isla Contoy
Isla Contoy
Puerto Morelos
Nuevo Xcan
Vicente Guerrero
Playa del Carmen
San Miguel de Cozumel
Isla Cozumel
Akumal
Xel-ha
Tulum
Cobá
Punta Allen
Bahía de la Ascencion
Bahía del Espíritu Santo
Laguna Chunyaxché
Felipe Carrillo Puerto
Tihosuco
Tepich
Laguna Chicnancanab
José María Morelos
Laguna Kaná
Polyuc
Laguna Xpaitoro
Laguna Nohbec
Nohbec
Reserva de la Biosfera Sian Ka'an
Laguna Bacalar
Laguna de San Felipe
Bacalar
Majahual
Banco Chinchorro
Xcalak
Ambergris Caye
San Pedro
Caye Caulker
Corozal
Orange Walk
Río Hondo
Río Bravo Conservation Area
Francisco Villa
Kohunlich
Xpujil
Río Bec
Calakmul
Reserva de la Biosfera Calakmul
Xmaben
Ucum
Hochob
Dzibalchén
Dzibilnocac
Edzná
Pich
Parque Natural del Flamenco Mexicano de Celestún
Champotón
Sabancuy
Francisco Escárcega
Río Candelaria
Candelaria
Reserva de la Biosfera Maya
Parque Nacional Mirador-Dos Lagunas-Río Azul
Puerto Real
Isla del Carmen
Ciudad del Carmen
Laguna de Términos
Zacatal
Jonutla
Emiliano Zapata
Catazajá
Vers Palenque
Frontera
Ciudad Pemex
MEX 180
MEX 186
MEX 261
MEX 295
MEX 307
MEX 184
MEX 27
21° N
20° N
19° N
18° N
92° N
91° N
90° N
89° N
88° N
87° W
87° N

oppressives à l'encontre des Mayas. Les rebelles prirent rapidement le contrôle de la ville, multipliant les assassinats et les pillages. Approvisionnés en armes et en munitions par les Britanniques, à travers le Belize, ils s'étendirent dans tout le Yucatán.

En à peine plus d'un an, les révolutionnaires mayas réussirent à expulser leurs oppresseurs de toutes les régions du Yucatán, à l'exception de Mérida et de la ville fortifiée de Campeche. Considérant la cause des colons blancs comme perdue, le gouverneur du Yucatán était sur le point d'abandonner la ville lorsque les rebelles rentrèrent brusquement vers leurs fermes pour planter le maïs.

Ce répit permit aux colons et aux mestizos de se regrouper et de recevoir l'aide de leur ancien ennemi, le gouvernement de Mexico. La contre-révolution menée contre les Mayas fut terrible. Entre 1848 et 1855, la population indienne du Yucatán fut réduite de moitié. Certains combattants mayas cherchèrent refuge dans les jungles du sud du Quintana Roo et poursuivirent la lutte jusqu'en 1866.

La péninsule du Yucatán aujourd'hui. Bien que le développement des fibres synthétiques, après la Deuxième Guerre mondiale, ait entraîné le déclin de l'industrie du henequén, celle-ci emploie toujours un tiers de la population active de la péninsule. Cette perte est compensée par la croissance rapide du tourisme.

Nombre de Mayas continuent à labourer le sol comme l'ont fait leurs ancêtres depuis des siècles et pratiquent toujours les cultures vivrières, notamment le maïs et les haricots. L'agriculture de subsistance diffère peu de ce qu'elle était pendant la période classique. La mécanisation est très réduite.

Géographie

La péninsule du Yucatán est un vaste plateau calcaire qui s'élève à seulement quelques mètres au-dessus du niveau de la mer. Il s'étend sur plusieurs kilomètres sous l'eau. Si vous arrivez par avion, vous devriez apercevoir la barre de récifs qui délimite le plateau calcaire de la péninsule. Du côté continental, l'eau est peu profonde (de 5 à 10 m) ; les grandes profondeurs sont de l'autre côté. Les eaux chaudes et l'abondante vie marine (poisson, crabes, langoustes) de ce plateau sous-marin rendent la côte du Yucatán propice aux sports aquatiques. Par contre, le rivage est inaccessible aux navires marchands. Le seul accident de ce plateau est constitué par la chaîne des monts Puuc, près d'Uxmal, qui ne dépasse pas quelques centaines de mètres.

En raison de leur géologie, les régions septentrionale et centrale de la péninsule ne possèdent ni rivières ni lacs. Les habitants ont traditionnellement tiré leur eau douce de cenotes, grottes calcaires au toit effondré, qui servent de citernes naturelles. L'eau de pluie, qui tombe de mai à octobre, est recueillie dans ces cenotes et utilisée pendant la saison sèche (d'octobre à mai). Il existe peu de cenotes au sud des monts Puuc et les habitants ont toujours tiré l'eau de bassins calcaires très profonds.

Le Yucatán est recouvert par une forêt sèche et épineuse, que les Mayas brûlent traditionnellement pour favoriser les cultures et les pâturages. Le sol est rouge et propice aux cultures dans certaines zones, pauvre dans d'autres.

État de Campeche

L'impressionnante ville de Campeche, avec ses anciennes forteresses ou *baluartes*, transporte le visiteur au temps des boucaniers. Si vous explorez les ruines antiques des Mayas chenes d'Edzná, il est peu probable que vous rencontriez le moindre touriste. Comment expliquer que, doté d'autant d'atouts, le Campeche soit l'État le moins visité de la péninsule ? La réponse réside peut-être dans l'accueil réservé aux touristes. Les hôtels sont rares, souvent décevants et chers. Le beau musée régional, quant à lui, perçoit un droit d'entrée très élevé. Les plages ne sont pas très propres et les moyens de communication avec Edzná peu développés. L'État mérite pourtant un séjour de courte durée.

ESCÁRCEGA

• *Hab.: 18 000 habitants*

La plupart des bus qui circulent entre Villahermosa et la péninsule du Yucatán s'arrêtent à Escárcega pour permettre aux passagers de se rafraîchir, seule raison de faire escale dans cette ville, sise à la jonction de la 186 et de la 261, à 150 km au sud de Campeche et à 301 km de Villahermosa. Par ailleurs, les bus arrivent pleins et repartent de même, et vous aurez des difficultés à quitter Escárcega si vous décidez d'y faire une halte.

La ville s'étend sur 2 km le long de la 186 en direction de Chetumal. Environ 1,7 km sépare les gares routières ADO et Autobuses del Sur.

Les hôtels sont souvent plus proches de la gare Autobuses del Sur que de la gare ADO, où sont regroupés, en revanche, bon nombre des meilleurs restaurants.

XPUJIL ET SES ENVIRONS

☎ *981*

La nationale 186 part d'Escárcega vers l'est, à travers une jungle broussailleuse, pour rejoindre Chetumal, dans l'État de Quintana Roo (2 heures 30). A la frontière des États de Campeche et de Quintana Roo, près du village de Xpujil, à 153 km à l'est d'Escárcega et à 120 km à l'ouest de Chetumal, s'élèvent plusieurs sites archéologiques mayas importants : Xpujil, Becan, Chicanna et Río Bec.

Ces sites non restaurés, peu touristiques, fascineront les passionnés d'archéologie. Toutefois, ne vous attendez pas à trouver le pendant d'Uxmal ou de Chichén Itzá. Vous verrez surtout des décombres perdus dans la jungle.

Orientation

Le hameau de Xpujil (prononcez chpou-HIL), à la jonction des routes est-ouest et nord, devient peu à peu un village, mais les infrastructures restent rares et sommaires.

Les ruines de Xpujil se dressent à 1,5 km à l'ouest de ce croisement, Becan se trouve à 8 km, Chicanna, à 11,5 km et Balamku, à 60 km, tous trois à l'ouest. Ces sites ne disposent d'aucune facilité.

Ruinas de Xpujil

Village existant de longue date, Xpujil, "lieu des queues de chat" en maya, fut florissant à la fin de la période classique, de 400 à 900. Le site, à 200 m au nord de la 186, est ouvert de 8h à 17h (1,50 $US).

Construit vers 760, l'Edificio I du Grupo I se caractérise par de hautes tours et offre un superbe exemple d'architecture de style Río Bec (ce style est décrit dans la rubrique *Río Bec*, plus loin dans ce chapitre). Les trois tours (au lieu des deux habituelles) conservent des traces d'escaliers ornementaux raides et impraticables atteignant presque leur sommet, ainsi que plusieurs masques de jaguars féroces (le plus saisissant se trouve à l'arrière de l'une d'entre elles).

A environ 60 m à l'est s'élève l'Edificio II, une résidence de l'élite.

Xpujil est un site beaucoup plus vaste que ne le laissent supposer ces deux bâtiments. Trois autres groupes d'édifices ont été identifiés, mais il faudra probablement du temps pour les restaurer.

Becan

A 400 m au nord de la route, Becan (chemin du serpent, en maya) est perchée au sommet d'un promontoire rocheux. Elle porte bien son nom puisqu'un fossé défensif de 2 km serpente autour de la cité. Sept ponts enjambaient autrefois ce fossé, donnant accès à la ville. Becan fut habitée de 550 av. J.-C. jusqu'à l'an 1000 de notre ère. Le site est ouvert de 8h à 17h (1,50 $US).

Le premier bâtiment que vous atteignez, l'Edificio I de la Plaza Sureste (place sud-est), comporte deux tours typiques du style Río Bec. Montez l'escalier est de l'édifice pour rejoindre la Plaza Sureste, entourée de quatre grands temples et dotée à l'est d'un autel circulaire (Edificio III-a).

Des flèches indiquent un itinéraire qui conduit à l'angle nord-est de la place et descend une volée de marches ; tournez ensuite à gauche (vers l'ouest) et suivez le chemin entre les parois rocheuses avant de passer sous un arc en encorbellement. Au bout du sentier se dresse un énorme temple à tours jumelles, l'Edificio VIII, coiffé de colonnes cylindriques en haut d'un escalier. Il date de 600 à 730 environ. Le sommet de ce temple offre un panorama superbe dans toutes les directions.

Au nord-ouest de l'Edificio VIII se trouve la Plaza Central, flanquée de l'Edificio IX, de 30 m de haut, qui domine le site, et de l'Edificio X, beaucoup mieux conservé.

D'autres ruines parsèment la jungle. La Place Ouest, à l'ouest de l'Edificio X, est entourée de bâtiments bas parmi lesquels on reconnaît un court de jeu de balle.

Chicanná

A une douzaine de kilomètres à l'ouest de l'embranchement vers Xpujil et à 800 m au sud de la route, Chicanná, enfouie dans la jungle, présente un mélange de styles Chenes et Río Bec. La ville connut son apogée entre 600 et 680 environ. Le site est ouvert de 8h à 17h (1,50 $US).

Entrez dans le bâtiment d'admission, moderne et couvert de palapa, puis suivez les sentiers rocailleux à travers la jungle jusqu'au Grupo D et à l'Edificio XX (750-830). Ce dernier possède deux portes superposées en forme de gueule de monstre.

Après 5 minutes de marche le long d'un sentier, vous arrivez devant le Grupo C, composé de deux bâtiments bas (Edificios X et XI) érigés sur une plate-forme surélevée. Les temples comportent quelques fragments décoratifs. Les édifices du Grupo B ont également conservé quelques décorations intactes et l'Edificio VI, un beau toit.

Au bout du sentier s'élève le bâtiment le plus célèbre de Chicanná, l'Edificio II (750-770) du Grupo A, dont la porte figure une gigantesque gueule de monstre de style Chenes.

Balamku

Découvert seulement en 1990, Balamku (également appelé Chunhabil) est célèbre pour la façade d'un édifice. Cette façade s'orne d'un bas-relief en stuc bien conservé qui représente la silhouette stylisée d'un jaguar, flanquée de deux grands dessins de masques, le tout surmonté de représentations d'animaux et d'êtres humains. Ce motif, complexe et inhabituel, offre peu de ressemblance avec les éléments décoratifs connus des styles Chenes et Río Bec, et a plongé les archéologues dans la perplexité.

Balamku se trouve à 60 km à l'ouest de l'embranchement vers Xpujil (à moins de 3 km de Conhuas), puis à presque 3 km au nord de la route par une mauvaise piste. Aucune infrastructure n'est implantée sur le site.

Calakmul

La plupart des spécialistes de l'époque maya s'accordent à reconnaître que Calakmul est un site d'importance primordiale. Cependant, lors de la rédaction de ce guide, une infime partie de son étendue – il est plus vaste que Tikal – avait été mise au jour et seuls quelques bâtiments, sur les 6 500 qu'il comporte, avaient été consolidés plutôt que restaurés. D'accès difficile, voire impossible pendant la saison des pluies, Calakmul est situé à 118 km au sud-est de l'embranchement vers Xpujil, au bout de pistes et de chemins défoncés (voir la rubrique *Circuits organisés* ci-après).

En-dessous de l'Edificio VII, des archéologues ont découvert une crypte mortuaire et une offrande funéraire composée de 2 000 pièces de jade. Des offrandes de jade ont été trouvées sous d'autres édifices. Calakmul possède également un nombre étonnant de stèles gravées, souvent rongées par l'érosion.

Hormiguero

Hormiguero (fourmilière, en espagnol) est un ancien site, dont certains bâtiments datent de 50 à 250. Il parvint à son apogée à la fin de la période classique. Situé à 22 km au sud-est de l'embranchement vers

Xpujil (à 6 km au-delà du village de Carrizal), Hormiguero abrite l'un des édifices les plus impressionnants de la région. D'une longueur de 50 m, l'Edificio II est doté d'une immense porte en gueule de monstre de style Chenes, aux décorations bien conservées pour la plupart. Similaire aux énormes gueules de monstre de Hochob et de Chicanná, la porte de Hormiguero est encore plus gigantesque et plus saisissante. Ne manquez pas l'Edificio V, à 60 m au nord, et l'Edificio E-1 du Grupo Oriente (groupe est).

Río Bec

L'appellation Río Bec recouvre un ensemble de petits sites, 17 au dernier recensement, disséminés sur 50 km^2 au sud-est de Xpujil. Le plus intéressant est sans conteste le Grupo B, suivi des Grupos I et N. Ces sites sont encore difficiles d'accès et nécessitent les services d'un guide (voir la rubrique *Circuits organisés* ci-après).

Río Bec a donné son nom au style architectural dominant de la région. Il se caractérise par des édifices longs et bas, dotés chacun d'une porte en forme d'énorme gueule de serpent. Les façades sont décorées de masques plus petits, de motifs géométriques et de colonnes. Aux angles des bâtiments se dressent des tours hautes et massives, garnies d'escaliers extrêmement étroits et raides, aux marches impraticables, et couronnées de petits temples.

Le plus bel exemple d'architecture Río Bec est illustré par l'Edificio I du Grupo B, un bâtiment de la fin de la période classique datant de 750 environ. S'il n'a pas encore été restauré, il a néanmoins été consolidé et son état permet de se faire une idée de sa gloire d'antan.

Dans le Grupo I, admirez les Edificios XVII et XI. Dans le Grupo N, l'Edificio I est assez semblable au très beau bâtiment du Grupo B.

El Raminal

Ces ruines, assez impressionnantes, sont accessibles à pied depuis la ferme collective de l'Ejido 20 de Noviembre, elle-même située sur une route à 10 km à l'est de la bifurcation vers Xpujil. Suivez les panneaux, tournez vers le sud et parcourez 5 km sur une piste jusqu'à la ferme et sa **réserve naturelle U'lu'um Chac Yuk**. En arrivant dans ce village spartiate, où le bétail se promène entre les huttes aux toits de chaume, cherchez le "musée", le quatrième bâtiment à droite de la route, où vous demanderez les services d'un guide pour visiter El Raminal.

Les guides de l'ejido pourront également vous faire visiter les différents sites de Río Bec, distants d'environ 13 km.

Les habitants de l'ejido construisent actuellement des bungalows pour les touristes, équipés de chauffe-eau solaires et autres installations écologiques. Ils devraient être terminés lors de votre passage.

Circuits organisés

Les guides de Xpujil, regroupés en association, peuvent vous emmener en 4x4 jusqu'aux sites les plus reculés, tels que Calakmul, Hormiguero et Río Bec, pour environ 30 $US par personne. On peut réserver sa place au restaurant El Mirador Maya (au moins un jour à l'avance), d'où les visites partent à 8h.

Où se loger et se restaurer

Dans la catégorie petits budgets, la meilleure solution est proposée par *El Mirador Maya* (pas de téléphone), à 1 km à l'ouest de l'embranchement vers Xpujil. Il loue des chambres avec s.d.b. commune pour 14 $US. Le restaurant couvert de palapa sert des repas corrects à prix raisonnables et dispose d'une petite piscine. On peut s'y inscrire pour les visites guidées (voir plus haut). Cet endroit est actuellement le lieu de rassemblement des voyageurs intrépides.

A environ 350 m à l'ouest de la bifurcation vers Xpujil, le *Restaurant-Hotel Calakmul* offre des chambres sans eau légèrement moins chères, ainsi que quelques chambres avec douche à 19 $US. Près de l'intersection et de la gare routière ADO sont rassemblés quelques restaurants très simples. Cette région étant appelée à se développer très rapidement, nul doute que de nouvelles possibilités d'hébergement et de restauration seront disponibles lors de votre arrivée.

Curieusement, Xpujil possède un établissement de luxe, le *Ramada Chicanná Ecovillage Resort* (☎/fax 6-22-33), au kilomètre 144 sur la nationale 186, à 12 km à l'ouest de l'embranchement vers Xpujil, puis à 500 m au nord de la route. Les chambres spacieuses et aérées, avec s.d.b. et ventil., sont regroupées par quatre dans des bungalows, répartis sur des pelouses impeccablement entretenues. L'ensemble offre un spectacle pour le moins inattendu au milieu de la jungle. La petite salle à manger et le bar proposent de bons plats à des prix assez élevés, mais c'est le seul endroit où vous pourrez faire un repas de ce genre dans un rayon de 100 km autour de Xpujil. Les tarifs s'échelonnent de 75 à 95 $US. Il est prudent de réserver.

Comment s'y rendre

Xpujil se trouve à 220 km au sud de Hopelchén, à 153 km à l'est d'Escárcega et à 120 km à l'ouest de Chetumal. Quatre bus effectuent des liaisons quotidiennes entre Xpujil et Campeche et de nombreux bus relient Escárcega à Chetumal. Aucun bus ne part de Xpujil, aussi vous reste-t-il à espérer trouver une place libre dans un bus de passage. La gare routière est située à 100 m à l'est du croisement avec la nationale 186, du côté nord de celle-ci.

Une station-service Pemex, qui fournit de l'essence avec et sans plomb, est installée à 5 km à l'est de l'embranchement vers Xpujil. Prenez garde à ne pas vous faire surfacturer.

Comment circuler

Les ruines de Xpujil sont accessibles à pied depuis le carrefour. De là, il est possible de faire du stop jusqu'aux routes d'accès à Becan et à Chicanna ; pour les autres sites, en revanche, il est indispensable de se joindre à une visite organisée (voir plus haut *Circuits organisés*).

Si vous disposez de votre propre véhicule, vous pourrez accéder aux sites proches de la route, mais peut-être préférerez-vous rejoindre un circuit organisé pour Calakmul ou Hormiguero et profiter du 4x4 du guide.

CAMPECHE

• Hab.: 170 000 • ☎ 981

Orné de bâtiments historiques, le centre de Campeche est magnifique. La population locale vit de la pêche à la crevette ou de l'extraction du pétrole. La prospérité qui découle de ces activités est évidente.

Histoire

Autrefois village maya vivant du commerce et appelé Ah Kim Pech (Dieu Soleil Tique du Mouton), Campeche fut envahie par les conquistadores en 1517. Les Mayas résistèrent et, pendant près de 25 ans, les Espagnols ne purent conquérir entièrement la région. La ville coloniale fut fondée en 1531, puis abandonnée à cause de l'hostilité des Mayas.

Finalement, en 1540, les conquistadores parvinrent, grâce à Francisco de Montejo le Jeune, à suffisamment contrôler la région pour y fonder une colonie capable de survivre. Ils l'appelèrent Villa de San Francisco de Campeche. La colonie prospéra rapidement et devint le principal port de la péninsule du Yucatán.

Cependant, elle fut très vite en butte aux attaques des pirates. Après un assaut d'une particulière violence, en 1663, qui laissa la ville en ruine, la couronne espagnole ordonna la construction des fameux remparts (*baluartes*) qui mirent un terme à ces carnages périodiques.

Orientation

Si les baluartes existent toujours, la plupart des murs de la ville ont été rasés et remplacés par une rue qui encercle le centre-ville, l'Avenida Circuito Baluartes.

Accolé à la place moderne de Moch-Cuouh, Campeche possède son Parque Principal (la Plaza de la Independencia). Ce parc colonial traditionnel est flanqué de

LA PÉNINSULE DU YUCATÁN

Campeche et les pirates
Au milieu du XVIe siècle, Campeche devint le port le plus florissant de la péninsule du Yucatán grâce aux initiatives avisées du vice-roi Hernández de Córdoba. Les productions locales (chiclé, bois d'ébénisterie et de teinture), ainsi que l'or et l'argent provenant des autres régions du Mexique étaient expédiées en Europe depuis Campeche. Une telle richesse excita la convoitise des pirates qui firent leur apparition 6 ans seulement après la fondation de la ville.

Deux siècles durant, Campeche vécut dans la terreur des pirates qui ne se contentaient pas d'attaquer les vaisseaux, mais envahissaient le port, dévalisaient les habitants, violaient les femmes et incendiaient les constructions. Au panthéon de la flibuste trônent les sinistres figures de John Hawkins, Diego le Mulatto, Laurent de Gaff, Barbillas et l'infâme "Jambe de Bois", Pato de Palo. Début 1663, mettant le comble à la cruauté, ces diverses hordes, oubliant pour un temps leurs rivalités, formèrent une flotille et massacrèrent un grand nombre des habiatants de Campeche.

Il fallut cette tragédie pour que la monarchie espagnole se décide, 5 ans plus tard, à prendre les mesures qui s'imposaient. En 1668, furent érigés des remparts d'une épaisseur de 3,5 m. Dix-huit ans plus tard, un hexagone de 2,5 km enserrait la ville. Un segment de rempart avançait dans la mer de sorte que les navires devaient littéralement pénétrer dans une forteresse pour accéder à la cité.

Campeche devenue imprenable, les pirates jetèrent leur dévolu sur les navires en mer et les autres ports de la côte. En 1717, le brillant stratège naval, Felipe de Aranda, s'attaqua résolument au problème et le golfe fut bientôt libéré de la piraterie. ■

la cathédrale, d'un côté, et de l'ancien Palacio de Gobierno, de l'autre.

La boussole indique que Campeche a son front de mer au nord-ouest mais, par tradition et commodité, on considère généralement que l'eau se trouve à l'ouest et la terre à l'est (nous suivons cette règle). Les rues qui suivent un axe nord-sud portent des numéros pairs et les artères perpendiculaires, des numéros impairs. Les numéros de rues vont croissant vers le sud et l'ouest.

Renseignements

Office du tourisme. La Coordinación General de Turismo (☎ 6-60-68, 6-67-67), Calle 12 n°153, près de la Calle 53, possède un personnel très accueillant. Elle ouvre du lundi au samedi de 8h à 14h30 et de 16h à 20h30. La ville gère la Coordinación Municipal de Turismo, Calle 55 et Calle 8, à l'ouest de la cathédrale, en face du Parque Principal.

Argent. Les banques ouvrent du lundi au vendredi de 9h à 13h. Banques et distributeurs sont indiqués sur la carte de la ville.

Poste. La poste centrale (☎ 6-21-34), à l'angle de l'Avenida 16 de Septiembre et de la Calle 53, est installée dans l'Edificio Federal. Elle ouvre en semaine de 8h à 19h, le samedi de 8h à 13h et le dimanche de 8h à 14h.

Promenade à pied

Sept remparts ont été maintenus, dont quatre sont tout particulièrement dignes d'intérêt. Pour les découvrir, suivez l'Avenida Circuito Baluartes qui encercle la ville sur 2 km. La circulation rend certaines parties de ce circuit déplaisantes. Vous pouvez limiter votre promenade aux 4 premiers baluartes décrits ci-après, qui abritent des musées et des jardins. Pour une promenade guidée (18 $US environ), adressez-vous au Ramada Inn ou à l'Hotel Baluartes. Nous partons du sud-ouest de la Plaza Moch-Cuouh.

A quelques pas de l'actuel Palacio de Gobierno, le **Baluarte de San Carlos** se dresse au coin des Calles 8 et 65, près d'une fontaine en forme de ziggourat. L'intérieur du rempart est aménagé en Sala de las Fortificaciones et présente d'intéres-

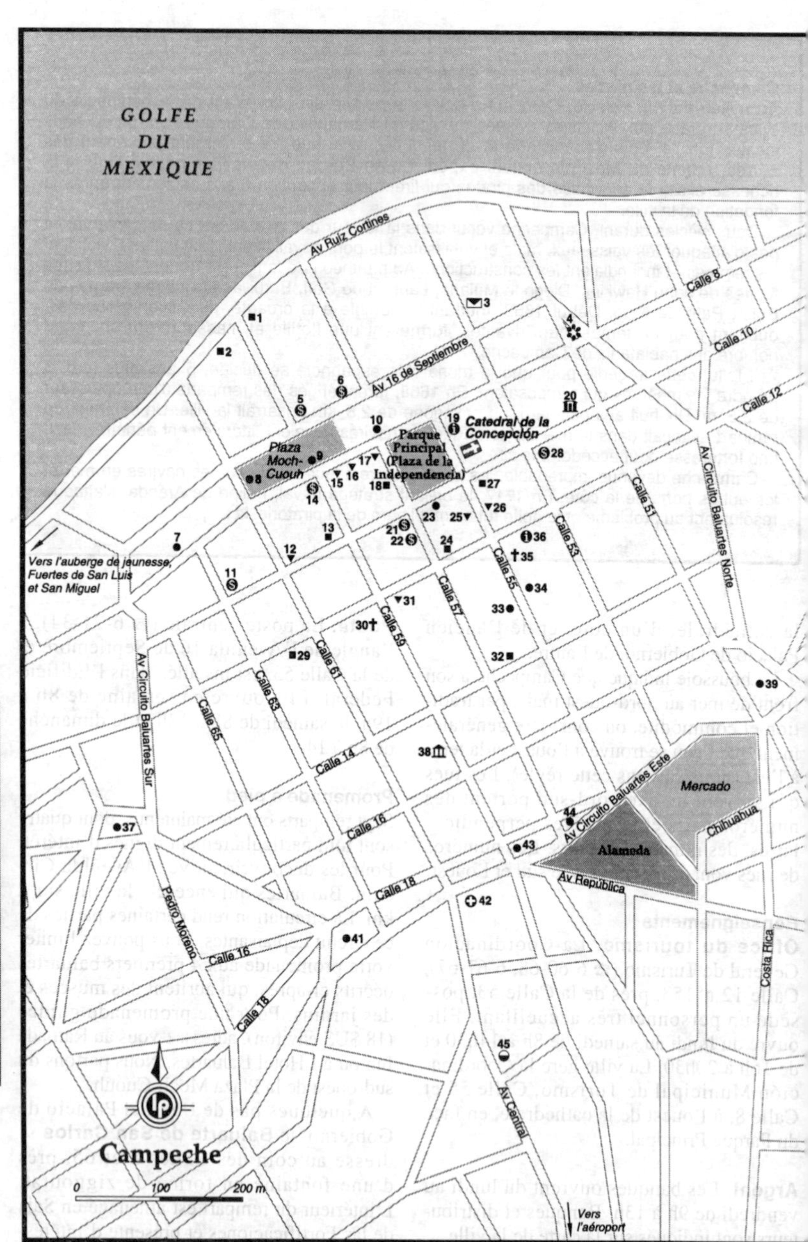
GOLFE
DU
MEXIQUE
Av Ruiz Cortines
Av 16 de Septiembre
Calle 8
Calle 10
Calle 12
Calle 14
Calle 16
Calle 18
Calle 51
Calle 53
Calle 55
Calle 57
Calle 59
Calle 61
Calle 63
Calle 65
Av Circuito Baluartes Norte
Av Circuito Baluartes Sur
Av Circuito Baluartes Este
Pedro Moreno
Av Central
Av República
Chihuahua
Costa Rica
Plaza Moch-Cuouh
Parque Principal (Plaza de la Independencia)
Catedral de la Concepción
Mercado
Alameda
Vers l'auberge de jeunesse, Fuertes de San Luis et San Miguel
Vers l'aéroport
Campeche
0
100
200 m
1
2
3
4
5
6
7
8
9
10
11
12
13
14
15
16
17
18
19
20
21
22
23
24
25
26
27
28
29
30
31
32
33
34
35
36
37
38
39
41
42
43
44
45

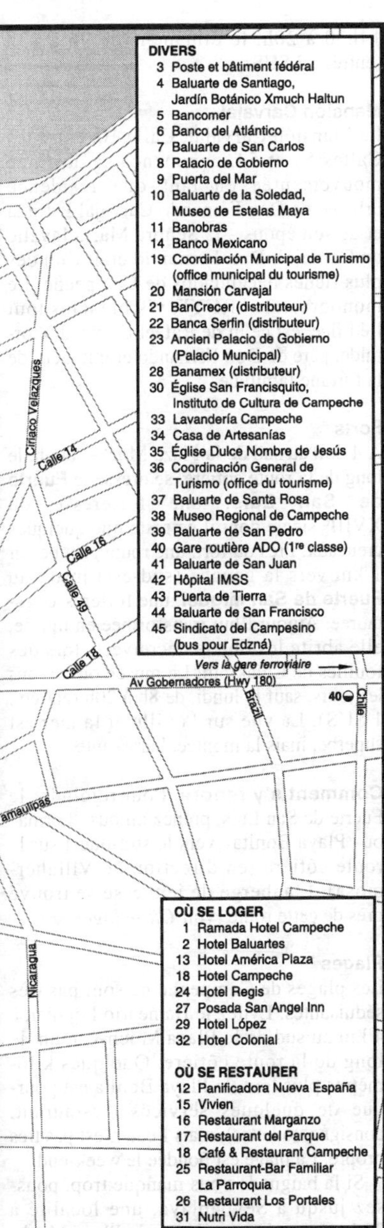

sants modèles réduits des fortifications de la ville au XVIIIe siècle. On peut aussi visiter le donjon et observer la mer du toit. Le Baluarte de San Carlos est ouvert tous les jours de 9h à 13h et de 17h à 19h30 (entrée gratuite).

De là, retournez vers le nord par la Calle 8. Au carrefour de la Calle 59, vous remarquerez la **Puerta del Mar**, ou porte de la Mer, qui permettait d'entrer dans la ville par la mer avant que la zone du nord-ouest soit habitée. La porte, démolie en 1893, fut reconstruite en 1957 en raison de sa valeur historique.

Le **Baluarte de la Soledad**, au nord de la Plaza Moch-Cuouh, à proximité de l'intersection des Calles 8 et 57, abrite le **Museo de Estelas Maya**. Nombre des objets mayas présentés ici sont en très mauvais état, mais, à côté de chaque pierre, un dessin les représente tels qu'ils étaient à l'origine. Ce rempart propose aussi une intéressante exposition sur la Campeche coloniale avec, notamment, des équipements et armes de marine utilisés pour combattre les pirates aux XVIIe et XVIIIe siècles. Le musée est ouvert du mardi au samedi de 9h à 14h et de 15h à 20h, le dimanche de 9h à 13h (entrée : 0,50 $US).

En face du Baluarte de la Soledad se profile le **Parque Principal**. Alors que la Plaza Moch-Cuouh est trop moderne et sans ombre, le Parque Principal est un lieu agréable où la population locale aime flâner et profiter de la fraîcheur après la canicule. Le dimanche, des concerts animent la soirée.

On entreprit la construction de la **Catedral de la Concepción**, au nord de la place, au milieu du XVIe siècle, peu après la fondation de la ville par les conquistadores, mais elle ne fut achevée qu'en 1705.

L'ancien **Palacio de Gobierno** (ou Palacio Municipal), à arcades, ne date que du XIXe siècle.

Poursuivez vers le nord dans la Calle 8 jusqu'au **Baluarte de Santiago**, au coin des Calles 8 et 51. Il abrite un jardin tropical minuscule mais ravissant, le **Jardín Botánico Xmuch Haltun**, qui contient 250 espèces de plantes tropicales disposées dans une jolie cour ornée de fontaines. Des visites guidées sont proposées en semaine de 17h à 18h. Le jardin est ouvert en semaine de 8h à 15h et de 18h à 20h30, le samedi de 9h à 13h et de 18h à 20h, le dimanche de 9h à 13h (entrée gratuite).

Depuis le Baluarte de Santiago, dirigez-vous vers l'intérieur des terres par la Calle 51 jusqu'à la Calle 18 et au **Baluarte de San Pedro**, au centre d'un carrefour qui marque le début de l'Avenida Gobernadores. A l'intérieur du Baluarte, l'Exposición Permanente de Artesanías, un centre de vente d'artisanat régional, ouvre du lundi au vendredi de 9h à 14h et de 17h à 20h (entrée libre).

Pour achever le circuit, continuez en direction du sud par l'Avenida Circuito Baluartes jusqu'au **Baluarte de San Francisco**, Calle 57 et jusqu'à la **Puerta de Tierra** (porte de Terre), Calle 59. Le **Baluarte de San Juan**, à l'intersection des Calles 18 et 65, marque l'extrémité sud des anciens murs de la ville. De là, prenez la Calle 67 (Avenida Circuito Baluartes) sur la droite jusqu'au carrefour des Calles 14 et 67 et au **Baluarte de Santa Rosa**. De là, l'Avenida Circuito Baluartes vous ramène vers la Calle 8 et la Plaza Moch-Cuouh.

Promenade nocturne

En parcourant les rues de Campeche, en particulier les Calles 55, 57 et 59, vous découvrirez d'autres belles demeures (la Casa de Artesanías, Calle 55, est superbe). Il est préférable de sortir dans la soirée en raison de la chaleur, mais aussi pour l'éclairage intérieur qui illumine les cours, les salons et les ruelles.

Museo Regional de Campeche

Le Musée régional (☎ 6-91-11) est installé dans l'ancienne demeure du Teniente del Rey, ou lieutenant du roi, Calle 59 n°36, entre les Calles 14 et 16.

Architecture, hydrologie, commerce, art, religion et science maya sont présentés au public avec le souci du détail évocateur. Il ouvre du mardi au samedi de 8h à 14h de 14h30 à 20h, le dimanche de 9h à 13h (entrée : 3 $US).

Mansión Carvajal

La Mansión Carvajal, Calle 10, entre les Calles 51 et 53, commença sa destinée mouvementée en tant que résidence urbaine de Don Fernando Carvajal Estrada et de son épouse, la Señora María Iavalle de Carvajal. Don Fernando était l'un des plus riches hacendados de Campeche. Le monogramme "RCY", visible dans tout l'édifice, est celui de Rafael Carvajal Ytorralde, père de Don Fernando et initiateur de la fortune familiale.

Forts

A 4 km au sud de la Plaza Moch-Cuouh, le long de la route côtière, se dresse le **Fuerte de San Luis**, une forteresse du XVIIIe siècle dont il ne reste que quelques créneaux. Près du fort, une route grimpe sur 1 km vers la gauche (sud-est) jusqu'au **Fuerte de San Miguel**, une forteresse restaurée. Aujourd'hui transformée en musée, elle abrite les objets découverts lors des fouilles de Calakmul. Le musée ouvre tous les jours, sauf le lundi, de 8h à 20h (entrée : 1 $US). La vue sur la ville et la mer est superbe, mais la montée, harassante.

Comment s'y rendre. Pour rejoindre le Fuerte de San Luis, prenez un bus "Lerma" ou "Playa Bonita" vers le sud-ouest sur la route côtière (en direction de Villahermosa). L'auberge de jeunesse se trouve près de cette route (voir *Où se loger*).

Plages

Les plages de Campeche ne sont pas très séduisantes. Évitez le Balneario Popular, à 4 km au sud de la Plaza Moch-Cuouh, le long de la route côtière. Quelques kilomètres plus loin, la Playa Bonita est pourvue de quelques services (restaurant, consigne, toilettes), mais l'eau n'est pas très propre. La plage est bondée le week-end.

Si la baignade vous manque trop, poussez jusqu'à Seybaplaya, une localité à 33 km au sud-ouest depuis la Plaza Moch-

Cuouh. La route longe d'étroites plages de sable blanc ponctuées de huttes de pêcheurs. L'eau est beaucoup plus propre, mais les services sont inexistants. La meilleure plage s'appelle Payucan.

Circuits organisés

Des excursions aux ruines d'Edzná sont organisées quotidiennement. Consultez la rubrique sur *De Campeche à Mérida – Itinéraire long* pour plus de détails.

Où se loger – petits budgets

Auberge de jeunesse. L'*Albergue de la Juventud* (☎ 6-18-02) est située dans le Centro Cultural y Deportivo Universitario, Avenida Agustín Melgar, à 3,5 km au sud-ouest de la Plaza Moch-Cuouh, près de la route côtière. Les lits en dortoirs valent moins de 4 $US et la cafétéria sert des repas bon marché. En ville, la route côtière s'appelle Avenida Ruiz Cortines et devient Avenida Resurgimiento en allant vers Villahermosa.

Les bus indiquant "Avenida Universidad" vous y conduiront. Demandez au chauffeur de vous laisser à l'Albergue de la Juventud. L'Avenida Melgar part vers l'intérieur des terres, entre un concessionnaire Volkswagen et une station-service Pemex. L'auberge se trouve à environ 150 m sur la droite.

Hôtels. Les établissements les moins chers – le *Reforma*, le *Roma*, etc. – sont de véritables gourbis. En face du Parque Principal, l'*Hotel Campeche* (☎ 6-51-83), Calle 57 n°2, au-dessus du Café y Restaurant Campeche, bénéficie d'une situation centrale et des prix très bas. Il offre des chambres sans eau courante pour 6 $US, avec eau froide à 8 $US et à 10 $US avec eau chaude.

En dépit de quelques critiques, les lits de l'*Hotel Colonial* (☎ 6-22-22), Calle 14 n°122, entre les Calles 55 et 57, sont en général très recherchés par les voyageurs à petit budget. Installées dans l'ancienne demeure du gouverneur espagnol du Tabasco et du Yucatán, les chambres sont équipées de ventil. et de douches avec eau chaude (10/12/15 $US en simple/double/triple).

La *Posada San Angel Inn* (☎ 6-77-18), Calle 10 n°307, entre les Calles 55 et 53, propose des chambres spartiates, mais modernes et propres, avec s.d.b. et ventil. Il vous en coûtera 12/15/17/20 $US pour une simple/double/triple/quadruple (3 $US de plus pour la clim.).

Où se loger – catégorie moyenne

Bien situé, l'*Hotel Regis* (☎ 6-31-75), Calle 12 n°148, entre les Calles 55 et 57, offre un service correct et des chambres convenables et climatisées pour 12/18/24/28 $US.

Légèrement plus cher et un peu moins agréable, l'*Hotel López* (☎ 6-33-44 ; fax 6-24-88), Calle 12 n°189, entre les Calles 61 et 63, demande 14/15/19/25 $US pour une chambre avec ventil. et TV. Ajoutez quelques dollars pour la clim.

Installé dans une belle maison coloniale, l'*Hotel América Plaza* (☎ 6-45-88 ; fax 6-45-76), Calle 10 n°252, dispose de grandes chambres correctes donnant sur une cour intérieure (15/19/22 $US avec ventil.).

Où se loger – catégorie supérieure

Le meilleur hôtel de la ville, le *Ramada Hotel Campeche* (☎ 6-22-33 ; fax 1-16-18), Avenida Ruiz Cortines n°51, propose 119 chambres, de 85 $US en simple/double standard à 125 $US en suite.

Au sud du Ramada, son concurrent, l'*Hotel Baluartes* (☎ 6-39-11 ; fax 6-24-10), plus ancien mais toujours confortable, compte des chambres un peu vétustes et climatisées, avec vue sur la mer, à 35/40 $US en simple/double.

Où se restaurer

Parmi les meilleurs établissements figure le *Restaurant Marganzo* (☎ 6-23-28), Calle 8 n°265, entre les Calles 57 et 59, face à la mer et au Baluarte de la Soledad. Comptez de 2 à 3 $US pour un petit déjeuner et de 3 à 5 $US pour les spécialités régionales. La carte des fruits de mer, dont les prix s'élèvent jusqu'à 8 $US, comporte toutes sortes de crevettes. En face du Parque Principal, le *Café y Restaurant Campeche* (☎ 6-21-28), Calle 57 n°2, est installé dans la maison natale de Justo Sierra, le fondateur de l'université nationale du Mexique. Le restaurant est très simple, éclairé de néons éblouissants et animé par une télévision à plein volume. Le *platillo del día* revient à moins de 3 $US.

Tout près, le *Restaurant del Parque* (☎ 6-02-40), Calle 57 n°8, est un petit établissement sympathique qui sert des plats de poisson, de viande ou de crevettes pour 3 $US environ. Il ouvre tôt pour le petit déjeuner et le dimanche.

Si vous avez envie d'une viennoiserie, de biscuits, de pain ou d'un gâteau, allez à la *Panificadora Nueva España*, Calle 10 à l'angle de Calle 61, qui offre un grand choix de produits frais à tout petits prix.

Régulièrement, un entrepreneur courageux ouvre un restaurant diététique à Campeche pour fermer peu de temps après. Espérons que le dernier en date, le *Vivien*, Calle 8 n°263, en-dessous de l'Hotel Reforma, survivra. Le *Nutri Vida*, Calle 12 n°167, propose également des plats complets et végétariens.

Le restaurant le plus connu de la ville est le *Restaurant-Bar Familiar La Parroquía* (☎ 6-18-29), Calle 55, entre les Calles 10 et 12. A la fois restaurant familial et lieu de rendez-vous, il sert des petits déjeuners, du lundi au vendredi de 7h à 10h, pour 2,25 à 3,50 $US, et des plats copieux au déjeuner et au dîner, tels que chuleta de cerdo (côtelette de porc), filete à la tampiqueña, cocktail ou salade de crevettes et même du pampano frais (de 5 à 9 $US).

Distractions

Le vendredi soir à 20h, de septembre à mai (si le temps le permet), les autorités touristiques de l'État promeuvent des *Estampas Turísticas*, spectacles de musique et de danse folklorique sur la Plaza Moch-Cuouh. D'autres spectacles, organisés par la municipalité, ont lieu sur le Parque Principal du jeudi au dimanche vers 19h.

Achats

Gérée par le gouvernement d'État, la Casa de Artesanías (☎ 6-90-88), Calle 55 n°25, entre les Calles 12 et 14, est ouverte de 9h à 14h et de 17h à 20h.

Comment s'y rendre

Avion. L'aéroport est implanté à l'ouest de la gare ferroviaire, au bout de l'Avenida López Portillo (Avenida Central), à environ 800 m par des sentiers, ou à 3,5 km de la Plaza Moch-Cuouh. Il faut prendre un taxi pour rejoindre le centre-ville (4 $US).

Bus. La gare des bus ADO 1re classe se situe sur l'Avenida Gobernadores, à 1,7 km de la Plaza Moch-Cuouh et à 1,5 km environ de la plupart des hôtels. Celle des bus 2e classe est juste derrière. Les destinations desservies quotidiennement sont les suivantes :

Cancún – 512 km, 9 heures, de 12 à 15 $US, avec changement à Mérida

Chetumal – 422 km, 7 heures, de 11 à 14 $US, 3 bus

Edzná – 66 km, 1 heure 30 ; prenez un bus pour Pich ou Hool devant le Sindicato del Campesino dans l'Avenida Central, ou bien un bus plus rapide jusqu'à San Antonio Cayal (45 km), d'où vous ferez du stop vers le sud

Hopelchén – 86 km, 2 heures, 1,50 $US ; une douzaine de bus 2e classe Camioneros de Campeche

Mérida – 195 km (trajet court *via* Becal), entre 2 heures 30 et 3 heures ; 250 km (trajet long *via* Uxmal), 4 heures ; 33 ADO (6 $US) jour et nuit ; bus ATS toutes les 20 ou 30 minutes (de 3 à 3,50 $US)

Mexico (TAPO) – 1 360 km, 20 heures (50 $US), 2 ADO

Palenque – 362 km, 5 heures, 1 ADO (12 $US), 2 Colón (12 $US), 2 ATS (10 $US) ; de nombreux autres bus s'arrêtent à Catazajá (bifurcation vers Palenque), à 27 km au nord du village de Palenque

San Cristóbal de Las Casas – 820 km, 14 heures : 3 ADO (de 15 à 18 $US) ; 1 ATS (14 $US)

Villahermosa – 450 km, 6 heures, 15 bus (de 14 à 17 $US) ; ils vous déposeront, sur demande, à Catazajá (bifurcation vers Palenque)

Xpujil – 306 km, 6 heures, 8 $US ; 4 ATS

Train. La gare ferroviaire se trouve dans l'Avenida Héroes de Nacozari, à 3 km au nord-est du centre, au sud de l'Avenida Gobernadores, dans la Colonia Cuatro Caminos. Les bus qui partent de l'arrêt installé à droite (ouest) de la gare vous emmèneront dans le centre.

DE CAMPECHE A MÉRIDA – ITINÉRAIRE COURT (par la route 180)

C'est le chemin le plus rapide. Si vous achetez un billet de bus de Campeche à Mérida, le véhicule empruntera inévitablement cette route.

Si vous préférez l'itinéraire long, par Edzná, Kabah et Uxmal, demandez une place dans l'un des bus, moins fréquents, qui emprunte ce trajet. Si vous souhaitez vous arrêter dans l'une des villes qui jalonnent l'itinéraire court, empruntez un bus 2e classe.

Hecelchakan, Calkini et Becal

A **Hecelchakan**, à 77 km au nord-est de Campeche, vous pourrez visiter le **Museo Arqueológico del Camino Real**, qui réunit divers objets funéraires trouvés sur l'île de Jaina, ainsi que des céramiques et des bijoux provenant d'autres sites. Il est ouvert du lundi au samedi de 9h à 18h. L'**Iglesia de San Francisco** est le centre des festivités en l'honneur du saint, le 4 octobre. Du 9 au 18 août se déroule une fête populaire appelée Novenario, avec corridas, danses et rafraîchissements.

Quelque 24 km séparent Hecelchakan de Calkini, où se trouve l'**Iglesia de San Luis de Tolosa**. Datant du XVIIe siècle, elle comporte un portail plateresque et des décors baroques. Chaque année, la fête de San Luis y est célébrée le 19 août.

Becal, centre de production de panamas, se trouve à 8 km de Calkini, tout près de l'État du Yucatán. Les chapeaux mous sont appelés *jipijapa* par les habitants de cette ville qui les tressent avec des fibres du palmier huano, dans des grottes de calcaire humide, selon une tradition datant de la deuxième moitié du XIXe siècle.

Les grottes présentent un degré hygrométrique idéal pour mettre en forme les fibres qui restent ainsi souples et ne se cassent pas. Environ 85 km séparent Becal de Mérida.

DE CAMPECHE A MÉRIDA – ITINÉRAIRE LONG (par la route 261)

La plupart des voyageurs empruntent cet itinéraire pour visiter les différents sites.

Edzná

Les ruines les plus proches de Campeche se trouvent à Edzná, au sud de la 261. Edzná, qui signifie Maison des Grimaces ou Maison des Échos, fut habitée dès 800 av. J.-C. environ. Cependant, la plupart des sculptures sont plus récentes et furent réalisées entre 550 et 810. Bien qu'éloignée des sites puuc d'Uxmal et Kabah, Edzná est partiellement de style puuc. Le site est ouvert tous les jours de 8h à 17h (entrée : 4 $US).

Si la zone archéologique couvre 2 km², la partie la plus intéressante est la place principale, longue de 160 m et large de 100 m, entourée de temples. A la différence des sites mayas qui comportent généralement d'énormes masses de pierre, celui d'Edzná est caractérisé par des terrasses successives de calcaire blanchi.

Le principal temple est le Templo de Cinco Pisos (temple des Cinq Niveaux), à gauche en entrant sur la place depuis le kiosque à billets. Édifié sur une vaste plateforme, il s'élève sur cinq niveaux, qui comportent plusieurs salles et des décorations érodées de masques, serpents et têtes de jaguar. Un grand escalier central de 65 marches mène tout en haut de l'édifice. Sur le côté opposé de la place (à droite) s'élance un escalier monumental de 100 m de large qui menait au temple de la Lune. A l'extrémité la plus éloignée de la place, on aperçoit un temple en ruines, peut-être le domicile des prêtres.

Comment s'y rendre

A Campeche, Picazh Servicios Turísticos (☎ 6-44-26 ; fax 6-27-60), Calle 16 n°348, entre les Calles 57 et 59, organisent des excursions à Edzná. Pour 10 $US par personne, il propose un aller-retour jusqu'aux

LA PÉNINSULE DU YUCATÁN

ruines d'Edzná (deux personnes minimum). Pour 5 $US de plus par personne, vous aurez droit à une visite guidée en espagnol ou en anglais. L'entrée au site n'est pas comprise dans ces prix. Cette excursion part de la place proche de la Puerta de Tierra, à l'extrémité est de la Calle 59, tous les jours à 9h et à 14h.

Si les visites de Picazh sont d'un bon rapport qualité/prix, le bus coûte moins cher. Tôt le matin, prenez un bus de village 2e classe pour Edzná (66 km), devant le Sindicato del Campesino de Campeche, dans l'Avenida Central, au sud du Circuito Baluartes. Ce peut être un bus allant à Pich, à 15 km au sud-est d'Edzná, ou à Hool, à 25 km au sud-ouest. Tous deux vous déposeront à la route d'accès au site.

Si vous venez du nord et de l'est, descendez à San Antonio Cayal, puis faites du stop ou attrapez un bus pour Edzná.

Au nord de la sortie Edzná sur la nationale 261, un panneau indique "Edzná 2 km". Cependant, les ruines se trouvent à 500 m au-delà du panneau et à 400 m seulement de la route.

En repartant, vous devrez soit faire du stop, soit prendre un bus jusqu'à San Antonio Cayal, d'où vous ferez du stop ou attraperez un bus allant vers l'ouest pour Campeche, ou vers l'est et le nord pour Hopelchén, Bolonchén et enfin Uxmal.

Bolonchén de Rejón et Xtacumbilxunaan

En parcourant 40 km vers l'est depuis San Antonio Cayal, vous arrivez à Hopelchén, là où la 261 tourne vers le nord. La ville suivante, perdue dans cette savane plate et sèche, est Bolonchén de Rejón, à 34 km. La fête locale de la Santa Cruz a lieu chaque année, le 3 mai.

Bolonchén est située à proximité des Grutas de Xtacumbilxunaan (SHTAA-koum-bil-shou-NAHN), à environ 3 km au sud de la ville. La 261 se prolonge dans l'État du Yucatán jusqu'à Uxmal, où une route latérale mène aux ruines de la Route puuc. Reportez-vous aux rubriques *Uxmal et la route Puuc* pour plus de renseignements.

État du Yucatán

L'État du Yucatán forme "une tranche de gâteau" découpée dans la partie septentrionale de la péninsule. Jusqu'à la mise en valeur de Cancún et de la côte caribéenne, cet État constituait le secteur le plus important de la péninsule, ce qu'il est resté du point de vue historique et culturel. Les fleurons du Yucatán sont les grandioses ruines mayas de Chichén Itzá et Uxmal, les superbes villes coloniales de Mérida et de Valladolid, sans oublier plusieurs jolis petits villages côtiers.

MÉRIDA

• *Hab.: 600 000* • ☎ *99*

La capitale de l'État du Yucatán est une charmante ville aux rues étroites, dotée de bâtiments coloniaux et de parcs ombragés. Elle était déjà le centre de la culture maya au Yucatán avant l'arrivée des conquistadores. Aujourd'hui, ce pivot commercial de la péninsule bénéficie d'une bonne infrastructure : nombreux hôtels, restaurants de tous styles et à tous les prix, et réseau de transports fiable. Les touristes semblent affluer en été (juillet et août) et en hiver (de décembre à mars).

Histoire

Francisco de Montejo fonda une colonie espagnole à Campeche en 1540. Depuis cette base stratégique, il put tirer profit des dissensions politiques entre les Mayas et conquérir Tihó (aujourd'hui Mérida) en 1542. Lorsque les conquistadores de Montejo entrèrent dans Tihó vaincue, ils trouvèrent une importante ville maya bâtie en pierre cimentée au mortier de chaux, qui leur rappela les vestiges architecturaux romains de Mérida, en Espagne. Ils rebaptisèrent rapidement la ville et commencèrent à l'aménager pour en faire la capitale coloniale. Mérida prenait ses ordres directement de l'Espagne, et non de Mexico. Depuis, le Yucatán a toujours gardé une identité culturelle et politique distincte du reste du

Mexique. Pendant la guerre des Castes (1847-55), seules Mérida et Campeche réussirent à contenir les forces rebelles. Le reste du Yucatán passa sous contrôle indien. Bien que le Yucatán fasse assurément partie du Mexique, un fort sentiment de fierté survit à Mérida, lié à l'appartenance au Mayab, royaume maya distinct du reste du pays.

Orientation

La Plaza Mayor, ou place principale, est le centre de Mérida depuis l'époque maya. La plupart des services dont vous aurez besoin sont implantés à moins de cinq pâtés de maisons de la place ; les autres se trouvent le long du large boulevard bordé d'arbres appelé Paseo de Montejo. Sachez que la numérotation des maisons progresse parfois de façon inégale : Calle 57 n°481 et Calle 56 n° 544 peuvent être distants d'un ou de dix pâtés de maisons. C'est sans doute pour cette raison que les adresses sont généralement indiquées de la façon suivante : Calle 57 n°481 X 56 y 58 (entre les Calles 56 et 58).

Renseignements

Offices du tourisme. Des guichets d'information d'une utilité très relative sont installés à l'aéroport et dans le Terminal CAME de la gare routière.

Mieux vaut se rendre au Centre d'information touristique (☎ 24-92-90, 24-93-89), à l'angle des Calles 60 et 57, au sud-ouest du grand Teatro Péon Contreras et à moins de deux rues au nord de la Plaza Mayor.

La municipalité (Ayuntamiento) dispose d'un office du tourisme à un pâté de maisons à l'ouest du Parque Hidalgo, dans la Calle 59, à l'angle de la Calle 62.

L'Alliance française se situe Calle 56 n°476 (☎ 28-60-09).

Consulats étrangers. Un certain nombre de pays sont représentés à Mérida :

Belgique
Calle 25 n°159, entre les Calles 28 et 30 (☎ 25-29-39)

France
Calle 33B n°528, entre les Calles 62 et 64 (☎ 25-22-91 ; fax 25-70-09)

Honduras
Calle 54 n°280, Fraccionamiento del Norte (☎ 27-44-74)

Argent. Les Casas de cambio offrent un service meilleur et plus rapide que les banques, mais prélèvent une commission sur les opérations de change. Essayez le Money Marketing Centro Cambiario, à gauche du Gran Hotel, Parque Hidalgo, ou Finex (☎ 24-18-42), Calle 59 n°498K, à gauche de l'Hotel Caribe, ou encore Cambio La Peninsular, du côté est de la Calle 60, entre les Calles 55 et 57. De plus, de nombreuses banques bordent la Calle 65, entre les Calles 60 et 62, à une rue derrière Banamex/Palacio Montejo. En général, elles ouvrent en semaine de 9h30 à 13h30.

Poste et communications. La poste principale (☎ 21-25-61) est installée dans le quartier du marché, Calle 65, entre les Calles 56 et 56A. Elle est ouverte en semaine de 8h à 19h et le samedi de 9h à 13h. A l'aéroport et à la gare routière, des comptoirs postaux ouvrent en semaine.

Des cabines téléphoniques sont installées sur la Plaza Mayor, dans le Parque Hidalgo, à l'aéroport et à la gare routière, au coin des Calles 59 et 62 et des Calles 64 et 57, dans la Calle 60, entre les Calles 53 et 55. Le Yucatán n'étant pas desservi par un nombre suffisant de réseaux, vous aurez peut-être des difficultés à obtenir une ligne.

La CDC, une compagnie de téléphone privée, possède des téléphones dans de nombreux terminaux de transport, hôtels et pensions. Renseignez-vous sur les tarifs avant d'appeler.

Librairies. La Librería Dante Peón (☎ 24-95-22), dans le Teatro Peón Contreras à l'angle des Calles 60 et 57, vend des livres en français, anglais et allemand et, bien sûr, en espagnol. Elle est ouverte 7 j/7.

Blanchisserie. La Lavamática La Fe, Calle 61 n°520, à la hauteur de Calle 64, peut se charger de votre linge.

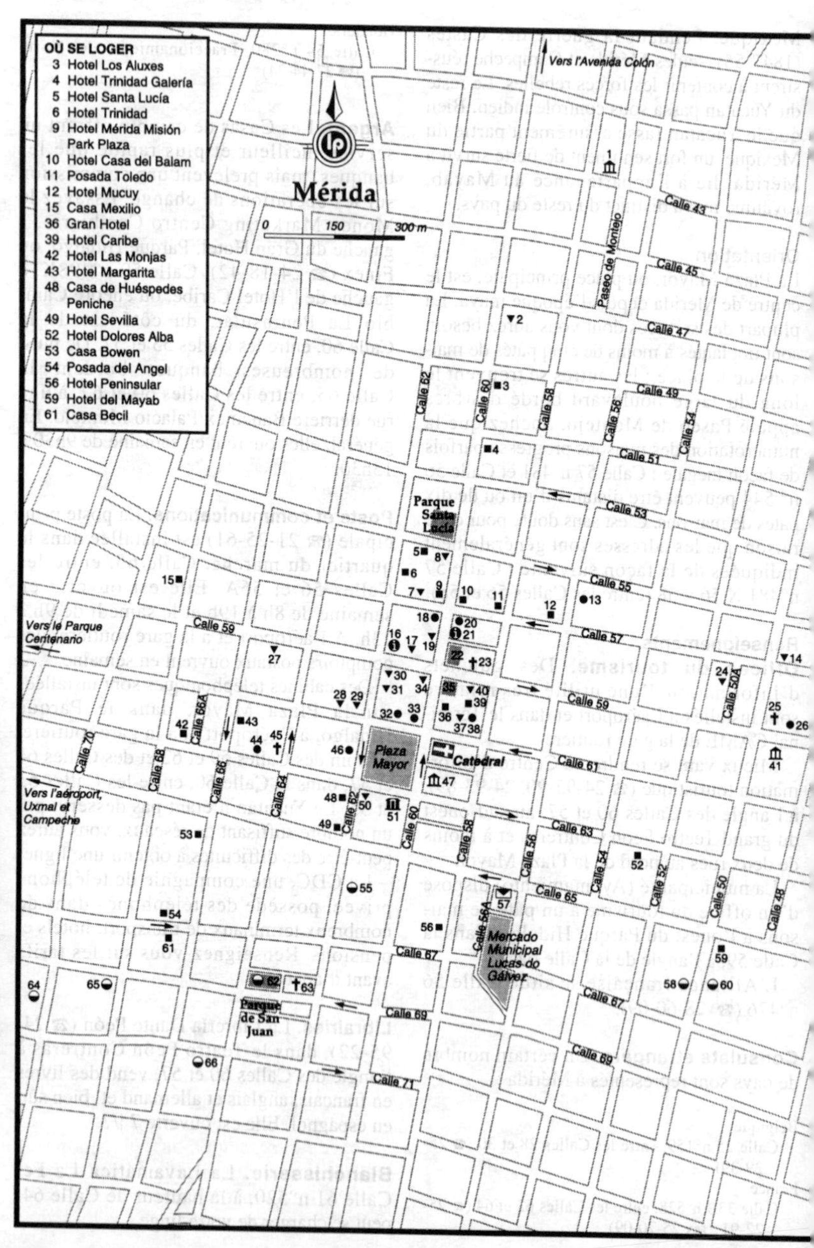
OÙ SE LOGER
3 Hotel Los Aluxes
4 Hotel Trinidad Galería
5 Hotel Santa Lucía
6 Hotel Trinidad
9 Hotel Mérida Misión Park Plaza
10 Hotel Casa del Balam
11 Posada Toledo
12 Hotel Mucuy
15 Casa Mexilio
36 Gran Hotel
39 Hotel Caribe
42 Hotel Las Monjas
43 Hotel Margarita
48 Casa de Huéspedes Peniche
49 Hotel Sevilla
52 Hotel Dolores Alba
53 Casa Bowen
54 Posada del Angel
56 Hotel Peninsular
59 Hotel del Mayab
61 Casa Becil
Mérida
0
150
300 m
Vers l'Avenida Colón
Paseo de Montejo
Calle 43
Calle 45
Calle 47
Calle 49
Calle 51
Calle 53
Calle 55
Calle 57
Calle 59
Calle 61
Calle 63
Calle 65
Calle 67
Calle 69
Calle 71
Calle 48
Calle 50
Calle 50A
Calle 52
Calle 54
Calle 56
Calle 58
Calle 58A
Calle 60
Calle 62
Calle 64
Calle 66
Calle 66A
Calle 68
Calle 70
Parque Santa Lucía
Vers le Parque Centenario
Plaza Mayor
Catedral
Vers l'aéroport, Uxmal et Campeche
Mercado Municipal Lucas do Gálvez
Parque de San Juan

Services médicaux. L'Hospital O'Horan (☎ 24-41-00) se trouve près du Parque Zoológico Centenario dans l'Avenida de los Itzaes. Pour contacter la Croix Rouge, composez le ☎ 24-98-13.

Désagréments et dangers. Prenez garde aux pickpockets, aux vols à l'arraché et aux lacérateurs de sacs dans le quartier du marché ou au milieu de la foule.

Plaza Mayor

La visite de Mérida doit logiquement commencer par la Plaza Mayor, centre religieux et social de la Tihó antique. Sous l'administration espagnole, elle devint la Plaza de Armas.

La place, bordée par quelques-uns des plus beaux édifices coloniaux de la ville, bénéficie d'une ombre bienvenue offerte par ses lauriers soigneusement taillés. Le dimanche, les rues avoisinant la place sont interdites à la circulation.

Catedral. A l'est de la place, à l'emplacement d'un temple maya, s'élève l'énorme cathédrale, lourde et austère, de Mérida. Une partie des pierres du temple maya fut réutilisée pour sa construction, commencée en 1561 et achevée en 1598.

Pénétrez par l'une des trois portes de la façade baroque. Le grand crucifix, à l'extrémité est de la nef, est le Cristo de la Unidad (Christ de l'Unité), symbole de la réconciliation entre les populations espagnole et maya. A droite, surmontant le portail sud, un tableau montre Tutul Xiú, cacique de la ville de Maní, présentant ses respects à son allié, Francisco de Montejo à Tihó (Xiú se convertit au christianisme ; ses descendants vivent encore à Mérida).

La petite chapelle à gauche du maître autel renferme l'objet religieux le plus célèbre de Mérida, une statue appelée Cristo de las Ampollas, ou Christ des Ampoules.

La légende raconte que cette statue fut sculptée dans un arbre de la ville d'Ichmul. L'arbre, frappé par la foudre, aurait brûlé toute une nuit sans se carboniser. La statue fut placée dans l'église du village. Là encore, elle seule aurait réchappé à l'incendie qui détruisit l'église.

L'intérieur de l'église est très dénudé ; ses ornementations furent arrachées durant la Révolution mexicaine.

MACAY. Au sud de la cathédrale, dans l'ancien palais de l'archevêque, se trouve le MACAY, le Museo de Arte Contemporáneo Ateneo de Yucatán (☎ 28-32-58), Pasaje de la Revolución 1907. Ce musée attrayant présente des œuvres des peintres et des sculpteurs les plus célèbres du Yucatán, ainsi que des expositions temporaires d'art et d'artisanat local.

Le MACAY est ouvert tous les jours, sauf le mardi, de 10h à 18h. L'entrée s'élève à 0,75 $US pour les citoyens mexicains et à 3 $US pour les étrangers. Elle est gratuite pour les étudiants, les professeurs, les ouvriers, les campesinos et les seniors. Le dimanche, l'accès est gratuit pour tous. Le musée possède une cafétéria.

Palacio de Gobierno. Au nord de la place, le Palacio de Gobierno abrite les bureaux du gouvernement de l'État du Yucatán. Il fut édifié en 1892 sur l'emplacement du palais des gouverneurs coloniaux. Il est ouvert tous les jours de 8h à 20h.

Les fresques historiques de l'artiste local, Fernando Castro Pacheco, illustrent une histoire symbolique des Mayas et de leurs contacts avec les Espagnols. Le dimanche à 11h, un concert est généralement donné dans le Salón de la Historia du Palacio de Gobierno.

Palacio Municipal. En face de la cathédrale, de l'autre côté de la place, le Palacio Municipal est surmonté d'une tour d'horloge. Construit en 1542, il a été remanié deux fois, dans les années 1730 et 1850. Aujourd'hui, lors de la Vaquería Regional, fête régionale destinée à célébrer le marquage du bétail dans les haciendas, le bâtiment accueille chaque semaine des spectacles de danse du Yucatán et de musique. Les spectacles ont lieu le lundi soir à 21h.

Chaque dimanche à 13h, la ville organise une reconstitution d'un mariage mestizo dans le Palacio Municipal.

Casa de Montejo. Depuis sa construction en 1549 jusqu'aux années 70, la demeure située au sud de la place était occupée par la famille Montejo. Parfois appelée Palacio de Montejo, elle fut érigée à la demande de Francisco de Montejo le Jeune.

Aujourd'hui, cette grande maison abrite une succursale de la Banamex. On peut la visiter pendant les heures d'ouverture de la banque (en général du lundi au vendredi de 9h à 13h30). Si la banque est fermée, contentez-vous d'observer la façade plateresque, représentant des conquistadores triomphants.

Des bustes de Montejo l'Aîné, son épouse et sa fille, regardent aussi vers la place depuis la façade. Les armoiries sont celles de la famille Montejo.

Visite à pied de la Calle 60

Le refuge ombragé du **Parque Hidalgo** se niche à une rue au nord de la Plaza Mayor. A l'extrémité opposée du parc, plusieurs restaurants, dont le Café El Mesón et le Tiano's, proposent des dîners en terrasse. Le Tiano's accueille souvent un orchestre de marimba en soirée. La ville organise des concerts de marimba gratuits le dimanche matin à 11h30.

Au nord du parc s'élève l'**Iglesia de Jesús**, ou Iglesia El Tercer Orden, du XVIIe siècle. C'est le seul édifice restant d'un ensemble de bâtiments construits par les jésuites en 1618 et qui occupaient tout le pâté de maisons. Les jésuites fondèrent des écoles qui devaient plus tard donner naissance à l'Universidad de Yucatán, située non loin de là. Au XIXe siècle, le général Cepeda Peraza rassembla une bibliothèque de 15 000 volumes, installée dans un bâtiment derrière l'église.

Devant l'église, le petit **Parque de la Madre**, parfois appelé Parque Morelos, est orné d'une statue de la madone à l'enfant, copie de la statue de Lenoir au jardin du Luxembourg à Paris.

Au nord du Parque de la Madre, on arrive à l'énorme édifice du **Teatro Peón Contreras**, construit entre 1900 et 1908, au moment où le commerce du sisal était particulièrement florissant à Mérida.

Dessiné par l'architecte italien Enrico Deserti, il est doté d'un grand escalier en marbre de Carrare, d'un dôme orné de fresques d'artistes italiens venus sur place pour l'occasion et, à l'angle sud-ouest du bâtiment, du centre d'information touristique. L'entrée principale du théâtre se trouve à l'angle des Calles 60 et 57. Pour voir le grand théâtre lui-même, il faut assister à un spectacle.

De l'autre côté de la Calle 60, est située l'entrée du bâtiment principal de l'**Universidad de Yucatán**. Les jésuites se chargèrent de l'éducation de la jeunesse du Yucatán jusqu'à la création d'une université moderne au XIXe siècle. L'histoire de la fondation de l'université est illustrée par une fresque réalisée en 1961 par Manuel Lizama.

La cour centrale accueille des concerts et des spectacles populaires chaque mardi ou vendredi soir à 21h (renseignez-vous auprès du centre d'information touristique).

A une rue au nord de l'université, à l'intersection des Calles 60 et 55, le joli petit **Parque Santa Lucia** est bordé d'arcades au nord et à l'ouest. Des orchestres y donnent des concerts de musique du Yucatán le jeudi à 21h et le dimanche à 11h. Au même endroit, le dimanche à 11h, se tient le Bazar de Artesanías, marché artisanal local.

Pour rejoindre le Paseo de Montejo, suivez la Calle 60 sur trois pâtés de maisons et demi, du Parque Santa Lucia à la Calle 47. Tournez à droite dans la Calle 47 et passez deux pâtés de maisons jusqu'au paseo, sur votre gauche.

Paseo de Montejo

Avec le Paseo de Montejo, les urbanistes du XIXe siècle cherchèrent à créer un grand boulevard à la mode européenne, est toutefois de taille plus modeste que ses modèles.

Les belles demeures construites sur le paseo par les familles aisées vers le début du siècle reflètent une indéniable influence de l'architecture européenne. La plupart de celles qui subsistent se situent au nord de la Calle 37, à trois rues au nord du Museo Regional de Antropología.

Museo Regional de Antropología. Le grand palais blanc, à l'angle du Paseo de Montejo et de la Calle 43, est le Palacio Cantón, site du Museo Regional de Antropología de Yucatán. Cette demeure, dessinée par Enrico Deserti, l'architecte du Teatro Peón Contreras, fut construite entre 1909 et 1911. Son propriétaire, le général Francisco Cantón Rosado (1833-1917), n'y vécut que 6 ans avant sa mort. Aucun bâtiment de Mérida ne la surpasse en splendeur et prétention. Elle symbolise les aspirations des notables de Mérida pendant les dernières années du Porfiriato.

Le musée est ouvert du lundi au samedi de 8h à 20h, le dimanche de 8h à 14h (entrée : 5 $US, gratuite le dimanche). La boutique du musée ouvre de 8h à 15h (14h le dimanche). Les commentaires des expositions sont en espagnol.

Le musée évoque l'histoire de la péninsule depuis son origine. Les expositions sur la culture maya comprennent des explications sur l'aplatissement esthétique du front des bébés et autres pratiques. Avant la visite des sites archéologiques proches de Mérida, les nombreux objets exposés sont une source précieuse d'information.

Avenida Colón. Pour voir d'autres belles demeures, tournez à gauche (vers l'ouest) dans l'Avenida Colón. Le premier pâté de maisons situé à l'ouest du Paseo de Montejo est le quartier élégant de Mérida, où sont installés les boutiques et grands hôtels, tels le Holiday Inn, le Fiesta Americana et le Hyatt. Derrière ces hôtels s'élèvent plusieurs demeures splendides du début du siècle.

Parque Centenario

A douze rues à l'ouest de la Plaza Mayor, vaste et verdoyant, le Parque Centenario longe l'Avenida de los Itzaes, qui mène à l'aéroport et à Campeche. Dans le parc, un zoo abrite divers spécimens de la faune du Yucatán. Pour vous y rendre, prenez un bus en direction de l'ouest dans la Calle 61 ou 65. Le parc ouvre tous les jours, sauf le lundi, de 6h à 18h et le zoo de 8h à 17h (entrée libre).

Centre culturel maya. Le Centro Cultural de los Pueblos Mayas, Calle 59, entre les Calles 48 et 50, à six rues à l'est de la Plaza Mayor, présente de magnifiques objets d'art et d'artisanat mayas. Situé dans l'ancien ex-Convento de la Mejorada, il vous permettra d'assister au tissage des huipiles colorés, à la sculpture des masques de cérémonie, à la fabrication des hamacs, des chapeaux et des poteries. Il est ouvert du mardi au samedi de 8h à 20h et le dimanche de 9h à 14h (entrée gratuite).

Circuits organisés

De nombreuses excursions sont organisées aux alentours de Mérida : Chichén Itzá (17 $US, ou 29 $US avec arrêt à Cancún), Uxmal et Kabah (17 $US), son et lumière à Uxmal (17 $US), la route Puuc (32 $US) et Izamal (14 $US). Tous ces prix s'entendent par personne. Renseignez-vous à la réception de votre hôtel, dans un établissement plus luxueux, ou encore dans l'une des agences de voyages de la Calle 60.

Manifestations annuelles

Avant le Carême, en février ou en mars, le carnaval est l'occasion de festivités ininterrompues, au cours desquelles les participants arborent des costumes très colorés. Il est célébré avec beaucoup plus d'éclat à Mérida que partout ailleurs au Yucatán. Durant les deux premières semaines d'octobre, la statue du Cristo de las Ampollas est sortie en processions de la cathédrale.

Où se loger – petits budgets

Les prix des chambres rudimentaires mais convenables varient de 9 à 15 $US. Pour ce prix, vous aurez une chambre petite mais propre, avec ventil. et douche, dans un établissement situé à proximité de la place. En principe, tous les hôtels sont tenus de fournir de l'eau potable purifiée sans supplément (si les bouteilles d'eau ne sont pas en évidence, demandez de l'*agua purificada*).

L'*Hotel Las Monjas* (☎ 28-66-32), Calle 66A n°509, à l'angle de la Calle 63, est l'une des meilleures adresses. Les 28 chambres de ce petit établissement sont équipées de ventilateur et de lavabo ou s.d.b. avec eau chaude. Elles sont minuscules et sombres pour la plupart, mais bien tenues. La chambre n°12 est la meilleure. Les doubles à un lit valent 10 $US, 12 $US avec deux lits. Une chambre, équipée de la clim., coûte 1 $US de plus.

Bien situé et peu cher, l'*Hotel Margarita* (☎ 23-72-36), Calle 66 n°506, entre les Calles 61 et 63, offre un confort correspondant aux prix. Il loue des chambres minuscules, délabrées et plutôt sales, avec ventil. et eau courante, pour 7/8/10/11 $US en simple/double/triple/ quadruple. Quelques chambres climatisées valent quelques dollars de plus.

L'*Hotel Mucuy* (☎ 28-51-93 ; fax 23-78-01), Calle 57 n°481, entre les Calles 56 et 58, accueille les voyageurs désargentés depuis plus d'une décennie. Agréable établissement familial, il propose 26 chambres propres, réparties sur deux étages et donnant sur un petit jardin. Les chambres avec ventil. et douche reviennent à 11/13/16 $US en simple/double/triple.

La *Casa Bowen* (☎ 28-61-09), Calle 66 n°521B, près de la Calle 65, est une grande maison ancienne convertie en hôtel. Une étroite cour s'égaie d'une pelouse. Elle dispose de chambres rudimentaires et sales, parfois aussi sombres que le personnel, mais équipées de ventil. et de douches, à 9/11 $US et 19 $US avec clim. En face, le *Café Terraza* sert des repas rapides à prix modérés.

Près de la gare routière, la *Casa Becil* (☎ 24-67-64), Calle 67 n°550C, entre les Calles 66 et 68, est une maison pourvue d'un hall/salon d'une belle hauteur de plafond et de petites chambres à l'arrière, parfois chaudes. Comptez de 11 à 14 $US pour une double avec douche et ventilateur.

L'*Hotel Sevilla* (☎ 23-83-60), Calle 62 n°511, à l'angle de la Calle 65, affiche une élégance un peu surannée, mais la plupart des chambres, sombres, sentent le renfermé (8/10/13 $US en simple/double/triple).

Si parcourir quelques pâtés de maisons de plus à pied ou en bus ne vous dérange pas, essayez l'*Hotel del Mayab* (☎ 28-51-74 ; fax 28-60-47), Calle 50 n°536A, entre les Calles 65 et 67. Les chambres sur rue sont parfois bruyantes, mais celles avec douche donnant sur l'intérieur sont calmes. Une double avec ventil. revient à 8 $US et à 11 $US avec la clim. L'hôtel possède une piscine.

En face du Parque Santa Lucia, l'*Hotel Santa Lucia* (☎ 28-26-72, 28-26-62), Calle 55 n°508, entre les Calles 60 et 62, dispose de 51 chambres doubles correctes et bien situées à 18 $US avec ventil. ou 20 $US avec clim.

L'*Hotel Trinidad* (☎ 23-20-33), Calle 62 n°464, entre les Calles 55 et 57, est tenu par des artistes et peut paraître bizarre ou excentrique. Des peintures mexicaines modernes détournent le regard des murs défraîchis. Les chambres, de 12 à 13 $US en double, sont toutes différentes, à la fois pleines de charme et de caractère.

Jumeau du Trinidad, l'*Hotel Trinidad Galería* (☎ 23-24- 63 ; fax 24-23-19), Calle 60 n°456, à l'angle de la Calle 51, est un ancien salon d'exposition d'appareils ménagers. Doté d'une petite piscine, d'un bar, d'une galerie d'art et d'un magasin d'antiquités, il offre des chambres convenables avec ventil. et douche à des prix similaires.

L'*Hotel Peninsular* (☎ 23-69-96), Calle 58 n°519, entre les Calles 65 et 67, est installé au cœur du quartier du marché. Vous suivez un long couloir pour aboutir dans un restaurant propre et un dédale de chambres dont les fenêtres ouvrent vers l'intérieur (9/11/15 $US avec s.d.b. et ventilateur, et quelques dollars de plus pour la clim.).

A trois pâtés de maisons au nord-est du Terminal CAME, la *Posada del Angel* (☎ 23-27-54), Calle 67 n°535, entre les Calles 66 et 68, occupe un bâtiment néo-colonial. Bien situé et plus calme que la plupart des hôtels du voisinage, il loue ses doubles pour 11 à 13 $US, 17 $US avec la clim.

Où se loger – catégorie moyenne

Les hôtels de cette catégorie offrent un niveau de confort étonnant pour le prix. La plupart demandent de 20 à 50 $US pour une chambre double avec clim., ventil. et douche, et jouissent souvent d'un restaurant, d'un bar et d'une petite piscine.

A trois pâtés de maisons et demi de la plaza, l'*Hotel Dolores Alba* (☎ 21-37-45), Calle 63 n°464 entre les Calles 52 et 54, est l'une des meilleures adresses de Mérida. Il possède une cour agréable, une magnifique piscine et des simples/doubles/triples propres et confortables à 22/25/28 $US, avec douche, ventil. et clim.

A l'angle de la Calle 60 près du Parque Hidalgo, l'*Hotel Caribe* (☎ 24-90-22 ; fax 24-87-33), Calle 59 n°500, est apprécié des étrangers en raison de sa situation centrale, de sa piscine sur le toit, et de ses deux restaurants. La plupart des chambres sont climatisées et les prix vont de 20 $US pour une petite simple avec ventil. à 40 $US pour une grande double avec clim.

Le *Gran Hotel* (☎ 24-77-30 ; fax 24-76-22), Calle 60 n°496, entre les Calles 59 et 61, est situé au sud du Parque Hidalgo. Autour d'une verdoyante cour centrale, des colonnes corinthiennes supportent des terrasses sur trois niveaux. Fers forgés et bois taillés évoquent un âge révolu. Ses 28 chambres sont climatisées (30/40/50 $US).

La *Casa Mexilio* (☎/fax 28-25-05), Calle 68 n°495, entre les Calles 59 et 57, est la pension la plus charmante de Mérida. Cette demeure joliment restaurée et décorée propose des doubles confortables et tranquilles de 28 à 50 $US en double, petit déjeuner compris.

A trois pâtés de maisons au nord-est de la place principale, la *Posada Toledo* (☎ 23-16-90 ; fax 23-22-56), Calle 58 n°487, près de la Calle 57, est une demeure coloniale dont les chambres sont disposées sur deux niveaux autour d'une cour classique. La salle à manger est typique du XIXe siècle. Les doubles, petites et rénovées, avec ventil. ou clim., reviennent à 20 $US au rez-de-chaussée et à 26 $US à l'étage.

Où se loger – catégorie supérieure

Les meilleurs hôtels demandent entre 70 et 150 $US pour une double climatisée. Tous offrent un restaurant, un bar, une piscine et souvent d'autres services tels qu'une agence de voyages, un kiosque à journaux, un coiffeur et une boîte de nuit.

Si vous réservez une chambre de cette catégorie par l'intermédiaire de votre agence de voyages, vous paierez sans doute le tarif correspondant à ces hôtels de classe internationale. Par contre, si vous venez directement dans l'un de ces établissements pour vous renseigner sur les *promociones* (offres promotionnelles) ou, encore mieux, si vous consultez les annonces des journaux locaux visant la clientèle locale, vous parviendrez sans doute à réduire votre budget hébergement de manière substantielle.

L'hôtel le plus récent et le plus luxueux de Mérida est le *Hyatt Regency Mérida* (☎ 42-12-34 ; fax 25-70-02), à l'angle de l'Avenida Colón et de la Calle 60, à 100 m à l'ouest du Paseo de Montejo et à environ 2 km au nord de la Plaza Mayor. Les 300 chambres réparties sur 16 étages bénéficient de tout le confort moderne moyennant 95 à 135 $US ; cependant, les promotions peuvent diminuer fortement ces prix.

A quelques pas du Paseo de Montejo, derrière le consulat général des États-Unis, l'*Holiday Inn Mérida* (☎ 25-68-77 ; fax 25-77-55), Avenida Colón 498 et Calle 60, est l'un des établissements les plus somptueux de Mérida. Il loue ses 213 chambres climatisées de 65 à 85 $US.

Dans la même avenue, en face du Hyatt et du Holiday Inn, un immense bâtiment abrite divers services et le *Fiesta Americana Mérida* (☎ 42-11-11, 800-50450 ; fax 42-11-12). Cet hôtel récent et de style néo-colonial demande de 105 à 125 $US

Hamacs

Les fines cordelettes tissées des hamacs du Yucatán les rendent particulièrement confortables. L'été, lorsqu'il fait très chaud, la plupart des habitants préfèrent y dormir, car l'air peut circuler, à la différence d'un lit. De nombreux hôtels bon marché avaient installé des crochets pour hamacs dans chaque chambre, mais cette commodité tend à disparaître.

Les hamacs du Yucatán sont généralement tissés en solides cordelettes de nylon ou de coton, teintes de diverses couleurs. Il existe aussi des versions naturelles, non teintes. Autrefois, les hamacs les plus beaux, les plus résistants et les plus chers étaient en soie.

On trouve des hamacs de largeurs différentes. Du plus étroit au plus large, les noms utilisés généralement sont : *sencillo* (environ 50 paires de cordelettes sur la chaîne, de 8 à 10 $US), *doble* (100 paires, de 10 à 15 $US), *matrimonial* (150 paires, de 12 à 20 $US) et *matrimonial especial* ou *quatro cajas* (175 paires ou plus, de 18 à 30 $US). Assurez-vous que la largeur du hamac acheté correspond bien à la somme payée.

Dès les premières heures passées à Mérida, vous serez abordé dans la rue par des vendeurs de hamacs. Le prix reflète la qualité, aussi méfiez-vous des offres trop alléchantes. Les hamacs vendus dans la rue sont généralement médiocres ; examinez-les soigneusement avant d'acheter.

Vous vous éviterez quantité de désagréments en vous rendant dans un magasin de bonne réputation, comme La Poblana (☎ 21-65-03), Calle 65 n°492 entre les Calles 58 et 60. Des voyageurs ont obtenu des prix légèrement inférieurs à El Aguacate, Calle 58 n°604 à l'angle de la Calle 73. El Campesino, Calle 58 n°548 entre les Calles 69 et 71, est moins cher mais de moins bon conseil. Enfin, vous pouvez économiser quelques dollars en vous rendant en bus au village de Tixcocob, où vous verrez les tisserands à l'ouvrage. Le bus part régulièrement de la gare routière Progreso au sud de la grand-place, Calle 62 n°524 entre les Calles 65 et 67. ■

pour des chambres ou des suites "junior" extrêmement confortables.

L'*Hotel Casa del Balam* (☎ 24-88-44 ; fax 24-50-11), Calle 60 n°488, près de la Calle 57, offre de nombreux avantages : un décor colonial agréable, des chambres et des services modernes, une situation centrale. Prévoyez 75 $US la chambre, avec une remise s'il n'est pas complet.

D'une architecture résolument moderne et bien situé, l'*Hotel Los Aluxes* (l'équivalent maya des lutins ; ☎ 24-21-99 ; fax 23-38-58), Calle 60 n°444, près de la Calle 49, est très apprécié des groupes. Il dispose de toutes les facilités et de 109 chambres à 65 $US en simple/double et 85 $US en triple.

Dans un décor tout à la fois moderne et colonial, l'*Hotel Mérida Misión Park Plaza* (☎ 23-95-00 ; fax 23-76-65), Calle 60 n°491, près de la Calle 57, est confortable mais sans charme particulier. Il compte 150 chambres climatisées à 75 $US en simple ou double.

Où se restaurer

Petits budgets. Longez deux pâtés de maisons vers le sud depuis la place principale jusqu'à la Calle 67, tournez à gauche (vers l'est) et continuez jusqu'au marché. Grimpez la volée de marches de la Calle 67, à l'est de la Calle 58, qui borde sur la gauche le très touristique Mercado de Artesanías. En haut de l'escalier, tournez à gauche et vous apercevrez une rangée de restaurants de marché tels qu'*El Chimecito*, *La Temaxeña*, *Saby*, *Mimi*, *Saby y El Palon*, *La Socorrito*, *Reina Beatriz*, etc. Ils servent des comidas corridas de 1 à 2 $US, des plats de bœuf, de poisson ou de poulet, avec des légumes et du riz ou des pommes de terre de 1,25 à 2,50 $US. Ces échoppes ouvrent tous les jours, tôt le matin et jusqu'en début de soirée, certaines jusqu'à 20h ou 20h30.

Au coin de la Calle 61 et à l'angle nord-ouest de la Plaza Mayor, *El Louvre* (☎ 21-32-71), Calle 62 n°499, attire une clientèle fidèle d'habitués, malgré sa propreté douteuse et une comida corrida quotidienne très quelconque à 1,50 $US. Les petits déjeuners sont au même prix.

Plus haut dans la Calle 62, la *Cafeteria Erick's*, le *Cafe Los Amigos*, le *Chicken Express* et *El Trapiche* proposent une cuisine presque aussi bon marché dans un cadre plus attrayant.

La *Lonchería Mily*, Calle 59 n°520, entre les Calles 64 et 66, ouvre à 7h30 et sert des petits déjeuners bon marché (1 $US), une comida corrida de 2 plats (2 $US) et des sandwiches peu chers. Elle ferme à 17h, ainsi que le dimanche.

Pour des plats à emporter, essayez la *Pizzería de Vito Corleone* (☎ 23-68- 46), Calle 59 n°508, à l'angle de la Calle 62. Ce petit restaurant souffre du bruit de la rue, et de nombreux clients vont manger leur pizza au Parque Hidalgo. Le prix des pizzas (dont des végétariennes) varie de 2 à 8 $US selon la taille et les ingrédients.

Pour un bon petit déjeuner à petit prix, achetez un assortiment de pan dulces (petits pains sucrés) dans l'une des nombreuses *panificadoras* (boulangeries). A la *Panificadora Montejo*, à l'angle des Calles 62 et 63, prenez un plateau et des pinces, choisissez vos pâtisseries et présentez votre plateau à un employé qui emballera le tout. Un sac entier de petits pains vous reviendra à 2 $US environ. Minuscule et très à la mode, la *Panificadora El Retorno*, Calle 62, au nord de la 61, propose les mêmes produits.

A quelques pas à l'ouest d'El Louvre, le *Kükis by Maru*, Calle 61, entre les Calles 62 et 64, offre des cookies ("kükis") tout frais et un cappuccino (chaud ou glacé) pour moins de 2 $US. Les en-cas plus substantiels tels que les scones au jambon et au fromage ou les sandwiches au pain complet sont encore moins chers.

Catégorie moyenne. Les voyageurs un peu plus aisés pourront profiter des agréables restaurants du Parque Hidalgo, à l'angle des Calles 59 et 60. Le moins cher et l'un des plus plaisants, la *Cafetería El Rincón* (l'enseigne indique El Mesón : ☎ 21-92-32) de l'Hotel Caribe, prépare des plats de viande, de poisson et de volaille pour 4 à 7 $US ; les sandwiches et les burgers sont moins chers. El Rincón est ouvert tous les jours de 7h à 22h30.

L'endroit le plus populaire du Parque Hidalgo est sans doute le *Giorgio's Pizza & Pasta*, à gauche du Gran Hotel. C'est ici que se concentre l'animation du parc. Vous pourrez vous rassasier de spaghettis (4 $US) ou d'une pizza (de 3,50 à 7 $US).

Juste à côté d'El Rincón, le *Tiano's* (☎ 23-71-18), Calle 59 n°498, accueille chaque soir un groupe de marimba qui divertit autant ses clients que les badauds de la place. Une mise en garde amusante figure sur la carte : "Évitez les vendeurs ambulants ; manipuler de l'argent en mangeant n'est pas hygiénique et vous risquez de vous étouffer". Une sopa de lima, des puntas de filete, un dessert et une boisson vous reviendront à 13 $US, un peu cher compte tenu de la qualité de la cuisine.

Au sud de la Calle 59, en face du Parque Hidalgo, se trouve un vieux classique de Mérida, le *Café-Restaurant Express* (☎ 21-37-38), n°502. Fréquenté par une foule d'habitués et d'étrangers, l'Express est un lieu de rencontre animé et bruyant, où les prix sont un peu élevés, mais la nourriture correcte et le service rapide. Il ouvre tous les jours de 7h à 24h.

Spécialisé dans la bière et la cuisine du Yucatán, l'*Amaro* (☎ 28-24-51), Calle 59 n°507, entre les Calles 60 et 62, prépare néanmoins des plats végétariens et des pizzas. Ouvert tous les jours de 9h à 22h, il est installé dans la cour de la maison où naquit, en 1787, Andrés Quintana Roo, poète, homme d'État et rédacteur de la déclaration d'Indépendance du Mexique. La cour est ouverte aux musiciens ambulants.

Un peu plus loin au nord dans la Calle 60 en venant du Parque Hidalgo, le *Cafe Peón Contreras* dispose d'une agréable terrasse. La carte, riche et variée, affiche des prix modérés avec des petits déjeuners de 2,50 à 4 $US, des pizzas à 5 $US environ et une assiette de spécialités du Yucatán à 10 $US.

Atmosphère intime, confort, éclairage tamisé et guitariste ambulant vous attendent au *Restaurant Santa Lucia* (☎ 28-59-57), Calle 60 n°479, près de la Calle 55, où une assiette de spécialités du Yucatán, avec une sopa de lima, revient à 5 $US. Les autres plats principaux peuvent grimper jusqu'à 13 $US. Le service est lent et la nourriture parfois banale.

La *Pop Cafetería* (☎ 28-61-63), Calle 57, entre les Calles 60 et 62, est un endroit sans originalité, moderne, clair et climatisé, dont le nom correspond au premier mois du calendrier maya (qui en compte 18). Bien que la carte offre des hamburgers, des spaghettis, du poulet et autres plats principaux de 2,50 à 5 $US, la plupart des clients y viennent pour le petit déjeuner (de 2 à 4 $US), le café, les assiettes de fruits ou les pâtisseries. Elle ouvre tous les jours de 7h à 24h.

Catégorie supérieure. Pour apprécier pleinement un dîner à *La Bella Epoca* (☎ 28-19-28), Calle 60, entre les Calles 57 et 59, en face du Parque de la Madre, le secret consiste à arriver assez tôt pour obtenir une des cinq petites tables pour deux, installées aux balcons du 2e étage. Une entrée, un pollo pibil, un dessert et une bière vous reviendront à 14 $US. La Bella Epoca ouvre tous les jours de 7h à 23h.

A côté du Pop, entre les Calles 60 et 62, le *Restaurant Portico del Peregrino* (☎ 28-61-63), Calle 57 n°501, véritable "refuge du pèlerin", compte plusieurs salles d'une élégance traditionnelle (climatisées pour certaines), disposées autour d'une petite cour ornée d'objets coloniaux. La cuisine du Yucatán est à l'honneur, mais la carte comporte de nombreux plats internationaux. Comptez de 12 à 20 $US pour un repas complet. Il est ouvert tous les jours pour le déjeuner de 12h à 15h et pour le dîner de 18h à 23h.

La Casona (☎ 23-83-48), Calle 60 n°434, entre les Calles 47 et 49, est une vieille et belle maison aux tables disposées sous un portique, près d'un jardin luxuriant. Les plats italiens composent l'essen-

La cuisine du Yucatán

Le Yucatán, que les Mayas appelaient le "pays du faisan et du cerf" a toujours bénéficié d'une cuisine spécifique. Voici quelques plats que vous pourrez déguster :

Frijol con Puerco : porc aux haricots à la mode du Yucatán, garni d'une sauce à base de tomates grillées, parsemé de radis haché, de tranches d'oignon et de feuilles de cilantro (coriandre) frais, servi avec du riz.

Huevos Motuleños : œufs à la mode de Motul ; œufs frits recouvrant une tortilla, garnis de haricots, de petits pois, de jambon haché, de saucisse, de fromage râpé et d'un peu de chile épicé. Riche en graisse et en saveur.

Papadzules : tortillas farcies d'œuf dur émietté garnies d'une sauce aux graines de courge ou de concombre.

Pavo Relleno : tranches de dinde superposées à du bœuf et du porc hachés et arrosées d'une sauce sombre et épaisse. Le *faisán* (faisan) du Yucatán désigne en fait le *pavo* (dinde).

Pibil : viande enveloppée dans des feuilles de bananier, assaisonnée d'achiote, d'ail, d'orange amère, de sel, de poivre et cuite dans un four enterré, le *pib*. Les deux principales variétés sont le *cochinita pibil* (cochon de lait) et le *pollo pibil* (poulet).

Poc-chuc : lamelles de porc tendre marinées dans du jus d'orange amère, grillées et coiffées d'une garniture d'oignon épicé.

Puchero : ragoût de porc, de poulet, de carottes, de courge, de pommes de terre, de bananes plantains et de *chayotes* (poires légumes), assaisonné de radis, de coriandre frais et d'orange amère.

Salbutes : l'en-cas favori du Yucatán. Tortilla maison, frite, puis garnie de lamelles de dinde, d'oignon et d'avocat.

Sopa de Lima : soupe au citron vert. Bouillon de poulet garni de lamelles de poulet et de tortilla, et aromatisé au jus et à la pulpe écrasée de citron vert.

Venado : la gros gibier, traditionnellement apprécié, se prépare en *pipián*, rehaussé d'une sauce aux graines de courge moulues, enveloppé dans des feuilles de bananier et cuit à la vapeur. ■

tiel de la carte, complétée de quelques spécialités locales. Prévoyez de 9 à 17 $US par personne. La Casona ouvre tous les soirs. Mieux vaut réserver le week-end.

En face à la Plaza de Mejorada, *Los Almendros* (☎ 28-54-59), Calle 50A n°493, entre les Calles 57 et 59, s'est spécialisé dans l'authentique cuisine paysanne du Yucatán, tel le *pavo relleno negro* (dinde grillée et farcie au porc pimenté), le *papadzul* (tacos farcis à l'œuf avec sauce relevée), la *sopa de lima* (bouillon de poulet avec citron vert et tortillas), ou le porc à l'oignon et aux tomates poc-chuc, leur plat le plus renommé. Comptez de 9 à 15 $US pour un repas complet.

Los Almendros possède deux succursales à Mérida, dont la plus luxueuse est le *Gran Almendros* (☎ 23-81-35), Calle 57, près de la Calle 50.

Où sortir

Fière de son héritage culturel et pour répondre aux besoins du tourisme, Mérida propose chaque soir des *spectacles folkloriques* interprétés par des artistes locaux de grand talent.

L'entrée aux manifestations organisées par la ville est gratuite. Demandez le programme des spectacles à l'office du tourisme.

Sont surtout projetés des films américains sous-titrés en espagnol. Achetez votre billet (environ 2 $US) à l'avance, surtout le week-end. Citons le populaire *Cine Fantasio*, Calle 59, près de la Calle 60, en face du Parque Hidalgo entre le Gran Hotel et l'Hotel Caribe, le *Cinema 59*, Calle 59 entre les Calles 68 et 70, et le *Plaza Cine Internacional*, Calle 58, entre les Calles 57 et 59.

Achats

Des chemisiers classiques aux articles typiquement mayas, Mérida est *la* ville de la péninsule où faire des achats. Vous voudrez peut-être rapporter des vêtements traditionnels mayas, notamment des huipiles (tuniques de femme brodées de couleurs vives), un panama tressé en fibres de palmier, des objets artisanaux et, bien sûr, un confortable hamac de coton du Yucatán.

Dans le quartier du marché, faites très attention aux pickpockets et autres cisailleurs de lanières de sac. Le principal marché de Mérida, le Mercado Municipal Lucas de Gálvez, est délimité par les Calles 56 et 56A, au niveau de la Calle 67, à quatre rues au sud-est de la Plaza Mayor. Le bâtiment du marché jouxte pratiquement les bureaux de la poste et des télégraphes, à l'angle des Calles 65 et 56. Les rues avoisinantes regorgent de boutiques.

Le Bazar de Artesanías, Calle 67, à l'angle de la Calle 56A, est conçu pour attirer les touristes. Comparez les articles et les prix avec ceux des boutiques en dehors du bazar.

Artisanat. Pour dénicher de l'artisanat et des objets d'art de qualité, rendez-vous à la Casa de las Artesanías, Estado de Yucatán, Calle 63, entre les Calles 64 et 66. Sur la porte est indiqué : "Dirección de Desarrollo Artesanal DIF Yucatán". Elle est ouverte du lundi au vendredi de 8h à 20h, et le samedi de 8h à 18h. Les articles sont de très bonne qualité, bien sélectionnés et les prix, raisonnables.

Vous pourrez aussi admirer l'artisanat local au Museo Regional de Artesanías, Calle 59 entre les Calles 50 et 48, qui expose de magnifiques objets ; ceux destinés à la vente sont de moins belle facture. Il ouvre du mardi au samedi de 8h à 20h, le dimanche de 9h à 14h.

Panamas. Ces chapeaux sont tressés avec des feuilles de palmier *jipijapa*. Afin que les fibres restent souples, le travail se fait dans des grottes et des ateliers où la température et l'hygrométrie sont soigneusement contrôlées. Une fois mis en forme et exposé à l'air extérieur, relativement sec, le chapeau devient étonnamment élastique et résistant. La ville de Becal, dans l'État de Campeche, est le centre de production des célèbres panamas mais on peut en acheter de beaux à Mérida.

Plus les fibres sont fines, plus la qualité est élevée. Le prix varie de quelques dollars pour un chapeau de qualité moyenne, à 20 $US ou plus pour un panama parfait.

Hamacs. Pendant votre séjour à Mérida, vous serez abordé fréquemment par des vendeurs de hamacs. Examinez soigneusement la qualité. Vous éviterez bien des désagréments en achetant votre hamac dans un magasin de bonne réputation (voir l'encadré *Hamacs* pour de plus amples informations).

Comment s'y rendre

Avion. L'aéroport de Mérida se trouve à 10 km, et à 20 minutes de route, au sud-ouest de la Plaza Mayor, près de la 180 (Avenida de los Itzaes). Il possède des comptoirs de location de voitures et un office du tourisme qui pourra vous réserver un hôtel.

La plupart des vols internationaux à destination de Mérida font d'abord escale à Mexico ou Cancún. Les seuls vols internationaux directs sont la liaison bi-quotidienne d'Aeroméxico au départ de Miami et les deux vols Aviateca à destination de Guatemala Ciudad. Les lignes intérieures sont essentiellement exploitées par des petites compagnies régionales. Aeroméxico et Mexicana assurent quelques vols.

Aerocaribe – relie Mérida à Cancún (vols le matin et le soir, 55 $US aller simple, 100 $US aller-retour au tarif excursion), La Havane (Cuba), Chetumal, Mexico, Oaxaca, Tuxtla Gutiérrez (pour San Cristóbal de Las Casas), Veracruz et Villahermosa.

Paseo de Montejo 476A (☎ 24-95-00, 23-00-02)

Aerolíneas Bonanza – effectue des aller-retour quotidiens entre Mérida et Cancún, Chetumal et Palenque.

Calle 56A n°579, entre les Calles 67 et 69 (☎ 26-06-09 ; fax 27-79-99)

LA PÉNINSULE DU YUCATÁN

Aeroméxico – propose quelques vols.
Paseo de Montejo 460 (☎ 27-95-66, 27-92-77)

Aviacsa – propose des vols directs pour Cancún, Villahermosa et Mexico.
A l'aéroport (☎ 26-32-53, 26-39-54 ; fax 26-90-87)

Aviateca – rallie Tikal et Guatamela Ciudad plusieurs fois par semaine.
A l'aéroport (☎ 24-43-54)

Litoral – dessert Ciudad del Carmen, Veracruz et Monterrey.
La compagnie est basée à Veracruz (☎ 800-29020)

Mexicana – effectue des vols directs depuis/vers Cancún et Mexico.
Calle 58 n°500 (☎ 24-66-33)

Bus. Mérida est le nœud du réseau de bus de la péninsule du Yucatán. Si vous prenez un bus de nuit, ne laissez aucun objet de valeur dans les porte-bagages situés au-dessus des sièges ; plusieurs vols nous ont été signalés.

Gares routières. Mérida compte plusieurs gares routières. Voici un récapitulatif rapide des gares et des compagnies qui les desservent (voir plus loin les rubriques *Compagnies de bus* et *Itinéraires des bus* pour les destinations desservies) :

Terminal CAME – le principal terminal de bus de Mérida, à sept pâtés de maisons au sud-ouest de la Plaza Mayor, Calle 70 n°555, entre les Calles 69 et 71, est connu sous le nom de Terminal CAME. C'est ici que se vendent les billets et qu'ont lieu les départs des bus ADO. Ce terminal dessert Campeche, Palenque, Villahermosa, Tuxtla Gutiérrez, San Cristóbal de Las Casas, ainsi que d'autres villes mexicaines. Les bus de Línea Dorada et d'UNO partent également de CAME, mais leurs guichets sont situés dans l'ancien Terminal de Autobuses, à l'angle de la Calle 69. CAME dispose de cabines téléphoniques et d'un comptoir de réservation d'hôtel. Consultez les brochures qui proposent des réductions sur les chambres d'hôtels (voir la rubrique *Où se loger*).

Terminal de Autobuses – L'ancien terminal des bus, à l'angle de la Calle 69, abrite les guichets de Línea Dorada, UNO, Autotransportes de Oriente, Autotransportes del Sur, Omnitur del Caribe et Transportes Mayab. C'est d'ici que partent les bus à destination des villes de l'État et de la péninsule du Yucatán, et de quelques villes au-delà.

Parque de San Juan – Le Parque de San Juan, Calle 69, entre les Calles 62 et 64, est le terminus des minibus Volkswagen qui desservent Dzibilchaltún Ruinas (0,55 $US), Muna, Oxkutzcab, Peto, Sacalum, Tekax et Ticul (1,75 $US).

Oriente & Noroeste – Autotransportes de Oriente et Autotransportes del Noroeste en Yucatán partagent un terminal, Calle 50 n°527A, entre les Calles 65 et 67.

Autotransportes del Sur (ATS) – Bien que la plupart des bus ATS partent de l'ancien Terminal de Autobuses, ceux à destination de Celestún partent de l'ancien terminal de la compagnie, Calle 50 n°531, au niveau de la Calle 67.

Progreso – La compagnie Progreso possède son propre terminal, Calle 62 n°524, entre les Calles 65 et 67.

Compagnies de bus. Voici un bref aperçu des compagnies et des destinations qu'elles desservent :

Autobuses de Oriente (ADO) – bus 1re classe longue distance à destination de Campeche, Palenque, Villahermosa, Veracruz, Mexico et au-delà.

Autotransportes de Oriente (Oriente) – bus toutes les heures, de 5h15 à 0h15, entre Mérida et Cancún avec arrêts à Chichén Itzá et Valladolid ; bus entre Mérida et Cobá, Izamal, Playa del Carmen et Tulum.

Autotransportes del Sur (ATS) – bus toutes les heures pour Cancún et toutes les 20 à 40 minutes pour Campeche. Cette compagnie dessert également Bolonchén de Rejón, Cancún, Celestún, Chiquilá, Ciudad del Carmen, Emiliano Zapata, Hecelchakan, Hopelchén, Izamal, Ocosingo, Palenque, Playa del Carmen, San Cristóbal de Las Casas, Tizimin, Tulum et Valladolid. Des bus spéciaux suivent la Ruta Puuc et rallient Uxmal pour le spectacle son et lumière (voir plus loin la rubrique *Uxmal* pour plus de détails).

Línea Dorada – bus deluxe desservant Felipe Carrillo Puerto et Chetumal.

Noroeste – rallie de nombreuses petites villes de la partie nord-est de la péninsule, dont Río Lagartos (deux bus quotidiens, 4,50 $US) et Tizimin.

Omnitur del Caribe (Caribe) – bus deluxe entre Mérida et Chetumal *via* Felipe Carrillo Puerto : le guichet des billets se trouve dans l'ancien Terminal de Autobuses.

Transportes Mayab (Mayab) – bus pour Cancún, Chetumal, Felipe Carrillo Puerto, Peto et Ticul ; guichets et départs dans l'ancien Terminal de Autobuses.

Transportes de Lujo Línea Dorada (LD) – bus deluxe à destination de Felipe Carrillo Puerto et Chetumal ; guichets dans l'ancien Terminal de Autobuses, départs du Terminal CAME.
UNO – bus super-deluxe desservant les principaux itinéraires, tels Mérida-Cancún ou Mérida-Villahermosa et Mexico.

Itinéraires des bus. Voici quelques renseignements sur les liaisons quotidiennes depuis/vers Mérida :

Campeche – 195 km (itinéraire court *via* Becal), de 2 heures 30 à 3 heures ; 250 km (itinéraire long *via* Uxmal), 4 heures ; bus ATS toutes les 20 à 30 minutes (de 3 à 3,50 $US) ; 33 ADO (6 $US) jour et nuit.
Cancún – 320 km, de 4 à 6 heures ; bus Oriente toutes les heures de 5h15 à 0h15 (7 $US) ; bus ATS toutes les heures de 4h à 24h (7 $US) ; 21 deluxe ADO (8,75 $US) ; super-deluxe UNO le matin et le soir (11 $US).
Celestún – 95 km, de 1 heure 30 à 2 heures, 1,75 $US ; 12 bus de 5h à 20h, depuis la gare Unión de Camioneros de Yucatán, Calle 71, entre les Calles 62 et 64, puis arrêt au Terminal Autotransportes del Sur, Calle 50 n°531, près de la Calle 67.
Chetumal – 456 km, 8 heures ; bus deluxe Caribe à 12h30, 21h et 22h30 (13 $US) ; les bus LD et Mayab sont moins chers.
Chichén Itzá – 116 km, 2 heures 30, de 2,75 à 3,50 $US, 10 bus ; ceux d'Oriente s'arrêtent devant les ruines de Chichén Itzá. Un bus spécial excursion Oriente effectue l'aller-retour (6,75 $US), avec départ de Mérida à 8h45 et retour de Chichén Itzá à 15h.
Dzibilchaltún – 15 km, 30 minutes, 0,55 $US ; des minibus et des taxis colectivos partent dès qu'ils sont pleins du Parque de San Juan (voir plus haut), et vont jusqu'aux ruines ; autre solution, le bus qui part du terminal Progreso et vous dépose sur la nationale devant la bifurcation pour Dzibilchaltún, à 5 km à l'ouest des ruines.
Felipe Carrillo Puerto – 310 km, de 5 heures 30 à 6 heures ; Caribe, LD et Mayab (de 6,50 à 8 $US) ; voir *Chetumal*.
Izamal – 72 km, 1 heure 30, 1 $US ; 20 Oriente, depuis son terminal, Calle 50, entre les Calles 65 et 67.
Kabah – 101 km, 2 heures, 2 $US ; les bus reliant Mérida à Campeche par la route "chenes" ou par l'intérieur des terres peuvent s'arrêter à Kabah sur demande.
Mexico (TAPO) – 1 550 km, 20 heures ; 5 ADO (45 $US).
Palenque – 556 km, 9 ou 10 heures ; matin et soir, 2 ATS (15 $US) et 2 ADO (17 $US) rallient directement Palenque ; de nombreux autres bus s'arrêtent à Catazajá, le principal carrefour à 27 km de la ville de Palenque. De là, vous pourrez faire du stop ou prendre un bus ou un colectivo jusqu'à Palenque.
Playa del Carmen – 385 km, 7 heures ; 9 ADO (de 10 à 12 $US) ; plusieurs ATS (8 $US) et Mayab (10 $US).
Progreso – 33 km, 45 minutes, 0,70 $US ; bus Autoprogreso toutes les 6 minutes de 5h à 21h45 depuis le terminal Progreso (voir plus haut).
Ticul – 85 km, 1 heure 30, 2 $US ; fréquents bus Mayab ou minibus depuis le Parque de San Juan (voir plus haut).
Tizimin – 210 km, 4 heures, 3,75 $US ; quelques bus quotidiens Noroeste, Oriente et ATS ; vous pouvez aussi prendre un bus pour Valladolid et changer pour Timizin.
Tulum – 320 km, 5 heures *via* Cobá ou 450 km, 7 heures *via* Cancún ; quelques bus Oriente (7 $US) et ADO (8,25 $US).
Tuxtla Gutiérrez – 995 km, 14 heures ; 3 Colón (25 $US), ou changement à Palenque ou à Villahermosa.
Uxmal – 80 km, 1 heure 30 ; 6 ATS, dont deux "spécial excursion". L'excursion de la Ruta Puuc (4,50 $US) part de l'ancien Terminal de Autobuses de Mérida à 8h, dessert Uxmal, Kabah et plusieurs autres sites ; elle repart d'Uxmal à 14h30 pour rejoindre Mérida. L'excursion pour le spectacle son et lumière (3,75 $US) quitte Mérida à 18h15 et Uxmal à 22h.
Valladolid – 160 km, 3 heures, 5 $US ; nombreux bus, notamment ADO, Oriente et ATS (voir *Cancún*).
Villahermosa – 700 km, 9 heures ; 10 ADO (20 $US), 1 UNO (32 $US) ; plusieurs ATS (16 $US).

Train. Dans la péninsule du Yucatán, les bus, beaucoup plus rapides et infiniment plus sûrs, sont préférables aux trains. Dans certaines régions, en particulier entre Mérida, Campeche et Palenque, les vols dans les trains, ont atteint des proportions gigantesques. Les trains desservant cette ligne ne possèdent que des places assises en 1re et 2e classes.

Si vous souhaitez absolument faire un voyage en train au Yucatán, inscrivez-vous à l'excursion spéciale en chemin de fer de Mérida à Izamal (pour plus de détails, voir la rubrique *Izamal* plus loin dans ce chapitre).

Si vous tenez à vous rendre de Mérida à une autre ville, sachez qu'un train sans voiture-restaurant part de Mérida à 24h pour

Campeche, Palenque et Mexico (deux jours de voyage). La gare ferroviaire se trouve Calle 55, entre les Calles 46 et 48, à environ neuf pâtés de maisons au nord-est de la place principale. Les billets doivent être achetés plusieurs heures à l'avance.

Voiture et moto. Louer une voiture est la meilleure solution pour visiter les nombreux sites archéologiques autour de Mérida, surtout si vous êtes deux ou plus à partager les frais.

Attendez-vous à débourser un total de 40 à 60 $US par jour (taxes, assurance et essence comprises) pour la voiture la moins chère, généralement une Volkswagen ou une Nissan bas de gamme.

Mexico Rent a Car (☎/fax 27-49-16, 23-36-37), Calle 62 n°483E, entre les Calles 59 et 57, offre un service fiable et un bon rapport qualité/prix. Cette société possède une succursale dans la Calle 60, à l'entrée du parking près de l'Hotel del Parque, au nord du Parque Hidalgo.

D'autres agences de location de voitures sont installées dans la Calle 60, entre les Calles 55 et 57, au nord du Teatro Peón Contreras.

Dollar (☎ 28-67-59 ; fax 25-01-55), Calle 60 n°491, entre les Calles 55 et 57
Hertz (☎ 24-28-34 ; fax 84-01-14), Calle 60 n°486D, entre les Calles 55 et 57
National (☎ 28-63-08), Calle 60 n°486F, entre les Calles 55 et 57

Comment circuler

Desserte de l'aéroport. Le bus 79 "Aviación" relie sporadiquement l'aéroport au centre-ville (0,40 $US). La plupart des voyageurs qui atterrissent à Mérida empruntent les minibus Transporte Terrestre (9,50 $US) pour rejoindre le centre-ville ; en sens inverse, vous devrez prendre un taxi (6,50 $US).

Desserte de la gare routière CAME. Pour aller à pied de la CAME à la Plaza Mayor, tournez à gauche en sortant du terminal, puis à droite dans la Calle 69 ; l'ancien Terminal de Autobuses se trouve alors à votre droite. Suivez la Calle 69 sur quatre pâtés de maisons, en passant devant l'église de San Juan de Dios et un parc, jusqu'à la Calle 62. Prenez cette rue à gauche et continuez vers le nord jusqu'à la place.

Bus. La plupart des sites touristiques sont regroupés dans un périmètre de cinq ou six rues autour de la Plaza Mayor et sont donc accessibles à pied. Étant donné la lenteur de la circulation, surtout à proximité des marchés, la marche est le moyen le plus rapide de se déplacer.

Les bus municipaux sont très bon marché, 0,20 $US par trajet (0,30 $US en minibus), mais leurs itinéraires, assez déroutants. La plupart des lignes partent d'un faubourg de banlieue, sillonnent le centre-ville et rejoignent leur terminus dans une autre banlieue lointaine.

Pour parcourir la distance qui sépare la Plaza Mayor des quartiers chics du nord le long du Paseo de Montejo, attrapez un bus ou minibus "Tecnológico" dans la Calle 60 et descendez à Avenida Colón ; pour revenir dans le centre-ville, prenez n'importe quel bus, "López Mateos", "Chedraui", etc., le long du Paseo de Montejo.

Le système des bus est renforcé par celui des minibus colectivos à trajet fixe. La ligne de minibus la plus utile pour les touristes est la Ruta 10 (0,40 $US) qui part de l'angle des Calles 58 et 59, à un demi-pâté de maisons à l'est du Parque Hidalgo et suit le Paseo de Montejo jusqu'à Itzamná.

Taxi. La plupart des courses en taxi dans le centre-ville s'élèvent à 1,50 ou 2 $US environ, y compris de la gare routière CAME à la Plaza Mayor et de la Plaza Mayor à l'Holiday Inn ou à l'Hyatt, près du Paseo de Montejo.

DZIBILCHALTÚN

Vaste site, cette ville fut un centre administratif et religieux maya, de 1500 av. J.-C. ou avant jusqu'à la conquête espagnole dans les années 1540. A son apogée, Dzibilchaltún (lieu des pierres plates gravées) occupait 80 km². Les fouilles archéologiques entreprises dans les années 60 ont quadrillé la ville sur 31 km^2, révélant quelques 8 500 édifices.

Dzibilchaltún est ouvert tous les jours de 8h à 17h (3 $US) ; le musée ferme le lundi. Le parking coûte 0,75 $US et une taxe de 4 $US est perçue pour l'utilisation d'un caméscope.

On entre sur le site en suivant un sentier naturel qui aboutit au bâtiment moderne et climatisé du Museo del Pueblo Maya. Des expositions expliquent la vie quotidienne et les croyances des Mayas, des temps anciens à nos jours.

Derrière le musée, un chemin mène à la place centrale, où s'élève une chapelle ouverte datant du début de l'ère espagnole (1590-1600).

Le Templo de las Siete Muñecas (temple des Sept Poupées) – qui doit son nom aux sept poupées de terre cuite représentant des personnages difformes, découvertes ici lors des fouilles –, est situé à 1 km de la place centrale. Lorsqu'on se trouve encore à bonne distance du temple, on peut voir à travers les portes et les fenêtres de l'édifice selon un axe est-ouest. Mais ce point de vue disparaît au fur et à mesure que l'on s'approche La construction du temple est faite de telle façon qu'il est impossible de voir à travers en direction nord-sud. A chaque équinoxe, les rayons du soleil levant et couchant "enflammaient" les portes et les fenêtres du temple, marquant ce tournant important de l'année. Ce temple n'est pas seulement impressionnant par sa taille ou sa beauté, mais aussi en raison de la précision de son orientation par rapport aux astres et de la fonction qu'il occupait au sein du fabuleux système temporel maya.

Le Cenote Xlacah, aujourd'hui piscine publique, est profond de plus de 40 m. En 1958, une expédition sponsorisée par la Société Nationale de Géographie des États-Unis explora le fond de ce puits et découvrit environ 30 000 objets mayas, rituels pour la plupart. Les plus intéressants sont désormais exposés dans le petit musée installé sur le site.

Comment s'y rendre

Des minibus et des taxis colectivos partent fréquemment du Parque de San Juan à Mérida, Calle 69, entre les Calles 62 et 64, et rejoignent le village de Dzibilchaltún Ruinas (15 km, 30 minutes, 0,55 $US), à un peu plus d'1 km du musée.

PROGRESO

• *Hab.: 40 000* • ☎ *993*

Ville de pêcheurs, Progreso est le port de Mérida et du nord-ouest du Yucatán. Le plateau calcaire du Yucatán descend si doucement dans la mer qu'il a fallu construire un *muelle* (quai) de 6,5 km de long pour atteindre la haute mer.

La douceur de cette pente rend la longue plage de Progreso très attrayante : les eaux sont peu profondes, chaudes et exemptes de dangers. Le rivage n'offre pratiquement pas d'ombre depuis que les palmiers ont été arrachés par des ouragans. Les rares petits abris ne suffisent pas à protéger les foules, si bien qu'il est difficile d'échapper aux coups de soleil. La plage de Yucalpeten, à 10 minutes de bus à l'ouest, est beaucoup plus agréable. Petite ville assoupie en semaine, Progreso se réveille le week-end, surtout en été.

Orientation

Progreso est une ville bâtie le long du rivage. Bien qu'apparemment soumises à un quadrillage logique, les rues dépendent de deux systèmes de numérotation étranges, décalés de 50 numéros. Ainsi, les rues du centre-ville sont tantôt numérotées de 60 à 80, tantôt de 10 à 30. La Calle 30 sera aussi appelée la Calle 80, de même que la Calle 10 peut être indiquée Calle 60 sur une même carte. Sur notre plan, nous avons signalé les deux numérotations. Les gares routières sont proches de la grand-place, séparée du Malecón et de la jetée par quelques groupes de maisons.

Où se loger

Même si Progreso n'est qu'une modeste station balnéaire, les prix des chambres y sont un peu plus élevés que dans d'autres

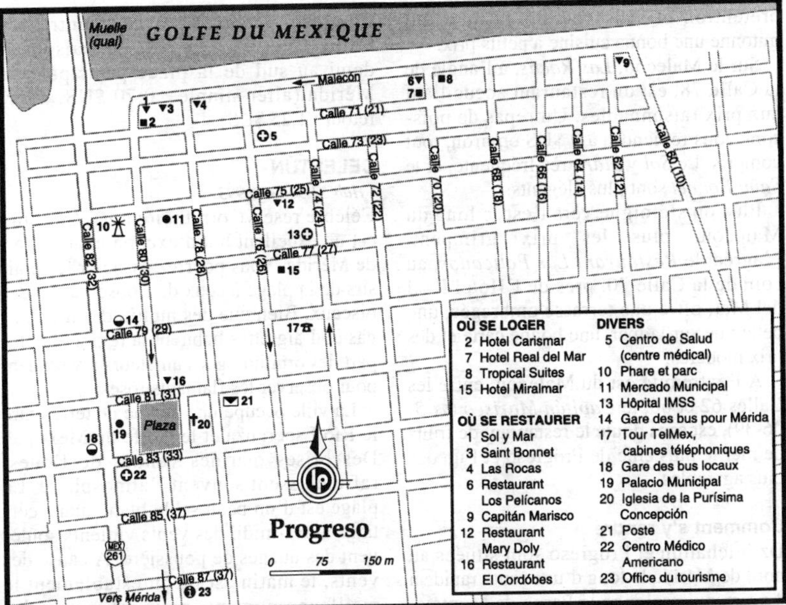

villes du Yucatán. Les dimanche de juillet et d'août, les hôtels les moins chers affichent complets.

L'*Hotel Miralmar* (☎ 5-05-52), Calle 77 n°124, à l'angle de la Calle 76, propose des chambres avec douche, ventil. et lit à deux places pour 11 $US, ou avec lits jumeaux pour 14 $US. Celles du 1er étage sont plus agréables et plus aérées que celles du rez-de-chaussée.

Au coin du Malecón et de la Calle 70 sont installés deux autres hôtels. Le *Tropical Suites* (☎ 5-12-63) offre des chambres impeccables avec douche et ventilateur pour 18 à 35 $US en double. Certaines ouvrent sur la mer.

L'*Hotel Real del Mar* (☎ 5-07-98), entre les Calles 70 et 72, derrière le Restaurant Los Pelícanos, est un établissement plus ancien qui paraît largement son âge. Son principal attrait est sa situation sur le Malecón. Il dispose de chambres avec douche et ventilateur à 11 $US en simple, 14 $US en double avec un grand lit, 15 $US avec des lits jumeaux et 18 $US avec vue sur la mer.

L'*Hotel Carismar* (☎ 5-29-07), Calle 71 n°151, entre les Calles 78 et 80, compte des simples/doubles avec s.d.b., bon marché et sans charme, pour 11/14 $US.

Où se restaurer

Les fruits de mer constituent la spécialité culinaire de Progreso. Si vous venez pour la journée, vous pourrez vous changer dans les *vestidores* (vestiaires) accolés à la plupart des restaurants de bord de mer.

Le *Restaurant El Cordóbes*, à l'angle des Calles 81 et 80, est très économique. Ouvert tôt le matin et tard le soir, il sert des plats traditionnels (tacos, enchiladas, sandwiches, poulet, etc.).

Pour déguster des fruits de mer à bon marché, évitez le Malecón et allez plutôt au *Restaurant Mary Doly*, Calle 75 n°150, entre les Calles 74 et 76, un endroit sans prétention et sans vue sur la mer, qui mitonne une bonne cuisine à petits prix.

Sur le Malecón, *Las Rocas*, à l'angle de la Calle 78, est un restaurant accueillant aux prix raisonnables. Un repas de poissons vous reviendra à 9 $US environ, tout compris. Le *Sol y Mar*, très fréquenté, et le *Saint Bonnet* sont plus élégants.

Plus on s'éloigne vers l'est le long du Malecón, plus les prix grimpent. L'agréable *Restaurant Los Pelícanos*, au coin de la Calle 70, près de l'Hotel Real del Mar, offre une terrasse ombragée, une belle vue sur la mer, une bonne carte et des prix modérés.

A l'extrémité est du Malecón, entre les Calles 62 et 60, le *Capitán Marisco* (☎ 5-06-39), est sans doute le restaurant de fruits de mer le plus chic de Progreso et l'un des plus agréables.

Comment s'y rendre

Dzibilchaltún et Progreso sont situées au nord de Mérida le long d'une route rapide à 4 voies qui prolonge le Paseo de Montejo. Si vous êtes motorisé, empruntez le Paseo vers le nord et suivez les panneaux indiquant Progreso.

Progreso est à 18 km (20 minutes) au-delà de l'embranchement de Dzibilchaltún. Les bus Autoprogreso partent toutes les 6 minutes de 5h à 21h45 de la gare routière Progreso, Calle 62 n°524, entre les Calles 65 et 67, à un pâté de maisons et demi au sud de la place principale de Mérida (aller simple : 0,70 $US, aller-retour : 1,25 $US).

La mort des dinosaures

Au nord de Progreso, sous les eaux vert émeraude, s'étend le cratère de Chicxulub.

En 1980, le prix Nobel Luis Alvárez et ses collègues avancèrent une théorie selon laquelle le gigantesque impact d'un astéroïde ou d'une petite comète heurtant la Terre, il y a environ 65 millions d'années, provoqua un bouleversement climatique et l'extinction des dinosaures. En 1991, l'immense cratère de Chicxulub, de 200 km de diamètre et le plus grand jamais découvert sur Terre, fut identifié comme étant fort probablement ce point d'impact. ■

CELESTÚN

• Hab.: 1 500 • ☎ 993

Célèbre réserve ornithologique, Celestún est un excellent but d'excursion au départ de Mérida. Vous pourrez associer les plaisirs de la plage à ceux de l'observation des oiseaux. Bien que des multitudes d'anhingas et d'aigrettes habitent la région, la plupart des ornithologues amateurs s'y rendent pour observer les flamants roses.

La ville occupe une langue de terre entre le Río Esperanza et le Golfe du Mexique. Des brises marines venues de l'ouest rafraîchissent souvent l'atmosphère. La plage est d'un beau sable blanc mais, certains après-midi, des vents violents soulèvent des nuages de poussière. A cause des vents, le matin est incontestablement le meilleur moment pour observer les oiseaux. Louez une lancha au pont sur la route, à 1 km à l'est de la ville (20 $US environ) ; un bateau peut embarquer jusqu'à huit personnes à marée haute, parfois seulement quatre à marée basse par risque d'ensablement. Le trajet jusqu'à l'habitat des flamants dure environ 30 minutes ; après 30 minutes d'observation, le bateau revient à Celestún.

Orientation

Vous pénétrez dans la ville par la Calle 11 et vous longez la place du marché et l'église (sur votre gauche/sud) avant d'arriver à la Calle 12 qui borde la mer.

Où se loger

Les hôtels sont peu nombreux et se remplissent le week-end. Il est préférable de venir en excursion depuis Mérida, mais vous pouvez tenter votre chance auprès des établissements ci-après. En venant de la Calle 11, tournez à gauche (sud) dans la Calle 12 où vous trouverez l'*Hotel Gutiérrez* (☎ à Mérida 99-28-04-19, 99-28-69-

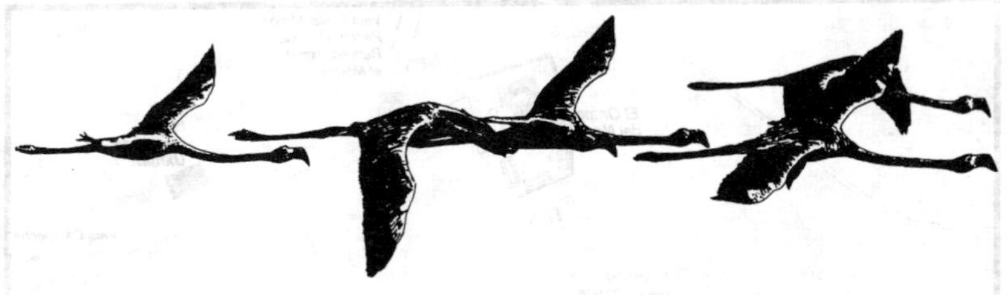

Flamands du Yucatán

78), Calle 12 n°22, près de la Calle 13, le meilleur choix pour les petits budgets. Les chambres, bien tenues, avec ventilateur et s.d.b., reviennent à 15 $US. L'*Hotel María del Carmen*, au sud, est similaire. Entrez par la Calle 15. En venant de la Calle 11 et en tournant à droite (nord) dans la Calle 12, vous arriverez à l'*Hotel San Julio* (☎ 1-85-89), Calle 12 n°92, près de la Calle 9. Il loue des simples/doubles avec ventilateur et s.d.b. pour 9/12 $US.

Où se restaurer

Les spécialités de Celestún sont les pinces de crabes et, bien entendu, le poisson frais. Le carrefour des Calles 11 et 12 est jalonné de petits restaurants comme le *Celestún*, la *Playita*, la *Boya* et l'*Avila*, avec vue sur la mer et cuisine de fruits de mer. Les connaisseurs apprécient tout particulièrement *La Palapa* (☎ 6-20-04). Comme toujours, les établissements les moins chers sont plus retirés.

Comment s'y rendre

Des bus partent de Mérida 12 fois par jour, entre 5h et 20h, depuis la gare routière Unión de Camioneros de Yucatán, Calle 71, entre les Calles 62 et 64, puis s'arrêtent à la gare routière Autotransportes del Sur, Calle 50 n°531, à l'angle de la Calle 67. Pour être sûr d'avoir une place, partez de la Calle 71 (91 km, de 1 heure 30 à 2 heures, 1,75 $US).

Cultur (☎ à Mérida 99-24-96-77) organise des visites guidées de Celestún en minibus chaque mercredi, vendredi et dimanche (départ du Parque Santa Lucia de Mérida à 9h et retour à 16h30). Renseignez-vous auprès de votre hôtel ou dans une agence de voyages.

UXMAL

Située dans les monts puuc, qui ont donné leur nom à l'architecture spécifique de cette région, Uxmal était l'une des villes importantes de la période classique tardive (600-900), au cœur d'une région qui englobait les villes satellites de Sayil, Kabah, Xlapak et Labná. Uxmal signifie "construit trois fois" en maya ; en réalité elle fut édifiée à cinq reprises.

Le fait qu'une population importante ait pu prospérer dans cette région sans eau reste un mystère. Il semble que les citernes (*chultunes*) mayas aient suffi.

Histoire

Occupée pour la première fois vers 600, la ville subit l'influence architecturale des hautes terres du Mexique. L'architecture puuc, aux remarquables proportions, est propre à cette région.

Les raisons qui poussèrent les habitants à abandonner Uxmal vers 900 demeurent obscures. La sécheresse avait peut-être atteint des proportions telles qu'ils durent déménager. Ou bien, selon une théorie qui rencontre nombre d'adeptes, l'importante croissance de Chichén Itzá attira les habitants des monts puuc. Redécouverte par les archéologues au XIXe siècle, Uxmal fut

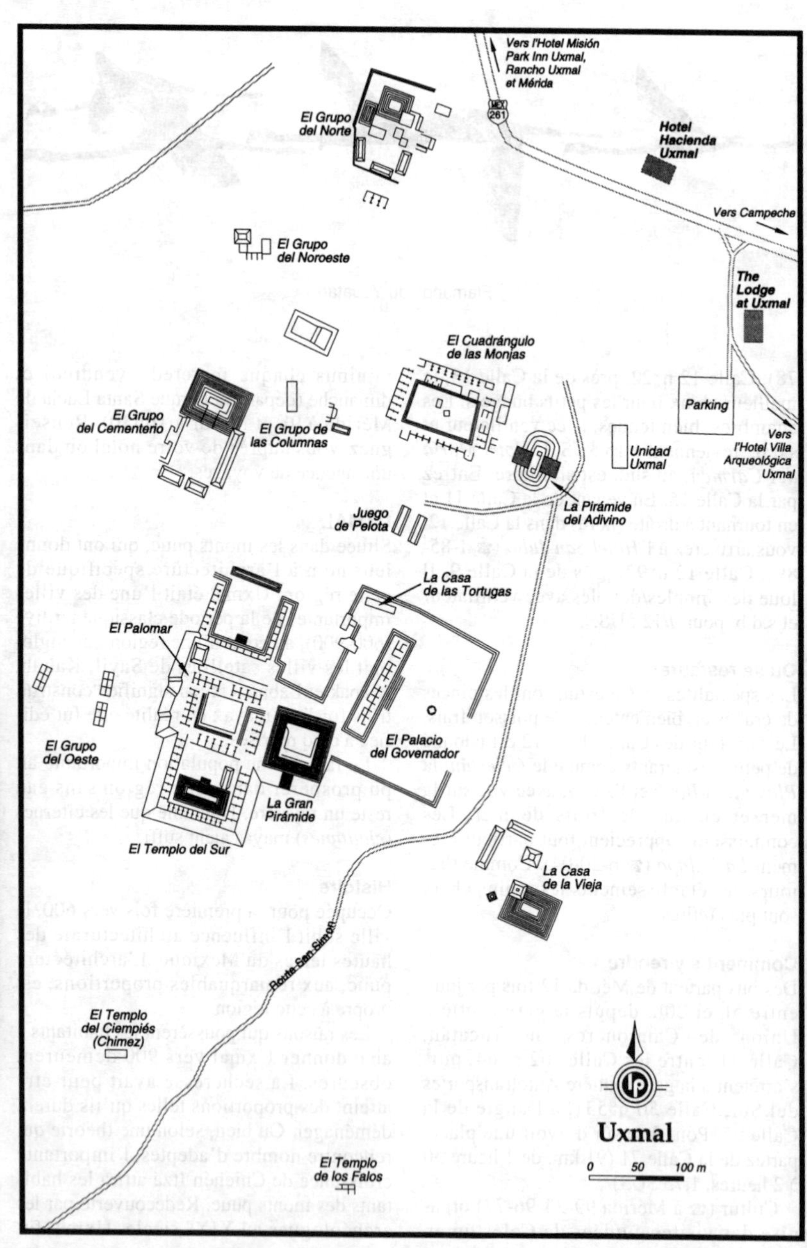
Vers l'Hotel Misión
Park Inn Uxmal,
Rancho Uxmal
et Mérida
MEX
261
El Grupo
del Norte
Hotel
Hacienda
Uxmal
Vers Campeche
El Grupo
del Noroeste
The
Lodge
at Uxmal
El Cuadrángulo
de las Monjas
Parking
El Grupo
del Cementerio
El Grupo de
las Columnas
Unidad
Uxmal
Vers
l'Hotel Villa
Arqueológica
Uxmal
La Pirámide
del Adivino
Juego
de Pelota
La Casa
de las Tortugas
El Palomar
El Grupo
del Oeste
El Palacio
del Govenador
La Gran
Pirámide
El Templo del Sur
La Casa
de la Vieja
Route San Simon
El Templo
del Ciempiés
(Chimez)
Uxmal
0
50
100 m
El Templo
de los Falos

fouillée en 1929 par Frans Blom qui ouvrit la voie à ses successeurs. Bien qu'une grande partie du site ait été restaurée, il reste encore beaucoup à découvrir.

Orientation et renseignements

En arrivant au site depuis la route, le grand et nouveau hôtel Lodge at Uxmal se dresse sur la gauche, et l'Hotel Villa Arqueológica un peu plus loin ; l'aire de stationnement se trouve sur la droite (0,75 $US par voiture).

On accède au site en traversant le bâtiment moderne de l'Unidad Uxmal, qui abrite le Restaurant Yax-Beh (climatisé), ainsi qu'un petit musée, des boutiques de souvenirs et d'artisanat, l'auditorium Kit Bolon Tun et des toilettes. La Librería Dante dispose d'un bon choix de guides de voyages et d'archéologie en espagnol, en français, en anglais et en allemand, mais les livres importés sont très chers.

Le site archéologique ouvre tous les jours de 8h à 17h (entrée : 5 $US, gratuite le dimanche). Le bâtiment de l'Unidad Uxmal reste ouvert jusqu'à 22h en raison du spectacle Luz y Sonido (son et lumière) de 45 minutes, présenté chaque soir à 20h en espagnol (4 $US) et à 21h en anglais (5,50 $US).

En franchissant le tourniquet et en montant la pente qui mène aux ruines, vous apercevrez l'arrière de la pyramide du Devin.

Pyramide du Devin

Ce temple de 39 m de haut (Pirámide del Adivino) fut édifié sur une base ovale. Ses côtés, restaurés, datent de la cinquième édification du bâtiment. Les quatre édifices précédents furent recouverts par cette dernière construction, à l'exception de la haute porte ouest qui appartient au quatrième temple. Décorée de motifs compliqués de style chen, l'entrée représente la bouche d'un gigantesque masque de Chac, le dieu de la Pluie. Montez de préférence jusqu'au sommet par le côté ouest. De lourdes chaînes servent de main courante pour vous aider à gravir les très hautes marches.

Du haut de la pyramide, vous pourrez apercevoir le reste du site archéologique. A l'ouest de la pyramide se trouve le quadrilatère des Nonnes. Du côté sud du quadrilatère, en bas d'une petite pente, on découvre un jeu de balle en ruines. Plus au sud, une grande terrasse artificielle dessert le palais du Gouverneur. La petite maison des Tortues se trouve entre le palais et le jeu de balle. Au-delà du palais du Gouverneur se dressent les restes de la Grande Pyramide et, à côté, le Pigeonnier et le temple Sud. Il y a beaucoup d'autres édifices à Uxmal, mais la plupart ont été envahis par la jungle et ne sont plus que des monticules verdoyants.

Quadrilatère des Nonnes

Les archéologues supposent que ce quadrilatère de 74 salles (Cuadrángulo de las Monjas) était une académie militaire, une école royale ou un palais. Le visage au long nez de Chac apparaît à de nombreuses reprises sur les façades des quatre temples qui forment le quadrilatère. Le temple du nord, le plus majestueux, fut construit en premier.

RICHARD NEBESKY

Détails du Quadrilatère des Nonnes

LA PÉNINSULE DU YUCATÁN

Plusieurs éléments décoratifs des façades révèlent des influences mexicaines, peut-être totonaques, notamment le serpent à plumes (Quetzalcóatl) en haut de la façade du temple ouest. Notez aussi les représentations stylisées de la *na*, la hutte maya à toit de chaume, au-dessus de certaines portes des bâtiments nord et sud.

Maison des Tortues

Gravissez la pente escarpée jusqu'à la terrasse artificielle sur laquelle s'élève le palais du Gouverneur. En haut à droite, la Casa de las Tortugas tire son nom des tortues sculptées sur sa corniche. La frise de colonnettes entre deux moulures saillantes, qui court en haut et tout autour du temple, est caractéristique du style puuc. Les tortues étaient associées par les Mayas au dieu Chac.

Palais du Gouverneur

La magnifique façade du Palacio del Gobernador, de près de 100 m de long, fut qualifiée de "plus belle structure d'Uxmal et point culminant du style puuc" par le spécialiste des Mayas, Michael D. Coe. Les murs des bâtiments de style puuc sont remplis de rocaille, puis revêtus de ciment et d'un fin placage de dalles de calcaire. La partie inférieure de la façade est lisse, la partie supérieure festonnée de figures de Chac stylisées et de dessins géométriques, ressemblant souvent à des treillages. Les autres éléments du style puuc sont les corniches décorées, les rangées de demi-colonnes et les colonnes rondes dans les entrées. Les pierres formant les voûtes en encorbellement sont taillées en forme de botte.

Grande Pyramide

A côté du palais du Gouverneur, la Gran Pirámide de 32 m de haut n'a été restaurée que sur sa face nord. D'après les archéologues, le quadrilatère du sommet fut en grande partie détruit pour construire une autre pyramide par dessus.

Pour une raison inconnue, ces travaux ne furent jamais achevés. Le sommet est orné de sculptures en stuc de Chac, d'oiseaux et de fleurs.

Pigeonnier

A l'ouest de la Grande Pyramide se trouve une structure dont le toit est découpé en petites niches, d'où le nom de l'édifice, le Pigeonnier (El Palomar). La base est tellement érodée que les archéologues n'ont pas pu déterminer sa fonction.

Où se loger et se restaurer – petits budgets

Uxmal n'étant qu'un site archéologique doté de quelques hôtels de catégorie supérieure, n'espérez pas trouver à vous loger ou à vous restaurer à bon marché.

Les campeurs peuvent planter leurs tentes à 5 km au nord des ruines sur la route 261, la route de Mérida, au *Rancho Uxmal* (☎ 47-80-21) pour 2,50 $US par personne. A côté, le *Parador Turístico Cana Nah* possède un terrain de caravaning.

Seul hébergement bon marché du site, le Rancho Uxmal dispose de 28 chambres sommaires avec douche et ventilateur à 25 $US en double (cher pour ce que c'est, mais vous êtes à Uxmal !) et d'un restaurant. Il vous faudra marcher de 45 à 55 minutes sous le soleil depuis les ruines, ou faire du stop.

Si vous ne voulez pas retourner à Mérida, rendez-vous à Ticul.

De l'autre côté de la route, en face de la route des ruines, le *Salon Nicté-Ha* s'élève sur le terrain de l'Hotel Hacienda Uxmal. Ce restaurant, simple et climatisé, ouvre tous les jours de 13h à 20h30. Il sert des sandwiches (de 3,75 à 4,50 $US), des salades de fruits et autres plats similaires à ceux servis au Yax-Beh, mais plus chers. La bière est fraîche et les clients du restaurant peuvent profiter de la piscine.

Où se loger et se restaurer – catégorie supérieure

Appartenant à la chaîne Mayaland Resort, l'*Hotel Hacienda Uxmal* (☎ 23-02-75 ; fax 23-47-44), à 500 m des ruines de l'autre côté de la route, logeait autrefois les archéologues qui ont mis au jour et restauré Uxmal. Des ventilateurs suspendus à de hauts plafonds, des courants d'air rafraîchissants et de larges vérandas carrelées garnies de rocking-chairs en font un lieu de séjour des plus agréables. La piscine est une bénédiction les jours de canicule.

Dans l'annexe, une chambre ordinaire vous reviendra à 38 $US en simple/double. Dans le bâtiment principal, les plus belles chambres valent de 50 à 90 $US en simple, de 60 à 100 $US en double. Les repas sont quelconques et modérément chers.

The Lodge at Uxmal (☎ 23-02-75 ; fax 23-47-44), en face de l'entrée de l'Unidad Uxmal et du site archéologique, appartient également à Mayaland Resort. C'est l'hôtel le plus récent, le plus luxueux d'Uxmal et le plus proche des ruines. Comptez 94/111 $US pour une simple/double climatisée et dotée de tout le confort.

Géré par le Club Med, l'*Hotel Villa Arqueológica Uxmal* (à Mérida, ☎/fax 99-28-06-44, Apdo Postal 449), agréable et moderne, offre une piscine, des courts de tennis, un bon restaurant et des simples/doubles/triples climatisées à 45/55/65 $US.

L'*Hotel Misión Park Inn Uxmal* (☎/fax 24-73-08) se dresse au sommet d'une colline, à 2 km au nord de l'embranchement vers les ruines. De nombreuses

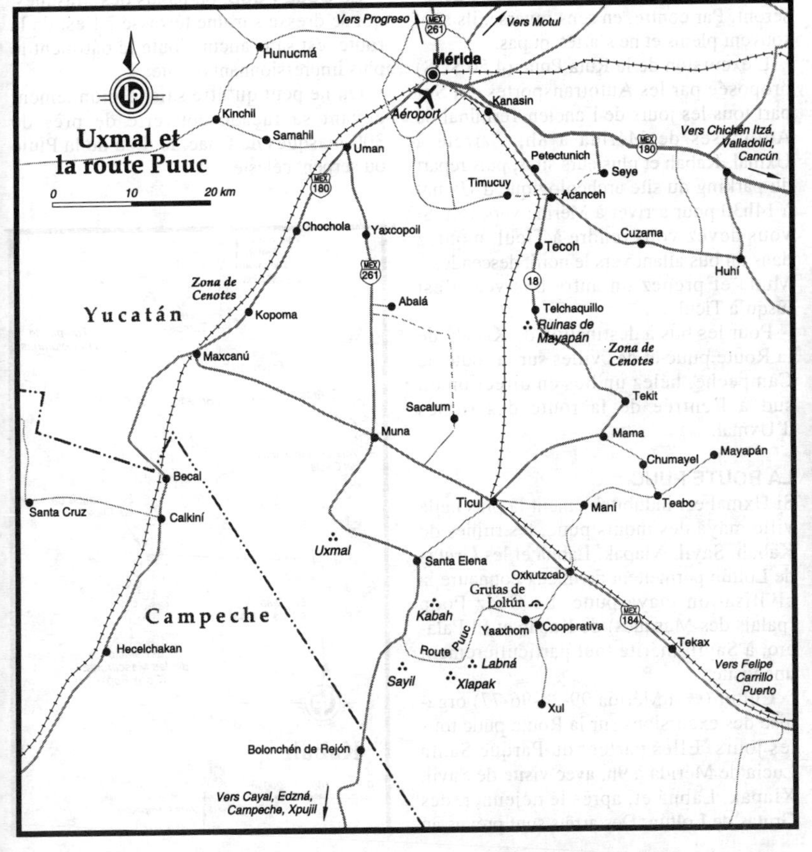

chambres possèdent des balcons avec vue sur Uxmal mais elles sont trop chères, à 75 $US la simple ou double.

Comment s'y rendre

Avion. Une piste d'atterrissage est en construction près d'Uxmal. Lorsqu'elle sera finie, les liaisons avec Cancún se développeront, permettant de visiter Uxmal dans la journée.

Bus. Le Terminal de Autobuses de Mérida est à 80 km (1 heure 30) d'Uxmal. La route qui va de Mérida à Campeche par l'intérieur des terres passe par Uxmal, et la plupart des bus venant des villes vous y déposeront. Par contre, en sens inverse, ils sont souvent pleins et ne s'arrêtent pas.

L'excursion de la Ruta Puuc (4,50 $US) proposée par les Autotransportes del Sur part tous les jours de l'ancien Terminal de Autobuses de Mérida à 8h, s'arrête à Uxmal, Kabah et plusieurs sites, puis repart du parking du site archéologique d'Uxmal à 14h30 pour arriver à Mérida vers 16h. Si vous devez vous rendre à Ticul, montez dans un bus allant vers le nord, descendez à Muna et prenez un autre bus vers l'est jusqu'à Ticul.

Pour les bus à destination de Kabah, de la Route puuc et des villes sur la route de Campeche, hélez un bus en direction du sud à l'entrée de la route des ruines d'Uxmal.

LA ROUTE PUUC

Si Uxmal est indubitablement la plus belle ville maya des monts puuc, les ruines de Kabah, Sayil, Xlapak, Labná et les Grutas de Loltún permettent de mieux connaître la civilisation maya puuc. Le Codz Poop (palais des Masques) de Kabah et El Palacio, à Sayil, mérite tout particulièrement une visite.

Cultur (☎ à Mérida 99-24-96-77) organise des excursions sur la Route puuc tous les jours. Elles partent du Parque Santa Lucia de Mérida à 9h, avec visite de Sayil, Xlapak, Labná et, après le déjeuner, des Grutas de Loltún. Des arrêts sont prévus au marché d'Oxkutzcab et à Ticul avant de revenir à Mérida à 19h. Cette excursion ne s'arrête pas à Kabah et Uxmal.

Un bus spécial Ruta Puuc est affrété par les Autotransportes del Sur (pour plus de détails, voir plus haut *Comment s'y rendre* dans la rubrique *Uxmal*).

Kabah

A un peu plus de 18 km au sud-est d'Uxmal, les ruines de Kabah se situent à côté de la nationale 261, indiquées par un panneau "Zona Arqueológica Puuc". Le site est ouvert de 8h à 17h (entrée : 2 $US, gratuite le dimanche).

Le **Codz Poop**, ou palais des Masques, qui se dresse sur une terrasse à l'est de la route, est sans aucun doute le bâtiment le plus impressionnant du site.

On ne peut qu'être saisi d'étonnement devant sa façade couverte de près de 300 masques de Chac, le dieu de la Pluie ou serpent céleste.

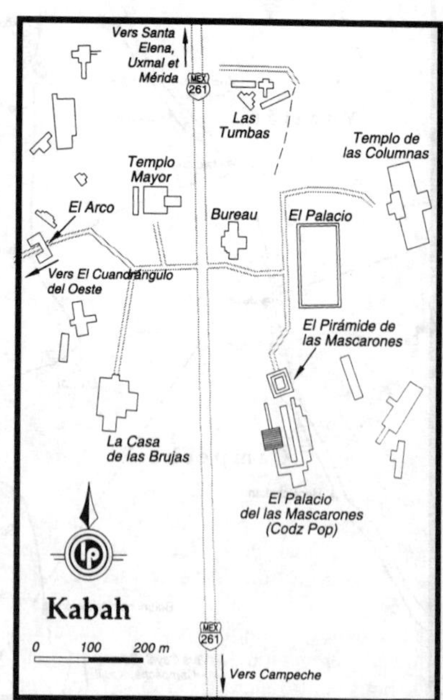

Au nord du palais des Masques se trouve une petite **pyramide**. Plus au nord, **El Palacio** présente une large façade à plusieurs entrées ; au centre de chacune d'entre elles s'élève une colonne, caractéristique de l'architecture puuc. Contournez El Palacio par la gauche et suivez un sentier dans la jungle sur plusieurs centaines de mètres jusqu'à la **Tercera Casa**, ou temple des Colonnes, célèbre pour ses rangées de demi-colonnes qui ornent la partie supérieure de sa façade.

Traversez la route à l'ouest d'El Palacio, grimpez la pente et dépassez sur votre droite un haut monticule de pierres qui fut autrefois le **Gran Teocalli**, ou Grand Temple.

Continuez tout droit jusqu'au sacbe, ou route de cérémonie, pavée et surélevée. Sur la droite, vous verrez une arche monumentale à la voûte en encorbellement maya (deux pierres droites appuyées l'une à l'autre, qui se rejoignent au sommet). On dit que le sacbe dépassait l'arche et se prolongeait dans la jungle jusqu'à Uxmal pour s'achever sur une arche plus petite. Dans l'autre sens, il aboutissait à Labná. Autrefois, le Yucatán était sillonné de ces merveilleuses "routes blanches" de calcaire brut. Au-delà du sacbe, en s'éloignant encore de 600 m de la route, on aperçoit plusieurs autres ensembles d'édifices. Le **Cuadrángulo del Oeste** (Quadrilatère occidental) est orné de colonnes et de masques. Au nord, se trouvent le **temple des Clés** et le **temple aux Linteaux** (Templo de los Dinteles). Ce dernier possédait autrefois des linteaux sculptés dans du bois de sapotillier.

Où se loger. Au sud du village de Santa Elena et à 3,5 km au nord de Kabah, le *Camping Sacbé* (pas de téléphone), paisible et bien tenu, possède des chambres sommaires, mais propres, de 8 à 10 $US en simple ou en double ; une chambre est équipée d'une douche, les autres partagent des douches communes. Camper au milieu du verger revient à 2,50 $US par personne. De bons petits déjeuners et dîners sont servis à faible coût.

Comment s'y rendre. Kabah est à 101 km de Mérida (environ 2 heures) et à un peu plus de 18 km au sud d'Uxmal. La route qui va de Mérida à Campeche par l'intérieur des terres passe par Kabah, et la plupart des bus venant des autres villes vous y déposeront. Pour retourner à Mérida, attendez du côté est de la route à l'entrée des ruines et faites signe au machiniste. Les bus sont souvent pleins dans les deux sens et, dans ce cas, ne s'arrêteront pas. Il est donc conseillé de trouver sur le site même un véhicule pouvant vous ramener.

Si vous essayez de prendre un bus jusqu'au carrefour de la Route puuc, à 5 km au sud de Kabah, ou vers d'autres sites, plus au sud sur la route 261, tenez-vous sur le côté ouest de la route.

Sayil

A 5 km au sud de Kabah, une route bifurque vers l'est depuis la 261 : c'est la Route puuc. En dépit des sites archéologiques qui jalonnent cette route, il n'y a pas beaucoup de circulation et il est souvent difficile de faire du stop. Les ruines de Sayil se trouvent à 4,5 km à l'est du croisement de la nationale 261. Sayil est ouvert tous les jours de 8h à 17h (entrée : 2 $US, gratuite le dimanche).

El Palacio. Sayil est surtout connu pour El Palacio, l'énorme édifice à trois gradins, avec une façade de 85 m de long qui rappelle les palais minoens de Crète. Les colonnes caractéristiques de l'architecture puuc y abondent, servant de support aux linteaux, en alternance avec d'énormes masques de Chac et de "dieux descendant sur terre" stylisés.

Grimpez jusqu'au niveau supérieur du Palacio et regardez au nord, où vous apercevrez plusieurs *chultunes*, ou citernes ceintes de pierre, dans lesquelles l'eau de pluie était recueillie et gardée jusqu'à la saison sèche. Certaines de ces chultunes peuvent contenir plus de 30 000 litres.

El Mirador. Si vous empruntez le chemin qui part du palais vers le sud pendant

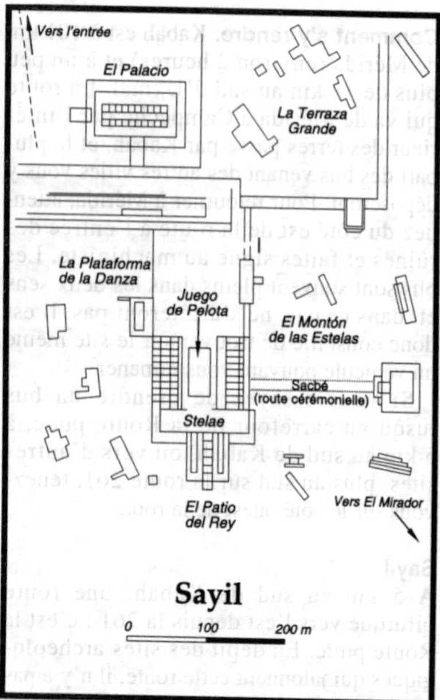

800 m environ, vous arrivez au temple appelé El Mirador et à son intéressant toit en crête de coq, à l'origine peint en rouge. A environ 100 m d'El Mirador par le chemin de gauche, une stèle protégée par une palapa s'orne d'un bas-relief représentant un dieu phallique très endommagé.

Xlapak

De porte à porte, 6 km sépare Sayil de Xlapak. Ce nom signifie "vieux murs" en maya, terme souvent utilisé par les habitants pour désigner les ruines antiques dont ils ignoraient à peu près tout. Le site est ouvert de 8h à 17h (entrée : 1,50 $US, gratuite le dimanche). Le palais décoré de Xlapak est plus petit que ceux de Kabah et Sayil (20 m de long seulement). Il est orné des inévitables masques de Chac, de colonnes, de colonnettes et de motifs géométriques chantournés en treillage de style puuc. Sur la droite s'étendent les décombres de deux édifices plus petits.

Labná

Labná se situe à 3,5 km à l'est de Xlapak. Le site est ouvert de 8h à 17h (entrée : 2 $US).

El Arco. Labná est surtout célèbre pour sa magnifique arcade qui faisait autrefois partie d'un édifice qui séparait deux cours rectangulaires. Elle forme maintenant une porte entre deux petites places. Bien conservée, la structure en encorbellement, de 3 m de large et de 6 m de haut, s'élève tout près de l'entrée de Labná. Les reliefs en mosaïque décorant la partie supérieure de la façade sont typiquement puuc.

En regardant la décoration du côté nord-est de l'arcade, vous découvrirez des mosaïques de huttes mayas. A la base de chaque côté de l'arcade se trouvent les salles du bâtiment voisin, aujourd'hui en ruines, avec des mosaïques en treillage au-dessus d'un motif de serpent.

El Mirador. De l'autre côté de l'arcade, et séparée de celle-ci par le sacbe dallé de calcaire, se dresse une pyramide surmontée d'un temple, appelée El Mirador. La pyramide est mal conservée et il n'en reste pratiquement que des gravats. Le temple, avec son toit de 5 m de haut, ressemble à une tour de guet, comme son nom l'indique.

Palacio. Les archéologues pensent qu'au IXe siècle, pendant une courte période, 3 000 Mayas vécurent à Labná. Pour permettre à cette population importante de survivre dans ces monts arides, on recueillait l'eau dans des chultunes, ou citernes. A l'apogée de Labná, une soixantaine de chultunes parsemaient la ville et ses alentours. Plusieurs d'entre elles subsistent encore aujourd'hui.

Le palais, premier édifice aperçu en pénétrant à Labná, est relié à El Mirador et à l'arcade par un sacbe. C'est l'un des plus longs édifices puuc, mais son dessin n'est pas aussi impressionnant que celui de Sayil.

A l'angle est du niveau supérieur, une sculpture macabre représente un serpent

LA PÉNINSULE DU YUCATÁN

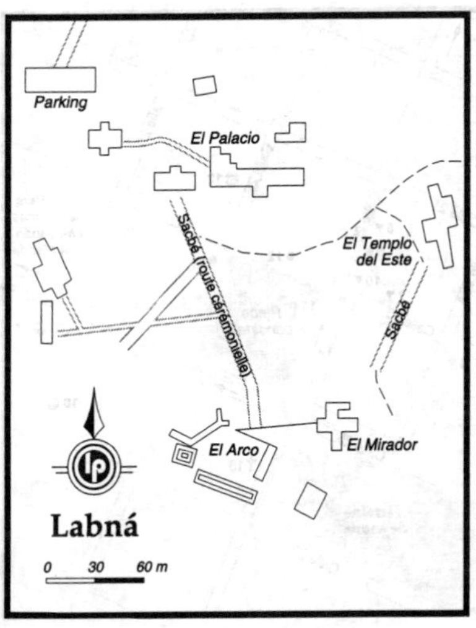

tenant une tête humaine dans sa gueule. Elle avoisine un masque de Chac, bien conservé.

Grutas de Loltún

Quinze kilomètres séparent Labná du village de Yaaxhom, à l'est, entouré de luxuriants vergers et de palmeraies, étonnants dans cette région généralement sèche. De Yaaxhom, une route part vers Loltún, à 4 km au nord-est.

Les grottes de Loltún, les *grutas* les plus intéressantes du Yucatán, se sont avérées une mine d'informations inestimables pour les archéologues étudiant les Mayas. Le datage au carbone a révélé que ces grottes avaient été utilisées pour la première fois par des humains il y a quelque 2 500 ans.

Loltún est ouvert tous les jours de 9h à 17h (4 $US). Pour explorer le labyrinthe de 1,5 km, il faut suivre une visite guidée, à 9h30, 11h, 12h30, 14h et 15h, voire plus tôt si les visiteurs sont assez nombreux. Les guides ne sont pas payés et espèrent bien recevoir un pourboire à la sortie.

Près de la sortie des grottes et à 10 minutes de marche (600 m) du parking proche de l'entrée, le *Restaurant El Guerrero* propose une comida corrida à 7 $US environ et des boissons glacées, fort onéreuses.

Comment s'y rendre. Loltún se trouve sur une route de campagne menant à Oxkutzcab, généralement assez fréquentée. Essayez de faire du stop ou prenez un colectivo (une *camioneta* ou un *camión*), qui dessert cette destination moyennant 0,50 $US. Un taxi depuis Oxkutzcab vous coûtera environ 6 $US pour 8 km.

Des bus quotidiens relient fréquemment Mérida à Oxkutzcab *via* Ticul.

Si vous êtes en voiture et vous rendez de Loltún à Labná, sortez du parking de Loltún, tournez à droite et empruntez la prochaine route sur la droite, qui longe la voie d'accès au restaurant. Ne prenez pas la route indiquée "Xul".

Après 4 km, vous arriverez au village de Yaaxhom, où vous tournerez à droite pour rejoindre la Route puuc en direction de l'ouest.

TICUL

• *Hab.: 30 000* • ☎ *997*

Sise dans une région riche en ruines archéologiques, Ticul, à 30 km à l'est d'Uxmal, est la plus grande ville au sud de Mérida. La rue principale est la Calle 23, parfois appelée Calle Principal. Depuis la route, elle rejoint le nord-est en passant par le marché et les meilleurs restaurants de la ville, jusqu'à la grand-place.

Où se loger

A quelques pas au nord-ouest de la place, l'*Hotel Sierra Sosa* (☎ 2-00-08 ; fax 2-02-82), Calle 26 n°199A, loue des chambres très sommaires à 9 $US avec ventilateur, ou 12 $US avec clim. Quelques chambres sur l'arrière possèdent des fenêtres mais la plupart ressemblent à de sombres cachots.

Tout aussi rudimentaire et meilleur marché, l'*Hotel San Miguel* (☎ 2-03-82), Calle 28 n°195, près de la Calle 23 et du marché, propose des simples avec ventilateur et s.d.b. pour 5 $US et des doubles à 6 ou 7 $US. Les meilleurs hôtels de Ticul ne

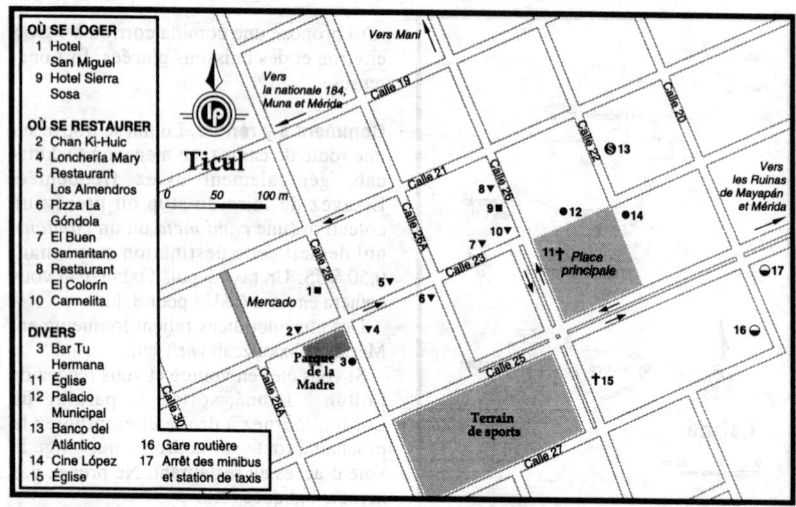

sont guère plus confortables. Installés sur la nationale en périphérie de la ville, à 2 km du centre, ils ne sont intéressants que si vous disposez d'une voiture.

L'établissement le plus agréable de la ville est l'*Hotel Bougambillias* (☎ 2-07-61), 23 Calle n°291A, près du croisement de l'extrémité ouest de la Calle 25 et de la route vers Muna et Mérida. Il offre des chambres sombres et sobres, mais plus récentes et plus propres que celles de la concurrence. Comptez 8 $US pour une double à un lit et 12 $US pour deux lits.

A une centaine de mètres au nord-ouest du Bougambillias, de l'autre côté de la route, l'*Hotel-Motel Cerro Inn*, plus ancien, se dresse sur un terrain spacieux et ombragé. Il dispose de 9 chambres vétustes avec douche et ventilateur, de 8 à 10 $US en double.

Où se restaurer

Le marché animé de Ticul vous fournira tous les ingrédients pour un pique-nique et des en-cas. Vous trouverez également nombre de ces excellents petits restaurants de marché où la nourriture est bonne, les portions généreuses et les prix bas. Pour changer, essayez aussi les loncherías de la Calle 23, entre les Calles 26 et 30.

Pour du pain et des viennoiseries, rendez-vous à *El Buen Samaritano*, Calle 23, à l'ouest de la Calle 26.

A côté de l'Hotel Sierra Sosa et à quelques pas du nord-ouest de la place, le *Restaurant El Colorín* (☎ 2-03-14), Calle 26 n°199B, sert des repas à petits prix. Le *Carmelita*, en face de l'Hotel Sierra Sosa, est similaire.

Très propre, la *Pizza La Góndola*, Calle 23, près de la Calle 26A, propose des pizzas pour 2 personnes de 5 à 8 $US. Tout nouveau et pimpant, le *Chan Ki-Huic* se situe dans la Calle 23, à l'ouest de la Calle 28. La *Lonchería Mary*, dans la Calle 23 à l'est de la Calle 28, est une affaire familiale très bien tenue.

Le *Restaurant Los Almendros* (☎ 2-00-21), Calle 23 n°207 entre les Calles 26A et 28, occupe une maison aux allures de forteresse. Ce restaurant climatisé est assez banal mais sa cuisine régionale, authentique. Un *combinado yucateco* (assortiment de plats du Yucatán), avec une boisson non alcoolisée ou une bière, coûte moins de 7 $US. Il ouvre tous les jours de 10h à 21h.

Comment s'y rendre

Bus. La gare routière de Ticul est située derrière la massive église, près de la place principale. Autotransportes Mayab parcourt les 85 km de Mérida à Ticul (1 heure 30, 2 $US). Trois bus rejoignent Felipe Carrillo Puerto (7 $US), Neuf bus quotidiens desservent Chetumal (6 heures 30, 7 $US) et des bus fréquents rallient Oxkutzcab (1 $US).

Vous pouvez prendre un minibus (combi) au carrefour des Calles 23 et 28 pour le Parque de San Juan à Mérida, ou pour Oxkutzcab, à 16 km. D'Oxkutzcab, un minibus ou une camionnette rallie Loltún (8 km) ; demandez le camión pour Xul ("CHOUL") et descendez à Las Grutas de Loltún.

Les minibus à destination de Santa Elena (15 km), le village situé entre Uxmal et Kabah, partent du même endroit. Ils empruntent une route secondaire et vous déposent à l'arrêt d'un bus allant vers le nord-ouest et Uxmal (15 km) ou vers le sud et Kabah (3,5 km). Vous trouverez peut-être plus commode de prendre un minibus ou un bus jusqu'à Muna (22 km), sur la nationale 261, puis un autre vers le sud et Uxmal (16 km).

Voiture. Ceux qui se dirigent en voiture vers l'est, le Quintana Roo et la côte des Caraïbes peuvent emprunter la nationale 184 de Muna et Ticul à Tekax, Tzucacab et Peto, *via* Oxkutzcab. A Polguc, à 130 km de Ticul, une route bifurque vers la gauche (l'est) et, après 80 km rejoint Felipe Carrillo Puerto, à 210 km de Ticul. A la bifurcation, la route de droite se dirige vers le sud et la région de Lago de Bacalar.

D'Oxkutzcab à Felipe Carrillo Puerto ou Bacalar, vous trouverez très peu de restaurants, pas d'hôtel et de rares stations-service. Vous verrez surtout des petits villages typiques du Yucatán avec leurs *nas*, maisons mayas à toit de chaume, leurs *topes* (ralentisseurs) et leur activité agricole traditionnelle.

Comment circuler

La méthode locale consiste à louer un tricycle, rickshaw à la mode de Ticul. Vous en trouverez Calle 23, en haut du marché. Une petite course revient à moins de 0,50 $US.

DE TICUL A MÉRIDA

Par Muna et Yaxcopoil

De Ticul à Mérida, vous avez le choix entre plusieurs itinéraires. Celui qui va vers l'ouest et Muna, puis le nord par la 261, est le plus rapide et le mieux desservi par les bus. Muna (Yuc), vieille ville à 22 km au nord-ouest de Ticul, possède plusieurs églises coloniales intéressantes, dont l'ancien Convento de la Asunción et les églises Santa María, San Mateo et San Andrés.

L'hacienda de Yaxcopoil, à 29 km au nord de Muna sur le côté ouest de la nationale 261, se compose de nombreux bâtiments de style français Renaissance, restaurés et transformés en un musée consacré au XVIIe siècle (ouvert de 8h à 18h, le dimanche de 9h à 13h ; 5 $US). Cette vaste propriété était spécialisée dans la culture et la transformation du henequén. On peut se promener dans l'hacienda sans payer le droit d'entrée au musée.

Seize kilomètres séparent Yaxcopoil d'Uman, au nord. Le centre de Mérida est situé 17 km plus loin.

Par les Ruinas de Mayapán

L'itinéraire de l'est suit la nationale 18 de l'État du Yucatán, de Ticul à Tecoh, Acanceh et Mérida, en passant par les ruines de Mayapán. Il est difficile de suivre cet itinéraire sans être motorisé. Les bus et les colectivos circulent par intermittence, aussi faut-il prévoir une bonne partie de la journée, avec arrêt aux Ruinas de Mayapán et à Acanceh, si vous empruntez les transports publics.

Faites bien la distinction entre les Ruinas de Mayapán et Mayapán, un village maya situé à environ 40 km au sud-est des ruines, au-delà de la ville de Teabo.

Si vous possédez votre propre véhicule, suivez les panneaux depuis Ticul vers le nord-est en passant par Mama (25 km), et son église aux allures de forteresse, et Tekit

(7 km plus loin). A Tekit, tournez à gauche (nord-ouest) sur la nationale 18 vers Tecoh, Acanceh et Kanasin. Les Ruinas de Mayapán se cachent à 8 km au nord-ouest de Tekit.

RUINAS DE MAYAPÁN

La ville de Mayapán, autrefois importante capitale maya, abritait une population de 12 000 personnes environ. Ses ruines couvrent plusieurs kilomètres carrés, entourés d'un grand mur défensif. Plus de 3 500 bâtiments, 20 cenotes et des traces du mur d'enceinte de la ville furent recensés par les archéologues dans les années 50 et au début des années 60.

Histoire

On suppose que Mayapán fut fondée par Kukulcán (Quetzalcóatl) en 1007, peu après l'arrivée de l'ancien chef de Tula au Yucatán. La dynastie des Cocomes organisa une confédération de cités-États qui comprenait Uxmal, Chichén Itzá et bien d'autres villes. Malgré leur alliance, l'animosité entre les Cocomes et les Itzás provoqua le pillage de Chichén Itzá par les Cocomes, à la fin des années 1100, et l'exil des chefs itzá. Sous Hunac Ceel Canuch, la dynastie cocome domina tout le Yucatán septentrional et obligea les autres chefs à lui payer un tribut.

La suprématie cocome dura presque deux siècles et demi, jusqu'à ce que le chef d'Uxmal, Ah Xupán Xiú, fomente une rébellion des cités-États oppressées et renverse l'hégémonie cocome. Mayapán fut alors complètement détruite.

Cependant la victoire de Xiú n'apporta pas la paix au Yucatán. La dynastie cocome se rétablit et les fréquent affrontements ne cessèrent qu'en 1542, année de la fondation de Mérida par Francisco de Montejo le Jeune. Le chef du peuple xiú, Ah Kukum Xiú, mit ses troupes sous le contrôle de Montejo en échange d'une alliance militaire contre les Cocomes. Ces derniers furent vaincus et les chefs xiús comprirent – trop tard – qu'ils avaient signé l'arrêt de mort de l'indépendance maya.

Ruines

Il faut acquitter un droit d'entrée de 1,50 $US à la cabane du gardien, à 100 m de la route. Le site ouvre tous les jours de 8h à 17h. La jungle a repris possession de nombreux édifices, mais on peut visiter plusieurs cenotes (dont Itzmal Chem, un des principaux sanctuaires mayas) et discerner les vastes tas de pierres qui furent le Temple de Kukulcán et le Caracol circulaire. Les ruines sont nettement moins impressionnantes que celles d'autres sites mais le calme et l'isolement de Mayapán, conviennent parfaitement à la tristesse de son passé historique.

RUINAS DE MAYAPÁN A MÉRIDA

Telchaquillo est situé à environ 2 km au nord des Ruinas de Mayapán. A côté de la grand-place du village, un vaste cenote, sert toujours de réservoir pendant les mois de sécheresse

Onze kilomètres séparent Telchaquillo de **Tecoh**, au nord, où une église et un Palacio Municipal, bien tenu, s'élèvent de part et d'autre d'une pelouse de football. Il n'y a que 35 km de Tecoh à Mérida mais il faut prévoir un court arrêt à Acanceh.

La route pénètre dans **Acanceh,** puis se dirige vers la grand-place, flanquée d'un parc ombragé et d'une église. A gauche de l'église se trouve une pyramide partiellement restaurée (entrée : 1,50 $US) et, à droite, les loncherías du marché où prendre un en-cas. Dans le parc, vous remarquerez la statue du cerf souriant. Le nom d'Acanceh signifie bassin du cerf.

Vers le nord-ouest, se succèdent Petectunich, Tepich, San Antonio et Kanasin, puis le periférico de Mérida.

HACIENDA TEYA

La *casa principal* de l'hacienda San Ildefonso Teya (☎ 99-28-50-00 ; fax 99-28-18-89), à 13 km à l'est de Mérida sur la route de Chichén Itzá, fut construite en 1683 et possède sa propre chapelle. Plus de trois siècles se sont écoulés, mais la somptueuse demeure et ses jardins luxuriants sont plus resplendissants que jamais.

L'élégante Casa de Máquinas (maison des machines), face à la maison principale, a été bâtie en 1905 pour abriter la haute technologie de l'époque.

Aujourd'hui, le rez-de-chaussée de l'hacienda Teya acueille l'élégant *Restaurant La Cava* qui prépare de la cuisine du Yucatán, tous les jours de 12h à 18h. Sa spécialité est un assortiment de mets de la péninsule, servi sur une grande assiette en pierre (10 $US).

A l'étage, quelques chambres d'époque rénovées et climatisées, dotées de baignoire à remous et de minibar, se louent de 50 à 60 $US en double.

Également belle et ancienne, l'hacienda Katanchel, près de San Bernardino sur la route Mérida-Chichén Itzá, est en cours de restauration et devrait pouvoir vous accueillir lors de votre passage.

IZAMAL

• *Hab.: 40 000*

Izamal était un centre religieux consacré au dieu suprême des Mayas, Itzamná et au dieu du soleil, Kinich Kakmó. Une douzaine de temples-pyramides leur étaient dédiés, ainsi qu'à d'autres divinités. C'est sans doute cette forte religiosité maya qui poussa les colons espagnols à choisir cette ville pour y construire un énorme monastère franciscain.

Aujourd'hui, Izamal est une petite ville provinciale tranquille, à l'ambiance un peu surannée. Ses deux places principales sont entourées d'imposantes arcades et dominées par le gigantesque bloc du Convento de San Antonio de Padua. Cette *Ciudad Amarilla* (ville jaune), ainsi qu'on la nomme, possède quelques petits hôtels et restaurants bon marché.

Convento de San Antonio de Padua

Lorsque les Espagnols conquirent Izamal, ils détruisirent le principal temple maya, la pyramide Popul-Chac et, en 1533, avec les pierres du temple, entreprirent l'édification de l'un des premiers monastères de l'hémisphère ouest, pour l'achever en 1561. La principale église du monastère, le Santuario de la Virgen de Izamal, est accessible par une rampe qui part de la grand-place. Traversez ensuite une galerie à arcades pour pénétrer dans l'atrium, où la fête de la Vierge d'Izamal est célébrée chaque année, le 15 août.

L'entrée de l'église est gratuite. Visitez-la de préférence le matin car elle peut être fermée à l'heure de la sieste. Le monastère et l'église ont été restaurés et embellis pour la visite du pape Jean-Paul II en août 1993.

En vous promenant dans la ville, vous découvrirez ce qui reste des onze autres pyramides mayas. La plus grande est le temple de Kinich Kakmó.

Comment s'y rendre

Chaque jour, 20 bus Oriente circulent entre Mérida et Izamal (72 km, 1 heure 30, 1 $US) depuis leur terminal de Mérida, Calle 50, entre les Calles 65 et 67 ; des bus partent également de Valladolid (155 km, 2 heures, 3 $US). En venant de Chichén Itzá, vous devrez changer de bus à Hóctun. Si vous arrivez de l'est en voiture, tournez vers le nord à Kantunil.

Le dimanche à 8h, un train spécial part de la gare de Mérida pour une excursion d'une journée à Izamal ; il arrive à 9h50. Cette excursion comprend une visite de la ville (en espagnol), un déjeuner et un spectacle folklorique. Le train de retour part à 15h et parvient à Mérida à 17h.

Une excursion en minibus quitte le Parque de Santa Lucia de Mérida tous les mardi, jeudi et samedi à 9h (retour vers 17h).

La plupart des agences de voyages se chargent des réservations. Vous pouvez également contacter Cultur (☎ à Mérida 99-24-96-77).

CHICHÉN ITZÁ

• *☎ 985*

Site maya le plus célèbre et le mieux restauré de la péninsule du Yucatán, Chichén Itzá impressionnera les plus blasés. Le déchiffrage de ses "temples du temps" a permis d'élucider nombre de mystères du calendrier astronomique maya. Essayez de passer la nuit à proximité du site afin de le visiter tôt le matin ou en fin d'après-midi.

Si vous avez la chance de vous rendre à Chichén Itzá pendant l'équinoxe de printemps (20-21 mars) ou d'automne (21-22 septembre), vous pourrez voir le serpent d'ombre et de lumière qui monte ou descend l'un des côtés de l'escalier d'El Castillo. Cette illusion est presque aussi parfaite la semaine qui précède et celle qui suit les équinoxes.

Histoire

Chichén Itzá (la Gueule du Puits des Itzás) connut deux périodes de grandeur, entre lesquelles la ville fut abandonnée. La plupart des archéologues s'accordent pour reconnaître que la première population de Chichén Itzá, pendant la période classique tardive, était purement maya. Vers le IXe siècle, la ville fut pratiquement délaissée, pour des raisons inconnues.

Repeuplée vers la fin du Xe siècle, Chichén semble avoir été envahie peu après par les Toltèques descendus de leur capitale, Tula, sise dans les plateaux du centre, au nord de Mexico.

Les Toltèques mêlèrent leur culture à celle des Mayas et introduisirent le culte de Quetzalcóatl, Kukulcán en maya (pour plus de détails, voir *Les Toltèques* à la rubrique *Histoire* du chapitre *Présentation du pays*). Ainsi, des représentations de Chac, le dieu de la Pluie maya, et de Quetzalcóatl, le Serpent à Pumes, se côtoient dans toute la ville.

La fusion du style architectural puuc avec celui des plateaux du centre du Mexique confère à Chichén Itzá sa spécificité au sein des ruines du Yucatán. Le fabuleux Castillo, le temple des Panneaux et la plate-forme de Venus sont autant d'ouvrages marquants, édifiés sous la domination de la culture toltèque. Lorsqu'un chef maya décida de transporter la capitale politique à Mayapán, tout en conservant à Chichén Itzá sa fonction de centre religieux, cette dernière commença à décliner. Nul ne sait pourquoi elle fut abandonnée au XIVe siècle, mais la ville, autrefois grandiose, demeura de longues années encore un but de pèlerinage maya.

Orientation

La plupart des hôtels, restaurants et services de Chichén Itzá sont alignés sur la route, au niveau du village de Piste, à l'ouest des ruines. Environ 1,5 km sépare l'entrée occidentale des ruines du premier hôtel de Piste (Pirámide Inn). Les bus s'arrêtent en général sur la place triangulaire du village, ombragée par un arbre énorme, à 2,5 km des ruines. Le trajet à pied depuis/vers les ruines demande de 20 à 30 minutes.

L'entrée orientale du site (vers Cancún) se trouve à 1 km de la route. En chemin, vous longerez les luxueux hôtels Villa Arqueológica, Hacienda Chichén et Mayaland.

La petite piste d'atterrissage de Chichén se situe au nord des ruines et du côté nord de la route, à 3 km de la grand-place de Piste.

Renseignements

Vous pourrez changer de l'argent à l'Unidad des Servicios, à l'entrée ouest des ruines, ou à votre hôtel. Plusieurs casetas de téléphone sont installées à Piste.

Zona arqueológica

Chichén Itzá ouvre tous les jours de 8h à 17h ; le passage intérieur d'El Castillo n'est accessible que de 11h à 13h et de 16h à 17h. L'entrée du site coûte 5 $US, plus 10 $US pour un caméscope et 5 $US pour un trépied d'appareil photo. L'accès est gratuit pour les enfants de moins de 12 ans et le dimanche. Les notices explicatives sont rédigés en espagnol, français et anglais.

L'entrée principale se trouve à l'ouest, ainsi qu'un vaste parking (0,75 $US) et un grand bâtiment d'accueil moderne, l'Unidad de Servicios, ouvert de 8h à 22h. L'Unidad abrite un musée, petit mais intéressant (ouvert de 8h à 17h).

A côté du musée, l'Auditorio Chilam Balam projette des spectacles audiovisuels sur Chichén, à 12h et 16h. Dans l'espace

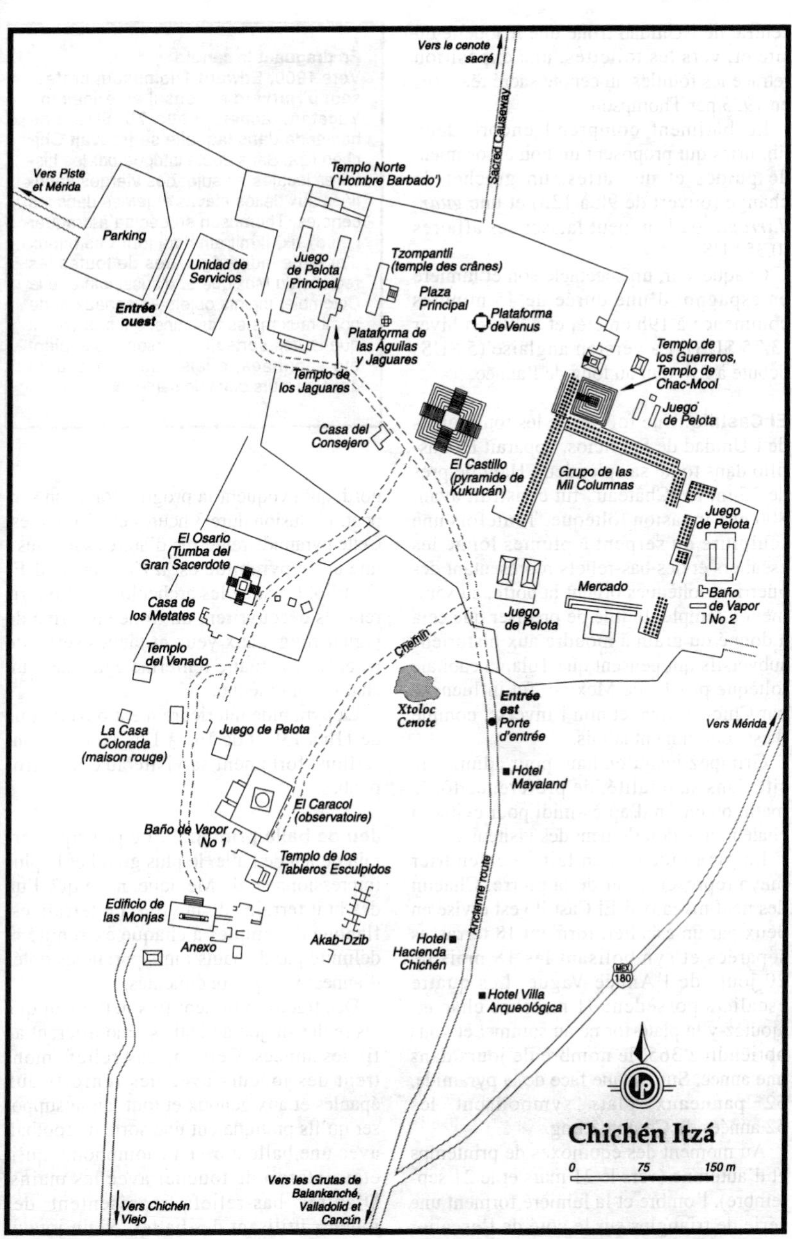
Vers le cenote sacré
Sacred Causeway
Vers Piste et Mérida
Templo Norte ('Hombre Barbado')
Parking
Unidad de Servicios
Entrée ouest
Juego de Pelota Principal
Tzompantli (temple des crânes)
Plaza Principal
Plataforma de Venus
Plataforma de las Águilas y Jaguares
Templo de los Jaguares
Templo de los Guerreros, Templo de Chac-Mool
Juego de Pelota
Casa del Consejero
El Castillo (pyramide de Kukulcán)
Grupo de las Mil Columnas
Juego de Pelota
El Osario (Tumba del Gran Sacerdote
Casa de los Metates
Mercado
Juego de Pelota
Baño de Vapor No 2
Templo del Venado
Chemin
Xtoloc Cenote
Entrée est
Porte d'entrée
Vers Mérida
La Casa Colorada (maison rouge)
Juego de Pelota
Hotel Mayaland
El Caracol (observatoire)
Baño de Vapor No 1
Templo de los Tableros Esculpidos
Ancienne route
Edificio de las Monjas
Anexo
Akab-Dzib
Hotel Hacienda Chichén
MEX 180
Hotel Villa Arqueológica
Chichén Itzá
0 75 150 m
Vers les Grutas de Balankanché, Valladolid et Cancún
Vers Chichén Viejo

central de l'Unidad trône une maquette du site et, vers les toilettes, une exposition retrace les fouilles du cenote sacré réalisées en 1923 par Thompson.

Le bâtiment comprend encore deux librairies qui proposent un bon assortiment de guides et de cartes, un guichet de change (ouvert de 9h à 13h) et une *guardarropa*, où l'on peut laisser ses affaires (0,35 $US).

Chaque soir, un spectacle son et lumière en espagnol d'une durée de 45 minutes commence à 19h en été, et à 20h en hiver (3,75 $US). La version anglaise (5 $US) débute à 21h tout au long de l'année.

En draguant le cenote
Vers 1900, Edward Thompson, professeur d'Harvard et consul américain du Yucatán, acheta pour 75 $US une hacienda dans laquelle se trouvait Chichén Itzá. Sans doute intrigué par les histoires locales au sujet des vierges sacrifiées aux déités mayas et jetées dans les cenotes, Thompson se décida à draguer l'un d'eux. Il mit ainsi au jour des bijoux d'or et de jade originaires de toutes les régions du Mexique et d'aussi loin que la Colombie, maints objets artisanaux et de nombreux restes humains, qui prouvèrent que toutes sortes de personnes avaient été sacrifiées, quels que soient leurs âges ou leurs états de santé. ■

El Castillo. Une fois passé les tourniquets de l'Unidad de Servicios, apparaît El Castillo dans toute sa splendeur. Haut de près de 25 m, le "Château" fut construit avant 800 et l'invasion toltèque. Toutefois une sculpture du serpent à plumes longe les escaliers et des bas-reliefs représentant des guerriers toltèques ornent la porte, au sommet du temple. Inutile de préciser que cela a donné du grain à moudre aux historiens subversifs qui pensent que Tula, la capitale toltèque proche de Mexico, fut influencée par Chichén Itzá, et non l'inverse, comme il est couramment admis.

Grimpez jusqu'en haut pour admirer le site dans sa totalité, de préférence tôt le matin ou en fin d'après-midi pour éviter la chaleur et le déferlement des visiteurs.

La pyramide est, en fait, le calendrier maya représenté sur de la pierre. Chacun des neuf niveaux d'El Castillo est divisé en deux par un escalier, formant 18 terrasses séparées et symbolisant les 18 mois de 20 jours de l'Année Vague. Les quatre escaliers possèdent 91 marches chacun, ajoutez-y la plate-forme au sommet et vous obtiendrez 365, le nombre de jours dans une année. Sur chaque face de la pyramide, 52 panneaux plats symbolisent les 52 années du Compte Long.

Au moment des équinoxes de printemps et d'automne (vers le 21 mars et le 21 septembre), l'ombre et la lumière forment une série de triangles sur le côté de l'escalier nord, qui évoquent la progression d'un serpent. L'illusion dure 3 heures et 22 minutes. Cette pyramide renferme d'autres surprises : une autre pyramide est *à l'intérieur* d'El Castillo. Lorsque les archéologues l'ouvrirent, ils découvrirent un trône en forme de jaguar rouge, aux yeux et taches sertis de jade. Le sanctuaire renferme également un chac-mool toltèque.

La pyramide intérieure n'est ouverte que de 11h à 13h et de 16h à 17h. Nous déconseillons fortement sa visite aux claustrophobes.

Jeu de balle principal . Le principal terrain de jeu de balle, le plus grand et le plus impressionnant du Mexique, n'est que l'un des huit terrains de la ville. Le terrain est flanqué de temples à chaque extrémité et délimité par de hauts murs parallèles dotés d'anneaux de pierre cimentés.

Des traces indiquent très nettement que les règles du jeu de balle se modifièrent au fil des années. Certains bas-reliefs montrent des joueurs avec des renforts aux épaules et aux genoux et tout laisse supposer qu'ils pratiquaient une sorte de football avec une balle dure en caoutchouc, qu'il était interdit de toucher avec les mains. D'autres bas-reliefs représentent des joueurs utilisant des battes. Si un joueur parvenait, semble-t-il, à lancer sa balle dans l'un des anneaux de pierre, son équipe avait gagné. Il se peut qu'au cours de la période toltèque, on ait sacrifié le capitaine de l'équipe perdante et, éventuellement, ses coéquipiers. Sur les murs du jeu de balle, de superbes bas-reliefs représentent des scènes de décapitation de joueurs. L'acoustique du terrain est étonnante : une conversation peut s'entendre d'un bout à l'autre du terrain, soit à 135 m.

Temple du Barbu et temple des Jaguars. L'édifice au nord du jeu de balle, appelé Templo del Barbudo d'après un bas-relief interne, est doté de piliers finement sculptés de fleurs, d'oiseaux et d'arbres. Le Templo de los Jaguares, au sud-est, arbore des colonnes décorées de sculptures de serpents à sonnettes et des tablettes ornées de jaguars. A l'intérieur, figure des fragments d'une fresque représentant une bataille.

Tzompantli. Le Tzompantli est un terme toltèque signifiant temple des Crânes. On ne peut pas manquer sa plate-forme en "T" festonnée de crânes sculptés et d'aigles déchirant des poitrines humaines pour en dévorer le cœur. C'est sur cette plate-forme que l'on déposait les têtes des victimes des sacrifices.

Plate-forme des Jaguars et des Aigles. A côté du temple des Crânes, les sculptures de cette plate-forme montrent des jaguars et des aigles tenant des cœurs humains entre leurs griffes. Cette plate-forme faisait probablement partie d'un temple consacré aux légions militaires, responsables de la capture de victimes pour les sacrifices.

Plate-forme de Vénus. Les Toltèques symbolisent la planète Vénus, non par une femme d'une grande beauté, mais par un serpent à plumes tenant une tête humaine dans la gueule. Vous en découvrirez de nombreux exemples sur la Plataforma de Venus, au nord d'El Castillo.

Cenote sacré. Une piste de 300 m se dirige vers le nord (5 minutes à pied) jusqu'à l'énorme puits auquel la ville doit son nom. Le Cenote sacré est un impressionnant puits naturel de 60 m de diamètre et 35 m de profondeur. Le cenote voisine avec les ruines d'un petit bain de vapeur et une buvette moderne pourvue de toilettes.

Groupe des Mille Colonnes. Ce groupe comprend le temple des Guerriers (Templo de los Guerreros), le temple de Chac-Mool (Templo de Chac-Mool) et le bain de vapeur (Baño al Vapor). Il doit son nom collectif, Grupo de las Mil Columnas, aux multiples piliers qui ornent les façades.

Le temple à plate-forme vous accueille avec une statue du dieu couché, Chac, et des déités animales en stuc et en pierre. Le toit du temple, autrefois soutenu par des piliers décorés de serpents entrelacés, s'est effondré depuis longtemps. Une restauration menée en 1926 révéla un temple de Chac-Mool à l'intérieur du temple des Guerriers. On y accède par un escalier du côté nord. Les murs sont ornés de fresques (très abîmées) représentant, semble-t-il, la défaite des Mayas face aux Toltèques. A l'est du temple des Guerriers, s'étendent les ruines d'un bain de vapeur maya, utilisé pour la purification rituelle, avec son four souterrain et ses canalisations.

Bas-relief d'un jaguar mangeant un cœur humain, plate-forme des Jaguars et des Aigles

Ossuaire. Construction pyramidale très abîmée, El Osario est aussi appelé maison des Ossements ou tombe du Grand Prêtre. Comme pour la plupart des bâtiments de la partie sud du site archéologique, l'architecture semble plutôt puuc que toltèque.

La Casa Colorada. Baptisé ainsi (Maison rouge) par les Espagnols lorsqu'ils virent la peinture rouge de la fresque très abîmée qui orne son entrée, ce bâtiment porte peu de marques de l'influence toltèque. Son dessin est d'un style maya puuc très pur. Les Mayas l'appelaient Chichán-Chob, ou maison des Petits Trous, en raison du treillis de pierre qui borde la façade du toit.

El Caracol. Appelé El Caracol (L'Escargot) par les Espagnols en raison de son escalier intérieur en spirale, l'observatoire est l'un des édifices les plus fascinants et les plus remarquables du site. Son plan circulaire rappelle certains édifices des hauts plateaux du centre du Mexique mais, curieusement, nullement ceux de la Tula toltèque. La position des fenêtres de la coupole de l'observatoire correspond à l'apparition de certaines étoiles à des dates spécifiques. Les prêtres déterminaient ainsi la date appropriée pour les rituels, les célébrations, les semailles et récoltes de maïs.

L'édifice des Nonnes et l'Annexe. Les archéologues pensent que l'Edificio de las Monjas, avec ses nombreuses chambres, était un palais destiné à la royauté maya. Les conquistadores le comparèrent à un couvent, d'où son nom. Ses dimensions sont imposantes ; sa base mesure 60 m de long, 3 m de large et 20 m de haut. Le style architectural est plutôt maya que toltèque, malgré la présence d'une pierre sacrificielle toltèque devant l'édifice. El Anexo est un petit bâtiment accolé à la face ouest. Ces édifices sont de style puuc chen et, tout particulièrement, la mâchoire inférieure du masque de Chac, à l'entrée de l'annexe.

Akab-Dzib. Sur le sentier accidenté à l'est de l'édifice des Nonnes, l'Akab-Dzib est, selon certains archéologues, la plus ancienne structure mise au jour. Les salles centrales datent du IIe siècle.

Akab-Dzib signifie Écriture obscure en maya et évoque la porte sud de l'annexe, dont le linteau montre un prêtre tenant un vase sur lequel sont gravés des hiéroglyphes. Leur signification n'a jamais été trouvée, d'où le nom.

Vous remarquerez les empreintes de doigts rouges au plafond, qui symboliseraient Itzamná, le dieu du soleil auprès duquel les Mayas recherchaient la sagesse.

Chichén Viejo. Chichén Viejo (Vieux Chichén) comprend des ruines non restaurées pour la plupart, disséminées et enfouies sous les broussailles au sud de l'édifice des Nonnes. Bien que les sentiers mènent aux bâtiments les plus importants, il est conseillé de les visiter avec un guide.

Grutas de Balankanché

En 1959, lors de l'exploration d'une grotte, un guide des ruines de Chichén cassa l'un des murs de la caverne et tomba sur une plus grande ouverture souterraine. Une exploration archéologique révéla un sentier de quelque 300 mètres parsemé de stalactites et stalagmites sculptées, aboutissant à un bassin souterrain.

Les Grutas de Balankanché se cachent à 6 km à l'est des ruines de Chichén Itzá et à 2 km à l'est de l'Hotel Dolores Alba sur la route de Cancún. Des bus 2e classe, allant de Piste à Valladolid et Cancún vers l'est, vous déposeront à la route de Balankanché. L'entrée des grottes se trouve à 350 m au nord de la route.

Près des grottes, un joli jardin botanique abrite de nombreuses espèces du Yucatán, dont une grande variété de cactées. Le bâtiment d'accueil recèle un petit musée, une boutique de souvenirs et de boissons fraîches, ainsi qu'une billetterie. Prévoyez une heure pour la visite guidée obligatoire et le spectacle Son et Lumière. Ce spectacle de 40 minutes (minimum 6 personnes, maximum 30) a lieu chaque heure de 9h à 16h (à 10h en français). Les billets sont en

LA PÉNINSULE DU YUCATÁN

vente tous les jours de 9h à 16h (entrée : 5 $US, 2,50 $US le dimanche).

Où se loger

La plupart des hôtels de Chichén se situent dans les catégories moyenne et supérieure. Quel que soit le prix que vous êtes disposé à payer, n'hésitez pas à marchander hors saison (mai-juin et septembre-octobre).

Où se loger – petits budgets

Camping. Le *Pirámide Inn* (voir plus bas) dispose d'un terrain de camping. Pour 4 $US par personne, vous pouvez planter votre tente, profiter de la piscine de l'hôtel et regarder la TV satellite dans le hall. Les douches chaudes et les toilettes sont propres. Pour un camping-car, vous paierez 12 $US pour deux personnes, tous raccordements inclus.

Hôtels. La *Posada Olalde*, à deux pâtés de maisons au sud de la route principale près d'Artesanías Guayacan, est la meilleure des petites pensions de Piste. Propre, calme et attrayante, quoique légèrement plus chère que les autres, elle offre des doubles/triples à 19/28 $US.

A Piste, de l'autre côté de la route, la *Posada Chac-Mool*, à l'est de l'Hotel Misión Chichén, demande 12 $US pour une double avec douche et ventilateur. La *Posada Novelo*, à l'ouest du Pirámide Inn, pratique les mêmes tarifs pour des chambres tout aussi rudimentaires, mais vous pourrez utiliser la piscine du Pirámide Inn.

L'*Hotel Posada Maya*, à une dizaine de mètres au nord de la route (suivez le panneau), dispose de doubles avec douche et ventilateur à 12 $US, mais il ne vous en coûtera que 4 $US pour suspendre votre hamac. L'endroit est un peu plus tranquille, mais assez terne. La *Posada Poxil*, à l'extrémité ouest de la ville, propose des chambres calmes et relativement propres à des prix similaires.

Où se loger – catégorie moyenne

L'*Hotel Dolores Alba* (☎ à Mérida 99 21-37-45), au km 122 de la 180, est situé à un peu plus de 3 km à l'est de l'entrée orientale des ruines et à 2 km à l'ouest de la route de Balankanché (demandez au conducteur du bus de vous y arrêter). Il possède plus d'une douzaine de chambres entourant une petite piscine, à 22/25/28 $US en simple/double/triple, avec douche et clim. La salle à manger sert de bons repas (petit déjeuner de 3 à 4 $US, dîner à 10 $US), une chance car il n'y a pas de restaurant dans les environs. L'hôtel assure le transport jusqu'aux ruines, mais vous devrez revenir par vos propres moyens (taxi, bus ou marche).

Le *Stardust Inn*, voisin du Pirámide Inn à Piste, se situe à moins de 2 km à l'ouest des ruines. C'est un bel endroit avec deux étages de chambres entourant une piscine et un restaurant ombragés de palmiers. Une simple/double avec clim. et TV vous reviendra à 38 $US.

Le *Pirámide Inn* (☎/fax 1-01-14) existe depuis de nombreuses années. Son jardin est arrivé à maturité et sa piscine est une bénédiction les jours de canicule. Les chambres, toutes climatisées, ne se ressemblent pas ; certaines sont anciennes, d'autres plus récentes (demandez à visiter avant de décider). Comptez 25/30/40/50 $US. Vous êtes ici au plus près de l'entrée ouest de la zone archéologique.

Où se loger – catégorie supérieure

Tous les hôtels de cette catégorie possèdent de belles piscines, des restaurants, des bars, des jardins tropicaux bien entretenus, des chambres confortables et un va-et-vient incessant de touristes.

A 200 m à peine de l'entrée est de la zone archéologique, l'*Hotel Mayaland* (☎ 99-25-21-22 à Mérida ; fax 99-25-70-22), est le plus ancien (1923) et le plus charmant de Chichén. Depuis le hall, la vue d'El Caracol s'encadrant dans le portail principal est digne d'une carte postale. Prévoyez 88/100 $US en simple/double.

A quelques centaines de mètres au-delà des ruines, sur la même route, l'*Hotel Hacienda Chichén*, (☎ à Mérida 99-24-21-50 ; fax 99-24-50-11) abritait les archéologues menant les fouilles. Dans le jardin, de nouveaux bungalows ont été construits et les anciens rénovés. Les chambres, avec ventilateur, clim. et s.d.b., se louent 60 $US en simple ou double et 70 $US en triple. La salle à manger sert des repas simples à prix modérés.

L'*Hotel Villa Arqueológica* (☎ 6-28-30 ; Apdo Postal 495, Mérida) est situé à quelques centaines de mètres à l'est du Mayaland et de l'Hacienda Chichén. Géré par le Club Med, il dispose d'un bon restaurant, de courts de tennis, d'une piscine et de chambres assez petites, mais confortables et climatisées, à 55/6075 $US.

A l'ouest de Chichén, dans le village de Piste, l'*Hotel Misión Chichén* (☎ 1-00-22 ; fax 1-00-23) offre plus de confort que de charme. Si la piscine est agréable, son vaste restaurant est souvent pris d'assaut par des groupes. Une chambre climatisée revient à 75 $US, en simple ou double.

Où se restaurer

A l'entrée ouest de la zone archéologique, la cafétéria de l'*Unidad de Servicios* sert une nourriture médiocre à prix élevés dans un environnement agréable.

La route qui travers Piste est bordée d'une bonne vingtaine de restaurants. Les plus économiques sont les banales échoppes du marché qui bordent la place principale, en face de l'immense arbre.

Parmi les moins onéreux, *Los Pájaros* et la *Cocina Económica Chichén Itzá* proposent sandwiches, omelettes, enchiladas et quesadillas pour environ 2,50 $US. Le *Restaurant Sayil*, en face de l'Hotel Misión Chichén, offre un bon rapport qualité/prix (bistec, cochinita ou pollo pibil à 2 $US). Le *Restaurant Parador* est, lui aussi, tout simple avec ses bancs et tables en bois.

Les prix grimpent dans les restaurants plus vastes et plus agréables, tels le *Pueblo Maya*, le *Carrousel* et la *Fiesta*. Le *Restaurant Ruinas* prépare de grandes assiettes de fruits (1,50 $US), une salade de thon à la mangue (4 $US), des hamburgers, des sandwiches, du poulet frit et des spaghettis (4 $US environ).

En face de l'Hotel Misión Chichén, le grand *Restaurant Xaybe* sert une cuisine correcte à prix raisonnables (environ 10 $US par personne). Les clients du restaurant ont accès à la piscine. Si vous ne consommez pas, vous pourrez faire un plongeon moyennant 2 $US.

Les hôtels de luxe possèdent tous leur propre restaurant. Celui de la *Villa Arqueológica*, tenu par le Club Med, mitonne une cuisine particulièrement raffinée. Si vous essayez son restaurant franco-mexicano-maya, attendez-vous à débourser environ 15 $US pour une comida corrida de quatre plats, et presque le double à la carte – mais tout est délicieux !

Comment s'y rendre

Avion. Aerocaribe organise des excursions aller-retour dans la journée, de Cancún à Chichén Itzá, à bord de petits avions (99 $US).

Aerocozumel propose le même service de Cozumel à Cancún (109 $US).

Bus. Les bus les plus rapides entre Mérida, Valladolid et Cancún empruntent la Cuota route à péage) et ne s'arrêtent pas à Chichén Itzá.

Autotransportes de Oriente possède un comptoir dans la boutique de souvenirs de l'Unidad de Servicios de Chichén.

La gare routière Oriente se trouve dans un petit bâtiment à l'ouest du Pirámide Inn.

Voici quelques destinations desservies tous les jours depuis Piste :

Cancún – 205 km, de 2 heures à 3 heures 30, de 4,50 à 7 $US, 10 bus
Cobá – 148 km, 2 heures 30, 4 $US, 1 bus
Izamal – 95 km, 2 heures, 3,50 $US, changement de bus à Hóctun
Mérida – 116 km, 2 heures 30, de 2,75 à 3,50 $US, 10 bus ; ceux d'Oriente s'arrêtent aux ruines de Chichén. Un bus spécial excursion Oriente (aller-retour, 6,75 $US) part de Mérida à 8h45 et revient de Chichén Itzá à 15h
Playa del Carmen – 272 km, 4 heures, de 6 à 9 $US, 5 bus
Tulum – 402 km, 6 heures 30, 5 $US, 1 bus
Valladolid – 42 km, de 30 à 45 minutes, 1 $US, 10 bus

Comment circuler

A Chichén Itzá, préparez-vous à marcher sous un soleil de plomb et une chaleur humide, que ce soit de votre hôtel aux ruines (et vice-versa) ou pendant la visite du site. Pour explorer les Grutas de Balankanché, mieux vaut partir le matin, à la fraîche (8 km depuis Piste). Au retour, essayez de faire du stop ou d'attraper un bus.

Vous trouverez quelques taxis à Piste et, parfois, au parking de l'Unidad de Servicios de Chichén Itzá. Il est plus prudent d'en réserver un à l'avance.

VALLADOLID

• Hab.: 80 000 • ☎ 985

Valladolid n'est qu'à 40 km (30 minutes) à l'est de Chichén Itzá et 160 km (environ 2 heures) à l'ouest de Cancún. Peu de touristes s'arrêtent dans cette ville, dépourvue d'attrait exceptionnel. La plupart préfèrent se précipiter vers le prochain site. Valladolid reste ainsi préservée pour ceux qui souhaitent y passer un moment.

Histoire

Le centre de cérémonie maya de Zací se trouvait là bien avant l'arrivée des Espagnols. La première tentative de conquête, menée en 1543 par Francisco de Montejo, neveu de Montejo l'Aîné, échoua devant la farouche résistance des Mayas. Toutefois le fils de Montejo l'Aîné, Montejo le Jeune, réussit à les vaincre et s'empara de la ville. Les Espagnols créèrent alors une nouvelle ville dont le tracé obéissait au plan colonial classique.

Pendant une grande partie de l'époque coloniale, Valladolid, isolée de l'administration royale du fait de son éloignement de Mérida, conserva une relative autonomie. Interdits de pénétrer dans cette ville réservée aux seuls Espagnols, les Mayas se rebellèrent et, au cours de la guerre des Castes en 1847, attaquèrent Valladolid. Assiégés pendant deux mois, ses défenseurs furent finalement écrasés. Beaucoup se réfugièrent à Mérida, tandis que les autres furent massacrés par les troupes mayas.

Orientation et renseignements

L'ancienne route traverse le centre-ville, mais tous les panneaux vous dirigeront vers la route à péage, au nord. Pour aller vers l'est par l'ancienne route, suivez la Calle 41 et, vers l'ouest, la Calle 39 ou 35. La gare routière est située dans la Calle 37 entre les Calles 54 et 56, à 8 rues de la place.

Les hôtels les plus agréables se trouvent sur la place principale, le Parque Francisco Cantón Rosado, et dans ses environs.

La poste se dresse sur le côté est de la place centrale, Calle 40 n°195A. Elle est ouverte en semaine de 8h à 18h et le samedi de 9h à 13h.

Templo de San Bernardino et Convento de Sisal

Valladolid possède quelques jolies églises coloniales mais l'église San Bernardino de Siena et le couvent de Sisal, à 1,5 km au sud-ouest de la place, sont, semble-t-il, les plus anciens édifices chrétiens du Yucatán. Construit en 1552, l'ensemble devait servir à la fois de forteresse et d'église.

Hormis la Vierge de Guadalupe, miraculeuse, sur l'autel, l'église est plutôt dépouillée. Pendant les soulèvements de 1847 et 1910, des Indiens arrachèrent les divers ornements. Pour rejoindre l'église, suivez la Calle 41 sur 1 km vers l'ouest, puis tournez à gauche et marchez encore 500 m jusqu'au couvent.

Cenotes

Ces vastes réservoirs souterrains étaient la source d'eau douce la plus fiable dont disposaient les Mayas. Les Espagnols les utilisèrent également. Le cenote Zací, Calle 36 entre les Calles 39 et 37, est le plus célèbre.

Dans un joli parc abritant le musée de la ville, un amphithéâtre en plein air et des maisons traditionnelles à murs de pierre et toit de chaume, ce cenote est vaste, sombre, impressionnant et couvert d'écume. Il est ouvert tous les jours de 8h à 20h (entrée : 2 $US, demi-tarif pous les enfants).

Plus beau mais plus difficile d'accès, le cenote Dzitnup (Xkakah) se trouve à 7 km à l'ouest de la grand-place de Valladolid. Suivez la route principale vers l'est (Mérida) sur 5 km. Tournez à gauche au panneau indiquant Dzitnup. Empruntez la route jusqu'au site qui se niche à 2 km plus loin, sur la gauche. Depuis la grand-place de Valladolid, un taxi vous prendra 10 $US pour l'aller et retour avec une demi-heure d'attente.

Vous pouvez louer une bicyclette (2 $US de l'heure) à la Refaccionaría de Bicicletas de Paulino Silva, Calle 44, entre les Calles 39 et 41, en face de l'Hotel María Guadalupe. Cherchez le panneau "Alquiler y Venta de Bicicletas". Vérifiez soigneusement votre vélo avant de régler la location. La circulation rend déplaisants les cinq premiers kilomètres. Les deux derniers suivent une route de campagne tranquille. Vous atteindrez le cenote en 20 minutes.

Vous pouvez encore prendre un bus en direction de l'ouest, demander au conducteur de vous laisser descendre à l'entrée de la route de Dzitnup, puis parcourir à pied les deux kilomètres restants (20 minutes). Le Cenote Dzitnup est ouvert tous les jours de 7h à 18h (entrée : 1,50 $US).

Un restaurant et une buvette sont à votre disposition. Apportez un maillot de bain et une serviette si vous voulez vous baigner.

Où se loger – petits budgets

Ébauche de modernité dans cette ville coloniale, l'*Hotel María Guadalupe* (☎ 6-20-68), Calle 44 n°188, entre les Calles 39 et 41, offre des simples/doubles/triples avec douche et ventilateur pour 7/9/13 $US. Bon marché et très rudimentaire, l'*Hotel Lily* (☎ 6-21-63), Calle 44 n°190, propose des doubles avec s.d.b. et ventilateur, de 8 à 12 $US. Conçu comme un motel, l'*Hotel Don Luis* (☎ 6-20-08), Calle 39 n°191, à l'angle de la Calle 38, dispose d'un patio ombragé de palmiers, d'une piscine à l'eau souvent trouble et de chambres acceptables à 8/11/14 $US avec ventilateur, ou 10/13/15 $US avec clim.

Où se loger – catégories moyenne et supérieure

La plupart des meilleurs établissements de Valladolid possèdent une piscine, un restaurant et un parking sûr. Au nord de la place principale, *El Mesón del Marqués* (☎ 6-20-73 ; fax 6-22-80), Calle 39 n°203, le plus agréable, est doté de deux belles cours coloniales et de chambres rénovées avec clim. et ventilateur. Les prix s'échelonnent de 45 à 58 $US en simple et de 50 à 70 $US en double.

Presque aussi bien, l'*Hotel María de la Luz* (☎ 6-20-70 ; fax 6-20-71), Calle 42 près de la Calle 39, se trouve à l'angle nord-ouest de la place. Il abrite un des restaurants les plus fréquentés de la place et de bonnes chambres climatisées de 16 à 20 $US.

Au sud-ouest de la place principale, l'*Hotel San Clemente* (☎ 6-22-08 ; fax 6-35-14), Calle 42 n°206, s'orne d'un décor colonial un peu surchargé. Il compte 64 doubles avec s.d.b. et ventilateur de 16 à 22 $US, ou de 20 à 28 $US avec clim.

Bien tenu, l'*Hotel Zací* (☎ 6-21-67 ; fax 6-25-94), Calle 44 n°191, entre les Calles 37 et 39, possède une longue cour étroite et calme, agrémentée d'une piscine, sur laquelle s'ouvrent des chambres avec ventilateur (15/22/28 $US), ou clim. (18/25/32 $US).

Où se restaurer

Petits budgets. *El Bazar* réunit de petites échoppes de style marché, à l'angle des Calles 39 et 40 (angle nord-est de la place). C'est un excellent endroit pour prendre un petit déjeuner copieux et bon marché. Au déjeuner et au dîner, une comida corrida revient à moins de 4 $US (demandez le prix avant de passer commande). Une douzaine d'échoppes, Doña Mary, El Amigo Panfilo, Sergio's Pizza, La Rancherita, El Amigo Casiano, etc., ouvrent de 6h30 à 14h et de 18h à 21h ou 22h.

Pour un prix à peine plus élevé, vous pouvez dîner aux tables aérées de l'*Hotel María de la Luz*, qui surplombe la place. Le buffet du petit déjeuner revient à 3 $US, tout comme la comida corrida du déjeuner.

La comida est encore moins chère au *Restaurant del Parque*, dont vous goûterez le haut plafond et le style suranné. A l'ouest de la plaza, le *Restaurant-Pizzeria*

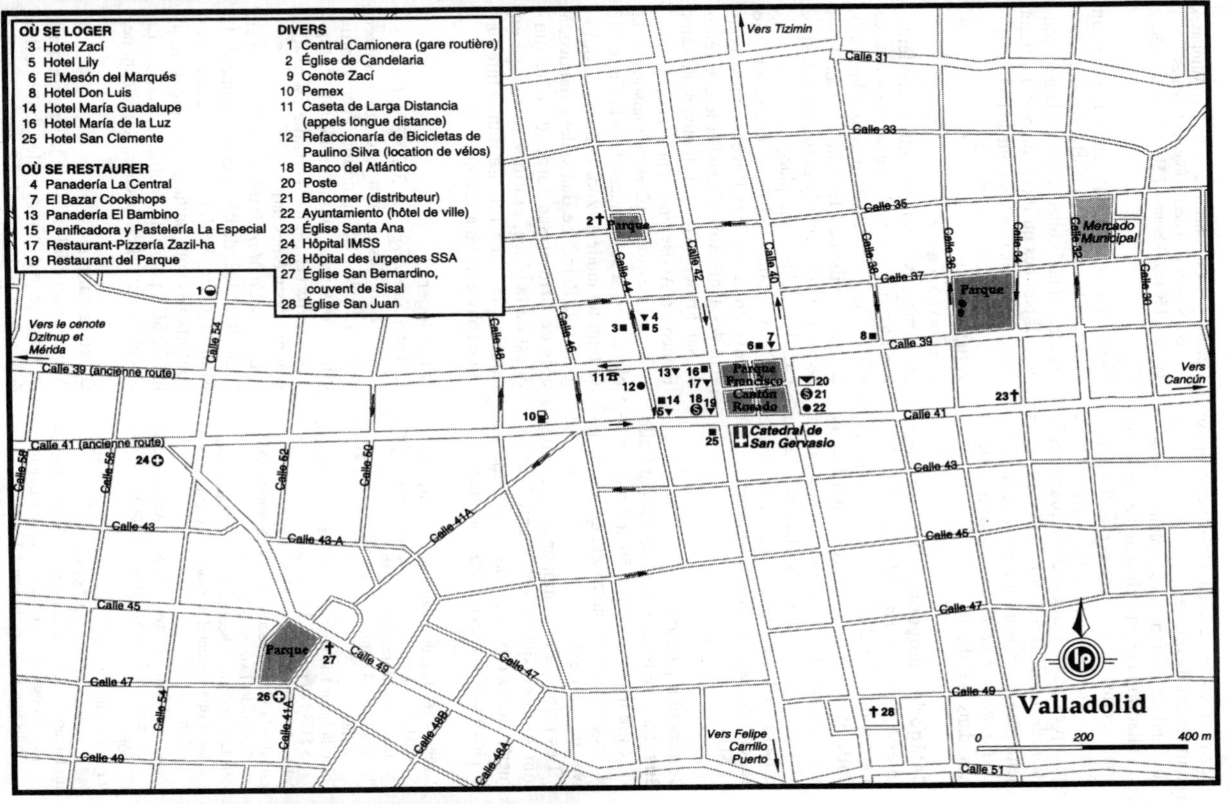

LA PÉNINSULE DU YUCATÁN

Zazil-ha, Calle 42, a été rénové et propose maintenant de bonnes pizzas à petits prix sur fond de musique rock à plein volume.

Valladolid compte plusieurs excellentes boulangeries, notamment la *Panificadora y Pastelería La Especial*, Calle 41, à quelques pas à l'ouest de la place, et la *Panadería El Bambino*, Calle 39, à un demi pâté de maisons à l'ouest de la place. La *Panadería La Central* jouxte l'Hotel Lily, dans la Calle 44.

Catégorie moyenne. La meilleure adresse, l'*Hostería del Marqués*, la salle à manger de l'Hotel El Mesón del Marqués, Calle 39 n°203, se trouve au nord de la place principale. Un gazpacho, suivi d'un filet de porc à la mode Valladolid (sauce tomate) ou d'une côte de porc grillée et une tranche de gâteau vous reviendront de 7 à 11 $US.

Comment s'y rendre

Bus. La gare routière, située dans la Calle 37, entre les Calles 54 et 56, à 8 rues de la place, est dotée d'une caseta de téléphone avec un service de fax.

Les principales compagnies présentes sont Autotransportes de Oriente Mérida-Puerto Juárez (1re et 2e classes) et Expresso de Oriente. Voici les départs quotidiens :

Cancún – 160 km, de 1 heure 30 à 2 heures, de 4 à 8 $US ; 7 bus de paso *local* (qui partent d'ici) toutes les heures de 6h à 21h
Chichén Itzá – 42 km, de 30 à 45 minutes, 1 $US ; 10 bus
Chiquilá (pour Isla Holbox) – 155 km, 2 heures 30, 5 $US ; au moins 1 bus par jour
Cobá – 106 km, 2 heures, 3 $US ; 1 bus à 14h30
Izamal – 115 km, 2 heures, 3 $US ; 5 Autobuses del Centro del Estado de Yucatán
Mérida – 160 km, 3 heures, 5 $US ; 7 bus de paso *local* (qui partent d'ici) toutes les heures de 6h à 21h
Motul – 156 km, 3 heures, 5 $US ; 5 Autobuses del Noreste *via* Dzitas, Tunkas, Izamal et Tixcocob
Playa del Carmen – 213 km, 3 heures 30, 7 $US ; 5 ADO (6 $US) et 4 ATS (5 $US)
Río Lagartos – 103 km, 2 heures, 3,50 $US ; le bus de 10h pour Tizimín continue sur Lagartos. Vous pouvez aussi changer à Tizimin
Tizimín – 51 km, 1 heure, 2 $US ; bus Autobuses del Noreste en Yucatán toutes les heures
Tulum – 156 km, 3 heures, 7 $US ; 1 bus à 14h30

Taxi. Pour aller à Cancún, une solution plus rapide et plus confortable consiste à prendre un taxi collectif devant la gare routière. Il part dès qu'il est complet. Le trajet coûte deux fois plus cher que le bus.

TIZIMÍN

• *Hab.: 65 000* • ☎ *986*

De nombreux voyageurs qui se rendent à Río Lagartos prennent une correspondance à Tizimín (Lieu des Nombreux Chevaux), deuxième ville de l'État du Yucatán. Rien ne justifie vraiment d'y passer la nuit, si ce n'est l'agréable grand-place.

Deux grands édifices coloniaux, le Convento de los Tres Reyes Magos (couvent des Trois Rois Mages) et le Convento de San Francisco de Asis (couvent de saint François d'Assise) méritent le coup d'œil.

A cinq très longs pâtés de maisons de la place, vers le nord-ouest dans la Calle 51, se tient un modeste zoo, le Parque Zoológico de la Reina. Le Banco del Atlántico, à côté de l'Hotel San Jorge, du côté sud-ouest de la place, pratique le change en semaine de 10h à 12h. Le Banco Internacional ouvre de 9h à 13h30.

Où se loger

L'*Hotel San Jorge* (☎ 3-20-37), Calle 53 n°411, loue des chambres correctes avec s.d.b. à 15/20 $US en double avec ventil./clim. Construit comme un motel, l'*Hotel San Carlos* (☎ 3-20-94), Calle 54 n°407, pratique les mêmes tarifs.

La *Posada María Antonia* (☎ 3-23-84), Calle 50 n°408, du côté est du Parque de la Madre, offre également des chambres confortables pour un tarif similaire. Comptez 22 $US pour une double climatisée. La réception fait office de caseta de téléphone.

Où se restaurer

A une rue au nord-ouest de la gare routière, le marché est pourvu des habituelles échoppes à petits prix. La *Panificadora La*

Especial se trouve dans la Calle 55, au bout d'une petite allée piétonne qui part de la place.

Fréquenté par les notables de la ville qui viennent y prendre leur café, le *Restaurant Los Tres Reyes* (☎ 3-21-06), au coin des Calles 52 et 53, ouvre tôt pour le petit déjeuner. Un déjeuner ou un dîner revient de 3 à 5 $US, un prix largement justifié.

Plusieurs petits restaurants sans prétention sont installés en face de la place, tels *Los Portales*, *La Parilla*, *Tortas Económicas La Especial* et la *Cocina Económica Ameli*. Ils sont parfaits pour manger rapidement à bon marché.

Dans une salle confortable et climatisée, la *Pizzeria Cesar's*, au coin des Calles 50 et 53, sert des pizzas et des pâtes (de 2,50 à 5 $US) de 17h30 à 23h.

Comment s'y rendre

Autobuses del Noreste en Yucatán assure des liaisons toutes les heures de Valladolid à Tizimín (51 km, 1 heure, 2 $US). De Cancún et Puerto Juárez, plusieurs bus se rendent à Tizimín (212 km, 3 heures, 4 $US). Chaque jour, plusieurs bus 1re et 2e classes relient Tizimín à Mérida (210 km, 3 heures, 3,75 $US) *via* Valladolid. Pour Río Lagartos, on compte 3 bus 1re classe et 5 bus quotidiens 2e classe qui continuent vers San Felipe.

RÍO LAGARTOS

• *Hab.: 900* • ☎ *986*

Ce petit village de pêcheurs, situé à 103 km au nord de Valladolid et à 52 km au nord de Tizimín, mérite le détour pour sa colonie de flamants roses, la plus spectaculaire du Mexique. Les estuaires abritent également des aigrettes blanches, des aigrettes rouges, des hérons et des ibis immaculés. Bien que le Río Lagartos doive son nom à une population d'alligators autrefois importante, n'espérez pas en voir car la chasse les a pratiquement anéantis.

Malgré ses rues étroites et ses maisons multicolores, la ville de Río Lagartos n'a guère de charme, même si le spectacle des bateaux et de la baie reste agréable. En dehors des flamants roses, rien n'incite à s'arrêter. Bien que le gouvernement de l'État ait fait beaucoup de bruit autour du développement touristique de la région, il ne s'est encore rien passé. Au centre de la ville trônent une petite place triangulaire, un hôtel de ville et le magasin Conasupo.

Flamants roses

Lorsque vous apercevrez des centaines de flamants d'un rose-rouge éclatant embrasant l'horizon, vous oublierez les longues heures de bus et comprendrez pourquoi on les appelle *flamingos*. Ce nom dérivé du mot espagnol "flamenco" signifie "flamboyant". Cependant, dans l'intérêt des oiseaux, dissuadez votre guide de les effrayer pour provoquer leur envol. Être chassés ainsi de leur habitat plusieurs fois par jour ne peut être salutaire à leur bien-être.

En ville, tout le monde vous proposera de vous emmener les admirer en bateau. Marchander est indispensable. Une courte promenade, de 2 ou 3 heures, pour admirer les flamants et se baigner coûte de 20 à 30 $US pour un bateau de 5 places. Un plus long parcours, de 4 à 6 heures, jusqu'au repaire favori des flamants roses revient à 60 $US environ pour le bateau entier, ou 12 $US environ par personne si le bateau est complet.

Où se loger et se restaurer

Le triste *Hotel María Nefertiti*, Calle 14 n°123, est actuellement fermé, faute de clients. Juste derrière, écrasé et assombri par un toit de palapa, le *Restaurant Los Flamingos*, est désert la plupart du temps. En dessous de Los Flamingos et tout au bord de l'eau, le *Restaurant Familiar Isla Contoy* est sans doute un meilleur choix. Le *Restaurant Los Negritos* fait face à un petit parc orné d'une statue de Benito Juárez, à deux rues vers l'intérieur en partant de la place.

Comment s'y rendre

Chaque heure, Autobuses del Noreste en Yucatán relie Valladolid à Tizimín (51 km, 1 heure, 2 $US). Plusieurs bus desservent Río Lagartos (103 km, 2 heures, 4 $US).

Un bus direct effectue quotidiennement la liaison Tizimín-Mérida.

SAN FELIPE

• *Hab.: 400* • ☎ *98*

A 12 km à l'ouest de Río Lagartos, ce minuscule village de pêcheurs, aux maisons de bois peint et aux rues étroites, constitue un agréable but d'excursion. Les eaux ne sont pas turquoise, l'ombre est rare, mais bon nombre de visiteurs viennent y camper au printemps et en été. En dehors du farniente sur la plage, l'observation des oiseaux est la principale attraction.

Où se loger et se restaurer

Le propriétaire de l'épicerie Floresita, près de la jetée, loue une chambre spartiate audessus du Cinema Marrufo. Les campeurs prendront le ferry qui traverse l'estuaire pour atteindre les îles, où ils pourront planter une tente ou suspendre un hamac.

Le nouvel *Hotel San Felipe de Jesús* (☎ 63-37-38), Calle 9 entre les Calles 14 et 16, dispose de chambres assez plaisantes (15 $US) et d'un bon restaurant.

Pour un repas de poisson bon marché, essayez *El Payaso*. Les soupes et les tacos de poulet ou de dinde proposés par les vendeurs de rue sont encore moins chers.

Comment s'y rendre

Certains bus reliant Tizimín à Río Lagartos continuent jusqu'à San Felipe. Le trajet de 12 km dure environ 20 minutes.

Quintana Roo

Au cours des deux précédentes décennies, la côte caribéenne du Mexique, autrefois assoupie, a connu un développement spectaculaire. L'une des régions les plus arriérées et les moins peuplées du pays est en passe de devenir l'exact opposé.

Ses longues plages magnifiques, ses eaux chaudes, ses fonds marins où abondent les coraux et ses îles charmantes en font un lieu exceptionnel.

CANCÚN

• *Hab.: 600 000* • ☎ *98*

Dans les années 70, d'ambitieux planificateurs du tourisme mexicain décidèrent de construire une station balnéaire sur une bande de sable déserte au large du petit village de pêcheurs de Puerto Juárez. La bande de sable avait la forme d'un "7" porte-bonheur et s'appelait Cancún. Là surgit le plus grand aéroport international du Yucatán, en même temps que s'accéléra la construction d'hôpitaux modernes et l'arrivée de médecins, de délégations consulaires, de sociétés de location de voitures et de nombreux prestataires de services.

Des dizaines d'hôtels gigantesques sont alignés sur le rivage de l'île, qui s'étend du continent vers l'est sur 9 km et vers le sud sur 14 km, dans les eaux turquoise de la mer des Caraïbes. Au nord, l'île est reliée au continent par un pont menant à Ciudad Cancún ; au sud, un autre pont dessert une route vers l'arrière-pays et l'aéroport international. L'État mexicain conçut Cancún comme un investissement. Des avions remplis de touristes atterrissent, généralement le week-end, pour passer une ou deux semaines dans un hôtel de la station avant de repartir chez eux, également le week-end.

Orientation

Ciudad Cancún, agglomération planifiée implantée sur le continent, est divisée en *super manzanas* (SM ; super pâtés de maisons), et le numéro de SM est parfois indiqué dans les adresses. Sur la bande de sable de 23 km de long, se dresse la Zona Hotelera, ou Zona Turística, avec ses hôtels, ses restaurants, ses centres d'affaires, ses centres commerciaux, ses terrains de golf et autres équipements.

Plusieurs points de repère vous aideront à vous orienter. A Ciudad Cancún, le principal axe nord-sud s'appelle l'Avenida Tulum. Ce boulevard ombragé est bordé de banques, de centres commerciaux, d'hôtels bruyants, de restaurants et d'agences immobilières.

Depuis Ciudad Cancún, l'artère principale menant à Isla Cancún est le Boulevard

LA PÉNINSULE DU YUCATÁN

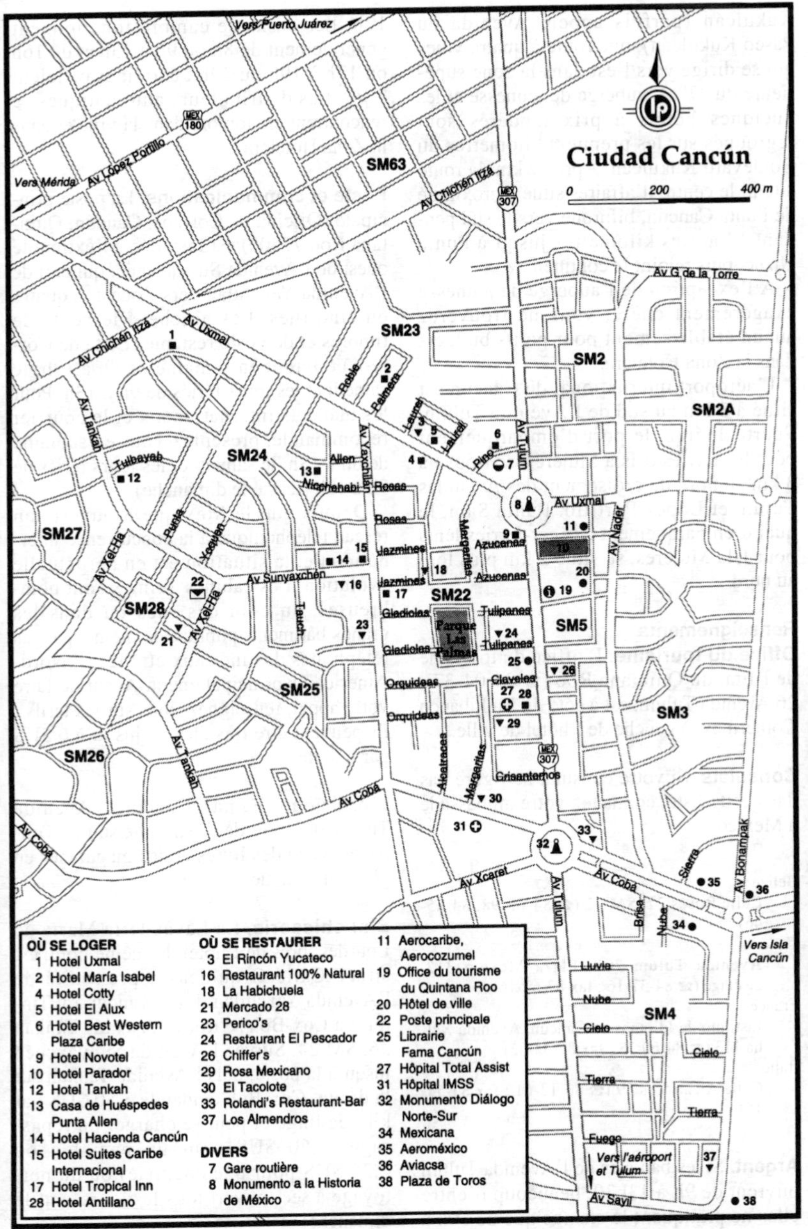
Ciudad Cancún
0
200
400 m
Vers Puerto Juárez
Vers Mérida
Av López Portillo
SM63
Av Chichén Itzá
Av G de la Torre
SM23
SM2
SM2A
Av Uxmal
Roble
Palmera
Laurel
Pino
Av Tulum
Av Nader
SM24
Av Tankah
Tulbayab
Allen
Nicchehabi
Av Yaxchilán
Rosas
SM27
Punta
Xcaret
Av Xel-Ha
Av Sunyaxchén
Jazmines
Margaritas
Azucenas
SM22
Gladiolas
Parque Las Palmas
Tulipanes
SM5
SM28
Tanchi
Claveles
SM25
Orquideas
SM3
SM26
Alcatraces
Crisantemos
Av Cobá
Av Xcaret
Av Bonampak
Sierra
Brisa
Nube
Vers Isla Cancún
Lluvia
Cielo
SM4
Tierra
Fuego
Vers l'aéroport et Tulum
Av Sayil
OÙ SE LOGER
1 Hotel Uxmal
2 Hotel María Isabel
4 Hotel Cotty
5 Hotel El Alux
6 Hotel Best Western Plaza Caribe
9 Hotel Novotel
10 Hotel Parador
12 Hotel Tankah
13 Casa de Huéspedes Punta Allen
14 Hotel Hacienda Cancún
15 Hotel Suites Caribe Internacional
17 Hotel Tropical Inn
28 Hotel Antillano
OÙ SE RESTAURER
3 El Rincón Yucateco
16 Restaurant 100% Natural
18 La Habichuela
21 Mercado 28
23 Perico's
24 Restaurant El Pescador
26 Chiffer's
29 Rosa Mexicano
30 El Tacolote
33 Rolandi's Restaurant-Bar
37 Los Almendros
DIVERS
7 Gare routière
8 Monumento a la Historia de México
11 Aerocaribe, Aerocozumel
19 Office du tourisme du Quintana Roo
20 Hôtel de ville
22 Poste principale
25 Librairie Fama Cancún
27 Hôpital Total Assist
31 Hôpital IMSS
32 Monumento Diálogo Norte-Sur
34 Mexicana
35 Aeroméxico
36 Aviacsa
38 Plaza de Toros

Kukulcán (parfois appelé Avenida ou Paseo Kukulcán), une route à quatre voies qui se dirige vers l'est dans la zone supérieure du "7". L'auberge de jeunesse et les quelques hôtels à prix modérés sont regroupés sur les premiers kilomètres du Boulevard Kukulcán. Après 9 km, la route atteint le centre d'affaires situé à proximité de Punta Cancún, bifurque vers le sud pendant 14 autres kilomètres jusqu'à Punta Nizuc, puis rejoint le continent.

A l'exception de l'auberge de jeunesse exagérément chère, vous ne trouverez aucun établissement pour petits budgets dans la Zona Hotelera.

L'aéroport international de Cancún est situé à 8 km au sud de l'Avenida Tulum. Puerto Juárez, le port d'embarquement pour les ferries d'Isla Mujeres, se trouve à 3 km au nord du croisement des Avenidas Tulum et López Portillo. Punta Sam, le quai d'embarquement des car-ferries lents pour Isla Mujeres, se situe 2 km plus loin au nord.

Renseignements

Office du tourisme. L'office du tourisme de l'État du Quintana Roo (☎ 84-04-37), 26 Avenida Tulum, est à côté du Multibanco Comermex, à gauche de l'hôtel de ville.

Consulats. Si votre consulat ne figure pas dans cette liste, contactez votre ambassade à Mexico.

Belize
: Calle Rosas 22, SM 22 (☎ 84-65-98, 84-85-46)

Canada
: Avenida Tulum 200, Plaza México 312, 2e étage (☎ 84-37-16 ; fax 87-67-16)

France
: Instituto de Idiomas de Cancún, Avenida Xel-ha 113 (☎ 84-60-78 ; fax 87-33-62)

Italie
: Calle Alcatraces 39 (☎ 83-12-61 ; fax 84-54-15)

Argent. Si les banques de l'Avenida Tulum ouvrent de 9h à 13h30, beaucoup d'entre elles ne pratiquent le change que de 10h à 12h. Les casas de cambio fonctionnent généralement de 8h ou 9h à 13h et de 16h ou 17h à 19h ou 20h ; certaines officient 7 j/7. Les distributeurs automatiques se rencontrent en nombre dans la ville et dans la Zona Hotelera.

Poste et communications. La poste principale (Oficina de Correos, Cancún, Quintana Roo 77500) est installée à l'extrémité ouest de l'Avenida Sunyaxchén, qui part de l'Avenida Yaxchilán vers l'ouest, à quatre ou cinq rues. Les guichets de vente de timbres et de poste restante (Lista de Correos) ouvrent en semaine de 8h à 19h, le samedi et les jours fériés de 9h à 13h. Pour les mandats internationaux et le courrier recommandé, présentez-vous en semaine de 8h à 18h, le samedi et les jours fériés de 9h à 12h (fermé le dimanche).

Depuis que le Mexique a ouvert son réseau téléphonique à la concurrence internationale, la situation est en perpétuelle évolution. Les cabines Telmex sont nombreuses, au coin des rues ou dans les grands bâtiments publics, de même que des téléphones destinés aux étrangers, Nord-Américains principalement. Avant de faire votre appel, renseignez-vous sur les tarifs ; ils peuvent être très élevés, jusqu'à 6 $US par minute.

Librairies. Fama Cancún, Avenida Tulum 105, près de l'extrémité sud de Tulipanes, vend des livres et des magazines en plusieurs langues.

Blanchisserie. La Lavandería María de Lourdes, près de l'hôtel du même nom, est située Calle Orquideas à proximité de l'Avenida Yaxchilán. La Lavandería y Tintorería Cox-Boh se trouve Avenida Tankah 26, SM 24. Suivez l'Avenida Sunyaxchén jusqu'à la poste, puis l'Avenida Tankah sur la droite. Cox-Boh demande 3,50 $US par kilo de linge et peut se charger du repassage (3,50 $US pour un pantalon ou 2,25 $US pour une chemise) ou du nettoyage à sec (ouvert tous les jours sauf le dimanche).

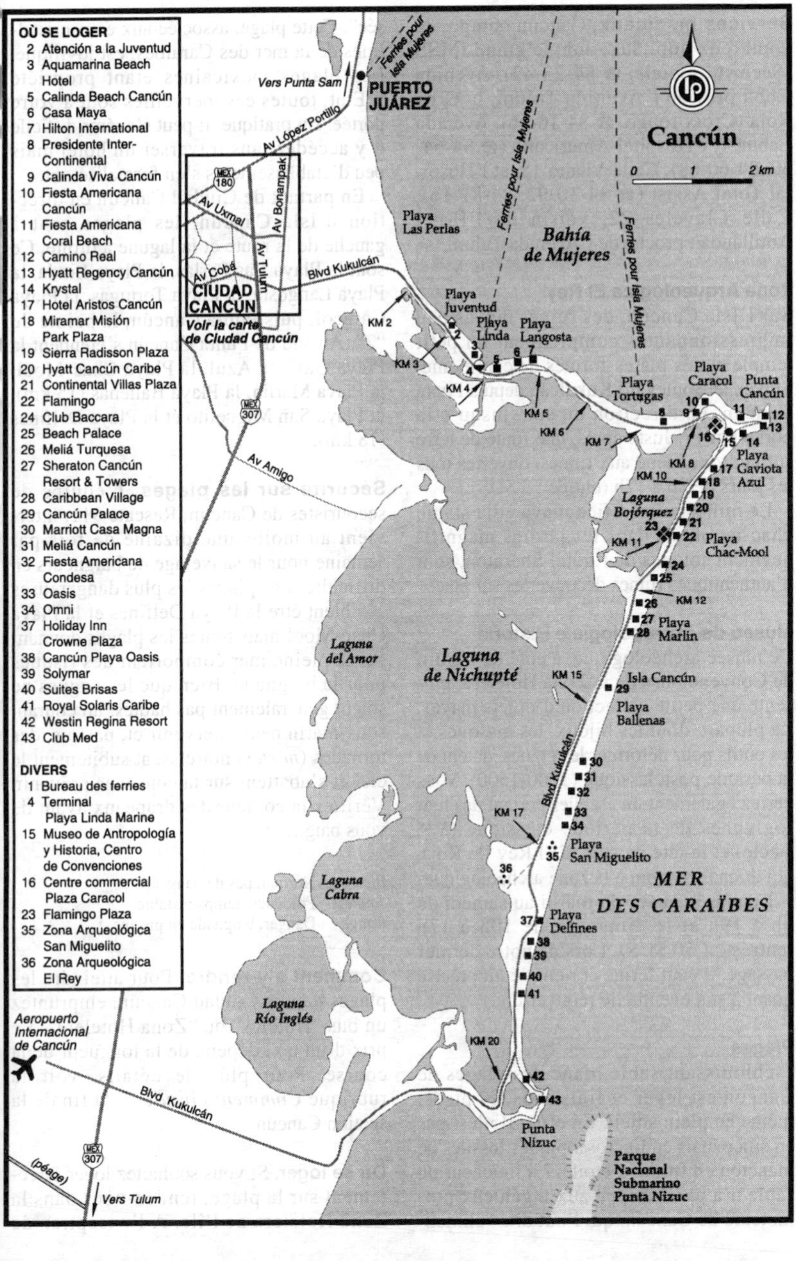

Cancún

0 1 2 km

OÙ SE LOGER

- 2 Atención a la Juventud
- 3 Aquamarina Beach Hotel
- 5 Calinda Beach Cancún
- 6 Casa Maya
- 7 Hilton International
- 8 Presidente Inter-Continental
- 9 Calinda Viva Cancún
- 10 Fiesta Americana Cancún
- 11 Fiesta Americana Coral Beach
- 12 Camino Real
- 13 Hyatt Regency Cancún
- 14 Krystal
- 17 Hotel Aristos Cancún
- 18 Miramar Misión Park Plaza
- 19 Sierra Radisson Plaza
- 20 Hyatt Cancún Caribe
- 21 Continental Villas Plaza
- 22 Flamingo
- 24 Club Baccara
- 25 Beach Palace
- 26 Meliá Turquesa
- 27 Sheraton Cancún Resort & Towers
- 28 Caribbean Village
- 29 Cancún Palace
- 30 Marriott Casa Magna
- 31 Meliá Cancún
- 32 Fiesta Americana Condesa
- 33 Oasis
- 34 Omni
- 37 Holiday Inn Crowne Plaza
- 38 Cancún Playa Oasis
- 39 Solymar
- 40 Suites Brisas
- 41 Royal Solaris Caribe
- 42 Westin Regina Resort
- 43 Club Med

DIVERS

- 1 Bureau des ferries
- 4 Terminal Playa Linda Marine
- 15 Museo de Antropología y Historia, Centro de Convenciones
- 16 Centre commercial Plaza Caracol
- 23 Flamingo Plaza
- 35 Zona Arqueológica San Miguelito
- 36 Zona Arqueológica El Rey

Vers Punta Sam
Ferries pour Isla Mujeres
1 PUERTO JUÁREZ
Av López Portillo
MEX 180
Av Bonampak
Av Uxmal
Av Tulum
Av Cobá
CIUDAD CANCÚN
Voir la carte de Ciudad Cancún
Blvd Kukulcán
MEX 307
Av Amigo
Playa Las Perlas
Playa Juventud
Playa Linda
Playa Langosta
Playa Tortugas
Playa Caracol
Punta Cancún
Playa Gaviota Azul
Playa Chac-Mool
Playa Marlin
Isla Cancún
Playa Ballenas
Playa San Miguelito
Playa Delfines
Punta Nizuc
KM 2
KM 3
KM 4
KM 5
KM 6
KM 7
KM 8
KM 10
KM 11
KM 12
KM 15
KM 17
KM 20
Ferries pour Isla Mujeres
Bahía de Mujeres
Laguna Bojórquez
Laguna del Amor
Laguna de Nichupté
Laguna Cabra
Laguna Río Inglés
MER DES CARAÏBES
Parque Nacional Submarino Punta Nizuc
Aeropuerto Internacional de Cancún
Blvd Kukulcán
(péage)
MEX 307
Vers Tulum

Services médicaux. Cancún compte de nombreux hôpitaux, dont le grand IMSS (Sécurité sociale, ☎ 84-23-42), Avenida Cobá près de l'Avenida Tulum, la Cruz Roja (Croix rouge, ☎ 84-16-16), Avenida Labná 1, l'Hospital Americano (☎ 84-64-30, 84-60-68), Calle Viento 15, et l'Hospital Total Assist (☎ 84-10-92, 84-81-16), Calle Claveles 22, voisin de l'Hotel Antillano et proche de l'Avenida Tulum.

Zona Arqueológica El Rey

Sur l'Isla Cancún, des ruines mayas peu impressionnantes comprennent un petit temple et des plates-formes de cérémonie. Suivez le Boulevard Kukulcán depuis Punta Cancún, en direction du sud, jusqu'à la borne km 17. Juste après, une route de terre sur la droite mène aux ruines, ouvertes tous les jours de 8h à 17h (entrée : 2 $US).

Le minuscule édifice maya et la statue chac-mool, sis dans les jardins magnifiquement soignés de l'hôtel Sheraton, sont d'authentiques ruines découvertes sur place.

Museo de Antropología e Historia

Ce musée archéologique, à côté du Centro de Convenciones de la Zona Hotelera, présente une petite collection d'objets mayas. La plupart, dont les bijoux, les masques et les outils pour déformer les crânes, datent de la période postclassique (1200-1500). Vous verrez également un escalier portant des hiéroglyphes de la période classique (VIe siècle) et la tête de stuc d'El Rey (le Roi), qui donna son nom à la zone archéologique.

Le musée ouvre du mardi au samedi de 9h à 19h et le dimanche de 10h à 17h (entrée : 1,50 $US). Lors de notre dernier passage, il était fermé et rien n'était précisé quant à son éventuelle réouverture.

Plages

L'éblouissant sable blanc des plages de Cancún est léger et frais sous les pieds, même en plein soleil. En effet, il n'est pas en silice mais en microscopiques fossiles de plancton en forme d'étoile. La fraîcheur du sable n'a pas échappé aux ingénieux promoteurs de Cancún, qui l'ont dite "climatisée". Cette plage, associée aux eaux cristallines de la mer des Caraïbes, est idyllique. Les plages mexicaines étant propriété d'État, toutes ces merveilles sont à votre portée. En pratique, il peut s'avérer difficile d'y accéder sans traverser un hôtel mais peu d'établissements s'en formaliseront.

En partant de Ciudad Cancún en direction d'Isla Cancún, les plages sont à gauche de la route et la lagune à droite. Ce sont la Playa Las Perlas, la Playa Linda, la Playa Langosta, la Playa Tortugas, la Playa Caracol, puis Punta Cancún, la pointe du "7". Au sud de Punta Cancún s'étendent la Playa Gaviota Azul, la Playa Chac-Mool, la Playa Marlin, la Playa Ballenas (15 km), la Playa San Miguelito et la Playa Delfines (18 km).

Sécurité sur les plages. L'équipe de secouristes de Cancún, Rescate 911, intervient au moins une dizaine de fois par semaine pour le sauvetage de baigneurs en difficulté. Les plages les plus dangereuses semblent être la Playa Delfines et la Playa Chac-Mool mais toutes les plages donnant sur la pleine mer comportent des risques pour la baignade. Bien que les vagues ne soient généralement pas hautes, un courant sous-marin peut intervenir et, parfois, des tornades (*nortes*) noircissent subitement le ciel et s'abattent sur la côte sans prévenir. Vérifiez la couleur des drapeaux avant de vous baigner :

Bleu	Normal, pas de danger
Jaune	Prudence, temps instable
Rouge	Danger, baignade en piscine

Comment s'y rendre. Pour atteindre les plages depuis Ciudad Cancún, empruntez un bus "Hoteles" ou "Zona Hotelera". Le prix d'un taxi dépend de la longueur de la course. Pour plus de détails, voir la rubrique *Comment circuler* à la fin de la section Cancún.

Où se loger. Si vous souhaitez loger directement sur la plage, rendez-vous dans la Zona Hotelera de l'île. A l'exception de l'auberge de jeunesse, rien n'est prévu pour les petits budgets. Vous aurez le choix entre quelques établissements anciens, petits, à prix moyens et une pléiade d'hôtels récents et luxueux.

Où se loger – petits budgets

Bien que Cancún compte 20 000 chambres, cette station n'offre que peu de logements bon marché. Nous avons classé les hôtels selon un itinéraire partant de la gare routière. Si vous arrivez par avion et prenez un minibus pour vous rendre en ville, le conducteur vous déposera à votre hôtel.

En général, en haute saison (hiver), les doubles les moins chères coûtent de 14 à 38 $US, taxes comprises. Les prix chutent de 15% à 20% l'été. Mis à part les hôtels les moins chers, vous bénéficierez d'une chambre avec s.d.b., ventilateur et probablement climatisation La plupart des établissements possèdent une piscine.

Auberge de jeunesse. A 4 km de la gare routière, l'auberge de jeunesse, *Atención a la Juventud* (☎ 83-13-37), se situe dans le Boulevard Kukulcán au km 3,2 du côté gauche de la route en venant de Ciudad Cancún.

Construit il y a des dizaines d'années, ce complexe moderne de 600 lits est à présent dans un triste état mais continue à fonctionner. Si le personnel est accueillant, les prix sont trop élevés pour les services proposés. Comptez 11 $US (plus 7 $US de caution) pour un lit en dortoir non mixte.

A Ciudad Cancún, une double avec s.d.b. revient au même prix (22 $US), voire moins. Camper sur la plage coûte 6 $US par personne, prix qui inclut une consigne et l'accès aux installations de l'auberge, le terrain de camping en étant totalement dépourvu. Les eaux peu profondes qui baignent la plage sont troublées par la vase.

Avenida Uxmal. Tous les hôtels bon marché de Cancún sont regroupés dans Ciudad Cancún et, pour beaucoup, dans le voisinage de la gare routière. Suivez l'Avenida Uxmal vers le nord-ouest pour parvenir aux hôtels suivants. A une rue de la gare routière, l'*Hotel El Alux* (☎ 84-06-62, 84-05-56), Avenida Uxmal 21, offre des chambres avec douche et clim. de 15 à 20 $US en simple et de 20 à 25 $US en double.

En face de l'Alux, au n°44, l'*Hotel Cotty* (☎ 84-13-19, 84-05-50), possède 38 chambres. Plus ou moins calme, ce motel a connu des jours meilleurs mais reste bon marché à 15/20/25 $US en simple/double/triple ou quadruple avec douche et clim. On peut garer sa voiture à l'intérieur.

Un peu plus loin, l'*Hotel María Isabel* (☎ 84-90-15), Calle Palmera 59, minuscule, propre et plus tranquille, offre sans doute le meilleur rapport qualité/prix dans ce quartier. Prévoyez 18/22 $US pour une simple/double climatisée avec douche.

De l'Avenida Uxmal, partez vers le sud le long de l'Avenida Yaxchilán, puis tournez à droite dans la Calle Punta Allen, où se tient la paisible *Casa de Huéspedes Punta Allen* (☎ 84-02-25,84-10-01), au n°8. Cette pension familiale dispose de plusieurs doubles avec douche et clim. de 18 à 22 $US, petit déjeuner compris.

Plus loin à l'ouest dans Uxmal, sur la gauche avant l'Avenida Chichén Itzá, l'*Hotel Uxmal* (☎ 84-22-66, 84-23-55), Avenida Uxmal 111, est une auberge bien tenue et familiale où une double avec ventil. et/ou clim. et TV vous reviendra à 24 $US. L'hôtel possède un parking.

Avenidas Sunyaxchén et Tankah. Ce quartier est proche de la poste, du Mercado 28 et de ses bons petits restaurants à prix modérés.

Près le l'Avenida Yaxchilán, l'*Hotel Hacienda Cancún* (☎ 84-36-72 ; fax 84-12-08), Avenida Sunyaxchén 39-40, du côté droit (nord) de l'avenue, est très fréquenté par les Mexicains en voyage organisé. Pour 25 à 32 $US, vous disposerez d'une simple ou double climatisée, avec TV couleur et s.d.b., et vous pourrez profiter d'une jolie piscine et du patio de cet hôtel, très bien situé.

Continuez jusqu'à la poste et empruntez l'Avenida Tankah sur la droite. L'*Hotel Tankah* (☎ 84-44-46, 84-48-44), Avenida Tankah 69 (du côté droit) demande 18 $US pour une double avec ventil. et 7 $US de plus pour la clim.

Plus au nord. Plusieurs hôtels bon marché se cachent dans des rues résidentielles et tranquilles, à 1,2 km au nord de la gare routière. Suivez l'Avenida Tulum vers le nord après le grand magasin San Francisco de Asis (sur le côté droit/est) et, tout de suite après le rétrécissement de l'avenue, tournez à droite dans la Calle 6 Oriente. Si vous venez en bus, sortez en face du grand centre commercial Plaza Cancún 2000, qui s'élève du côté gauche/ouest de la rue. Parcourez trois pâtés de maison vers l'est, puis tournez à gauche dans la Calle 7 Oriente ; l'*Hotel Piña Hermanos* (☎ 84-21-50) se trouve à votre droite. Il loue des simples/doubles avec ventilateur et s.d.b. pour 10/14 $US. S'il est complet, allez jusqu'à l'*Hotel Mary Tere* (☎ 84-04-96), tout proche dans cette rue tranquille et qui pratique des tarifs similaires.

Où se loger – catégorie moyenne

Les chambres des hôtels de cette catégorie coûtent de 30 à 65 $US en hiver, un peu moins en été. Aux moments les plus calmes (fin mai-début juin ou d'octobre à mi-décembre), les prix peuvent diminuer de moitié, surtout si vous marchandez. Ces hôtels offrent des chambres climatisées avec s.d.b., TV couleur et câble, piscine, restaurant et parfois bar, ascenseurs et navettes de l'hôtel à la plage.

Près de la gare routière. Juste en face de la gare routière, l'*Hotel Best Western Plaza Caribe* 84-13-77 ; fax 84-63-52) propose des doubles climatisées très confortables et toutes les commodités pour 60 $US en été, 85 $US en hiver.

Avenida Tulum. Au coin de la gare routière se dresse l'*Hotel Novotel* (☎ 84-29-99 ; fax 84-31-62), Avenida Tulum 75 (Apdo Postal 70). Les chambres du bâtiment principal, climatisées, valent de 30 à 38 $US, en simple ou double ; celles sur le devant sont parfois bruyantes. Dans les calmes cabañas disposées autour d'une piscine, derrière le bâtiment principal, une chambre avec ventilateur vous reviendra de 22 à 28 $US. Triples et quadruples sont également disponibles.

En face du Novotel, l'*Hotel Parador* (☎ 84-13-10 ; fax 84-97-12), Tulum 26, est un bâtiment moderne de 66 chambres à lits jumeaux (de 30 à 45 $US).

L'*Hotel Antillano* (☎ 84-15-32 ; fax 84-18-78), Calle Claveles près de l'Avenida Tulum, compte 48 simples/doubles/triples agréables à 35/50/65 $US et les facilités des établissements de cette catégorie.

Avenida Yaxchilán. L'*Hotel Tropical Inn* (☎ 84-30-78 ; fax 84-34-78), Avenida Yaxchilán 31, au coin de Jazmines, comporte 87 jolies simples/doubles/triples à lits jumeaux pour 35/50/65 $US. Il est très prisé des groupes d'étrangers en voyage organisé.

En face, l'*Hotel Suites Caribe Internacional* (☎ 84-39-99 ; fax 84-19-93), Sunyaxchén 36, à l'angle de Yaxchilán, dispose de 80 chambres, réparties en doubles et en "suites juniors" (deux lits, un canapé, une kitchenette avec réchaud et réfrigérateur, et un salon). Les prix des doubles sont similaires à ceux pratiqués au Tropical Inn, les suites, légèrement plus chères.

Où se loger – catégorie supérieure

Les meilleurs hôtels de Cancún vont de l'établissement confortable mais ennuyeux aux luxueux hôtels de standing international à prestations multiples. Les prix s'échelonnent de 90 à 250 $US, voire davantage en hiver. Tous ces hôtels longent la plage. Beaucoup possèdent un vaste terrain avec pelouses, jardins tropicaux, piscines (presque toutes flanquées de bars flottants, indispensables à Cancún) et des équipements sportifs, tennis, handball, ski nautique, planche à voile, etc. Les chambres sont climatisées, dotées de mini-bar et de TV satellite recevant les programmes américains.

Pour bénéficier des meilleurs tarifs, souscrivez un forfait transport/hébergement avant votre arrivée.

Si vous ne voyagez pas en groupe, vous trouverez le meilleur rapport qualité/prix dans les hôtels suivants, le long du Boulevard Kulkucán (mentionnés du nord au sud). L'*Aquamarina Beach Hotel* (☎ 83-14-25 ; fax 83-17-51, Apdo Postal 751), au km 3,5, a été conçu pour plaire aux groupes de jeunes adultes amoureux du soleil. Certaines chambres disposent d'une kitchenette avec réfrigérateur (moins de 100 $US en été et 135 $US en hiver).

En face du Playa Linda Marine Terminal, le *Calinda Beach Cancún* (☎ 83-16-00 ; fax 83-18-57), au km 4, décoré de carrelages rouges, de stuc blanc et de couleurs sourdes, dans une tonalité légère et aérienne, offre des chambres à 110 $US en été et 155 $US en hiver.

Le *Calinda Viva Cancún* (☎ 83-08-00 ; fax 83-20-87), au km 8, propose 210 chambres et des tarifs similaires.

L'*Hotel Aristos Cancún* (☎ 83-00-11 ; fax 83-00-78), au km 9, pratique les meilleurs prix des environs avec des doubles à 90 $US en été et 130 $US en hiver, taxes et déjeuner compris.

Si ces établissements sont complets, vous pouvez essayer les suivants, d'un bon rapport qualité/prix. Au km 8, le *Fiesta Americana Cancún* (☎ 83-14-00) apparaît comme une curiosité dans le paysage hôtelier de la ville avec ses enchevêtrements de fenêtres, de balcons, de toits et autres détails architecturaux.

Superbement situé à Punta Cancún près du Centro de Convenciones, le *Hyatt Regency Cancún* (☎ 83-12-34 ; fax 83-16-94, hyattreg@cancun.rce.com.mx), au km 8,5, est un cylindre gigantesque doté d'une superbe cour ouverte en son centre, entourée de 300 chambres. La plage s'étale au pied de l'hôtel. Pratiquement toutes les chambres jouissent d'une vue splendide et leurs prix s'échelonnent de 185 à 245 $US en hiver, de 160 à 205 $US en été.

Les 198 chambres et suites du *Hyatt Cancún Caribe* (☎ 83-00-44 ; fax 83-15-14), au km 10,5, offrent un bon choix d'hébergements. Au rez-de-chaussée, les chambres comportent des terrasses privées, celles en étages bénéficient d'une belle vue sur la mer et les villas "Regency Club" installées autour de leur propre club-house possèdent piscine privée et jacuzzi. Comptez de 205 à 242 $US en été et de 286 à 331 $US en hiver.

Au km 14, le *Cancún Palace* (☎ 85-05-33 ; fax 85-15-93) fait de gros efforts pour fournir des prestations hors pair à ses clients. Ses 421 chambres et suites jouissent de toutes les installations et services dignes de cette catégorie.

Où se restaurer

Nulle part ailleurs au Mexique, nous n'avons trouvé une nourriture aussi médiocre à prix aussi élevés. Si vous n'attendez pas trop de la restauration locale, vous aurez toujours quelques bonnes surprises.

Petits budgets. Comme d'habitude, les restaurants du marché servent les portions les plus copieuses aux prix les plus bas. Près de la poste, le marché de Ciudad Cancún occupe un bâtiment en retrait de la rue, nommé Mercado Municipal Artículo 115 Constitucional. Plus simplement appelé Mercado 28 ("Mercado Veinte y Ocho"), il propose des légumes, des fruits et des plats préparés.

Les restaurants sont regroupés dans la deuxième cour en partant de la rue. Le *Restaurant Margely*, la *Cocina Familiar* l'*Económica Chulum*, la *Cocina La Chaya*, etc., sont des endroits simples et agréables, avec des tables sous des auvents et d'actives señoras cuisinant derrière un comptoir. La plupart d'entre eux sont ouverts pour le petit déjeuner, le déjeuner et le dîner et tous proposent des comidas corridas à 2,50$US et des sandwiches encore moins chers.

El Rincón Yucateco, Avenida Uxmal 24, en face de l'Hotel Cotty, sert de la bonne cuisine du Yucatán, tous les jours, de 7h à 22h (plats de 2,50 à 4 $US).

En face du grand hôpital rouge IMSS, *El Tacolote*, Avenida Cobá, brillamment éclairé et attrayant, cuisine une douzaine de variétés de tacos, de 1 à 3 $US. El Tacolote (jeu de mot entre taco et *tecolote*, la chouette) est ouvert de 7h à 11h30 pour le petit déjeuner, puis jusqu'à 22h pour les tacos.

Du côté est de l'Avenida Tulum, le *Chiffer's*, installé dans le grand magasin San Francisco de Asis, bénéficie d'une climatisation bienfaisante. Vous pourrez dépenser jusqu'à 13 $US pour un repas copieux avec dessert et boisson, mais on mange raisonnablement pour 6 $US. Il ouvre tous les jours de 7h à 23h.

Catégorie moyenne. La plupart des restaurants à prix modéré sont regroupés au centre-ville. Si vous êtes prêt à consacrer de 12 à 20 $US pour un repas, vous pourrez assez bien manger à Cancún.

Le *Restaurant El Pescador* (☎ 84-26-73), Tulipanes 28, sert des repas d'une qualité constante. La carte propose une soupe au citron vert et un ceviche de poisson en entrée, puis du poisson grillé, des rougets dans une sauce à l'ail et des brochettes de bœuf. El Pescador est ouvert au déjeuner et au dîner (fermé le lundi).

Le *Rolandi's Restaurant-Bar* (☎ 84-40-47), Avenida Cobá 12, entre Tulum et Nader, tout près du rond-point sud, est un agréable restaurant italien ouvert tous les jours. Il prépare de savoureuses pizzas (de 5 à 10 $US), des spaghettis et des plats plus consistants de veau ou de volaille. Attention aux prix des boissons, très élevés ! Il est ouvert de 13h à 24h (de 16h à 24h le dimanche).

De nombreux visiteurs font le pèlerinage à *Los Almendros* (☎ 87-13-32), Avenida Bonampak au niveau de la Calle Sayil, succursale locale de la plus célèbre chaîne de restaurants du Yucatán. D'abord installé à Ticul en 1962, Los Almendros commença par servir des *platillos campesinos para los dzules* (cuisine campagnarde pour la bourgeoisie, ou les citadins). Les chefs de Los Almendros (Les Amandiers) prétendent avoir créé le poc-chuc, délicieux plat de porc cuit avec de l'oignon et servi dans une sauce piquante à l'orange amère ou au citron vert. Essayez le *combinado yucateco* qui regroupe plusieurs spécialités. Un repas complet revient à environ 16 $US (ouvert 7 jours/7).

Le *Restaurant 100 % Natural* (☎ 84-36-17), Avenida Sunyaxchén, au niveau de l'Avenida Yaxchilán, est un café aéré. Sur la carte, vous pourrez choisir salades ou jus de fruit, salades vertes et yaourts, mais aussi hamburgers, enchiladas, vin et bière à prix modérés. Des succursales sont installées dans les centres commerciaux de la Zona Hotelera, Playa Terramar (☎ 83-11-80) et Kukulcán Plaza (☎ 85-29-04).

Catégorie supérieure. Dans la tradition des restaurants européens, les restaurants mexicains privilégient d'ordinaire un décor simple et une cuisine sophistiquée. Mais la clientèle de Cancún, essentiellement composée de Nord-Américains bronzés, semblent préférer le contraire. La moitié des cartes de la ville liste des grillades : steak, gambas, filet de poisson et queue de langouste. Le résultat peut être bon, médiocre ou exécrable. Dans ce dernier cas, vous aurez au moins profité de la musique et du décor.

Le *Perico's* (☎/fax 84-31-52), Avenida Yaxchilán 71 et Calle Marañon, se veut la quintessence même de Cancún. Cette énorme bâtisse au toit de chaume est remplie de stéréoptypes mexicains : selles, immenses sombreros, paniers, fouets, etc. Une armée de señores et de señoritas en costume mexicain version Hollywood ne sont là que pour "rendre votre expérience inoubliable". En d'autres termes, si vous souhaitez faire un repas chez Disney, vous serez ravi. La carte regorge de plats roboratifs : filet mignon, gambas géantes, langouste, travers de porc au barbecue. Après le spectacle, préparez-vous à débourser de 20 à 30 $US par personne. Le restaurant est censé ouvrir de 12h à 2h, mais ne fonctionne de fait que le soir.

Exceptionnel, le *Rosa Mexicano* (☎ 84-63-13), Calle Claveles 4 dans Ciudad Cancún, est, depuis toujours, très apprécié pour une cuisine mexicaine sortant de l'ordinaire, servie dans un agréable décor d'hacienda. Quelques concessions sont faites à la clientèle de Cancún, notamment la soupe de tortillas et le filete tampiqueño, mais on y concocte également un sauté de calamar aux trois piments, à l'ail et à l'échalote, et des crevettes à la sauce *pipían* (graines de potiron moulues et épices). Le dîner, servi tous les jours de 17h à 23h, revient entre 20 et 30 $US.

A proximité du Parque Las Palapas, dans Ciudad Cancún, *La Habichuela* (☎ 84-31-58), Margaritas 25, est une de nos adresses favorites depuis 1977. La carte est nettement orientée vers le luxe : brochettes flambées, langouste sauce au champagne, gambas et bœuf tampiqueña. Comptez de 25 à 38 $US par personne. La Habichuela signifie le haricot vert et ouvre tous les jours de 13h à 23h.

Où sortir

La vie nocturne est surtout bruyante et bien arrosée, comme souvent dans les grandes stations balnéaires.

Le *Ballet Folklórico* local se produit certains soirs (40 $US environ par personne, dîner compris). Les danses commencent à 20h30. Ne vous attendez pas à retrouver l'art et la précision du ballet de Mexico.

Manifestations sportives

Des corridas (4 taureaux) se déroulent chaque mercredi après-midi à 15h30 sur la Plaza de Toros, au sud de l'Avenida Bonampak, à 1 km du centre-ville. Les billets (environ 15 $US) s'achètent dans n'importe quelle agence de voyages.

Comment s'y rendre

Avion. L'aéroport international de Cancún est le plus actif du sud-est du Mexique. En arrivant, ne changez pas d'argent avant d'avoir franchi la douane et l'immigration, le taux de change étant pour le moins défavorable. Allez plutôt aux guichets cachés au fond de la zone *departures*, à 2 minutes à pied, qui pratiquent les taux les plus intéressants.

Le hall des arrivées dispose de consignes assez grandes pour contenir un attaché-case ou une petite valise (3 $US pour 24 heures).

Pour tout renseignement concernant la desserte de l'aéroport, reportez-vous au paragraphe *Comment circuler* ci-dessous.

Cancún est desservie par de nombreux vols directs internationaux (voir le chapitre *Comment s'y rendre*). Les principales lignes domestiques, Aeroméxico et Mexicana, la relient à Mexico et aux autres grandes villes du pays. Aerocaribe propose un tarif spécial excursion, le Mayapass, donnant droit à des réductions sur plusieurs vols. Aerocaribe affrète des petits et moyens avions à destination de plusieurs villes du Yucátan et au-delà, Les prix des aller simples sont les suivants : Chetumal 60 $US, Cozumel 30 $US, Mérida 50 $US, Mexico 120 $US et Villahermosa 90 $US. Le tarif excursion est plus avantageux.

Aviacsa relie Cancún à Mérida, Mexico, Oaxaca, Tapachula, Tuxtla Gutiérrez, Villahermosa et différentes villes du Guatemala.

Aviateca, la compagnie nationale guatémaltèque, assure des vols de Cancún à Flores (pour Tikal), qui continuent jusqu'à Guatemala Ciudad, les lundi, mercredi, samedi et dimanche et, dans le sens inverse, les mardi, vendredi, samedi et dimanche.

Les adresses des compagnies aériennes sont les suivantes :

Aerocancún
: Edificio Oasis, Boulevard Kukulcán (☎ 83-24-75)

Aerocaribe/Aerocozumel
: Avenida Tulum 29, Plaza América, le rond-point au carrefour de l'Avenida Uxmal (☎ 84-20-00 ; à l'aéroport ☎/fax 86-00-83)

Aeroméxico
: Avenida Cobá 80, entre Tulum et Bonampak (☎ 84-35-71 ; fax 84-70-05)

American Airlines
: Aéroport de Cancún (☎ 86-00-55 ; fax 86-01-64)

Aviacsa
: Avenida Cobá 37 (☎ 87-42-14 ; fax 84-65-99)

Aviateca
 Plaza México, Avenida Tulum 200 (☎ 84-39-38 ; fax 84-33-28)
Continental
 Aéroport de Cancún (☎ 86-00-06 ; fax 86-00-07)
LACSA
 Edificio Atlantis, Avenida Bonampak et Avenida Cobá (☎ 87-31-01)
Mexicana
 Avenida Cobá 39 (☎ 87-44-44)
Northwest
 Aéroport de Cancún (☎ 86-00-46)
TAESA
 Avenida Yaxchilán 31 (☎ 87-43-14 ; fax 87-33-28)

Bus. La gare routière située dans l'Avenida Uxmal, à l'ouest de Tulum, abrite deux parties distinctes sous un même toit, ce qui peut prêter à confusion ; vérifiez les deux. Elle regroupe les compagnies Autobuses de Oriente (ADO), Autotransportes de Oriente, Transportes de Lujo Línea Dorada (une ligne en grande partie 2e classe malgré son nom pompeux), Autotransportes del Sur, Autobuses del Noroeste et Autobuses del Centro. Les services sont assurés en deluxe, 1re et 2e classes.

En face de l'entrée de la gare routière se trouve le guichet des billets de Playa Express, dont les navettes circulent le long de la côte caraïbe jusqu'à Tulum et Felipe Carrillo Puerto, au moins toutes les 30 minutes pendant la journée ; ces navettes s'arrêtent aux villes importantes et aux principaux sites.

Voici les lignes quotidiennes les plus courantes :

Chetumal – 382 km, 6 heures, de 10 à 14 $US ; 23 bus
Chichén Itzá – 205 km, de 2 heures à 3 heures 30, de 4,50 à 7 $US ; 10 bus
Mérida – 320 km, de 4 à 6 heures, de 7 à 12 $US ; bus au moins toutes les 30 minutes ; les Super Expresso mettent moins de 4 heures
Mexico (TAPO) – 1 772 km, 22 heures, de 48 à 57 $US ; 6 bus
Playa del Carmen – 65 km, 1 heure, 1,75 $US ; Playa Express toutes les 30 minutes ; autres bus 12 fois par jour
Puerto Morelos – 36 km, 40 minutes, 1 $US ; Playa Express toutes les 30 minutes ; autres bus 12 fois par jour
Ticul – 395 km, de 6 à 8 heures, 10 $US ; 5 Línea Dorada
Tizimín – 212 km, 3 heures, 4 $US ; 6 bus *via* Valladolid
Tulum – 132 km, 2 heures, de 3 à 4 $US ; Playa Express toutes les 30 minutes ; autres bus environ toutes les 2 heures.
Valladolid – 160 km, de 1 heure 30 à 2 heures, de 4 à 8 $US ; comme pour Mérida
Villahermosa – 915 km, 11 heures, 28 $US ; 3 ADO

Comment circuler

Desserte de l'aéroport. Les vans de l'aéroport, orange et beige (Transporte Terrestre, 7,50 $US), monopolisent la desserte de l'aéroport et vous feront payer le prix d'une course en taxi alors que vous partagez le véhicule.

Si le van vous prend seul et vous conduit directement à votre hôtel, cela vous reviendra au prix exorbitant de 25 $US (un peu moins qu'un billet d'avion pour Cozumel). Un taxi de Ciudad Cancún à l'aéroport coûte 8 $US.

L'itinéraire passe invariablement par Punta Nizuc et remonte l'Isla Cancún en passant par tous les hôtels de luxe avant d'atteindre l'auberge de jeunesse et Ciudad Cancún.

Si votre hôtel se trouve en ville, vous mettrez jusqu'à 45 minutes.

En quittant l'aéroport à pied par la voie d'accès, vous pourrez arrêter un taxi ; le chauffeur n'étant plus soumis aux coûteux tarifs réglementés de l'aéroport, la course vous reviendra moins cher. Continuez jusqu'à la route (2 km) pour prendre un bus, très bon marché.

En sens inverse, prenez un taxi ou un bus allant vers le sud et descendez à l'embranchement de l'aéroport.

Bus. Vous pourrez sillonner Ciudad Cancún à pied. Pour aller à la Zona Hotelera, prenez un bus local Ruta 1, "Hoteles-Downtown" en direction du sud dans l'Avenida Tulum. Le tarif dépend de la distance parcourue, de 0,50 à 1,25 $US.

Pour gagner Puerto Juárez d'où partent les ferries pour Isla Mujeres, prenez un Ruta 13 ("Pto Juárez" ou "Punta Sam").

Taxi. Les taxis de Cancún n'ont pas de compteur. Il faut donc négocier le prix avant le départ. En général, la course de Ciudad Cancún à Punta Cancún (hôtels Hyatt, Camino Real, Krystal et Centro de Convenciones) s'élève à 4 ou 5 $US. Le trajet jusqu'à l'aéroport revient à 8 $US (depuis Ciudad Cancún) ou 12 $US (depuis Punta Cancún). Pour Puerto Juárez, comptez environ 3 $US.

Ferry. Des ferries de passagers relient fréquemment Puerto Juárez à Isla Mujeres. Les bus locaux (Ruta 13, 0,60 $US) mettent environ 20 minutes pour aller de l'Avenida Tulum à l'embarcadère de Puerto Juárez. Un taxi demande 3 $US environ. Voir la rubrique *Isla Mujeres* pour de plus amples détails.

ISLA MUJERES

• Hab.: 13 500 • ☎ 987.

Isla Mujeres (l'île des Femmes) a la réputation d'être le "Cancún des routards". C'est en effet l'endroit rêvé pour échapper aux gigantesques stations balnéaires et profiter d'une île tropicale retirée aux prix raisonnables. La situation est en train de changer, le modèle de Cancún faisant école.

Une atmosphère décontractée, une eau chaude bleu turquoise, voilà qui vous délassera d'un voyage, parfois éprouvant, à travers le Mexique.

Histoire

On raconte que l'île des Femmes doit son nom aux corsaires espagnols qui avaient l'habitude d'y laisser leurs maîtresses pendant qu'ils se livraient à leur activité. Toutefois, il existe une explication moins romantique. L'expédition de Juan Grijalva fit halte dans l'île à deux reprises en 1518. La même année, les bateaux d'Hernández de Córdoba furent drossés dans le port par des vents forts. Parti à terre en reconnaissance, l'équipage découvrit un site cérémoniel maya rempli de figurines d'argile représentant des femmes. Cortès s'y arrêta un an plus tard, détruisit les idoles et recueillit Jerónimo de Aguilar, qui avait fait naufrage à proximité en 1511. Ayant vécu parmi les Mayas pendant huit ans, Aguilar parlait leur langue et s'avéra une aide inestimable pour Cortès en tant qu'interprète. Aujourd'hui, certains archéologues pensent que l'île servait d'escale aux Mayas qui allaient adorer la déesse de la Fertilité, Ixchel, sur l'île de Cozumel. Les idoles d'argile seraient une représentation de la déesse.

Orientation

L'île mesure environ 8 km de long et de 300 à 800 m de large. Les meilleurs sites pour se livrer à la plongée et les plages les plus agréables sont situées au sud le long de la côte occidentale. La côte orientale fait face à l'océan et y pratiquer le surf est dangereux. Les docks des ferries, la ville et la plage de sable la plus populaire (Playa Norte) se trouvent à l'extrémité nord de l'île.

Renseignements

Office du tourisme. La Delegación Estatal de Turismo (service du tourisme de l'État, ☎ 7-03-16) fait face au terrain de basket sur la place principale.

Argent. Il y a une telle affluence au Banco del Atlántico, Juárez 5, et au Banco Serfin, Juárez 3, pendant les deux seules heures où l'on peut changer des devises (en semaine, de 10h à 12h), que de nombreux voyageurs préfèrent s'adresser aux épiciers, à leur hôtel ou à l'office du tourisme, même si le taux est moins intéressant.

Poste. La poste, proche du marché, ouvre en semaine de 8h à 19h, le samedi et le dimanche de 9h à 13h.

Blanchisserie. La Lavandería Automática Tim Phó, Avenida Juárez au niveau d'Abasolo, est active et moderne. Les 4 kg de linge lavé, séché et plié reviennent à 3,50 $US.

Playa Norte

Longez Hidalgo ou Guerrero vers l'ouest pour atteindre la Playa Norte, parfois appe-

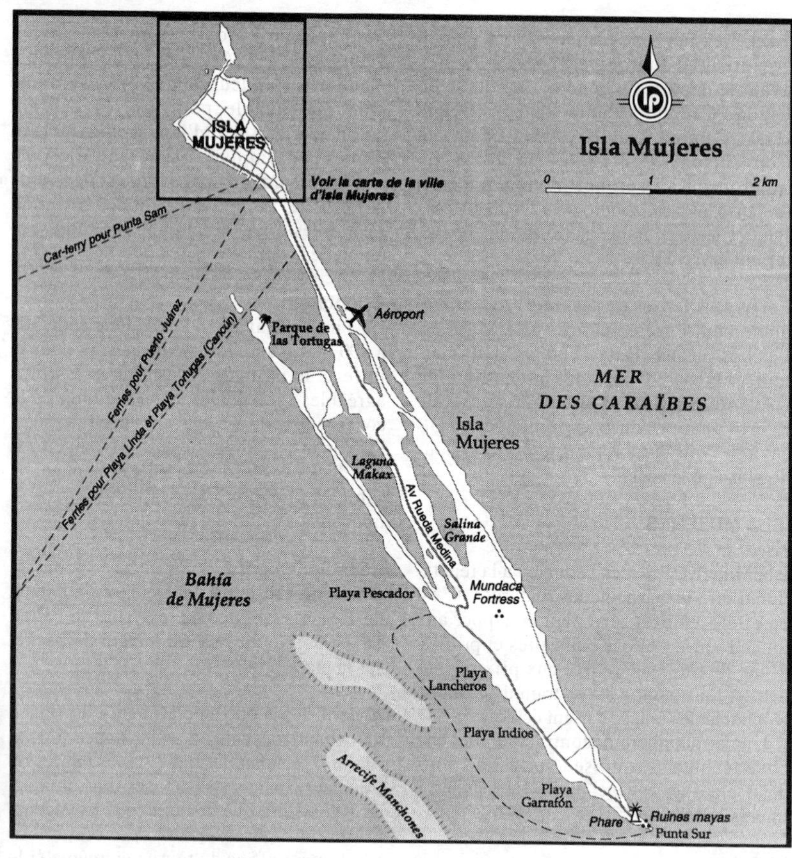

lée Playa Los Cocos ou Cocoteros, la plage principale de la ville. Elle est presque plate et les eaux calmes et transparentes ne vous arrivent qu'à la poitrine alors que vous êtes déjà loin du rivage. La plage est relativement petite pour le nombre de baigneurs.

Playa Lancheros

A 5 km au sud de la ville et à 1,5 km au nord de Garrafón se trouve la Playa Lancheros, l'endroit le plus au sud desservi par les bus locaux. Moins agréable que la Playa Norte, elle accueille des festivités gratuites le dimanche.

Playa Garrafón

Bien que les eaux soient translucides et les poissons abondants, Garrafón est probablement un peu surévaluée. Des centaines de touristes en provenance de Cancún l'envahissent la majeure partie de la journée. Le récif est pratiquement mort, ce qui réduit le risque de blessure mais attente à la vie des coraux qui se désagrègent et perdent leurs couleurs. L'eau peut être extrêmement agitée et vous entraîner.

Lorsque les courants sont rapides, la plongée devient peu agréable, voire dangereuse. Même les excellents nageurs ne doivent pas ignorer que le fond descend abruptement à proximité de la côte. Garrafón est ouverte tous les jours de 8h à 17h et plus vous arrivez tôt, plus vous pourrez passer de temps loin de la foule de Cancún. L'entrée de la plage coûte 4 $US et des coffres pour garder vos objets de valeur sont mis à votre disposition. On peut louer un équipement de plongée pour 8 $US par jour. Garrafón abrite un petit aquarium et un musée.

Ruines mayas
Juste après le Parque Nacional Garrafón, à l'extrémité sud de l'île, se trouvent les restes très endommagés d'un temple dédié à Ixchel, déesse maya de la lune et de la fertilité notamment. Le temple n'a cessé de s'émietter depuis plusieurs siècles et le typhon Gilbert l'a presque entièrement détruit en 1988. Le site n'est guère exaltant, si ce n'est la vue sur la mer et sur Cancún, dans le lointain. Les figurines féminines en argile ont été dérobées il y a bien longtemps et la mer des Caraïbes a emporté deux pans de mur. On peut marcher jusqu'aux ruines, au-delà du phare, à l'extrémité sud de l'île en partant de Garrafón.

Forteresse de Mundaca
L'histoire de ce fort est des plus étonnantes. Au XVIIe siècle, un pirate qui faisait commerce d'esclaves, Fermin Antonio Mundaca de Marechaja, tomba amoureux d'une belle Espagnole. Pour gagner son cœur, le brigand fit construire une demeure à deux étages, complétée de jardins et d'arches gracieuses ainsi qu'une petite forteresse pour la défendre. Tandis que Mundaca édifiait sa demeure, l'objet de son amour en épousa un autre. Le cœur brisé, Mundaca mourut et sa maison, sa forteresse et son jardin furent abandonnés.

La forteresse Mundaca (Fuerte de Mundaca) se dresse à l'est de la route principale près de Playa Lancheros, à environ 4 km au sud de la ville. Suivez les panneaux.

Plongée sous-marine
La plongée vers les épaves et les merveilleux récifs des eaux cristallines de la mer des Caraïbes est inoubliable. Si vous êtes un plongeur qualifié, il vous faudra un permis, du matériel de location et un bateau pour vous rendre dans les endroits les plus intéressants. Les différentes boutiques de plongée procurent toutes ces facilités pour 50 à 100 $US, selon le nombre de bouteilles utilisées.

Les bateaux de plongée s'arrêtent régulièrement aux Grottes du Requin Endormi, à environ 5 km au nord de l'île. A 23 m de profondeur, ces créatures d'ordinaire dangereuses sont supposées être frappées de léthargie en raison du faible taux d'oxygène contenu dans les eaux des grottes. Les plongeurs les plus expérimentés estiment qu'il est absurde de vouloir vérifier cette théorie et risquer d'appâter les requins. Mieux vaut explorer les superbes récifs au large de l'île, tels que Los Manchones, La Bandera, Cuevones ou Chital.

Où se loger
En pleine saison (de fin décembre à mars et le milieu de l'été), de nombreux hôtels de l'île affichent complet. A cette période, les prix sont plus élevés. Ils baissent de mai à juin et de septembre à mi-décembre et vous pouvez les négocier si la fréquentation est faible. On vous louera généralement des doubles au prix des simples, voire meilleur marché, suivant la demande.

Où se loger – petits budgets
Le *Poc-Na* (☎ 7-00-90), dans Matamoros, au niveau de Carlos Lazo, est une auberge de jeunesse privée. Elle loue des lits de camp avec literie pour 2,50 $US (plus une caution pour la literie) dans des dortoirs mixtes, équipés de ventilateur.

L'*Hotel Caribe Maya* (☎ 7-01-90), Madero 9, entre Guerrero et Hidalgo, demande 16 $US pour une double avec ventilateur, 21 $US avec la clim. Une affaire !

L'*Hotel Osorio* (☎ 7-00-18), Madero près de Juárez, propose des chambres immenses et propres, avec ventilateur et s.d.b., pour 18 $US en double dans la partie ancienne et 26 $US dans l'aile plus récente et plus soignée. Il ferme parfois en été. Dans ce cas, essayez l'*Hotel María José*, à côté.

L'*Autel Carmelina* (☎ 7-00-06), Guerrero 4, dispose de chambres correctes et bon marché, à 14/17/24 $US pour un/deux/trois lits.

En face du Mercado Municipal, l'*Hotel Las Palmas* (☎ 7-04-16), Guerrero 20, compte des simples/doubles sinistres mais bon marché, avec ventilateur et s.d.b., pour 12/15 $US.

Bien tenu, l'*Hotel Marcianito* (☎ 7-01-11), Abasolo 10, entre Juárez et Hidalgo, offre un bon rapport qualité/prix avec des doubles à 12 $US.

L'*Hotel Isleño* (☎ 7-03-02), Madero 8, à l'angle de Guerrero, possède des doubles bien aérées, avec ventilateur, à 14/20 $US sans/avec s.d.b. Tâchez d'obtenir une chambre au dernier étage.

Où se loger – catégorie moyenne

Dans cette catégorie, les chambres sont équipées d'une s.d.b., généralement de la clim., éventuellement d'un balcon et/ou d'une belle vue sur la mer. Les hôtels abritent un restaurant, un bar et une piscine.

Directement sur la plage orientale, l'*Hotel Perla del Caribe* (☎ 7-04-44 ; fax 7-00-11), dans Madero à l'est de Guerrero, dispose de 63 chambres sur 3 niveaux, la plupart avec balcon et une bonne ventilation, à 70/80 $US la double en basse/haute saison.

Sur cette même plage, l'*Hotel Rocamar* (☎ 7-05-87 ; fax 7-01-01) fut le premier hôtel du lieu, il y a de nombreuses années. Rénové, il demande 35/40/45/55 $US pour une simple/double/triple/quadruple. Certaines chambres jouissent d'une belle vue.

Au-dessus de la Pizza Rolandi, l'*Hotel Belmar* (☎ 7-04-30 ; fax 7-04-29), dans Hidalgo, entre Abasolo et Madero, est dirigé par la même famille. Les chambres sont douillettes, bien tenues et d'un bon rapport qualité/prix à 35 $US en double.

L'*Hotel Francis Arlene* (☎/fax 7-03-10) Guerrero 7, est neuf et très confortable. Beaucoup de chambres sont pourvues d'un balcon avec vue sur la mer, d'un réfrigérateur et d'une kitchenette (28/34 $US avec ventilateur/clim.).

En face de l'embarcadère du ferry, l'*Hotel D'Gomar* (☎/fax 7-01-42), Rueda Medina 150, compte 4 étages de chambres à lit double au-dessus d'une boutique (32 $US en double).

L'*Hotel El Caracol* (☎ 7-01-50 ; fax 7-05-47), Matamoros 5, entre Hidalgo et Guerrero est tenu par une señora charmante et efficace. Près du hall, un restaurant tout pimpant sert des repas à prix corrects. Les chambres équipées de moustiquaires et de s.d.b. reviennent à 26/32 $US en double, avec ventil./clim. De l'autre côté de la rue, la discothèque est bruyante ! L'*Hotel Mesón del Bucanero* (☎ 7-02-10 ; fax 7-01-26), Hidalgo 11, entre Abasolo et Madero, surmonte le restaurant du même nom. Les chambres sont assez agréables mais les prix trop élevés, entre 25 et 28 $US en double.

Où se loger – catégorie supérieure

L'*Hotel Na-Balam* (☎ 7-02-79 ; fax 7-05-93, nabalam@cancun.rce.com.mx), Calle Zazil-Ha 118, fait face à la Playa Norte, à la pointe nord de l'île. La plupart des 12 spacieuses suites juniors jouissent d'une vue fabuleuse sur la mer. Vous apprécierez le soin apporté aux détails, comme les coiffeuses des s.d.b. en albâtre coloré. Pour une suite en double avec balcon, comptez de 105 à 120 $US (85 à 105 $US hors saison).

A proximité du Na Balam, l'*Hotel Cabañas María del Mar* (☎ 7-01-79 ; fax 7-02-13) de part et d'autre de l'Avenida Carlos Lazo, donne directement sur la plage. Les prix des 12 cabañas et des 51 chambres s'échelonnent de 55 à 61 $US en double hors saison et de 83 à 90 $US en saison, petit déjeuner compris. Il est doté de nombreux équipements, dont restaurant et piscine.

Où se restaurer

A côté du marché, plusieurs *cocinas económicas* (cuisines économiques) servent des repas simples mais savoureux et copieux aux meilleurs tarifs. Les prix ne sont pas indi-

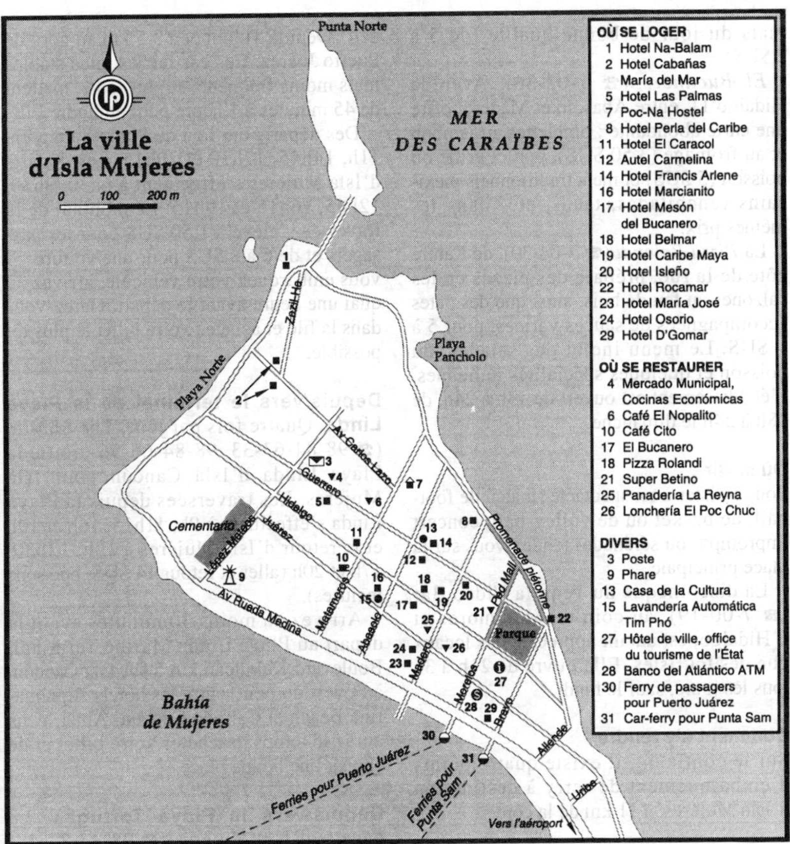

qués ; renseignez-vous avant de commander. Ces échoppes sont ouvertes de 7h à 18h.

Autre cocina económica, la minuscule *Lonchería El Poc Chuc*, à la hauteur de Madero, offre un petit déjeuner avec des œufs au jambon pour seulement 2 $US, du poc chuc et d'autres plats pour 2,75 $US.

Super Betino, le magasin d'alimentation de la place, possède une petite cafétéria où vous pourrez déguster des tacos et des assiettes de fruits à 0,75 $US et, parfois, des petits déjeuners bon marché.

La *Panadería La Reyna*, dans Madero au niveau de Juárez, est l'endroit où acheter des brioches, du pain et des en-cas. La plupart des restaurants de l'île appartiennent à la catégorie moyenne. Comptez de 2,50 à 4 $US pour un petit déjeuner, et de 7 à 15 $US pour repas.

Le petit *Café Cito*, à la hauteur de Juárez et Matamoros, propose 10 variétés de crêpes, des croissants, des fruits et le meilleur café de la ville. Venez pour le petit déjeuner (de 8h à 12h, 5 $US environ) ou pour le dîner (de 18h à 22h, 10 $US environ).

Le *Café El Nopalito*, dans Guerrero, près de Matamoros, sert de délicieux petits déjeuners à prix fixes, de 8h à 12h, et des plats du jour de bonne qualité (de 5 à 7 $US).

El Bucanero (☎ 7-02-36), Avenida Hidalgo 11, entre Abasolo et Madero, offre une carte abondante : omelettes au jambon et au fromage (3,50 $US), poulet grillé ou poisson (5 $US) et mets traditionnels mexicains (enchiladas, tacos, etc) dans les mêmes prix.

La *Pizza Rolandi* (☎ 7-04-30), de l'autre côté de la rue, prépare des pizzas et des calzones au feu de bois, ainsi que des pâtes accompagnées de sauces variées, pour 5 à 9 $US. Le menu inclut des salades, du poisson et quelques spécialités italiennes. L'établissement est ouvert de 13h à 24h, de 18h à 24h le dimanche.

Où sortir

Pour assister à un spectacle (match de football, de basket ou de volley-ball, concert impromptu ou sérénade) rendez-vous sur la place principale.

La discothèque du Tequila Video Bar (☎ 7-00-19), au coin de Matamoros et d'Hidalgo, est autant appréciée des locaux que des touristes. Elle ouvre de 21h à 3h tous les jours, sauf le lundi.

Comment s'y rendre

Sur le continent, il existe quatre points d'embarquement de ferry à destination d'Isla Mujeres, à 11 km de la côte.

Depuis/vers Puerto Juárez. De Ciudad Cancún, prenez un bus Ruta 13 partant vers le nord dans l'Avenida Tulum (0,30 $US) ou un taxi (2,50 $US) jusqu'à Puerto Juárez, à environ 3 km au nord.

Les Transportes Marítimos Magaña font partir un bateau toutes les 30 minutes de 6h à 8h30, et toutes les 15 minutes de 8h30 à 20h30 (aller simple 2,25 $US).

Les bateaux *Sultana del Mar* et *Blanca Beatriz* partent environ toutes les heures de 7h à 17h30 (45 minutes, 1 $US).

Depuis/vers Punta Sam. Des car-ferries (qui embarquent aussi des passagers) partent de Punta Sam, à environ 5 km au nord de l'Avenida Tulum et à 3,5 km au nord de Puerto Juárez. Ces car-ferries, plus stables mais moins fréquents et plus lents, mettent de 45 minutes à 1 heure pour atteindre l'île.

Des départs ont lieu de Punta Sam à 8h, 11h, 14h45, 17h30 et 20h15. Les départs d'Isla Mujeres s'effectuent à 6h30, 9h30, 12h45, 16h15 et 19h15. Le montant de la traversée s'élève à 1,50 $US pour les passagers et de 6 à 8 $US pour une voiture. Si vous embarquez votre véhicule, arrivez au quai une heure avant le départ. Garez-vous dans la file et achetez votre billet le plus tôt possible.

Depuis/vers le terminal de la Playa Linda. Quatre fois par jour, The Shuttle (☎ 98-84-63-33, 98-84-66-56) quitte la Playa Linda d'Isla Cancún pour Isla Mujeres. Les traversées depuis la Playa Linda s'effectuent à 9h, 11h15, 16h et 19h et le retour d'Isla Mujeres à 10h, 12h30, 17h et 20h (aller et retour 14 $US, boissons incluses).

Arrivez au moins 30 minutes avant le départ au Playa Linda Marine Terminal, Boulevard Kukulcán km 5 sur Isla Cancún, à l'ouest du pont, entre les hôtels Aquamarina Beach et Calinda Cancún. Ainsi, vous aurez le temps d'acheter votre billet et de choisir une bonne place.

Depuis/vers la Playa Tortugas. La navette d'Isla Mujeres (☎ 98-83-34-48) part de Fat Tuesday's sur la plage de Playa Tortugas à 9h15, 11h30, 13h45 et 15h45 ; les retours d'Isla ont lieu à 10h, 12h30, 14h30 et 17h (10 $US par personne l'aller simple).

Comment circuler

Bus et taxi. En prenant un bus local depuis le marché ou l'embarcadère, vous pouvez arriver à moins de 1,5 km de Garrafón. Le terminus est Playa Lancheros. Le personnel de l'auberge de jeunesse Poc-Na pourra vous renseigner sur les horaires irréguliers du bus.

Si vous vous rendez à pied à Garrafón, emportez suffisamment d'eau ; il faut bien

2 heures pour parcourir les 6 km sous le soleil. En taxi, la course vous reviendra à environ 2 $US pour Garrafón et un peu plus de 1 $US pour la Playa Lancheros. Les prix sont établis par la municipalité et affichés aux quais des ferries.

Bicyclette et vélomoteur. On peut louer des vélos dans un certain nombre de boutiques de l'île, dont Sport Bike, au coin de Juárez et de Morelos, à proximité du quai d'embarquement des ferries. Avant de louer, comparez les prix (de 3 à 5 $US pour 4 heures, un peu plus pour la journée) et l'état des vélos dans plusieurs boutiques, puis arrivez tôt pour avoir le choix. Prévoyez une caution de 8 $US environ.

La démarche est la même pour les vélomoteurs : comparez les prix et le montant de la caution, vérifiez la vétusté de la machine et le plein du réservoir. Comptez 5 ou 6 $US de l'heure (2 heures minimum), 22 $US la journée, voire moins cher à la semaine. Les boutiques un peu excentrées, souvent plus compétitives, ne disposent pas nécessairement d'un meilleur matériel. Lorsque vous conduisez, souvenez-vous que les accidents sont beaucoup plus fréquents en deux roues qu'en voiture. N'oubliez pas votre écran solaire et protégez-vous les mains, les pieds, le visage et le cou, premières cibles du soleil.

RÉSERVE ORNITHOLOGIQUE D'ISLA CONTOY

Une excursion en bateau vous mènera jusqu'à la minuscule Isla Contoy, une réserve ornithologique nationale (Reserva Especial de la Biósfera Isla Contoy), à environ 25 km au nord d'Isla Mujeres. Ce paradis pour les ornithologues foisonne de pélicans bruns, de cormorans et de frégates, ainsi que de flamants et de hérons de passage. Pendant la traversée et près de Contoy, vous pourrez faire de la plongée avec masque et tuba.

Comment s'y rendre

La Sociedad Cooperativa Transporte Turística "Isla Mujeres" (☎ 987-7-02-74), Avenida Rueda Medina, au nord de l'embarcadère des ferries, organise des sorties à la journée (environ 30 $US par personne).

ISLA HOLBOX

L'Isla Holbox (prononcez Holboch) plaira aux amoureux de la nature. Toutefois, les équipements les plus rudimentaires sont rares et les plages n'atteignent pas la perfection de celles de Cancún. Endroit privilégié pour les collectionneurs de coquillages, l'île, de 25 km sur 3 km, est entourée de sable et d'eaux tranquilles, où vous pouvez barboter assez loin avant que l'eau n'atteigne vos épaules.

Les pêcheurs d'Holbox, accueillants, ne semblent pas perturbés par l'agitation qui sévit sur le continent. La mer des Caraïbes se mêle ici à l'eau plus sombre du Golfe et vous ne retrouverez pas le bleu turquoise des plages du Quintana Roo. Par endroit, les algues produisent de la vase à proximité des côtes.

Avant l'éventuel développement de l'Isla Holbox, vos seuls recours seront le modeste *Hotel Flamingo* (doubles à 12 $US) et quelques échoppes d'en-cas. La plupart des voyageurs logent chez l'habitant.

Comment s'y rendre

Pour atteindre Isla Holbox, prenez le ferry au morne village portuaire de Chiquilá, sur la côte nord du Quintana Roo. Les bus relient Valladolid à Chiquilá trois fois par jour (2 heures 30, 5 $US) et, en théorie, le ferry attend leur arrivée. Sauf quand le capitaine décide de ne pas attendre les bus en retard, ou de partir en avance sur l'horaire ! Si vous venez de Cancún, il vous faudra probablement changer de bus au croisement de la route de Chiquilá. Essayez d'arriver à Chiquilá le plus tôt possible.

En principe le ferry part à 8h et 15h et revient vers Chiquilá à 14h et à 17h (1 heure, 2,50 $US).

Essayez de ne pas rester bloqué à Chiquilá, dépourvue d'hôtel et de camping convenable ; la nourriture y est particulièrement décevante.

PUERTO MORELOS

• *Hab.: 600* • ☎ *987*

Peu touristique, Puerto Morelos, à 34 km au sud de Cancún est un paisible village de pêcheurs, essentiellement connu pour son ferry qui le relie à Cozumel. Quelques plongeurs viennent explorer le magnifique récif à 600 m de la côte, accessible en bateau.

A quelques kilomètres de la ville, près de la route, le Jardín Botánico Dr Alfredo Barrera vous donnera un aperçu de la flore et de quelques spécimens de la faune de la péninsule du Yucatán. Il est ouvert tous les jours de 9h à 17h (3 $US).

Où se loger et se restaurer

La *Posada Amor* (☎ 1-00-33 ; fax 1-01-78), Apdo Postal 806, 77580 Cancún, au sud du centre, existe depuis fort longtemps. Elle offre des chambres avec ventilateur et s.d.b. commune un peu chères, à 22 $US avec un grand lit ou 28 $US avec des lits jumeaux, en simple ou double. On peut y prendre ses repas.

Au bord de l'eau et à 150 m au sud de la place, l'*Hotel Hacienda Morelos* (☎/fax 1-00-15) possède des chambres agréables qui bénéficient d'une belle vue et de la brise marine (50 $US en simple ou double), ainsi qu'un restaurant correct, El Mesón.

Plus au sud, au-delà du quai des ferries, le *Rancho Libertad* (☎ 1-01-81) se compose de plusieurs petits bungalows à toit de chaume à un étage, comportant une chambre avec s.d.b. à chaque niveau. Celles du haut se louent 65 $US, celles du rez-de-chaussée, 55 $US, en simple ou double, buffet du petit déjeuner compris. Ces prix baissent hors saison. L'établissement loue du matériel de plongée et des vélos.

Juste à côté, directement sur la plage, le *Caribean Reef Club* (☎ 1-01-91 ; fax 1-01-90), est un superbe complexe hôtelier, calme et très confortable. Ses propriétaires serviables proposent de nombreuses activités aquatiques. Comptez de 100 à 140 $US de mi-décembre à fin avril, et 30% de moins en été.

Tout à côté de l'Hacienda Morelos, *Las Palmeras*, sert une bonne cuisine, mais *Los Pelicanos*, au coin sud-est de la place, le surpasse.

Comment s'y rendre

Les bus Playa Express reliant Cancún à Playa del Carmen s'arrêtent sur la nationale, à environ 2 km à l'ouest du centre de Puerto Morelos. Tous les bus 2e classe et de nombreux 1re classe s'arrêtent à Puerto Morelos sur le trajet de Cancún, distante de 36 km (45 minutes).

Le car-ferry (*transbordador* ; ☎ à Cozumel 987-2-09-50) à destination de Cozumel part de Puerto Morelos à 12h le mardi, à 8h les lundi et mercredi, à 6h les autres jours. Les horaires sont susceptibles de changer suivant la saison et le temps.

A moins que vous ne souhaitiez séjourner à Cozumel, il est inutile d'embarquer votre véhicule. Il faut en effet faire la queue plus de 12 heures à l'avance en espérant qu'il restera une place disponible. La traversée dure de 2 heures 30 à 4 heures (30 $US par voiture et 4,50 $US par personne).

A Cozumel, l'embarcadère est implanté devant l'Hotel Sol Caribe au sud de la ville sur la route côtière.

PLAYA DEL CARMEN

• *Hab.: 20 000* • ☎ *987*

Pendant des dizaines d'années Playa ne fut qu'un village de pêcheurs en face de Cozumel. Avec la construction de Cancún, le nombre de voyageurs sillonnant cette partie du Yucatán a considérablement augmenté. Désormais, Playa a supplanté Cozumel dans le cœur des vacanciers.

Ses plages sont plus belles, la vie nocturne plus animée et la plongée dans le récif, de qualité égale. Si les seins nus sont autorisés sur toutes les plages, le nu intégral n'est permis qu'à 1 km au nord de Playa.

Que faire à Playa ? Se balader, nager, bronzer et prendre la navette Playa Express vers d'autres points de la côte. Le soir, l'Avenida Quinta, piétonne, est l'endroit où dîner ou boire un verre. Les happy hours, de 17h à 19h, sont de rigueur !

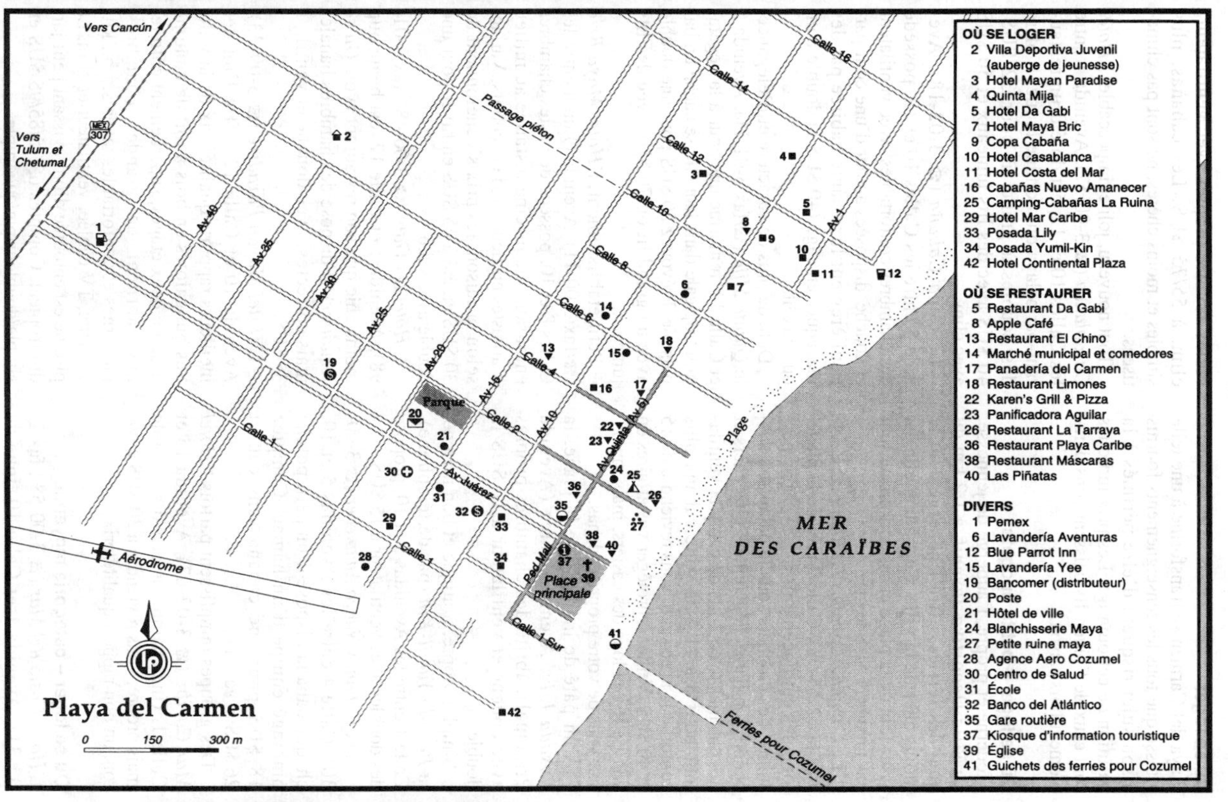
OÙ SE LOGER
2 Villa Deportiva Juvenil (auberge de jeunesse)
3 Hotel Mayan Paradise
4 Quinta Mija
5 Hotel Da Gabi
7 Hotel Maya Bric
9 Copa Cabaña
10 Hotel Casablanca
11 Hotel Costa del Mar
16 Cabañas Nuevo Amanecer
25 Camping-Cabañas La Ruina
29 Hotel Mar Caribe
33 Posada Lily
34 Posada Yumil-Kin
42 Hotel Continental Plaza
OÙ SE RESTAURER
5 Restaurant Da Gabi
8 Apple Café
13 Restaurant El Chino
14 Marché municipal et comedores
17 Panadería del Carmen
18 Restaurant Limones
22 Karen's Grill & Pizza
23 Panificadora Aguilar
26 Restaurant La Tarraya
36 Restaurant Playa Caribe
38 Restaurant Máscaras
40 Las Piñatas
DIVERS
1 Pemex
6 Lavandería Aventuras
12 Blue Parrot Inn
15 Lavandería Yee
19 Bancomer (distributeur)
20 Poste
21 Hôtel de ville
24 Blanchisserie Maya
27 Petite ruine maya
28 Agence Aero Cozumel
30 Centro de Salud
31 École
32 Banco del Atlántico
35 Gare routière
37 Kiosque d'information touristique
39 Église
41 Guichets des ferries pour Cozumel
MER DES CARAÏBES
Plage
Ferries pour Cozumel
Place principale
Ped Mall
Parque
Passage piéton
Calle 16
Calle 14
Calle 12
Calle 10
Calle 8
Calle 6
Calle 4
Calle 2
Calle 1
Calle 1 Sur
Av 1
Av Quinta (Av 5)
Av 10
Av 15
Av 20
Av 25
Av 30
Av 35
Av 40
Av Juárez
Vers Cancún
Vers Tulum et Chetumal
MEX 307
Aérodrome
Playa del Carmen
0 150 300 m

Où se loger

Playa del Carmen se transforme à une telle vitesse que tous les renseignements fournis à son sujet risquent d'être périmés à la parution de cet ouvrage. Les prix indiqués sont ceux de l'hiver. Ils baissent considérablement hors saison.

Où se loger – petits budgets

Moderne et propre, l'auberge de jeunesse, ou *Villa Deportiva Juvenil*, à 1,2 km du quai des ferries, offre l'hébergement le moins cher de la ville. Cependant elle est assez loin de la plage et ses dortoirs ne sont pas mixtes (3 $US le lit).

Le *Camping-Cabañas La Ruina* (☎ 2-14-74 ; fax 2-15-98), Calle 2 près de la plage, loue des emplacements à 3 $US par personne, des crochets sous la palapa où suspendre son hamac légèrement plus chers et des cabañas avec 2 lits de camp et ventilateur pour 8 à 11 $US. Une cabaña plus confortable avec s.d.b. vous reviendra de 15 et 40 $US. Veillez à protéger vos affaires du vol. La Ruina loue des casiers, mais munissez-vous de votre propre cadenas.

A un pâté de maisons de la place, la *Posada Lily*, Avenida Juárez (Avenida Principal), abrite des chambres propres avec douche et ventilateur à 16 $US la double.

Simple, propre, pratique et bon marché, la *Posada Yumil-Kin* (pas de téléphone), Calle 1 entre les Avenidas 5 et 10, propose des doubles avec ventilateur à 15 $US.

Aux *Cabañas Nuevo Amanecer* (☎ 3-00-30), Calle 4 entre les Avenidas 5 et 10, chaque cabaña dispose d'un petit porche ombragé équipé d'un hamac. Comptez 18 $US pour une cabaña sans eau et 26 $US avec s.d.b.

Des groupes remplissent parfois l'*Hotel Mar Caribe* (☎ 3-02-07), Avenida 15 et Calle 1. Une chambre avec s.d.b., simple mais propre, vous reviendra à 30 $US environ, un bon rapport qualité/prix.

Où se loger – catégorie moyenne

L'*Hotel Costa del Mar* (☎ 3-00-58 ; fax 2-02-31), Avenida 1 et Calle 10, loue de belles doubles propres avec ventilateur/clim. à 55/75 $US. Les cabañas, plus simples et moins chères, ne sont pas climatisées.

Tout nouveau, joli et impeccable, l'*Hotel Casablanca* (☎ 3-00-57), Avenida 1 entre les Calles 10 et 12, est doté d'un restaurant-bar palapa qui domine la rue. Il offre des doubles à grand lit pour 32 $US, 40 $US avec des lits jumeaux et 50 $US avec clim.

Le *Copa Cabaña* (☎ 3-02-18), Avenida 5 entre les Calles 10 et 12, possède des chambres confortables, avec ventilateur et douche, disposées autour d'une cour particulièrement luxuriante habitée par des macaques en cage (40 $US la double à un ou deux lits).

Doté de plus de caractère et d'élégance, le *Quinta Mija* (☎/fax 3-01-11), Avenida 5 et Calle 14, renferme une cour à la végétation tropicale dans laquelle se cache un bar paisible. Prévoyez 50 $US pour une double avec un grand lit ou 70 $US avec des lits jumeaux.

Petit établissement, l'*Hotel Maya Bric* (☎/fax 3-00-11), Avenida Quinta entre les Calles 8 et 10, possède de vastes chambres entourant une piscine installée au milieu d'arbustes en fleurs et de cocotiers. Variant selon la saison, les prix s'échelonnent de 30 $US en été à 45 $US en hiver pour une double avec s.d.b.

L'*Hotel Da Gabi* (☎ 3-00-48 ; fax 3-01-98), Avenida 1 et Calle 12, est beaucoup moins chic que son restaurant (voir *Où se restaurer*). Il dispose de chambres banales mais correctes, avec douche et ventil., à 35 $US.

L'*Hotel Mayan Paradise* (☎ 3-09-33), Avenida 10 et Calle 12, offre l'un des meilleurs rapports qualité/prix de la ville. Ses bungalows en bois à toit de chaume d'un ou deux étages, superbement entretenus, abritent de grandes chambres, modernes et confortables, avec s.d.b., kitchenette, TV câblée, ventilateur et clim. La piscine est entourée d'un ravissant petit jardin tropical. Comptez 65/75/85/95 $US en simple/double/triple/quadruple.

Où se loger – catégorie supérieure

Situé sur la plage au sud du quai des ferries, l'*Hotel Continental Plaza* (☎ 3-01-00 ; fax 3-01-05), ravira les amateurs d'hôtels internationaux haut de gamme (de 140 à 200 $US).

Où se restaurer

C'était inévitable : la popularité de Playa grandissant, les boutiques de souvenirs et de bijoux ont chassé les petits restaurants bon marché de l'Avenida Quinta. Les prix ont grimpé, mais c'est encore là que se concentre l'animation. Arpentez l'avenue, repérez un restaurant fréquenté, parcourez la carte et demandez le prix des boissons avant vous installer.

Pour un bon rapport qualité/prix, explorez l'intérieur de la ville, où dînent les habitants de Playa. Les petits restaurants les moins chers sont, comme toujours, les comedores proches du marché municipal, Avenida 10 et Calle 6. A l'ouest de la place, la petite Calle 1 Sur abrite plusieurs restaurants d'habitués.

Pour préparer votre petit déjeuner ou un pique-nique, rendez-vous à la *Panadería del Carmen*, Avenida Quinta près de la Calle 6, ou à la *Panificadora Aguilar*, une rue plus loin.

Sur la plage, le *Restaurant La Tarraya*, à l'extrémité sud de la Calle 2, sert du guacamole à 1,50 $US, du poisson frit à 2,50 $US ou du pulpo (poulpe) à 3,25 $US, des prix raisonnables.

Tenu par des Allemands, l'*Apple Café*, dans Quinta entre les Calles 10 et 12, est un endroit impeccable où vous pourrez déguster des crêpes, des quesadillas, des hamburgers, des gaufres et autres plats légers à prix modérés. Un hamburger et un jus d'orange frais revient à 4,50 $US.

Plus élégant que l'hôtel du même nom, le *Restaurant Da Gabi* offre des prix raisonnables et une ambiance paisible sur fond de musique de jazz. Vous paierez de 5 à 8 $US pour des pâtes ou une énorme pizza et de 7 à 12 $US pour une viande ou un poisson grillé. La carte des vins comporte quelques vins d'importation.

Parce qu'il est plus loin de la plage et de l'Avenida Quinta, le *Restaurant El Chino*, Calle 14 entre les Avenidas 10 et 15, propose des prix plus bas et une meilleure cuisine, de même qu'un cadre plaisant et un service correct. Comptez de 10 à 12 $US pour un repas complet comprenant une soupe, du ceviche ou un poisson grillé et un dessert, boissons et service compris.

Parmi les établissements les plus onéreux, le *Restaurant Máscaras*, sur la place principale, est le plus ancien et le plus réputé. Les pizzas (de 4 à 7 $US) sont toujours parfaites, les plats plus élaborés un peu moins, mais on vient surtout ici pour être en bonne compagnie. Les prix des boissons sont élevés. *Las Piñatas*, plus bas, offre la plus belle vue sur la mer.

Pour une meilleure cuisine, allez au *Restaurant Limones*, Avenida Quinta et Calle 6, où l'atmosphère est cependant plus tranquille que joviale. La "symphonie de fruits de mer" (langouste, crevettes et conques) peut coûter jusqu'à 19 $US, la plupart des plats de poisson, 5 $US environ, et le filet mignon, 12 $US.

Sans doute un peu moins cher que ses voisins, le *Restaurant Playa Caribe*, Avenida Quinta, sert une grande assiette de spécialités mexicaines pour 7,50 $US.

Où sortir

Entre 17h et 19h (le moment des happy hours), le bruit des décapsuleurs ouvrant les bouteilles de bière emplit l'Avenida Quinta. Le *Karen Grill & Pizza* accueille souvent des groupes de marimba en soirée et des musiciens de jazz animent le *Red and Black Bar* du Restaurant Limones. Le *Blue Parrot Inn* fait partie des endroits les plus décontractés et attire une clientèle internationale.

Comment s'y rendre

Avion. La courte piste d'atterrissage de Playa est essentiellement utilisée par des petits avions, charter de voyages organisés ou taxis aériens. Aero Saab et Aero Cozumel (☎ 3-03-50), filiale de Mexicana, possèdent un bureau près de l'aérodrome.

Toutes deux proposent des vols pour Cozumel à 70 $US (jusqu'à 5 passagers) et des aller-retour pour Chichén Itzá à 120 $US par personne.

Bus. ADO, Autotransportes del Sur (ATS), Cristóbal Colón, Mayab et Autotransportes de Oriente (Oriente) desservent la gare routière de Playa, à l'angle des Avenidas Juárez et Quinta. Les bus Playa Express remontent et descendent la côte toutes les 20 minutes (1,75 $US de Playa à Tulum ou Cancún).

Cancún – 65 km, 1 heure ; fréquents ADO, Playa Express et Oriente à 1,75 $US
Chetumal – 315 km, 5 heures ; 7 ADO (de 10 à 12 $US), 1 Colón (10 $US) et 3 Mayab (6,50 $US)
Chichén Itzá – 272 km, 4 heures ; 5 bus (de 6 à 9 $US)
Cobá – 113 km, 2 heures ; 4 Oriente (2,50 $US) et 1 ATS (2,75 $US)
Mérida – 385 km, 7 heures ; 9 ADO (de 10 à 12 $US), plusieurs ATS (8 $US) et Mayab (10 $US)
Palenque – 800 km, 12 heures ; 1 ADO (27 $US), 1 Colón (25 $US) et 1 ATS (20 $US)
San Cristóbal de Las Casas – 990 km, 18 heures ; 1 ADO (30 $US), 1 Colón (27 $US) et 1 ATS (24 $US)
Tulum – 63 km, 1 heure ; Playa Express toutes les 20 minutes (2,25 $US) et 4 ATS (1,50 $US)
Valladolid – 213 km, 3 heures 30 ; 5 ADO (6 $US), 4 ATS (5 $US) ; de nombreux bus pour Mérida *via* Cancún s'arrêtent à Valladolid, mais la *ruta corta* (itinéraire court) *via* Tulum et Cobá (voir *Cobá*) est plus rapide

Bateaux pour Cozumel. En approchant du quai, vous ne pouvez pas rater les guichets des billets pour le *México*, le *México II* et le *México III*. A eux trois, ils rallient Cozumel une douzaine de fois par jour (30 minutes, 4 $US l'aller simple).

COZUMEL

• *Hab.: 175 000* • ☎ *987*

Cozumel (lieu des hirondelles) flotte au milieu des eaux cristallines de la mer des Caraïbes, à 71 km au sud de Cancún. Mesurant 53 km de long et 14 km de large, Cozumel est la plus grande des îles du Mexique. Son récif légendaire, Arrecife Palancar, rendu célèbre par Jacques-Yves Cousteau, attire les plongeurs du monde entier.

Cependant, l'île possède peu de plages propices à la baignade. Généralement abrupte, la côte occidentale, en calcaire et corail, est battue par les vents ; les plages orientales sont souvent sujettes à un dangereux ressac.

Histoire

La colonisation maya date de 300. Pendant la période postclassique, Cozumel devint un important centre commercial et religieux. Les Mayas se rendaient en pèlerinage aux temples dédiés à Ixchel, déesse de la fertilité et de la lune.

En 1518, l'Espagnol Juan de Grijalva débarqua à Cozumel pacifiquement. Un an plus tard, l'expédition de Cortés, qui partait conquérir le continent, ravagea les sanctuaires mayas de l'île. Les Mayas opposèrent une forte résistance militaire jusqu'à la conquête, en 1545. Dans cette île autrefois épargnée par la maladie, les Espagnols apportèrent la variole et, en l'espace d'une génération après la conquête, la population était réduite à moins de 300 âmes, mayas et espagnoles.

Tandis que l'île demeurait pratiquement déserte à la fin du XVIIe siècle, ses baies abritaient les quartiers généraux de plusieurs pirates célèbres, dont Jean Lafitte et Henry Morgan. Leur brutalité amena la population restante à se déplacer sur le continent et ce n'est qu'en 1848 que Cozumel commença a se repeupler d'Indiens fuyant la guerre des Castes.

Au début du siècle, la population de l'île – largement mestiza – s'accrut grâce à l'engouement pour le chewing-gum. Cozumel était en effet une escale sur la route d'exportation du *chiclé* (gomme), également produit sur l'île.

Bien que le chiclé fût plus tard remplacée par de la gomme synthétique, l'expansion économique de Cozumel s'accrut avec la construction d'une base militaire de l'US Air Force pendant la Seconde Guerre mon-

LA PÉNINSULE DU YUCATÁN

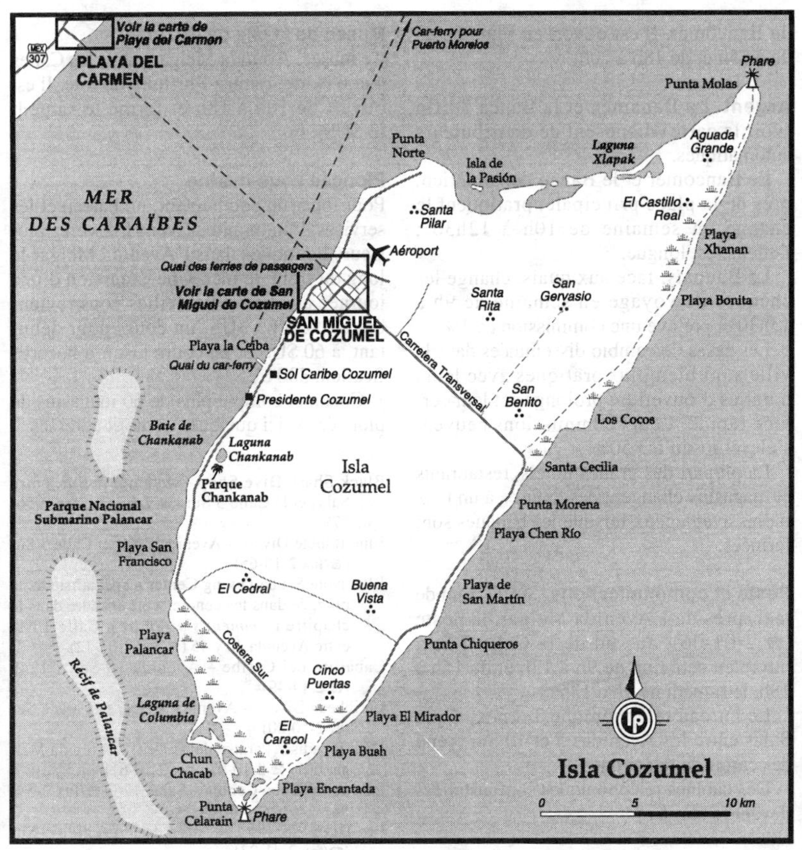

diale. Après le départ des militaires américains, l'île tomba dans un profond marasme économique et nombre de ses habitants s'exilèrent. Ceux qui restèrent survécurent grâce à la pêche jusqu'en 1961, lorsque Jacques-Yves Cousteau explora le récif et fit découvrir au reste du monde les merveilles de Cozumel.

Orientation

Il est facile de parcourir à pied San Miguel de Cozumel, la seule ville de l'île. L'aéroport, situé à 2 km au nord de la ville, n'est accessible qu'en taxi ou à pied.

L'Avenida Rafael Melgar longe le front de mer. Le long de cette avenue et au sud du quai des ferries (officiellement appelé le Muelle Fiscal) s'étend une plage de sable étroite mais praticable. La place principale se trouve en face du quai des ferries.

Au bout du Muelle Fiscal (côté terre), vous trouverez des consignes (2 $US par jour), trop petites pour un sac à dos rempli.

Renseignements

Office du tourisme. L'office du tourisme (☎ 2-09-72) est installé à l'étage d'un bâtiment en face de la place principale, au nord du Bancomer. Il est ouvert en semaine de 9h à 15h et de 18h à 20h.

Argent. La Banamex et la Banca Serfin (voir la carte) disposent de distributeurs automatiques.

Le Bancomer et le Banco de Atlántico, près de la place principale, pratiquent le change en semaine de 10h à 12h30 ; l'attente est longue.

La Banpaís, face aux quais, change les chèques de voyage en semaine de 9h à 13h30 et prélève une commission de 1%.

Les casas de cambio disséminées dans la ville sont bien plus pratiques avec leurs horaires d'ouverture prolongés et leur service rapide. Leurs commissions peuvent s'élever jusqu'à 3,50%.

La plupart des grands hôtels, restaurants et magasins changent des devises à un taux moins avantageux lorsque les banques sont fermées.

Poste et communications. Sur le front de mer, près de l'Avenida Melgar, la poste (☎ 2-01-06), au sud de la Calle 7 Sur, ouvre en semaine de 9h à 13h et de 15h à 18h, le samedi de 9h à 12h.

Le bureau téléphonique Telmex, Calle Salas entre les Avenidas 5 et 10 Sur, vend des cartes de téléphone.

Des cabines téléphoniques sont installées devant le bureau.

Librairie. Près de Bancomer, la Gracia Agencia de Publicaciones, au sud-est de la place et à 40 m de la tour de l'horloge, ouvre tous les jours. Elle vend des livres en français et en espagnol et des magazines.

Blanchisserie. La laverie Margarita, Avenida 20 Sur 285, entre Salas et la Calle 3 Sur, ouvre du lundi au samedi de 7h à 21h, le dimanche de 9h à 17h. Comptez 1,50 $US pour un sac de linge (plus 0,40 $US pour la lessive) et 0,70 $US pour 10 minutes de séchage. Prévoyez un supplément pour le repassage.

La Lavandería Express se trouve dans Salas, près de l'Avenida 10 Sur.

Museo de la Isla de Cozumel

Ce musée, Avenida Melgar, entre les Calles 4 et 6 Norte, retrace l'histoire de l'île. Il est ouvert de 10h à 18h et fermé le samedi (3 $US).

Plongée sous-marine

Pour louer un équipement, un bateau et les services d'un moniteur, vous trouverez plusieurs boutiques dans l'Avenida Melgar le long du front de mer. Une excursion d'une journée avec deux bouteilles vous reviendra de 50 à 65 $US, un cours pour débutant, à 60 $US et un cours jusqu'à la certification, 300 $US.

Cozumel compte plus de 60 magasins de plongée. Voici quelques noms et adresses :

Black Shark Dive Shop – Avenida 5 Sur, entre Salas et la Calle 3 Sur (☎ 2-03-96 ; fax 2-56-57)

Blue Bubble Divers – Avenida 5 Sur et Calle 3 Sur (☎/fax 2-18-65)

Blue Note Scuba Diving Center – spécialiste de la plongée dans les cenote (voir encadré dans le chapitre *Comment s'y rendre*). Calle 2 Nte entre Avenida 40 y 45 (☎/fax 2-03-12)

Caballito del Caribe – Avenida 10 Sur n°124b (☎ 2-14-49)

Caribbean Divers – Avenida Melgar et Calle 5 Sur (☎ 2-10-80)

Dive Paradise (Paraíso del Buceo) – Avenida Melgar 601 (☎ 2-10-07 ; fax 2-10-61)

Pascual's Scuba Center – Salas 176 (☎/fax 2-54-54)

Pro Dive – Salas 198, près de l'Avenida 5 Sur (☎/fax 2-41-23)

Yucatech Expeditions – autre spécialiste de la plongée dans les cenotes du Yucatán. Avenida 15 Sur, entre Salas et la Calle 1 Sur (☎ 2-46-18, 4-78-35)

La chambre de décompression locale des Servicios de Seguridad Sub-Acuatica (☎ 2-23-87, 2-14-30 ; fax 2-18-48), Calle 5 Sur n°21b, est ouverte 24h/24.

Les principales destinations sont : l'Arrecife Palancar, de 5 km de long, dont les splendides formations de coraux en "fer à cheval" constituent, avec une visibilité de 70 m, l'une des plus belles plongées au monde ; le récif Maracaibo, réservé aux plongeurs expérimentés ; le récif Paraíso,

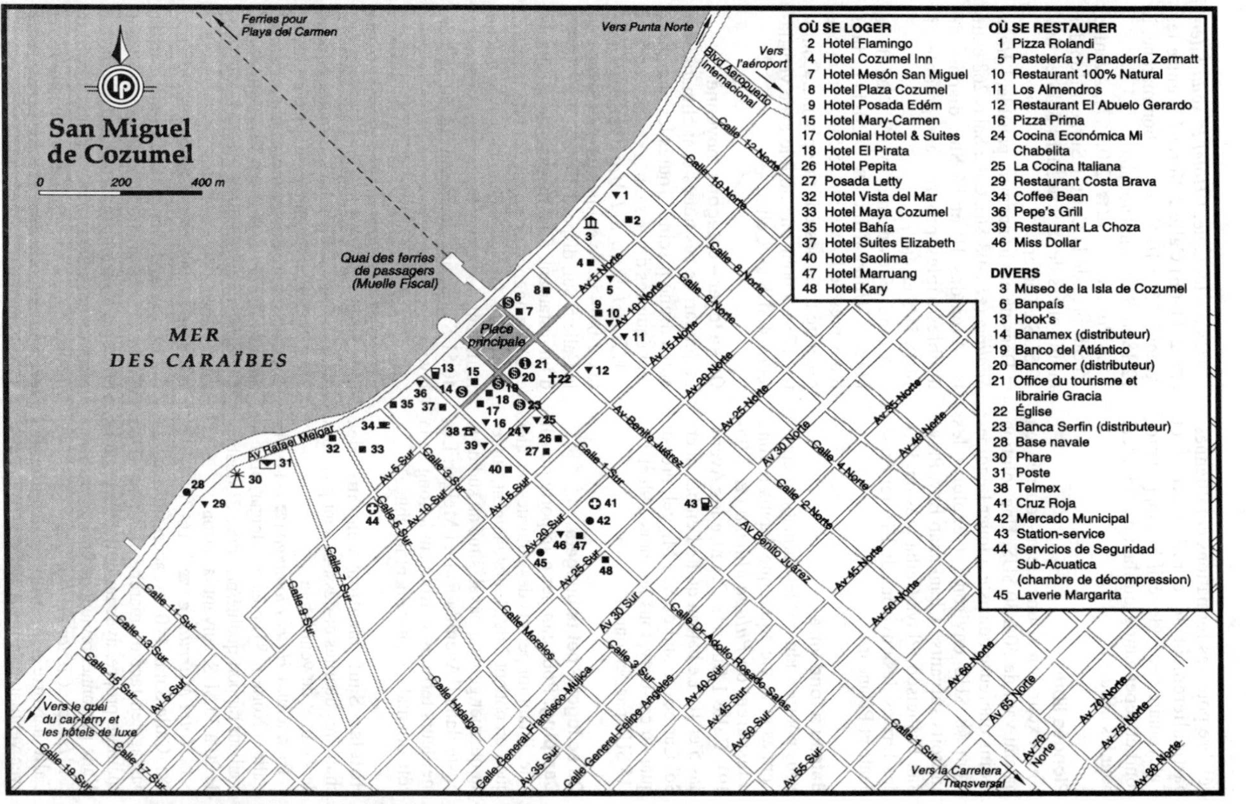
San Miguel de Cozumel
0 200 400 m
MER DES CARAÏBES
Ferries pour Playa del Carmen
Vers Punta Norte
Vers l'aéroport
Blvd Aeropuerto Internacional
Quai des ferries de passagers (Muelle Fiscal)
Place principale
Av Rafael Melgar
Av Benito Juárez
Vers le quai du car-ferry et les hôtels de luxe
Vers la Carretera Transversal
OÙ SE LOGER
2 Hotel Flamingo
4 Hotel Cozumel Inn
7 Hotel Mesón San Miguel
8 Hotel Plaza Cozumel
9 Hotel Posada Edém
15 Hotel Mary-Carmen
17 Colonial Hotel & Suites
18 Hotel El Pirata
26 Hotel Pepita
27 Posada Letty
32 Hotel Vista del Mar
33 Hotel Maya Cozumel
35 Hotel Bahía
37 Hotel Suites Elizabeth
40 Hotel Saolima
47 Hotel Marruang
48 Hotel Kary
OÙ SE RESTAURER
1 Pizza Rolandi
5 Pastelería y Panadería Zermatt
10 Restaurant 100% Natural
11 Los Almendros
12 Restaurant El Abuelo Gerardo
16 Pizza Prima
24 Cocina Económica Mi Chabelita
25 La Cocina Italiana
29 Restaurant Costa Brava
34 Coffee Bean
36 Pepe's Grill
39 Restaurant La Choza
46 Miss Dollar
DIVERS
3 Museo de la Isla de Cozumel
6 Banpaís
13 Hook's
14 Banamex (distributeur)
19 Banco del Atlántico
20 Bancomer (distributeur)
21 Office du tourisme et librairie Gracia
22 Église
23 Banca Serfin (distributeur)
28 Base navale
30 Phare
31 Poste
38 Telmex
41 Cruz Roja
42 Mercado Municipal
43 Station-service
44 Servicios de Seguridad Sub-Acuatica (chambre de décompression)
45 Laverie Margarita

célèbre pour ses formations coralliennes, particulièrement le corail cerveau et l'alcyonaire ; enfin le récif Yocab, peu profond et cependant grouillant de vie, idéal pour les débutants.

Plongée libre

Une excursion d'une demi-journée en bateau vaut de 20 à 30 $US. Une solution moins onéreuse consiste à louer l'équipement (8 $US environ) et explorer les endroits suivants : Chankanab Bay, Playa San Francisco, Playa Ceiba près du dock des ferries, les environs de l'Hotel Presidente et Palancar.

Bateau à fond vitré

Vous pourrez admirer les formations coralliennes et la vie aquatique depuis le fond transparent du *Palapa Marina* (☎ 2-05-39), Calle 1 Sur n°177, entre les Avenidas 5 et 10. Le bateau quitte l'embarcadère Sol Caribe, au sud de San Miguel, près du quai du car-ferry, tous les jours à 9h et 13h (15 $US par personne).

Où se loger – petits budgets

Camping. Pour camper n'importe où sur l'île, il faut un permis des autorités navales que l'on obtient 24h/24, gratuitement, auprès du quartier général naval, situé au sud de la poste dans l'Avenida Rafael Melgar. Les meilleurs terrains se trouvent le long de la côte orientale, relativement inhabitée.

Hôtels. Sauf mention contraire, les chambres décrites ci-dessous sont pourvues de s.d.b. et de ventilateur.

Bien tenu, l'*Hotel Flamingo* (☎ 2-12-64), Calle 6 Norte n°81, près de Melgar, offre le meilleur rapport qualité/prix avec 21 doubles de 20 à 35 $US, suivant la saison.

L'*Hotel Marruang* (☎ 2-16-78, 2- 02-08), Calle Salas 440, est accessible par un passage en face du marché municipal. Une chambre propre, avec un lit double et un lit d'une personne, revient de 16 à 24 $US.

L'*Hotel Cozumel Inn* (☎ 2-03-14), Calle 4 Norte n°3, propose des doubles avec ventilateur/clim. à 20/24 $US en été.

Très quelconque, l'*Hotel Posada Edém* (☎ 2-11-66) Calle 2 Norte 12, entre les Avenidas 5 et 10 Norte, est bon marché, à 12/18 $US en simple/double.

Le *Posada Letty* (☎ 2-02-57), Avenida 15 Sur près de la Calle 1 Sur, est l'un des moins chers de la ville, à 14 $US en été, 19 $US en hiver.

Dans un environnement paisible, l'*Hotel Saolima* (☎ 2-08-86), Calle Salas 268 entre les Avenidas 10 et 15 Sur, dispose de doubles/triples propres et agréables à 14/18 $US en été.

A cinq pâtés de maisons à l'est de la place, l'*Hotel Kary* (☎ 2-20-11), dans Salas près de l'Avenida 25 Sur, est un peu excentré mais possède une piscine. Comptez 17$US pour une double avec ventilateur, 24 $US avec clim.

Où se loger – catégorie moyenne

La plupart de ces hôtels sont climatisés et dotés d'une piscine. Toutes les chambres sont équipées d'une s.d.b.

L'*Hotel Vista del Mar* (☎ 2-05-45 ; fax 2-04-45), Avenida Melgar 45, près de la Calle 5 Sur, dispose d'une petite piscine, d'un restaurant, d'un magasin de spiritueux et d'une agence de voyages et de location de voiture. Quelques chambres avec balcon jouissent de la vue sur la mer. Prévoyez 40 $US pour une double en été, 50 $US en hiver.

Propreté et confort sont garantis à l'*Hotel Mary-Carmen* (☎ 2-05-81), Avenida 5 Sur 4, à quelques pas au sud de la place. Il loue 27 chambres climatisées pour 28 $US en double en été, 40 $US en hiver. Tout aussi agréable et moins cher, l'*Hotel Suites Elizabeth* (☎ 2-03-30), Calle Salas 44, offre des chambres climatisées avec kitchenette.

L'*Hotel Pepita* (☎ 2-00-98 ; fax 22-02-01), Avenida 15 Sur n°120, à l'angle de la Calle 1 Sur, abrite des chambres bien tenues entourant un délicieux jardin. La plupart possèdent deux grands lits, des moustiquaires, un ventilateur, un petit réfrigérateur et la clim. (25 $US en été et 35 $US en hiver, café du matin compris).

Le *Colonial Hotel & Suites* (☎ 2-40-34 ; fax 2-13-87), Avenida 5 Sur n°9, loue des studios ou des suites d'une chambre (dont certaines peuvent accueillir jusqu'à 4 personnes) avec kitchenette et clim. (de 42 à 52 $US en double).

Similaire et géré par la même direction que le Colonial, l'*Hotel Bahia* (☎ 2-02-09 ; fax 2-13-87), face à la mer dans l'Avenida Melgar près de la Calle 3 Sur, est un peu plus cher.

L'*Hotel El Pirata* (☎ 2-00-51), Avenida 5 Sur 121, propose des doubles correctes avec s.d.b. et ventilateur à 19 $US en été, 28 $US avec clim.

L'*Hotel Maya Cozumel* (☎ 2-00-11 ; fax 2-07-18), Calle 5 Sur n°4, comporte de bonnes chambres avec TV et une piscine entourée de gazon et de bougainvillées. En hiver, une simple/double/triple revient à 35/40/45 $US (environ 5 $US de moins en été).

Agrémenté d'une piscine sur le toit et doté de la TV couleur, le moderne *Hotel Plaza Cozumel* (☎ 2-27-11 ; fax 2-00-66), Calle 2 Norte 3, à côté de l'Avenida Melgar et à une rue au nord de la place, demande 50 $US en été et 75 $US en hiver.

Au nord de la place, l'*Hotel Mesón San Miguel* (☎ 2-03-23 ; fax 2-18-20), Avenida Juárez 2B, offre une petite piscine, la clim., un restaurant et 100 chambres avec balcon. Un club de plage, à 7 rues de l'hôtel permet de pratiquer les sports nautiques (doubles à 55/80 $US en été/hiver).

Où se loger – catégorie supérieure

Les grands hôtels de luxe aux standards internationaux s'élèvent à quelques kilomètres au sud de la ville et demandent de 150 à 300 $US pour une chambre en hiver. Au nord de la ville, le long de la côte occidentale, vous trouverez quantité d'hôtels plus modestes, essentiellement occupés par les groupes organisés.

Situé au milieu d'un jardin tropical au sud de la ville, le *Presidente Cozumel* (☎ 2-03-22 ; fax 2-13-60), Carrerera a Chankanab km 6,5, dispose de 259 chambres, donnant sur la mer pour la plupart. Le *Sol Caribe Cozumel* (☎ 2-07-00 ; fax 2-13-01), Playa Paraíso km 3,5 (Apdo Postal 259), abrite 321 chambres luxueuses et un agencement somptueux avec une piscine tropicale dotée de son "île".

Hôtel-club de 200 chambres, le *Meliá Maya Cozumel* (☎ 2-04-11 ; fax 2-15-99), Playa Santa Pilar, met toute une gamme de sports nautiques à la disposition de sa clientèle. Autre hôtel Meliá, le *Sol Cabañas del Caribe* (☎ 2-01-61, 2-00-17 ; fax 2-15-99) est surtout fréquenté par les plongeurs.

Où se restaurer

Petits budgets. Les endroits les moins chers sont les loncherías proches du Mercado Municipal, dans la Calle Salas, entre les Avenidas 20 et 25 Sur. Toutes ces petites échoppes proposent de la soupe et un plat principal pour moins de 3 $US. Elles ouvrent tous les jours de 6h30 à 18h30.

Le *Restaurant Costa Brava*, Avenida Melgar, au sud de la poste, est l'un des restaurants les plus amusants de l'île. Il sert des petits déjeuners bon marché (de 2 à 3 $US) et des plats copieux, tels des tacos au poulet, des steaks, du poisson ou du poulet frits pour 3 à 7 $US. Il ouvre tous les jours de 6h30 à 23h30.

Le *Restaurant La Choza*, Calle Salas 198, est spécialisé dans la cuisine mexicaine authentique. Essayez le pozole, viande épicée et maïs bouilli. Vous paierez 6 $US pour un plat copieux et une boisson sans alcool.

La *Cocina Económica Mi Chabelita*, Avenida 10 Sur, entre les Calles 1 Sur et Salas, est une petite échoppe bon marché, ouverte de 7h à 19h.

Le *Coffee Bean*, Calle 3 Sur près de l'Avenida Melgar, propose les dernières recettes à la mode.

Le *Restaurant 100% Natural*, Calle 2 Norte et Avenida 10 Norte, n'utilise que des ingrédients bio pour ses repas à 6 $US.

Pour les pâtisseries, essayez la *Pastelería y Panadería Zermatt*, Avenida 5 Norte et Calle 4 Norte.

Catégorie moyenne. Notre préférence va à la *Pizza Prima* (☎ 2-42-42), Salas 109 entre les Avenidas 5 et 10 Sur, ouverte de 13h à 23h (fermée le mercredi). Les propriétaires américains préparent des pâtes et des pizzas maison (de 5 à 12 $US) et d'excellentes spécialités italiennes (de 8 à 15 $US). Installez-vous côté rue ou en haut sur le patio.

La *Pizza Rolandi*, Avenida Melgar, entre les Calles 6 et 8 Norte, propose d'excellentes pizzas pour 7 à 9 $US. Elle ouvre de 11h30 à 23h30 (fermée le dimanche).

Attrayant et décoré d'artisanat local, le *Restaurant El Abuelo Gerardo* (☎ 2-10-12), Avenida 10 Norte n°21, accueille des groupes de salsa. La carte est variée et les prix, modérés : poulet (3 $US), bœuf (6 $US) et fruits de mer (de 5 à 9 $US). Le guacamole et les chips sont offerts par le patron.

La *Cocina Italiana*, Avenida 10 Sur n°121, près de la Calle 1 Sur, sert des pâtes et des pizzas rustiques sur des tables de bois tout aussi rustiques. Les prix sont un peu élevés : de 6 à 8 $US pour les pizzas et de 10 à 13 $US pour une viande ou un poisson.

Los Almendros, le célèbre restaurant de cuisine du Yucatán originaire de Ticul, possède des succursales à Mérida, à Cancún et maintenant à Cozumel, Avenida 10 Norte et Calle 2 Norte. Vous savourerez ici d'authentiques spécialités de la péninsule à des prix raisonnables.

Catégorie supérieure. Le *Pepe's Grill* (☎ 2-02-13) Avenida Melgar et Calle Salas, est le lieu traditionnel où savourer un bon dîner. Crevettes flambées ou langoustes grillées peuvent faire grimper l'addition de 25 à 40 $US par personne.

Où sortir

La vie nocturne de Cozumel est chère. Si vous voulez danser, l'endroit le plus populaire est le *Neptuno Dance Club*, à cinq pâtés de maisons au sud de la poste, Avenida Melgar et Calle 11 Sur. Le prix de l'entrée s'élève à 5 $US et celui des boissons commence à 3 $US. *Hook's*, au coin de l'Avenida Melgar et de Salas, pratique les mêmes tarifs. Pour écouter de la salsa, rendez-vous à *Los Quetzales*, Avenida 10 Sur et Calle 1 Sur, à une rue de la plaza (ouvert tous les soirs à partir de 18h).

Comment s'y rendre

Avion. Cozumel dispose d'un aéroport international très actif avec de nombreux vols directs en provenance d'autres régions du Mexique et des États-Unis. Les vols depuis l'Europe font généralement escale aux États-Unis ou à Mexico. Continental (☎ 2-02-51) et American (☎ 2-08-99) assurent des vols directs depuis Dallas, Houston et Raleigh-Durham. Mexicana (☎ 2-02-63) propose des vols directs depuis Miami, Mérida et Mexico.

Aero Cozumel (☎ 2-09-28, 2-05- 03) possède une agence à l'aéroport et relie Cancún à Cozumel environ toutes les deux heures (50 $US l'aller simple). Réservez à l'avance.

Ferry. Les ferries de passagers partent de Playa del Carmen et les car-ferries de Puerto Morelos (reportez-vous à ces rubriques pour plus de détails).

Comment circuler

Desserte de l'aéroport. L'aéroport se situe à environ 2 km au nord de la ville. De l'aéroport, vous pouvez emprunter un minibus qui vous coûtera moins de 2 $US pour le centre-ville, un peu plus pour les hôtels au sud de la ville. Au retour, vous devrez obligatoirement prendre un taxi (4 $US).

Bus et taxi. Les chauffeurs de taxi de Cozumel ont la mainmise sur le transport local. Les tarifs, en ville et alentour, s'élèvent à 3 $US la course. De la ville à la Laguna Chankanab, comptez 7 $US.

Voiture et moto. Les prix de location sont élevés, de 40 à 55 $US par jour, tout compris. Vous pouvez probablement négocier un tarif moins élevé avec un taxi pour qu'il vous fasse faire le tour de l'île, vous dépose à la plage et revienne vous chercher. Si vous louez une voiture, respectez les règles concernant le nombre de passagers. En général, un maximum de cinq personnes est autorisé à bord d'un véhicule (par exemple une jeep). Si vous dépassez ce nombre, la police vous verbalisera.

L'île dispose d'une seule station-service, Avenida Juárez, à cinq rues à l'est de la place principale.

Chaque habitant et chaque commerce de San Miguel semblent s'être investis dans la location de motocyclettes, proposant généralement de 25 à 32 $US par 24 heures. Certains offrent une location de 8h à 17h pour 18 $US, assurance et taxes comprises. Vous devrez présenter un permis de conduire et une carte de crédit ou laisser une caution de 50 $US environ.

Essayez de louer une machine tôt le matin, vérifiez son état et celui des accessoires ainsi que le plein du réservoir ; souvenez vous que le prix sera le même, qu'elle soit flambant neuve ou bonne pour la casse. Munissez-vous d'un casque (port obligatoire), d'un cadenas et d'une chaîne.

Ne comptez pas faire le tour de l'île à deux sur une mobylette. Ces engins, vétustes et mal entretenus, risquent de tomber en panne sous l'excédent de poids et vous aurez du mal à trouver de l'aide. Enduisez-vous de crème solaire, en particulier les mains, les pieds, le cou et le visage et conduisez prudemment.

LE TOUR DE COZUMEL

Si vous voulez explorer la plus grande partie de l'île (sauf la baie de Chankanab), vous devrez louer un véhicule ou prendre un taxi (voir ci-dessus la rubrique *Comment circuler*). L'itinéraire décrit ci-dessous vous conduira au sud de la ville de San Miguel, puis autour de l'île dans le sens inverse des aiguilles d'une montre.

Baie de Chankanab

Située à 9 km au sud de San Miguel, cette baie aux eaux claires peuplées de poissons aux couleurs fabuleuses est la plus fréquentée de l'île. On pouvait autrefois nager dans le lagon voisin, mais les touristes, en trop grand nombre, ont tellement saccagé le corail que Chankanab a décidé de le transformer en parc national, interdit à la baignade. Néanmoins, n'ayez aucun regret, vous pourrez plonger dans la mer et vous réjouir que le lagon soit maintenant sauvé de la dépravation.

Un équipement de plongée libre se loue 7 $US par jour. Les plongeurs souhaiteront sans doute se rendre sur un récif plus au large. Sur la plage, une boutique propose des cours de plongée. S'y trouvent également un restaurant et une échoppe d'en-cas.

L'accès aux vestiaires, aux coffres et aux douches est compris dans les 3 $US d'entrée au parc national, ouvert de 9h à 17h tous les jours. Un jardin botanique présente 400 espèces de plantes tropicales.

Playa San Franscisco et Playa Palancar

La Playa San Francisco, à 14 km de San Miguel, et la Playa Palancar, quelques kilomètres au sud, sont les plus agréables de l'île. Le sable blanc de San Francisco s'étend sur plus de 3 km ; son restaurant est plutôt cher. Pour faire de la plongée libre ou sous-marine dans l'Arrecife Palancar, il faut s'inscrire pour une croisière d'une journée ou louer un bateau.

El Cedral

Pour découvrir ces petites ruines mayas, les plus anciennes de l'île, marchez pendant 3,5 km sur la route goudronnée, au sud de la Playa San Francisco. Bien qu'El Cedral semble avoir été un site cérémoniel important, ses ruines, peu nombreuses, sont en mauvais état de conservation.

Punta Celarain

La pointe sud de l'île arbore un phare pittoresque, accessible par un chemin de terre, à 4 km de la route principale. Escaladez les dunes de sable pour accéder à des plages totalement isolées. La vue est magnifique du haut du phare.

Côte est

La côte orientale est, avec ses superbes rivages rocheux déchiquetés, la partie la plus sauvage de l'île. Du fait de la violence du courant, la baignade est dangereuse sur cette côte, mises à part Punta Chiqueros, Chen Río et Punta Morena. Ne nagez que dans des baies protégées du ressac. De petites échoppes d'en-cas sont installées à Punta Chiqueros et à Punta Morena ; cette dernière possède un hôtel. Des voyageurs campent à Chen Río.

El Castillo Real et San Gervasio

Au-delà de l'endroit où la route côtière orientale croise la Carretera Transversal, qui rejoint San Miguel, les voyageurs intrépides suivront le sentier qui mène aux ruines mayas d'El Castillo Real, à 17 km environ du croisement. Elles ne sont pas bien conservées et mieux vaut être équipé d'un 4x4 pour circuler sur cette piste sablonneuse.

Les ruines peu spectaculaires de San Gervasio se trouvent sur une mauvaise route rejoignant l'aéroport. Les 4x4 peuvent atteindre San Gervasio en empruntant une piste qui part de la côte est, mais la plupart des assurances des voitures de location ne couvrent pas les routes de terre.

Plages de Punta Molas

Quelques belles plages et des ruines mayas mineures non loin de la pointe nord-est ne sont accessibles qu'en 4x4 ou à pied.

PLAGES DE CANCÚN A TULUM

Certaines des plus belles plages du monde s'étendent entre Cancún et Tulum.

Xcaret (km 290)

Ancien élevage communal de dindes, Xcaret (prononcez CHKA-rète ; ☎ 98-83-31-43 ; fax 98-83-33-24), "Paradis sacré de la nature", est devenu une sorte de Disneyland. Le magnifique bras de mer (*caleta*), qui abrite une vie marine tropicale, est entouré de plusieurs petites ruines mayas ; on y trouve un cenote pour la baignade et un restaurant. En soirée, le spectacle des "anciennes cérémonies mayas" ressemble à un show de Las Vegas. Des groupes de touristes venus de Cancún remplissent le lieu chaque jour et paient allégrement les 25 $US demandés, plus les suppléments pour les nombreuses attractions et activités (entre autres, baignade avec des dauphins : 50 $US).

Il est typique de notre époque qu'un tel centre d'amusement, surdimensionné et hypercommercialisé, puisse être qualifié de "parc éco-archéologique" !

Pamul (km 274)

Bien que la petite plage de rochers de Pamul ne soit pas dotée d'une longue bande de sable blanc, les alentours bordés de palmiers sont très agréables. Si vous parcourez seulement 2 km à pied au nord de Pamul, vous arriverez à une plage de sable d'albâtre déserte.

L'endroit le moins rocheux est la partie sud, mais attention aux oursins ! En juillet et en août, des tortues de mer géantes viennent y pondre la nuit. Leur venue, chaque année, sur la même plage reste un mystère pour les zoologistes.

Si vous tombez sur une tortue pendant votre promenade nocturne, ne vous en approchez pas et n'utilisez pas de lampe, vous l'effraieriez. Contribuez à la survie de cette espèce menacée, laissez-les en paix.

Où se loger et se restaurer. L'*Hotel Pamul* offre des simples/doubles rudimentaires mais acceptables, avec ventilateur et s.d.b., pour 16/26 $US. Le soir, l'électricité fonctionne jusqu'à 22h. Un petit déjeuner et des fruits de mer vous seront servis au petit restaurant familial.

L'hôtel possède également un camping (6 $US pour deux personnes), équipé de douches et de toilettes.

Puerto Aventuras (km 269,5)

L'influence de Cancún s'étend inexorablement vers le sud, dotant cette côte, autrefois sauvage, de stations somptueuses comme le *Puerto Aventuras Resort* (☎ 987-2-22-11), PO Box 186, Playa del Carmen, Quintana Roo, complexe moderne et luxueux avec piscines, plages aménagées et autres conforts onéreux.

LA PÉNINSULE DU YUCATÁN

Xpu-ha (km 264)

Xpu-ha (prononcez Chpou-Ha) dispose d'un camping et de cabañas à prix modérés sur une belle plage, qui s'étend au nord du complexe hôtelier Club Robinson et à laquelle on accède par une route de terre. Jusqu'à ce que les promoteurs en décident autrement, Bonanza Beach possède le meilleur camping. Marchez 15 minutes vers le nord pour arriver à la Laguna Tinha et au cenote Manatee.

Laguna Yal-ku (km 256,5)

Naguère gardée secrète par les passionnés de plongée, la Laguna Yal-ku est aujourd'hui très fréquentée. On y accède à présent en taxi depuis les hôtels d'Akumal. Apportez vos rafraîchissements et votre matériel de plongée.

Akumal (km 255)

Célèbre pour sa superbe plage, Akumal (lieu des tortues) accueille effectivement des tortues géantes lors de la ponte d'été.

Activités nautiques. Deux boutiques louent le matériel de plongée libre. Le site de plongée se situe à l'extrémité nord de la baie. Essayez également la Laguna Yal-Ku, à 1,5 km au nord d'Akumal.

Des plongeurs de classe internationale viennent explorer le galion espagnol *Mantancero* qui sombra en 1741. Des objets provenant de cette épave sont exposés au musée de Xel-Ha, tout proche. Les boutiques de plongée organisent des excursions avec bouteille. Des cours pour débutants sont proposés pour un peu moins de 120 $US. Si vous souhaitez obtenir un certificat, optez pour un stage de trois jours. On peut aussi pratiquer la pêche au gros.

Où se loger. Le moins cher, l'*Hotel Club Akumal Caribe Villas Maya*, offre des cabañas simples, avec clim. et s.d.b., pour 90 à 125 $US en double. Il dispose de courts de tennis et de basket.

A l'extrémité sud de la plage, l'*Hotel Akumal Caribe* est un ensemble attrayant de deux étages, avec piscine, court de tennis éclairé la nuit et location de bateaux. Il propose des chambres spacieuses, avec clim. et réfrigérateur, pour 110 $US (jusqu'à 6 personnes).

Au nord de la plage, les cabañas de *Las Casitas Akumal* (☎ 987-2- 25-54) se composent d'un living-room, d'une cuisine, de deux chambres et deux s.d.b. Comptez 160 $US en hiver, 110 $US en été.

Où se restaurer. Même les huttes servant des repas légers et des en-cas près de la plage sont chères. Sise devant l'entrée d'Akumal et seul commerce bon marché, une épicerie est essentiellement fréquentée par les employés de la station. Entre autres, elle vend des tacos.

Las Aventuras (km 250)

Les promoteurs s'attaquèrent d'abord à Las Aventuras, où vous trouverez notamment, le magnifique *Aventuras Akumal Hotel* (doubles à 115 $US environ).

Chemuyil (km 248)

Cette magnifique plage de sable est bordée de cocotiers (entrée : 2 $US). Des eaux calmes, d'une clarté exceptionnelle, sont autant d'atouts pour la plongée avec masque et tuba. Chemuyil se développe et, en saison, les campeurs sont nombreux (3,75 $US par personne). Des huttes spartiates, dotées de moustiquaires et de crochets pour hamac, se louent 20 $US. Les douches et les toilettes sont communes. Renseignez-vous au bar. Ce dernier prépare de la cuisine locale, notamment des fruits de mer.

Xcacel (km 247)

Xcacel ("shkah-CELL') ne possède d'autre hébergement que le camping (2,50 $US par personne). Il n'y a pas d'électricité et seulement un petit restaurant. Vous pouvez profiter de ce bout de paradis pour 1,50 $US par jour.

Au nord du camping, une pointe rocheuse baigne dans des eaux idéales pour la plongée libre et la natation ; l'avancée sablonneuse est parfaite pour la pêche.

Xcacel enchantera les collectionneurs de coquillages. Vous découvrirez aussi des morceaux de corail colorés, aux formes complexes. Évitez de marcher pieds nus.

Prenez la piste qui se trouve à 2 km au nord de Chemuyil et à 3 km au sud de Xel-ha, vous y verrez des perroquets, des pinsons et le mot-mot à longue queue.

Le lagon de Xel-Ha (km 245)

Jadis lagon primitif naturel regorgeant de poissons tropicaux, Xel-Ha est aujourd'hui un parc national doté de jardins paysagers, de vestiaires et d'un restaurant-bar. Les tarifs frisent généralement l'escroquerie. Les poissons, eux, s'enfuient régulièrement à l'arrivée des hordes de touristes enduits d'ambre solaire qui viennent profiter du site enchanteur et nager dans le lagon.

Xel-Ha mérite le déplacement si vous y venez hors saison ou en dehors des heures d'affluence en hiver. Apportez votre pique-nique car le petit restaurant affiche des prix exorbitants. L'accès au lagon coûte 12 $US (7 $US pour les enfants de moins de 12 ans). Il est ouvert de 8h à 18h tous les jours. On peut louer masque, palmes et tuba mais les prix sont élevés et le matériel est parfois en mauvais état.

Ruinas de Xel-Ha. Du côté ouest de la nationale à 500 m au sud de la route d'accès au lagon, un petit site archéologique ouvre de 8h à 17h (1,50 $US). Datant des périodes classique et postclassique, ces ruines, dont El Palacio et le Templo de los Pájaros, n'impressionnent guère.

TULUM

• ☎ *987*

Les ruines de Tulum (cité de l'Aube ou cité de la Renaissance), bien que soigneusement conservées, doivent surtout leur réputation à leur emplacement. Les bâtiments gris noir se découpent sur une plage bordée de cocotiers, baignée par les eaux turquoise de la Caraïbe. N'espérez pas découvrir de majestueuses pyramides d'une architecture comparable à celle de Chichén Itzá ou d'Uxmal. Les bâtiments, d'influence toltèque, furent le produit de la civilisation maya à son déclin.

Située à proximité des centres touristiques de Cancún et d'Isla Mujeres, Tulum figure au programme de tous les circuits organisées. L'importance des foules qui s'y pressent menaçant d'endommager les temples, il est désormais interdit de s'en approcher. Essayer de visiter le site tôt le matin ou en fin de journée ; il est ouvert de 8h à 17h.

De nouvelles installations ont transformé Tulum en pompe à dollars : il faut payer pour garer sa voiture (1,50 $US), puis passer devant une enfilade de boutiques pour arriver au mini-train (1,30 $US) qui parcourt les 800 m jusqu'à l'entrée (3 $US). Une fois dans le site, les édifices n'étant pas signalés, vous devrez louer les services d'un guide (de 15 à 22 $US). Faites votre addition, sans oublier qu'il s'agit d'un site de 2e catégorie dont vous ne pourrez approcher les édifices !

Histoire

La plupart des archéologues pensent que Tulum fut édifiée au début de la période postclassique (900-1200). Juan de Grijalva, dont l'expédition passa au large de Tulum en 1518, fut émerveillé par le spectacle de cette ville fortifiée aux maisons brillamment peintes de rouge, de bleu et de blanc, tandis qu'au sommet de la tour de vigie, dressée sur le rivage, brûlait un feu rituel.

Les remparts, qui entourent Tulum sur trois côtés (le quatrième étant la mer), ne laissent aucun doute sur leur rôle stratégique. Les murs, de 7 m d'épaisseur en moyenne et de 3 à 5 m de haut, protégèrent la ville durant les nombreux conflits qui opposèrent les cités-États mayas. Tulum fut abandonnée environ 75 ans après la conquête espagnole mais les pèlerins mayas continuèrent à y venir et des Indiens fuyant la guerre des Castes y trouvèrent refuge de temps à autre.

Orientation

Il existe plusieurs Tulum : Tulum Crucero désigne le croisement de la route 307 et de

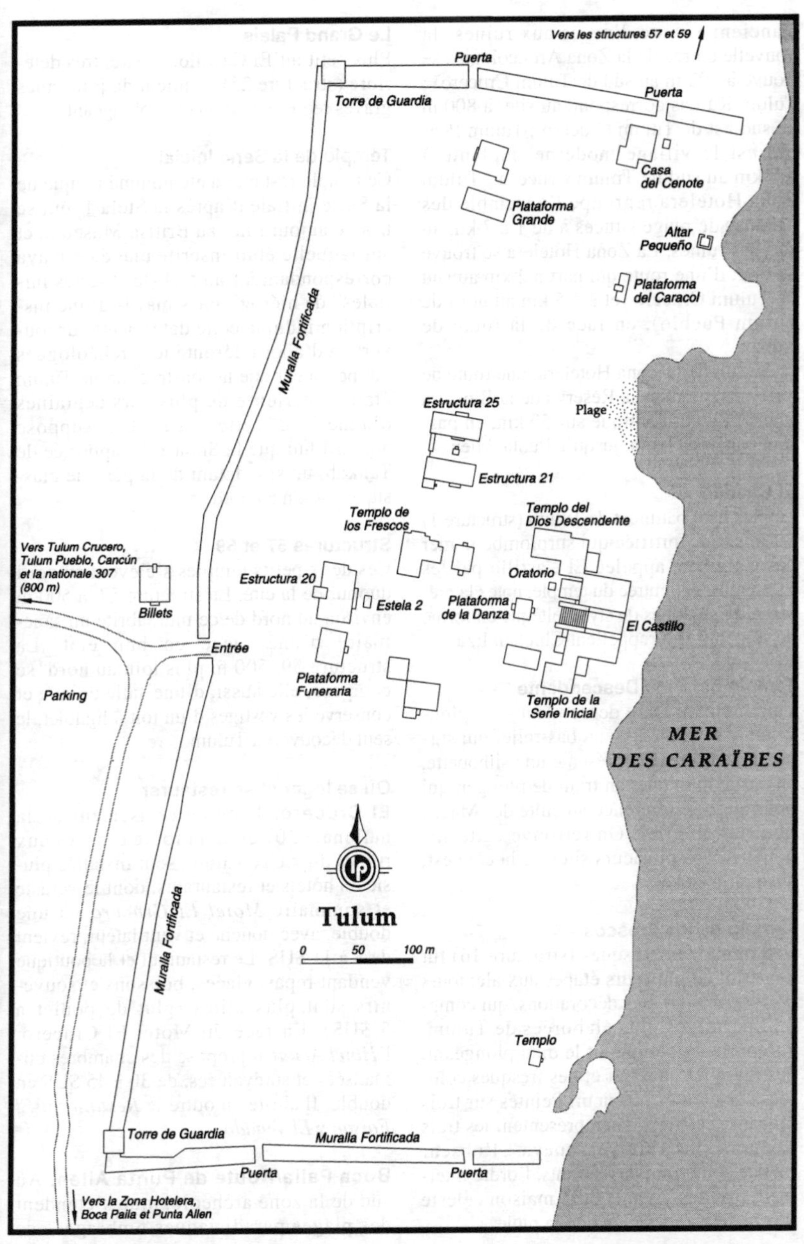

LA PÉNINSULE DU YUCATÁN

l'ancienne route d'accès aux ruines (la nouvelle entrée de la Zona Arqueológica se trouve à 400 m au sud de Tulum Crucero) ; Tulum Ruinas correspond au site, à 800 m au sud-est de Tulum Crucero ; Tulum Pueblo est le village moderne implanté à 3,5 km au sud de Tulum Crucero ; Tulum Zona Hotelera regroupe l'ensemble des cabañas de plage situées à de 1 à 7 km au sud des ruines. La Zona Hotelera se trouve au bout d'une route qui part à 2 km au sud de Tulum Crucero (et à 1,5 km au nord de Tulum Pueblo), en face de la route de Cobá.

Au sud de la Zona Hotelera, une route de terre pénètre dans la Reserva de la Biosfera Sian Ka'an et continue sur 50 km, en passant par Boca Paila, jusqu'à Punta Allen.

El Castillo

Le plus haut bâtiment de Tulum (structure 1) est une tour fortifiée qui surplombe la mer des Caraïbes, appelée El Castillo par les Espagnols. A l'entrée du temple, notez la présence de colonnes de style toltèque en forme de serpents, qui rappellent Chichén Itzá.

Templo del Dios Descendente

Le temple du Dieu descendant – ou plongeant – doit son nom au bas-relief qui surmonte la porte. Il représente une silhouette, en partie humaine, en train de plonger, qui pourrait faire référence au culte des Mayas pour les abeilles. On retrouve cette silhouette dans plusieurs sites de la côte est, ainsi qu'à Cobá.

Templo de los Frescos

Le temple des Fresques (structure 16) fut construit en plusieurs étapes aux alentours de 1400 à 1450. Ses décorations, qui comptent parmi les plus élaborées de Tulum, comportent notamment le dieu plongeant, des masques en relief et des fresques colorées sur un mur intérieur. Peintes sur trois niveaux, ces fresques représentent les trois royaumes de l'univers maya : l'obscur monde souterrain des défunts, l'ordre intermédiaire des vivants et la maison céleste du créateur et des dieux de la pluie.

Le Grand Palais

Plus petit qu'El Castillo, ce site, très détérioré (structure 25), contient de jolis stucs gravés représentant un dieu plongeant.

Templo de la Serie Inicial

Ce temple restauré a été nommé temple de la Série initiale d'après la Stela 1, qui se trouve aujourd'hui au British Museum, et sur laquelle était inscrite une date maya correspondant à l'an 564 (les "séries initiales" de hiéroglyphes mayas d'une inscription indique cette date). Cette découverte a d'abord dérouté les archéologues qui pensaient que la construction de Tulum était postérieure de plusieurs centaines d'années à cette date. On suppose aujourd'hui que la Stela 1 fut apportée de Tankah, un site datant de la période classique à 4 km au nord.

Structures 57 et 59

Ces deux petits temples s'élèvent au nord du mur de la cité. La structure 57, à 500 m environ au nord de ce mur, abrite un sanctuaire d'une pièce en bon état. La structure 59, 500 m plus loin au nord, se compose, elle aussi, d'une salle unique et conserve les vestiges d'un toit à lignolet, le seul découvert à Tulum.

Où se loger et se restaurer

El Crucero. Juste au croisement de la nationale 307 et de la route d'accès aux ruines du vieux Tulum, sont installés plusieurs hôtels et restaurants, dont le vétuste et sommaire *Motel El Crucero* où une double, avec douche et ventilateur, revient de 8 à 11 $US. Le restaurant et la boutique vendant repas, glaces, boissons et souvenirs sont plus utiles (plat de poulet à 5 $US). En face du Motel El Crucero, l'*Hotel Acuario* propose des chambres climatisées et surévaluées, de 30 à 45 $US en double. Il abrite en outre le *Restaurant El Faisan y El Venado*.

Boca Paila/Route de Punta Allen. Au sud de la zone archéologique s'étendent des plages paradisiaques ombragées de

LA PÉNINSULE DU YUCATÁN

cocotiers. Elles sont dotées de cabañas, de huttes de chaume plus ou moins confortables et de simples bungalows de bois ou de béton. La plupart de ces endroits possèdent des petits restaurants, dont certains équipés de groupes électrogènes.

Le moins onéreux est encore de suspendre son hamac, de préférence avec une moustiquaire, souvent en location chez les logeurs. Prévoyez des bougies ou des lampes de poche et, dans les endroits les moins chers, serviette et savon. Pour plus de détails, voir l'encadré *Cabañas de Tulum*.

Nous décrivons ces endroits au départ de Tulum, puis en s'éloignant vers le sud.

Les plus proches des ruines sont les *Cabañas El Mirador* et les *Cabañas Santa Fe*, sur la plage, à environ 600 m au sud du parking du site. Le Santa Fe, préférable mais plus cher, loue des emplacements de camping à 3 $US par personne, des cabines où suspendre son hamac pour 8 $US et des lits de 10 à 12 $US et jusqu'à 18 $US par personne. A El Mirador, une cabaña pour 4 personnes vous reviendra à 9 $US en double, hamacs compris.

Au sud du Santa Fe, les *Cabañas Don Armando,* les plus fréquentées des cabañas petits budgets, demandent de 14 à 18 $US (en simple ou double) pour l'une des 17 cabines en béton, avec cadenas, hamacs ou lits (caution pour la literie), moustiquaires et douches correctes. Des petites cabañas, moins confortables, valent de 9 à 12 $US. Les bougies sont le seul éclairage des cabañas. Le restaurant sert une bonne cuisine à prix modérés. L'endroit est amusant, juste sur la plage et à 10 minutes de marche des ruines. A 700 m au sud, les *Gato's Cabañas* sont légèrement moins onéreuses.

A 1 km au sud du croisement de la route d'accès et de la 307 sont regroupées plu-

Les cabañas de Tulum

Tout le monde a entendu parler du petit coin de paradis que représentent les cabañas au sud de Tulum. Voici quelques conseils pour en profiter en toute sécurité et dans un esprit d'économie :

• Les cabañas sont toutes louées vers 10h ou 11h, tous les jours pendant la saison d'hiver (de mi-décembre à mars) et en juillet-août. Il faut arriver très tôt ou réserver la veille. Si vous avez un hamac et une moustiquaire, vous trouverez un emplacement où dormir sans trop de difficultés.
• Si vous prenez un bus dans l'après-midi ou dans la soirée jusqu'à Tulum Crucero ou la Zona Arqueológica, puis un taxi jusqu'aux cabañas, le chauffeur saura pertinemment qu'il ne reste plus une chambre libre, mais se gardera de vous en avertir. Une fois constatée la vacuité de vos recherches, il ne vous restera plus qu'à payer la course de retour jusqu'à la route principale.
• Il existe une grande variété de cabañas : confortables, sûres ou délabrées, avec ou sans hamac, avec ou sans vue sur la mer et bons lits, etc. Si vous n'obtenez pas l'hébergement idéal le premier jour, contentez-vous de ce que vous trouvez et entreprenez des recherches le lendemain.
• Les moins chères sont les cabañas rustiques en bambou où les hamacs sont fournis. Elles se trouvent à environ 1 km au sud des ruines de Tulum, le long de l'ancienne route (El Mirador, Santa Fe et Don Armando's).
• En théorie, il est possible de réserver, mais les réservations ne sont fiables qu'auprès des établissements les plus chers.
• Les cabañas les plus élémentaires et fragiles sont rarement sûres. Les voleurs soulèvent les piquets des parois pour entrer, creusent le sable ou font sauter les cadenas. Même votre serviette de plage risque d'être volée sur la corde à linge ! Tenez compte de la sécurité avant de vous décider. ■

sieurs hébergements. *La Conchita* est simple et bon marché, tout comme la *Punta Piedra*, avec des cabañas à 12 $US.

Au sud de la Punta Piedra, les *Cabañas Nohoch Tunich*, moins récentes mais correctes, valent de 10 et 18 $US, celles modernes et confortables, de 40 à 55 $US. *La Perla*, Apdo Postal 77, Tulum, Quintana Roo 77780, propose des chambres très convenables de 35 à 45 $US. Certaines sont plus récentes que d'autres ; visitez-en plusieurs avant de vous décider.

Le *Zamas*, Apdo Postal 49, Tulum, Quintana Roo 77780, fait face à une plage parsemée de rochers très escarpés. Le tarif des chambres s'échelonne de 25 $US la double avec s.d.b. commune à 50 $US pour une chambre à deux grands lits et s.d.b.

Gérée par des Italiens, la *Piedra Escondida* (☎/fax 1-20-92), Apdo Postal 128, Tulum, Quintana Roo 77780, est l'endroit le plus agréable du coin. Modernes et raffinées, les cabañas à un étage, coiffées d'un toit de chaume, se louent de 60 à 80 $US avec un ou deux grands lits.

Au sud de cet ensemble de cabañas, la route goudronnée devient une bonne piste sablonneuse.

L'*Osho Oasis Retreat* (☎ 4-27-72 ; fax 3-02-30, poste 174), Apdo Postal 99, Tulum, Quintana Roo 77780, est un complexe hôtelier pour amateurs de vie saine et de réflexion intense. Outre la plage, il dispose d'un hall de méditation et de salles de yoga, zen, kundalini et massage. Comptez de 50 à 70 $US pour une cabaña double en haute saison et 7/6/14 $US pour le petit déjeuner/déjeuner/dîner.

Los Arrecifes, au sud de l'Osho, propose des cabañas assez rustiques (certaines en bambous, d'autres en parpaings) à 28 $US, en simple ou double.

A environ 3,5 km au sud de l'embranchement de la route d'accès (à 7 km au sud des ruines), les *Cabañas de Ana y José* (☎ à Cancun 98-80-60-22 ; fax 98-80-60-21) possèdent des bungalows anciens à 40 $US, et de plus récents à 50 $US en double. Son restaurant-bar donne sur la plage.

Juste au sud, les *Cabañas Tulum* (☎ 25-82-95), Apdo Postal 63, Tulum, Quintana Roo 77780, disposent de bungalows en béton plus vétustes à 36 $US en simple ou double en été, 40 $US en hiver. Tous ont vue sur la mer et la plage à travers les palmiers. Un restaurant et un bar sont à votre disposition. Le groupe électrogène fonctionne (parfois) du crépuscule à 22h.

Comment s'y rendre

De Tulum Crucero, on peut accéder aux ruines à pied (800 m) ou prendre le mini-train (payant).

Atteindre les cabañas est plus difficile. Les plus proches se trouvent à 1 km de Tulum Crucero (au moins à 6 km par la route) et il n'existe aucun transport public en dehors des taxis. S'il est possible de faire du stop, vous ne pourrez compter que sur vos jambes ou sur un taxi pour rejoindre votre hébergement, ou pour aller de là jusqu'aux ruines.

Une petite gare routière ADO est installée à l'extrémité sud de Tulum Pueblo. Pour repartir de Tulum, vous pouvez attendre un bus Playa Express ou un bus de la ligne régulière reliant plusieurs villes à Tulum Crucero. Voici la distance et la durée de quelques trajets :

Cancún – 132 km, 2 heures, de 3 à 4 $US
Chetumal – 251 km, 4 heures, de 5 à 7 $US
Chichén Itzá – 402 km, 6 heures 30, 5 $US ; 1 bus
Cobá – 45 km, 1 heure
Felipe Carrillo Puerto – 98 km, 1 heure 45
Mérida – 320 km, 5 heures *via* Cobá ou 7 heures *via* Cancún ; quelques Oriente (7 $US) et ADO (8,25 $US)
Palenque – 738 km, 11 heures ; 2 Colón (20 $US)
Playa del Carmen – 63 km, 1 heure
Punta Allen – 57 km, 1 heure 30
Valladolid – 156 km, 3 heures, 7 $US

DE TULUM A BOCA PAILA ET PUNTA ALLEN

Sur les 50 km qui séparent les Ruinas de Tulum de Punta Allen, *via* Boca Paila, le paysage plat est d'une monotonie typique du Yucatán. Cependant, du fait de la richesse de sa faune, la région, protégée, est devenue la Reserva de la Biósfera Sian Ka'an. Les plages de surf ne sont pas spectaculaires mais l'intimité est garantie.

Un minibus relie Tulum Pueblo à Punta Allen pratiquement tous les jours, prenant de deux à quatre heures pour effectuer le trajet, selon l'état de la route.

Faites le plein avant de partir au sud de Tulum car il n'y a pas de station-service sur la route de Tulum à Punta Allen.

Reserva de la Biósfera Sian Ka'an

Plus de 5 000 km^2 de forêt tropicale, de marais, de mangrove et d'îles côtières ont été classés par le gouvernement mexicain pour la création de cette biosphère. En 1987, les Nations-unies ont inscrit ce trésor naturel irremplaçable au Patrimoine mondial. En parcourant le Sian Ka'an (Là où commence le ciel) vous découvrirez des myriades de papillons et une faune variée : singes hurleurs, renards, ocelots, pumas, vautours, caïmans, aigles, ratons laveurs, crabes terrestres géants et, avec un peu de chance, un jaguar. Partout se dressent des ruines mayas à l'abandon. Quoique de taille réduite et peu spectaculaires, ces sites silencieux depuis des siècles ne manqueront pas de vous émouvoir.

Pêche à la langouste à Punta Allen

Des randonnées dans la réserve sont organisées au départ de Cancún et de Playa del Carmen.

Pour tout renseignement, contactez les Amigos de Sian Ka'an (☎ 98-84-95-83, 98-87-30-80), Plaza América, Avenida Cobá 5, 3e étage, Suites 48-50, Cancún, Quintana Roo 77500.

Boca Paila

Boca Paila est située à 25 km au sud de Tulum. L'un des deux hôtels qui jalonnent la route de Punta Allen est *La Villa de Boca Paila* qui loue des cabañas luxueuses avec cuisine pour 90 $US environ en double, deux repas compris. La clientèle est principalement composée d'Américains aisés, passionnés de pêche. Pour réserver, écrivez à Apdo Postal 159, Mérida, Yucatán.

A 10 km au sud de Boca Paila, après avoir traversé un pont de bois branlant. vous arriverez à *El Retiro Cabañas* où vous pourrez suspendre votre hamac ou camper pour quelques dollars.

Punta Allen

Grâce à la langouste, Punta Allen fut longtemps une enclave de prospérité au milieu d'étendues sauvages. Malheureusement, le passage du cyclone Gilbert en 1988 et la surpêche ont dépeuplé les fonds. Reste une atmosphère détendue qui fait penser aux récifs coralliens du Belize et laisse espérer une reprise économique grâce au tourisme. Punta Allen offre quelques endroits rustiques où loger.

Le *Cruzan Inn* (fax (983) 4-03-83) propose des cabañas avec hamac, pour environ 25 $US en double. Le petit déjeuner et le déjeuner reviennent à 6,50 $US, le dîner à 14 $US. Il organise des expéditions de plongée libre et de pêche et des traversées jusqu'à l'île de Cayo Colibri, réputée pour son avifaune. Réservez par courrier au Cruzan Inn, c/o Sonia Lillvik, Apdo Postal 703, Cancún, Quintana Roo 77500.

Le *Bonefishing Club of Ascension Bay*, tenu par Jan Persson, est spécialisé dans les expéditions de pêche avec guide et loue 2 chambres dans la maison qui abrite son quartier général. Il sert des repas familiaux.

Le *Let It Be Inn* dispose de 3 cabañas à toit de chaume avec s.d.b. (et eau chaude), véranda avec hamacs et vue sur la mer. Réservez par courrier à Rick Montgomery, Let It Be Inn, Apdo Postal 74, Tulum, Quintana Roo 77780.

Si vous voulez camper sur la plage de Punta Allen, demandez simplement la permission au propriétaire de la maison en face de laquelle vous souhaitez vous installer.

COBÁ

Sans doute la plus vaste des cités mayas, Cobá, sise à 50 km au nord-ouest de Tulum, permet d'explorer des ruines qui n'ont pratiquement pas été restaurées, cachées dans les profondeurs de la jungle tropicale.

Histoire

Cobá fut érigée avant Chichén Itzá ou Tulum. La cité connut son apogée en 600, puis fut abandonnée vers 900. Les archéologues pensent que cette vaste ville couvrait 50 km^2 et abritait 40 000 Mayas.

Son architecture demeure un mystère car ses pyramides et ses stèles sont d'une facture qui rappelle davantage celle de Tikal, située à 700 km de là, que celle de Chichén Itzá et des autres sites du nord du Yucatán.

Certains archéologues ont émis l'hypothèse que des alliances avec Tikal étaient contractées, grâce à des mariages pour faciliter le commerce entre les Mayas du Guatemala et ceux du Yucatán. Les stèles représentent des reines de Tikal tenant des sceptres cérémoniels et faisant durement sentir leur pouvoir en se tenant debout sur leurs prisonniers. Ces reines de Tikal amenèrent sans doute avec elles des architectes et des artisans. Les archéologues sont tout aussi déconcertés par la présence d'un immense réseau de chaussées ou *sacbeob* qui sillonne la région, et dont Cobá est le centre. La plus longue mesure presque 100 km. Elle part de la base de la grande pyramide de Cobá, Nohoch Mul, et rejoint le village maya de Yaxuna ; 40 sacbeob traversent Cobá. Le sacbe faisait vraisemblablement partie d'une énorme "horloge" astronomique que l'on retrouve dans chaque ville maya.

La première excavation fut entreprise par l'archéologue autrichien Teobert Maler. Ayant appris l'existence d'une cité perdue, il se rendit seul à Cobá en 1891. Jusqu'en 1926, époque à laquelle le Carnegie Institute finança la première des deux expéditions menées par J. Eric S. Thompson et Harry Pollock, les recherches ne furent guère poussées. Après l'expédition de 1930, elles furent arrêtées jusqu'en 1973, époque à laquelle le gouvernement mexicain commença lentement à financer les fouilles. Les archéologues estiment aujourd'hui que Cobá contient quelque 6 500 bâtiments dont seul un faible pourcentage a été mis au jour et restauré.

Orientation

Le petit village de Cobá, à 2,5 km à l'ouest de la route Tulum-Nuevo Xcan, compte plusieurs hébergements et restaurants simples et bon marché. Au lac, tournez à gauche pour vous rendre aux ruines, à droite pour rejoindre le bel hôtel Villa Arqueológica Cobá. Le site archéologique est ouvert de 8h à 17h (entrée 2,50 $US, gratuite le dimanche). Soyez prêt à marcher au moins 5 à 7 km sur des sentiers forestiers, dans la chaleur humide. Emportez des crèmes anti-insectes et des boissons ; il n'y de buvette qu'à l'entrée. Évitez si possible la chaleur de la mi-journée. Comptez de 2 à 4 heures pour visiter le site.

Grupo Cobá

A un peu moins de 100 m de l'entrée en suivant le chemin principal, vous arrivez au temple des Églises (Templo de las Iglesias), sur la droite, la structure la plus importante du Groupe de Cobá. Du haut de cette gigantesque pyramide, on aperçoit la pyramide de Nohoch Mul au nord, ainsi que des lacs scintillants à l'ouest et au sud-

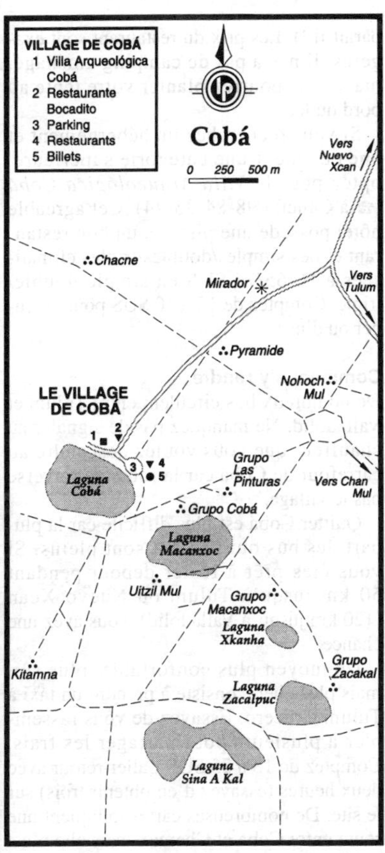

ouest. En regagnant le sentier principal, vous traversez, 30 mètres plus loin, le Juego de Pelota, très abîmé.

Grupo Macanxoc

A 500 m du Juego de Pelota, tournez à droite pour rejoindre le Grupo Macanxoc, un ensemble de stèles portant des reliefs représentant des reines qui seraient venues de Tikal.

Grupo de las Pinturas

A 100 m de l'embranchement vers Macanxoc, un panneau pointe vers la gauche en direction du Conjunto de las Pinturas, le temple des Peintures. Au-dessus de la porte, il porte encore des traces facilement reconnaissables de glyphes et de fresques et, à l'intérieur, des vestiges d'un enduit de plâtre coloré.

Vous êtes arrivé par le sud-ouest. Quittez le temple par le sentier au nord-ouest (en face des marches) pour découvrir plusieurs stèles dont la première se dresse 20 mètres plus loin sous un palapa. Une figure royale en surmonte deux autres, l'une d'elles agenouillée les mains liées derrière le dos. A la base, des prisonniers sacrificiels sont allongés sous les pieds d'un chef. Continuez le sentier en passant devant une autre stèle, très endommagée, jusqu'au sentier de Nohoch Mul où vous tournez à droite.

Nohoch Mul – la Grande Pyramide

Après 800 m, vous arrivez à Nohoch Mul. En chemin, juste avant un virage prononcé sur la gauche, un étroit sentier part sur la droite en direction d'un groupe de stèles très abîmées. Plus loin, le sentier s'incurve entre des amas de pierre provenant manifestement d'un temple en ruines, avant de longer le temple 10 et la stèle 20. La stèle, d'un travail de taille magnifique, représente un chef écrasant deux captifs de sa puissance. La Grande Pyramide se dresse 80 m après la stèle.

Haute de 42 mètres, c'est la plus grande construction maya du Yucatán. Gravissez les 120 marches en notant les dépressions en forme de conque prévues pour les pieds. Vous apercevrez quelques dieux "descendants" gravés au-dessus de l'entrée du temple Nohoch Mul, similaires à ceux de Tulum. La vue est spectaculaire.

De Nohoch Mul, on regagne l'entrée du site en une demi-heure (1,4 km).

Où se loger et se restaurer

Plusieurs petits restaurants se sont glissés entre les boutiques de souvenirs, à côté du parking. Le service de la buvette de l'entrée est plutôt revêche. Il est plus agréable de s'adresser au *Restaurant El Faisán* ou au *Restaurant El Caracol*, qui

Le temps chez les Mayas

L'histoire de la Croix Parlante n'est pas terminée. Chaque année, le 3 mai, jour de la Sainte Croix, les Mayas se rassemblent à Felipe Carrillo Puerto qu'ils appellent Noh Cah Santa Cruz Balam Na, pour honorer la croix en tant que symbole des traditions mayas et, en particulier, la Croix Parlante, dernier grand emblème de l'indépendance maya.

Dans l'intérieur des terres, des villages mayas observent encore maintes coutumes de la vie traditionnelle, comme l'usage de l'antique calendrier.

Au milieu des années 80, l'écrivain anglais Ronald Wright vint chercher ici les derniers Mayas comprenant le Compte Long et obéissant aux impératifs du tzolkin, l'ancien calendrier maya. Wright raconta son expérience dans un ouvrage passionnant, *Time Among the Maya* en 1989.

L'auteur trouva ce qu'il cherchait à X-Cacal Guardia et dans les villages voisins où s'étaient installés les descendants des survivants de la guerre des Castes du XIXe siècle. Perdus dans la jungle, tenus à l'écart des centres de pouvoir et de prospérité contrôlés par Mexico, ils restent attachés à leurs croix ancestrales et à leurs croyances religieuses tout en acceptant quelques signes des temps modernes, comme l'électricité, l'automobile et le Coca-Cola.

A l'intérieur de l'église de X-Cacal Guardia, longue de 25 mètres et gardée par des hommes armés, se trouve un lieu sacré où ne pénètre que le Nohoch Tata (Grand Père de la Sainte Croix). Selon Ronald Wright, il se pourrait bien que la célèbre Croix Parlante de Chan Santa Cruz, subtilisée lors de la retraite des Mayas après l'ultime bataille de la guerre des Castes, ait trouvé refuge en ce lieu. ■

servent tous deux des repas bon marché. Au village de Cobá, le *Restaurant Lagoon*, le plus proche du lac, offre un bon accueil et de belles vues. Le *Restaurant Isabel* et le *Restaurant Bocadito* sont également réputés.

Le Bocadito loue des simples/doubles avec s.d.b. à 8/12 $US (puces comprises, paraît-il !). Les prix du restaurant sont exagérés. Il n'y a pas de camping aménagé, mais vous pourrez planter votre tente au bord du lac.

Si vous recherchez un hébergement et une cuisine d'une catégorie supérieure, optez pour la *Villa Arqueológica Cobá* (☎ à Cancún 98-84-25-74). Cet agréable hôtel possède une piscine, un bon restaurant et des simples/doubles/triples climatisées à 50/65/75 $US en simple/double/triple. Comptez de 12 à 20 $US pour déjeuner ou dîner.

Comment s'y rendre

De nombreux bus circulent entre Tulum et Valladolid. Ne manquez pas de signaler au chauffeur que vous voulez descendre au carrefour de Cobá car la route ne traverse pas le village.

Quitter Cobá est plus difficile car la plupart des bus qui passent sont pleins. Si vous êtes prêt à rester debout pendant 50 km jusqu'à Tulum ou Nuevo Xcan (120 km jusqu'à Valladolid), vous avez une chance.

Un moyen plus confortable, plus sûr, mais plus cher, consiste à prendre un taxi à Tulum Crucero. Essayez de vous rassembler à plusieurs pour partager les frais. Comptez de 18 à 25 $US l'aller-retour avec deux heures (essayez d'en obtenir trois) sur le site. De nombreuses cartes indiquent une route entre Cobá et Chemax mais elle n'est pas praticable.

FELIPE CARRILLO PUERTO

• Hab. : 17 000 • ☎ 983

Portant aujourd'hui le nom d'un gouverneur du Yucatán aux idées progressistes, cette ville s'appelait autrefois Chan Santa Cruz. Elle servit de quartier général aux terribles rebelles de la guerre des Castes.

Histoire

En 1849, la guerre des Castes tourna au désavantage des Mayas du Yucatán septentrional qui avaient cherché refuge dans cette ville. Regroupant leurs forces, ils étaient prêts à faire une nouvelle sortie en

1850, lorsqu'un "miracle" se produisit : une croix de bois érigée près d'un cenote, à l'ouest de la ville, se mit à "parler", expliquant aux Mayas qu'ils étaient le peuple élu, les exhortant à continuer la lutte contre les colons et leur promettant la victoire. C'était en réalité un ventriloque qui utilisait des chambres de résonance mais le peuple crut avoir entendu la "voix" de leurs aspirations.

La croix guida les Mayas dans une bataille qui dura 8 ans, jusqu'à leur conquête de la forteresse de Bacalar. A la fin du XIXe siècle, les Mayas de Chan Santa Cruz et des environs devinrent virtuellement indépendants des gouvernements de Mexico et de Mérida. Dans les années 20, le boom du marché de la gomme apporta la prospérité à la région et, en 1929, les Mayas décidèrent de traiter avec Mexico. Certains, refusant d'abandonner le culte de la croix qui parle, quittèrent Chan Santa Cruz pour les petits villages situés au fond de la jungle où, encore aujourd'hui, ils perpétuent leur culte. Vous pourrez en apercevoir quelques-uns près de la croix, en particulier le 3 mai, jour de la Sainte Croix.

On peut visiter le **Sanctuario de la Cruz Parlante**, à cinq rues à l'ouest de la station-service Pemex, dans la rue principale (route 307) dans le centre commercial de la ville. A part le cenote et un abri de pierre, il n'y a pas grand-chose à voir dans le parc, bien que la présence du passé se fasse fortement sentir.

Où se loger et se restaurer

En face de la station-service Pemex et à 100 m au sud du carrefour routier, *El Faisán y El Venado* (☎ 4-07-02), Juárez 781, loue 13 simples/doubles/triples avec clim., douche et ventilateur, à 8/16/18 $US et dispose d'un excellent restaurant. A une dizaine de mètres au sud, le *Restaurant 24 Horas*, est un peu moins cher.

L'*Hotel San Ignacio*, au sud du 24 Horas, propose des chambres avec clim. de 12 à 16 $US et un restaurant climatisé curieusement appelé *Danburguer Maya*.

Le *Restaurant Familiar La Cozumeleña* est une affaire familiale impeccablement tenue et moins chère que ses concurrents.

Pour du pain ou des pâtisseries, rendez-vous à la *Panadería Mar y Sol*.

Comment s'y rendre

Les bus qui circulent entre Cancún (230 km, 4 heures, 8 $US) et Chetumal (155 km, 3 heures, de 4 à 6 $US) s'arrêtent ici, de même que les bus qui relient Chetumal à Valladolid (160 km, 3 heures, 6 $US) et Mérida (310 km, de 5 heures 30 à 6 heures, de 6,50 à 8 $US). Quelques bus rallient Ticul (200 km, 3 heures 30, 8 $US) ; changez à Ticul ou Muna pour Uxmal. De Felipe Carrillo Puerto (FCP) à Tulum, le billet coûte 3,75 $US.

Notez que les hôtels, restaurants et stations-service sont très rares entre Felipe Carrillo Puerto et Ticul.

XCALAK ET LA COSTA MAYA

La côte qui s'étend au sud de la Reserva de la Biosfera Sian Ka'an jusqu'au petit village de pêcheurs de Xcalak (prononcez CHKA-Lak) est connue sous le nom de Costa Maya. Inconnue et difficile d'accès jusqu'en 1981, elle attire désormais quelques voyageurs aventureux à la recherche d'une bande de côte oubliée des promoteurs, un trésor naturel en voie de disparition.

Les liaisons sont rares et les lieux d'hébergement souvent complets. A moins d'avoir réservé, soyez prêt à planter votre tente ou à suspendre votre hamac, ou à repartir par le bus qui vous aura amené. Les banques sont inexistantes et l'économie locale repose sur le dollar US en liquide, ce qui ne devrait pas tarder à changer.

Plusieurs boutiques de plongée proposent des cours et des certificats aux plongeurs, louent tout matériel de plongée et organisent des transports en bateau jusqu'au récif Chinchorro.

Où se loger et se restaurer

L'*Hotel Caracol* est pour l'instant le seul endroit bon marché du village. Il dispose de 6 simples/doubles avec eau froide et ventilateur à 7/9 $US. Le propriétaire habite à côté de l'hôtel. Nul doute que ces prix vont augmenter, et que de nouveaux établissements ouvriront bientôt ; les merveilles de Xcalak commencent à être connues dans le monde entier.

A 1,5 km au nord de Xcalak, le *Costa de Cocos*, Apdo Postal 62, Chetumal, Quintana Roo, possède 8 cabañas à toit de chaume avec s.d.b. (l'eau est chauffée à l'énergie solaire) et électricité 24h/24. Il abrite également un bar-restaurant.

La *Villa Caracol* (☎ 938-8-18-72), au km 45 sur la Carretera Majahual-Xcalak, compte 6 chambres climatisées et confortables et 2 cabañas à deux grands lits, avec eau purifiée, s.d.b. et électricité 24h/24.

Plusieurs petits restaurants, le *Capitán Caribe*, le *Conchitas* et *El Caracol*, servent de bons repas de fruits de mer à bas prix.

Comment s'y rendre

De la route 307, tournez vers l'est à Cafetal, à 68 km au sud de Felipe Carrillo Puerto et à 46 km au nord de Bacalar, pour rejoindre Majahual (58 km). Au sud de Majahual, une route praticable en toutes saisons relie Xcalak (58 km).

Des bus de la Sociedad Cooperativa del Caribe partent de la principale gare routière de Chetumal tous les jours, à 6h et à 15h30, à destination de Majahual et Xcalak (200 km, 5 heures, 3 $US). Des minibus partent de Chetumal, au coin de l'Avenida 16 de Septiembre et de Mahatma Gandhi, près du restaurant Pantoja, à 7h et quittent Xcalak à 13h.

Il est prévu de mettre en place un service quotidien de ferries reliant Chetumal et Xcalak à San Pedro et Ambergris Caye au Belize.

LAGUNA BACALAR

La nature a déposé un véritable joyau turquoise au milieu de la jungle : la Laguna Bacalar, un grand lac d'eau translucide et douce au fond de sable blanc chatoyant. Cette lagune surprend dans ce paysage de calcaire torturé.

La petite ville endormie de Bacalar, à l'est de la grand route, à environ 125 km au sud de Felipe Carrillo Puerto, est la seule implantation urbaine d'une certaine importance près du lac. Ses principaux attraits sont une vieille forteresse et sa plage.

La forteresse fut construite sur le lagon pour protéger les habitants des incursions des pirates et des Indiens. Elle servit d'avant-poste aux colons pendant la guerre des Castes. En 1859, elle fut prise par les rebelles mayas qui l'occupèrent jusqu'à la conquête du Quintana Roo par l'armée mexicaine en 1901. Aujourd'hui, avec ses formidables canons sur les remparts, la forteresse demeure imposante. Elle abrite un musée où sont exposés les armements et les uniformes coloniaux des XVIIe et XVIIIe siècles. Le musée est ouvert tous les jours de 8h à 13h (1 $US).

Une avenue passe entre le fort et les rives du lac, au nord, à quelques centaines de mètres du balneario. Des petits restaurants bordent l'avenue et les environs du balneario, extrêmement fréquenté le week-end.

Costera Bacalar et Cenote Azul

La route qui serpente vers le sud le long des rives du lac, de la ville de Bacalar au Cenote Azul sur la 307, s'appelle la Costera Bacalar. Elle passe devant quelques hôtels et aires de camping.

A 3,3 km au sud de Bacalar le long de la Costera, l'*Hotel Laguna* (☎ 983-2-35-17 à Chetumal) se trouve à seulement 150 m de la route 307. Demandez au chauffeur de bus de vous y arrêter. Le Laguna, propre, frais et hospitalier, offre une vue magnifique sur le lac, une agréable piscine, une terrasse, un restaurant et un bar. Il demande de 20 à 30 $US pour des simples/doubles très aérées, avec ventilateur et s.d.b. A 700 m de l'Hotel Laguna, le long de la Costera, le camping Los Coquitos est installé à l'ombre des cocotiers (4 $US par couple). Apportez des provisions et de l'eau potable.

Le Cenote Azul est un bassin naturel de 90 mètres de profondeur, situé au sud-ouest de Laguna Bacalar, à 200 m à l'est de la route 307 (si vous arrivez en bus depuis le nord, demandez au chauffeur de vous déposer). Quelques marches descendent jusqu'à l'eau depuis la vaste palapa qui abrite un restaurant.

Comme le conseille avec sagesse un petit panneau : "Ne descendez pas dans le cenote si vous ne savez pas nager". Comptez de 8 à 12 $US pour un repas au restaurant.

Comment s'y rendre

En venant du nord, demandez au bus de vous déposer dans la ville de Bacalar, à l'Hotel Laguna ou au Cenote Azul ; vérifiez qu'il s'y arrêtera avant d'acheter votre billet.

De Chetumal, allez vers l'ouest puis bifurquez vers le nord sur la 307 ; à 15,5 km, tournez à droite en direction du Cenote Azul et de la Costera Bacalar.

Prenez un minibus au terminus de Chetumal, Primo de Verdad et Hidalgo. Ils partent pour Bacalar toutes les 20 minutes de 5h à 19h (39 km, 40 minutes, 2 $US). Certains bus en direction du nord partent de la gare routière et pourront vous arrêter près de la ville de Bacalar (1,25 $US). En chemin ils passent par Laguna Milagros (14 km), Xul-ha (22 km) et le Cenote Azul (33 km). Vous pouvez vous baigner dans ces quatre endroits. Les lacs sont splendides et bordés de palmiers ; leur eau cristalline laisse entrevoir les fonds en sable calcaire blanc et doux.

CHETUMAL

• *Hab. 130 000* • ☎ *983*

Avant la conquête espagnole, ce port maya était utilisé pour le transport de l'or, des plumes, du cacao et du cuivre de la région et du Guatemala vers le nord du Yucatán. Après la conquête, la ville ne fut fondée qu'en 1898, afin de mettre un terme au commerce illégal d'armes et de bois de construction transportés par les descendants des rebelles de la guerre des Castes. L'ancien Payo Obispo devint Chetumal en 1936. La ville fut totalement détruite par l'ouragan Janet en 1955.

Lors de la reconstruction, les urbanistes virent grand en concevant un quadrillage de larges boulevards. Avant l'expansion de Cancún, le territoire peu peuplé du Quintana Roo, bien que promu au rang d'État en 1974, ne pouvait supporter un projet aussi grandiose. Cependant, le boom économique de Cancún a profité à tous et Chetumal a maintenant recouvré son destin de grande capitale, porte d'entrée au Belize.

Entre la dévaluation du peso mexicain et la cherté de la vie au Belize, les marchés de la ville sont dévalisés tous les week-ends par des clients du pays voisin.

Orientation

On peut facilement visiter le centre de cette petite ville à pied. Une fois que vous avez repéré les intersections importantes des Avenidas de los Héroes et Alvaro Obregón, vous vous trouvez à moins de 50 m de plusieurs hôtels et restaurants bon marché. Les meilleurs hôtels ne sont qu'à 4 ou 5 rues de ce carrefour.

Renseignements

Office du tourisme. Un kiosque d'informations touristiques (☎ 2-36-63), dans l'Avenida de los Héroes, à l'extrémité est d'Aguilar, répondra à vos questions. Il ouvre tous les jours de 8h à 13h et de 17h à 20h.

Consulats étrangers. Le consulat du Guatemala (☎ 2-85-85) est installé Avenida Héroes de Chapultepec 354, à un peu plus de 1 km à l'ouest de l'Avenida de los Héroes. Repérez le drapeau bleu et blanc du côté gauche (sud) de l'avenue. Il ouvre en semaine de 9h à 14h et délivre rapidement les visas.

Le consulat du Belize (☎ 2-01-00), Avenida Obregón 226A, entre Juárez et Independencia, ouvre en semaine de 9h à 14h et de 17h à 20h, le samedi de 9h30 à 14h.

Argent. Consultez le plan pour les emplacements des bureaux de change, des banques et des distributeurs.

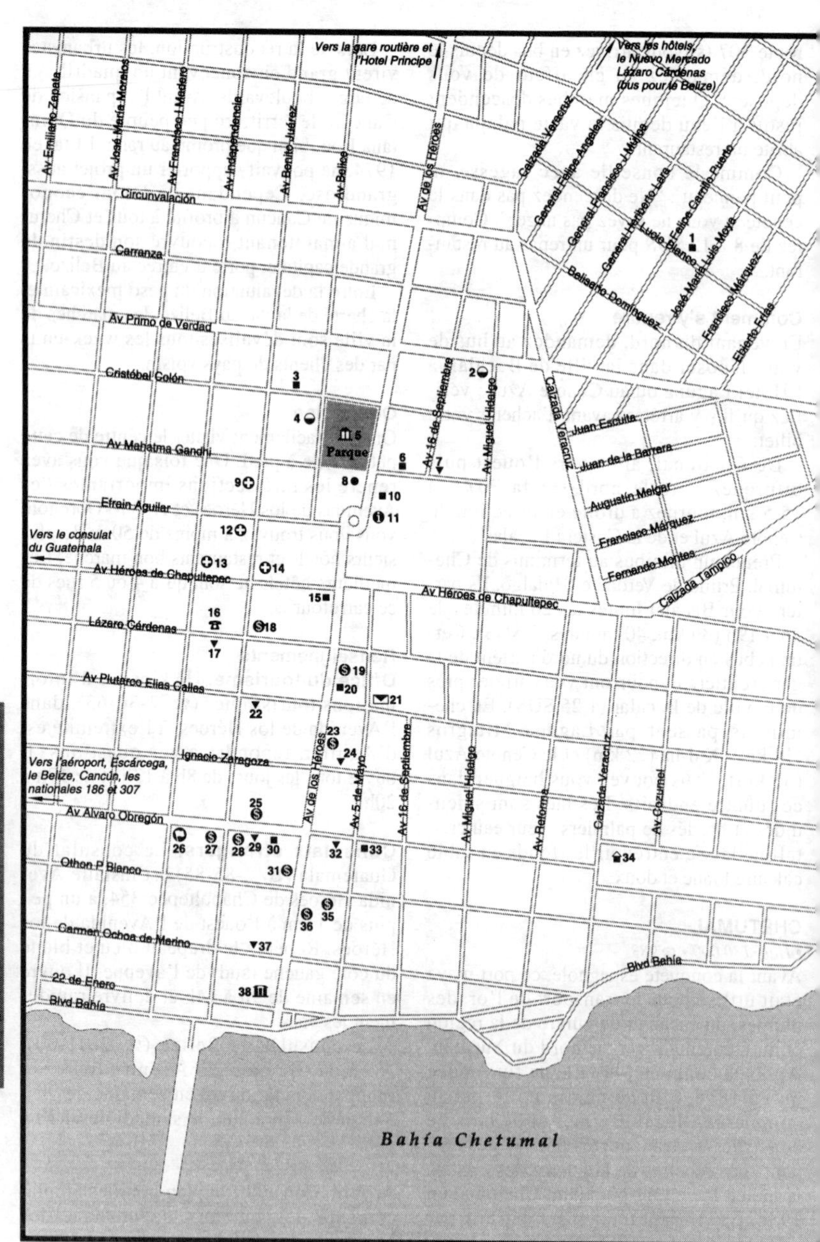

LA PÉNINSULE DU YUCATÁN

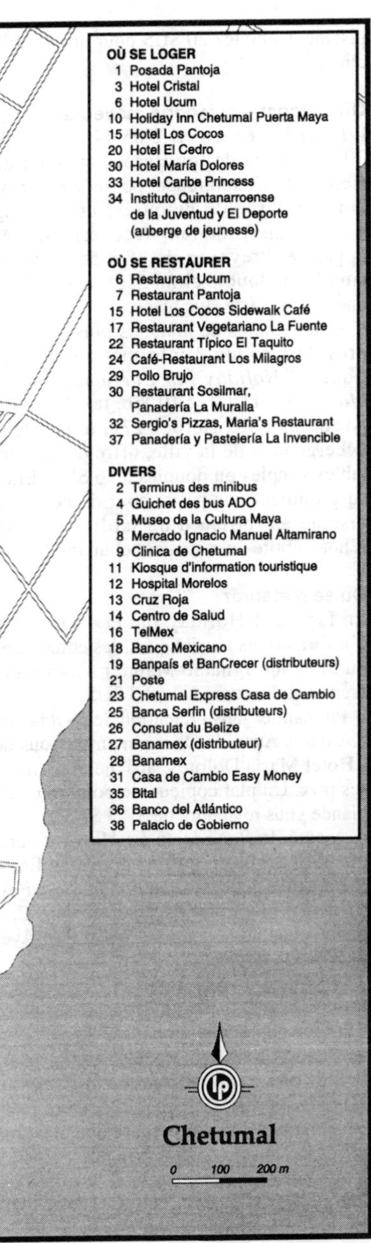

Poste. La poste (☎ 2-00-57) se trouve à Plutarco Elías Calles 2A.

Museo de la Cultura Maya

Ce musée est à l'image de la fierté qu'affiche la ville pour sa richesse culturelle. Cet audacieux chef-d'œuvre tout en longueur et climatisé est conçu pour attirer des visiteurs venant d'aussi loin que Cancún.

Les expositions couvrent l'ensemble du Mayab (les terres des Mayas), et non pas seulement l'État du Quintana Roo ou le Mexique, et offrent un aperçu détaillé du style de vie, de la pensée et des croyances mayas. Sont présentées ici de magnifiques maquettes des édifices mayas, des répliques des stèles de Copán, au Honduras, et des reproductions des fresques découvertes dans la salle 1 à Bonampak, ainsi que des objets d'artisanat retrouvés sur des sites du Quintana Roo.

Le musée est réparti sur trois niveaux, selon la cosmogonie maya basée sur "l'arbre du monde" : le rez-de-chaussée représente le monde d'ici-bas, le premier étage le royaume des cieux, et l'étage inférieur, Xibalba, le monde souterrain. Il est ouvert de 9h à 19h et fermé le lundi (entrée : 2,50 $US, demi-tarif pour les enfants).

Où se loger – petits budgets

L'auberge de jeunesse, l'*Instituto Quintanarroense de la Juventud y El Deporte* (☎ 2-05-25), dans Calzada Veracruz, presque à l'angle de l'Avenida Obregón, est l'endroit le moins cher de la ville. Elle présente toutefois quelques inconvénients : les dortoirs ne sont pas mixtes, le couvre-feu a lieu à 23h et elle se situe à 5 rues à l'est du carrefour Héroes- Obregón. Dans une chambre de 4 ou 6 personnes avec s.d.b. commune, elle loue des lits à 5 $US ou des emplacements de camping à 2,50 $US par personne pour camper. La cafétéria sert un petit déjeuner à 1,75 $US, un déjeuner ou un dîner à 2,50 $US.

A l'ouest d'Héroes au-dessus du Restaurant Sosilmar, l'*Hotel María Dolores* (☎ 2-

05-08), Avenida Obregón 206, offre le meilleur rapport qualité/prix avec de minuscules et étouffantes simples/doubles/ triples/ quadruples avec ventil. et s.d.b. à 7/9/11/13 $US. Certaines chambres accueillent jusqu'à 6 personnes.

Vaste établissement, l'*Hotel Ucum* (☎ 2-07-11), Avenida Gandhi 167, comporte de nombreuses chambres, réparties autour d'une cour centrale dénudée, et un bon petit restaurant à prix modérés. Comptez 8/10/12 $US en simple/double/triple, avec ventil. et douche, ou 11 $US pour une double climatisée.

L'*Hotel Cristal* (☎ 2-38-78), Colón 207, entre Juárez et Belice, est tenue par une señora énergique qui propose des simples/ doubles/triples propres à 7/9/11 $US avec ventil., ou 14 $US en double avec clim.

Pour une chambre très propre, calme, bien aérée, avec ventil., clim., TV et s.d.b. pour seulement 14 $US, rendez-vous à la *Posada Pantoja* (☎ 2-17-81), Lucio Blanco 95, à 1 km au nord-est du kiosque d'informations touritisques, dans un paisible quartier résidentiel. Demandez le chemin du Restaurant Pantoja.

L'*Hotel El Cedro* (☎ 2-68-78), dans l'Avenida de los Héroes, entre Plutarco Elías Calles et Cárdenas, dispose de chambres acceptables, à 19 $US en double climatisée avec TV et s.d.b.

Le tranquille *Hotel Caribe Princess* (☎ 2-09-00), Avenida Obregón 168, est décoré de marbre et offre d'agréables chambres climatisées à 18/20/23 $US.

A 200 m au sud du Nuevo Mercado et des bus pour le Belize, l'*Hotel Nachancan* (☎ 2-32-32), Calzada Veracruz 379, compte des chambres correctes, plus ou moins calmes, avec clim. et TV, à 15/18/21 $US. Juste en face du marché, l'*Hotel Posada Rosas del Mar*, au n°407, pratique des prix peu élevés pour des chambres banales (8 $US la double).

A 1 km au nord du Museo Maya sur la route de la gare routière, l'*Hotel Principe* (☎ 2-47-99 ; fax 2-51-91), Avenida de los Héroes 326, comporte des chambres convenables, un restaurant et une petite piscine. Comptez 20 $US pour une double climatisée.

Où se loger – catégorie moyenne

L'*Hotel Los Cocos* (☎ 2-05-44 ; fax 2-09-20), Avenida de los Héroes et Avenida Héroes de Chapultepec, possède une piscine entourée de pelouses, un parking gardé et un restaurant avec terrasse très apprécié. Prévoyez de 38 à 55 $US, en simple ou double climatisée, avec TV et une débauche de stuc blanc.

A deux pâtés de maisons plus au nord, près du kiosque d'informations touristiques, l'*Holiday Inn Chetumal Puerta Maya* (☎ 2-11-00, 2-10-80 ; fax 2-16-76), Avenida de los Héroes 171, le meilleur hébergement de la ville, offre de confortables simples ou doubles à 66 $US. Elles surplombent une petite cour dotée d'une piscine au milieu d'un jardin tropical. L'hôtel abrite un restaurant et un bar.

Où se restaurer

En face de l'Holiday Inn et du kiosque d'informations touristiques, les comedores du Mercado Ignacio Manuel Altamirano préparent des repas à 2 ou 3 $US.

Pimpant et sans prétention, le *Restaurant Sosilmar*, Avenida Obregón en-dessous de l'Hotel María Dolores, affiche clairement ses prix. Un plat copieux de poisson ou de viande vous reviendra de 3 à 5 $US.

A côté, la *Panadería La Muralla* vend du pain frais et autres gourmandises. Encore plus délicieuse, la *Panadería y Pastelería La Invencible* est installée dans Carmen Ochoa de Merino, à l'ouest de l'Avenida de los Héroes.

A l'ouest du Sosilmar, le *Pollo Brujo* vend des poulets rôtis à déguster sur place dans une petite salle climatisée ou à emporter (2,50 $US le demi-poulet).

Très bien tenu, le *Restaurant Vegetariano La Fuente*, Cárdenas 222, entre Independencia et Juárez, prépare des plats bio et végétariens à 4 $US maximum.

A l'intérieur ou en terrasse, le *Café-Restaurant Los Milagros*, dans Zaragoza, entre Héroes et 5 de Mayo, sert des repas de 3 à

4 $US. Très fréquenté par les étudiants et les intellectuels de Chetumal, il propose un échange de livres.

Affaire familiale, le *Restaurant Pantoja* (☎ 2-39-57), Avenida Gandhi 181, au niveau de 16 de Septiembre, est l'un des plus prisés du quartier. Ouvert tôt pour le petit déjeuner, il offre plus tard une comida corrida à 2,50 $US, des enchiladas à 2 $US et des plats de viande – bistec ou *hígado encebollado* (foie aux oignons) – à 3 $US. Tout proche, le *Restaurant Ucum*, dans l'hôtel du même nom, propose également de bons repas à prix modérés.

Pour goûter la cuisine traditionnelle du Quintana Roo, allez au *Restaurant Típico El Taquito*, Plutarco Elías Calles 220, près de Juárez. On passe devant les cuisiniers absorbés dans leur travail avant d'entrer dans une salle simple et spacieuse où l'on déguste une bonne cuisine, à petits prix. Les tacos reviennent à 0,50 $US la pièce, un peu plus cher avec du fromage. La comida corrida quotidienne vaut 2,75 $US. C'est un endroit parfait pour venir en nombre.

A une rue à l'est d'Héroes, *María's* (☎ 2-04-91) et *Sergio's Pizzas* (☎ 2-23-55), Avenida Obregón 182, sont en fait un seul et même restaurant qui comporte deux salles lambrissées de bois et climatisées. Il ouvre tous les jours de 13h à 24h. Vous le repérerez à ses vitraux avant de pénétrer dans une salle aux lumières tamisées, sur fond discret de musique classique. Chez María, commandez un des nombreux vins proposés, puis un plat mexicain ou continental – fruits de mer ou bœuf cordon bleu (7 $US). Chez Sergio, prenez une bière bien fraîche servie dans une chope givrée et choisissez une pizza de 3 $US à 14 $US, suivant la taille et la garniture.

Pour observer les passants, le soir de préférence, installez-vous à la terrasse du café de l'Hotel Los Cocos. Comptez de 6 à 12 $US pour un repas complet, déjeuner ou dîner. Le prix des boissons est élevé.

Comment s'y rendre

Avion. Le petit aéroport de Chetumal se situe à moins de 2 km au nord-ouest du centre-ville, le long d'Obregón et de Revolución.

Le transporteur régional de Mexicana, Aerocaribe (☎/fax 2-66-75), Avenida Héroes 125, Plaza Baroudi Local 13, relie Chetumal à Cancún, Cozumel, Flores (Petén, Guatemala) et Palenque.

Aviacsa (☎ 2-76-76 ; fax 2-76-54 ; à l'aéroport ☎ 2-77-87 ; fax 2-76-98) propose des vols directs pour Villahermosa et Mexico.

Pour vous rendre à Belize City (et poursuivre vers Tikal) ou aux cayes du Belize, passez la frontière et prenez un avion à Corozal.

Bus. Le Terminal de Autobuses de Chetumal est installé à 3 km au nord du centre (Museo de la Cultura Maya), à l'intersection des Avenidas de los Insurgentes et Belice. Les services sont assurés par les compagnies ADO, Autotransportes del Sur, Cristóbal Colón, Omnitur del Caribe, Línea Dorada et Unimaya. La gare routière abrite des consignes, un kiosque d'informations touristiques, une librairie, un kiosque à journaux, un bureau de poste, un service de téléphone et de fax international et des boutiques. L'immense magasin San Francisco de Asis se trouve juste à côté de la gare.

Vous pouvez acheter un billet ADO dans le centre-ville, Avenida Belice à l'ouest du Museo de la Cultura Maya.

De nombreux bus locaux et ceux à destination du Belize partent du Nuevo Mercado Lázaro Cárdenas, Calzada Veracruz et Regundo. Pour y parvenir, suivez l'Avenida los Héroes vers le nord pendant 1,5 km après le Museo Maya, puis tournez à droite devant le concessionnaire Jeep et passez trois pâtés de maisons à l'est.

Des minibus pour Bacalar et autres destinations proches partent de la gare des minibus, au coin de l'Avenida Primo de Verdad et d'Hidalgo.

Bacalar – 39 km, 45 minutes ; minibus de la gare des minibus (2 $US) ; 9 bus 2e classe de la gare routière (2,50 $US)

Belize City – 160 km, 4 heures, 5 $US ; express, 3 heures, 6 $US ; Batty's fait circuler 12 bus en direction du nord depuis Belize City, *via* Orange Walk et Corozal jusqu'au Nuevo Mercado de Chetumal, de 4h à 11h15, et 12 bus en direction du sud depuis le Nuevo Mercado de Chetumal, de 10h30 à 18h30. Des bus de Venus Bus Lines partent de Belize City toutes les heures (à l'heure pile) de 12h à 19h ; des bus quittent Chetumal toutes les heures de 4h à 10h.
Campeche – 422 km, 7 heures, de 11 à 14 $US ; 3 bus
Cancún – 382 km, 6 heures, de 10 à 14 $US ; 23 bus
Corozal (Belize) – 30 km, 1 heure y compris les formalités douanières, 1,75 $US ; voir les horaires de *Belize City*
Felipe Carrillo Puerto – 155 km, 3 heures, de 4 à 6 $US ; 23 bus
Flores (Guatemala) – 350 km, 9 heures, 35 $US ; un bus Servicio San Juan part tous les jours à 14h30 de la principale gare routière de Chetumal pour Flores et Tikal
Kohunlich – 67 km, 1 heure 15 ; prenez un bus allant à l'ouest vers Xpujil ou Escárcega, descendez juste avant le village de Francisco Villa et parcourez à pied les 9 km (1 heure 45) jusqu'au site
Mérida – 456 km, 8 heures, de 9 à 13 $US ; 12 bus
Orange Walk (Belize) – 91 km, 2 heures 15 ; Urbina's et Chell's font partir chacun un bus par jour (4 $US) du Nuevo Mercado de Chetumal vers l'heure du déjeuner ; voir aussi *Belize City*
Palenque – 425 km, 7 heures ; 1 ADO (15 $US) à 22h20, 2 Colón (15 $US), 1 ATS (12 $US) à 20h15 ; voir aussi *Villahermosa*
Playa del Carmen – 315 km, 5 heures ; 7 ADO (de 10 à 12 $US), 1 Colón (10 $US), 3 Mayab (6,50 $US)
San Cristóbal de las Casas – 700 km, 11 heures ; 2 Colón (de 21 à 24 $US), 2 ATS (18 $US) et plusieurs ADO de paso (22 $US)
Ticul – 352 km, 6 heures 30, 7 $US ; 9 bus
Tikal (Guatemala) – 351 km, 11 heures, 40 $US ; voir *Flores*
Tulum – 251 km, 4 heures, de 5 à 7 $US ; au moins 12 bus
Villahermosa – 575 km, 8 heures, 18 $US ; 8 bus ; pour Palenque, descendez à Catazajá
Xcalak – 200 km, 5 heures, 3 $US ; des bus Sociedad Cooperativa del Caribe partent à 6h et à 15h30 de la gare des minibus
Xpujil – 120 km, 2 heures, de 3 à 4 $US ; 8 bus

Comment circuler

Les taxis officiels de la gare routière surévaluent le montant de la course jusqu'au centre-ville. Sortez plutôt de la gare, rejoignez la route principale, tournez à gauche et marchez jusqu'au rond-point où vous pourrez héler un taxi ordinaire.

LES ENVIRONS DE CHETUMAL

A l'ouest de Chetumal, le long de la route 186, s'étend une région où prospèrent la culture de la canne à sucre et l'élevage ; ici, l'abattage des arbres est encore important, comme il l'était déjà aux XVIIe et XVIIIe siècles.

Les ruines de Kohunlich

Seule une partie du site archéologique de Kohunlich a été mise au jour et la plupart de ses 200 tumuli sont toujours recouverts par la végétation. La forêt tropicale humide environnante est épaisse mais le site lui-même a été nettoyé et s'est transformé en un magnifique parc. Le site est ouvert tous les jours de 8h à 17h (entrée : 1,50 $US). Des boissons sont parfois en vente sur place. Les toilettes sont habituellement fermées, "en cours de réparation".

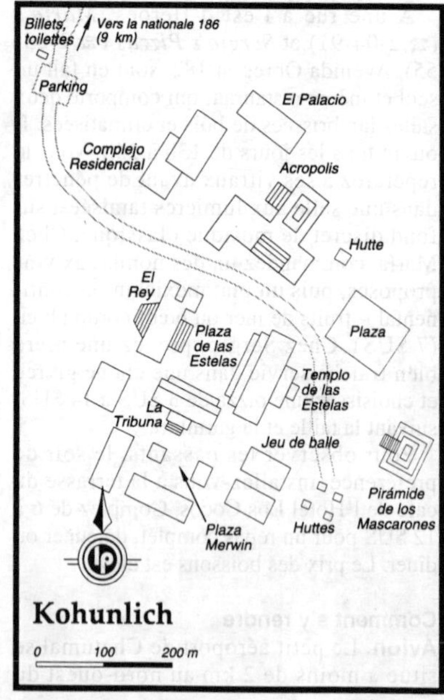

Ces ruines, datant de la fin de la période préclassique (100-200) et du début de la période classique (250-600), sont célèbres pour l'impressionnante Pirámide de los Mascarones (pyramide des Masques) : un escalier central est flanqué d'immenses masques de 3 mètres de haut en stuc représentant le dieu du soleil. Leurs lèvres épaisses et leurs traits saillants rappellent les sculptures olmèques. Autrefois, le monument comptait huit masques, mais six d'entre eux ont été volés par divers pilleurs d'antiquités. Ces masques sont très impressionnants, bien qu'un peu assombris par les toits de chaume qui les protègent. Essayez d'imaginer à quoi ressemblait autrefois la pyramide, lorsqu'un cortège maya en gravissait solennellement l'escalier.

Le système hydraulique utilisé sur le site était d'une ingéniosité prodigieuse ; 9 des 21 hectares du site étaient traversés par des canaux d'eau de ruissellement qui se déversaient dans un énorme réservoir.

Comment s'y rendre. Actuellement, il n'existe pas de transport public direct pour Kohunlich. Si vous n'êtes pas motorisé, partez tôt le matin et prenez un bus à Chetumal pour Xpujil ou Escárcega, puis repérez le village de Nachi-Cocom, à quelque 50 km de Chetumal. Environ 9,5 km après, juste avant le village de Francisco Villa, une route part sur la gauche (sud) et rejoint le site archéologique après 9 km. Demandez au chauffeur de vous déposer et préparez-vous à marcher, à moins qu'un touriste vous prenne dans sa voiture.

Des promoteurs ont prévu de construire un hôtel de luxe sur la route d'accès à Kohunchil, ce qui entraînera probablement une amélioration des transports publics.

Pour revenir à Chetumal ou partir à l'ouest vers Xpujil ou Escárcega, arrêtez un bus sur la route principale (tous ne s'arrêtent pas).

VERS LE BELIZE ET LE GUATEMALA

Corozal, à 18 km au sud de la frontière entre le Mexique et le Belize, est une paisible ville de fermiers et de pêcheurs, ainsi qu'une bonne introduction au Belize. Vous y trouverez plusieurs hôtels corrects à tous les prix ainsi que des restaurants. Des bus directs partent du marché de Chetumal jusqu'à Belize City *via* Corozal et Orange Walk.

De Belize City vous pouvez prendre un bus en direction de l'ouest pour Belmopan, San Ignacio et la frontière guatémaltèque à Benque Viejo, puis poursuivre vers Flores, Tikal et autres destinations du Guatemala.

Une fois par jour, Servicio San Juan fait circuler un bus spécial de 1re classe de la gare routière de Chetumal à Flores, près de Tikal au Guatemala (350 km, 9 heures, 35 $US).

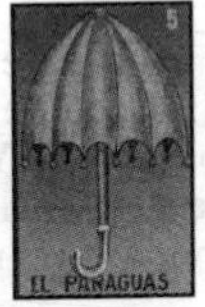

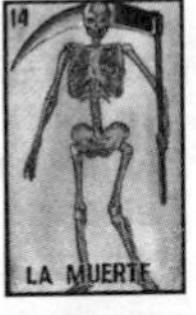

Glossaire

AC – *antes de Cristo* : avant Jésus-Christ.
Adobe – briques en argile séché au soleil, souvent utilisées dans la construction des habitations.
Aduana – douane.
Aguardiente – littéralement "eau brûlante". Eau-de-vie fabriquée à partir de la canne à sucre.
Alameda – nom des parcs paysagers de plusieurs villes mexicaines.
Albergue de juventud – auberge de jeunesse. Souvent des dortoirs aménagés dans les bâtiments d'une *villa juvenil*.
ALENA – Accord sur le libre-échange nord-américain.
Alfarería – atelier de potier.
Alfíz – encadrement rectangulaire autour d'une arche arrondie ; influence arabe sur les bâtiments espagnols et mexicains.
Altiplano Central – plateau aride qui s'étend le long du Mexique central au nord, entre les deux chaînes de la Sierra Madre.
Amate – papier fabriqué à partir d'écorce d'arbre écrasée.
Ángeles Verdes – Anges verts : corps de mécaniciens payés par le gouvernement qui parcourt les grandes routes mexicaines dans des véhicules verts, et qui est chargé d'assister les automobilistes en difficulté (essence, pièces détachées, service).
Apdo – abréviation pour *Apartado* (boîte) dans les adresses ; *Apartado Postal* signifie boîte postale.
Arroyo – ruisseau.
Artesanías – artisanat, arts populaires.
Atlas (s), atlantes (pl) – pilier sculpté représentant un personnage masculin utilisé pour supporter un toit ou une frise ; également appelé *telamon*.
Atrium – cimetière généralement très vaste.
Autopista – autoroute à deux voies.
Azulejo – carreau de faïence émaillée.

Bahía – baie.
Balneario – lieu de baignade, le plus souvent une source chaude naturelle.
Baluarte – rempart, fortifications.
Barrio – quartier souvent pauvre en périphérie d'une ville.
Billete – billet de banque.
Boleto – billet, ticket.
Brujo(a) – sorcier, chaman ; se dit également *curandero(a)*.
Burro – âne.

Caballeros – littéralement "chevaliers", mais correspond plutôt à "Messieurs". Indiqué sur les portes des toilettes.
Cabaña – cabane, abri se réduisant à un toit et quatre murs.
Cacique – chef de village aztèque ; désigne également un seigneur de guerre ou une personnalité politique.
Calle – rue.
Callejón – ruelle.
Calzada – grand boulevard ou avenue.
Camarín – chapelle voisine du maître-autel d'une église. Elle renferme des vêtements de cérémonie pour les statues de saints ou de la Vierge. Également un type de compartiments couchette dans les trains.
Camión – camion ou bus.
Camioneta – camionnette.
Campesino(a) – paysan.
Capilla abierta – chapelle ouverte, utilisée dans les anciens monastères mexicains pour prêcher lors des grands rassemblements d'Indiens.
Casa de cambio – bureau de change. Service plus rapide que dans une banque.
Caseta de larga distancia – cabine téléphonique publique, installée le plus souvent dans une boutique.
Caseta de teléfono (ou **telefónica**) – Voir *caseta de larga distancia*.
Cazuela – marmite d'argile généralement vendue dans un filet.
Cenote – puits naturel creusé dans le calcaire et rempli d'eau de pluie. Utilisé comme réservoir dans le Yucatán et, parfois, à des fins religieuses chez les Mayas.
Central camionera – gare routière.

Cerro – colline.
Chac – dieu de la pluie chez les Mayas.
Chac-mool – personnage de la statuaire précolombienne représentant un homme allongé sur le dos, le buste redressé et tenant un plateau qui servait d'autel sacrificiel.
Charreada – rodéo mexicain.
Charro – cow-boy mexicain.
Chilango(a) – habitant(e) de Mexico.
Chinampas – jardins flottants aztèques. Il en existe quelques-uns à Xochimilco près de Mexico.
Chingar – littéralement "baiser". De nombreuses utilisations familières, les mêmes qu'en français.
Chultún – citerne souterraine faite de briques recouvertes de ciment, que l'on trouve dans la région des *chenes* (puits) au cœur des monts Puuc au sud de Mérida.
Churrigueresque – style baroque hispanique tardif, caractéristique de nombreuses églises mexicaines.
Cigarro – cigarette.
Clavadistas – plongeurs faisant le saut de l'ange depuis les falaises d'Acapulco.
Coatlicue – mère de divinités créatrices chez les Aztèques.
Colectivo – minibus ou voiture dans lesquels les passagers peuvent monter ou descendre à leur gré, le long d'un trajet déterminé ; désigne également d'autres modes de transport, tels que le bateau, où les passagers se partagent le prix du billet.
Coleto(a) – habitant(e) de San Cristóbal de Las Casas.
Colonia – quartier d'une ville, souvent résidentiel.
Comedor – littéralement "salle à manger" ; désigne un étal dans un marché où l'on peut prendre un repas ou un petit restaurant bon marché.
Comida corrida – menu à prix fixes, comprenant plusieurs plats, revenant moins cher que la commande à la carte.
Conasupo – magasin d'État qui vend de nombreux produits de base à des prix très bas.
Conde – comte (noble).
Conquistadores – les premiers conquérants et explorateurs espagnols.
Cordillera – chaîne de montagne.
Correos – poste.
Coyote – passeur d'immigrants illégaux aux États-Unis.
Criollo – Créole, personne née au Mexique d'ascendance espagnole. Au temps de la colonisation, les criollos étaient considérés comme inférieurs par les Espagnols péninsulaires (voir *Gachupines, Peninsulares*).
Cristeros – rebelles catholiques romains de la fin des années 20.
Cuota – péage ; une *vía cuota* est une route à péage.
Curandero(a) – guérisseur, sorcier ou sorcière utilisant des plantes et/ou des méthodes relevant de la magie.

Danzantes – littéralement "danseurs". Bas-reliefs (Monte Albán).
DC – *Después de Cristo* : après J.-C.
De lujo – de luxe. Terme souvent utilisé avec une certaine liberté.
Delegación – à Mexico, grande subdivision urbaine administrative qui comprend de nombreuses *colonias*.
Descompuesto – cassé, inutilisable.
DF – Distrito Federal (District fédéral) auquel est rattachée la moitié de la ville de Mexico.

Ejido – terre communautaire appartenant aux Indiens.
Embarcadero – embarcadère.
Encomienda – concession de terre et d'Indiens accordée aux conquistadores. Tenus de protéger la terre et de convertir les Indiens, les conquistadores traitaient généralement ces derniers comme des esclaves.
Enramada – restaurant en plein air couvert d'un toit de chaume.
Enredo – jupe nouée à la taille.
Entremeses – hors-d'œuvres ; sketches théâtraux joués notamment durant la fête de Cervantino à Guanajuato.
Escuela – école.
Esq – abréviation pour *esquina* (coin, angle) utilisée dans les adresses.
Estación de ferrocarril – gare ferroviaire.
Estípite – pilastres longs et étroits en forme de pyramide inversée, caracté-

ristique de l'architecture churrigueresque.
Ex-convento – ancien couvent (monastère).
Excusado – toilettes.

Faja – écharpe nouée à la taille du costume indien traditionnel.
Feria – foire.
Ferrocarril – chemin de fer.
Ficha – jeton de casier vendu aux terminus des bus.
Fonda – échoppe de marché où l'on peut manger, petit restaurant.
Fraccionamiento – subdivision. Similaire à la *colonia*, souvent moderne.
Frontera – frontière entre deux entités politiques.

Gachupines – terme insultant pour *Peninsulares*.
Giro – mandat.
Gringo(a) – terme peu flatteur pour désigner un(e) touriste nord-américain(e) et parfois européen(ne).
Grito – littéralement "cri". Le "Grito" lancé par le prêtre Miguel Hidalgo y Costilla, en 1810, donna le coup d'envoi de la lutte pour l'indépendance.
Gruta – grotte.
Guarache – également *huarache*, sandale de cuir tissé, souvent dotée d'un morceau de pneu d'automobile comme semelle.
Guardería de equipaje – consigne pour entreposer les bagages, notamment dans une gare routière.
Guayabera – également *guayabarra*, chemise d'homme en tissu fin avec des poches et des ornements appliqués sur le devant, les épaules et le bas du dos. Remplace vestes et cravates dans les régions chaudes.
Guerre des Castes – violente insurrection maya qui ensanglanta la péninsule du Yucatán au XIXe siècle.
Güero(a) – homme ou femme blond(e). Terme plus respectueux que *gringo*.

Hacha – objet de pierre plat (civilisation de Veracruz). Lié au jeu de balle rituel.
Hacendado – propriétaire d'hacienda.
Hacienda – propriété. La Hacienda désigne le Trésor.
Hay – il y a. On vous dira fréquemment *no hay* (il n'y en a pas).
Henequén – fibres d'agave utilisées pour la fabrication des cordes de sisal. L'agave est cultivé surtout dans la région de Mérida.
Huarache – voir *Guarache*.
Huevos – œufs, mais aussi testicules.
Huípil(es) – tunique(s) de femme indienne, souvent décorée de broderies. Peut arriver jusqu'aux mollets ou aux chevilles.
Huizilopochtli – dieu tribal aztèque.

Iglesia – église.
INAH – Instituto Nacional de Antropología e Historia chargé de l'étude et de la protection des sites et du patrimoine mexicain.
Indígena – indigène, propre aux premiers habitants d'Amérique. Designe les Indiens.
INI – Instituto Nacional Indigenista fondé en 1948 pour améliorer la vie des Indiens et favoriser leur intégration, parfois accusé de paternalisme et de chercher à étouffer les protestations indiennes.
ISH – *impuesto sobre hospedaje*. Taxe perçue sur le prix des chambres d'hôtel.
Isla – île.
IVA – *impuesto al valor agregado*. TVA de 15% ajoutée au prix de nombreux articles.
Ixtle – fibre d'agave.

Jaguar – félin originaire d'Amérique centrale. Symbole de la civilisation olmèque.
Jai alai – sorte de pelote basque importée au Mexique par les Espagnols. Ce jeu, qui rappelle le squash, est pratiqué sur un court très long.
Jarocho(a) – habitant(e) de Veracruz.
Jefe – chef.
Jorongo – petit sarape.

Kukulcán – nom du serpent à plumes, Quetzalcóatl, chez les Mayas.

Lada – forme courte pour *larga distancia*.
Ladatel –système téléphonique longue distance géré par la Telmex.
Ladino – signifie plus ou moins la même chose que *mestizo*.
Lancha – vedette (bateau).
Larga distancia – longue distance.

S'applique généralement au réseau téléphonique.
Latifundio – grande propriété foncière. Elles sont apparues après l'indépendance du Mexique.
Latifundista – propriétaire qui s'est emparé des terres qui appartenaient à la communauté pour constituer un *latifundio*.
Libramiento – route ou autoroute.
Licenciado – lauréat de l'université. Abréviation : Lic. Utilisé comme titre honorifique devant le nom de la personne. Statut revendiqué par de nombreuses personnes sans diplôme.
Licuado – boisson sucrée à base de jus de fruit, d'eau ou de lait.
Lista de correos – liste affichée dans les postes et portant les noms des personnes qui ont reçu des lettres. Similaire à la Poste Restante.
Lleno – plein, notamment utilisé pour le plein d'essence.

Machismo – machisme, virilité.
Madre – littéralement "mère" mais ce terme se retrouve dans un nombre impressionnant d'expressions.
Maguey – variété d'agave aux feuilles épaisses et pointues dont le suc est utilisé pour fabriquer la tequila et le mezcal.
Malecón – rue, boulevard ou promenade situés sur le front de mer.
Mañana – littéralement "demain" ou "matin". Dans certains contextes peut vouloir dire plus tard "dans le futur".
Maquiladora – usine d'assemblage dans une ville frontalière du Mexique, appartenant, au moins partiellement, à des investisseurs étrangers, et qui peut importer des matières premières hors taxes à la condition que les produits manufacturés soient exportés.
Mariachis – petits ensembles de musiciens ambulants qui jouent des ballades traditionnelles à la guitare et à la trompette.
Marimba – instrument en bois ressemblant à un xylophone, populaire à Veracruz.
Mayab – terres des Mayas.
Mercado – marché. Souvent un bâtiment situé près du centre-ville, qui s'agrémente de boutiques et d'échoppes en plein air dans les rues avoisinantes.
Mesoamérica – terme qui désigne les anciennes cultures mexicaine et maya.
Mestizaje – métissage, l'héritage du Mexique et, officiellement, objet de fierté.
Mestizo – personne aux ancêtres indiens et espagnols, donc la plupart des Mexicains.
Metate – pierre servant à moudre le maïs et d'autres aliments.
Mezcal – alcool fort tiré de l'agave.
Milpa – petit champ de maïs souvent cultivé selon la méthode du brûlis.
Mirador(es) – point(s) de vue, belvédère(s).
Moctezuma (la vengeance de) – version mexicaine de la tourista (diarrhée).
Mordida – littéralement "petite morsure", petit pot-de-vin accordé pour accélérer les rouages de la bureaucratie. En donnant une *mordida* à un agent de la circulation, vous éviterez souvent une grosse amende.
Mota – marijuana.
Mudéjar – style architectural mauresque importé au Mexique par les Espagnols.
Mujeres – femmes. Indiqué sur les portes des toilettes.
Municipio – petite division administrative. Mexico est divisée en 2 394 municipios.

Na – hutte maya à toit de chaume.
Nahuatl – langue des Nahuas, descendants des Aztèques.
Naos – galions espagnols de commerce.
Norteamericanos – Nord-américains (vivant au nord de la frontière mexicaine).
Nte – abréviation de *norte* (nord) utilisée dans les noms de rues.

Ote – abréviation de *oriente* (est) utilisée dans les noms de rues.

Palacio de gobierno – quartier général du gouvernement.
Palacio municipal – hôtel de ville ou mairie.
Palapa – toit de chaume, abri au toit de chaume, généralement sur une plage.
Palma – objet long en pierre taillée, en forme de pagaie (civilisation classique de Veracruz, lié au jeu de balle rituel).

Panadería – boulangerie-pâtisserie.
Parada – arrêt de bus en ville.
Parado – debout, comme c'est souvent le cas dans les bus de 2e classe.
Parque nacional – parc national ; correspond à une zone naturelle protégée n'autorisant aucune intervention de l'homme.
Parroquia – église paroissiale.
Paseo – boulevard, promenade ou rue piétonne. Également une tradition qui consiste à se promener le soir autour de la place, les hommes marchant dans un sens, les femmes dans l'autre.
Pemex – nom de la compagnie pétrolière d'État du Mexique.
Peninsulares – personnes nées en Espagne et envoyées au Mexique pour diriger la colonie (voir *Criollo, Gachupines*).
Peña – soirée de chants populaires latino-américains, souvent à thème politique contestataire.
Pesero – terme propre à Mexico pour *colectivo*.
Petate – natte de palmes ou de joncs.
Peyotl – petit cactus hallucinogène.
Pinacoteca – galerie d'art.
Piñata – figurine d'argile décorée de papier mâché, de mouchoirs en papier, de rubans, ressemblant à un animal, un ananas, une étoile, etc. Rempli de bonbons et de petits cadeaux, il est brisé pendant les fêtes, en particulier à Noël.
Playa – plage.
Plaza de toros – arène de corrida.
Plazuela – petite place.
Poblano(a) – habitant(e) de Puebla. Désigne aussi les objets fabriqués dans le style de Puebla.
Pollero – synonyme de *coyote*.
Porfiriato – désigne la période pendant laquelle Porfirio Díaz fut président du Mexique, de 1876 à la révolution de 1910.
Portales – arcades.
Presidio – fort ou garnison.
PRI – Partido Revolucionario Institucional (Parti révolutionnaire institutionnel). Ce parti politique gouverne le Mexique depuis les années 30.
Propina – pourboire. Différent de la *mordida*, plus proche du pot-de-vin.
Pte – abréviation de *poniente* (ouest) utilisée dans les noms de rues.
Puerto – port.
Pulque – boisson alcoolisée, épaisse et laiteuse, obtenue par la fermentation du suc de maguey. Cette boisson traditionnelle est rafraîchissante et nourrissante.

Quechquémitl – châle porté par les femmes indiennes, doté d'une ouverture pour le passage de la tête. Généralement décoré de broderies multicolores, souvent en forme de diamants.
Quetzal – oiseau à crête au brillant plumage vert, rouge et blanc, originaire d'Amérique centrale et du nord de l'Amérique du Sud. Ses plumes étaient très recherchées au Mexique durant la période précolombienne.
Quetzalcóatl – serpent à plumes, dieu du Mexique précolombien.

Rebozo – long châle rectangulaire de laine ou de lin qui couvre la tête ou les épaules.
Reja – barreau en fer forgé disposé devant les fenêtres.
Reserva de la biosfera – réserve de la biosphère ; zone naturelle protégée qui, à la différence des parcs nationaux, autorise l'intervention de l'homme pour peu que les activités développées soient sans danger pour l'environnement.
Retablo – petit autel ou peinture sur bois, étain, verre, etc., faisant fonction d'ex-voto dans les églises en reconnaissance d'un miracle ou d'une prière exaucée.
Río – rivière ou fleuve.

S/n – *sin número* (sans numéro). Utilisé dans les adresses.
Sacbe – (pl. sacbeob) chaussée cérémonielle reliant les grandes cités mayas.
Sanatorio – hôpital, petit hôpital privé.
Sanitario(s) – toilettes.
Sarape – couverture de laine comportant une ouverture pour la tête.
Semana Santa – Semaine Sainte, la semaine avant Pâques. Principale période de vacances du Mexique où hébergement et transports deviennent saturés.
Servicios – toilettes.

Sierra – montagne.
Sitio – station de taxis.
Stele(ae) – stèle, monument sculpté en bas-relief.
Supermercado – supermarché. De la petite boutique du coin de la rue à l'hypermarché.
Sur – sud. Souvent utilisé dans les noms de rues.

Taller – boutique ou atelier. Un *taller mecánico* désigne l'atelier d'un mécanicien, généralement d'un garagiste ; un *taller de llantas* répare les pneus.
Talud-tablero – style architectural caractéristique du Teotihuacán dans lequel les constructions à degrés présentent une alternance de sections verticales (*tablero*) et horizontales (*talud*).
Taquería – endroit où l'on vend les tacos.
Taquilla – guichet de vente de billets.
Telamon – pilier sculpté représentant un homme, utilisé pour soutenir le toit d'un temple (voir aussi *Atlas*).
Telar de cintura – métier à tisser de ceinture. Les fils de chaîne sont tendus entre deux barres horizontales, dont l'une est attachée autour d'un poteau ou d'un arbre, et l'autre à une courroie entourant la taille du tisserand.
Teleférico – tramway.
Templo – église. De la chapelle à la cathédrale.
Teocalli – enceinte sacrée aztèque.
Tequila – alcool fabriqué à partir du suc d'agave, comme le pulque et le mezcal.
Tex-Mex – version américanisée de la cuisine mexicaine.
Tezcatlipoca – dieu précolombien, maître de la vie et de la mort et protecteur des guerriers. Ce "miroir fumant" pouvait voir au plus profond de votre cœur. Dieu du soleil, le sang de guerriers sacrifiés lui était nécessaire pour se lever.
Tezontle – roche volcanique poreuse, rouge clair, utilisée dans la construction par les Aztèques et les conquistadores.
Tianguis – marché indien.
Típico(a) – caractéristique d'une région. Surtout utilisé dans la gastronomie.
Tláloc – dieu précolombien de la pluie et de l'eau.
Topes – cassis ou dos d'ânes que l'on trouve dans les faubourgs de nombreuses villes.
Trapiche – moulin.
TLC – Tratado de Libre Comercio (Alena).
Tzompantli – réceptacle où l'on plaçait les crânes des victimes des sacrifices aztèques.

UNAM – Universidad Nacional Autónoma de México (Université autonome nationale du Mexique).

Viajero – voyageur.
Villa juvenil – centre sportif pour la jeunesse souvent dotée d'une *albergue de juventud*.
Voladores – les "hommes volants". Rituel des Indiens totonaques au cours duquel quatre hommes, attachés par les chevilles à une corde, tournent autour d'un poteau.

Were-jaguar – être mi-humain, mi-jaguar représenté dans l'art olmèque.

Yácata – structure cérémonielle de pierre, dotée d'une flamme éternelle, caractéristique de la civilisation tarasque.
Yugo – objet en pierre taillée en forme de U (civilisation classique de Veracruz), lié au jeu de balle rituel.

Zaguán – vestibule ou foyer, parfois porche.
Zócalo – place principale d'une ville. Terme utilisé dans quelques villes mexicaines.
Zona Rosa – littéralement "zone rose". A Mexico, quartier de boutiques, d'hôtels et de restaurants chers, fréquentés par les gens aisés et les touristes. Par extension, désigne ce type de quartier ailleurs au Mexique.

Espagnol pour les voyageurs

Prononciation

La prononciation de l'espagnol ne pose pas grande difficulté car elle présente maintes similitudes avec celle du français. Par ailleurs, la prononciation est assez proche de la graphie.

Voyelles. On dénombre cinq voyelles : a, e, i, o et u ; a, i et o se prononcent comme en français :

e se prononce é comme dans "blé"
u se prononce "ou" comme dans "**cour**"

Diphtongues. Une diphtongue est une syllabe composée de deux voyelles, qui se prononcent chacune séparément. Vous trouverez ci-après la plupart des diphtongues que compte l'espagnol :

ai comme dans "v**aille**"
au comme dans "**aoû**tien"
ei comme dans "**réi**térer"
ia comme dans "étud**ia**"
ie comme dans "**lié**"
oi comme dans "play-b**oy**"
ua comme dans "**oua**te"
ue comme dans "r**oué**"

Consonnes. La prononciation des consonnes se rapproche de celle du français, à quelques exceptions près.

c se prononce "s" devant "e" ou "i", et "k" devant toutes les autres lettres.
ch comme dans "tchin-tchin"
g comme en français devant un "a", un "o" et un "u" ; lorsqu'il précède un "e" ou un "i", il se prononce comme la "jota" de manière gutturale et aspirée, comme en allemand "achtung". A noter : lorsque "g" est suivi de "ue" ou "ui", le "u" reste muet, sauf s'il est surmonté d'un tréma ("ü") :
guerra "GUE-rra" mais *güero* se prononce "GWÉ-ro"
h toujours muet
j la jota, son guttural comme dans l'allemand "achtung"
ll "l" mouillé comme dans "paille"
ñ nasalisé, comme dans "pagne"
q comme dans "coq" ; toujours suivi d'un "u" muet
r roulé
rr plus roulé et appuyé que le "r"
x se prononce comme un "h" fortement aspiré devant un "e" ou un "i" ; dans les autres cas, comme le "x" de "taxi". Dans beaucoup de termes indiens, notamment mayas, le "x" se prononce "ch".
z se prononce comme un "s" dur

Il existe d'autres subtilités de prononciation, avec lesquelles vous vous familiariserez rapidement lors de votre séjour au Mexique. Sachez que le **ch**, le **ll** et le **ñ** sont considérés comme des lettres de l'alphabet à part entière.

Accent tonique. On distingue trois règles d'accentuation.

- Dans le cas de mots se terminant par une voyelle, un "n" ou un "s", l'accent tonique tombe sur l'avant-dernière syllabe :

naranja na-RAN-cHa
joven CHO-jen
zapatos sa-PA-tos

- Dans le cas de mots se terminant par une consonne autre que "n" ou "s", l'accent tonique tombe sur la dernière syllabe :

estoy es-TOÏ
ciudad ciou-DAD
catedral ca-té-DRAL

- Toute exception à ces deux règles est signalée par un accent écrit :

México MÉ-hi-co
mudéjar mou-DÉ-har
Cortés cor-TÉSS

Genre

Les noms qui finissent par "o", "e" ou "ma" sont généralement masculins, ceux qui finissent en "a", "ión" ou "dad" sont féminins.

Certains peuvent prendre une forme masculine ou féminine, en changeant de terminaison : par exemple, *viajero* est un voyageur, *viajera* une voyageuse. L'adjectif se place généralement après le nom qu'il décrit et s'accorde.

Salutations et formules de politesse

Salut
hola
Bonjour
buenos días
Bonsoir/bonne nuit
buenas tardes/buenas noches
A tout à l'heure
hasta luego
Au revoir
adiós
Enchanté de vous rencontrer
mucho gusto
Comment allez-vous ? (à une personne)
¿ Como está ?
Comment allez-vous ? (à un groupe)
¿ Como están ?
Je vais bien
estoy bien
S'il vous plaît
por favor
Merci
gracias
De rien
de nada
Excusez-moi
perdóneme

Les gens

je	*yo*
tu	*tú*
vous (de politesse)	*usted*
vous (pluriel)	*ustedes*
il/lui	*él*
elle	*ella*
nous	*nosotros*
ils	*ellos*
elles	*ellas*
ma femme	*mi esposa*
mon mari	*mi esposo*
ma sœur	*mi hermana*
mon frère	*mi hermano*
Monsieur	*Señor*
Madame	*Señora*
Mademoiselle	*Señorita*

Mots et phrases utiles

Pour les mots se rapportant à la nourriture et aux restaurants, reportez-vous aux rubriques *Repas et boissons* du chapitre *Renseignements pratiques*.

oui	*sí*
non	*no*
pardon ?	*¿ mande ?* (familier)
bien/d'accord	*bueno*
mauvais	*malo*
meilleur	*mejor*
mieux	*lo mejor*
plus	*más*
moins	*menos*
très petit	*poco* ou *poquito*

Je suis…

(condition ou lieu)	*estoy...*
ici	*aquí*
fatigué (m/f)	*cansado/a*
malade (m/f)	*enfermo/a*

Je suis…

(état)	*soy...*
étudiant	*estudiante*
travailleur	*rabajador*
marié(e)	*casado (a)*

Achats

Combien ?
¿ Cuánto ?
Combien cela coûte-t-il ?
¿ Cuánto cuesta ? ou
¿ Cuánto se cobra ?
Je veux…
Quiero...
Je ne veux pas…
No quiero...
Je voudrais…
Quisiero...
Donnez-moi…
Deme...

Que voulez-vous ?
  ¿ Qué quiere ?
Avez-vous… ?
  ¿ Tiene ...?
Y a-t-il… ?
  ¿ Hay... ?

Nationalités

Belge (m et f)	*Belga*
Canadien (m et f)	*Canadiense*
Français (m/f)	*Francés/Francesa*
Suisse (m/f)	*Suizo/a*
Américain (m/f)	*(Norte-) Americano/a*
Anglais (m/f)	*Inglés/a*

Langues

Je parle…	*hablo...*
Je ne parle pas…	*no hablo...*
Parlez-vous… ?	*¿ Habla usted... ?*
espagnol	*español*
français	*francés*
anglais	*inglés*
allemand	*alemán*

Je comprends
  entiendo
Je ne comprends pas
  no entiendo
Comprenez-vous ?
  ¿ Entiende usted ?
Parlez lentement s'il vous plaît
  por favor hable despacio

Passer la frontière

frontière	*la frontera*
titre de propriété d'une voiture	*título de propiedad*
carte grise	*registración*
douane	*aduana*
permis de conduire	*licencia de manejar*
assurance	*seguro*
permis d'importation d'un véhicule	*permiso de importación temporal de vehículo*
papiers d'identité	*identificación*
immigration	*inmigración*
passeport	*pasaporte*
carte de touriste	*tarjeta de turista*
visa	*visado*
certificat de naissance	*certificado de nacimiento*

Circuler

rue	*calle*
boulevard	*bulevar, boulevard*
avenue	*avenida*
route	*camino*
autoroute	*carretera*
angle (de)	*esquina (de)*
angle (ou) virage	*vuelta*
pâté de maisons	*cuadra*
à gauche	*a la izquierda*
à droite	*a la derecha*
vers l'avant, devant	*adelante*
tout droit	*todo recto* ou *derecho*
par ici	*por aquí*
par là	*por allí*
nord	*norte*
sud	*sur*
est	*este*
est (dans une adresse)	*oriente* (abrégé en *Ote*)
ouest	*oeste*
ouest (dans une adresse)	*poniente* (abrégéen *Pte*)

Où est… ?
  ¿ Dónde está... ?
  la gare routière
    el terminal de autobúses/central camionera
  la gare ferroviaire
    la estación del ferrocarril
  la poste
    el correo
  un téléphone longue distance
    un teléfono de larga distancia
  l'aéroport
    el aeropuerto

bus	*camión* ou *autobús*
minibus (à Mexico)	*colectivo*, *combi* ou *pesero*
train	*tren*
taxi	*taxi*
billetterie	*taquilla*
salle d'attente	*sala (de) espera*
enregistrement des bagages	*(recibo de) equipaje*
toilettes	*sanitario*

arrivée *llegada*
quai *andén*
consigne *guardería de equipaje*

A quelle distance… ?
¿ A qué distancia está… ?
Combien de temps ?
¿ Cuánto tiempo ?
Itinéraire court (généralement autoroute à péage) *(vía) corta*

Conduire

essence *gasolina*
station-service *gasolinera*
sans plomb *sin plomo, Magna Sin*
normal/avec plomb *regular/con plomo Nova*
faire le plein *llene el tanque ; llenarlo*
plein *lleno, "ful"*
huile *aceite*
roue *llanta*
crevaison *agujero*

Combien coûte un litre d'essence ?
¿ Cuánto cuesta el litro de gasolina ?
Ma voiture est tombée en panne
se me ha descompuesto el carro
Il faut me remorquer
necesito un remolque
Y a-t-il un garage près d'ici ?
¿ Hay un garage cerca de aquí ?

Signalisation autoroutière

Bien que le Mexique utilise principalement la signalisation internationale, vous risquez de rencontrer les signaux suivants :

travaux *camino en reparación*
serrez votre droite *conserva su derecha*
ne pas dépasser *no rebase*
virage dangereux *curva peligrosa*
zone sismique *derrumbes*
lent *despacio*
déviation *desviación*
ralentissez *disminuya su velocidad*
école *escuela, zona escolar*
ouvriers *hombres rabajando*
route fermée *no hay paso*
danger *peligro*
préparez votre monnaie *prepare su cuota*
ligne blanche continue *raya continua*
route en réparation *tramo en reparación*
pont étroit *puente angosto*
par autoroute à péage *via cuota*
par voie de contournement (souvent à péage) *via corta*
route à une voie à 100 m *un solo carril a 100 m*

Logement

hôtel *hotel*
pension de famille *casa de huéspedes*
auberge *posada*
chambre *cuarto, habitación*
chambre à un lit *cuarto sencillo*
chambre à deux lits *cuarto doble*
chambre simple *cama para una persona*
chambre double *cuarto para dos personas*
lit double *cama matrimonial*
lits jumeaux *camas gemelas*
avec salle de bains *con baño*
douche *ducha* ou *regadera*
eau chaude *agua caliente*
climatisation *aire acondicionado*
couverture *manta*
serviette *toalla*
savon *jabón*
papier toilette *papel higiénico*
la note *la cuenta*

Quel est le prix ?
¿ Cuál es el precio ?

Les taxes sont-elles comprises ?
¿ Están incluidos los impuestos ?
Le service est-il compris ?
¿ Está incluido el servicio ?

Argent

argent	*dinero*
chèques de voyage	*cheques de viajero*
banque	*banco*
bureau de change	*casa de cambio*
carte de crédit	*tarjeta de crédito*
taux de change	*tipo de cambio*

Je veux/voudrais changer de l'argent
Quiero/quisiera cambiar dinero
Quel est le taux de change ?
¿ Cuál es el tipo de cambio ?
Y a-t-il une commission ?
¿ Hay comisión ?

Télécommunications

téléphone	*teléfono*
appel téléphonique	*llamada*
numéro de téléphone	*número telefónico*
code régional ou code urbain	*clave*
indicatif longue distance	*prefijo*
appel local	*llamada local*
appel longue distance	*llamada de larga distancia*
téléphone longue distance	*teléfono de larga distancia*
téléphone à pièces	*teléfono de monedas*
téléphone à carte	*teléfono de tarjetas telefónicas*
bureau des téléphones longue distance	*caseta de larga distancia*
tonalité	*tono*
opérateur/trice	*operador(a)*
de personne à personne	*persona a persona*
en PCV	*por cobrar*
composez le numéro	*marque el número*
veuillez attendre	*favor de esperar*
occupé	*ocupado*
taxe/prix (de l'appel)	*cuota/costo*
durée et charges	*tiempo y costo*
ne raccrochez pas	*no cuelgue*

Temps

lundi	*lunes*
mardi	*martes*
mercredi	*miércoles*
jeudi	*jueves*
vendredi	*viernes*
samedi	*sábado*
dimanche	*domingo*

hier	*ayer*
aujourd'hui	*hoy*
maintenant/dans quelques minutes	*horita, ahorita*
déjà	*ya*
demain (aussi peut-être, un jour)	*mañana*
matin	*mañana*
demain matin	*mañana por la mañana*
après-midi	*tarde*
nuit	*noche*
Quelle heure est-il ?	*¿ Qué hora es ?*

Nombres

0	*cero*
1	*un, uno* (m), *una* (f)
2	*dos*
3	*tres*
4	*cuatro*
5	*cinco*
6	*seis*
7	*siete*
8	*ocho*
9	*nueve*
10	*diez*
11	*once*
12	*doce*
13	*trece*
14	*catorce*
15	*quince*
16	*dieciséis*
17	*diecisiete*
18	*dieciocho*
19	*diez y nueve*
20	*veinte*
21	*veinte y uno*
22	*veinte y dos*
30	*treinta*
31	*treinta y uno*
32	*treinta y dos*

40 *cuarenta*
50 *cincuenta*
60 *sesenta*
70 *setenta*
80 *ochenta*
90 *noventa*
100 *cien*
101 *ciento uno*
143 *ciento cuaranta y tres*
200 *doscientos*
500 *quinientos*
700 *setecientos*
900 *novecientos*
1 000 *mil*
2 000 *dos mil*

L'argot mexicain

Si vous ne comprenez pas ce que disent vos *cuates*, les locutions suivantes vous aideront à vous retrouver dans le maquis des expressions familières mexicaines. Certaines sont usitées dans tout le pays, d'autres à Mexico seulement.

¡Quiúbole! Bonjour !
¿Qué onda? Quoi de neuf ?
¿Qué pex? Comment va ?
¿Que pasión? (à Mexico seulement) Comment va ?
¡Qué padre! Sympa !
fregón super, génial
Este club está fregón.
Cette boîte est super.
El cantante es un fregón.
Le chanteur est génial.
ser muy buena onda
être très sympa
Mi novio es muy buena onda.
Mon copain est super sympa.
Eres muy buena onda.
Tu es vraiment sympa.
estar de pelos
être super, génial
La música está de pelos
La musique est super.
unas serpientes bien elodias
des bières bien fraîches (ressemble à *unas cervezas bien heladas*)

pomo (dans le Sud) alcool
pisto (dans le Nord) alcool
alipús alcool
echarse un alipús, echarse un trago
boire un verre
Echamos un alipús/un trago
Allons boire un coup

dar un voltón aller faire un tour
tirar la onda brancher, draguer
ligar draguer
irse de reventón aller faire la fête
¡Vámonos de reventón! Allons faire la fête
reven une "rave party"
un toquín une fête animée par un orchestre
un desmadre le foutoir
Simón Oui
Nel Non
Naranjas Dulces Non
No hay tos. Pas de problème.
¡órale! (positif) Super ! (en répondant à une invitation)
¡órale! (négatif) "Quel *#*!?" (exclamation)
¿Te cae? Sérieux ?
Me late. Ça me branche.
Me vale. Ça m'est égal.
Sale y vale. D'accord.
¡Paso sin ver! En aucun cas !
¡Guácatelas! ¡Guácala! C'est nul !
¡Bájale! Allez, n'exagère pas !
¡¿Chale?! Vraiment ? (à Mexico seulement)
¡Te sales! ¡Te pasas! Tu exagères !
¿Te agarraste? Pigé ?
un resto beaucoup
lana argent, oseille
carnal frère
cuate, cuaderno pote
chavo mec, gars
chava nana
jefe père
jefa mère
la tira, la julia la police
chapusero un tricheur (aux cartes, par exemple)

Annuaire Internet

INFORMATIONS GÉNÉRALES

http://www.mexmaster.com
Informations générales sur le Mexique

http://city.net/countries/mexico/
Informations générales

http://oaxaca-travel.gob.mx/
Site de l'État d'Oaxaca

http://www.inegi.gob.mx/homeing/hominegi/homeing.html
Toutes les données statistiques sur le pays : territoire, gouvernement, géographie, climat, végétation, voies de communication, économie, etc (en espagnol)

http://cyberscol.cscs.qc.ca/tourisme/mexique.html
Historique, géographie, économie, population, politique, culture et coutumes (en français).

VOYAGE

http://www.lonelyplanet.com/
Site de Lonely Planet

http://www.aeromexico
Site de la compagnie aérienne mexicaine

http://www.vtcom.fr/nf
Site de Nouvelles Frontières

http://www.jca.fr/octopus/ABCVOYAGES/ABCHome.Html
Site d'ABC Voyages

http://uplift.fr/voyageurs
Site de Voyageurs au Mexique

http://www.metropark.com/list/services/travel.html
Site de Metropark Travel Services

DIVERS

http://www.mexonline.com/drivemex.htm
Informations pour passer la frontière USA-Mexique en voiture.

http://www.web-strategies.com/amabp/libraries.cgi
Recense les bibliothèques du Mexique

http://www.planet.com.mx/tiempolibre
Site de Tiempo Libre (magazine de loisirs de la ville de Mexico), incluant des renseignements sur la communauté gay :
http://www.tiempolibre.com.mx/gay/

http://serpiente.dgsca.unam.mx
Site de l'UNAM (Université autonome de Mexico)

http://www.odyssee.net/~ggpardo
Informations sur les relations entre le Canada et le Mexique, ainsi que petites annonces concernant l'emploi et le commerce.

ART ET ARCHÉOLOGIE

http://www.tam.itesm.mx/~jdorante/art/
Synthèse d'histoire des styles artistiques en architecture, peinture et sculpture. Existe en espagnol, anglais et français.

http://www.cmcc.muse.digital.ca/cmc/cmcfra/mmintfra.html
Nombreux renseignements sur la civilisation maya.

http://www.lenet.fr/armen/archeo.html
Ce site recense des dizaines de liens sur l'archéologie, classés par thèmes ou par zones géographiques.

http://copan.bioz.unibas.ch/meso.html
Informations sur l'archéologie méso-américaine.

http://www.cascade.net/kahlo.html
Site consacré à Frida Kahlo ; nombreuses illustrations.

PLONGÉE SOUS-MARINE

http://www.lafrance.net/bluenote
Site du centre francophone de plongée sous-marine sur l'île de Cozumel : baptêmes,

passage de brevets (CMAS, PADI), plongée en cenotes, etc.

AMBASSADES ET CONSULATS

http://www.france.diplomatie.fr/infopra/bd/amb_fr/liste.html

ou

http://www.france.diplomatie.fr/infopra/bd/amb_etr/liste.html

Liste des ambassades et consulats français à l'étranger ou des ambassades et consulats étrangers en France.

ÉCOLOGIE ET ENVIRONNEMENT

http://www.txinfinet.com/mader/ecotravel/mexico/mexinterior.html

Site d'Eco Travels

http://www.laneta.apc.org/mazunte/

Site d'Ecosolar Mazunte

ACTUALITÉS

http://www.ezlu.org

Site officiel des Zapatistes

http://montagnenoire.caplaser.fr/chiapas.htm

Informations sur la crise actuelle au Mexique, les raisons de cette révolte, le réseau de solidarité avec le Mexique…

http://altern.org/cspcl

Informations et initiatives de solidarité avec la lutte des indiens du Chiapas. Nouvelles et communiqués en français.

http://www.courrier-international.fr

Liens vers la presse étrangère dont la presse mexicaine

http://web.ina.fr/CPMondeDiplo

Les articles du journal en totalité (avec archives et moteur)

http://www.novedades.com.mx/the-news.htm

Site de The News, journal mexicain en anglais

ANNUAIRES ET MOTEURS DE RECHERCHE

http://nic.yellow.com.mx/

Pages jaunes de Mexsearch

http://serpiente.dgsca.unam.mx/rectoria/htm/mexico.html

Le WWW au Mexique

TRAVAIL A L'ÉTRANGER

http://www.cfce.fr/adresses/adp.html

Liste des postes d'expansion, chambres de commerce française et bureaux de presse.

http://www.earthwatch.org/

Site d'Earthwatch

ENSEIGNEMENT

http://www.geocities.com/Athens/Olympus/6599

Site du Collège franco-mexicain de Guadalajara : activités des élèves, journal en ligne, projets de classes, découverte du Mexique.

http://www2.uaem.mx/clahpe/fra

Université de l'État de Morelos. École pour étudiants étrangers, où sont enseignés l'espagnol en seconde langue et la civilisation mexicaine.

http://www.hispanica.com/francais/

Pour apprendre l'espagnol en Amérique latine, avec des descriptions et des photos des écoles correspondantes.

http://www.edufrance.org

Liste des lycées français à l'étranger

http://www.france.diplomatie.fr/infopra/bourset/sommaire.html

Bourses d'études et de recherche à l'étranger

http://www.administrations françaises/cf.maison

Liste des Alliances françaises à l'étranger

SANTÉ

http://www.france.diplomatie.fr/infopra/avis/index.html

Recommandations sanitaires et formalités d'entrée aux frontières pour les touristes français (classé par pays).

Index

CARTES

Acapulco 388
  Vieille ville d'Acapulco 391
Bahías de Huatulco 375
Bonampak, ruines 517
Campeche 540-541
Cancún 593
  Ciudad Cancún 591
Cañon del Sumidero 485
Catemaco 454
Chetumal 634-635
Chiapas 460
  Hauts plateaux 474
Chichén Itzá 579
Cholula 259, 271
Cobá 629
Comitán 521
Córdoba 442
Côte du Golfe, centre 403
Cozumel, île 613
Cuautla 281
Cuernavaca 283
El Tajín 420
Guanajuato 210
Isla Mujeres, île 602
Isla Mujeres, ville 605
Iztaccíhuatl 252
Jalapa 425
  Centre de Jalapa 427
Kabah 570
Kohunlich 638
La Crucecita 377
Labná 573
Lagunas de Montebello 523
La Venta, Parque-Museo 465
Los Tuxtlas 450
Mérida 548-549
Mexico 134-135
  Centro Histórico et l'Alameda Central 138
  Condesa, le Bosque de Chapultepec et Polanco 144-145
  Coyoacán 148-149
  Environs de Mexico 204-205
  Plan du métro 136-137
  Plaza de la República et la Zona Rosa 142-143
  San Ángel 146
Mitla 347
Monte Albán 341
Oaxaca, État 311
Oaxaca, ville 314
  Centre d'Oaxaca 318-319
Orizaba 446
Palenque 506-507
  Ruines 510-511
Pie de la Cuesta 400
Playa del Carmen 609
Popocatépetl 252
Progreso 563
Puebla 259
Puerto Ángel 366
Puerto Escondido 355
Querétaro 235
San Cristóbal de Las Casas 486-487
San Miguel de Allende 221
San Miguel de Cozumel 615
Santa Cruz Huatulco 379
Sayil 572
Tabasco 460
Tampico 406
Tapachula 527
Taxco 294
  Centre de Taxco 294
Teotihuacán 243
Tepoztlán 277
Ticul 574
Tlaxcala 254
Toluca 304
Tula, site archéologique 207
Tulum 623
Tuxpan 413
Tuxtla Gutiérrez 476
Uxmal 566
Uxmal et la route Puuc 569
Valladolid 587
Valles Centrales 338
Veracruz 430
  Centre de Veracruz 432
Villahermosa 462
  Centre de Villahermosa 463
Yagul 345
Yaxchilán, ruines 518
Yucatán, péninsule 533
Zempoala 423

TEXTE

Les références des cartes sont en **gras**.

Acanceh 576
Acapulco 387-399, **388**, **391**
  Comment s'y rendre 398-399
  Où se loger 393-396
  Où se restaurer 396-397
  Plages 392
Acatepec 273
Acayucan 457
Achats 102
Acolman 242
Actopan 249
Akumal 621
Alebrijes 348
Alimentation 93-98, 326, 557
Alvarado, Pedro de 29, 448
Amatenango del Valle 499
Ambassades et consulats 63-65, 66
Amecameca 253
Aquismón 411
Archéologie, sites
  Balamku 536
  Becan 535-536
  Bonampak 516
  Cacaxtla et Xochitécatl 256-257
  Calixtlahuaca 306
  Chicanná 536
  Chichén Itzá 578-582
  Chinkultic 522-523
  Cholula 270-272
  Cobá 628-629
  Comalcalco 471
  Dainzú 342-343
  Dzibilchaltún 561-562
  Edzná 545-546
  El Cedral 619
  El Raminal 537-538
  El Tajín 421-422
  Hormiguero 536-537
  Izapa 529-530
  Kabah 570-571
  Kohunlich 638-639
  Labná 572-573
  Lambityeco 344
  Malinalco 308
  Mayapán 576
  Mitla 346-347
  Monte Albán 339-342
  Palenque 508-510
  Puuc, montagnes 570-573
  Río Bec 537
  Sayil 571-572
  Teotihuacán 244-246

Toniná 502-503
Tres Zapotes 451
Tula 208-209
Tulum 624
Uxmal 567-568
Xlapak 572
Xochicalco 293
Xpujil 535
Yaxchilán 517
Zempoala 423
Architecture 53-56
Argent 67-69
Cartes de crédit 67
Coût de la vie 67
Peso 68
Taux de change 68
Taxes 69
Argent (métal)
Taxco 300-301
Artisanat entre 64 et 65
Arts 51-58
Art maya 18
Art précolombien 51-52
Muralistes 52-53
Période coloniale 52
Arrazola 349
Arriaga 525
Atotonilco 234
Atzompa 350
Auto-stop 14
Avion 103-105
Au Mexique 108-109
Aztèques 27-29, 117, 157, 242, 308, 404
Azulejos 132

Bahía de Acapulco 387
Bahías de Huatulco 374-382, **375**
Balamku 536
Balneario El Azufre 483
Bateau 106, 115
Becal 545
Becan 535-536
Benito Juárez 343-344
Bijoux
Oaxaca 333
Taxco 300-301
Boca Paila 627
Bochil 482
Boissons 98-100
Bolonchén de Rejón 546
Bonampak 516-517, **517**
Bus 105-106, 109-110, 115

Cacahuamilpa (grottes) 301-302
Cacaxtla 256-258
Calakmul 536
Calendrier maya 18-19, 48, 580
Calixtlahuaca 306
Calkini 545
Campeche 538-545, **540-541**
Campeche, État 534-546
Cancún 590-601, **591**, **593**
Comment s'y rendre 599-600
Où se loger 595-597
Où se restaurer 597-599
Plages 594-595
Cañon del Sumidero 484-485, **485**
Cardel 424
Cárdenas, Lázaro 37-38
Carte de touriste 63-65
Cartes 62
Cascada Misol-Ha 504
Cascadas Agua Azul 503
Castillo de Teayo 415
Catemaco 453-456, **454**
Celestún 564-565
Cenote Azul 632, 633
Chac-mool 20
Chacahua 363-364
Chachalacas 424
Chalma 308
Chankanab, baie 619
Chemuyil 621
Chetumal 633-638, **634-635**
Chiapa de Corzo 483-484
Chiapas 17, 39-41, 471-530, **460**, **474**
Chicanná 536
Chichén Itzá 20-21, 577-585, **579**
Chinkultic 522
Cholula 270-273, **259**, **271**
Cinco Lagunas 524
Cinéma 55
Circuits organisés 115
Mérida 552
Oaxaca 322-323
Palenque 511
Puerto Escondido 356-357
San Cristóbal de Las Casas 491
Ciudad Cuauhtémoc 525
Ciudad Hidalgo 530
Ciudad Madero *voir* Tampico
Ciudad Valles 409-410
Climat 43-44
Coatepec 430
Coatzacoalcos 458
Cobá 628-630, **629**
Cofre de Perote 429
Colectivo (taxi) 115
Colomb, Christophe 27
Comalcalco, ruines 471
Comitán 519-522, **521**
Conquistadores 21, 27-29
Cordillera Neovolcánica 202
Córdoba 440-444, **442**
Corozal 639
Corridas 187
Cortés, Hernan 21, 27-29
Costa Chica 352
Costa Esmeralda 422
Costa Maya 631-632
Costera Bacalar 632-633
Cours de langues 90-91, 167
Cuernavaca 288-289
Oaxaca 321-322
San Miguel de Allende 226
Cozumel 612-620, **613**, **615**
Criollos 30-31
Cuauhtémoc 22
Cuautla 280-282, **281**
Cuernavaca 282-292, **283**
Comment s'y rendre 292
Où se loger 289-290
Où se restaurer 290-291
Cuetzalán 274-275
Cuilapan 349
Cuir 231

Dainzú 342
Danse 57-58
Danzantes 343
Díaz del Castillo, Bernal 22
Díaz, Porfirio 22, 33, 118, 312
Douane 66-67
Drogue 41-42
Dzibilchaltún 561-562

Écologie 44-45
Économie 49-50
Edzná, ruines 545-546
Ejército Popular Revolucionario (EPR) 41
Ejutla 349
El Castillo Real 620
El Cedral 619
El Raminal 537-538
El Tajín 418-422, **420**
El Tule 342
Encomienda 29
Environnement 44-45
Escárcega 535
EZLN 40, 41, 473, 478, 485

Faune 45, 47
Felipe Carrillo Puerto 630-631
Fêtes 87-88, 167-168
Día de los Muertos (jour des Morts) 88
Guanajuato 215-216
Oaxaca 323-324
San Miguel de Allende 226-227
Taxco 297-298

Tepoztlán 278
Flore 45, 47
Fortín de las Flores 444-445
Français 32, 33
Fresques 131
Teotihuacán 246
Fuentes, Carlos 58, 74

Géographie 42-43
Gouvernement 48
Grottes
Acajete 429
El Volcanillo 429
Grutas de Balankanché 582-583
Grutas de Cacahuamilpa 301-302
Grutas de Loltún 573
Guanajuato 209-220, **210**
Comment s'y rendre 219-220
Fêtes 215-216
Museo de las Mómias 214
Où se loger 216-218
Où se restaurer 218-219
Guerre des Castes 532, 534, 630

Hacienda Teya 576-577
Hamacs 92
Hébergement 91-93
Hecelchakan 545
Heure locale 77
Hidalgo y Costilla, Miguel 23
Hidalgo, Miguel 211, 222, 234
Hidalgo, État 249
Hierve El Agua 348
Histoire 15-42
Aztèques 21-25, 27-29, 51,117, 157, 242, 308, 404
Civilisation de Veracruz 19
Conquête 26-29
Guerre des Castes 532, 534, 630
Indépendance 31-32, 118
Mayas 6, 17-19, 51
Olmèques 15-16, 403, 457
République 32-34
Révolution 34-36
Teotihuacán 16-17
Toltèques 20-21, 206
Hormiguero 536-537
Huamantla 258
Huatulco, plages 376-378
Huauchinango 416
Huejotzingo 273-274
Huejutla 412
Huerta 36
Huixtán 500

Iguala 302-303
Indiens 30, 51, 59, 61, 474, 499
Internet 72, 652-653
Isla Holbox 607
Isla Mujeres 601-607, **602**, **605**
Ixcateopan 302
Ixmiquilpan 249-250
Ixtapan de la Sal 308
Izamal 577
Izapa 16, 529-530
Iztaccíhuatl 251-253, **252**

Jai Alai 187-188
Jalapa 424-429, **425**, **427**
Museo de Antropología 426
Jeu de balle 20, 343, 403
Chichén Itzá 580-581
El Tajín 421
Monte Albán 339
Jicacal 456
Juárez, Benito 23, 33, 312, 322, 431
Juchitán 385-386

Kabah 570-571, **570**
Kahlo, Frida 53, 159-160, 163
voir aussi Rivera, Diego
Kohunlich, ruines 638-639, **638**

La Antigua 430
La Crucecita 379, 380, 381, **377**
La Venta, Museo-Parque 464-465, **465**
Labná 572-573, **573**
Laguna Bacalar 632
Laguna Catemaco 453
Laguna de Manialtepec 362-363
Laguna de Montebello 524
Laguna de Tequisquitengo 293
Laguna Tziscao 524
Laguna Verde 422
Laguna Yal-ku 621
Lagunas de Chacahua 363
Lagunas de Colores 523
Lagunas de Montebello 522-524
Lagunas de Zempoala, parc national 293
Lambityeco 344
Langue 61, 646-651 *voir aussi* Cours de langue
Las Aventuras 621
Las Casas, Bartolomé de 23, 472, 485
Littérature 58, 73-75
Livres 72-76

Madero, Francisco 34-36
Malinalco 308
Malinche, La 23, 258

Mames 477
Marcos, subcomandante 39, 478
voir aussi EZLN
Mariachis 56, 183-184
Maximilien, empereur 32, 237, 286
Mayapán, ruines 576
Mayas 16, 17-18, 51, 532, 576, 628
Mayas Chontales 459
Mazunte 372-374
Mérida 546-561, **548-549**
Achats 558
Comment s'y rendre 558-561
Où se loger 552-555
Où se restaurer 555-557
Metepec 306
Mexico 116, 157-201, **134-135**
Achats 188-190
Alameda Central 132-151, **138**
Argent 122
Basílica de Guadalupe 158-159
Bosque de Chapultepec 153-156, **144-145**
Centro Histórico 126-132, **138**
Circuits organisés 167
Ciudad Universitaria 161-163
Condesa 153, **144-145**
Coyoacán 163-166, **148-149**
Guadalupe 157-159
Histoire 116-119
Librairies 124
Lomas de Chapultepec 157
Marchés 188-190
Museo Mural Diego Rivera 151
Museo Nacional de Antropología 155-156
Offices du tourisme 121
Où se loger 168-174
Où se restaurer 174-183
Où sortir 183-187
Palacio de Bellas Artes 150
Paseo de la Reforma 152-153
Plaza de la República 151-152, **142-143**
Polanco 156-157, **144-145**
Poste 122-123
San Ángel 159-161, **146**
Services médicaux 125
Templo Mayor 129-130
Tlatelolco 157-159
Xochimilco 166-167
Zócalo 127
Zona Rosa 152-153, **142-143**
Mezcal 99
Minatitlán 458

Missionnaires 30
Mitla 346, **347**
Mitontic 500
Mixteca Alta 350-352
Mixteca Baja 350-352
Mixtèques 310, 350
Moctezuma II 21, 24, 28-29
Monte Albán 16, 339-342, **341**
Montepío 456
Morelos 276
Motozintla 524
Muna 575
Musique 56-57

Nevado de Toluca 306-307
Nueva España 30, 117-118

Oaxaca, État 310-386, **311**
Oaxaca, ville 313-337, **314**, **318-319**
  Achats 333-334
  Comment s'y rendre 334-336
  Fêtes 323-324
  Où se loger 324-328
  Où se restaurer 328-331
Oaxtepec 279-280
Obregón, Alvaro 36-37
Ocosingo 501-505
Ocotlán 349
Offices du tourisme 63
Olmèques 270, 459
Organismes à connaître 69
Orizaba 445-448, **446**
Ornithologie
  Cañon del Sumidero 485
  Celestún 564
  Isla Contoy 607
  Laguna de Manialtepec 362
  Pie de la Cuesta 399
  Río Lagartos 589
Otomís 234
Oxchuc 500

Pachuca 247-249
Pahuatlán 416
Palenque 505-516, **506-507**
  Ruines 508-512, **510-511**
Pamul 620
Papantla 417-418
Parcs nationaux 47
  Cofre de Perote 429
  Xel-Ha, lagon 622
  Reserva de la Biósfera Sian Ka'an 627
  Parque Nacional Lagunas 363
Partido Nacional Revolucionario, (PNR) 37, 236
Partido Revolucionario Institucional (PRI) 38, 48
Paso de Doña Juana 424
Paz, Octavio 58, 74
Pesero 115
Peso *voir* Argent
Peuples et civilisations
  Aztèques 21-25, 27-29, 51, 117, 157, 242, 308, 404
  Huastèques 404, 405, 410
  Mayas 16, 17-19, 51
  Mixtèques 51
  Nahuas 51, 272, 342, 416
  Olmèques 15-16, 403, 457
  Otomís 416
  Tarasques 51
  Toltèques 20-21, 206
  Totonaques 404, 416, 419, 423
  Zapotèques 51
Peyotl 51
Pie de la Cuesta 399-401, **400**
Pinotepa Nacional 364
Pirámide de Teopanzolco 287
Plages
  Akumal 621
  Chemuyil 621
  Laguna Yal-ku 621
  Las Aventuras 621
  Pamul 620
  Puerto Aventuras 620
  Xcacel 621
  Xcaret 620
  Xpu-ha 621
Playa del Carmen 608-612, **609**
Playa Escondida 456
Playa Palancar 619
Playa San Franscisco 619
Playa Ventanilla 374
Plongée
  Acapulco 392
  Akumal 621
  Bahías de Huatulco 377, 378
  Cozumel 614-616
  Isla Mujeres 603
  Veracruz 434
Pochutla 364-365
Popocatépetl 251-253, **252**
Population et ethnies 50-51 *voir aussi* Peuples et civilisations
Porfiriato 33-34
Poste 69-70
Poterie
  Amatenango del Valle 499
  Atzompa 350
  Puebla 260, 268
  San Bartolo Coyotepec 348
  San Cristóbal de Las Casas 496
Poza Rica 415-416
Pozos 234
Progreso 562-564, **563**
Puebla, État 251
Puebla, ville 258-270, **259**
  Achats 268
  Comment s'y rendre 268-269
  Museo Amparo 262-263
  Où se loger 265-267
  Où se restaurer 267-268
Puerto Ángel 365-369, **366**
Puerto Aventuras 620
Puerto Escondido 353-362, **355**
Puerto Marqués 401
Puerto Morelos 608
Punta Allen 627-628
Punta Celarain 619
Puuc 17-18
Puuc, route 570, 573
Pyramides
  Chichén Itzá 580
  Cholula 270-272
  Cobá 629
  Comalcalco 471
  Cuernavaca 287
  El Tajín 421-422
  Guiengola 383
  San Andrés Tuxtla 452
  Teopanzolco 287
  Teotihuacán 244-245
  Tepozteco 278
  Tula 208-209
  Uxmal 567
  Xochicalco 293
  Xochitécatl 257
  Yohualichán 275

Querétaro 234-242, **235**
  Comment s'y rendre 241-242
  Où se loger 239-240
  Où se restaurer 240
Quetzalcóatl 17, 206, 208, 244
Quiahuiztlán 422
Quintana Roo, État 590-638

Randonnées
  Pico de Orizaba 448
  Orizaba 446
  Popocatépetl 251, 253
Religion 59, 61
Reserva de la Biósfera Sian Ka'an 627
Réserve ornithologique d'Isla Contoy 607
Réserves de la biosphère 47
Río Bec 537
Río Lagartos 589-590
Río Usumacinta 471
Rivera, Diego 52, 118, 128, 151, 159-160, 165, 213, 285
Rulfo, Juan 58, 73

Salina Cruz 384-385
Salinas de Gortari, Carlos 24, 37,39
San Agustinillo 371
San Andrés Larraínzar 500
San Andrés Tuxtla 451, 453
San Bartolo Coyotepec 348
San Cristóbal de Las Casas 485-497, **486-487**
Achats 496
Comment s'y rendre 496-497
Où se loger 491-494
Où se restaurer 494-495
San Felipe 590
San Gervasio 620
San Juan Chamula 498
San Lorenzo 457
San Martín Tilcajete 348-349
San Miguel de Allende 220-233, **221**
Achats 231-232
Comment s'y rendre 232
Où se loger 227-229
Où se restaurer 229-231
San Miguel de Cozumel *voir* Cozumel
San Pablito 416
San Pedro Chenalhó 500
Santa Ana Chiautempan 255
Santa Ana del Valle 344
Santa Anna 33
Santa Cruz Huatulco 379-381, **379**
Santé 77-85
Santiago Tuxtla 449-450
Santo Tomás Jalieza 348-349
Sayil 571-572, **572**
Serpent à plumes *voir* Quetzalcóatl
Sierra de Los Tuxtlas 449, 450, **450**
Sierra Madre de Oaxaca 313
Sierra Norte de Puebla 274-275
Soconusco 525
Sontecomapan 456
Sources thermales
Cuautla 280
Environs de San Miguel 233-234
Sports 88-90, 100-102
Surf
Puerto Escondido 353

Tabasco, État 459-471, **460**
Talismán 530
Tamazunchale 411-412
Tamiahua 415
Tampico-Ciudad Madero 405-409, **406**
Tamuín 410-411
Tancanhuitz 411
Tapachula 526-529, **527**
Tarasques 25
Taxco 293-301, **294**
Achats 300-301
Comment s'y rendre 301
Où se loger 298-299
Où se restaurer 300
Taxes d'aéroport 106
Taxi 115
Tecoh 576
Tecolutla 422
Tehuacán 275-276
Tehuantepec 383-384
Tehuantepec, isthme 382-386
Tehuilotepec 302
Telchaquillo 576
Téléphone 70-72
Tenancingo 307-308
Tenango 307
Tenejapa 499
Tenochtitlán 21, 27, 29, 117, 129
Teotenango 307
Teotihuacán 242-247, **243**
Teotitlán del Valle 343
Tepotzotlán 203-206
Tepoztlán 276-279, **277**
Tequila 99
Ticul 573-575, **574**
Tissages
San Cristóbal de Las Casas 496
Teotitlán del Valle 343
Tizatlán 253, 255
Tizimín 588-589
Tlacolula 344
Tlacotalpan 449
Tláloc 51, 117, 246
Tlaxcala, État 251
Tlaxcala, ville 253-256, **254**
Toltèques 404
Toluca 303-306, **304**
Tonantzintla 273
Toniná 502-504
Tortues 371, 372
Akumal 621
Totonaques 25
Train 110-112
Tres Zapotes 451
Trotsky, Léon 164
Tula 20, 206-209, **207**
Tulum 622-625, **623**
Tuxpan 412-415, **413**
Tuxtepec 352
Tuxtla Gutiérrez 475-482, **476**
Tzeltales 477, 497
Tzotziles 477, 497

Uxmal 565-570, **566**, **569**

Valladolid 585-588, **587**
Valle de Bravo 307
Valle de Etla 337
Valle de Tlacolula 337
Valle de Zimatlán 337
Valles Centrales 337-350, **338**
Velásquez, Diego 27, 28
Veracruz, État 412
Veracruz, ville 430-440, **430**, **432**
Civilisation 403
Comment s'y rendre 439-440
Où se loger 434-437
Où se restaurer 437-438
Plages et lagons 434
Vierge de Guadalupe 60, 158, 168
Villahermosa 461-470, **462**, **463**
Parque-Museo La Venta 464-465, **465**
Villa Rica 422
Visas 63-65 *voir aussi* Carte de touriste
Voiture et moto 105, 112-114
Location 114
Voladores 417, 419
Voyages organisés 106

Xcacel 621-622
Xcalak 631-632
Xcaret 620
Xel-Ha, lagon 622
Xel-Ha, ruines 622
Xico 430
Xilitla 411
Xlapak 572
Xochicalco 293
Xochitécatl 256-258
Xpu-ha 621
Xpujil 535
Xtacumbilxunaan 546
Xtapan de la Sal 309

Yagul 344-346, **345**
Yaxchilán 517, **518**
Yaxcopoil 575
Yohualichán 275
Yucatán, État 546-590
Yucatán, péninsule 531-638, **533**

Zaachila 349-350
Zacamson 411
Zapata, Emiliano 24, 34-36, 280
Zapatistes *voir* EZLN
Zapolito 363
Zapotèques 17, 310, 339, 349, 382

Zedillo, Ernesto 40-42, 48
Zempoala 423-424, **423**
Zinacantán 498
Zipolite 369-371
Zongolica 448
Zoques 477

ENCADRÉS

Histoire, actualités, archéologie
Acapulco : une histoire longue et illustre 390
Affaires de famille – addenda à la saga Salinas 37
Benito Juárez 322
Bottin mondain historique 22-24
Campeche et les pirates 539
En draguant le cenote 580
Hernán Cortés, héros controversé 28
L'assassinat de Trotsky 164
L'aventure française au Mexique 32
L'épopée des Barcelonnettes 34
La mort des dinosaures 564
La redécouverte de Palenque 512
Le jeu de balle 20
Le mystère Marcos 39
Le temps chez les Mayas 630
Les confréries religieuses 499
Les Zapatistes 478-479
Na Bolom 493
Pancho Villa : itinéraire d'un bandit devenu révolutionnaire 35
Tableau chronologique des civilisations 26

Culture, art et société
Carlos Castaneda existe-t-il ?
Costume montagnard traditionnel 490
Diego et Frida 160-161
El Día del Jumíl 299
Hamacs 554
La cocina oaxaqueña 326
La corrida 101
La cuisine du Yucatán 557
La loterie 152
Le cinéma mexicain 55
Les cabañas de Tulum 625
Les mariachis 56
Les spécialités de Puebla 264
Les voladores 419
Octavio Paz en paix 58
Origines de la Guelaguetza 324
Tequila : à la bonne vôtre 99

Peuples et ethnies
Les Huastèques 410
Les Nahuas 272
Les peuples du Chiapas 477
Les Totonaques 416

Écologie et environnement
L'air de Mexico 126-127
L'ouragan Pauline 354 et 387
Les bidonvilles 121
Les tortues du Mexique en survie 372-373
Plongez cenote ! 107
Restrictions de circulation 199

Informations pratiques
Ambassades et consulats mexicains à l'étranger 64
Bus au départ de Mexico 193-195
Indicatifs 71
Les compagnies de bus d'Oaxaca 313

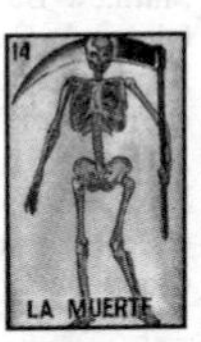

Nous remercions vivement tous les lecteurs qui ont pris la peine et le temps de nous écrire pour nous communiquer leurs renseignements et leurs commentaires.

Terhi Aaltonen, Elinor T Abdulla, Audria Abel et Jimmy Davies, Edward Abse, Campamento Adame, Felix Adank, Beatrice Aebi et Annina Zwicky, Bob Agnew, Heidi Albert et Gareth Lowndes, David Alexander, Karen Alexopoulos, Carl Allen, Judy Almeranti, Fred Ameling, Gail Anderman, Marion Anrys, Caroline et Joëlle Apter, Regina Aragon, Jan E Arctander, Jacqueline K Atkinson, Jörg Ausfelt, Maik Aussendorf, Barbara Avery, Susan et Art Bachrach, Sylvie et Bruno Bal-Fontaine, Corinne Barennes, john F Barimo, Sophie Barker, Ruth Barnard, Steven Barr, Susan Barreau, David Baum et Julie Blumenfeld, P Beauchamp, Guy Beauregard, Victoria Behm, Michael Beier, James Bell, Charles Bennett, Caryl Bergeron, Marianna Berkley, Howard Bernstein, Hiro Bhojwani, Sarah Billyack, Stéphane Éric Bisson, Jessica Björklund, Shenais BockNelson, Tove Bøe, Ulrike Böhm, Sophie et Bruno Bonnamour, Nicole Boogaers, Ian Booth, Stephanie D Bormann, Theo Borst, Erik Philippe Bosquet et Anne Chauvin-Bosquet, Botsford, Robert J Bowker, Jeanie Bowman, Cat Brandon, Sarah Kate Bridgewater et Vicky Scrivens, Elizabeth Briggs, Katharina Bringold, Iden Bromfield, Frank Bron, Mike et Lisa Bryan, Jill Buckingham, Anthony Bullock, Jan Bulman, Adrian Burden, Andrew Burns, Matthew Butler, Dermot Byrne, Richard Cain, Eric Calder, Heather Cameron, Lila Campbell et Fred Hart, Timothy JC Cannon, Jeff Cardille, Anna Cassilly, Annick Ceuppens, Rick Chandler et Heidi Pankoke, François et Claudette Chevassus, Harrell G Chotas, James L Citron, Barbara Cochrane, Flora S Cockburn, Jane Cockburn, Rachel Cohen, Valerie P Cohen, Lynette Conder, Sue Conrad, Peter Converse, Dennis Conway, Geoff Cook, Peter Cook, Steve Cook et Esmé-Jane Lippiatt, Kathleen Cooke, Pamela Cooper, Maggie Copping, Abigail Cottrell, Louise Coulthard, Rob Craig, Leo Crofts, Lyn Crowl, Jorge Penagos Cruz, Virginia et Victor Cruz, Laurence Cuscó, Patty et Rosario D'Alessandro, Ulysses D'Aquila, Mike Darcy, Rob et Georgie Davidson, J Davies, Richard Davies, Simon Davis, Neal A Davis et Tatiana Blackington, Paul de Brem et Isabelle Vial, CJ de Quartel, A de Vries, Anthony De'Angelis, Alberto Deacon-Morey, Daniel Desjardin, Paul Dickerson, Kathy Didier, Martin Dillig, Joanne Dinsmore de López, Wendy Dison, Carsten Dittmann, MG Dixon, Clement Djossen et lotta Andersson, Cy et Dee Donaldson, William J Doris, Brooke Douglas, J Winslow Dowson, Sally Drake, Erika Drucker, Bridget Drury, Eddie Dry, Desmond Dubbin, Alex Dunne, AC Earl, Tom Earle, Gerlinde Ecker et Helmut Lifka, Jenny Edwards, Libby Edwards, Donald Eischen, Naomi Eisenstein, Caroline Elliott, David Ellis, Kari Eloranta, Jean-Pierre Estéve, Wifrid Estève, Vladimir Estrada, Nia Evans etMichael Jense, Craig Faanes, Clint et Ina Ferguson, Jesse Ferris et Ilanit Evron, Lee Fields, Krisztina Filep, Daniel Finke, Hedy Fischer et Randy Shull, Charles A Fisher, Janice M Flaherty, AJ Fleming et L Bell, Tom Fletcher Jr, Harmony Folz, Rudi Forster, Donna Franklin, Bill et Caroll Fraser, Jürg Furrer, Dick Gabriel, Tim Gagan, Anna et Tomasz Galka, Yvonne Garry et Ryan Parenteau, Alison Gaylord, Gary Geating et Rob Stokes, Dolores Gende, J George, Werner Ginzky, Maria Giribaldi et Robert Noparast, Sarah Gleave, Jan Kees Glynis, Matthew Goh, Catherine Gold, Katherine Golder, Adam Goldstein, Peter Goltermann, Kate Gomberg, Victor M Jiménez González, Wolf Gotthilf, Rachel Grant, Carrol Greenbaum, Anne Grimes, Camilla Gustafsson, Colette Grillot, Noah Guy, Kenneth R Haag, Sven Haberer, Suzette Hafner et Joseph-Ambroise Desrosiers, Oliver Hagemann, Steve et Em Hahoney, Mirén Haines, Marc Hale, MA Hall, Susan Hall, Cindy Halvorson, Rhonda Hankins, Andy Hanssen, Mabel Haourt, Murray R Hasson, Ilana Hatch, Rhonda Haukins, Lewis Haupt, Kendra Hawke, Gaye Haworth, Sharon et Alvin Hazelrigg, John Heaton, Robert J Heerekip et Simone de Haan, Ruth Hellier, Allen et Dale Hermann, R Hethey, Marcel Heutmekers, Ken et Cheryl Hickson, John Hildebrand, Graeme Hind, Allan Hindmarch, John J Hoffman, Duane et Liz Hohling, Jennifer Holleyman, Pete Hollings, Mark Hollis, Victoria Holtchis, Victoria Holtehib, Joe Holzer et Elisabeth Julia Jilek, Jeff Hopkins, Edward Horne, Gavin Imhof, Steve Immel, Deb Inglis, Ted Jacobson, Sarah Jain, Victor M Jiménez, Martin Jirman, Tim Johnson, Miguel A Julia, Stefan Justi, Jane Kaluta, Sarah Kavasharov, Dietmar Kenzle, Barnabas John Kerekes, David Kerkhoff, Michael S Kero et William A Bachmaier, Ian Kerr, Adriaan Kievit, Erik King, Peggie Klekotka, Christoffel Klimbie et Gracia Reijnen, Spencer Knight, David Knox, Steven Koenig, Simone Koliwyzer, Robert Kozak, Raghu Krishnan, Jørgen Kristensen, Svend Haakon Kristensen, Sandra Küenzi, Lena Landegren, Louise Lander, Leah Larkin, Anne Larsen, Dean Larsen, Robert et Laura Larson, Peter Laurence, Norma Lauring, Michal Lavi et Aviv Fried, William H Lawrence, Cale Layton, Steve Leavitt et Amanda Lines, Daniel Lebidois, Adam Leibowitz, Scott Leonard, Fabrice Leveque, Marina Lewis,

Frederico Lifsichtz, Piotr Ligaj, Paul Linnebach, Dana Lissy, David Lloyd, Bill Lordge, Gaute Losnegard, Anthony Lott, Markus J Low, Carey Luff, Susan Lynch, Hemming Lyrdal, Freya Maberly, W Ian Mackay, Brian MacNamee et Isabel Hernandez, Nawel Madjour, Steve et Em Mahoney, Glenn D Mair, Catherine Mao, Joe et Joan Margel, Richard Marks, Dina Marshall, Zeus Marofo et Roberto Alcalar, Stephane Martinez, Julian Mason, Steve Mathias, Brent Matsuda, Eduardo Maubert, Chris S Maun, Regina F et Andreas Mayer, Steve Mayer, Leonard G Mazzone, Chris McCauley, Nell McCombs, Dave McConnell et Jim Justice, Barrie McCormick, Bruce McGrew, Cheryl et Bruce McLaren, Cameron McPherson, Alexandre Medana, Annalise Mellor, M Michael Menzel, Nathan Meyer, Margrit Meyer, Marie Meyer, Ben Miller, Allen C Miller, Suzanne Miller, Jason Milligan, Stephanie Mills, Carolina A Miranda, Ramon Mireles, Bill Mitchell, Paul Mixon, Lester H Moffatt, Duane et Liz Mohling, Erick Molenaar, Hans Molenaar, Peter Møller, Thais Morales et Laia Pol, Alexis Morgan, Pauline Mourits, Ashish Mukharji, Sandra Müller, Barbara Müller, Michael Müller, Mark Mulligan et Ana Smallwood, Todd Munro, Paolo Muraro, Roberta Murray, Pat et Mary Murray, Marian Nadler, Mark Nicklas, David Nielsen, Karen Nienaber et Ann Smith, Rob Nieuwenhuis, Anna Nilsson, Larry Norris, PeterO'Brien, Zeyn O'Leary, Helen O'Reilly, Lynn Oakerbee, John Oakes, Kevin Okell et Janine Bentley, David Olson, Karin Oyevaar, Robert Pacholski, Giovanni Paganini, Axel B Pajunk, Schoro Pantschev, Pierre-Joseph Paoli, Steven Parsa, Steve Patterson, C J Paulet, Patrick Paulis, Caroline Peene, Ben Pelle, Richard W Pennington, Linda Peregrine, Patricia Perret, Stefano Piazzardi, Darlene S Pinch, Tobias Platzen, Liz Plumb, Andreas Poethen, Olver Pollux, annette et Edgar Portillo, Lucille Poulin et Chris Osterbauer, Bonnie Pressinger, Michael Prest, Philip Preston, Shelley Preston, M Philippe Queriaux, Hugh E Quetton, Ann Rabin, Jean Radosevich, Hanna Rajalahti, Dave Randall et Craig Rokes, Clare Ranger, Carol Ann Raphael, Kathleen Reagan et Ronny Haklay, Clarence E Redberg, George Redman, C Reed, Christine Remeur, Julian Remnant, Kevin Reynolds, José R Rivera, Richard Robinson, M et Mme Rybak, Mauricio et Mayra Rodriquez, William Roemmich, Steve Rogowski, Jens Rohark, Patrick Römer, Susan Rose-Dick, Wolfgang Rosenthal, Linnéa Rowlatt, Lauren Roycroft et Ralf Tieken, Sente Rudi, James Russell, Mark Rutkowski, Piotr et Magda Rybka, Julie Sadigursky, Jeff Samboy, Marcelo Sanchez, Fernando Sanchez Cuenca, Marietta Sander, Alexandra Savage, Michael Schaich, Ralph Schmens, Jörg Schmidt, Marius Schoenberg, Lee et Brenda Schussman, Thomas Schwarz, Guillaine Thouvard, Devin Scott, Bryan Scott, Heather J Seaton, Elisabeth Secondé, Shelly Selin, Katie Shannon, Jan Sharkey-Dodds et Ian Yeagne, Florence et Peter Shaw, Ken Shaw, Rebecca C Shell, P Shenkin, Graham Shuley, David et Linda Simmonds, Richard Simpkins, S Skerritt, Lisa Smailes, George et Shirley Smith, Ali Smookler, Dick Snyder, Göran Söderberg, Janne Solpark, Skeen Möller Sörensen, Leopold Soucy, Patrick Spanjaard, Anne Spencer, Hermine Spitz, Detlef Spötter, Janice St Marie, Lionel et Lucienne St Pierre, Imelda Stack, Dirk Stadtmann, Paul Stang, David Stanle, Roland Steffen, Marc Stegelmann, Laura Stegeman, Jack Steinberg, Edel Stephenson, Richard Stockwell, Suzanne N Strauss, Else Strømman, Mitja Strukelj, Tigridia EB Syme, Jacques Tallent, Allan Taylor, Richard Antonio Tejidor, Frederic Thebaud, Detlef Thedieck, Bill Thomas, Tom Thomas, Aled Thomas et Kate Douglas, Peter Thompson, Jackie Thompson, Keith et Birgid Thompson, George Thorsen, Sören Tiedemann, Clark Timmins et Cynthia Sorensen, Mark Tipping, Betsy L Tipps, Bill etNorma Titheridge, Dan Treecraft, Beatrix Trojer, Jada Tullos, Salome Turberger, Myrna Turkewitz, Hideaki Ueda, Michael Uleck, Jens Christian Ulrich, Alfie Urencio Del Río, Christiane Vallet, Martin T Valezquez, Anne van Acker, Sandra van der Pas et Erik Agterhuis, Onno van der Salm, AH et SJ Boon van Ostade, Phyllis Vaughn, Kay Veenandaal, Esther Veenendaal et Auke van Stralen, Martin T Velazquez, David M Vella, Sabine Verhelst, R Vermaire, Michael Vestergaard et Helle Bjerre, Javier Perez Vicente, Michel Villeneuve, Erica Visser, Johan et Marie von Matern, David Voyzey, Anna Wakeley, Veronica Walker, Veronica Wallace, Clifford Wallis, Dympna Walsh, Stephen Warren, Nicola Watson, DC Webster, Pascal Weel, N S Welch, Don et Alicia Welker, A Went, Anders Westlund, Sharon Westmorland et Derek Bromley, Sarah Wharton et Michael Nielsen, A White, Nishi Whiteley, Darnell et Elaine Whitley, Beth Whitman, Vincent Wiers, Eleanore Wilde, John D Wildi, Scott Wilhelm, Derek Williams, Dave et Ann Williams, Erica Wilson, Angela Wit, Julia Wood, Holly Yasui, Geoff Yeandle, RA Zambardino, Fred Zanger, Jerry et Barbara Zaninelli, Patrick A Zebedee, Perry V Zizzi, Jolee Zola, Andrea et Agar Zuin.

LE JOURNAL DE

LONELY PLANET

LE GUIDE DES VOYAGEURS INDÉPENDANTS

LA PLANÈTE DES SIGNES

Sommaire

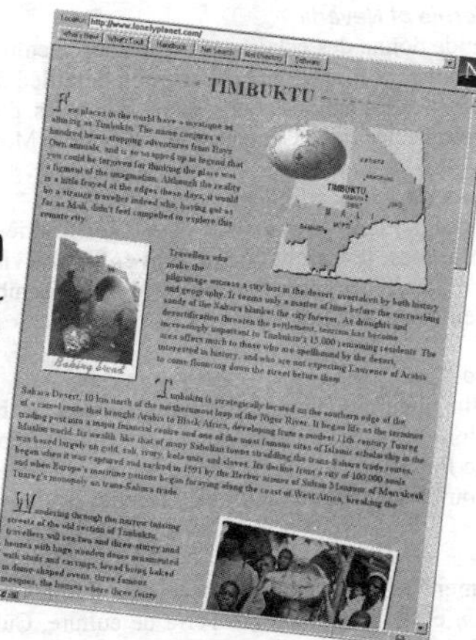

Guides Lonely Planet en français

Les guides de voyage Lonely Planet en français sont distribués en France, en Belgique, au Luxembourg, en Suisse et au Canada. Pour toute information complémentaire, écrivez à : Lonely Planet Publications – 71 *bis*, rue Cardinal-Lemoine, 75005 Paris – France.

Afrique du Sud
Voyagez en Afrique australe et laissez-vous surprendre par la diversité de sa culture et son incroyable beauté. On ne peut choisir de meilleur endroit pour observer la faune africaine.

Amsterdam
Découvrez ou redécouvrez la patrie de Rembrandt et de Spinoza, une capitale européenne célèbre pour ses musées, sa vie nocturne et son esprit de tolérance et de liberté.

Australie
Île-continent, l'Australie est une terre d'aventure fascinante grâce à la diversité de ses paysages : la Grande Barrière de Corail, l'Outback, le bush, et Sydney, la future capitale des jeux Olympiques.

Bali et Lombok
Cet ouvrage entraîne les voyageurs à la découverte de la magie authentique du paradis balinais. Lombok, l'île voisine, est restée à l'écart du changement : il en émane une atmosphère toute particulière.

Brésil
Le Brésil, immense territoire mystérieux dont le peuple métissé porte en lui de multiples croyances, s'offre avec chaleur et éclat au voyageur averti et curieux. Vous trouverez dans ce guide tous les conseils pour parcourir le pays sans encombres.

Californie et Nevada
Ce guide donne des éclairages inédits sur la culture américaine, et fournit une description détaillée des nombreux parcs nationaux et réserves naturelles, dont le Yosemite, le Grand Canyon et la Vallée de la Mort.

Cambodge
L'un des derniers pays à avoir ouvert ses frontières aux touristes, le Cambodge permet enfin aux visiteurs d'admirer les superbes vestiges de l'ensemble merveilleux d'Angkor.

Chine
Unanimement cité comme l'ouvrage indispensable pour tout voyageur indépendant se rendant en République Populaire de Chine, cet ouvrage vous aidera à découvrir ce pays aux multiples facettes.

Cuba
Comment résister aux mélopées envoûtantes des *danzón* et de la *habanera* ? Terre de culture, Cuba se prête également à mille et un loisirs sportifs.

Guadeloupe
Découvrez les multiples facettes de l'"île aux belles eaux". Les Saintes, Marie-Galante et la Désirade ne sont pas oubliées.

Guatemala
Visiter ce pays, c'est se rendre dans l'un des berceaux de la civilisation maya. Ce guide donne tous les éléments pour en saisir la complexité culturelle.

Inde
Considéré comme LE guide sur l'Inde, cet ouvrage, lauréat d'un prix, offre toutes les informations pour vous aider à faire cette expérience inoubliable.

Indonésie
Pour un séjour dans la jungle, un circuit à Bali ou à Jakarta, une balade aux Célèbes, ou encore une croisière vers les Moluques, ce guide vous fait découvrir les merveilles de cet archipel.

Jordanie et Syrie
Ces pays présentent une incroyable richesse naturelle et historique... Des châteaux moyenâgeux, des vestiges de villes anciennes, des paysages désertiques et, bien sûr, l'antique Petra, capitale des Nabatéens.

Laos
Le seul guide sur ce pays où l'hospitalité n'est pas qu'une simple légende. Une destination tropicale encore paradisiaque.

Lisbonne
Point le plus à l'ouest de l'Europe, Lisbonne, ville labyrinthe et rayonnante, ouvre son âme au promeneur pugnace et attentif.

Londres
Des grandes classiques aux plus discrètes, les meilleures pistes pour découvrir cette métropole en pleine ébullition.

Madagascar et Comores
Mélange subtil d'Asie et d'Afrique, Madagascar la francophone joue les constrastes : rizières miroitantes, savanes piquetées de palmiers, tsingy mystérieux, plages parfaites de l'océan Indien comptent parmi les trésors de la Grande Île.

Malaisie et Singapour
Partir dans cette région revient à ouvrir une première porte sur l'Asie. Cette édition, très complète, est un véritable compagnon de voyage.

La collection Guide de voyage est la traduction de la collection Travel Survival Kit. Lonely Planet France sélectionne uniquement des ouvrages réactualisés ou des nouveautés afin de proposer aux lecteurs les informations les plus récentes sur un pays.

Maroc

Avec la beauté de ses paysages et la richesse de son patrimoine culturel, le Maroc vous offre ses cités impériales, les sommets enneigés du Haut Atlas et l'immensité du désert dans le Sud.

Martinique

Des vacances sportives, la découverte de la culture créole ou les plages, ce guide vous ouvrira les portes de ce "département français sous les tropiques" et de ses voisines anglo-saxonnes.

Myanmar (Birmanie)

Ce guide donne toutes les clés pour faire un voyage mémorable dans le triangle Yangon-Mandalay-Pagan et explorer des sites bien moins connus.

Népal

Des informations pratiques sur toutes les régions népalaises accessibles par la route, y compris le Teraï. Ce guide est aussi une bonne introduction au trekking, au rafting et aux randonnées en vélo tout terrain.

New York

Guidé par un véritable New-Yorkais, découvrez cette jungle urbaine qui sait déchaîner les passions comme nulle autre ville.

Nouvelle-Zélande

Spectacle unique des danses maories ou activités de plein air hors pair, la Nouvelle-Zélande vous étonnera, quels que soient vos centres d'intérêt.

Québec et Ontario

De Toronto à Montréal, de Québec à l'Ottawa, chaque escale est inédite. A leurs portes, frappent les grandes espaces, les forêts infinies et les lacs par milliers.

Pologne

Des villes somptueuses, comme Cracovie ou Gdansk, aux lacs paisibles et aux montagnes redoutables, pratiquement inconnus des voyageurs, ce guide est indispensable pour connaître ce pays amical et sûr.

République tchèque et Slovaquie

Ces deux républiques européennes, aux racines slaves, présentent de riches intérets culturels et politiques. Ce guide comblera la curiosité des voyageurs.

Réunion et Maurice

Sila Réunion est connue pour ses volvans, l'île Maurice est réputée pour ses plages. En fait, toutes deux sont à l'image de leurs habitants : contrastées et attachantes. Randonneurs, plongeurs, curieux, ne pas s'abstenir.

Slovénie

Toutes les informations culturelles pour profiter pleinement de la grande richesse historique et artistique de ce tout jeune pays, situé aux frontières de l'Italie, de l'Autriche, de la Hongrie et de la Croatie.

Sri Lanka

Ce livre vous guidera vers des lieux les plus accessibles de Sri Lanka, là où la population est chaleureuse, la cuisine excellente et les endroits agréables nombreux.

Tahiti et la Polynésie française

Culture, archéologie, activités sportives, ce guide sera votre plus précieux sésame pour découvrir en profondeur les attraits des 5 archipels mythiques.

Thaïlande

Ouvrage de référence, ce guide fournit les dernières informations touristiques, des indications sur les randonnées dans le Triangle d'Or et la transcription en alphabet thaï de la toponymie du pays.

Turquie

Des ruines antiques d'Éphèse aux marchés d'Istanbul, en passant par le choix d'un tapis, ce guide pratique vous accompagnera dans votre découverte de ce pays aux mille richesses.

Vietnam

Une des plus belles régions d'Asie qui change à grande vitesse. Grâce à cet ouvrage, vous pourrez apprécier les contrées les plus reculées du pays mais aussi la culture si particulière du peuple vietnamien.

Yémen

Des informations pratiques, des conseils actualisés et des itinéraires de trekking vous permettront de découvrir les anciennes citadelles, les villages fortifiés et les hauts-plateaux désertiques de ce fabuleux pays. Un voyage hors du temps !

Zimbabwe, Botswana et Namibie

Ce guide exhaustif permet la découverte des célèbres chutes Victoria (Zimbabwe), du désert du Kalahari (Botswana), de tous les parcs nationaux et réserves fauniques de la région ainsi que des magnifiques montagnes du Bandberg (Namibie).

Guides Lonely Planet en anglais

Les guides de voyage Lonely Planet en anglais couvrent l'Asie, l'Australie, le Pacifique, l'Amérique du Sud, l'Afrique, le Moyen-Orient, l'Europe ainsi que certaines régions d'Amérique du Nord. Six collections sont disponibles. Les *travel survival kits* couvrent un pays et s'adressent à tous les budgets ; les *shoestring guides* donnent des informations sur une grande région pour les voyageurs à petit budget. Découvrez les *walking guides*, les *city guides*, les *phrasebooks* et les *travel atlas*.

EUROPE

Amsterdam • Austria • Baltic States *phrasebook* • Britain • Central Europe *on a shoestring* • Central Europe *phrasebook* • Czech & Slovak Republics • Denmark • Dublin *city guide* • Eastern Europe *on a shoestring* • Eastern Europe *phrasebook* • Estonia, Latvia & Lithuania • Finland • France • French phrasebook • German phrasebook • Greece • Greek*phrasebook* • Hungary • Iceland, Greenland & the Faroe Islands • Ireland • Italy • Italian phrasebook • Mediterranean Europe *on a shoestring* • Mediterranean Europe *phrasebook* • Paris *city guide* • Poland • Portugal • Portugal *travel atlas* • Prague *city guide* • Russia, Ukraine & Belarus • Russian *phrasebook* • Scandinavian & Baltic Europe *on a shoestring* • Scandinavian Europe *phrasebook* • Slovenia • Spain • Spanish phrasebook • St Petersburg *city guide* • Switzerland • Trekking in Greece • Trekking in Spain • Ukranian *phrasebook* • Vienna *city guide* • Walking in Britain • Walking in Switzerland • Western Europe *on a shoestring* • Western Europe *phrasebook*

AMÉRIQUE DU NORD

Alaska • Backpacking in Alaska • Baja California • California & Nevada • Canada • Deep South • Florida • Hawaii • Honolulu *city guide* • Los Angeles *city guide* • Miami *city guide* • New England • New Orléans *city guide* • New York city • New York, New Jersey & Pennsylvania • Pacific Northwest USA • Rocky Mountains States • San Francisco *city guide* • Southwest USA • USA *phrasebook* • Washington, DC & The Capital Region

AMÉRIQUE CENTRALE ET CARAÏBES

Bermuda • Central America *on a shoestring* • Costa Rica • Cuba • Eastern Caribbean • Guatemala, Belize & Yucatan : La Ruta Maya • Jamaica • Mexico

AMÉRIQUE DU SUD

Argentina, Uruguay & Paraguay • Bolivia • Brazil • Brazilian *phrasebook* • Buenos Aires *city guide* • Chile & Easter Island • Chile & Easter Island *travel atlas* • Colombia • Ecuador & the Galapagos Islands • Latin American Spanish *phrasebook* • Peru • Quechua *phrasebook* • Rio de Janeiro *city guide* • South America *on a shoestring* • Trekking in the Patagonian Andes • Venezuela

ANTARTICA

Antartica

AFRIQUE

Africa-the South • Africa *on a shoestring* • Arabic (Egyptian) *phrasebook* • Arabic (Moroccan) *phrasebook* • Cape Town *city guide* • Central Africa • East Africa • Egypt • Egypt *travel atlas* • Ethiopian(Amharic) *phrasebook* • Kenya • Kenya *travel atlas* • Malawi, Mozambique & Zambia • Morocco • North Africa • South Africa, Lesotho & Swaziland • South Africa *travel atlas*, Swahili *phrasebook* • Trekking in East Africa • West Africa • Zimbabwe, Botswana & Namibia • Zimbabwe, Botswana & Namibia *travel atlas*

Commandes par courrier

Les guides de voyage Lonely Planet en anglais sont distribués dans le monde entier. Vous pouvez également les commander par courrier. En Europe, écrivez à Lonely Planet, Spring house, 10 A Spring Place, London NW5 3BH, G-B. Aux États-Unis ou au Canada, écrivez à Lonely Planet, Embarcadero West, 155 Filbert St, Suite 251, Oakland CA 94607-2538, USA. Pour le reste du monde, écrivez à Lonely Planet, PO Box 617, Hawthorn, Victoria 3122, Australie.

ASIE DU NORD-EST

Beijing *city guide* • Cantonese *phrasebook* • China • Hong Kong, Macau & Gangzhou • Hong Kong *city guide* • Japan • Japanese *phrasebook* • Japanese *audio pack* • Korea • Korean *phrasebook* • Mandarin *phrasebook* • Mongolia • Mongolian *phrasebook* • North-East Asia *on a shoestring* • Seoul *city guide* • Taiwan • Tibet • Tibetan *phrasebook* • Tokyo *city guide*

ASIE CENTRALE ET MOYEN-ORIENT

Arab Gulf States • Arabic (Egyptian) *phrasebook* • Central Asia • Central Asia *phrasebook* • Iran • Israel & Palestinian Territories • Israel & Palestinian Territories *travel atlas* • Istanbul *city guide* • Jerusalem • Jordan & Syria • Jordan, Syria & Lebanon *travel atlas* • Middle East • Turkey • Turkish *phrasebook* • Turkey *travel atlas* • Yemen

OCÉAN INDIEN

Madagascar & Comoros • Maldives & the Islands of the East Indian Ocean • Mauritius, Réunion & Seychelles

SOUS-CONTINENT INDIEN

Bangladesh • Bengali *phrasebook* • Delhi *city guide* • Goa • Hindi/Urdu *phrasebook* • India • India & Bangladesh *travel atlas* • Indian Himalaya • Karakoram Highway • Nepal • Nepali *phrasebook* • Pakistan • Rajastan • Sri Lanka • Sri Lanka *phrasebook* • Trekking in the Indian Himalaya • Trekking in the Karakoram & Hindukush • Trekking in the Nepal Himalaya

ASIE DU SUD-EST

Bali & Lombok • Bangkok *city guide* • Burmese *phrasebook* • Cambodia • Ho Chi Minh City *city guide* • Indonesia • Indonesian *phrasebook* • Indonesian *audio pack* • Jakarta *city guide* • Java • Lao *phrasebook* • Laos • Laos *travel atlas* • Malay *phrasebook* • Malaysia, Singapore & Brunei • Myanmar (Burma) • Philippines • Pilipino *phrasebook* • Singapore *city guide* • South-East Asia *on a shoestring* • South-East Asia *phrase book* • Thai *phrasebook* • Thai *audio pack* • Thai Hill Tribes *phrasebook* • Thailand • Thailand's Islands & Beaches • Thailand *travel atlas* • Vietnam • Vietnamese *phrasebook* • Vietnam *travel atlas*

AUSTRALIE ET PACIFIQUE

Australia • Australian *phrasebook* • Bushwalking in Australia • Bushwalking in Papua New Guinea • Fiji • Fijian *phrasebook* • Islands of Australia's Great Barrier Reef • Melbourne *city guide* • Micronesia • New Caledonia • New South Wales & the ACT • New Zealand • Northern Territory • Outback Australia • Papua New Guinea • Papua New Guinea (Pidgin) *phrasebook* • Queensland • Rarotonga & the Cook Islands • Samoa: American & Western • Solomon Islands • South Australia • Sydney *city guide* • Tahiti & French Polynesia • Tasmania • Tonga • Tramping in New Zealand • Vanuatu • Victoria • Western Australia

ÉGALEMENT DISPONIBLE

Travel with Children • Traveller's Tales

L'HISTOIRE DE LONELY PLANET

Maureen et Tony Wheeler, de retour d'un périple qui les avait menés de l'Angleterre à l'Australie par le bateau, le bus, la voiture, le stop et le train, s'entendirent demander mille fois : "Comment avez-vous fait ?".

C'est pour répondre à cette question qu'ils publient en 1973 le premier guide Lonely Planet. Écrit et illustré sur un coin de table, agrafé à la main, *Across Asia on the Cheap* devient vite un best-seller qui ne tarde pas à inspirer un nouvel ouvrage.

En effet, après dix-huit mois passés en Asie du Sud-Est, Tony et Maureen écrivent dans un petit hôtel chinois de Singapour leur deuxième guide, *South-East Asia on a shoestring.*

Très vite rebaptisé la "Bible jaune", il conquiert les voyageurs du monde entier et s'impose comme LE guide sur cette destination. Vendu à plus de cinq cent mille exemplaires, il en est à sa neuvième édition, toujours sous sa couverture jaune, désormais familière.

Lonely Planet dispose aujourd'hui de plus de 240 titres en anglais. Des traditionnels guides de voyage aux ouvrages sur la randonnée, en passant par les manuels de conversation, les travel atlas et la littérature de voyage, la collection est très diversifiée. Lonely Planet est désormais le plus important éditeur de guides de voyage indépendant de par le monde.

Les ouvrages, à l'origine spécialisés sur l'Asie, couvrent aujourd'hui la plupart des régions du monde : Pacifique, Amérique du Nord, Amérique latine, Afrique, Moyen-Orient et Europe. Ils sont essentiellement destinés au voyageur épris d'indépendance.

Tony et Maureen Wheeler continuent de prendre leur bâton de pèlerin plusieurs mois par an. Ils interviennent régulièrement dans la rédaction et la mise à jour des guides et veillent à leur qualité.

Le tandem s'est considérablement étoffé. Aujourd'hui, la galaxie Lonely Planet se compose de plus de 70 auteurs et 170 employés, répartis dans les bureaux de Melbourne (Australie), Oakland (États-Unis), Londres (Royaume-Uni) et Paris. Les voyageurs eux-mêmes, à travers les milliers de lettres qu'ils nous adressent annuellement et les connections à notre site Internet, apportent également leur pierre à l'édifice.

L'équipe de Lonely Planet est convaincue que les voyageurs peuvent avoir un impact positif sur les pays qu'ils visitent, non seulement par leurs dépenses sur place, mais aussi parce qu'ils en apprécient le patrimoine culturel et les richesses naturelles.

Par ailleurs, en tant qu'entreprise, Lonely Planet s'implique financièrement dans les pays dont parlent ses ouvrages. Ainsi, depuis 1986, une partie des bénéfices est versée à des organisations humanitaires et caritatives qui œuvrent en Afrique, en Inde et en Amérique centrale.

La philosophie de Tony Wheeler tient en ces lignes : "J'espère que nos guides promeuvent un tourisme responsable. Quand on voyage, on prend conscience de l'incroyable diversité du monde. Nos ouvrages sont, certes, des guides de voyage, mais n'ont pas vocation à guider, au sens littéral du terme. Notre seule ambition est d'aiguiser la curiosité des voyageurs et d'ouvrir des pistes."

LONELY PLANET PUBLICATIONS

Australie
PO Box 617, Hawthorn,
3122 Victoria
☎ (03) 9 9819 1877 ; Fax (03) 9 9819 6459
e-mail : talk2us@lonelyplanet.com.au

États-Unis
150 Linden Street,
Oakland CA 94607
☎ (510) 893 8555 ; Fax (510) 893 8563
N° Vert : 800 275-8555
e-mail : info@lonelyplanet.com

Royaume-Uni et Irlande
Spring House, 10 A Spring Place,
London NW5 3BH
☎ (0171) 728 48 00 ; Fax (0171) 428 48 28
e-mail : go@lonelyplanet.co.uk

France
71 bis, rue du Cardinal-Lemoine,
75005 Paris
☎ 01 44 32 06 20 ; Fax 01 46 34 72 55
e-mail : bip@lonelyplanet.fr
Minitel 3615 lonelyplanet (1,29 FF/mn)

World Wide Web : http://www.lonelyplanet.com.au